中华传世藏书

續資治通鑒

［清］畢 沅◎著

線裝書局

续资治通鉴卷第六十三

【原文】

宋纪六十三　起旃蒙大荒落【乙巳】正月,尽十二月,凡一年。

英宗体乾应历隆功盛德　宪文肃武睿圣宣孝皇帝

治平二年　辽咸雍元年【乙巳,1065】　春,正月,辛酉朔,辽群臣上辽主尊号曰圣文神武全功大略广智聪仁睿孝天祐皇帝,改元咸雍,大赦。册梁王浚为皇太子;百官赐级有差。

甲子,辽主如鱼儿泺。

始,朝廷遣王无忌赍诏责夏国主谅祚,谅祚迁延弗受诏,而因其贺正使荔茂先附表自言起兵之由,归罪于边吏,辞多非实。丁卯,复以诏戒其侵扰,谅祚终弗听。

以编排中书诸房文字王广渊直集贤院。帝在藩邸,广渊因帝左右时君卿献其所为文及书札,故有是命。知谏院司马光言:"广渊虽薄有文艺,其馀更无所长,于士大夫间,好奔竞,善进取,称为第一。乡以初任通判,排编中书文字,二年之间,堂除知舒州,荐绅已相与指目为侥幸;今既留不行,又骤加美职,安得不取外朝怪惑!陛下方莅政之初,欲简拔天下贤才,置诸不次之位,以率厉群臣,而执事之臣不能称陛下之意。前此用皮公弼权发遣三司判官,今又用广渊直集贤院,将何以使天下之人尚廉耻之节,崇敦厚之风乎!"光凡再论列,讫不报。

癸酉,参知政事欧阳修言:"谅祚猖狂,渐违誓约,御备之计,先在择人。而自庆历罢兵以来,当时经用旧人,唯户部侍郎致仕孙沔尚在。沔守环庆,养练士卒,招抚蕃夷,恩信最著。今虽七十,闻其心力不衰,飞鹰走马,尚如平日。虽中间曾以罪废,然弃瑕收使,正是用人之术。欲乞朝廷察访,特加奖用,庶可备一方之寄。"诏以沔为资政殿学士、知河中府。

礼院奏:"请自今,文武臣薨卒当辍朝者,皆辍闻丧之明日。"从之。

丁丑,赐许、蔡二州钱钞十万贯,令和籴以救饥民,仍命驾部员外郎李希逸提举。

壬午,命供备库副使孟渊等十九人往开封府界及京东、西、淮南路募兵。司马光言:"国家患在兵不精,不患不多。夫兵少而精,则衣粮易供,公私充足,一人可以当十,遇敌必能取胜;多而不精,则衣粮难赡,公私困匮,十人不足当一,遇敌必致败亡。此利害之明如白黑,不为难知也。边鄙之臣,无它材略,但求添兵。在朝之臣,又恐所给之兵不副所求,它日边事或败,归咎于己。是以不顾国家之匮乏,只知召募,取其虚数,不论疲软无所施用。此群臣容身保(立)〔位〕,苟且目前之术,非为朝廷深谋远虑,经久之画也。臣愿陛下速降指挥,应在京及诸路,并宜罢招禁军,但选择将帅,训练旧有之兵,以备御四夷,不患不足。其灾伤之处,州县不得妄招饥民以充厢军。但据所有斗斛,救济农民,俟向后稍丰,使各复旧业,则天下幸甚！"

甲申，以太常博士、集贤校理邵亢为直史馆、颍王府翊善、同判司农寺，令于皇子两位供职。帝尝召对群玉殿，访以世务，曰："学士真国器也！"

庚寅，辽命群臣，遇正旦及重午、冬至，别表贺东宫。

二月，辛丑，以三司使、给事中蔡襄为端明殿学士、礼部侍郎、知杭州。初，帝自濮邸立为皇子，中外无间言。既即位，以服药故，皇太后垂帘听政，宦官、宫妾争相荧惑，并谓近臣中亦有异议者，外人遂云襄尝有论议，然莫知虚实。帝闻而疑之，数问襄如何人。一日，因其请朝假，变色谓中书曰："三司掌天下钱谷，事务繁多，而襄十日之中，在假者四五，何不别用人！"韩琦等共奏："三司事无缺失，罢之无名。今更求一材识名望过襄者亦未有。"欧阳修又奏："襄母年八十余，多病。襄但请朝假，不赴起居耳，日高后即入省，亦不废事。"然每奏事，语及三司，帝未尝不变色。

及谅祚攻扰泾原，帝遂督中书，以边事将兴，军须未备，三司当早择人。琦等初尚救解，继知帝意不回，因奏待襄陈乞，可以除移。初，传者多端，或云帝入宫后亲见奏牍。至是因襄请罢，琦遂质于帝，帝曰："内中不见文字，然在庆宁即已闻之。"琦曰："事出暧昧，虚实未明，乞更审察。苟令襄以飞语获罪，则今后小人可以倾陷，善人难立矣。"曾公亮曰："京师从来喜为谤议，一人造虚，众人（傅）〔传〕之，便以为实。前世以疑似之言害陷忠良者，非惟臣下被祸，兼与国家为患。"修曰："陛下以为此事果有否？"帝曰："虽不见其文字，亦安能保其必无？"修曰："疑似之谤，不唯无迹可寻；就令迹状分明，犹须更辨真伪。先朝夏竦欲害富弼，令其婢学石介字体，久之学成，乃伪作介为弼撰废立诏草，赖仁宗圣明，弼得保全。臣至和初免丧至阙下，小人有嫉忌臣者，伪撰臣乞沙汰内官奏稿，传布中外，内臣无不切齿，亦赖仁宗保全至今。以此而言，就令有文字，犹须更辨真伪，况无迹状邪！"琦及公亮又各进说。帝曰："告谤者因何不及它人？"遂命襄出守。以龙图阁学士、工部侍郎吕公弼权三司使。

至和初，公弼为群牧使，帝在藩邸，尝得赐马，给使吏以马不善，求易之，公弼曰："此朝廷近亲，且有素望，宜避嫌，不可许。"至是公弼奏事，帝曰："朕往在宫中，卿不欲与朕易马，是时朕固已知卿矣。"公弼顿首谢。帝又曰："卿继蔡襄为使，襄主计，诉讼不以时决，颇多留事，卿何以处之？"公弼知帝不悦襄，对曰："襄勤于事，未尝有旷失，恐言者妄耳。"帝益以公弼为长者。

癸卯，枢密副使王畴卒。帝临奠，赐白金二千两，赠兵部尚书，谥忠简。

丙午，降陕西转运使、光禄卿陈述古为少府监、知忻州，坐权知渭州日擅移泾原副总管刘（幾）〔几〕权知凤翔，并劾（幾）〔几〕罪，按问多失实故也。

赐礼部奏合格进士、明经、诸科鄱阳彭汝砺等三百六十一人及第、出身。

丁未，录囚。

丁巳，翰林学士王珪等奏："准诏详定礼院及同知礼院吕夏卿褅祫异议，请如礼院所议，今年十月祫，明年四月褅；如夏卿所议，罢今年腊祭。"从之。

以翰林学士、中书舍人贾黯为给事中、权御史中丞。周孟阳、王广渊以藩邸之旧，数召对，黯言："俊乂满朝，未有一被召者，独召亲旧一二人，示天下以不广。请如太宗故事，召侍从、馆阁之臣以备顾问。"帝尝从容谓黯曰："朕欲用人，少可任者？"黯对："天下未尝乏人，顾所用如何耳。"退而上五事：一知人之明；二养育以渐；三材不求备；四以类荐举；五择取自代。

以礼部郎中兼御史知杂事龚鼎臣为集贤殿修撰、知应天府。初，鼎臣为宰相韩琦所善，翰林学士吴奎欲举御史，贾黯不肯，奎争不能得，乃止。既而以都官员外郎换起居舍人、知谏院，遂知杂事；在言职，少建白，至是出之。其后帝欲用王广渊为谏官，曰："近岁谏官、御史多不职，如龚鼎臣，乃未尝言事也。"

己未，起复前礼部侍郎、枢密副使吴奎领故官职，奎固辞，不许；遣其子大理评事璟奉表恳辞。帝意必起之，韩琦曰："近年两府大臣文彦博、贾昌朝、富弼各乞终丧，奎必不肯起。"欧阳修曰："若边境有急，金革从事，则不容免。"帝曰："方此西边未宁，奎何自遂其私邪？"乃召璟于延和殿面谕，赍诏赐奎。奎终辞，帝许之。诏月给俸钱之半，固辞不受。

三月，丁卯，诏贡院："经殿试进士五举，诸科六举，经省试进士六举，诸科七举，今不合格而年五十以上者，第其所试为三等以闻。"乃以进士孙京等七人为试将作监主簿，馀三十八人为州长史、司马、文学。

帝初即位，命殿中丞、判司天监周琮等作新历，三年而成。琮言《崇天历》气节加时后天半日，五星之行差半次，日食之候差十刻。既而中官正舒易简为监生石道、李遘更陈家学，于是诏翰林学士范镇、诸王府侍讲孙思恭、国子监直讲刘放考定是非，上推《尚书》辰弗集于房与《春秋》之日食，参今历之所候。而易简、道、遘等所学疏阔不可用，新术为密，乃赐名《明天历》，琮等各迁两官。其后《明天历》亦不可用，琮等皆夺所迁官。

辛未，新除侍御史知杂事吕诲，以尝言中丞贾黯过失辞职，黯奏曰："诲初得御史，乃臣与孙抃等五人荐举。臣等知其为人方正谨厚，今兹擢用，甚允众望。臣与共事，必能协济，伏望趣令就职。"诏以谕诲，诲遂受命。因言："历代设耳目之官，以辅人主之不逮，凡事宜辨论是非，稍涉欺妄，当行重责，不当置其言而不用，使之沮辱。在贤者则死而后已，不贤者翻然以思，动为身谋，悠悠皆是矣。假如朝廷之事，台谏官不得预闻，及其政令既下，方始得知，比正其所失，则曰已行之命难以追改。是执政之臣常是取胜，耳目之官与不设同也。又闻近日臣僚建议，以先帝临政，信任台谏官，所陈已行之事多有追夺，欲陛下矫先帝之为，凡事坚执不可易。行一缪令，进一匪人，倡言于外，曰出自清衷，人必不敢动摇。果有之，是欲室塞圣聪，使拒谏遂非，岂公忠爱君之人哉？臣尝亲奉德音，指缄默者甚众，然终不闻有所诫厉。窃谓陛下好问过于虞舜，但未尝察其言耳；求治有如汉宣，但未尝责其实耳。臣既未得去，敢不以言责自任。望陛下既问之当察其言，既用之当责其实，无俾左右蔽惑聪明，言事之官时有惩劝，则人无苟且，职事皆举矣。"

辛巳，翰林学士王珪奏："权御史中丞贾黯，前以学士同修撰《仁宗实录》，自领台宪，不复入院，望令仍旧供职。"从之。

壬午，礼院奏："近依国朝故事，详定仁宗大祥变除服制，以三月二十九日祥，六月二十九日禫除，至七月一日从吉，已蒙降敕。臣等谨按礼学，王肃以二十五月为毕丧，而郑康成以二十七月。《通典》用康成之说，又加至二十七日终，则是二十八月毕丧，而二十九月始从吉，益失之也。天圣中，更定五服年月，敕断以二十七月，今士庶所同遵用。夫三年之丧，自天子达于庶人，不宜有异。请以三月二十九日为大祥，五月择日而禫，六月一日从吉。"从之。

丁亥，辽以知兴中府杨绩复知枢密院事。

己丑，赐越州上虞县朱回女家绢三十匹，米二十斛。朱母早亡，养于祖媪，方十岁。里中朱颜与媪竞，持刀欲杀媪，一家惊溃，独朱号呼突前，拥蔽其媪，手挽颜衣，以身下坠颜刀，曰：

"宁杀我,毋杀媪也!"媪以故得脱。朱连被数十刀,犹手挽颜衣不释,颜忿恚,断其喉以死。事闻,故有是赐。

帝尝问辅臣:"天下金谷几何?"韩琦等俱以对。因问:"冗兵之费,倍于曩时,何也?"欧阳修曰:"自西事以来,边臣广为守备,既增置军额,则岁费益多。"又问:"祖宗绥怀如此,尚有倔强者。"琦曰:"国家意在息民,务示大体,含容之耳。"

知制诰祖无择言中书省不当在东,乞与门下省对移,从之。

夏,四月,辛卯,辽以知枢密院事张嗣复有疾,改知兴中府。

戊戌,诏礼官及待制以上议崇奉濮安懿王典礼以闻,宰臣韩琦等以元年五月奏进呈故也。

庚子,辽主清暑于特古里。

辛丑,诏:"监司、知州岁荐所部吏,务在得人,不必充所限之数。"

先是御史中丞贾黯言:"今京朝官至卿监凡二千八百馀员,而吏部奏举磨勘选人未引见者至二百五十馀人。臣不敢远引前载,且以先朝事较之。方天圣中,法尚简,选人以四考改官,诸路使者荐部吏数未有限,而在京台阁及常参官尝任知州、通判,虽非部吏皆得荐,时磨勘改官者岁才数十人。后资考颇增,而知州荐吏,视属邑多少裁定其数。又,常参官不许荐士,其条约比天圣渐繁,而改官者固已众矣。然磨勘应格者,犹不越旬日引对,未有待次者。皇祐中,始限监司奏举之数,其法益密,而磨勘待次者已不减六七十人。皇祐及今,才十年耳,而猥多至于三倍。向也法疏而其数省,今也法密而其数增,此何故哉?正在荐吏者岁限定员,务充数而已。如一郡之守,岁许荐五人,而岁终不满其数,则人人以为遗,当举者避谤畏讥,欲止不敢,此荐者所以多,而真才实廉未免恩于无能也。谓宜明诏天下,使有人则荐,不必满所限之数。"帝纳其言,故降是诏。

丙午,奉安仁宗御容于景灵宫孝严殿。

五月,癸亥,以资政殿学士、礼部侍郎、知太原府陈旭为枢密副使。

吕诲言:"先朝任陈旭时,臣与唐介、范师道、赵抃、王陶言其奸邪,不当置于二府,封章交上,丑迹皆著。而外则近臣主张,内则宦官引援,韩琦极力为地,富弼依违不决,凡论列半年,旭出知定州,臣等谪斥江外。事既两罢,曲直不断,人言沸腾。近崇政殿奏对,承奉德音,谓旭有才,人或言其奸邪者,不数日,遽闻除命。岂有中外言其奸邪,明哲知而复用!臣窃谓大臣极力引荐,陛下不得已而用之耳。唯冀清衷更赐沉虑,旭之进退,系于宸断。"

以兵部员外郎、秘阁校理蔡抗兼起居舍人、充史馆修撰、同知谏院。抗初为睦亲宅讲书,出入宫邸,不受馈遗。帝器重之,请于濮安懿王,愿得与游。每见必衣冠尽礼,义兼师友。及亲政,即问抗安在。抗时为广东转运使,亟召判都理欠凭由司。抗未至,帝每见奉使南来者,辄问之。及入对,留语日旰,曰:"卿乃朕故人,朕望于卿者厚,勿以常礼自疏也。"居数月,遂有是命。

以翰林学士、权知开封府冯京为陕西安抚使,代陈旭也。

戊辰,诏曰:"朕蒙先帝遗烈,嘉与公卿大夫厉精为治。属天下承平日久,内外因循,惰职者众,未闻推利及民,尽心忧国者也。徒累积岁月以幸其进,又沽饰名誉以徼所知,其可道者,亦不过务在簿书期会之间,朕何望焉!夫缄默苟简者弗惩,则端良敏济者亡以劝。朕持赏罚之大公,固将必行之。百执事其易虑孜孜,各修厥职以称朕意。"

辛未，以东上阁门使刘几知鄜州。几初权泾原副都总管，与陈述古交讼，既罢，而代几者遂发几过用公使钱，诏几赴永兴军听劾。权御史中丞贾黯言："国家任用将帅，当责以御边捍寇之效，细故小恶，皆宜略之，则可以得其死力。太祖时，天下未定，李汉超等一十四人分捍三边，皆十数年不易，举其州征榷之利，皆以与之，仍听其贸易，免所过征税，军士无小大皆许便宜，以故汉超等得成功名，而二十年间无西北之忧。庆历中，陕西用兵，颇失此术，边臣用公使钱微有过，则为法吏绳以深文，如尹洙、张亢、滕宗谅是也。今西戎叛扰，陛下方当以恩威御诸将，所宜思太祖之得人，而惩近事之失体。如几者，苟无大过，愿赦而不问。"帝纳其言，故有是命。

丙子，贾黯奏："近者皇子封拜，并除检校太傅。按官仪，太师、太傅、太保，是为三师，子为父师，于义不可，前世因循，失于厘正。请自今，皇子及宗室属卑者，皆毋兼师、傅官，随其迁序，改授三公。"下两制议，请如黯奏。而中书亦谓："自唐以来，亲王无兼师、傅者，国朝以三师、三公皆虚名，故因而授之，宜正其失。"诏可，且令已受命者，异时加恩改授。

辛巳，夏遣使贡于辽。

甲申，命宰相韩琦、曾公亮权兼枢密院公事，富弼在告故也。弼自去冬以足疾卧家，至是章二十馀上，乞补外郡，帝终不许。

丙戌，枢密院编《机要文字》九百八十一册以进，赏执事者有差。

六月，辛卯，以江东转运判官、屯田员外郎范纯仁为殿中侍御史，太常博士、权发遣盐铁判官吕大防为监察御史里行。近制，御史有阙，则命翰林学士、御史中丞、知杂事迭举二人，而帝自择取一人为之。至是阙两员，举者未上，内出纯仁、大防名而命之。大防，蓝田人也。大防首言："纲纪赏罚未厌四方之望者有五：进用人臣而权不归上，大臣疲老而不得许退，夷狄骄蹇而不择将帅，议论之臣裨益阙失而大臣沮之，疆场左右之臣败事而被赏、举职而获罪者。"又论："富弼病足，请解机务，章十数上而不纳；张昪年几八十，乞骸骨而不从；吴奎有三年之丧，召其子而呼之者再，遣使而召之者又再；程戡辞老不堪边任，亦不许。窃以为陛下欲尽君臣之分，使病者得休，丧者得终，老者得尽其馀年，则进退以礼，亦何必过为虚饰，使四人之诚不得自达邪！"

癸巳，群臣表请听乐，弗许；五上表，乃许之。

初，绛州团练使杨遂为新城巡检，救濮王宫火，帝识其面目。于是侍卫司阙帅，帝首出遂姓名，擢登州团练使、步军都虞候。

己亥，诏："自今三司久任判官，不得别举职任。"

壬寅，提举在京诸司库务王珪等奏都官郎中许遵编修提举司并三司类例一百三十册，诏行之，以《在京诸司库务条式》为名。遵，泗州人也。

己酉，以庄宅使张利一为皇城使、知雄州兼河北沿边安抚使，代皇城使李中祐也。以中祐权定州路总管。

司马光言："近闻契丹之民，有于界河捕鱼及于白沟之南剪伐柳栽者，此乃边鄙小事，何足介意！而朝廷以前知雄州李中祐不能禁御，另选州将以代之。臣恐新将之至，必以中祐为戒，而妄杀彼民，则战斗之端，往来无穷矣。望陛下严戒北边将吏，如渔船、柳栽之类，止可以文牒整会，道理晓谕，使其官司自行禁约，不可以矢刃相加。若再三晓谕不听，则闻于朝廷，专遣使臣至其王庭，与之辨论曲直，亦无伤也。若又不听，则莫若博求贤才，增修政事，待公私富足,士马精强,然后奉辞以讨,复汉、唐之土宇,与其争渔柳之胜负,不亦远哉!"

命试校书郎孙侔、试将作监主簿常秩、前亳州卫真县主簿王回皆为忠武军节度使推官;侔知来安县,秩知长社县,回知南顿县。侔等皆以文行知名,为知制诰沈遘、王陶等所荐。命下而回卒,侔、秩皆辞不赴。

初,议崇奉濮安懿王典礼,翰林学士王珪等相顾莫敢先。天章阁待制司马光独奋笔立议,议成,珪即敕吏以光手稿为案。其议曰:"谨按《仪礼》,为人后者为之子,不敢复顾私亲。圣人制礼,尊无二上,若恭爱之心分施于彼,则不得专壹于此故也。是以秦、汉以来,帝王有自旁支入承大统者,或推尊父母以为帝、后,皆见非当时,贻讥后世。况前代之入继者,多于宫车晏驾之后,援立之策,或出母后,或出臣下,非如仁宗皇帝年龄未衰,深惟宗庙之重,祗承天地之意,于宗室中简拔圣明,授以大业。濮安懿王虽于陛下有天性之亲,顾复之恩,然陛下所以负扆端冕,富有四海,子子孙孙万世相承者,皆先帝之德也。臣等窃谓今日所以崇奉濮安懿王典礼,宜准先朝封赠期亲尊属故事,高官大国,极其尊崇。谯国、襄国太夫人、仙游县君,亦改封大国太夫人。考之古今,实为宜称。"议上,中书奏王珪等议,未见详定濮王当称何亲,名与不名。

于是珪等议:"濮王于仁宗为兄,于皇帝宜称皇伯而不名,如楚王、泾王故事。"时议者或欲称皇伯考,天章阁待制吕公著曰:"真宗以太祖为皇伯考,非可加于濮王也。"

中书又奏:"按《仪礼》:'为人后者为其父母(报)〔服〕。'及按令文与《五服年月敕》,并云'为人后者为其所后父母斩衰三年,为人后者为其父母齐衰期。'即出继之子于所继、所生父母皆称父母。又,汉宣帝、光武,皆称其父为皇考。今王珪等议称皇伯,于典礼未见明据。请下尚书省,集三省、御史台官议。"诏从之。

执政意朝士必有迎合者,而台谏皆是王珪等,议论汹汹,未及上。太后闻之,辛亥,内出手书切责韩琦等,以不当议称皇考。而琦等奏:"太后以珪等议称皇伯为无稽,且欲缓其事,须太后意解。"甲寅,降诏罢尚书省集议,令有司博求典故,务合礼经以闻。

翰林学士范镇,时判太常寺,(卿)〔即〕率礼官上言:"汉宣帝于昭帝为孙,光武于平帝为祖,则其父容可以称皇考,然议者犹或非之,谓其以小宗而合大宗之统也。今陛下既考仁宗,又考濮安懿王,则其失非特汉宣、光武之比矣。凡称帝若皇若皇考,立寝庙,论昭穆,皆非是。"因具列《仪礼》及《汉书》论议、魏明帝诏为五篇,奏之。执政得奏,怒,召镇责曰:"诏书云当令检详,奈何遽列上邪?"镇曰:"有司得诏书,不敢稽留,即以闻,乃其职也,奈何更以为罪乎!"

于是台官自中丞贾黯以下各有奏,乞早从王珪等议。侍御史知杂事吕诲言:"朝廷既知议论不一,当辨正是非,参合众意,明所适从,岂可事未有定,遽罢集议,还付所司!诏命反复,非所以示至公于天下也。汉宣、光武皆称父为皇考者,二帝上承本宗,皆非旁继,与今事体略不相类。据王珪等议,濮安懿王于仁宗皇帝,其属为兄,于皇帝合称皇伯而不名,于礼得矣。及引元佐、元俨称皇兄、皇叔之类,皆本朝典礼,安得谓之无据!窃原敕意,直欲加濮安懿王为皇考,与仁庙同称,此事非出清衷,必佞臣建白,苟悦圣情。二三辅臣不能为陛下开陈正论,又将启其间隙,违背礼义,惑乱人情,忘先帝之眷荷,陷陛下于非正,得为忠乎?伏望陛下别降诏旨,以王珪等议为定,取前后所献不一之论,尽降出外,辨正是非,明其有罪,置之于法,可以涣释群疑,杜绝邪论。"诲前后三奏,皆留中不行。

司马光言：“政府言‘《仪礼》、令文、《五服年月敕》，皆云为人后者为其父母，即出继之子于所生皆称父母。’臣按礼法，必须指事立文，使人晓解。今欲言为人后者为其父母之服，若不谓之父母，不知如何立文？此乃政府欺罔天下之人，谓其皆不识文理也。又言‘汉宣帝、光武皆称其父为皇考。’臣按宣帝承昭帝之后，以孙继祖，故尊其父为皇考，而不敢尊其祖为皇祖考，以其与昭穆同故也。光武起布衣，诛王莽，亲冒矢石以得天下，名为中兴，其实创业，虽自立七庙，犹非太过，但称皇考，其谦损甚矣。今陛下亲为仁宗之子以承大业，《传》曰：‘国无二君，家无二尊。’若使尊濮王为皇考，则置仁宗于何地乎？政府前以二帝不加尊号于其父祖，引以为法则可矣；今谓皇考之名亦可施于今日，则事恐不侔。设使仁宗尚御天下，濮王亦万福，当是之时，命陛下为皇子，则不知谓濮王为父为伯？若先帝在则称伯，殁则称父，臣计陛下必不为此也。以此言之，濮王当称皇伯，又何疑焉？愿陛下上稽古典，下顺众志，以礼崇奉濮安懿王，如硅等所议。”

枢密使、户部尚书、同平章事富弼，累上章以疾求罢，至二十馀上，帝固欲留之，不可。秋，七月，癸亥，罢为镇海节度使、同平章事、判河阳。初除仆射及使相，弼八上章，乞以本官出守，不从。将行，又乞罢使相或仆射一官，许罢仆射而改制焉。

丙寅，诏曰：“事有先后，故制有隆杀；礼有重轻，故用有丰约。凡郊庙所以奉天地祖宗者，宜如故事；若乘舆服御之费，其务减省。”

丙子，放宫女百八十人。

辽主以太后射获熊，常赉百官有差。

丁丑，太白昼见。

戊寅，观文殿大学士、尚书左丞贾昌朝卒。帝幸其宅奠之，赠司空兼侍中，谥曰文元。御篆墓碑曰“大儒元老之碑”。昌朝在侍从，多得名誉；及执政，以结宫人、宦官，数为谏官御史所攻云。

己卯，群臣上尊号曰体乾膺历文武睿孝皇帝，诏答不允。

庚辰，以淮南节度使兼侍中文彦博为枢密使。初，彦博自河南入见，帝谓曰：“朕在此位，卿之力也。”彦博对曰：“陛下登储纂极，乃先帝圣意，皇太后协赞之功，臣何与焉！”帝曰：“备闻始议，卿于朕有恩。”彦博逊避不敢当。帝曰：“暂烦西行，即召还矣。”彦博行未至永兴，亟有是命，又遣中使促之。

枢密使、吏部侍郎张昇罢为彰信节度使、平章事、判许州。昇久在病告，求罢，凡七上章，乃得请。

先是韩琦、曾公亮欲(遣)〔迁〕欧阳修为枢密使，将进拟，不以告修。修觉其意，谓两人曰：“今天子谅阴，母后垂帘，而二三大臣自相位置，何以示天下！”两人服其言，遂止。及昇去位，帝遂欲用修，修又力辞不拜。

辛巳，以权三司使、龙图阁学士、工部侍郎吕公弼为枢密副使。公弼上言：“谏官、御史，耳目之官，比来言事罕见采用，非所以达四聪也。陛下当以政事责成大臣，而委视听于台谏，非其人则黜之。如此，则言路通而视听广矣。”

以端明殿学士、知成都府韩绛权知开封府，寻迁三司使。绛在成都凡再岁。始，张咏镇蜀时，春粜米，秋粜盐，官给券，以惠贫弱。岁久，券皆转入富室。绛削除旧籍，召贫民别予券，且令三岁视贫富辄易之，豪右不得逞。蜀与夷接，边人伐木境上，数侵争，因下令禁伐木。

又以兵守蚕崖，闭绝蕃部往来就威、茂交易。异时内侍使蜀，(使)〔给〕酒场吏主贸卖，因倍取以资费，绛奏请加禁约，帝敕内侍省著为令，每行必申戒焉。及在三司，又请以川、峡四路田谷输常平仓，而随其事任、道里差次，(结)〔给〕直以平物价。帝叹曰："众方姑息，卿独不徇时邪！"即行之。内诸司吏有干恩泽者，绛执不可，帝曰："朕初不知，当为卿改。"而干者不已，绛执益坚，因为帝言："身犯众怒，惧有飞语。"帝曰："朕在藩邸，颇闻有司以国事为人情。卿所守固善，何惮于谗！"先是宫中所用财费，悉以合同凭由取之，绛请有例者悉付有司，于是三司始得会计。

以知制诰沈遘为龙图阁直学士、权知开封府。遘为人轻俊明敏，通达世务。前知杭州，民或贫不能葬，给以公使钱。嫁孤女数百人。倡优养良家女者，夺归其父母。接遇士大夫，多得其欢心。部吏皆乐倾尽，为之耳目，刺里巷长短，纤悉必知，故事至立断，众莫不骇伏。小民有犯，情稍不善，不问法轻重，辄刺为兵，奸猾屏息。时鞫真卿提点刑狱，欲按其事，移州诘问，遘为稍弛所刺卒，给以公据，复为民。会遘召还，真卿亦罢去，事遂寝。议者以其严比孙沔，然沔虽苛暴，锐于惩恶，至遘，善人亦惧焉。其治开封如治杭，晨起视事，及午事毕，出与宾旧往还，从容谈笑以示有馀，士大夫交称其能。逾月，加龙图阁学士，寻迁翰林学士。以母丧去位，遽卒。

八月，庚寅，大雨。辛卯，地涌水，坏官私庐舍，漂杀人畜不可胜数。帝御崇政殿，宰相而下，朝参者十数人而已。诏开西华门以泄宫中积水，水奔激东殿，侍班班屋皆摧没。

甲午，命盐铁副使杨佐等提举修诸军班营屋，虞部郎中来令孙等八人就赐水死诸军民钱，葬祭其无主者。

乙未，下诏求直言。

司马光疏曰："顷暴雨大至，川泽皆溢，都城摧圮，庐舍覆没殆尽，死于压溺者不可胜纪，此乃非常之大灾。意者陛下于举动循守之间，万一有所未思乎？敢以愚虑言之，盖有三焉：窃惟皇太后保育圣躬，在于襁褓，陛下入承大统，初得疾时，外间传言，皇太后于先帝梓宫前为陛下叩头祈请，额为之伤，此岂可谓无慈爱之心于陛下哉！不幸为谗贼之人交相离间，遂使两宫之情，介然有隙。陛下为人之子，就使皇太后有不慈于陛下，安可校量曲直，遂生忿恨，而于爱恭之心有所不备乎！先帝擢陛下于众人之中，自防御使升为天子，以一后数公主属于陛下，而梓宫在殡，已失皇太后欢心，长公主数人，皆屏居闲宫，希曾省见，此陛下所以失人心之始也。先帝天性宽仁，重违物议，晚年婴疾，厌倦万几，遂以天下之事悉委之两府，取舍黜陟，未必皆当。及陛下即位，皆谓必能收取威福，进贤退愚，使海内廓然立见太平。而陛下益事谦逊，深自晦匿，凡百奏请，不肯与夺，知人之贤不能举，知人之不肖不能退，知事之非不能改，知事之是不能从，大臣专权，甚于先朝，率意差除，无所顾忌，此天下所以重失望也。国家置台谏之官，为天子耳目，防大臣壅蔽。朝廷政事，皆大臣裁定施行，而台谏或以异议干之，陛下当自以圣意察其是非，可行则行，可止则止。今乃复付大臣，彼安肯以己所行为非，以它人所言为是乎！陛下独取拒谏之名，大臣坐得专权之利，四方怀忠之士，皆望风结舌，此天下所以又失望也。愿陛下上稽天意，下顺人心，于此三者，皆留圣意，奉事皇太后，愈加孝谨，务得欢心；诸长公主，时加存抚，无令失所。总揽大柄，勿以假人，选用英俊，循名责实，赏功罚罪，舍小取大，延纳谠言，虚心从善，而皆行以至诚。则人心既悦，天道自和矣。"

吕诲言："《五行志》曰：'简宗庙，废祭祀，水不润下。'乃者濮安懿王一事，始议或将与仁庙比崇，终罢追封，不及燕王之例，礼失中而孝不足，是亦几乎慢也。京房《传》曰：'饥而不损，兹谓大荒，厥灾水。'去冬及春，许、颍等郡大荒。臣谓尚方不急之用，后苑淫巧之作，宜加裁减，以崇俭约，量入制用，正在今日。又曰：'辟遏有德，厥灾水。'盖有德之人壅遏而不用也。今前席详延，无非藩邸之旧，清途进用，皆出权幸之门。忠良之人，宁无体解。古者以功绩举贤，则万化成而瑞应著；后世以毁誉取人，故功业废而灾异至。陛下当翼翼循思，追救其失，庶几消复之理也。"

吕大防言："雨水为患，此阴乘阳之诊。"因陈八事，曰主恩不立，臣权太盛，邪议干正，私恩害公，边寇连谋，盗贼恣行，群情失职，刑罚失平。

丙申，辽以客星犯天庙，命诸路备盗贼，严火禁。

初，议崇濮安懿王，史馆修撰、同知谏院蔡抗引礼为人后之义，指陈切至，涕下被面，帝亦感泣。会京师大水，抗推原咎征，守前说以对，大臣不便之。庚戌，命抗知制诰兼判国子监，罢谏职。

乙卯，诏减定衮冕制度，从同知礼院李育奏也。育，河南人，尝与同列议禁中事。既上，有中人来，问谁为此，同列惧未对，育独前曰："育实为之。"中人即去，事亦寝。

命知制诰宋敏求、韩维同修撰《仁宗实录》。

九月，辛酉，提举编纂礼书、参知政事欧阳修奏已编纂〔礼〕书成百卷；诏以《太常因革礼》为名，赐修等银帛有差。

壬戌，以霖雨罢大宴。司马光言："陛下将有事于南郊，群臣循故事请上尊号，陛下深自抑损，以承天谴，慰众心。望自今，所有群臣上尊号表，皆拒而勿受，仍令更不得上。"光既奏疏，复面有开陈，帝嘉纳之。群臣凡五上表，终不允。

己巳，策制举人。甲戌，以制科入等者著作佐郎范百禄为秘书丞，升一任；前和川县令李清臣为著作佐郎。百禄所对策曰："简宗庙，废祭祀，则水不润下。昔汉孝哀尊共皇而河南颍川大水，孝安尊德皇而京师及郡国二十九大水，孝桓尊崇皇而六郡地裂、水涌、井溢，孝灵尊仁皇而京师大水。异世同验，密如符节。陛下之于濮安懿王，情可以杀而礼不可以加，恩可以断而义不可以隆。礼，为人后者为之子，古者持重大宗，则降其私亲。盖大宗，隆也；小宗，杀也；天地宗庙社稷之祀，重也；门内之期，轻也。宜杀而隆之，宜轻而重之，是悖先王之礼矣。礼悖则人心失，天意暌，此变异所从来也。古之圣帝明王，未尝无过，然而贵乎能改。陛下宜诏有司，勿复议追尊事，第因濮安懿王建国，为之立长，以为嗣王，世世奉祀安懿王，永为一国太祖，则人心悦而天意解，大雨之眚何用禳哉！"百禄，镇从子也。

清臣，安阳人，韩琦妻以其兄之子，欧阳修奇其文，以为似苏轼。试秘阁，考官韩维曰："荀卿氏笔力也。"试文至中书，修迎语曰："清臣不第则缪矣。"发视，如言。及廷对，或谓清臣当以《五行传》对，当复得第一，清臣曰："此《汉书》附会之说，吾不之信。民间岂无疾痛可上者乎！"因言："天地之大，譬如人身，腹心肺腑有所攻塞，则五官不宁。民人生聚，天地之腹心肺腑也；日月星辰，天地之五官也。善止天地之异者，不止其异，止民之疾痛而已。"清臣第竟在次等。

乙亥，辽主如藕丝淀。

丙子，以权御史中丞贾黯为翰林侍读学士、知陈州，从所乞也。先是黯与两制合议，请以濮王为皇伯，执政弗从，数诣中书争论。会大雨水，时黯已被疾，疏言："二三执政建两统贰父之说,故七庙神灵震怒,天降雨水,流杀人民。"于是引疾求去而有是命。后十二日卒,口占遗奏数百言,犹以濮王议为请。赠礼部侍郎。黯修洁自喜,在朝数言事,人称其介直。

以龙图阁直学士、判都水监韩贽知河南府,坐都城内外沟洫久不治故也。

壬午,太白犯南斗。

先是僧官有阙,多因权要请谒内降补人,台谏累有论列。仁宗因著令:"僧官有阙,命两街各选一人,较艺而补。"至是鉴义有缺,中书已下两街选人不上,而内臣陈承礼以宝相院僧庆辅为请,内降令与鉴义,中书执奏不可。欧阳修乃奏曰:"补一僧官至小事,但中书事已施行,而用内降改先朝著令,则是内臣挠朝政,此何可启其渐!"又曰:"宫女近习,自前世常患难制。此小事,不以为意而从之,彼必自张于外,以谓朝政可回,威势不小矣。"帝遽可中书所奏,令依例选试。

冬,十月,丁亥朔,辽主如医巫闾山。

庚寅,以天章阁待制吕公著、司马光为龙图阁直学士兼侍读。

甲午,复以王安石为工部郎中、知制诰,母丧除故也。

己亥,辽以太后射获虎,大宴群臣,命各赋诗。

癸卯,吕诲言:"台谏者,人主之耳目。天圣、景祐间,三院御史五员差出者三人常有二十员;而后益衰减,盖执政者不欲主上闻中外之阙失,然犹不下十数员。今御史台阙中丞者累月,御史五员差出者三人,唯臣与范纯仁、吕大防供职,封章十上,报罢者八九。谏官二员,司马光迁它职,傅尧俞出使北庭。言路壅塞,未有如今日之甚者,臣窃为圣朝羞之!"乙巳,命知制诰邵必权知谏院。

戊申,以权发遣三司开拆司孙永为诸王府侍读,中书编排文字孙固为诸王府侍讲。颍王好学不倦,一日,出新录《韩非子》,属府僚雠校,永曰:"韩非险刻,背《六经》之旨,愿无留意!"王曰:"录备藏书之数,非所好也。"

壬子,以龙图阁直学士兼侍讲卢士宗知青州。士宗入辞,帝谓曰:"朕素知卿忠纯,岂当久处于外!"因命再对;及见,论祖宗之法无数更变。

甲寅,吕公著进所编《仁宗御集》百卷,帝御延和殿,服靴袍观之。

以翰林学士冯京为南郊仪仗使,阙御史中丞故也。即日更命给事中、天章阁待制彭思永权御史中丞。

十一月,庚午,朝享景灵宫。辛未,享太庙。壬申,祀天地于圜丘,以太祖配。大赦。先是百官习仪尚书省,赐酒食,郎官王易知醉饱呕吐,御史前劾失仪。及是宰相韩琦以闻,帝曰:"已赦罪矣。"琦言:"故事,失仪不以赦原。"帝曰:"失仪,薄罚也,然使士大夫以酒食得过,难施面目矣。"卒赦之。

辽耶律伊逊恃宠不法,北院枢密使耶律仁先抑之,为伊逊所忌。十二月,甲午,出仁先为南京留守,改封晋王。仁先至南京,恤孤茕,禁奸慝,边境晏然。议者谓自裕悦休格后,仁先一人而已。

甲辰,夏国主谅祚使人来贺正旦。丁未,使人来贺寿圣节。

司马光言:"近年谅祚虽外遣使人称臣奉贡,而内蓄奸谋,窥伺边境,阴以官爵金帛诱中国不逞之人及熟户蕃部;其违拒不从者,谅祚辄发兵杀掠,弓箭手有住在沿边者,谅祚皆迫逐使入内地。边臣坐视,不能救援,遂使其馀熟户皆畏惮凶威,怨愤中国,人人各有离叛之心。

及朝廷遣使赍问,则谅祚拒而不纳;纵有所答,皆侮慢之辞,朝廷亦隐忍不复致诘。谅祚又数扬虚声以惊动边鄙,而将帅率多懦怯,一路有警,则三路皆耸,尽抽腹内州军下番兵士置在麾下。数月后寂无影响,然后遣来;未及休息,忽闻有警,又复回去。如此往还,疲于道路,讫无是事。臣料谅祚所以依旧遣使称臣奉贡者,一则利于每岁所赐金帛二十馀万,二则利于入京贩易,三则欲朝廷不为之备。其所以诱不逞之人者,欲访中国虚实,平居用为谋主,入寇则用为乡导也。其所以诱胁熟户,迫逐弓箭手者,其意以为客军不足畏,唯熟户、弓箭手生长极边,勇悍善斗,若先事翦去,则边人失其所恃,入寇可以通行无碍也。其所以数扬虚声,惊动边鄙者,欲使中国之兵疲于奔命,耗散诸蓄,公私贫困;既而边吏习以为常,不复设备,然后乘虚入寇也。望明谕中外臣僚,有久历边任或曾经战阵,知军中利害及西戎情伪者,并许上书,择其理道稍长者,从容访问以治兵御戎之策,则处置自得其宜矣。”

郊祀既毕,侍御史知杂事吕诲复申前议,乞早正濮安懿王崇奉之礼,且言:“今佞人进说,惑乱宸听,中书遂非,执守邪论,当有以发明经义,解释群疑。臣欲乞中旨下枢密院及后来进任两制臣僚,同共详定典礼以正是非。久而不决,非所以示至公于天下也。”诲寻进对延和殿,开陈恳切,前后凡七奏,不从。因乞免台职补外,又四奏,亦不从。遂劾韩琦曰:“永昭陵土未干,玉几遗音犹在,乃琦遽欲追崇濮王,使陛下厚所生而薄所继,隆小宗而绝大宗。言者论辨半年,琦犹遂非,不为改正。愿黜居外藩,以慰士论。”

辛亥,辽以南京留守萧惟信为左伊勒希巴。南府宰相萧德以老告归,优诏不许。北府宰相姚景行出为武定军节度使。以汉人行宫都部署耶律良同知南院枢密使事。

【译文】

宋纪六十三　起乙巳年(公元1065年)正月,止十二月,共一年。

治平二年　辽咸雍元年(公元1065年)

春季,正月,辛酉朔(初一),辽国群臣给辽国国主辽道宗上尊号为圣文神武全功大略广智聪仁睿孝天祐皇帝,改年号咸雍,实行全国大赦。册封梁王耶律浚为皇太子;文武百官被赐予不同的加级晋爵。

甲子(初四),辽道宗前往鱼儿泺。

起先,朝廷派王无忌带着英宗诏书去谴责西夏国主毅宗赵谅祚,赵谅祚拖延时间不接受诏书,却让他的贺正使荔茂先附呈表文,自己说明派兵进犯的缘由,将罪责归于边境的官吏,其中多为不实之词。丁卯(初七),英宗又下诏告诫赵谅祚不要侵扰,赵谅祚终究未听从。

以编排中书诸房文字王广渊为直集贤院。英宗在藩王府第时,王广渊借助英宗身边的时君卿呈献自己所撰写的文章和书札,因此才有这项任命。知谏院司马光进言:“王广渊虽然稍有文才,其他方面更无所长,在士大夫之间,喜好奔走争逐,善于钻营,这方面堪称第一。从前他因初任通判,编排中书省的文字,两年之间,被授任舒州知州,士大夫已经互相指出他靠的是侥幸;如今既然滞留不赴任,又突然加官美职,怎能不招致朝外人士惊怪疑惑呢!陛下正当亲政之初,想要选拔天下贤才,破格提拔他们,以督率激励群臣,而办事官员不能使陛下称心如意。在此之前曾让皮公弼担任权发三司判官,如今又任用王广渊为直集贤院,这样将怎能使天下的人崇尚廉耻的节操,重视敦厚的风尚呢!”司马光先后论述了两次,但一直没有得到英宗的答复。

癸西(十二日),参知政事欧阳修上奏说:"赵谅祚猖狂,逐步违背盟约。防备的策略,首先在于选择人才。而自从庆历年间停战以来,当时任用的旧臣,只有已退休的户部侍郎孙沔还在世。孙沔镇守环庆时,培养训练士兵,招抚蕃夷,恩德信义最为著称。现在虽然年已七十,据说他心力不衰,射猎骑马,还和平日一样。虽然这其间他曾因有罪过而被罢免官职,然而不计缺点而收用优点,正是用人的方略。臣想请求朝廷对他进行察访,特别加以奖掖任用,大概可以作为委以一方重任的准备。"于是英宗下诏任命孙沔为资政殿学士、河中府知府。

礼院上奏:"请从现在起,文武大臣去世应当停止朝廷事务的,都要在得到丧报的第二天停朝。"英宗批准。

丁丑(十七日),英宗赐给许、蔡二州钱钞十万贯,令官府收购粮食以赈济饥民,仍命驾部员外郎李希逸负责此事。

壬午(二十二日),英宗命供备库副使孟渊等十九人前往开封府管辖地带和京东、京西、淮南各路招募兵员。司马光进言:"国家的忧患在于兵不精良,不忧虑兵不多。兵少而精,则衣食容易供应,国家与士兵都充裕,可以以一当十:遇到敌人必能取胜;兵多而不精,则衣食难于供应,国家与士兵都困乏,十人抵不上一人,遇到敌人必然败亡。这其中的利害分明得如同白与黑一样,不难知道。边境之臣,没有其他才能谋略,只求增添兵员。在朝之臣,又担心所派去的军队数量不符合边臣的要求,哪天边境战事一旦失败了,就会将罪责归于自己。因此不顾国家经费的匮乏,只知道招募士兵,获得那徒有其名的空数,而不管这些士兵疲软没有一点用处。这是群臣跻身朝廷保住官位,苟且偷安于目前的方法,却不是为朝廷深谋远虑,进行长远的谋划。臣希望陛下赶快下诏,令京城与其他各路,应同时停招禁军,只选择将帅,训练原有的士兵,以作防御四境外族的准备,不必担忧士兵人数不足。在那些受灾地区,州县不得妄自招募饥民来充当厢军。只要依据当地现有的全部粮食,救济农民,等以后年成稍好,便让他们各自恢复农业生产,那么天下就大幸了!"

甲申(二十四日),以太常博士、集贤校理邵亢为直史馆、颍王府翊善、同判司农寺,令他同时在朝廷和颍王府两处供职。英宗曾在群玉殿召他对答,询问他有关朝政的事务,称赞他说:"学士真是国家的杰出人才啊!"

庚寅(三十日),辽国国主辽道宗命令群臣,每逢元旦及端午、冬至,另奏表文祝贺太子。

二月,辛丑(十一日),以三司使、给事中蔡襄为端明殿学士、礼部侍郎、杭州知州。起初,英宗从濮王府第被立为皇子,朝廷内外没有闲言碎语。即位后,因为生病服药的缘故,由皇太后垂帘听政,宦官、宫妾争相以此事来迷惑视听,并说近臣中也有持不同意见的人,宫廷外的人于是传言蔡襄曾经有过议论,然而没有人知晓是假还是真。英宗听说后便怀疑起来,多次询问蔡襄是什么样的人。一天,因为蔡襄请朝假,英宗变了脸色,对中书省大臣说:"三司掌管天下钱粮,事务繁多,而蔡襄十天之中,休假四五天,为什么不另外任用人!"韩琦等人共同奏说:"三司的事务没有什么欠缺过失,没有理由罢免蔡襄。现在另找一位才识名望超过蔡襄的人也没有。"欧阳修又奏说:"蔡襄的母亲八十多岁了,又多病。蔡襄只是请早朝假,不参加问安罢了,太阳升起后就进三司办公,也不误事。"然而臣僚每每奏事,言语涉及三司时,英宗没有不变脸色的。

等到赵谅祚侵扰泾原时,英宗便督促中书省,因边境战事即将爆发,军需尚未齐备,三司应当尽早另选得力的人。韩琦等人起初还在为留住蔡襄而做解释,继而知道英宗不会回心转意,便上奏建议等蔡襄自己提出辞职,然后可以将他调任别的官职。起初,传说纷纭,有的说英宗进宫后亲眼见到了蔡襄的奏文。这时因蔡襄请求罢官,韩琦于是向英宗询问此事,英宗说:"宫内没有见到他的奏文,然而早在庆宁宫时就已经听说了。"韩琦说:"这事有些不明不白,真真假假不清楚,乞请陛下进一步审察。如果让蔡襄因为流言蜚语而获罪,那么今后小人可以肆意诬陷他人,好人就难于立足了。"曾公亮说:"京城中从来就有人喜欢诽谤议论,一人造谣,众人附和,便以为是实情了。前代以似是而非的言论陷害忠良之臣的事件,不仅臣下遭殃,而且也给国家造成灾难。"欧阳修问:"陛下认为真有这一回事吗?"英宗说:"虽然没有见到他的文字,又怎能保证他一定没有这回事呢?"欧阳修说:"似是而非的诽谤,不仅没有踪迹可寻;纵使迹象分明,仍须仔细辨别真伪。先帝朝中夏竦想陷害富弼,让他的婢女学石介的字体,久而久之学得很像了,便伪造石介为富弼撰写的废立诏书草稿,幸赖仁宗圣明,富弼才得保全。臣在至和初年守丧期满来到京城,有妒忌臣的小人,假冒臣的名义撰写乞请淘汰宦官的奏稿,在朝廷内外散布,宦官无不对臣恨得咬牙切齿,也是仰赖仁宗圣明,才保全臣至今。由此推论,就是有文字,还必须进一步辨别真伪,何况是没有迹象呢!"韩琦和曾公亮又各自进谏。英宗说:"诽谤蔡襄的人为什么不对着别人?"于是命蔡襄出朝外任。任命龙图阁学士、工部侍郎吕公弼为权三司使。

至和初年,吕公弼任群牧使,英宗还在王府,曾得到仁宗所赐马匹,服侍的官吏认为马不好,要求调换,吕公弼说:"他是皇帝的近亲,而且平素有声望,应避免嫌疑,不可允许调换。"到现在吕公弼奏事,英宗说:"朕过去在王府,爱卿不想给朕换马,那时朕就已经了解爱卿了。"吕公弼叩头称谢。英宗又说:"爱卿继蔡襄之后任三司使,蔡襄主持财政时,对案件不能及时处理,有很多遗留下来的事务,爱卿怎么处理呢?"吕公弼知道英宗不喜欢蔡襄,回答说:"蔡襄勤于处理政事,不曾有过缺失,恐怕是议论的人乱说吧。"英宗听后更加认为吕公弼是忠厚长者。

癸卯(十三日),枢密副使王畴去世。英宗亲临祭奠,赐银两千两,赠官兵部尚书,谥号忠简。

丙午(十六日),贬降陕西转运使、光禄卿陈述古为少府监、忻州知州,因为他权知渭州时擅自调泾原副总管刘几为凤翔知州,并且弹劾刘几有罪,而审察结果大多失实的缘故。

英宗赐礼部奏报的合格进士、明经、诸科鄱阳彭汝砺等三百六十一人及第、出身。

丁未(十七日),审察记录在押囚犯的罪状。

丁巳(二十七日),翰林学士王珪等人上奏:"遵照陛下诏令详细考定礼院及同知礼院吕夏卿关于禘祭、祫祭的不同意见,请按礼院所建议的,今年十月举行祫祭,明年四月举行禘祭;按吕夏卿所建议的,停止今年年终的腊祭。"英宗同意。

以翰林学士、中书舍人贾黯为给事中、权御史中丞。周孟阳、王广渊因为是英宗在藩王府第时的旧属,多次被英宗召去对答。贾黯进言道:"俊杰满朝,没有一个被召见,只召见一两个亲近的旧僚属,这就向天下显示出陛下不能广泛地征求意见。请按照太宗的旧例,召见侍从和馆阁之臣,以备询问。"英宗曾从容地对贾黯说:"朕想要任用人,但是很少有可以胜任的人。"贾黯回答道:"天下不曾缺少人才,只是看如何使用罢了。"他退下后就上奏了五点建议:一是要有知人之明;二是要逐步地培育人才;三是对人才不求全责备;四是依照一定标准

1333

荐举人才；五是由官员选拔可以取代自己的人才。

以礼部郎中兼御史知杂事龚鼎臣为集贤殿修撰、应天府知府。起初，龚鼎臣为宰相韩琦所器重，翰林学士吴奎想荐举他任御史，贾黯不同意，吴奎力争而未能如愿，就算了。后来龚鼎臣从都官员外郎改任起居舍人、知谏院，兼知杂事；他身居言官职位，却很少提建议，到这时将他调出京城任职。此后英宗想任用王广渊为谏官，说："近年来，谏官、御史大夫不称职，如龚鼎臣，就不曾发表过什么意见。"

己未（二十九日），起用正在守丧的前礼部侍郎、枢密副使吴奎担任原先的官职，吴奎坚决推辞，英宗不同意；吴奎派他的儿子大理评事吴璟献上表文恳切地推辞。英宗的意思是一定要起用吴奎，韩琦说："近年来两府大臣文彦博、贾昌朝、富弼分别请求守满丧期，吴奎一定不肯被起用。"欧阳修说："如果边境有紧急情况，战事发生，那么就不容许他守满丧期了。"英宗说："如今西部边境不得安宁，吴奎为什么如此自顾私情呢？"于是在延和殿召见吴璟，当面宣谕，让他携诏书赐给吴奎。吴奎始终推辞，英宗便允许了。下诏每月供给吴奎一半俸钱，吴奎也坚决推辞不肯接受。

三月，丁卯（初七），英宗诏令贡院："经殿试进士五次，诸科六次，经省试进士六次，诸科七次，现在仍不合格而年岁在五十以上的举子，依据他们的考试情况分为三等上报。"于是命进士孙京等七人为试用的将作监主簿，其余三十八人为州的长史、司马、文学等职。

英宗刚即位时，命殿中丞、判司天监周琮等人制作新历法，历时三年而成。周琮说《崇天历》的节气加时后天半日，五星的运行相差黄道半次，日食的推算差十刻。不久，中官正舒易简与监生石道、李遴相继陈述家传之学，于是英宗下诏令翰林学士范镇、诸王府侍讲孙思恭、国子监直讲刘攽考定其中的是非正误，向上推查《尚书》所说的"日月交会之处不在房星处"与《春秋》所记载的日食现象，参考如今历法所记的时令。结果是舒易简、石道、李遴等人所陈述的家学漏洞百出而不可用，还是新历法周密，英宗便赐周琮所作新法之名为《明天历》，周琮等人各升两级官阶。此后，《明天历》也因有错而不能使用，周琮等人所升的两级官阶都被削夺。

辛未（十一日），新上任的侍御史知杂事吕诲，因曾奏报御史中丞贾黯的过失而辞职。贾黯奏说："吕诲当初任御史，是臣和孙抃等五人荐举的。臣等了解他为人正直谨厚，现在提拔任用他，很符合众人的愿望。臣与他共事，一定能够协作互助，恳切地希望陛下迅速下令让他到任。"英宗告谕吕诲，吕诲于是接受了任命。吕诲乘便进言道："历代都设置充任耳目的官职，以辅佐弥补君主的不足，凡事应辨清是非，稍有欺妄不实，应加以严厉责罚，而不应当将他奏说的意见搁置一边不用，让他感到沮丧受辱。作为贤臣则只能死而后已，作为不贤之臣则会迅速而彻底地改变想法，动辄为自身着想，历史上许多事例都说明了这一点。假如朝廷的事务，台谏官不能事先听说，等到政令已经下达，台谏官方才得知，这时要纠正其中的失误，就会说已经施行的政令难以追回改正。这样执政的大臣常因此而取胜，而耳目之官与没有设置时一样。又听说近来有臣僚提出建议，因为先帝临政时，信任台谏官，台谏官所奏论的已经实施的事多有追回停办的，想让陛下改正先帝的做法，凡是已经实施的事都要坚持去做而不可以改变。实施一个错误的政令，进用一个品行奸邪的人，在外到处宣扬，说是出自陛下清白之心，人们就必定不敢要求更改。如果真有这样的事，那么这是想要蔽塞陛下的视听，使陛下拒绝劝谏而顺从既成事实，这难道是忠于国家爱护君主的人吗？臣曾经亲耳聆听陛下德音,指责台谏官保持缄默不言的很多,然而始终没有听说谁有所告诫劝勉。臣私下认为陛下比起虞舜来更喜欢询问别人的意见,但不曾明察他们的话;像汉宣帝那样寻求天下大治的方略,但不曾责求臣僚的实际成绩。臣既然没有能够辞去职位,怎敢不以进言的职责自任。希望陛下既然询问臣僚就应当明察他们所说的内容,既然采用了所进之言,就应当责求实效,不让身边的臣僚蔽塞迷惑了视听,进言的官员对人时常有所批评与劝勉,那么人们便不会苟且偷安,所任职事就会都做好了。"

辛巳(二十一日),翰林学士王珪上奏:"权御史中丞贾黯,从前以学士身份一同编撰《仁宗实录》,自从主持御史台事务后,不再到翰林院,希望陛下令他仍旧担任修撰之职。"英宗依从此奏。

壬午(二十二日),礼院上奏:"近来依照本朝旧例,详细审定了仁宗驾崩两周年祭礼后除去丧服的礼制,从三月二十九日开始举行祭礼,六月二十九日举行除去丧服的祭礼,到七月一日使用吉服,这已承蒙陛下降旨准行。臣等谨按礼学,王肃主张二十五个月后结束丧期,而郑康成主张二十七个月后结束丧期。《通典》采用郑康成的说法,又加上二十七天终止,那就是二十八月结束丧期,而到二十九个月才开始使用吉服,更加有失丧礼了。天圣年间,改定五种丧服制度的年月,敕令规定为二十七个月,如今士大夫庶民都共同遵照执行。三年的服丧期,从天子到庶民,不应当有所不同。建议以三月二十九日为两周年祭日,五月份选择一天为除去丧服的祭日,六月一日开始穿着吉服。"英宗应允。

丁亥(二十七日),辽国以兴中府知府杨绩再任知枢密院事。

己丑(二十九日),英宗赏赐越州上虞县女子朱回家绢三十匹,米二十斛。朱回的母亲很早就去世了,由祖母抚养,当时年方十岁。乡里中有个叫朱颜的与她祖母发生争执,拿刀想杀她祖母,老人一家吓得到处躲逃,只有朱回呼喊着冲上前去,用身体掩护遮挡着她祖母,手扯住朱颜的衣服,以身体隔下朱颜的刀,说:"宁可杀我,不要杀我祖母!"她祖母因此得以脱身。朱回被连续砍了几十刀,仍然用手拉住朱颜的衣服不松,朱颜愤怒,砍断她的喉咙而将她杀死。英宗得知此事,所以有了这样的赏赐。

英宗曾经询问辅佐大臣:"国家的钱粮有多少?"韩琦等人都做了回答。英宗因而又问:"过分多的军队的费用,比从前多了一倍,是什么原因呢?"欧阳修说:"自从西部边境发生战事以来,边境守臣普遍地进行防备,既然增加了军队数量,那么每年的开支就增多了。"英宗又问:"祖宗安抚关怀到那种程度,也还有倔强不顺的。"韩琦说:"国家的用意在于让百姓休养生息,因此显示出顾全大局,宽容他们而已。"

知制诰祖无择奏称中书省不应设在东边,乞请与门下省对换位置,英宗应允了。

夏季,四月,辛卯(初二),辽国因为知枢密院事张嗣复有病,改任他为兴中府知府。

戊戌(初九),英宗下诏令礼官和待制以上官员商议尊奉濮安懿王的典礼上报,这是因为宰臣韩琦等人在治平元年五月进呈奏章的缘故。

庚子(十一日),辽国国主辽道宗在特古里避暑。

辛丑(十二日),英宗下诏:"监司、知州每年荐举的部下属吏,务必得到胜任职事的人才,不必凑足所限定的人数。"

在此以前,御史中丞贾黯启奏道:"如今京城和朝廷中的官员到卿监的共有二千八百多名,而吏部上奏荐举的经过考核而备选用的人中还没被引见的达二百五十多人。臣不敢援引太远时期的历史记载,姑且用先朝的事例与现状进行比较。在天圣年间,法令还比较简约,候选人经过四次考核改任官职,各路使者荐举部下属吏的数额没有限制,而在京城的台阁官和常参官曾经任过知州、通州的,即使不是属吏也都可以荐举,当时经过考核而被荐举改任官职的每岁才几十人。后来资格考核增多了内容,而知州荐举属吏,根据其所辖县邑的多少来决定人数。另外,常参官不得荐举士子,其条例规定比天圣时逐渐繁多,但改任官职的人却已经很多了。然而经过考核合格的,仍然不超过十日就被陛下召见应对,没有积压下来依次等待的。皇祐年间,开始限定监司奏请荐举的名额,其法规更加严密,而考核合格积压下来等待引见的已不少于六七十人。从皇祐到现在,才十年而已,而人数增至三倍。过去法规简疏而被荐人数少,如今法规细密而被荐人数增多,这是什么原因呢?关键在于荐举属吏的人因每年受固定名额的限制,所以务必凑足数额而已。譬如一郡的长官,每年可以荐举五人,而到年终还不满这数目,那么人人都认为漏掉了自己,负责荐举的人为避免诽谤畏惧讥讽,想不再荐举又不敢,这就是被荐举的人所以多,而有真才又确实清廉的人未免混杂在大量无能之辈中的原因了。臣认为应当明诏天下,使得有人才就荐举,不必凑足所限定的人数。"英宗采纳贾黯的建议,所以发下这道诏令。

丙午(十七日),将仁宗的画像敬放在景灵宫孝严殿。

五月,癸亥(初四),以资政殿学士、礼部侍郎、太原府知府陈旭为枢密院副使。

吕诲进言:"先朝任用陈旭时,臣与唐介、范师道、赵抃、王陶奏举他邪恶不正,不应当安置他在中书省、枢密院二府任职,奏章封好先后呈上,他的丑恶事迹都被公开了。而宫廷外有近臣主张用他,宫廷内则有宦官援助他,韩琦极力为他说情,富弼犹豫不决,共争论了半年,结果陈旭离朝出任定州知州,臣等却被贬谪到江南。此事造成双方被罢逐,然而是非曲直没有分断,人们议论纷纷。近日臣在崇政殿应对,聆听陛下德音,说是陈旭有才,而有人说他邪恶不正,没过几天,就突然听到对他的任命。岂有朝廷内外都说他奸邪,圣明的陛下得知而又要加以任用的吗!臣私下认为是大臣极力荐举,陛下不得已而任用他罢了。只希望陛下内心做进一步思考,陈旭的进用,全由陛下决断。"

以兵部员外郎、秘阁校理蔡抗兼任起居舍人、充任史馆修撰、同知谏院。蔡抗起初任睦亲宅讲书,出入宫邸,不接受馈赠。英宗很器重他,向濮安懿王请示,希望能够与他交往。每次相见,一定穿戴得完全合乎礼仪,对他既如师长又像朋友。到亲临朝政后,英宗便探问蔡抗在哪里。蔡抗当时任广东转运使,英宗立即召他命为判都理欠凭由司。蔡抗没有到任之时,英宗每次接见奉命由南方而来的使者,都要询问蔡抗的情况。到蔡抗进京应对时,英宗留他交谈到很晚,说:"爱卿是朕的老朋友,朕对爱卿寄予厚望,不要因为通常的君臣之间的礼数而自觉疏远。"过了几个月,便有了这项任命。

以翰林学士、权知开封府冯京为陕西安抚使,替代陈旭。

戊辰(初九),英宗下诏书说:"朕继承先帝的遗业,高兴与各位公卿大夫一起励精图治。适值天下太平日久,朝廷内外因循守旧,怠惰于职守的人很多,没有听说有为百姓谋利益、尽心忧虑国事的。各级官吏只是熬着年月以求侥幸升迁,又想沽名钓誉以求为人所知,其中可以称道的,也不过是关心簿册文书与政令的实施,朕还有什么可以指望的呢!那些遇事缄默不语苟且简略的人不受到惩罚,那么端正贤良勤敏补政的人就不能得到鼓励。朕公正地掌握赏罚的准则,必将严格实施。众位官员都要改变想法,各尽其职以使朕满意。"

辛未(十二日),以东上闭门使刘几为鄜州知州。刘几起初任权泾原副都总管,与陈述古交相争讼,免职后,替代刘几职位的官员揭发出刘几过分使用公使钱,于是英宗下诏令刘几到永兴军听候审查。权御史中丞贾黯上奏说:“国家任用将帅,应当在防守边境抵抗敌寇的效果方面责求他们,对细小的过错,都应忽略不计,这样才可以得到他们拼死效命。太祖时,天下尚未平定,李汉超等十四人分别捍卫三面边界,都是十几年没有调换,将他们所在州郡的专卖收入,全都给了他们,还听任他们经商,免收他们贩运途中应纳的关卡税,军士无论职务高低都允许依情况随机行事,因此李汉超等人得以成就功名,而在二十年内朝廷没有西北边防战争的忧患。庆历年间,陕西发生战事,朝廷放弃这种方略,边防守臣使用公使钱小有过错,便被执法官吏援引苛刻的法律条文加以惩处,像尹洙、张亢、滕宗谅就属这种情况。如今西戎背叛侵扰,陛下正应以恩威并用来驾驭各位将领,应当想一想太祖如何使人拼死效命,而纠正近年有些事情的失之大体。像刘几这样的人,如果没有大过错,希望赦免他而不再追问。”英宗采纳他的建议,因而有了这项任命。

丙子(十七日),贾黯启奏道:“近来皇子封拜爵位,同时任为检校太傅。按照封官礼仪,太师、太傅、太保,这些统称为三师,儿子作为父亲的老师,从道理上讲是不可以的,前代因循守旧,失之纠正。请从现在起,皇子及宗室中辈分低的,都不要兼任太师、太傅这样的官,随着他们官位的依次升迁,再改授为三公。”英宗将此奏议下发给翰林学士和中书舍人讨论,结果他们请求依贾黯的建议办理。当时中书省大臣也说:“从唐代以来,亲王没有兼任太师、太傅的,本朝因为三师、三公都是虚衔,因而授与此衔,应当纠正这个失误。”英宗下诏说可以纠正,而且命令已经接受任命的,另选时日加恩改授其他职务。

辛巳(二十二日),西夏国派遣使者向辽国进贡。

甲申(二十五日),英宗命宰相韩琦、曾公亮暂时兼管枢密院公事,这是因为富弼正在告假的缘故。富弼自从去年冬天因为脚病而在家卧床,到这时已呈上二十多份奏章,乞请到地方州郡任职,英宗始终没有同意。

丙戌(二十七日),枢密院编纂《机要文字》九百八十一册进献,英宗赏赐参与这项工作的人员各有等差。

六月,辛卯(初三),以江东转运判官、屯田员外郎范纯仁为殿中侍御史,太常博士、权发遣盐铁判官吕大防为监察御史里行。近年的制度规定,御史有缺额,就命翰林学士、御史中丞、知杂事交替荐举二人,而由皇帝亲自从中选取一人担任。至此缺两名御史,荐举人尚未上报,宫内就已提出范纯正、吕大防的名字而加以任命了。吕大防,是蓝田人。吕大防首先进言:“朝廷纲常法纪与奖赏惩罚不能使天下人士满意的有五项:进用臣僚而权柄不属于圣上,大臣疲惫年老而不能获许退休,外族骄纵不驯而不选择将帅,言官弥补政事缺陷而大臣进行阻挠,边境与身边臣僚坏了事而被赏、尽了职而获罪。”又说:“富弼得了脚病,请求解除所任机要职务,奏章上了十几次而不被接受;张昇年近八十,请求告老退休而不被允许;吴奎有三年守丧期,而圣上两次召他儿子传唤他复职,又两次派遣使者去召他;程戡因年老不能胜任边防职事而辞官,也不获准。臣私下认为陛下想要尽君臣间的名分,使生病的得到休息,守丧的能够终丧,年老的得以安度晚年,那么就应当按礼制来决定任免,又何必过分地作虚而不实的举动,使这四人的真心实意得不到满足呢!”

癸巳(初五),群臣上表文请求英宗赏听音乐,英宗不答应;上表文五次后,英宗才同意。

起初，绛州团练使杨遂为新城巡检，救濮王宫所起火灾，英宗看见他的相貌。到目前侍卫司缺少主帅，英宗首先提到杨遂的姓名，提拔他为登州团练使、步军都虞候。

己亥(十一日)，英宗下诏："从今以后在三司长期担任判官的，不得被推举担任其他官职。"

壬寅(十四日)，提举在京诸司库务王珪等人奏呈都官郎中许遵编修的提举司及三司类例一百三十册，英宗下诏令颁布实行，以《在京诸司库务条式》为书名。许遵，是泗州人。

己酉(二十一日)，以庄宅使张利一为皇城使、雄州知州兼河北沿边安抚使，这是替代皇城使李中祐。以李中祐为权定州路总管。

司马光进言："近来听说契丹的百姓，有在边界河流捕鱼和在白沟以南砍伐柳树的，这些是边界上的小事，有什么值得介意的！而朝廷因为前任雄州知州李中祐不能禁止防御，便另选州将来取代他。臣担心新州将到任后，必定会以李中祐为前车之鉴，而任意杀戮当地百姓，那么战争一爆发，双方互相攻打就会无穷无尽。希望陛下严厉告诫北方边界的将吏，如果遇到契丹百姓用渔船捕鱼、砍伐柳树之类的事情，只可以用文告通知对方，用道理晓谕他们，让他们的官府自己颁布禁令以约束他们，不可以用刀箭对待。如果再三晓谕而他们不听，那就禀奏朝廷，由朝廷专门派使臣到契丹的宫廷，与他们辩论是非曲直，这也没有什么妨害。如果他们又不听，那就不如广泛地搜罗贤才，进一步修明政事，等到国家与百姓都富足，兵马精强，然后用正当理由去讨伐他们，恢复汉代、唐代以来的版图，这样与和他们争捕鱼伐柳的胜负比起来，不也是个长远之计吗！"

命试校书郎孙侔、试将作监主簿常秩、前亳州卫真县主簿王回均为忠武军节度使推官；孙侔任来安县知县，常秩任长社县知县，王回任南顿县知县。孙侔等人都以文才德行著名，被知制诰沈遘、王陶等人所荐举。任命下达后而王回去世，孙侔、常秩都推辞不赴任。

起初，讨论尊奉濮安懿王的典礼时，翰林学士王珪等人互相观望而都不敢先发表意见。只有天章阁待制司马光奋笔写出议文，写成后，王珪立即命令吏员将司马光的手稿作为依据。司马光的议文写道："谨按《仪礼》所说，做人家后嗣就是人家的儿子，不敢再照顾自己的亲生父母。圣人制定礼仪，规定所尊奉者没有双重父母，这是因为如果恭顺敬爱之心分施给他人，那就不能专心一意于这一方的缘故。所以秦、汉以来，从旁系宗室入继皇位的帝王，有的尊奉生身父母为帝、后，都被当时人非议，让后世讥讽。况且前代由旁系入继皇位的，多是在皇帝驾崩之后，确立继位的决策，或出自母后，或出自臣下，不像仁宗皇帝年岁未老，就深虑祖宗遗业的重要，敬承天地的旨意，从宗室子弟中选拔圣明的人，授给社稷大业。濮安懿王虽然对于陛下有天然的血亲关系，有养育照顾的恩情，然而陛下所以能够登上皇帝宝座，拥有天下，子子孙孙相继承，这都是先帝的恩德。臣等私下认为今日尊奉濮安懿王的典礼，应按照先朝封赠服丧一年的亲属长辈的旧例，封给高官大国，使其极为尊贵荣耀。谯国太夫人、襄国太夫人、仙游县君，也改封为大国太夫人。考察古今，这样做实为合宜。"议文呈上后，中书省启奏说王珪等人的意见，没有发现详定濮安懿王应当称为什么亲属，给予名号还是不给名号。

于是王珪等人建议："濮王对于仁宗而言是长，对于本朝皇帝而言应称为皇伯而不给予什么名号，如同从前楚王、泾王那样。"当时议论此事的人中，有的主张称皇伯考，天章阁待制吕公著说："真宗称太祖为皇伯考，这个名号不可以用在濮王身上。"

中书省又奏说："按《仪礼》记载：'为人家后嗣的人为他的父母服丧。'又按法令条文与《五服年月敕》，都说'为人家后嗣的人为他所后继的父母穿最重的粗麻不缝边的丧服三年，为人家后嗣的人为亲生父母穿次一等粗麻缝边的丧服一年。'就是说过继的儿子对于所过继的父母、所亲生的父母都称父母。另外，汉宣帝、光武帝，都称他们的亲生父亲为皇考。现在王珪等人建议称濮王为皇伯考，在典礼中找不到根据。请将这事下交尚书省，汇集三省、御史台的官员商议。"英宗下诏应允。

执政大臣预料朝廷士大夫中一定有迎合中书省意见的人，而台谏官都赞成王珪等人的意见，讨论得非常热烈，没有来得及上报。太后得知此事，辛亥(二十三日)，从内宫传出手书严厉指责韩琦等人，认为不应当议称濮王为皇考。而韩琦等人上奏说："太后认为王珪等人建议称濮王为皇伯是缺乏根据的，想暂且缓办这事，须等太后想通。"甲寅(二十六日)，英宗下诏命停止尚书省汇集讨论，令有司广泛搜寻典故，务必合乎仪礼经典，然后禀报。

翰林学士范镇，当时判署太常寺，便率领礼官上书说："汉宣帝对汉昭帝而言是孙，光武帝对汉平帝而言是祖，那么他们的父亲或许可以称皇考，然而议论的人中还有认为错了，说他们是以小宗去附和大宗的世系。如今陛下既称仁宗为皇考，又称濮王为皇考，那么这过错就不能只和汉宣帝、光武帝的相比了。大凡称帝或为皇或为皇考，建立寝庙，论列昭穆，都是错误的。"顺便又将《仪礼》及《汉书》中的议论、魏明帝的诏书共五篇一一列出编排，呈献给英宗。执政大臣见到这份奏文后，大怒，召来范镇斥责道："皇上的诏书说当令你们详细考核，为什么马上就列出这些文字上报了呢？"范镇说："有司接到诏书，不敢耽搁，就立即奏报皇上了，这是其职责，为什么反倒以此为罪呢！"

这时自御史中丞贾黯以下的台官各个都有奏章呈上，乞请英宗尽早依从王珪等人的意见。侍御史知杂事吕诲进言："朝廷既然知道意见不一，就应当辨明是非，综合众人意见，明确表示所依从的意见，岂能事情尚未定论，就突然停止群臣共议，还交有关部门办理了呢！诏命这样反复无常，不是向天下表示最公正的做法。汉宣帝、光武帝都称自己的父亲为皇考的原因，是这两位皇帝上承本宗，都不是自旁支入继，与现在的情况大不相同。依照王珪等人的意见，濮安懿王对于仁宗皇帝，其亲属关系为兄，对于皇帝陛下应称皇伯而不加名号，这在典礼上是合适的。至于援引赵元佐、赵元俨称皇兄、皇叔之类的例证，都是依据本朝典礼，怎么能说是缺乏根据呢！臣私下认为陛下原来敕书的旨意，只想称濮安懿王为皇考，与仁宗皇帝同样称呼，此事不是出自陛下清正之心，必定是奸佞之臣所建议，肆意取悦陛下圣心。那两三个辅佐大臣不能为陛下陈述正确的观点，又将制造嫌隙，违反礼义，蛊惑扰乱人心，忘记了先帝的信赖委托，使陛下陷于不公正的境地，这能说是忠诚吗？恭谨地希望陛下另下诏旨，以王珪等人的意见为定论，将臣僚先后所提出的不同意见，全都发出宫外，辩证其是非，指出他们有罪，绳之以法，这样可以消除人们的疑惑，杜绝邪恶的言论。"吕诲先后三次上奏，奏章都被扣留在宫中，没有实行。

司马光奏说："执政的中书省说：'《仪礼》、法令条文、《五服年月敕》，都说为人家后嗣的人为他的父母服丧，也就是过继出去的儿子对生他父母也都称父母。'臣按照礼法规定，必须针对情况立下文书，让人清楚明白。现在想说为人家后嗣的人为他父母服丧，倘若不称他们为父母，不知道应当如何立下条文？这是中书省欺瞒天下民众，认为他们都不识文理。中书省又说：'汉宣帝、光武帝都称自己的父亲为皇考。'臣查汉宣帝承继汉昭帝之后，是以孙辈继承祖辈,因此尊奉他的父亲为皇考,而不敢尊奉他的亲祖父为皇祖考,这是因为在太庙世系排列上昭穆位次相同的缘故。光武帝出身于布衣平民,消灭王莽,亲身冒着矢石奋战而夺得天下,名义上是汉室中兴,其实是创立自己的基业,即使自己设立七庙,也不算是大过失,只是称父亲为皇考,那种谦逊程度就不是一般的了。如今陛下作为仁宗的后嗣继承了国家大业,《左传》说:'国家不可有两位君主,家里不可有两位父亲。'倘若尊奉濮王为皇考,那么将仁宗安在什么位置上呢?中书省前次因为汉宣帝、光武帝没有给他们的父、祖加尊号,引以为准则是可以的;如果说他们所用皇考之名也可以在现在施用,那么这事恐怕就不合时宜了。假使仁宗仍在统治天下,濮王也健在,在这种时候,仁宗立陛下为皇子,那么不知道陛下称濮王为父亲还是为伯父?如果先帝在世就称濮王为伯父,驾崩后就称濮王为父亲,臣想陛下一定不会这样做的。由此推论,对濮王应当称皇伯,还有什么疑问呢!希望陛下上考古代典制,下顺众人心愿,按礼法尊奉濮安懿王,像王珪等人所建议的那样。"

枢密使、户部尚书、同平章事富弼,多次上表章因病请求辞去官职,以至呈递了二十多次,英宗坚持要留任他,不批准。秋季,七月,癸亥(初五),英宗免去他原有的职务,同时授任他为镇海节度使、同平章事、判河阳军。起先授任仆射和使相,富弼八次上表章,请求只以判河阳军的本官出任,英宗不允许。临行时,又请求免去使相或仆射中的一个官衔,英宗同意免去仆射一职而且改写任命制书。

丙寅(初八),英宗下诏书说:"事情有先有后,所以制度上也有隆重与简单之分;礼有重有轻,所以用物也有丰厚与简约之别。凡是在郊庙大典上用来奉祀天地祖宗的礼仪,应该按照旧例实行;像朕的车马服饰费用,那务必减少。"

丙子(十八日),遣放宫女一百八十人。

辽国国主辽道宗因为太后出猎捕获到熊,给百官以不同的赏赐。

丁丑(十九日),太白星在白天出现。

戊寅(二十日),观文殿大学士、尚书左丞贾昌朝去世。英宗亲临其住宅祭奠他,追赠司空兼侍中的官衔,赐谥号文元。英宗亲笔用篆书写的墓碑为"大儒元老之碑"。贾昌朝做侍从之臣时,获得许多好名声,等到做了执政大臣,因结交宫人、宦官,几次被谏官御史所抨击。

己卯(二十一日),群臣给英宗上尊号为体乾膺历文武睿孝皇帝,英宗下诏回答不同意。

庚辰(二十二日),以淮南节度使兼侍中文彦博为枢密使。起初,文彦博从河南进京拜见英宗,英宗对他说:"朕身居皇位,是爱卿出的力。"文彦博回答道:"陛下进东宫继皇位,是先帝的旨意,是皇太后协助的功劳,与臣有什么关系呢!"英宗说:"朕全都听说了开始的议论,爱卿对朕是有恩的。"文彦博谦逊地避让而不敢接受。英宗说:"暂且麻烦爱卿去西部任职,很快就会召爱卿回来的。"文彦博赴任尚未到永兴,马上就有了这项任命,英宗又派宫中使者敦促他回京。

枢密使、吏部侍郎张昇被免去原职,改任彰信节度使、平章事、判许州。张昇长期生病休假,请求解除职务,共上表章七次,才获得批准。

在此之前,韩琦、曾公亮想要升任欧阳修为枢密使,将要进呈奏章,没有告诉欧阳修。欧阳修察觉到他们的意思,就对他们两位说:"目前天子服表,母后垂帘听政,而两三位大臣自相安置官位,怎么向天下人士交代呢!"两人心服口服他的话,立即停止了推荐。等到张昇离任,英宗便想任用欧阳修,欧阳修又坚决推辞不接受。

辛巳(二十三日),以权三司使、龙图阁学士、工部侍郎吕公弼为枢密副使。吕公弼上书说:"谏官、御史,是陛下的耳目之官,近来所建议的事极少被采用,这不是通达四方视听的做法。陛下应当将政事责成大臣去做,而将观察了解的事务委派给台谏官,不称职的人就罢免他。像这样,进言之路就通畅而视听之面就广阔了。"

以端明殿学士、成都府知府韩绛权知开封府,不久又迁升三司使。韩绛在成都任职共两年。开始,张咏镇守蜀地时,春季购进米,秋季购进盐,由官府发给平价购买券来照顾贫弱百姓。时间久了,平价购买券都转入富人家中。韩绛到任后废弃旧账册,召来贫民另外发给票券,并且下令三年后根据贫富情况而做出变动,豪门富户无法得逞。蜀地与外族接壤,边民在边境砍伐树木,多次越过边界发生争斗,韩绛便下令禁止在边境砍伐树木。他又派军队守卫蚕崖,杜绝蕃人部族往来于威州、茂州进行贸易。后来宫中宦官出使蜀地,给酒场官吏主持买卖,乘机加倍收钱以供消费,韩绛上奏请求加以禁止约束,英宗下诏令内侍省将此立为禁令,宦官每次出使一定要以此敕令告诫。到任了三司使后,韩绛又请求将川、陕四路所收谷米输纳常平仓,而根据职任、运输道路的不同,付给相应价值的钱来使物价平稳。英宗感慨地说:"大家正在姑息从事,只有爱卿不屈从时俗啊!"当即批准实行这项建议。宫内各司官吏有求取好处的,韩绛坚决不答应,英宗说:"朕起初不知道,应当为爱卿纠正这一状况。"而求取好处的人仍不停止,韩绛遵从职守更加坚决了,因而对英宗说:"臣触犯众人之怒,担心有流言蜚语。"英宗说:"朕在藩王府第时,听到许多关于有司拿国家之事当做人情。爱卿所坚持的本来就很好,为什么要惧怕谗言呢!"在此之前宫内所用的财物费用,全依合同凭证领取,韩绛请求一般开支都交付有,司办理,从此三司开始管理财务及出纳事宜。

以知制诰沈遘为龙图阁直学士、权知开封府。沈遘为人轻俊明敏,通晓时务。以前任杭州知州,百姓中有因家境贫寒而无力安葬死者的,他就给以公使钱助葬。还聘嫁了几百名孤女。凡是被倡优歌妓收养的良家女子,他就夺回归还给其父母。与士大夫交往,大都能获得他们的欢心。属下官吏都愿意尽心尽力供职,当他的耳目,刺探街巷发生的大小事情,就连细微小事他都能知道,所以事情发生后他能立即决断,众人没有不惊讶心服的。百姓有犯法的,情节稍为严重恶劣的,不问依法处置的轻重,就刺字发配当兵,因此奸猾之徒畏惧而停止活动。当时鞫真卿为提点刑狱官,想要查问这事,发公文到州质问,沈遘就稍微从宽处理那些刺配的士兵,给他们官府凭据,恢复为民。后来适逢沈遘被召回朝廷,鞫真卿也离任去职,这事便搁置下来。议论的人认为沈遘的严厉可与孙沔相比,然而孙沔虽然苛刻残酷,却是严厉地惩罚恶人,至于沈遘,连善良的人也惧怕他。沈遘治理开封如同治理杭州一样,清晨起来工作,到中午工作完毕,外出与宾客旧友相交往,从容说笑以表明有闲暇,士大夫交相称赞他有才干。过了一个月,沈遘被加官龙图阁学士,不久升任翰林学士。因为母亲去世而离任,他又突然去世。

八月,庚寅(初三),天下大雨。辛卯(初四),地下水涌而出,冲坏官民房舍,淹死人畜不可胜数。英宗亲临崇政殿,宰相以下,上朝参见的只有十几个人而已。英宗下诏令打开西华门以排放宫中积水,水冲向东殿,侍卫值班的班房都被冲毁淹没在水中。

甲午(初七),命盐铁副使杨佐等人主持修筑各军班营房,虞部郎中来令孙等八人前去赐钱给被水淹死的各军百姓,安葬祭奠那些无人认领的尸体。

乙未(初八),英宗下诏征求正直言论。

司马光上书说:"近日暴雨倾泻,河水湖水泛滥,都城被水冲坏,房舍几乎全被淹没,被压死淹死的人不可胜数,这是不同寻常的严重灾害。试想陛下在行为遵守法度方面,万一有什么没有考虑到的地方呢? 臣斗胆以愚笨的见识来说,大抵有三点:臣私下认为皇太后保护抚育陛下,从襁褓之时就开始了,陛下入宫继承皇位,开始生病的时候,外面传说,皇太后在先帝的灵柩前为陛下叩头祈祷,额头都因此而碰伤,这难道可以说对陛下没有慈爱之心吗! 不幸的是被进谗言的小人交相挑拨离间,于是使陛下和太后之间的感情,出现尴尬隔阂。陛下身为太后的儿子,就算是皇太后对陛下有不慈爱之处,怎么可以计较彼此的是非,于是产生怨恨,而对本该具有的敬爱恭顺之心失之完备呢! 先帝从宗室许多子弟中选出陛下,使陛下从防御使升为天子,把一位皇后与数位公主托付给陛下,而先帝的灵柩尚未入葬,陛下已失去皇太后的欢心,陛下的几位姊妹长公主都深居冷清的宫室,极少得到陛下的接见问候,这是陛下所以失去人心的开始。先帝天性宽厚仁慈,不轻易违背舆论,晚年得病,厌倦了纷繁的朝政,便将天下之事全部委托给两府,在事务的取舍与官吏的任免方面,两府未必处理都得当。等到陛下即位,人们都认为陛下必定能够收回立威赐福的权力,进用贤才,黜退庸人,使国家清明,立即出现太平景象。然而陛下更加谦逊,深深地自行退避,凡是百官启奏请示,都不肯决断,明知是贤才而不加以擢用,明知是不肖之徒而不予以罢退,明知事情不对而不能改正,明知事情正确而不能同意,大臣专权的状况,比先朝要严重,随意任用官员,无所顾忌,这是天下人士对陛下再次失望的原因。国家设置台谏官,以他们作为天子的耳目,防止大臣蔽塞陛下的视听。朝廷政事,都由大臣裁定施行,而台谏官有时提出异议进行干预,陛下应当用自己的看法审察其中的是与非,认为可以做的就去做,可以停办的就停办。如今陛下竟又将台谏官的意见交付大臣处理,他们怎么肯认为自己所做的是错的,认为他人所说的是对的呢! 陛下唯独落了个拒谏的名声,大臣却坐享专权的好处,天下忠心耿耿之士,都望风结舌,这是天下人士对陛下又一次失望的原因。希望陛下上依天意,下顺人心,对这三点,都留心注意,侍奉皇太后,更加孝顺恭谨,务必获得她的欢心,对于各位长公主,要时常加以关照,不要让她们失去依靠。要总揽大权,不要将大权委给别人,要选用英俊才士,按照名声责其成效,奖赏有功之士,惩罚有罪之徒,舍弃细微小事,注重关键大事,采纳净言,虚心从善,而且都要怀着真诚去做。这样人心就会悦服,天道也自然会和谐了。"

吕海上奏说:"《五行志》说:'简慢宗庙,废止祭祀,水就不会滋润下土。'近来关于濮安懿王之事,开始讨论时有的建议将濮王与仁宗并列尊奉,但最终停止了追封,不及燕王的旧例,在礼节上失去了中正而在孝敬上也有不足,这也差不多是简慢了。京房《易传》说:'荒年而不减少宫中的用度,这可称得上是大灾荒,会有水灾。'去年冬季到今年春季,许、颍等州发生大灾荒。臣认为皇室不急需用的东西,后宫奢华精美的工程,应该加以裁减,以提倡俭朴,根据收入规定用费,正应从现在开始。京房《易传》又说:'排斥阻碍有道德的人,会有水灾。'这是由于有道德的人被阻塞而不被任用。如今被提拔到前位的官员,无非是藩王府第的旧人,被任命为清贵之职的,都出自权贵宠幸之门。忠诚贤良之士,怎么会不人心涣散呢。古代按功劳成绩任用贤才,那么万物生成而祥瑞显著;后代按毁辞赞语录用人才,所以功业废败而天灾异变降临。陛下应当认真思考,补救那些失误,这大概是消除灾害恢复常态的道理所在吧。"

吕大防进言道:"雨水成为灾患,这是阴气侵袭阳气所带来的后果。"接着陈述了八条朝政缺失,即皇上的恩信未能树立,大臣的权势太大,邪恶的言论侵扰正直的言论,私人的恩惠侵害公家利益,边境上的敌寇不断图谋,强盗贼人恣意横行,群臣玩忽职守,量刑处罚失去公正。

丙申(初九),辽国因客星侵犯天庙星,命令各路防备强盗贼人,严禁烟火。

起初,议论尊奉濮安懿王之事时,史馆修撰、同知谏院蔡抗援引礼法论述作为人家后嗣的道理,言辞恳切深刻,泪流满面,英宗也为之感动得落泪。后来遇上京城发大水,蔡抗追究灾变的缘由,仍坚持以前的观点来答复英宗,大臣们认为不对。庚戌(二十三日),英宗任命蔡抗为知制诰兼判国子监,免去谏官之职。

乙卯(二十八日),英宗下诏令减定皇帝和王公大臣们的礼服礼帽制度,这是采纳了同知礼院李育的奏请。李育,河南人,曾经与同僚议论宫中事务。奏疏呈上之后,有宦官前来,询问是谁写的奏疏,同僚因害怕而不敢回答,唯独李育上前说道:"确实是我李育写的。"宦官立即离开,此事也就搁置下来了。

命令知制诰宋敏求、韩维一同修撰《仁宗实录》。

九月,辛酉(初四),提举编纂礼书、参知政事欧阳修已经编纂出礼书一百卷;英宗下诏以《太常因革礼》为书名,赏赐欧阳修等人以不同数量的银两绢帛。

壬戌(初五),因上天连降大雨而停办大宴。司马光进言:"陛下将在南郊祭祀,群臣遵循惯例请求奉上尊号,陛下对自己严格约束,以接受上天的谴责,安慰天下人心。希望从今以后,所有群臣呈上的请求奉上尊号的奏表,都拒而不受,还要下令不许再上奏请求。"司马光呈上奏疏之后,又面见英宗进一步开导陈述,英宗嘉许并接受了他的意见。群臣先后共五次上奏表,英宗始终不同意。

己巳(十二日),开制科用策问选拔士子。甲戌(十七日),以通过制科考试被录取的著作佐郎范百禄为秘书丞,升任一级官职,以前和川县县令李清臣为著作佐郎。范百禄所做的对策说:"简慢宗庙,废止祭祀,那么水就不会滋润下土。过去汉哀帝尊奉共皇而河南颍州发大水,汉安帝尊奉德皇而京城及二十九郡国发大水,汉桓帝尊奉崇皇而六郡地裂、水涌、井水溢出,汉灵帝尊奉仁皇而京城发大水。上述现象虽属不同时代而有相同的应验,并且密切得像两半结合的符节一样。陛下对于濮安懿王,情义上可以淡化而礼节上不可以加重,恩情可以断绝而义不可以尊崇。礼法规定,为人家后嗣的人就是人家的儿子,古代十分重视正统的大宗,那么就要降低他私亲的地位。对大宗,要尊崇;对小宗,要降格;对天地宗庙社稷的祭祀,要隆重;对家族之内的丧礼,要减轻。应该削弱的反而尊崇,应该减轻的反而隆重,这就违背先王的礼法了。违背礼法就会失掉人心,天意也就违背了,这是灾变发生的原因。古代圣明的帝王,不曾没有犯过错误,然而可贵的是能够改正错误。陛下应该下诏给有司,命令不要再议论追尊的事,只就濮安懿王所建封寓,为他选立嫡长子,作为王位继承人,世世代代奉祀濮安懿王,使他永远做一个封国的太祖,那么就会人心欢愉而天意宽释,大雨造成的灾害何必用祈祷来消除呢!"范百禄,是范镇的侄子。

李清臣,是安阳人,韩琦将哥哥的女儿嫁给他为妻,欧阳修非常欣赏他的文章,认为类似苏轼。在秘阁考试时,考官韩维说:"这是荀卿的笔力呀!"考试的文章送到中书省,欧阳修接在手中说:"李清臣如果不中第一那就怪了。"打开一看,果然如欧阳修所预言。到殿试回答策问时,有人对李清臣说应当按照《五行传》来回答,就会再获第一名,李清臣说:"这是《汉书》中牵强附会的说法,我不相信它。民间难道没有疾苦可以上奏的吗!"因而回答策问时说:"天地之大,就如人的身体,腹心肺腑如遭侵袭阻塞,那么五官就会不适。人民生活在一起,就如天地的腹心肺腑;日月星辰,就是天地的五官。善于消除天地的异变灾害的,不是消除那些自然灾害,而是消除人民的疾苦灾难罢了。"结果李清臣中第的名次竟在次等。

乙亥(十八日),辽国国主辽道宗前往藕丝淀。

丙子(十九日),以权御史中丞贾黯为翰林侍读学士、陈州知州,这是依从他的乞请而做出的授命。在此之前贾黯与两制官员共同讨论,请求尊濮王为皇伯,执政大臣不同意,他便多次到中书省进行争论。后来遇到天降暴雨,水流成灾,当时贾黯已经得病,上书说:"两三个执政大臣提出两个正统、两个父亲的观点,所以祖宗七庙的神灵震怒,天降雨水,大水淹死人民。"于是托病请求免职,才有了这项任命。过了十二天,贾黯病逝,临终口述遗奏几百字,仍然请求尊濮王为皇伯。朝廷追赠他为礼部侍郎。贾黯洁身自好,在朝多次谈论政事,人们称赞他耿介正直。

以龙图阁直学士、判都水监韩赟为河南府知府,这是因为他犯了都城内外的沟渠长期没有修好的罪的缘故。

壬午(二十五日),太白星侵犯南斗星。

在此之前,僧官出现缺额,大多是由权贵要人请求皇帝从宫内发下圣旨补充新人,对此台谏官屡有评论。仁宗于是制定法令:"僧官有缺额,命权贵与士大夫两衙各选一人,比较技艺而确定补缺的人。"这时鉴义有缺,中书省已命两衙选人,但候选人名单尚未上报,而宦官陈承礼提出请求让宝相院僧人庆辅补缺,宫内便发下敕令以庆辅任鉴义,中书省上奏坚决不同意。欧阳修于是上奏说:"补一名僧官是极小的事,只是中书省已经办理了,而采用宫内降下敕令的方法改变先朝制定的法令,这就是宦官干预朝政,这怎么可以开启先例呢!"又说:"宫女宦官,从前代以来就常担心难以控制。僧官补缺这桩小事,如果不加以重视而依从他们,他们一定会自己对外张扬,以为朝政可以更改,自己的威势不小了。"英宗立即批准中书省所奏,命令按照惯例选人考试。

冬季,十月,丁亥朔(初一),辽国国主辽道宗前往医巫闾山。

庚寅(初四),以天章阁待制吕公著、司马光为龙图阁直学士兼侍读。

甲午(初八),又以王安石为工部郎中、知制诰,因为他为母亲服丧满期的缘故。

己亥(十二日),辽国因为太后打猎获得老虎,大宴群臣,并命各臣赋诗庆贺。

癸卯(十六日),吕诲进言:"台谏官,是君主的耳目。天圣、景祐年间,三院御史通常有二十人;以后渐渐减少,因为执政大臣不想让君主听到朝廷内外的缺失,然而仍不少于十几人。如今御史台缺御史中丞已经几个月了,御史五人中派出京外的有三人,只有臣与范纯仁、吕大防在朝供职,封好的奏章十次呈上,被告知不采纳的就有八九次。谏官两人,司马光迁任其他官职,傅尧俞出使北方辽国。言路阻塞,没有像目前这样严重的了,臣私下为朝廷感到羞愧!"乙巳(十三日),任命知制诰邵必权知谏院。

戊申(二十二日),以权发遣三司开拆司孙永为诸王府侍读,中书编排文字孙固为诸王府侍讲。颍王好学不倦,一天,拿出新抄录的《韩非子》,叫王府僚属校勘,孙永说:"韩非为人险恶刻薄,背离《六经》的宗旨,希望不要留意它!"颍王说:"抄录它是用以充藏书之数,并非喜爱它。"

　　壬子(二十六日),以龙图阁直学士兼侍讲卢士宗为青州知州。声士宗入朝辞行,英宗对他说:"朕平素知道爱卿忠诚纯朴,怎么能让爱卿长期在外任职呢!"于是命他改日再入朝应对;等到他再次入见,便论祖宗之法没有不断变更的。

　　甲寅(二十七日),吕公著进呈所编辑的《仁宗御集》一百卷,英宗亲临延和殿,穿上靴袍阅览。

　　以翰林学士冯京为南郊仪仗使,是因为御史中丞缺额的缘故。当天改任给事中、天章阁待制彭思永为权御史中丞。

　　十一月,庚午(十三日),英宗早晨在景灵宫祭祀。辛未(十四日),在太庙祭祀。壬申(十五日),在圜丘祭祀天地,以太祖配享。发布大赦令。在此之前百官在尚书省演习仪礼,英宗赐给酒食,郎官王易知醉饱呕吐,御史上前弹劾他有失礼节。到这时宰相韩琦上报此事,英宗说:"已经赦免他的罪了。"韩琦说:"按照惯例,失礼节不能因大赦而免罪。"英宗说:"失礼节,不过是轻罚而已,然而让士大夫因为喝酒吃饭而犯过失,就难有面子了。"最终还是赦免了他。

　　辽国耶律伊逊依恃皇帝的宠爱而行为不法,北院枢密使耶律仁先管制他,为他所忌恨。十二月,甲午(初九),将耶律仁先调出京城任南京留守,改封晋王。耶律仁先到了南京,抚恤孤苦伶仃的人,禁止奸邪不法的事,边境安宁。议论者说自从裕悦休格之后,只有耶律仁先一人能这样了。

　　甲辰(十九日),西夏国主毅宗赵谅祚派人前来祝贺元旦。丁未(二十二日),派人前来祝贺寿圣节。

　　司马光进言:"近年赵谅祚虽然表面上派遣使者前来称臣纳贡,而内心里却包藏奸谋,窥伺我边境,暗地里用官爵金帛引诱我朝不得志的人及归顺的蕃部;对那些违抗而拒不服从的人,赵谅祚便兴师杀害掠夺他们,对住在边境上的弓箭手,赵谅祚都强迫驱赶他们到内地去。边境守臣对此坐视而不能援救,就使得其余归附我朝的少数民族都畏惧赵谅祚的凶狠威力,怨恨我朝,人人都萌生了背叛之心。等到朝廷派遣使者带着诏书去质问时,赵谅祚却拒不接受;即使有所答复,也都是侮辱傲慢之辞,朝廷也就暗暗忍受着而不再进行质问。赵谅祚又多次虚张声势以惊动边境,而我朝将帅大多懦弱胆怯,如果一路有警报,那么三路都害怕得毛骨悚然,尽数抽调内地州军轮番服役的士兵到自己的帐下。几个月后边境没有动静了,便将他们派遣回去;他们没来得及休息,忽然听说边境又有警报,又重新奉命回到边境。如此往返,军队在道路上疲于奔波,至今也没有战事。臣料想赵谅祚所以依照旧例派遣使者前来称臣纳贡,一是贪图我朝每年赐给他们金帛二十余万,二是有利于他们来京城贩货贸易,三是想使我朝不对他们进行防备。赵谅祚之所以引诱我朝不得志的人,是因为想探知我朝的虚实,平时用他们做谋士,入侵时则用他们做向导。赵谅祚之所以引诱胁迫归顺我朝的少数民族、强迫驱赶弓箭手,是因为认为内地调去的官军不值得害怕,只有归顺我朝的少数民族、弓箭手生长在边境地区,勇悍善战,倘若事先消灭这些人,那么边境上的人们就失去了所依靠的力量,再入侵我朝时就可以通行无阻了。赵谅祚之所以多次虚张声势,震动边境,是因为想使我朝的军队疲于奔命,消耗离散蕃部,使公家私人都变得贫弱困窘;进而边境守吏习以为常,不再防御,然后便乘虚进犯。希望陛下明确告谕朝廷内外臣僚,有长期在边境任职或曾经参加过战争,了解军中利害与西戎虚实的,都可以上书,从中选出论理稍强的人,从容地向他们访求治理军队与防御西戎的方略,那么处理边境的事务自然就有稳妥的办法了。"

在郊外祭祀天地结束之后,侍御史知杂事吕诲重申以前的意见,乞请英宗早日确定尊崇濮安懿王的仪礼,并且说:"如今奸佞小人进言,蛊惑扰乱陛下的视听,中书省也依从谬误,坚持邪论,陛下应当因此阐明经典的含义,消除人们的困惑。臣想请求陛下诏令枢密院及后来担任两制的臣僚,共同详细考定典礼来明确是非。长期不能做出决定,不是向天下昭示大公无私的办法。"吕诲不久又到延和殿应对,恳切地开导陈述,前后共七次启奏,英宗都不依从。于是吕诲乞请免去御史台的官职而到外地任职,又经四次上奏,英宗也不同意。吕诲便弹劾韩琦说:"仁宗尸骨未寒,御案前遗音犹在,韩琦竟然想立即追崇濮王,使陛下厚待亲生父亲而薄待所继的父皇,遵奉非正统的小宗而断绝正统的大宗。讨论的臣僚已辩论了半年,韩琦仍然听从荒谬言论,不予改正。希望将他贬谪外地,以平息士大夫的舆论。"

辛亥(二十六日),辽国任命南京留守萧惟信为左伊勒希巴。南府宰相萧德因年老请求退休,辽道宗下诏抚慰而不予批准。北府宰相姚景行离朝出任武定军节度使。任命汉人行宫都部署耶律良同知南院枢密使事。

续资治通鉴卷第六十四

【原文】

宋纪六十四　起柔兆敦牂【丙午】正月,尽十二月,凡一年。

英宗体乾应历隆功盛德　宪文肃武睿圣宣孝皇帝

治平三年　辽咸雍二年【丙午,1066】　春,正月,丁巳,辽主如鸭子河。

壬申,以翰林学士、知制诰范镇为翰林侍读学士、知陈州。初,镇草韩琦迁官制,称引周公、霍光,谏官吕诲驳之;于是琦表求去位,镇批答曰:“周公不之鲁,欲天下之一乎周。”帝以镇不当引圣人比宰相,其意谓琦去位,则讴歌讼狱不归京师,欲罢镇内职。执政因谕镇令自请外,而有(自)〔是〕命。

帝于制诰多亲阅,有不中理,必使改之,尝谓执政曰:“此人君谟训,岂可褒贬失实也!”

先是知制诰韩维奏事便殿,尝言:“人君好恶,当明见赏刑以示天下,使人知所避就,则风俗可移。”又言:“思虑不能全无过差,假如陛下误有处分,改之则足以彰纳善从谏之美。”及镇补外,维言:“镇诚有罪,自可明正典刑。若其所失止在文字,当含容以全近臣体貌。陛下前黜钱公辅,中外以为太重。今又黜镇而众莫知其所谓,臣恐自此各怀疑惧,莫敢为陛下尽忠者矣。”

癸酉,契丹改国号曰大辽。

乙亥,宣徽南院使、武安节度使程戡卒。戡守延州凡六年,安重习事,治不近名,然不为言者所与。初,延州夹河为两城,雉堞卑薄,尝为夏贼攻围,登九州台,下瞰城中。戡调兵夫,大增筑之,后以为利。横山酋豪怨谅祚,欲以属叛,取灵、夏,来求兵为援,戡言:“豺虎非其相搏,则未易取也;痈疽非其自溃,则未易攻也。谅祚久悖慢,当乘此听许,以蛮夷攻蛮夷,中国之利也。”会帝不豫,大臣重生事,遂寝不报。自以年过七十,告老,章凡十数上,终弗听。遣中使赍手诏问劳,赐茶、药、黄金,乃再上章曰:“臣老疾剧矣,高奴屯劲兵,为要地,岂养病所邪!”还,至(邓)〔澄〕城,卒;赠太尉,谥康穆。

辛巳,以端明殿学士、知徐州张方平为翰林学士承旨。初,帝谓执政,学士独王珪能为诏,馀多不称职,因问:“方平文学如何?”欧阳修对曰:“方平亦有文学,但挟邪不直。”曾公亮以为不闻其挟邪,赵概又以为无迹,故卒命之。帝尝问治道体要,方平以“简易诚明”为对,帝不觉前席曰:“朕昔奉朝请,望侍从大臣以谓皆天下选人,今多不然。闻学士之言,始知有人矣。”

命翰林学士冯京修撰《仁宗实录》。

壬午，罢三司推勘官。初，诏三司举京朝官一人，专领推勘事，至是三司奏以为不便，罢之，然议者不以罢之为便也。

癸未，辽主如山榆淀。

先是工部员外郎兼侍御史知杂事吕诲与侍御史范纯仁、监察御史里行吕大防合奏曰："伏见参知政事欧阳修，首开邪议，以枉道悦人主，以近利负先帝，将陷陛下于过举之讥。"龙图阁直学士司马光，亦上疏请罢追崇之议，皆不报。诲等论列不已，而中书亦以札子自辩。帝意向中书，然未即下诏也。执政乃相与密议，欲令皇太后下手书，尊濮安懿王为皇，夫人为后，皇帝称亲，又令帝下诏谦让，不受尊号，但称亲，即园立庙，以示非帝意，且欲为异日推崇之渐。

丙子，中书奏事垂拱殿，时韩琦以祠祭致斋，特遣中使召与共议。既退，外间言濮王已议定称皇，欧阳修手为诏草二通，一纳上前。日中，太后果遣中使赍实封文书至中书，执政相视而笑。诲等闻之，即纳缴御史告敕，居家待罪，乞早赐黜责，帝以御宝封告敕，遣内侍趣诲等令赴台供职。诲等以所言不用，虽受告敕，犹居家待罪。

丁丑，中书奏事，帝又遣中使召韩琦同议，即降敕称："准皇太后手书，濮安懿王、谯国太夫人王氏、襄国太夫人韩氏、仙游县君任氏，可令皇帝称亲，仍尊濮安懿王为濮安懿皇，谯国、襄国、仙游并称后。"又降敕，称帝手诏："朕面奉皇太后慈旨，已降手书如前。朕以方承大统，惧德不胜，称亲之礼，谨尊慈训；追崇之典，岂易克当！且欲以茔为园，即园立庙，俾王子孙主奉祠事。皇太后谅兹诚恳，即赐允从。"又诏："濮安懿王子瀛州防御使岐国公宗朴，候服阕除节度观察留后，改封濮国公，主奉濮王祀事。"

庚辰，吕诲等又奏："臣等本以欧阳修首启邪议，诖误圣心，韩琦等依违附会不早辨，累具弹奏，乞行朝典。近睹皇太后手书，追崇之典，并用哀、桓衰世故事，乃与政府元议相符。中外之论，皆以为韩琦密与中官苏利涉、高居简往来交结，上惑母后，有此指挥，盖欲归过至尊，自掩其恶，欺君负国，乃致如此，首议之臣，安得不诛！臣等待罪于家，屡蒙诏旨促令供职，而踯躅未敢承命，以此故也。若必使臣等就职，则当合班庭争以救朝廷之失，虽陛下容纳直言，为天下所闻，而臣等不能早悟明主之罪，益深重矣，岂可复居言路，为耳目之官哉！"帝令中书降札子，趣使赴台供职，而诲等缴还札子并后所奏九状，申中书坚辞台职。

是日，诏避濮安懿王名下一字，置濮安懿王园令一人，以大使臣为之；募兵二百人，以奉园为额；又令河南置柏子户五十人，命带御器械王世宁，权发遣户部判官张徽度濮安懿王园庙地图上；皆从中书所请也。

壬午，诏罢尚书省集议濮安懿王典礼。中书进呈吕诲等所申奏状，帝问执政当如何，韩琦对曰："臣等忠邪，陛下所知。"欧阳修曰："御史以为理难并立，若以臣等为有罪，即当留御史；若以臣等为无罪，则取圣旨。"帝犹豫久之，乃令出御史；既而曰："不宜责之太重。"于是诲罢侍御史知杂事，以工部员外郎知蕲州；范纯仁以侍御史通判安州；吕大防落监察御史里行，以太常博士知休宁县。故事，知杂御史解官皆有诰词，时知制诰韩维当直，又兼领通进银台司门下封驳事，执政恐维缴词不肯草制及封驳敕命，遂径以敕送吕诲等家，仍以累不遵禀圣旨赴台供职为诲等罪。维言："罢黜御史，事关政体，而不使有司预闻，纪纲之失，无甚于此。宜追还诲等敕命由银台司，使臣得申议论以正官法。"又言："诲等能审论守职，国之忠臣，计其用心，不过欲陛下尽如先王之法而止耳。士大夫贪固宠利，厚赏严罚，犹恐此风不变;而复内牵邪说,贬斥正人,自此陛下耳目益壅蔽矣。"又求对,极论其失,请追还前敕,令百官详议以尽人情,复召诲等还任旧职以全政体,皆不从。是日,诏翰林学士、知制诰、御史中丞、知杂各举御史两人,以起居舍人、同知谏院傅尧俞兼侍御史知杂事。

司马光言:"窃闻吕诲、范纯仁、吕大防,因言濮王典礼事尽被责降,中外闻之,无不骇愕。臣观此三人,忠亮刚正,忧公忘家,求诸群臣,罕见其比。今一旦以言事太切,尽从窜斥,臣窃为朝廷惜之!臣闻人君所以安荣者,莫大于得人心。今陛下徇政府一二人之情,违举朝公议,尊崇濮王,过于礼制。天下之人,已知陛下为仁宗后,志意不专,怅然失望,今又取言事之臣群辈逐之,臣恐累于圣德,所损不细,闾里之间,腹非窃叹者多矣。伏望圣慈,亟令诲等还台供职,不则且为之别改近地一官,亦可以少慰外人之心也。"

吕公著言:"吕诲等以论事过当,并从责降,闻命之始,物论腾沸,皆云陛下自即位以来,纳善从谏之风,未形于天下;今诲等又全台被黜,窃恐义士钳口,忠臣解体。且自古人君,纳谏则兴,拒谏则亡,兴亡之机,不可不审。愿陛下以天地之量,包荒含垢,特追诲等敕命,令依旧供职,则天下幸甚!"

二月,乙酉朔,白虹贯日。

命殿中丞苏轼直史馆。帝在藩邸,闻轼名,欲以唐故事召入翰林,知制诰,韩琦曰:"苏轼,远大之器也,它日自当为天下用,要在朝廷培养。久而用之,则人无异辞,今骤用之,恐天下未必皆以为然,适足累之也。"帝曰:"与修起居注,可乎?"琦曰:"记注与制诰为邻,未可遽授;不若于馆阁中择近上贴职与之,且请召试。"帝曰:"未知其能否,故试;如苏轼,有不能邪?"琦言不可,乃试而命之。它日,欧阳修具以告轼,轼曰:"韩公可谓爱人以德矣。"

甲午,辽驿召武定军节度使姚景行入见。辽主问以治道,奏对称旨,复拜南院枢密使。又召入内殿,出御书及太子书示之。辽主尝有意南伐,问景行曰:"宋人好生边事,如何?"景行曰:"自圣宗与宋人和好,迄今几六十年,若以细故用兵,恐违先帝成约。"辽主以为然,遂止。

乙巳,颍王府翊善邵亢奏:"皇子颍王,天质早茂,姻媾及期。方陛下即位之初,而元嗣克家之日,推之于礼,莫重于斯。臣伏见国朝亲王聘纳,虽《开宝通礼》具有旧仪,而因循未尝施行。欲乞下太常礼院博采旧典,修撰颍王聘纳仪范,其故事非礼者悉罢之。"诏礼院详定。礼院奏:"《开宝通礼》,亲王纳妃,有纳采、问名、纳吉、纳成、请期、亲迎、同牢之礼,国朝未尝用。今检《国朝会要》皇亲婚会礼,物数请如《会要》故事。"从之。

三月,丁巳,赐群臣御筵于诸园苑。

己未,彗星晨见于壁,长七尺许。

辛酉,起居舍人、同知谏院傅尧俞、侍御史赵鼎、赵瞻自使辽归,以尝与吕诲言濮王事,家居待罪。而尧俞辞新除侍御史知杂事告牒不受,稽首帝前曰:"臣初建言在诲前,今诲等逐而臣独进,不敢就职。"帝数谕留尧俞等,尧俞等终求去,乃以尧俞知和州,鼎通判淄州,瞻通判汾州。

司马光言:"比蒙圣恩,宣谕濮王称亲事,云'此事朕不欲称,假使只称濮王与仙游县君,有何不可!'臣乃知陛下至公,初无过厚于私亲之意,直为政府所误,以致外议纷纷。必谓旦夕下诏罢去亲名,其已出台官当别有除改,见任台官亦优加抚谕,使之就职。今忽闻傅尧俞等三人相继皆出,此政府欲闭塞来者,使皆不敢言,然后得专秉大权,逞其胸臆耳。伏望特发宸断,召还尧俞等,下诏更不称亲。如此,则可以立使天下愤懑之气化为欢欣,诽谤之语更为讴歌矣。"不从。光遂奏请与尧俞同责,因家居待罪。又奏:"陛下即位之年,臣已曾上疏预戒追尊之事;及过仁宗大祥,臣即与尧俞诣政府,白以为人后者不得顾私亲之义;当两制、礼官共详时,臣又独为众人手撰奏草。若治其罪,臣当为首。其吕诲等系后来论列,既蒙遣逐,如臣者岂宜容恕! 纵陛下至仁,特加保庇,臣能不愧于心乎!"又奏乞早赐降黜,凡四奏,卒不从。

壬戌,以屯田员外郎、签书江宁节度判官事孙昌龄为殿中侍御史,太常博士、监永丰仓郭源明为监察御史里行。源明,劝子也。

甲子,以都官员外郎黄炳为侍御史,太常博士蒋之奇为监察御史里行。

初,命王珪等举官,已除孙昌龄及郭源明,而尚阙两员,中书以珪等前所举都官员外郎孔宗翰等七名进,而炳中选。帝又特批"之奇与御史"。欧阳修素厚之奇,前举制科不入等,尝诣修,盛言追崇濮王为是,深非范百禄所对,修因力荐之,即与炳并命。之奇入对,帝面谕曰:"朕向览卿所对策,甚善,而有司误遗,故亲有是除。"之奇,宜兴人,堂从子。宗翰,道辅子也。

是日,纳故宰相向敏中孙女为皇子颍王妃,封安国夫人。先是禁中遣使泛至诸臣家为王择配,记室韩维奏:"宜选勋望之家,精拣淑媛,考古纳采、问名之义,以礼成之,不宜苟取华色而已。"帝嘉纳之。

戊辰,帝亲录囚。

庚午,以彗出,避正殿,减常膳。帝对枢臣,以彗为忧。胡宿请备边,吕公弼曰:"彗非小变,不可不惧。陛下宜侧身修德以祗天戒,臣恐患不在边也。"

新除监察御史里行郭源明奏免除命,乞追还吕诲等。诏听源明免,以告牒纳中书。

辛未,手诏曰:"朕近奉皇太后慈旨,濮王令朕称亲,仍有追崇之命。朕惟汉史,宣帝本生父称曰亲,又谥曰悼,裁置奉邑,皆应经义。既有典故,遂遵慈训,而不敢当追崇之典。又以上承仁考庙社之重,义不得兼奉私亲,故但即园立庙,俾王子孙世袭濮国,自主祭祀,远嫌有别,盖欲为万世法,岂皆权宜之举哉! 而台官吕诲等,始者专执合称皇伯、追封大国之义,朕以本生之亲,改称皇伯,历考前世,并无典据;追封大国,则又礼无加爵之道。自罢议之后,诲等奏促不已,忿其未行,乃引汉哀帝去恭皇定陶之号、立庙京师、干乱正统之事,皆朝廷未尝议及者,历加诬诋,自比师丹,意欲摇动人情,眩惑众听。以致封还诰敕,擅不赴台,明缴留中之奏于中书,录传讪上之文于都下。暨手诏之出,诲等则以称亲立庙皆为不当。朕览诲等前疏,亦云'生育之恩,礼宜追厚,俟祥禫既毕,然后讲求典礼,褒崇本亲。'今乃反以称亲为非,前后之言,自相抵牾。傅尧俞等不顾义礼,更相倡和,既挠权而示众,复归过以取名。朕姑务含容,止命各以本官补外。尚虑搢绅士民,不详本末,但惑传闻,欲释群疑,理当申谕。宜令中书门下俾御史台出榜朝堂及进奏院遍牒告示,庶知朕意。"

命左谏议大夫、天章阁待制兼侍讲李(绶)〔受〕赴谏院供职。

癸酉,诏曰:"去秋以来,雨潦为沴,今星躔生变;咎证昭灼,故避殿撤膳,夙夜惕厉。永惟四海之内,狱讼烦冤,调役频冗,与鳏寡孤独死亡贫苦,甚可伤也! 转运使、提点刑狱,分行省察而矜恤之,利病大者悉以闻,庶仁恩家至,副朕寅畏之心焉。"

辛巳,彗星见于昴,如太白,长丈五尺;壬午,孛于毕,如月。

夏,四月,甲申朔,观文殿学士、户部侍郎孙沔自环庆改帅鄜延;未至,卒于道。赠兵部尚书,谥威敏。沔居官以才力闻,然喜燕游、好色,故中间坐废。

丙戌,礼院言:"濮安懿王建庙,当行祭告,而宗朴丧服未除,请权以本宫诸弟摄事,其祝文令教授为之。"

初,命翰林学士冯京撰祝文,京言本院未有体式,乞下礼院议。礼院议称"皇帝某谨遣官恭告于亲濮安懿王"。既而以前诏俾王子孙奉祠事,乃更定此议。

帝尝以称亲之议质于天章阁待制兼侍讲王猎,猎以为不可。帝曰:"王相待素厚,亦持此说邪?"猎对曰:"臣被王恩厚,故不敢以非礼名号加于王,所以为报也。"

命密州观察使宗旦同知大宗正司事。宗旦居所生母丧,以孝闻。始请别择地以葬,岁时奠祀,后著为法。

己丑,赐工部侍郎致仕皇甫泌帛一百匹。泌献所著《周易精义》等书,故有是赐。

赐真定府僧怀丙紫衣。初,河中府浮梁,用铁牛八维之,一牛且数万斤。后水暴涨绝梁,牛没于河,募能出之者。怀丙以二大舟实土,夹牛维之,用大木为权衡状钩牛,徐去其土,舟浮牛出。转运使张焘以闻,而有是赐。

以工部郎中、天章阁待制陆诜为兵部郎中、鄜延路都总管、经略安抚使,兼知延州。

赠皇后弟内殿崇班高士林德州刺史。士林,将家子,独喜学,帝尝以"谨守法律"四字诲之,曰:"能如此,则为良吏矣。"每欲进擢,后屡辞。既卒,始追赠焉。明年,又赠节度使。

乙未,颍王府翊善、同修起居注邵亢,以知制诰、知谏院兼判司农寺。于是帝谓颍王曰:"翊善端直朴厚,已擢为谏官矣。"王顿首谢。

以金部员外郎、天章阁侍讲傅卞为起居舍人、同知谏院。卞议濮王典礼,与执政意合,故骤进。

以度支郎中王稷臣直集贤院,充颍王府翊善,令于皇子两位供职。

辛丑,命龙图阁直学士兼侍讲司马光编历代君臣事迹。于是光奏曰:"臣自少以来,略涉群史。窃见纪传之体,文字繁多,虽以衡门专学之士,往往读之不能周浃,况于帝王日有万几,必欲遍知前世得失,诚为未易。窃不自揆,常欲上自战国,下至五代,正史之外,旁采它书,凡关国家之盛衰,系生民之休戚,善可为法,恶可为戒,帝王所宜知者,略依《左氏春秋传》体,为编年一书,名曰《通志》,其馀浮冗之文,悉删去不载,庶几听览不劳而闻见甚博。私家区区力不能办,徒有其志而无所成。顷臣曾以战国时八卷上进,幸蒙赐览。今所奉诏旨,未审令臣续成此书,或别有编集。若续此书,乞亦以《通志》为名。其书上下贯串千馀载,固非愚臣所能独修。伏见翁源县令、广南西路经略安抚司句当公事刘恕,将作监主簿赵君锡,皆以史学为众所推,欲望特差二人与臣同修,庶使得早成书,不至疏略。"诏从之,而令接所进八卷编集,俟书成,取旨赐名。其后君锡以父丧不赴,命太常博士、国子监直讲刘攽代之。恕,筠州人;君锡,良规之子;攽,敞弟也。

司空致仕郑国公宋庠卒。帝方以灾异避正殿,有司误奏毋临丧,乃为挽辞二篇赐之,赠太尉兼侍中,谥元宪。帝为篆其墓碑曰"忠规德范之碑"。

庠与弟祁,以文学名擅天下,俭约,不好声色,读书至老不倦。尤畏法,在扬州,使工甃堂涂,取厄酒与之,后知误取公使,立偿之,而取予者皆被罚。自初执政,遇事辄分别是非可否,用是斥退;及再登用,遂浮沉自安。然天资忠厚,尝曰:"逆诈恃明,残人矜才,吾终身弗为也。"沈邈尝为京东转运使,数以事侵庠;及庠在洛阳,邈子为府属所恶,欲治之以法,庠独不

1351

肯,曰:"是安足罪也!"人以此益称其长者。

戊申,以河东转运使吴充为盐铁副使。帝雅知充,数问充所在。会充入觐,帝谕以教授时事,嘉劳之。居河东才半岁,即召入。

枢密副使、礼部侍郎胡宿,屡乞致仕;庚戌,罢为吏部侍郎、观文殿学士、知杭州。

以殿前都虞候、容州观察使郭逵迁检校太保、同签书枢密院事。同签书枢密院事自逵始。

于是知制诰邵必当制,草词以进,言逵武力之士,不可置庙堂,望留诰敕与执政熟议;弗听。逵既入西府,众多不服,或以咎韩琦,琦曰:"吾非不知逵望轻也。故事,西府当用一武臣,上欲命李端愿,吾知端愿倾邪,故以逵当之。"知谏院邵亢、御史吴申、吕景交章论:"祖宗朝,枢府参用武臣,如曹彬父子、马知节、王德用、狄青,勋劳为天下所称则可,逵黠佞小才,岂堪大用!"不报。

壬子,司天监奏彗星浸微,群臣诣邻门拜表,乞御正殿,复常膳,不许;三表,乃许之。

是月,辽境霖雨。

五月,乙丑,诏:"河北战兵三十万,陕西战兵四十五万并义勇,令本路都总管常加训练,毋得占役。"时边臣或奏请增兵,朝廷以为兵数不少,故降是诏。

是日,彗行至张而没。

戊辰,帝谓宰臣曰:"朕日与公等相见,每欲从容讲论治道,但患进呈文字颇繁,多不暇及。中书常务有可付有司者,悉以付之。"自是中书细务止进熟状,及事有定制者归有司,中书降敕而已。

庚午,诏中书、枢密,自今朔望会于南厅。

吏部流内铨进编修《铨曹格敕》十四卷。

右武卫大将军、果州刺史叔褒领文州团练使。

初制,宗室入学,十五以上通两经者,大宗正以闻,命官试论及大义,中者度高下赐出身或迁官。至是叔褒试所学中格,故有是命。叔褒,德恭曾孙也。

乙亥,辽主驻特古里。

丁丑,以屯田员外郎王克臣子孝庄为右屯卫将军、驸马都尉,赐名师约,以尚德宁公主故也。初,帝数称唐公主多下嫁名人,及选得师约,其父子皆业进士,令至宰相第,试以诗,并其所业赋一编进御。召见清居殿,又谕以毋废学,后又出经籍及纸笔墨砚赐之。

辛巳,辽以户部使刘诜为枢密副使。诜为户部使,岁入羡馀钱三十万缗,故有是擢。

六月,乙酉,以驾部郎中、知磁州李田监淄州盐酒税务。嘉祐六年,始置考课法。至是考课院言田再考在劣等,故有是命。坐考劣降等自田始。

丙戌,回鹘贡于辽。

丁亥,免陆诜正衙令,入见,帝劳问之曰:"卿岭外处画,无不当者,鄜延最当边境,故选用卿。今将何先?"诜曰:"边事难以遥度,抑未审陛下意在安静,或欲示威也?"帝曰:"大抵边陲宜以安静为务。昨王素为朕言:'朝廷与帅臣常欲无事,自馀将校,无不生事要功者。'卿谓此言如何?"诜曰:"素言是也。陛下能责任将帅,令疆场无事,即天下幸甚。"

辛卯,以太常博士刘庠为监察御史里行。庠私议濮王事与执政意合,故命以言职。

壬辰,赠故霸州文安县主簿、太常礼院编纂礼书苏洵光禄寺丞。所修书方奏,未报而洵卒,赐其家银绢各百两匹。其子轼辞所赐,求赠官,既从之,又特敕有司具舟载其丧归蜀。

嘉祐初,王安石名始盛,欧阳修亦善之,劝洵与安石游,而安石亦愿交于洵,洵曰:"吾知其人矣。"安石母死,士大夫皆吊,洵独不往。

甲辰,准布贡于辽。

己酉,御崇政殿,疏决在京系囚。

壬子,改清(政)〔居〕殿曰钦明,召直集贤院王广渊书《洪范》于屏,谓广渊曰:"先帝临御四十年,天下承平,得以无为。朕方属多事,岂敢言自逸!故改此殿名。"因访广渊先儒论《洪范》得失,广渊对以张景所得最深,遂进景论七篇。明日,复召对延和殿,谓广渊曰:"景所说过先儒远矣,以三德为驭臣之柄,尤为善论。朕遇臣下常失之柔,是以特书此言,置之坐右,以为观省,非特开元《无逸图》也。"

秋,七月,癸丑朔,辽以西北路招讨使萧珠泽为北府宰相,以左伊勒希巴萧惟信为南院枢密使,以同知南院枢密事耶律白为特里衮。

甲寅,以屯田员外郎吴申为殿中侍御史。初,刘庠举申自代,帝曰:"朕固知申。"遂擢用焉。庠,申门人也。自傅卞议濮王事称旨,庠及申私论与卞协,故相继并居言职。

丙辰,辽南院枢密使姚景行致仕。庚申,辽录囚。辛酉,景行复为南院枢密使。

乙丑,以奉国留后虢国公宗谔为保静节度使。于是濮王子孙及鲁王孙各迁官一等,迁者凡二十人。帝之为皇子,辞疾不肯入宫,诏本位长属敦促,宗谔最长,于是劝行。及帝即位,宗谔上十馀章论功,帝不得已,特迁奉国留后。中书召知制诰韩维命辞,再三属之曰:"语勿太深也。"宗谔在藩,素嫉帝。宗谔有庖夫,善羊脍,帝使之为脍两盘,宗谔见,问之,对曰:"十三使之脍也。"宗谔怒,毁器覆肉,笞其庖夫。宗谔性阴狡,所恶婢妾,往往焰杀之。

丁卯,辽主如藕丝淀。以岁旱,遣使赈山后贫民。

八月,己亥,以龙图阁直学士兼侍讲吕公著知蔡州。公著尝言濮安懿王不当称亲,及颁讳于天下,又请追还吕诲等,皆不从,即称疾求补外官。帝曰:"学士朕所重,岂得轻去朝廷!"公著家居者百馀日,遣内侍杨安道即家敦谕,且戒安道曰:"公著劲直,宜徐徐开晓,语勿太迫也。"又数令其兄公弼劝之。公著起就职,才数月,复上章请出,故有是命。

九月,壬子朔,日有食之。

癸丑,以知制诰、史馆修撰蔡抗为龙图阁直学士、知定州。帝谓抗曰:"第行,且召卿矣。"郡兵番戍,室家留营多不谨,夫归辄首原;抗下令,悉按以法,成兵感之。

乙卯,命知制诰宋敏求题濮安懿王及三夫人庙主于园。

丙辰,幸天章、宝文阁,命两府观翰林学士王珪所书仁宗御书诗石刻。

初,仁宗立帝为皇子,珪请对而后草诏,后有间珪者。是日,御蕊珠殿召珪,设紫花墩赐坐,劳问久之,召中书授珪兼端明殿学士,且谕曰:"执政员阙,即命卿矣。"翼日,又赐盘龙金盆一,珪惶恐以谢。帝谓曰:"朕知卿忠纯有守,曩者有谗语,朕今释然无疑矣。"珪顿首曰:"非陛下保全,臣何以至此!"

癸亥,诏:"自今待制已上,自迁官后六岁无过,则复迁之,有过亦展年,至谏议大夫止。京朝官四岁磨勘,至前行郎中止。少卿监仍以七十员为定员,有阙即检勘(至)前行郎中迁及四岁以上,校日月之久者次补之。少卿监以上,迁官听旨。如别有劳绩,或因要重任使,特旨推恩者,即不在此例。"

1353

乙丑，以太常博士、监察御史里行马默守本官、通判怀州。初，默弹奏济州防御使李珣犯销金，并匠人送开封府，官吏不能正其罪。又言宗惠女使当如法录问；且请自今外人罪连宗室，大辟皆录问然后断；又言国子监直讲刘攽轻薄无行，多结交富资举人，不可为开封试官；又言赵及所坏仓米十八万石，当治米所以湿恶；并劾提点仓场李希逸以不觉察，而及等实由希逸举发。默除御史时，放有戏言，默用此怒，故妄弹奏放。默又屡言濮王不宜称亲，帝以为疏缪，故黜之。御史刘庠奏乞留默，弗听。

皇城司尝捕销金衣送开封府，推官窦卞上殿请其狱。会有以内庭为言者，帝疑之，卞曰："真宗禁销金自掖庭始；今不正以法，无以示天下，且非祖宗立法意。"诏如卞请。

庚辰，知谏院傅卞言："风闻贵戚奏荐恩泽，未经减定，或托以亲戚，滥及高资商贩之徒。"诏："自今妃嫔、公主以下，非有服亲若有服亲之夫，无得奏荐。"

是月，夏国主谅祚举兵寇大顺城，入寇柔远寨，烧屈乞等三村，栅段木岭。

初，环庆经略安抚使蔡挺，知谅祚将入寇，即遣诸将分屯要害。以大顺城坚，虽被攻不可破，不益兵；柔远城恶，命副使总管张玉将重兵守之。敕近边熟户入保清野，戒诸寨无得逆战。谅祚将步骑数万攻围大顺三日，蕃官赵明与官兵合击之。谅祚银甲毡帽以督战，挺先选强弩八列于壕外，注矢下射，重甲洞贯，谅祚中流矢，遁去。复寇柔远，张玉募胆勇三千人，夜出扰贼营，贼遂惊溃。遣中使赐挺手诏慰劳。谅祚退屯金汤，声言益发步骑，且出嫚辞，须已得岁赐，复攻围大顺城。鄜延经略安抚使陆诜言："朝廷积习姑息，故贼敢狂悖；不稍加诘责，则国威不立。"即止其岁赐银、帛，牒宥州问故。帝喜曰："固知此人可倚也。"诏诜得宥州报具闻。而谅祚果大沮，盘桓〔寨〕〔塞〕下，取粮〔四〕〔而〕反，卒不敢入寇。又岁俭贫，愿得赐物，乃报言："边吏擅兴兵，行且诛之矣。"

冬，十月，壬午朔，以仙游县君任氏坟域为园，从礼院所奏也。

癸未，遣西京左藏库副使何次公赍诏赐夏国主谅祚，问所以入寇之故，仍止岁赐银帛。陆诜言："西戎颇顺矣，不若且赐时服，因以诏问之，彼必感惧。今特遣次公，彼多奸诈，或疑朝廷畏己，则未遽服也。"不从。

甲申，以户部判官、直集贤院王广渊直龙图阁兼侍读，集贤殿修撰周孟阳兼侍讲。

帝不豫，广渊忧思忘食寝，帝自为诏以慰安之曰："朕疾少间矣。"乙酉，诏两日一御迩英讲读。时帝已不豫，然近臣尚未知也。于是皇子颖王等引仁宗故事以请，从之。

丁亥，诏令礼部三岁一贡举。天下解额，于未行间岁之法已前，率四分取三分。礼部奏名进士，以三百人为额，明经诸科，不得过进士之数。

以同签书枢密院郭逵为陕西四路沿边宣抚使兼权判渭州。逵恳辞签书，帝曰："初欲授卿宣徽使，虑外人以为罢政，第领枢职往以重使权。"

甲午，诏宰臣、参知政事举才行士可试馆职者各五人。

先是帝谓中书曰："水潦为灾，言事者多云不进贤，何也？"欧阳修曰："近年进贤之路太狭，诚当今所患。"帝曰："何谓进贤路狭？中书常所进拟者，其人皆如何？"修曰："自富弼、韩琦当国以来，十数年间，外自监司，内则省府，选擢甚精，时亦得人，然皆是钱谷、刑名强干之吏。此所谓用才。臣言进贤路狭，乃馆职也。"帝曰："如何？"修曰："朝廷用人之法，自两制选居两府，自三馆选居两制。然则三馆者，辅相养材之地也。往时入三馆有三路，今塞其二矣，此臣所谓太狭也。"帝曰："何谓三路？"修曰："进士高科，一路也；大臣荐举，一路也；因差遣例除,一路也。往时进士五人以上及第者,皆得试馆职;第一人及第,不下十年,有至辅相者。今第一人及第,两任凡十年,方得试馆职,而第二人以下无复得试,是高科一路塞矣。往时大臣荐举,随即召试,今止令上簿,候馆阁阙人乃试。而馆阁人初无员数,无有阙时,则上簿者永无试期,是荐举一路又塞矣。唯有因差遣例除者,半是年劳老病之人,此臣之所谓进贤路太狭也。新格置编校官八人,皆用选人,历七年,乃自校勘除校理,此外未尝有所擢用。臣谓此八员者宜仍旧,它员或阙,即令中书择人进拟,庶无遗贤。”故有是诏。因谓辅臣曰:“馆阁养才之地,比欲选数人出使,无可者,公等其各为朕搜扬,虽执政亲戚、世家勿避。朕当亲阅可否。”

于是韩琦、曾公亮、欧阳修、赵概等所举蔡延庆、夏倚、王汾、叶均、刘攽、章惇、胡宗愈、王存、李常、张公裕、王介、苏(税)〔悦〕、安焘、蒲宗孟、陈侗、陈睦、李清臣、朱初平、黄履、刘挚,凡二十人,皆令召试。琦等以人多难之,帝曰:“既委公等举之,苟贤,岂患多也?”乃令先召权提点陕西刑狱、度支员外郎蔡延庆等十人,馀须后试。延庆,齐子也。

丙午,群臣以来岁元会,表上尊号曰体乾应历文武圣孝皇帝,诏不许,五表,乃许之。

十一月,甲寅,以庆州蕃官都巡检(司)〔使〕赵明领顺州刺史,以击夏人于大顺城有功也。于是将士及蕃官有功者,随轻重赏之。

戊午,帝不豫。

己巳,归徐国公主于王氏,皇后及皇子颍王、东阳郡王送至第,诏皇后翼日乃归。

司马光奏曰:“今岁彗星彰见,连月乃灭,飞蝗害稼,日有食之。加之陕西、河东夏秋乏雨,禾既不收,麦仍未种;西戎内侮,边鄙未安。而朝廷晏然曾不为意,或以为自有常数,非关人事;或以为景星嘉瑞,更当有福。今者又有佞臣建议,请上尊号;其为欺蔽上天,诬罔海内,孰甚于此!伏望止群臣所上章表,却尊号而弗受,更下诏书,深自咎责,广开言路,求所以事天养民、转灾为福之道。俟圣体康复,天时丰穰,然后推崇徽号,何晚之有!臣承乏侍从,诚见近日群臣皆以言为讳,入则拜手稽首,请加鸿名;出则错立族谈,腹非窃笑,终无一人为陛下正言其不可者,是敢妄进狂瞽,唯圣明采察。”不从。

初,夏人寇大顺,帝问两府:“策将安出?”宰相韩琦请留止岁赐,遣使赍诏往问;枢密使文彦博等曰:“如此,则边衅大矣。”因引宝元、康定之丧师以动帝意。琦曰:“兵家须料彼此。今日御戎之备,大过昔时,且谅祚狂童,岂可比元昊也?诘之必服。”帝竟从琦议,遣何次公往使。朝退,二府以所论不同,各相私语。彦博谓其党曰:“渠自言料敌,且观渠所料。”逾月,次公还,以谅祚表进。帝已卧疾,辅臣因入问起居毕,琦扣御榻曰:“谅祚服罪否?”帝力疾顾琦曰:“一如所料。”谅祚所上表,虽云“受赐累朝,敢渝先誓”,然尚多游辞,归罪于其边吏。乃复赐诏诘之,令专遣使别贡誓表,具言:“今后严戒边上酋长,各守封疆,不得点集人马,辄相侵犯。其鄜延、环庆、泾原、秦凤等路一带,久系汉界熟户,并顺汉西蕃,不得更行劫掳,及逼胁归投。所有汉界不逞叛亡之人,亦不得更有招纳。苟渝此约,是为绝好。徐则遵依先降誓诏,朝廷恩礼,自当一切如旧。”

先是帝久服药,监察御史里行刘庠奏请立皇太子,帝不怿,封其奏。一日,宰相韩琦等问起居退,颍王出寝门,忧形于色,顾琦曰:“奈何?”琦曰:“愿大王朝夕勿离左右。”王曰:“此乃人子之职。”琦曰:“非为此也。”王感悟去。帝自得疾,不能语,凡处分事皆笔于纸。

十二月,壬午,辽以知枢密院事杨绩为南院枢密使,以枢密副使刘诜参知政事。丁酉,以西京留守哈珠为南院大王,旋出萧珠泽为武定军节度使。

辽主以杨绩旧臣,特诏燕见,论古今治乱,人臣邪正。辽主曰:"方今群臣忠直,耶律块、刘诜而已。然诜不及块之刚介。"绩拜贺曰:"何代无贤,世乱则独善其身,主圣则兼善天下。陛下区分邪正,陟黜分明,天下幸甚!"辽主又尝谕诜曰:"卿勿惮宰相。"时北院枢密使耶律伊逊势焰方炽,诜奏曰:"臣于伊逊尚不畏,何宰相之畏!"伊逊衔之,相与排诋。未几,出诜为保静军节度使。

辛丑,帝疾增剧,辅臣问起居罢,琦复奏曰:"陛下久不视朝,中外忧惶,宜早立皇太子以安众心。"帝颔之。琦请帝亲笔指挥,帝乃书曰:"立大王为皇太子。"琦曰:"必颍王也,烦圣躬更亲书之。"帝又批于后曰:"颍王顼。"琦曰:"欲乞即今晚宣学士降麻。"帝复颔之。琦召内侍高居简,授以御札,命翰林学士草制。学士承旨张方平至榻前禀命,退而草制。壬寅,立皇子颍王顼为皇太子。帝既用辅臣议立皇太子,因泫然下泪,文彦博退谓韩琦曰:"见上颜色否?人生至此,虽父子亦不能无动也。"琦曰:"国事当如此,可奈何?"皇子始闻命,辞于榻前者久之。

癸卯,大赦,赐文武官子为父后者勋一转。

乙巳,诏以来年正月十九日册皇太子,翰林学士承旨张方平为礼仪使,翰林学士王珪撰册文,钱明逸书册,知制诰宋敏求书宝。

是年,辽放进士张臻等百一人。

【译文】

宋纪六十四　起丙午年(公元1066)年正月,止十二月,共一年。

治平三年　辽咸雍二年(公元1066年)

春季,正月,丁巳(初二),辽国国主辽道宗前往鸭子河。

壬申(十七日),以翰林学士、知制诰范镇为翰林侍读学士、陈州知州。起初,范镇草拟韩琦升迁官职的制书,文中援引周公、霍光以称赞他,谏官吕诲驳斥了范镇;因此韩琦上表彰请求辞去官位,范镇草拟的批示回答道:"周公不去鲁国,是想由周天子统一天下。"英宗认为范镇不应当援引圣人比做宰相,那意思是说韩琦离开相位,人们就不会讴歌朝廷,诉讼之事也不求助于朝廷,英宗便想免去范镇在朝内的职务。执政大臣因而告诉范镇让他主动请求到外地任职,所以才有了这项任命。

英宗对臣僚起草的制诰文书大都亲自审阅,有不合理的,一定命起草人更正,曾对执政大臣说:"这是君主的谟训命令,怎么可以褒贬失实呢!"

在这以前,知制诰韩维在便殿向英宗奏事,曾经说道:"君主的好恶,应当明确地表现在赏罚方面以昭示天下,让人们知道所应当做的与不应当做的事,这样风俗就可以改变。"又说:"思考问题不会完全没有差错,假如陛下理事出现失误,改正过来就完全可以彰扬陛下能采纳善言听从劝谏的美名。"在范镇到外地任职后,韩维说:"范镇确实有罪,自可绳之以法。倘若他的失误只在用词不当,那就应当包涵宽容来保全近臣的体面身份。陛下从前罢免了钱公辅,朝廷内外都认为处罚太重。现在又罢免范镇而人们并不知道他说了什么,臣担心今后群臣各怀疑惧之心,不敢为陛下竭尽忠诚了。"

癸酉(十八日),契丹改国号为大辽。

乙亥(二十日),宣徽南院使、武安节度使程戡去世。程戡守备延州共六年,处事稳重,理政不求名声,然而不被言官所嘉许。起初,延州在黄河两岸建成两城,城墙低矮单薄,曾被西夏国围攻,登上九州台,向下可以俯瞰城中。程戡调集士兵民夫,大规模地增高加固城墙,后来延州因此而获得益处。横山部落的豪强怨恨赵谅祚,想率领部属反叛,攻取灵州、夏州,前来请求出兵支援,程戡说:"豹虎不

辽宁义县奉国寺大雄宝殿　辽

互相搏斗,便不容易猎获;痈疽不自己溃烂,便不容易治疗。赵谅祚长期悖逆傲慢,应当乘此机会同意横山部落豪强的请求,利用外族人攻打外族人,这对我朝是有利的。"适逢英宗生病,大臣担心惹出事端,便将此事搁了下来而未呈报。程戡自认为已年过七十,请求告老还乡,一共奏请了十多次,英宗始终没有批准。英宗派宦官带着亲笔诏书前去慰劳他,赐给他茶、药、黄金,程戡于是又上奏章说:"臣年老病得厉害了,高奴屯驻着劲旅,是战略要地,岂是养病之地!"因而获准离任回乡,行至澄城,溘然长逝;英宗追赠他为太尉,赐谥号康穆。

辛巳(二十六日),以端明殿学士、徐州知州张方平为翰林学士承旨。起初,英宗对执政大臣说,学士中只有王珪能草拟诏书,其余的人大多不称职,便问道:"张方平的文章和学问怎么样?"欧阳修回答说:"张方平也会做文章,也有学问,只是为人夹杂邪念,不够正直。"曾公亮认为没有听说过张方平为人不够正直,赵概又认为没有依据,所以最终还是任命了张方平。英宗曾经询问治国方略的大致纲要,张方平用"简易诚明"作为答复,英帝不禁离座向前说道:"朕以前奉朝请临朝听政,看见侍从大臣就以为都是从天下选拔上来的俊才,现在看来大多并非如此。如今听了学士的话,才知道还是有人才呀。"

英宗命翰林学士冯京修撰《仁宗实录》。

壬午(二十七日),撤销三司推勘官。起初,英宗下诏令三司荐举京内朝廷官员一人,专门负责推勘的事务,到这时三司上奏认为不便,就撤销了,然而议论的人不认为撤销是有益的。

癸未(二十八日),辽国国主辽道宗前往山榆淀。

在这之前,工部员外郎兼侍御史知杂事吕诲与侍御史范纯仁、监察御史里行吕大防联合启奏道:"臣等认为参知政事欧阳修,首先提出不正确的看法,用歪道取悦君主,以眼前利益辜负先帝,将使陛下陷于理事犯错的讥讽评议。"龙图阁直学士司马光,也上书请求停止追尊濮安懿王的讨论,英宗都没有作答复。吕诲等人不断地进行辩论,而中书省也用札子替自己辩护。英宗心里倾向中书省,然而没有立刻下诏表示意见。执政大臣便互相秘密商议,想让皇太后发下手诏,尊奉濮安懿王为皇,濮安懿王的夫人为后,皇帝称他们为亲,再让英宗下诏表示谦让,不接受尊号,只称亲,在陵园内设立神庙,以表示这并不是英宗的意思,而且想借此作为以后推尊的基础。

丙子(二十一日),中书省臣僚在垂拱殿奏事,当时韩琦正因祭祀而作斋戒,英宗特地派宦官召他前来共同议事。退殿之后,外面传说濮王已被议定称皇,欧阳修亲笔书写诏书草稿

两份，一起呈递到英宗面前。中午，太后果然派遣宦官带着实封文书到中书省，执政大臣相视而笑。吕诲等人闻讯，立即向英宗上缴委任御史官职的诏书，呆在家里等候治罪，乞请英宗早日罢免责罚，英宗用御印封好委任御史的诏书，派宦官前去敦促吕诲等人到御史台供职。吕诲等人因为自己的意见没有被采纳，虽然接受了任命诏书，但仍然在家等候治罪。

丁丑（二十二日），中书省奏事，英宗又派遣宦官召韩琦前来一起商议，当即发下敕令说："依照皇太后的手书，濮安懿王、谯国太夫人王氏、襄国太夫人韩氏、仙游县君任氏，可令皇帝称亲，仍尊崇濮安懿王为濮安懿皇，谯国太夫人、襄国太夫人、仙游县君都称后。"又发下敕令，说是英宗的手诏写道："朕当面奉皇太后慈旨，此前已发下手书。朕因为刚刚继承皇位，担心德性不能胜任，所以称亲之礼，谨遵照皇太后慈训；然而追崇的礼典，岂敢轻易承当！朕姑且想将濮安懿王的坟茔建成陵园，就在陵园内建立神庙，让濮安懿王的子孙主持祭祀仪礼。皇太后体谅朕的诚意，就赐以允许。"又下诏说："濮安懿王的儿子瀛洲防御使岐国公赵宗朴，等服丧期满之后任节度观察留后，改封濮国公，主持祭祀濮王的事务。"

庚辰（二十五日），吕诲等人又上奏说："臣等本来以为欧阳修首先提出不正确的意见，贻误圣心，韩琦等人又迟疑附会而不及时辩证，已多次具章弹劾，乞请按朝廷典制处置。近日见到皇太后手书，追尊濮王的典礼，都依照汉哀帝、汉桓帝衰败时代的旧例，这便与中书省的原意相符合。朝廷内外的舆论，都认为韩琦秘密地与宦官苏利涉、高居简往来勾结，对上迷惑母后，才有这样的旨令，大概是想将过错推诿到陛下的身上，自我掩饰丑恶行为，欺骗君主、辜负国家，竟然到了这步田地，首先提出这种主张的大臣，怎能不杀！臣等在家等候治罪，屡次承蒙诏旨促令供职，但是局促不敢从命，是因为这个缘故。如果一定让臣等就职，那么应当召集百官在朝廷上争辩是非来挽救朝廷的过失，这样虽然陛下容纳直言，被天下人所共知，而臣等不能及早使明主发现这个过失，其罪过更是深重了，怎么可以再呆在言路上，做陛下的耳目官呢！"英宗命中书省发下札子，敦促吕诲等人到御史台任职，而吕诲等人缴还了札子和后来所启奏的九份状文，向中书省申明坚决辞去御史职位。

这天，英宗正诏令今后避讳濮安懿王名字中的一个字，设置濮安懿王陵园令一人，以大使臣充任；招募士兵二百人，作为守护陵园的名额；又令河南设置专植柏树的民户五十人，命带御器械王世宁、权发遣户部判官张徽绘制濮安懿王陵园庙宇地图上报；这些诏令都是依从中书省的奏请而下发的。

壬午（二十七日），英宗下诏令停止尚书省集中讨论濮安懿王的典礼。中书省进呈吕诲等人申报的奏状，英宗问执政大臣应当如何处理，韩琦回答说："臣等是忠诚还是邪恶，是陛下所知道的。"欧阳修说："御史认为仁宗与濮王按理难以并列为皇，如果陛下认为臣等有罪，就应当留下御史；如果陛下认为臣等无罪，就取决于圣旨。"英宗犹豫了很久，才下令贬御史出朝；不久又说："不应责罚他们太重。"于是吕诲被免去侍御史知杂事的职务，以工部员外郎身份出任蕲州知州；范纯仁以侍御史身份任安州通判；吕大防撤去监察御史里行的职务，以太常博士的身份任休宁县知县。按旧例，解除知杂御史的职务都得有皇帝的诰词，当时知制诰韩维正值班，又兼管通进银台司门下封驳事，执政大臣担心韩维缴还皇帝批示而不肯起草制诰文书以及封驳敕命，便直接把敕命送到吕诲等人家中，仍然以多次不尊奉圣旨到御史台就任为他们的罪名。韩维说："罢黜御史，事关政体，而不让有司事先得知，国家纲纪的败坏，没有比这更严重的了。应该追回吕诲等人的敕命给银台司，使臣能够申明辩论来端正官判。"又说:"吕海等人能谨慎论事,忠于职守。是国家的忠臣,分析他们的用心,不过是想要陛下完全依照先王的法度施政罢了。士大夫贪图巩固已有的恩宠与利禄,重赏严罚,还怕这一风气不能改变;进而又在朝廷内被邪说所纠缠,贬斥正直的人,从此以后陛下的耳目就更加阻塞了。"韩维又请求面见英宗,深刻地论述那措施的失误,请求追回以前所发下的敕命,令百官详细讨论以使人们充分发表意见,再召回吕海等人担任旧职,以维护政体,但英宗都没听从。这天,英宗下诏令翰林学士、知制诰、御史中丞、知杂各荐举御史两名,以起居舍人、同知谏院傅尧俞兼任侍御史知杂事。

司马光启奏说:"臣私下听说吕海、范纯正、吕大防,因议论濮王典礼的事全被责罚降职,朝内外闻讯,无不惊愕。臣看这三个人,忠亮刚正,公而忘私,对照群臣,极少有能与他们相比的。如今一旦因为论述政事过于切直,便都被放逐贬谪,臣私下为朝廷惋惜!臣听说君主所以能使国家安宁繁荣,没有比得人心更重要的了。目前陛下顺从中书省内一两个人的心愿,违背满朝公议,尊奉濮王,超过了礼制。天下的人,已经知道陛下是仁宗的后嗣,但陛下心意不专一,使人们怅然失望,现在又将议论此事的臣僚统统放逐出朝,臣恐怕这样做会连累陛下的圣德,损失不小,大街小巷处,心中非议而私下叹息的人已是很多了。臣恭谨地希望陛下仁慈为怀,立即命令吕海等人回御史台供职,不然暂且改派他们到近些地方任职,也可以稍稍慰藉朝廷之外人士的心。"

吕公著进言说:"吕海等人因为论事不够适当,一同受到责罚降职,刚听到这个敕命时,舆论沸沸扬扬,都说陛下自从即位以来,采纳善言、听从劝谏的作风,尚未让天下人见到;如今吕海等御史台的官员又全部被罢黜,臣私下担心会导致义士缄默不语,忠臣心意涣散。况且自古君主,接受劝谏,国家便兴旺,拒绝谏言,国家便衰亡,兴亡的契机,不可不慎重对待。希望陛下以天地般广大的度量,包涵宽容,特地追回罢黜吕海等人的敕命,让他们依旧担任原职,这样天下就大幸了!"

二月,乙酉朔(初一),白虹横贯太阳。

命殿中丞苏轼为直史馆。英宗在王府时,已闻苏轼大名,现在想依照唐代旧例召他入翰林院,任知制诰。韩琦说:"苏轼,是有远大前程的英才,以后自然会对天下有用,但关键在于朝廷的培养。长时间之后再任用他,人们就不会有多少意见,现在骤然任用他,恐怕天下的人未必都赞同,那恰恰是妨碍了他。"英宗说:"让他修撰起居注,可以吗?"韩琦说:"撰起居注与制诰相近,不可以立即授命;不如在馆阁中选择一个接近皇上的贴职给他,而且请召他来考试。"英宗说:"不知道这人能否胜任,所以才要考试;像苏轼这样的人,还有不胜任的吗?"韩琦说不可以不考试,于是考过苏轼之后才任命他。后来,欧阳修将此事全都告诉了苏轼,苏轼说:"韩公可谓是以德爱人啊。"

甲午(初十),辽国国主辽道宗通过驿站召武定军节度使姚景行入宫晋见。辽道宗向他询问治国之道,他奏答得合乎辽道宗的心意,又升任南院枢密使。辽道宗又召他入内殿,向他出示御书和太子手迹。辽道宗曾经有向南征伐宋朝的想法,询问姚景行道:"宋人喜欢在边境制造事端,怎么办?"姚景行说:"自从圣宗与宋人和好以来,至今将近六十年,如果因为细小缘故而兴师打仗,恐怕违背了先帝时订立的和约。"辽道宗认为有道理,便放弃了初衷。

乙巳(二十一日),颖王府翊善邵亢上奏说:"皇子颖王,天生体质早熟,到了成婚的时期。正值陛下即位的初期,同时是皇长子开始成家之日,依礼法推算,没有比现在更重要的了。臣曾见本朝亲王聘娶,虽然《开宝通礼》上载有旧的礼仪,但拖延而不曾施行。臣想请陛下发下诏书让太常礼院博采旧时典制,制定颖王聘娶的礼仪规范,那些以前不符合礼法的做法全都取消。"英宗下诏令太常礼院详细审定。太常礼院上奏道:"《开宝通礼》规定,亲王娶妃,有纳采、问名、纳吉、纳成、请期、亲迎、同牢之礼,本朝没有用过。现在查阅《国朝会要》所载皇亲婚会礼仪,礼物数额请依照《国朝会要》中的旧例而定。"英宗批准此议。

三月,丁巳(初三),英宗赐群臣在诸园苑中饮宴。

己未(初五),清晨在壁宿星附近出现了彗星,长七尺左右。

辛酉(初七),起居舍人、同知谏院傅尧俞、侍御史赵鼎、赵瞻自从出使辽国归来以后,因为曾经与吕诲谈论过濮王的事,所以在家等候治罪。而傅尧俞拒绝接受新任命他为侍御史知杂事的敕命,在英宗面前叩头说:"臣当初在吕诲之前奏说濮王的事,如今吕诲等人被罢黜出朝而唯独臣升迁官职,臣不敢就任。"英宗多次告谕挽留傅尧俞等人,傅尧俞等人却始终请求离任,于是任命傅尧俞为和州知州,赵鼎为淄州通判,赵瞻为汾州通判。

司马光进言道:"近日承蒙陛下圣恩,宣布濮王称亲一事,说:'此事朕不想称亲,假使只称濮王和仙游县君,有什么不可以!'臣因而知道陛下极为公正,起初并没有过分厚待私亲的想法,只是被中书省所误,以致朝廷之外议论纷纷。臣以为早晚必定会下诏书免去濮王称亲的名分,那些已经被逐出御史台的官员应当有别的任命,现任的御史台官员也应当从优加以抚慰晓谕,让他们就职。今天忽然听说傅尧俞等三人相继都被贬出朝廷,这是中书省想要堵住后来的御史之嘴,使他们都不敢进言,然后得以独揽大权,为所欲为了。臣恭谨地希望陛下特地发出圣旨,召回傅尧俞等人,下诏再不称亲。这样,就可以立即使天下愤懑之气化为欢欣,诽谤之词变成歌颂了。"英宗没有听从。司马光于是奏请与傅尧俞同受责罚,就在家等候治罪。又上奏说:"陛下即位的那年,臣已曾上书预先劝诫追尊濮王的事;等到过了仁宗的两周年祭礼,臣便与傅尧俞到中书省,说明成为人家后嗣的人不能顾及私亲的道理;当两制、礼官共同详议时,臣又单独为众人亲笔撰写奏稿。如果对这事治罪,臣应当首先受罚。吕诲等人是后来才论述这事的,既然都已蒙受放逐,那么像臣这样的首犯难道应该被宽恕吗!纵然陛下十分仁慈,特别加以庇护,臣怎能不心中感到惭愧!"又奏请尽早赐以降职放逐,共四次上奏,英宗始终不同意。

壬戌(初八),以屯田员外郎、签书江宁节度判官事孙昌龄为殿中侍御史,太常博士、监永丰仓郭源明为监察御史里行。郭源明,是郭劝的儿子。

甲子(初十),以都官员外郎黄炤为侍御史,太常博士蒋之奇为监察御史里行。

起初,英宗命令王珪等人荐举官员,已任命了孙昌龄和郭源明,但还缺两名,中书省将王珪等人以前所荐举的都官员外郎孔宗翰等七名上报英宗,结果黄炤获选。英宗又特批"蒋之奇授予御史"。欧阳修一向器重蒋之奇,前一次参加制科考试蒋之奇没有中第,曾经到欧阳修那里,大谈追尊濮王是如何如何正确,强烈反对范百禄对英宗所讲的话,欧阳修因而极力荐举他,于是他与黄炤一起得到任命。蒋之奇入宫应对,英宗当面告谕他:"朕曾经看过爱卿所写的对策,写得很好,但有司误将爱卿遗漏了,所以朕亲自做出这个任命。"蒋之奇,是宜兴人,蒋堂的侄子。孔宗翰,是孔道辅的儿子。

这天,聘娶原宰相向敏中的孙女为皇子颖王的妻子,封她为安国夫人。在此之前宫中派遣使者广泛地到各臣僚家为颖王选择配偶,记室韩维上奏道:"应当选有功勋声望的人家,精心挑选贤淑的女子，考察古代纳采、问名的内容，依礼完婚，不应随便地仅取其美色而已。"英宗高兴地接受了这个建议。

戊辰（十四日），英宗亲自审察记录囚犯的罪状。

庚午（十六日），因为彗星出现，英宗避开正殿，减少日常膳食。英宗告谕枢密院大臣，以出现彗星为忧。胡宿请求加强边备，吕公弼说："出现彗星不是小的变故，不可不戒惧。陛下应该虔诚地修养德性来秉承上天的警戒，臣担心忧患不在边境上。"

新任命的监察御史里行郭源明奏请撤销对自己的任命，并乞请追回吕诲等人任原职。英宗下诏允许罢免郭源明的任命，将任命文书交给中书省。

辛未（十七日），英宗下亲笔诏书说："朕近日敬奉皇太后慈旨，令朕对濮王称亲，仍然有追尊濮王之命。朕想汉朝历史，汉宣帝对亲生父亲称为亲，又加谥号为悼，建置供奉邑地，都符合经书的义理。既然有典籍记载的故事，于是遵照太后慈训，而不敢承当追尊濮王的典礼。又因为朕对上继承仁宗的宗庙社稷的重任，按理不能同时尊奉私亲，所以只在濮王陵园中设立神庙，让濮王的子孙世袭濮国，自己主持祭祀，远避嫌疑而加以区别，原本想以此作为万代遵循的法则，这难道都是临时的权宜举措吗！而台官吕诲等人，开始时一味坚持应称濮王为皇伯、追封大国的主张，朕认为以生身之亲，改称皇伯，普遍地考察前代，并没有典籍依据，追封大国，而又在礼法上没有加爵的道理。自从停止议论之后，吕诲等人仍然启奏催促不已，为没有实行他们的意见而愤怒，便援引汉哀帝取消恭皇定陶的封号、在京城设立神庙、扰乱正统的事，都是朝廷没有议论到的，样样加以诬蔑诋毁，将自己比作师丹，企图动摇人心，蛊惑众听。以致封还任命诰敕，擅自不到御史台就职，公开将留在宫中的奏章交给中书省，在京城抄录传阅毁谤皇帝的文章。等朕的手诏发出后，吕诲等人则认为对濮王称亲立庙都是不恰当的。朕阅览吕诲等人以前的奏疏，也说'生育之恩，按礼法应该追尊，等仁宗丧期结束，然后讲求典礼，褒扬尊奉生身之亲'。如今竟反而认为对濮王称亲是错误的，前后说的话，自相矛盾。傅尧俞等人不顾义礼，更是互相倡和，既已侵权而示众，又推诿过错以获取名声。朕姑且尽力包涵容忍，只命他们各以原官到外地任职。朕还考虑到缙绅士民，不清楚事情的原委，只为传闻所迷惑，为了消除人们的疑虑，按理应当申明晓谕。应令中书、门下两省让御史台在朝堂及进奏院张贴榜文通告人们，这样才能让大家知晓朕的旨意。"

命左谏议大夫、天章阁待制兼侍讲李受到谏院供职。

癸酉（十九日），英宗下诏说："去年秋季以来，雨水泛滥成灾，现在星象发生变异；灾祸的征兆明显，所以朕避开正殿并撤去日常膳食，日夜警惕防备。长期以来想到四海之内，诉讼案件中有许多冤案。征派的徭役既多又重，加之鳏寡孤独死亡贫苦的，很是令人悲伤！转运使、提点刑狱，要分路去访察并且体悯抚恤他们，利害关系大的都要上报，使朕的仁爱恩德惠及家家户户，以符合朕敬畏上天之心。"

辛巳（二十七日），彗星出现在昴宿星附近，向太白星运行，长一丈五尺；壬午（二十八日），孛星出现在毕宿星附近，向月亮方向运行。

夏季，四月，甲申朔（初一），观文殿学士、户部侍郎孙沔从环庆路改任鄜延路统帅；还没到任，就死于途中。赠兵部尚书，赐谥号威敏。孙沔任官以才干闻名，然而喜欢宴饮游乐，好女色，所以中间一段时间曾获罪丢官。

丙戌（初三），太常礼院上奏："为濮安懿王建立神庙，应当举行祭告神灵的礼仪，而赵宗

1361

朴丧服尚未解除,请暂且让濮王本宫兄弟代行此事,那祝祷祭文令教授撰写。"

起初,命翰林学士冯京撰写祝文,冯京说翰林院没有规定的写作格式,乞请下诏令太常礼院讨论。太常礼院商议的写法是"皇帝某某谨派遣官员恭敬地向亲濮安懿王祭告"。不久因为前次诏书提到让濮王子孙主持祭祀的事,现在便改定为这一做法。

英宗曾经向天章阁待制兼侍讲王猎询问关于濮王称亲之议的看法,王猎认为不可以。英宗说:"濮王一向厚待爱卿,爱卿也持这种看法吗?"王猎回答说:"臣受到濮王的厚恩,所以不敢将不合乎礼法的名号加在濮王身上,这就是对濮王的报答。"

命密州观察使赵宗旦同知大宗正司事。赵宗旦为亲生母亲守丧,以孝闻名。他首先请求另外选择墓地来安葬生母,每年定时祭奠,以后这一做法被定为法规。

己丑(初六),英宗赐给退休的工部侍郎皇甫泌一百匹帛。皇甫泌献上自己所著的《周易精义》等书,所以英宗才有这样的赏赐。

英宗赐给真定府僧人怀丙紫色袈裟。起初,河中府架设桥梁,用八头铁牛维系桥梁,一头牛就有几万斤。后来河水暴涨冲断了桥梁,铁牛沉没到河底,官府招募能将铁牛打捞起来的人。怀丙用两条大船装满土,将铁牛夹在中间。并用绳子将船和牛绑在一起,用大木头做成秤的形状钩出铁牛,逐渐去掉船上的土,船只上浮而铁牛也随之浮出。转运使张焘上报此事,英宗因而有这样的赏赐。

以工部郎中、天章阁待制陆诜为兵部郎中、鄜延路都总管、经略安抚使,兼延州知州。

追赠皇后的弟弟内殿崇班高士林为德州刺史。高士林,是将门之子,唯独喜爱学习,英宗曾经用"谨守法律"四个字教诲他,说:"能做到这样,就能成为好官吏。"英宗每每想要提拔他,皇后屡次都予以推辞。去世后,才追赠他这个官衔。第二年,又追赠他为节度使。

乙未(十二日),颍王府翊善、同修起居注邵亢,以知制诰、知谏院兼判司农寺。当时英宗对颍王说:"翊善正直忠厚,已经提拔他做谏官了。"颍王叩头称谢。

以金部员外郎、天章阁侍讲傅卞为起居舍人、同知谏院。傅卞议论对濮王是否举行追尊典礼时,与执政大臣的意见一致,所以迅速获得提拔。

以度支郎中王稷臣直集贤院,充任颍王府翊善,英宗令他在皇子住处供职。

辛丑(十八日),英宗命龙图阁直学士兼侍讲司马光编辑历代君臣事迹的书。于是司马光上奏说:"臣自从少年时起,大略地涉猎各类史籍。臣发现纪传体史书,文字繁多,即使是隐居家中专治学问的人士,往往也不能读遍,何况帝王日理万机,一定要通晓前代政治的得失,确实不容易。臣不自量力,常想上自战国,下至五代,在正史之外,搜集其他书籍,凡是有关国家的盛衰,涉及百姓的福祸,善者可以效法,恶者可以戒鉴,帝王所应该了解的,大致依照《左氏春秋传》的体例,写成一部编年史书,名叫《通志》,其余浮泛冗长的文字,全部删去不载入书中,这样大概可以听讲浏览不至辛劳而见闻又很广。臣个人区区微力不能办到,空有这个志向而无所成就。最近臣曾将战国部分的八卷呈献给陛下,荣幸地承蒙陛下阅览。现在所奉诏旨,不清楚是令臣继续写完此书,还是另外编集书稿。如果是续写此书,乞请也以《通志》作为书名。此书上下贯穿一千余年,当然不是愚臣所能独自修撰得成的。臣了解翁源县令、广南西路经略安抚司勾当公事刘恕与将作监主簿赵君锡,都以精通史学而被人们所推崇,希望陛下特地差遣这两人与臣一同修撰,这样大抵能够使书早日写成,也不至于疏漏简略。"英宗下诏批准此奏,而且令司马光接着所呈上的八卷编集,等全书写成,再听取圣旨赐命书名。此后赵君锡因为父亲去世不能到任,英宗命太常博士、国子监直讲刘攽代替。刘恕,是筠州人;赵君锡,是赵良规的儿子;刘攽,是刘敞的弟弟。

已退休的司空、郑国公宋庠去世。英宗正因为天灾异变避开正殿,有司误奏不要亲自去吊丧,便作挽词两幅赐给宋庠,并赠官太尉兼侍中,赐谥号元宪。英宗为他的墓碑用篆书写下"忠规德范之碑"。

宋庠与弟弟宋祁,因擅长文学而闻名天下,生活节俭,不好声色,读书到老仍不知疲倦。尤其守法,在扬州,让工匠用砖铺厅堂前的路,派人拿了杯酒给工匠,后来知道误拿了公事用酒,立即偿还了,而且拿酒的人都受到了惩罚。自从开始执政起,遇事都要分清是与非、可与不可,因此遭到贬黜;等到重被任用,便随波逐流,以求自安。然而他天资独厚,曾说:"依恃聪明而悖理欺诈,自矜有才而残害别人,这是我一辈子都不会做的事。"沈邈曾经担任京东转运使,屡次因事触犯宋庠,等到宋庠在洛阳任职时,沈邈的儿子被洛阳府吏所厌恶,他们想用法惩治他,唯独宋庠不同意,说:"这怎么够得上治罪呢!"人们因此越加称颂他是长者。

戊申(二十五日),以河东转运使吴充为盐铁副使。英宗平时就赏识吴充,多次询问吴充在哪里供职。适逢吴充入宫晋见,英宗晓谕让他讲述时事,并嘉奖慰劳他。吴充在河东任职才半年,便被召入朝中治事。

枢密副使、礼部侍郎胡宿,屡次乞请退休;庚戌(二十七日),被免去原职而担任吏部侍郎、观文殿学士、杭州知州。

命殿前都虞候、容州观察使郭逵升任检校太保、同签书枢密院事。同签书枢密院事一职从郭逵开始设置。

当时知制诰邵必值班,起草诰词进呈英宗,说郭逵是武勇之士,不可在朝廷上任职,希望留下任命的诰敕与执政大臣仔细商议,英宗没有听从。郭逵进入西府后,人们大多不服,有人因此责怪韩琦,韩琦说:"我不是不了懒郭逵名望轻微。按旧例,西府应当任用一位武臣,皇上想任用李端愿,我知道李端愿为人险恶,所以任命郭逵充当。"知谏院邵亢、御史吴申、吕景交相进呈奏章评论道:"在祖宗朝时,枢密院参用武臣,像曹彬父子、马知节、王德用、狄青,功勋劳绩被天下人所称颂,任用他们当然可以,郭逵是狡黠奸佞的小才,怎么能担当大任!"英宗不做答复。

壬子(二十九日),司天监奏报彗星在渐渐消失,群臣到阁门拜上奏表,请求英宗亲临正殿,恢复日常膳食,英宗不同意;群臣上了三次表,英宗才答应。

这个月,辽国境内阴雨连绵。

五月,乙丑(十二日),英宗下诏说:"河北有作战军队三十万人,陕西有作战军队四十五万人,还有义勇兵丁,命令本路都总管对他们经常加以训练,不能占有役使他们。"当时边境守臣中有的奏请增兵,朝廷认为那里兵员为数不少,所以发下这道诏令。

这天,彗星运行到张星附近就消失了。

戊辰(十五日),英宗对宰臣说:"朕每天与诸公相见,每每想要从容地讲论治国之道,只是担心进呈的文字繁多,常常无暇论及。中书省的日常事务中有可以交付有司办理的,全交付他们。"从此中书省处理的琐碎事务,只限于进呈称为熟状的书面文字,至于已有定制的事归有司处理,中书省只下发敕命罢了。

庚午(十七日),英宗诏令中书省、枢密院,今后每月初一和十五在南厅聚会。

吏部的流内铨进呈编修的《铨曹格敕》十四卷。

右武卫大将军、果州刺史赵叔褒兼任文州团练使。

起初制度规定,宗室子弟入学,十五岁以上通晓两部经书的,由大宗正上报,命官员对他们考试经论与经书大义,中试者依据成绩高低赐给出身或升官。到这时赵叔褒考试所学的经书合格,所以获得这项任命。赵叔褒,是赵德恭的曾孙。

乙亥(二十二日),辽国国主辽道宗暂住特古里。

丁丑(二十四日),以屯田员外郎王克臣的儿子王孝庄为右屯卫将军、驸马都尉,赐名叫师约,是因为他娶了德宁公主的缘故。起初,英宗几次称道唐代公主大都下嫁名人,等到选中王师约时,王师约父子都在为考进士而读书,英宗令他到宰相府,考他作诗,让他将所做的赋汇成一编进呈英宗。在清居殿召见他,又晓谕他不要荒废学业,以后又拿出经书及纸笔墨砚赐给他。

辛巳(二十八日),辽国任命户部使刘诜为枢密副使。刘诜任户部使时,每年上交正税以外的杂税三十万贯,所以有这一提升。

六月,乙酉(初二),以驾部郎中、磁州知州李田监淄州盐酒税务。嘉祐六年,开始建立考课法。到这时考课院说李田再次考核的政绩属于劣等,所以有这样的命令。因考绩属于劣等而降职从李田开始。

丙戌(初三),回鹘向辽国纳贡。

丁亥(初四),免去陆诜在前殿拜见,召他入内殿晋见,英宗慰劳他并问他:"爱卿在岭外处置谋划,没有不恰当的,鄜延处在最边远的地方,所以选用爱卿去那里。现在爱卿将首先采用什么措施?"陆诜说:"边境的事情难以在远隔千山万水的这里估计,尚不清楚陛下是想让边境安静无事,还是想在边境炫耀国威?"英宗说:"大抵边境应以安静无事为要务。昨天王素对联说:'朝廷与帅臣常想让边境没有战争,而其余将校,没有不想让边境发生战事以求邀功的。'爱卿认为这话对不对?"陆诜说:"王素的话是对的。陛下如果能责令将帅,使边境不发生战事,那就是天下的大幸了。"

辛卯(初八),以太常博士刘庠为监察御史里行。刘庠私下议论濮王追尊的事与执政大臣的意见一致,所以命他任言官。

壬辰(初九),追赠已故霸州文安县主簿、太常礼院编纂礼书苏洵为光禄寺丞。苏洵所编修的礼书刚刚呈上,尚未得到英宗的批复而他就去世了,英宗赐给他家银一百两、绢一百匹。苏洵的儿子苏轼辞谢所赐银绢,要求赠官,英宗答应之后,又特地敕命有司准备好船只,运载苏洵的灵枢回蜀地。

嘉祐初年,王安石的名声开始大起来,欧阳修也赏识他,劝苏洵与王安石交往,而王安石也愿与苏洵交友,苏洵说:"我知道他的为人。"王安石的母亲去世,士大夫都去吊丧,唯独苏洵不去。

甲辰(二十一日),准布向辽国纳贡。

己酉(二十六日),英宗亲临崇政殿,清理积滞在京城监狱里关押的囚犯。

壬子(二十九日),英宗改清居殿为钦明殿,召直集贤院王广渊将《洪范》的内容书写在屏风上,对王广渊说:"先帝在位四十年,天下太平,得以无为而治。朕即位以来适逢国家多事,怎么敢说自己追求安逸呢!所以更改此殿的名称。"乘便又询问王广渊先世儒家讲论《洪范》的得失,王广渊回答说以张景理解得最深刻,便进呈张景的论述文章七篇。第二天,英宗又在延和殿召他应对,对他说:"张景所论述的远远超过了先世儒家呀,用三德作为驾驭臣下的方法,尤为高论。朕对待臣下常常失之宽柔,因此特别写出这些话,放在座位右前方,以便随时观看自省,它并不是开元年间的《无逸图》啊!"

秋季,七月,癸丑朔(初一),辽国任命西北路招讨使萧珠泽为北府宰相,任命左伊勒希巴萧惟信为南院枢密使,任命同知南院枢密事耶律白为特里衮。

甲寅(初二),任命屯田员外郎吴申为殿中侍殿史。起初,刘庠荐举吴申代替自己的职务,英宗说:"朕本来就了解吴申。"于是提升了他。刘庠,是吴申的门生。自从傅卞议论濮王追尊一事符合英宗的心意,刘庠与吴申私下的谈论与傅卞一致,所以相继都做了言官。

丙辰(初四),辽国南院枢密使姚景行退休。

庚申(初八),辽国审理记录囚犯的罪状。辛酉(初九),姚景行又被任命为南院枢密使。

乙丑(十三日),以奉国留后虢国公赵宗谔为保静节度使。当时濮王的子孙与鲁王的孙辈各升官一级,升官的人共有二十位。英宗被选为皇子时,曾称病拒受诏命,不肯进宫,仁宗诏令同辈年长的亲属进行敦促,赵宗谔年岁最长,于是前去劝皇子入宫。到英宗即位之后,赵宗谔先后进呈十多份奏章论述自己的功劳,英宗不得已,特升他为奉国留后。中书省召来知制诰韩维写敕命,再三嘱咐他说:"用词不要太亲密了。"赵宗谔在王府时,一向嫉恨英宗。赵宗谔有个厨师,善于作羊脍,英宗让他做两盘,赵宗谔看见了,问厨师,厨师回答道:"这是十三使的羊脍。"赵宗谔大怒,砸毁食器倒掉肉,鞭打这个厨师。赵宗谔生性阴险狡诈,对他所厌恶的婢妾,常常用鸩毒害死她们。

丁卯(十五日),辽国国主辽道宗前往藕丝淀。因为这年旱灾,辽道宗派遣使者赈济山后贫民。

八月,己亥(十七日),以龙图阁直学士兼侍讲吕公著为蔡州知州。吕公著曾经主张对濮安懿王不应当称亲,等到朝廷向天下颁布避讳濮王名字下面一个字的诏令后,他又请求追回吕海等人复职,英宗都不听从,于是就称病请求去外地任官。英宗说:"学士是朕所倚重的人,岂能轻易地离开朝廷!"吕公著在家呆了一百多天,英宗派遣宦官杨安道到他家敦促晓谕,并且告诫杨安道说:"公著为人刚强正直,要慢慢地开导他,语言不要太过激了。"又几次让吕公著的兄长吕公弼规劝他。吕公著这才起身就任,刚过几个月,又多次进呈表章请求出朝外任,所以英宗才有这道诏命。

九月,壬子朔(初一),出现日食。

癸丑(初二),以知制诰、史馆修撰蔡抗为龙图阁直学士、定州知州。英宗对蔡抗说:"暂且前去,不久将会召回爱卿。"定州的士兵要轮番戍守边疆,妻室留在营地的大多行为放荡,丈夫回来后便自首而求得原谅;蔡抗下令,一律依法处置,戍兵因而感激他。

乙卯(初四),英宗命知制诰宋敏求在陵园中为濮安懿王和三位夫人的神主题名。

丙辰(初五),英宗亲临天章阁、宝文阁,命中书省、枢密院官员观看翰林学士王珪所书写的仁宗所作诗的石刻。

起初,仁宗立英宗为皇子,王珪请求与仁宗对话而后草拟诏书,后来有人在英宗与王珪之间挑拨离间。这天,英宗在蕊珠殿召见王珪,摆下紫花墩赐王珪坐,慰问时间很长,又召来中书省官员授命王珪兼任端明殿学士,而且晓谕他说:"执政官有缺额,就任命爱卿了。"第二

1365

天,又赐给一只盘龙金盘,王珪惶恐地谢恩。英宗对他说:"朕知道爱卿忠诚纯朴而有操守,曾经有谗言,朕如今明白无疑了。"王珪叩头说:"不是陛下保全,臣怎能有今天!"

癸亥(十二日),英宗下诏:"从现在起,待制以上各官,自从升官后六年内没有过失,便再升迁,有过失者便也往后延长一年,到谏议大夫职位为止。在京城的朝廷官员每四年勘验政绩一次,到前行郎中为止。少卿监仍然以七十名为定额,有缺额时便检选从前行郎中已升迁四年以上、时间较长者依次补任。少卿监以上,升迁官职须听候圣旨。如果另外有功劳成绩,或者因为职务重要而任命,特别下诏施恩者,那就不在此例中。"

乙丑(十四日),以太常博士、监察御史里行马默守本官职位、任怀州通判。起初,马默上奏弹劾济州防御使李珣犯有用金子装饰物品之罪,将李珣连同工匠一起押送开封府,但官吏不能确定他们的罪名。马默又说赵宗惠的女使应当依法录下供词;而且请求从今以后外人犯罪牵连到宗室的,死刑都要录下供词然后判决;又说国子监直讲刘攽轻薄缺德,结交了许多富有资产的举人,不可以任开封府的考官;又说赵及所损失的仓米有十八万石,应当追究仓米为什么会出现潮湿与霉变;同时弹劾提点仓场李希逸不能察觉米坏之罪,而赵及等人实际上是由李希逸检举揭发的。马默被任命为御史时,刘攽曾和他开玩笑,马默因此发怒,所以胡乱上奏弹劾刘攽。马默又多次说对濮王不应称亲,英宗认为他的话漏洞百出,所以贬谪他。御史刘庠启奏请求留用马默,英宗不同意。

皇城司曾捕获用金子装饰衣服的人送交开封府,推官窦卞上殿请求审讯此案。适逢有人说与内宫有关,英宗对此疑惑,窦卞说:"真宗禁止用金子装饰衣服是从内宫开始的;如今不依法治罪,不能昭示天下,而且也不符合祖宗立法的本意。"英宗下诏令按窦卞的意见办理。

庚辰(二十九日),知谏院傅卞说:"传闻贵戚奏请陛下给予被荐举者恩惠,还没有经过筛选审定,便有人假托被荐举者是亲戚,结果皇恩冒滥到了富有的商贩之徒。"于是英宗下诏:"从今以后妃嫔、公主以下,不是五服之内的亲戚或五服之内亲戚的夫婿,不能上奏荐举。"

这月,西夏国国主毅宗赵谅祚兴兵进犯大顺城,入侵柔远寨,烧毁屈乞等三个村庄,在段木岭设置木栅障碍。

起初,环庆经略安抚使蔡挺,知道赵谅祚将要入侵,便调遣各位将领分别屯守要害地带。因大顺城防坚固,即使受到进攻也不会被攻下,便不对它增兵;柔远城处境险恶,命副使总管张玉率领重兵防守。敕令靠近边境的归附宋朝的少数民族部落进城自保,坚壁清野,告诫各寨不得迎战。赵谅祚率领步兵骑兵几万人围攻大顺城三天,蕃部官员赵明与官兵联合抗击敌人。赵谅祚身披银色铠甲、头戴毡帽亲自督战,蔡挺先选派八名手持强弩的士兵排列在城壕之外,向城下射箭,双重的铠甲被射穿,赵谅祚中了流箭,转身逃走。又进犯柔远城,张玉招募胆大的勇士三千人,夜间出城袭击敌营,敌人于是惊慌溃败。英宗派遣宦官赐给蔡挺手诏予以慰劳。赵谅祚退驻金汤,扬言增调步兵骑兵,并且口出傲慢之词,一定等得到宋朝每年的赏赐后,再围攻大顺城。鄜延经略安抚使陆诜说:"朝廷长期实行姑息政策,所以敌人敢于狂妄叛逆;如果不稍加谴责,那么国家的威望就树立不起来。"于是宋朝停止了每年应赐给的银、帛,牒文发到宥州责问入侵的缘故。英宗欣喜地说:"本来就知道这人是可以依靠的。"诏命陆诜得到宥州的消息后立即上报。而赵谅祚果然大为沮丧,盘桓于边塞之下,拿了粮食就返回了，最终不敢入侵。后来又由于年成不好，财政匮乏，希望得到宋朝的赐物，便向宋朝报告说："边境上的官吏擅自兴兵，已经处死他们了。"

冬季，十月，壬午朔（初一），英宗将仙游县君任氏的坟地建成陵园，这是听从太常礼院的奏请而这样做的。

癸未（初二），英宗派遣西京左藏库副使何次公携带诏书赐给西夏国国主毅宗赵谅祚，质问他入侵的原因，仍然停止每年应赐给的银、帛。陆诜上奏说："西戎现在已经很顺从了，不如暂且赐给冬衣，顺便下诏责问他们，他们一定会既感激又畏惧的。现在特地派遣何次公前去，他们多有奸诈，可能会怀疑朝廷害怕他们，就不会很快驯服了。"英宗没有听从。

甲申（初三），以户部判官、直集贤院王广渊为直龙图阁兼侍读，集贤殿修撰周孟阳兼侍讲。

英宗生病，王广渊因忧愁焦虑而废寝忘食，英宗亲自写诏书来安慰他说："朕的病已经好些了。"乙酉（初四），英宗下诏说每两天到一次迩英殿听取讲读经史。当时英宗已经生病，然而近臣还不知道。于是皇子颍王等人援引仁宗时的事例来请求，英宗同意了。

丁亥（初六），英宗下诏令礼部每三年举行一次贡举。全国解试的名额，在没有实行隔年贡举的办法以前，按四分中取三分的比率取录。礼部所奏进士名数，以三百人为定额，明经各科所取人数，不得超过进士的数额。

以同签书枢密院郭逵为陕西四路沿边宣抚使兼权判渭州。郭逵恳切地辞去同签书枢密院之职，英宗说："起初想授予爱卿宣徽使之职，考虑到外面的人以为罢免了爱卿的执政职务，爱卿姑且带着枢密院的职务赴任，以便加重宣抚使的权力。"

甲午（十三日），英宗下诏令宰臣、参知政事各荐举德才兼备并可以参加馆职考试的士子五人。

在此之前，英宗对中书省臣僚说："大水泛滥成灾，议论此事的人大多说是因为没有进用贤人，这是为什么？"欧阳修说："近年以来进用贤人的途径太狭窄了，这确实是当今的忧患。"英宗说："怎么说进用贤人的途径狭窄呢？中书省通常所呈报拟用的人，他们都怎么样？"欧阳修说："自从富弼、韩琦执政以来，十几年里，外自监司，内则省府，选拔提升都很严格，也常常得到人才，然而都是管理钱粮、刑名之类的精明强干的官吏。这是说的实用人才。臣说的进用贤人的途径狭窄，是指馆职。"英宗说："具体如何讲？"欧阳修说："朝廷用人之法，是从两制中选人进入两府，从三馆中选人进入两制。故而三馆是培养宰相人才的地方。过去进入三馆有三条途径，如今已堵塞了两条，这便是臣说的途径太狭窄之意。"英宗说："什么是三条途径？"欧阳修说："中进士高科，是一条途径；大臣荐举，是一条途径；依照差遣的规定任命，是一条途径。过去考中进士前五名的，都能参加馆职的考试；第一名及第的人，不到十年，有做到宰相的。现在第一名及第的人，要做两任其他官职共十年，才能参加馆职的考试，而第二名以下的人就不能再参加馆职的考试，这是中进士高科的一条途径被堵塞了。过去大臣荐举的人，随即召来考试，现在只将他的名字登记在簿册上，等馆阁缺人时再考试。而馆阁的人员最初没有定额，也就没有缺人的时候，那么登记在簿册上的人永远没有参加考试的日期，这大臣荐举的一条途径又被堵塞了。只有依照差遣的规定任命的人，半数是多年劳累而老迈病苦之人，这些就是臣所说的进用贤人的途径太狭窄。新的官格设置编校官八人，都用候选人员，经过七年，才从校勘升任校理，另外不曾再有什么提升任用。臣认为这八名应当照旧,其他人员如果有缺,就令中书省挑选人员上报拟用,这样大抵就不会遗漏贤人了。"所以英宗才有上述诏令。英宗因此对辅佐大臣说:"馆阁这个培养人才的地方,最近想从中选用几个人出使,却没有合适的,公等要各自为朕访求推荐,即使是执政官的亲戚、世家也不要回避。朕会亲自审阅试卷决定是否录用。"

于是韩琦、曾公亮、欧阳修、赵概等人所荐举的蔡延庆、夏倚、王汾、叶均、刘攽、章惇、胡宗愈、王存、李常、张公裕、王介、苏棁、安焘、蒲宗孟、陈侗、陈睦、李清臣、朱初平、黄履、刘挚,共二十人,英宗都令他们前来参加考试。韩琦等人因为人多而感到为难,英宗说:"既然让公等荐举他们,如果贤明,难道还怕人多吗?"便令先召权提点陕西刑狱、度支员外郎蔡延庆等十人考试,其余的人等以后再考试。蔡延庆,是蔡齐的儿子。

丙午(二十五日),群臣因为明年元旦要朝会,所以上表给英宗奉上尊号为体乾应历文武圣孝皇帝,英宗下诏不答应,群臣连续五次上表,英宗才同意。

十一月,甲寅(初四),以庆州蕃官都巡检使赵明兼任顺州刺史,这是因为他在大顺城抗击西夏国人时立了功。当时官兵和蕃官立了功的,依据功劳的大小而进行奖赏。

戊午(初八),英宗生病。

己巳(十九日),聘嫁徐国公主到王家,皇后和皇子颖王、东阳郡王送公主到府第,英宗下诏准皇后第二天回宫。

司马光上奏说:"今年彗星明显地出现,连续几个月才消失,飞蝗损害庄稼,又有日食。加之陕西、河东夏秋缺雨,稻谷既没有收成,麦子也没有种上;西戎进犯,边境不宁。而朝廷安然不以为意,有人认为自有一定的运数,与人事无关;有人认为彗星出现是祥瑞的征兆,更应是有福。如今又有奸臣建议,请给陛下奉上尊号;他们欺瞒上天,蒙骗海内,哪有比这更严重的!恭谨地希望陛下搁置群臣所上奏的表章,拒绝尊号而不接受,再下诏书,深刻地追究自己的责任,广开言路,寻求怎样敬奉上天、养育百姓、转灾为福的道路。等陛下圣体康复,天时显出丰收的征兆,然后推尊徽号,有什么迟了的呢!臣充任侍从之职,确实看见近来群臣都以进言为忌讳,入朝便拜手叩头,请求给陛下奉上尊号,出朝便交错杂乱地站在一起谈论,心怀不满地私下讥笑,始终没有一个人为陛下严肃指出奉尊号是不对的,因此臣斗胆狂妄地进献悖理不明的言论,只希望陛下采纳洞察。"英宗没有听从。

起初,西夏国人进犯大顺城,英宗询问两府大臣:"将用什么对策?"宰相韩琦请求停止每年给的赐物,派遣使臣携带诏书前往质问;枢密使文彦博等人说:"这样做,边境上的冲突就扩大了。"于是援引宝元、康定年间战败的事例来打动英宗的心。韩琦说:"兵家必须要能知己知彼。今天抵御西戎的军备,远远超过了以前,况且赵谅祚不过是个狂妄的小子,怎么可以与赵元昊相比呢?去责问他,他一定会驯服。"英宗终于听从了韩琦的建议,派遣何次公出使。退朝后,中书省与枢密院因为所持的观点不同,各自都在私下议论。文彦博对他的支持者说:"韩琦自称能预料敌情,且看他预料的结果吧。"一个月后,何次公回朝,将赵谅祚的表章呈上。这时英宗已经病倒在床,辅佐大臣趁入宫内候英宗起居完毕,韩琦边敲御榻边问英宗:"赵谅祚服罪了没有?"英宗抱病吃力地望着韩琦说:"全如爱卿所预料的那样。"赵谅祚所献上的表章,虽然说"受到几代朝廷的恩赐,怎么敢改变先前的誓约",然而仍多是空泛的言辞,将罪过归于他的边境守吏。于是又赐诏质问赵谅祚,令他专门派遣使者另外献呈誓表,诏书明确指出:"今后要严厉告诫边境上的酋长,各自守好所辖疆土,不能调集兵马,动辄兴兵侵犯。那鄜延、环庆、泾原、秦凤等路一带，长期以来是汉人界内已归附的少数民族，包括归附宋朝的西蕃，对他们不得再进行劫掠，以及逼迫他们归附投降。对所有汉人界内没有得逞的叛逃的人，也不能再进行收买。如果违背这个约定，便是断绝和好关系。其余则遵照先前发下的誓诏，朝廷的恩赐礼遇，自然会一切照旧的。"

以前英宗长期服药，监察御史里行刘庠上奏请立皇太子，英宗不高兴，封存他的奏章。一天，宰相韩琦等人问候英宗的起居后退了出来，颍王走出寝宫大门，忧形于色，望着韩琦说："怎么办?"韩琦说："希望大王早晚都别离开皇上身边。"颍王说："这是做儿子的天职。"韩琦说："不是为这个。"颍王醒悟而去。英宗自从得病，不能说话，凡是处理事务都用笔写在纸上。

十二月，壬午(初二)，辽国任命知枢密院事杨绩为南院枢密使，任命枢密副使刘诜为参知政事。丁酉(十七日)，任命西京留守哈珠为南院大王，不久又命萧珠泽出任武定军节度使。

辽国国主辽道宗因为杨绩是旧臣，特意下诏在内宫召见他，谈论古今的治与乱，臣僚的奸与贤。辽道宗说："当今群臣中忠诚正直的，只有耶律玦、刘诜而已。然而刘诜不及耶律玦刚正耿介。"杨绩拜了拜祝贺道："哪一代没有贤臣，世道昏乱就独善其身，君主圣明就同时为天下谋利。陛下能区分奸邪正直，提拔贬黜分明，这是天下的大幸!"辽道宗又曾晓谕刘诜说："爱卿不要害怕宰相。"当时北院枢密使耶律伊逊的势焰正盛，刘诜上奏说："臣对耶律伊逊尚且不怕，害怕宰相干什么!"耶律伊逊记恨刘诜，便伺机排斥诋毁他。不久，将刘诜调出朝廷担任保静军节度使。

辛丑(二十一日)，英宗的病情加剧，辅佐大臣问候英宗的起居完毕，韩琦再次启奏道："陛下长时间不临朝听政，朝廷内外人心惶惶，应当尽早册立皇太子以安定人心。"英宗点头同意。韩琦请英宗亲笔写下诏书指出立谁，英宗于是写道："立大王为皇太子。"韩琦说："一定要写明是颍王，烦劳陛下再亲笔写上。"英宗又在后面批示道："颍王赵顼。"韩琦说："希望陛下就在今晚宣谕翰林学士起草诏书。"英宗又点头同意。韩琦召来宦官高居简，将英宗御笔札书交给他，传命翰林学士起草诏书。学士承旨张方平来到英宗床前听命，退出后便起草诏书。壬寅(二十二日)，立皇子颍王赵顼为皇太子。英宗采纳辅佐大臣的建议立了皇太子之后，随即泫然泪下，文彦博退出后对韩琦说："看到皇上的脸色没有? 人生到了这一步，即使是父子也不能无动于衷呀。"韩琦说："国家的事需要这样去做，可又有什么办法呢?"皇子刚听到自己被立为皇太子的诏命，在英宗床前辞让了很长时间。

癸卯(二十三日)，宣布全国实行大赦，赐文武百官的儿子为父亲继承人的升勋位一级。

乙巳(二十五日)，英宗下诏令在来年正月十九日册立皇太子，翰林学士承旨张方平为礼仪使，翰林学士王珪撰写册文，钱明逸书写册文，知制诰宋敏求书写印信。

这年，辽国录取进士张臻等一百零一人。

续资治通鉴卷第六十五

【原文】

宋纪六十五　起强圉协洽【丁未】正月,尽十二月,凡一年。

英宗体乾应历隆功盛德　宪文肃武睿圣宣孝皇帝

治平四年　辽咸雍三年【丁未,1067】　春,正月,庚戌朔,群臣上尊号册于大庆殿,太尉奉册授邠门使,转授内常侍,由垂拱殿以进。是日,大风霾。

辛亥,辽主如鸭子河。

丁巳,帝崩于福宁殿。太子即位,时年二十。百官入福宁殿发哀,听遗制,见上于东楹,皆如嘉祐之仪,惟入垂拱殿后门乃哭为异。

帝初晏驾,急召太子,未至,帝复手动,曾公亮愕然,亟告韩琦,欲且止勿召。琦拒之曰:"先帝复生,乃太上皇。"愈促之。

帝始为皇子,被召,戒舍人曰:"谨守吾舍,上有适嗣,吾归矣。"及即位,每命近臣,必以官而不名。大臣从容以为言,帝曰:"朕虽宫中命小臣亦然。"

戊午,大赦,除常赦所不原者。百官进官一等,优赏诸军,悉如嘉祐故事,惟百官拜赦不舞蹈。舞蹈者,嘉祐之失也。

己未,尊皇太后为太皇太后,皇后为皇太后。以宰臣韩琦为山陵使。

御史刘庠言:"礼,居丧不饮酒食肉。仁宗之丧,百官及诸军朝晡皆给酒肉,京师羊为之竭。请给百官素食。"礼官以为然,执政不从。

庚申,群臣拜表请听政,不允;表三上,乃从之。

枢密院召礼官,问诏辽母后书当何称,欲自称重侄,称彼为大母。判太常寺李东之、同判太常寺宋敏求等以为当称侄孙、叔祖母,从之。

三司使韩绛、翰林学士承旨张方平奏疏曰:"祖宗平天下,收敛其金帛,纳之内藏诸库,其所以遗后世之业厚矣。自康定、庆历以来,发诸宿藏以助兴发,百年之积,惟存空簿。近奉赦书,诸军将校赏给已行支散外,至于文武百官,既迁官加职,其诸赐赍,若更循嘉祐近例,窃虑国家财力不堪供给。伏乞检会真宗上仙及仁宗即位旧事施行。此乃先朝体例,非自今日裁损。所营山陵制度,遗诏戒从省约,乞下三司及经由州县,凡系科率所及路分,当职官吏,各据确数,明立期会,务在爱惜官私物力。今日月犹赊,足以办集。至于诸色用度,非所急者,不以小啬为无益而弗为,不以小费为无伤而不节,深虑经远之计,以底烝民之生。方今之切务,莫先于此矣。"太子右庶子韩维言:"窃闻故事,大行皇帝当有遗留物分赐臣下。伏思承平日久，公私匮乏，又，四年之内，两遭大故，营造山陵及优赏士卒，所费不资。若用嘉祐之例，厚行赐赉，恐为损不少。若以为奉承先志，理不可罢，则望阅诸府库，取服用玩好物以充用，才足将意便可，不须过为丰侈。所有金帛诸物，可以赡兵恤民者，愿赐爱惜，以救当世之急弊。"奏入，诏遗赐令内侍省取旨，裁减山陵制度令三司奉行遗制。

初议山陵，帝以手诏赐执政曰："国家连遭大丧，公私困竭，宜减节冗费。"且谓执政曰："仁宗之丧，先帝避嫌不敢裁减，今则无嫌也。"

癸亥，内出遗留物赐宗室、近臣有差。帝谓执政曰："仁宗御天下四十馀年，宫中富饶，故遗留特厚。先帝御天下才四年，固难比仁宗，然亦不可无也，故所赐皆减嘉祐三分之二。"

甲子，辽主御安流殿钓鱼。

丙寅，始御迎阳门幄殿听政，见百官。三司乞藏钱三十万缗助山陵支费，从之。

癸酉，群臣拜表请御正殿，不许；表三上，乃许之。

戊寅，以王陶为群牧使。

二月，乙酉，始御紫宸殿见群臣，退，御延和殿视事。

龙图阁直学士韩维陈三事："一曰从权听政，盖不得已，惟大事急务，时赐裁决，馀当简略。二曰执政皆两朝顾命大臣，宜推诚加礼，每事谘询，以尽其心。三曰百执事各有其职，惟当责任使以尽其材，若王者代有司行事，最为失体。"又曰："天下大事，不可猝为，人君施设，自有先后，惟加意谨重。"并注释滕世子问孟子居丧之礼一篇，因推及后世变礼，以申规讽；帝嘉纳焉。

立安国夫人向氏为皇后。

丙戌，御垂拱殿。

辛卯，白虹贯日。

壬辰，手诏曰："朕尝侍先帝左右，恭闻德音，以'旧制士大夫之子有尚帝女者，辄皆升行，以避舅姑之尊。习行既久，义甚无谓。朕常念此，寤寐不平。岂可以富贵之故，屈人伦长幼之序乎？可诏有司革之。'朕恭承遗旨，敢不遂行！可令中书门下议，降诏有司，以发扬先帝盛德。"于是令陈国长公主行见舅姑之礼，王师约更不升行。公主行见舅姑之礼自此始。

三月，以枢密直学士、礼部郎中王陶为右谏议大夫、权御史中丞。陶入对便殿，帝问以时事，陶请谨听纳，明赏罚，斥佞人，任正士，复转对以通下情，省民力以劝农桑，先俭素以风天下，限年艺以汰冗兵。

命天章阁待制陈荐同修撰《仁宗实录》。

降工部侍郎、御史中丞彭思永为给事中、知黄州，主客员外郎、殿中侍御史里行蒋之奇为太常博士、监道州酒税。

先是监察御史刘庠劾参知政事欧阳修入临福宁殿，衰服下衣紫衣，帝寝其奏，遣使谕修，令易之。朝论以濮王追崇事疾修者众，欲击去之，其事无由。有薛良孺者，修妻之从弟也，坐举官被劾，冀会赦免，而修乃言不可以臣故侥幸，乞特不原，良孺怨修切齿。修长子发娶盐铁副使吴充女，良孺因谤修帷薄，事连吴氏。集贤校理刘瑾，与修亦仇家，亟腾其谤。思永闻之，间以语其僚属。之奇始缘濮议合修意，修特荐为御史，方患众论指以为奸邪，求所以自解，及得此，独上殿劾修，乞肆诸市朝。帝疑其不然，之奇引思永为证，坚请必行。之奇初不与同列谋之，后数日，乃以奏稿示思永，挽思永自助。思永以帷薄之私，非外人所知；但其首

1371

建濮议,违典礼以犯众怒,不宜更在政府。帝乃以之奇、思永所奏付枢密院。修上章自辨。帝初欲诛修,以手诏密问天章阁待制孙思恭,思恭极力救解。帝悟,复取之奇、思永所奏以入,并修章付中书,令思永、之奇具传达人姓名以闻。之奇言得自思永,而思永辞以出于风闻;因极陈大臣朋党专恣,非朝廷福。修复言:"臣忝列政府,枉遭诬陷,惟赖朝廷推究虚实,使罪有所归。"章凡三上。而充亦上章乞朝廷力与辨正虚实,使门户不致枉受污辱。于是帝复批付中书,令思永等具传达人姓名并所闻因依明据。思永与瑾同乡,力为瑾讳,乃言:"臣待罪宪府,凡有所闻,合与僚属商议,故对之奇说风闻之由。然暧昧无实,尝戒之奇勿言。无所逃罪。"而之奇亦奏:"此事臣止得于思永,遂以上闻。如以臣不当用风闻言大臣事,臣甘与思永同贬。"故二人同降黜。帝手诏赐修,令起视事。它日,帝谓吴奎曰:"蒋之奇敢言,而所言暧昧,既罪其妄,欲赏其敢。"奎曰:"赏罚难并行。"乃止。

权知贡举司马光等上言,所考试合格进士许安世以下三百五人,分四等;明经、诸科二百一十一人,分三等。诏:"进士第一、第二、第三等赐及第,第四等赐同出身。明经诸科第一、第二并赐及第,第三等赐同出身。赖下贡院放榜,安世及第二、第三人并为防御、团练推官,其馀注官守选如例。"

丙辰,命提点开封府界公事、祠部郎中陈汝义判三司都磨勘司,以知开封县、都官员外郎罗恺代其任。恺入见,问府界事,皆不能知,帝不悦。及见汝义问之,应答详敏。翼日,谓执政曰:"恺不才,宜复用汝义,仍与馆职。"执政言汝义资序已高,复为提点则下迁,宜但令试馆职而已;帝从之。知制诰邵必言:"陛下新即位,以言语擢汝义,如汉文赏上林啬夫,恐臣下争以利口求进。乞罢之。"不从。

昌王颢、乐安郡王頵乞解官行服,诏两制与太常礼院详定典礼。翰林学士承旨张方平等言:"谨按大行遗制,丧服以日易月,自皇帝下至文武百官,并依先朝典故。惟宗室出则惨服,居则衰麻以终制。盖一法度,所以尊天子也。皇帝承大统,奉宗庙,昌王、乐安郡王当与宗室同例,不容以私恩为异。"从之。

丙寅,钱明逸罢翰林学士,为端明殿学士兼龙图〔阁〕学士。先是御史蒋之奇言:"明逸倾险佥薄,在仁宗朝,附贾昌朝、夏竦、王拱辰、张方平之党,陷杜衍、范仲淹、尹洙、石介之徒,朝廷一空,天下同疾。况文辞纰缪,政术乖疏,岂可冒居禁苑!"而同知谏院傅卞亦有言。执政召明逸,示以台谏章疏,使自引疾,因改命之。

丁卯,三司言:"在京粳米约支五年以上,虑岁久陈腐,欲令发运司于上供年额,权住起发五十万石,于谷价贵处减和籴之数,变市金银绢,输榷货务封桩,分给三路,以备军需。"从之。

壬申,尚书左丞、参知政事欧阳修罢,为观文殿学士、刑部尚书、知亳州。彭思永等既以论修贬,而知杂事御史苏宷、御史吴申言犹不已;修亦三表乞罢,故命出守。

初,英宗以疾未视朝,太皇太后垂帘,修与二三大臣主国论,每帝前奏事,或执政聚议,事有未同,修未尝不力争。台谏官至政事堂论事,事虽非己出,同列未及启口,而修已直前折其短。士大夫建明利害及所请,前此执政多婣阿,不明白是非,至修必一二数之曰:"某事可行,某事不可行。"用是怨诽者益多。英宗尝称修曰:"性直,不避众怨。"修亦尝诵故相王曾之言曰:"恩欲归己,怨使谁当!"既出守,遂连六表乞致仕,不从。

癸酉,以枢密副使、礼部侍郎吴奎参知政事。帝欲用奎,宰相言:"陈升之有辅立陛下功。"帝曰:"奎辅立先帝,其功尤大。"遂越次用之。奎入谢日,进《治说》三篇。帝尝语以追尊濮王事与汉宣帝异,奎对曰:"然,宣帝于昭帝祖行,昭穆不相当,又大臣所立,岂同仁宗!此天地之恩,不可忘也。追尊事诚牵私恩。"帝言:"此为欧阳修所误。"奎对曰:"韩琦于此事亦失众心。臣数为琦所荐,天下公论,不敢于君前有所隐。"它日,奎进言:"陛下宜推诚以应天,天意无它,合人心而已。若至诚格物,物莫不以至诚应于上,自然感召和气。今民力困极,国用窘乏,直须顺成,然后可及它事也。帝王之职,所难在判别忠邪,其馀庶务,各有司存,但不使小人得害君子,君子常居要近,则自治矣。"帝因言尧时四凶犹在朝,奎对曰:"四凶虽在,不能惑尧之聪明。圣人以天下为度,何所不容!未有显过,固宜包荒,但不可使居要近耳。"

太常礼院言:"准嘉祐诏书,定太庙近世八室之制。今大行皇帝祔庙有日,僖祖在七室之外,礼当祧迁。将来山陵毕,请以大行皇帝神主祔第八室。僖祖、文懿皇后神主,依唐故事,祧藏于西夹室,以待禘祫。自仁宗而上至顺祖,以次升迁,伏请下两制待制以上参议。"翰林学士承旨张方平等言:"同堂八室,庙制已定,僖祖当祧,合于典礼,请依礼院所奏。"诏恭依。

乙亥,尚书令兼中书令襄阳郡王允良卒,赠太师。有司以允良起居无度,反易晦明,谥曰荣易。

初,蒋之奇劾欧阳修,帝怒曰:"先帝大渐,邵亢建垂帘之议,如此大事不言,而抉人闺门之私乎!"之奇以告吴申,申即劾亢。事下中书,帝徐知其妄,中书亦寝申所奏。亢时同知贡举,及出,上殿自辨曰:"先帝不豫以来,群臣莫得进见,臣无由面陈,必有章奏。愿陛下索之禁中,若得之,臣当伏诛;不然,则谗臣者岂得不问?愿下狱考实。"帝曰:"朕不疑卿,吴申所奏,已不行矣。"

闰月,癸未,太白昼见。

甲申,夏主遣使来献方物谢罪,请戒饬酋长,守封疆,如去冬所赐诏旨。复以诏答之曰:"苟封奏所叙,忠信弗渝,则恩礼所加,岁时如旧。"仍赐绢及银各五百匹、两。

己丑,以京西转运使、刑部郎中刘述兼侍御史知杂事。于是苏寀迁度支副使,中书奏以述代之。中丞王陶言:"述任非所长。"赐陶手诏赏叹,然亦竟用述。述,湖州人也。

御史吴申言:"窃见先召十人试馆职,而陈汝义亦预,渐至冗滥。兼所试止于诗赋,非经国治民之急,欲乞兼用两制荐举,仍罢诗、赋,试策三道,问经史时务。每道问十事,以通否定高下去留。其先召试人,亦乞用新法考试。明诏两制详定以闻。"其后翰林学士承旨王珪等,言宜罢诗赋如申言,于是诏:"自今馆职试论一首、策一道。"

辛卯,辽主驻春州北淀。

庚子,诏:"内外文武群臣,于朝之阙政,国之要务,边防戎事之得失,郡县民情之利害,各直言无隐。言若适用,当从甄擢。"

御史中丞王陶言:"臣奉诏别举台官,缘有才行可举之人,多以资浅不应敕文。欲乞许举三任以上知县资序人为御史里行。"从之。先是陶乞复用吕大防、郭源明,执政以为意欲逼己,不悦。

工部郎中、知制诰王安石既除丧,诏令赴阙。安石屡引疾乞分司,帝语辅臣曰:"安石历先帝朝,累召不起,或以为不恭。今召又不至,果病邪? 有所要邪?"曾公亮对曰:"安石文学器业,宜膺大用;累召不起,必以疾病,不敢欺罔。"吴奎曰:"安石向任纠察刑狱,争刑名不当,有旨释罪,不肯入谢。意以为韩琦沮抑己,故不肯入朝。"公亮曰:"安石真辅相之才,奎所言荧惑圣听。"奎曰："臣尝与安石同领群牧,备见其护前自用,所为迂阔;万一用之,必紊乱纲纪。"

癸卯,诏安石知江宁府。众谓安石必辞,龙图阁直学士韩维言:"安石知道守正,不为利动,久病不朝,今若才除大郡,即起视事,则是偃蹇君命以要自便,臣固知安石之不肯为也。若人君始初践阼,慨然想见贤者,与图天下之治,孰不愿效其忠、伸其道哉! 使安石甚病而愚则已,若不至此,必翻然而来矣。议者以为安石可以渐致而不可以猝召,不知贤者可以义动而不可以计取,唯陛下断而行之。"已而诏到,安石即诣府视事,不复辞也。

学士院言:"屯田员外郎夏倚、雄武节度推官章惇诗赋中等。"诏以倚为江南西路转运判官,惇为著作佐郎。

甲辰,诏:"诸路帅臣及副总管或有移易,可依庆历故事,中书、枢密院参议。"

以龙图阁直学士、知蔡州吕公著、龙图阁直学士兼侍讲司马光并为翰林学士。光累奏固辞,不许。帝面谕光曰:"古之君子,或学而不文,或文而不学,惟董仲舒、扬雄兼之。卿有文学,尚何辞?"光曰:"臣不能为四六。"帝曰:"如两汉制诏可也。"光曰:"本朝故事不可。"帝曰:"卿能举进士高等而不能为四六,何邪?"光趋出,帝遣内侍至邸门,强光受告,光拜而不受。趣光入谢,光入至庭中,犹固辞,诏以告置光怀中,光不得已乃受。它日,帝问王陶曰:"公著及光为学士,当否?"陶曰:"二人者,臣尝论荐矣。用人如此,天下何忧不治!"

丙午,以屯田员外郎刘攽、著作佐郎王存为馆阁校勘,太常丞张公裕、殿中丞李常为秘阁校勘,著作佐郎胡宗愈为集贤校理,并以召试学士院诗赋入等也。攽试入优等,故事,当除直馆;又,员外郎例不为校勘,而攽素与王陶有隙,陶及侍御史苏寀共排之,故才得馆阁校勘。

夏,四月,以殿中丞唐淑问为监察御史里行。帝谕曰:"朕以家世用卿,卿当谨家法。人臣病外交阴附,卿宜自结主知。比言者尚抉剔细故以为能,论事必务大体,乃为称职。"淑问,介子也。

庚戌,请大行皇帝谥于南郊。

召还陕西宣抚使、判渭州郭逵同签书枢密院事。御史中丞王陶言:"韩琦引逵二府,至用太祖出师故事劫制人主,琦必有奸言惑乱圣聪,愿罢逵为渭州。"帝不可,曰:"逵先帝所用,今遽罢之,是章先帝任人之失也。"

先是御史台以状申中书云:"检会《皇祐编敕》,常朝日,轮宰臣一员押班。近据引赞官称宰臣更不赴,窃虑此《编敕》仪制别〔有〕冲替,伏乞明降指挥。"中书不报。〔辛酉〕,中丞王陶因以状白宰相,又不报。乙卯,陶遂劾奏韩琦、曾公亮不押常朝班,至谓琦跋扈,引霍光、梁冀专恣事为喻。甲子,琦、公亮上表待罪。帝以陶章示琦,琦奏曰:"臣非跋扈者,陛下遣一小黄门至,则可缚臣以去矣。"帝为之动,而陶连奏不已;帝以问知制诰滕甫,甫曰:"宰相固有罪,然指为跋扈,则臣以为欺天陷人矣。"

丙寅,帝徙陶为翰林学士,司马光权御史中丞,两易其任。丁卯,光入谢,言:"自顷宰相权重,今陶以论宰相罢,则中丞不可复为。臣愿俟宰相押班然后就职。"许之。时光中丞告已进入,而王陶学士之命,中书独持之不下。戊辰,吴奎、赵概面对,坚请黜陶于外,帝不许;复请授群牧使,许之。既而直批送中书,以陶为翰林学士。时琦方在告,不出,奎即具奏言:"昔唐德宗疑大臣,信群小,斥陆贽而以裴延龄等为腹心,天下称为暗主。今陶挟持旧恩,排抑端良。如韩琦、曾公亮不押班事,盖以向来相承,非由二臣始废。今若又行内批,除陶翰林学士,则是因其过恶,更获美迁,天下待陛下为何如主哉! 陶不黜,陛下无以责内外大臣展布四体。"己巳,奎遂称疾求罢。帝封奎札子以示陶,陶复劾奎附宰相、欺天下六罪。侍御史吴申、(吴)〔吕〕景奏乞留陶依旧供职,并劾奎有无君之心,数其五罪。帝以手札赐知制诰邵亢,趣进入陶学士告,亢遂言:"御史中丞职在弹劾,阴阳不和,咎由执政。奎所言颠倒,失大臣体。"帝由是有逐奎意。龙图阁直学士韩维言:"宰相跋扈,王法所当诛也。陶言是,宰相安得无罪! 陶言非,则安得罢台职而已! 今为翰林学士,是迁也。愿廷对群臣,使是非两判。"庚午,帝批付中书:"王陶、吴申、(吴)〔吕〕景,过毁大臣,陶出知陈州,吴申、(吴)〔吕〕景罚铜二十斤;吴奎位执政而弹劾中丞,以手诏为内批,三日不下,其罢知青州。"

帝语张方平曰:"奎罢,当以卿代。"方平辞,且言:"韩琦久在告,奎免,必不复起。琦勋在王室,愿陛下复奎位,手诏谕琦,以全始终之分。"司马光言:"奎名望素重,今为陶罢奎,恐大臣皆不自安,纷纷引去,于四方观听非宜。"辛未,公亮入对,亦请留奎,帝许之。壬申,召奎对延和殿,慰劳,使复位,曰:"成王岂不疑周公邪!"奎既复位,邵亢更以为言,帝手札谕亢曰:"此无它,欲起坐卧者耳!"盖指琦也。

初,王陶事琦甚瑾,琦深器之。东宫始建,英宗命以蔡抗为詹事,琦因荐陶。文彦博私谓琦,盍止用抗,琦不从。及帝即位,颇不悦大臣之专,陶料必多所易置,欲自规重位,故视琦如仇,力攻之。彦博谓琦曰:"颇记除詹事时否?"琦大愧曰:"见事之晚,直宜受挞!"陶既至陈州,谢表诋宰相不已,中书拟再贬。光言:"陶诚有罪,然陛下欲广言路,屈己爱陶,而宰相独不能容乎!"乃止。

罢诸州岁贡饮食果药。

癸酉,诏:"陕西、河东经略转运司,察主兵臣僚怯懦,老病者以闻。"

司马光上疏,论修身之要三,曰仁,曰明,曰武。治国之要三,曰官人,曰信赏,曰必罚。且曰:"臣昔为谏官,即以此六言献仁宗,其后以献英宗。今以献陛下。平生力学所得,尽在是矣。"

是月,录京师系囚,遣使巡行陕西、河北、京东、西路体量安抚。

五月,辛巳,以久旱,命宰臣祷雨。

韩琦、曾公亮言:"臣等近以王陶弹奏,不过文德殿押班,先尝面奏。旧以前殿退晚,及中书聚厅见客,日有机事商议,故不及押班,为岁已久,即非今始。今检详唐及《五代会要》,每月凡九开延英,则明其馀不坐之日,宰臣须赴正衙押班。及延英对宰臣日,未御内殿前,令邪门使传宣放班,则宰臣更不赴正衙押班明矣。本朝自祖宗以来,继日临朝,宰相奏事。《祥符敕》宰臣依故事赴文德殿押班,行之不久,渐复堕废。缘中书朝退后议政,动逾时刻,若日赴文德押班,则机务常有妨滞。乞下太常礼院详定。"司马光言旧制当押班,不须详定。癸未,诏:"自今昼刻辰正,垂拱奏事未毕,听宰相不赴文德殿,令御史台放班退。未及辰正,并依《祥符敕令》,永为定制。"

壬辰,辽主驻纳葛泺。

甲辰,以屯田员外郎张唐英为殿中侍御史里行,从翰林学士王珪、范镇之荐也。唐英初调谷城令,县阛岁畦姜,贷种与民,还其陈,复配买取息。唐英至,空其阛,植千株柳,作柳亭于其中,闻者咨美。英宗初立,唐英上谨始书,言:"为人后者为之子,恐它日有引定陶故事以惑圣听者。愿杜其渐。"既而濮议果起,珪、镇谓唐英有先见之明,故荐之。

乙巳，宝文阁成，置学士、直学士、待制官，奉英宗御书藏于阁。

六月，戊申，辽有司奏新城县民杨从谋反，伪署官吏，辽主曰："小人无知，此儿戏耳。"独流其首恶，馀释之。

河北旱，民流入京师。（己未），待制陈荐请以便籴司陈粟贷民，户二石，从之。司马光上疏曰："圣王之政，使民安土乐业而无离散之心，其要在于得人而已。以臣愚见，莫若择公正之人为河北监司，使察灾伤州县，守宰不胜任者易之，然后多方那融斗斛，使赈济土著之民，居者既安，则行者思反。若县县皆然，岂复有流民哉！"于是诏河北运司约束州县，倍加存恤。

己未，以龙图阁直学士、知成都府赵抃知谏院。入谢，帝谓抃曰："闻卿入蜀，以一琴一鹤自随，为政简易，亦称事邪？"故事，近臣自蜀还者，必登省府，不为谏官；大臣以为疑，帝曰："吾赖其言耳。倘欲大用，何必省府乎！"抃上疏言任道德，委辅弼，别邪正，去佞心，信号令，平赏罚，谨机密，备不虞，勿数赦，容谏诤十事。又言吕诲、傅尧俞、范纯仁、吕大防、赵鼎、马默，皆骨鲠敢言，久遣不复，无以慰搢绅之望。复论五费，谓宫掖、宗室、官滥、兵冗、土木之事，多见纳用。

辛未，诏："天下官吏有能知差役利害，可以宽减者，实封条析以闻。"

先是三司使韩绛言："害农之弊，无甚差役之法。重者衙前，多致破产；次则州役，亦须重费。向闻京东民有父子二丁将为衙前，父告其子云：'吾当求死，使汝曹免于冻馁。'遂自经而死。又闻江南有嫁其祖母及与母析居以避役者，又有鬻田减其户等者，田归官户不役之家，而役并于同等见存之户。望令中外臣庶，条其利害，委侍从台省官集议裁定，使力役无偏重之患，则农民有乐业之心。"帝纳其言，故有是诏。役法之议始此。

陕西转运使薛向言："知青涧城种谔招西人朱令陵，最为横山得力酉长，已给田十顷、宅一区，乞除一班行，使夸示诸羌，诱降横山之众。"诏增给田五顷。谔，〔世衡之子也〕。向在英宗时，尝献《西陲利害》十五篇。去冬又上疏陈御边五利：一曰任将帅以制其冲，二曰亟攻伐以罢其敌，三曰省戍兵以实其力，四曰绝利源以敝其国，五曰惜经费以固其本。疏奏，英宗称善，尝置诸左右，帝见而奇之。会边臣多言横山族帐可招纳者，是日，召向入。凡向所陈计策，帝皆令勿语两府，自以手诏指挥。

壬申，辽以度支使赵徽参知政事。

乙亥，御史张纪言："近岁以来，百司庶务，多禀决于中书。臣谓政府不当侵有司之职，有司亦不当以细务汩政府。"诏："中书、枢密院，应细务合归有司者，条析以闻。"后中书具三十一事，枢密院具六十二事，皆归之有司。

秋，七月，庚辰，翰林学士承旨张方平等言："本朝典礼，循唐之旧，真宗、仁宗皆祀于明堂以配上帝。今季秋大享明堂，伏请以大行皇帝配。"诏恭依。

诏察富民与妃嫔家婚姻夤缘得官者。

己丑，命户部郎中赵抃、刑部郎中陈荐详定中外封事。先是帝命张方平、司马光，至是复令抃等同之。

辛卯，告大行皇帝谥于天地、宗庙、社稷。

壬辰，上宝册于福宁殿。

帝初即位，内臣以覃恩升朝者，皆罢内职，独句当御药院高居简等四人留如故。司马光疏言："居简资性奸回，工谗善佞，久处近职，罪恶甚多。顷在先朝，依凭城社，物论切齿。及陛下继统,乃复先自结纳,使宠信之恩,过于先帝。愿明治其罪,以解天下之惑。"帝曰:"祔庙毕,自当去。"光曰:"闾阎小臣,何系山陵先后? 舜去四凶,不为不忠;仁宗贬丁谓,不为不孝。"帝从之。癸巳,居简罢为供备库使。

乙未,以三司检法官吕惠卿编校集贤书籍。惠卿与王安石雅相好,安石荐其才于曾公亮,遂举馆职。惠卿,晋江人也。

辛丑,荧惑昼见,凡三十五日。

丙午,文州曲水县令宇文之邵上书指陈得失。之邵,绵竹人,为曲水令,转运使以轻缣高其价,使县配卖,之邵言:"县地狭人贫,耕者亡几,方岁俭饥,羌夷数入寇,不可复困之以求利。"转运使怒。会帝即位求言,乃上书曰:"千里之郡,有利未必兴,有害未必除者,转运使、提点刑狱制之也;百里之邑,有利未必兴,有害未必除者,郡制之也。前日赦令,应在公遗负一切蠲除,而有司操之益急,督之愈甚,使上泽不下流而细民日困。如择贤才以为三司之官,稍假郡县以权,则民瘼除矣。然后监番、聚、蹶、祸之盛以保安外戚,考《棠棣》《角弓》之义以亲睦九族,兴坠典,拔滞淹,远夸毗,来忠说。凡所建置,必与大臣共议以广其善,号令威福则专制之。如此,则太平可拱而俟也。"书奏,不报,喟然曰:"吾不可仕矣!"遂以太子中允致仕,时年未四十也。范镇曰:"之邵位下而言高,学富而行笃,少我二十一岁而先我挂冠,使吾慊然。"

夏国遣使奉慰及进助山陵。

八月,丁未朔,太白昼见。

辛亥,司马光言:"窃闻陛下好令内臣采访外事及问以群臣能否,臣窃以为非宜。陛下内有两府、两省、台谏,外有提、转、牧、守,皆腹心耳目股肱之臣也。诚能精择其人,使之各举其职,则天下之事,犹一堂之上,陛下何患于不知哉! 今深处九重,询于近习,采道听途说之言,纳曲躬附耳之奏,不验虚实,即行赏罚,臣恐谗邪得以逞其爱憎,而陛下为之受其讥谤也。"

戊午,复夏人和市。

张方平、司马光奏所详定内外封事,帝令中书参议。光对延和殿,言:"封事善者,在陛下决行之。"帝曰:"大臣多不欲行。"光曰:"陛下询刍荛以广聪明,斯乃社稷之福,而非大臣之利也。"癸亥,诏:"详定封事所奏,如其中有难行者,可召详定官赴中书问难,令述利害以进。"

己巳,京师地震。帝问辅臣曰:"地震何祥也?"曾公亮对曰:"天裂,阳不足;地震,阴有馀。"帝曰:"谁为阴?"公亮曰:"臣者君之阴,子者父之阴,妇者夫之阴,夷狄者中国之阴,皆宜戒之。"吴奎曰:"但为小人党盛耳。"帝不怿。

癸酉,葬宪文肃武宣孝皇帝于永厚陵,庙号英宗。

是月,判河阳军富弼上疏曰:"帝王都无职事,惟别君子、小人。然千官百职,岂尽烦帝王辨之乎? 但精求任天下之事者,不使一小人参用于其间,莫不得人矣。陛下勿谓所采既广,所得必多,其间当防小人惑乱圣听。奸谋似正,诈辞似忠,疑似之际,不可不早辨也。"

九月,丁丑,诏减诸路逃田税额。

壬午,祧僖祖及文懿皇后。乙酉,祔英宗神主于太庙,乐曰《大英之舞》。

戊子,减两京畿内、郑、孟州囚罪一等,民役山陵者蠲其赋。

辛卯,徙封昌王颢为岐王,乐安郡王頵为高密郡王。

遣孙思恭等报谢于辽。

壬辰，录周世宗从曾孙贻廓为三班奉职。

甲午，辽遣使来贺即位。

戊戌，召知江宁府王安石为翰林学士。

辽主命给诸路囚粮。

辛丑，韩琦、吴奎、陈升之并罢。琦历相三朝，或言其专。自王陶论劾后，曾公亮因力荐王安石，欲以间琦。琦称疾求去，帝不许，以诏书慰抚。琦又疏有四当去，复不许。厚陵复土，琦更不入中书，请甚坚。于是帝夜召张方平议，且曰：“琦志不可夺矣。”方平遂建议，宜宠以两镇节钺，且虚府以示复用；乃除镇安、武胜军节度使、守司徒、检校太师兼侍中、判相州。帝复召知制诰郑獬草奎知青州及方平、赵抃参知政事制，赐双烛归舍人院，外廷无有知者。明旦，獬进草，遂降付中书。升之，初名旭，避帝嫌名，故以字行。帝始擢任杨定，升之屡谏不宜生边事，由是忤旨；以母老，乞便郡，遂出知越州。

以枢密副使吕公弼为枢密使，翰林学士承旨张方平、知谏院赵抃并参知政事，三司使韩绛、知开封府邵亢并枢密副使。

先是薛向奏蕃部嵬名山有归附意，壬寅，司马光对延和殿，言谅祚称臣奉贡，不当诱其叛臣以兴边事。帝曰：“此外人妄传耳。”光曰：“陛下知薛向之为人否？”帝曰：“固非端方士也，徒以其知钱谷及边事耳。”光曰：“钱谷诚知之，边事则未也。”又言张方平奸邪贪猥，帝曰：“有何实状？”光曰：“请言臣所目见者。”帝作色曰：“每有除拜，众言辄纷纷，非朝廷美事。”光曰：“此乃朝廷美事也。知人，帝尧难之；况陛下新即位，万一用一奸邪，若台谏循默不言，陛下从何知之？”帝曰：“吴奎附宰相否？”光曰：“不知也。”帝曰：“结宰相与结人主孰贤？”光曰：“结宰相为奸邪；然希意迎合，观人主趋向而顺之者，亦奸邪也。”

潮州地震。

癸卯，同金书枢密郭逵罢为宣徽南院使、判郓州；从张纪、唐淑问、赵抃言也。逵至郓七日，徙帅延州。

权御史中丞司马光复为翰林学士兼侍读学士，以滕甫权御史中丞。光言：“臣昨论张方平参政，不协众望，其言既不足采，所有新命，臣未敢祗受。”光等诰敕下通进银台司，吕公著具奏封驳。帝手诏谕光曰：“朕以卿经术行义，为世所推，今将开迩英之席，欲得卿朝夕讨论，敷陈治道，以箴遗阙，故换卿禁林，复兼劝讲，非为前日论奏张方平也。吕公著封还，盖不知此意耳。”于是取诰敕直付邸门，趣光等受职。公著又言：“诰敕不由本司，则封驳之职因臣而废。”帝手批其奏曰：“俟开迩英，当谕朕意。”

韩琦既出判相州，入对，帝泣下，琦亦垂涕称谢。诏琦出入如二府仪，又赐兴道坊宅一区，擢其子秘书丞忠彦为秘阁校理。帝曰：“卿去，谁可属国者？王安石何如？”琦曰：“安石为翰林学士则有馀，处辅弼之地则不可。”帝默然。

是月，辽主如南京。

冬，十月，丙午朔，漳、泉诸州地震。

丁未，富弼罢判河阳。

戊申，建州、邵武、兴化军地震。

己酉，初御迩英阁，召侍臣讲读经史。进退，独留吕公著，语曰：“朕以司马光道德学问，欲常在左右,非以其言不当也。"公著力请解职,许之。它日,又谓公著曰:"光方直,如迂阔何?"公著曰:"孔子上圣,子路犹谓之迂;孟轲大贤,时人亦谓之迂。况光者,岂免此名!大抵虑事深远,则近于迂矣。愿陛下更察之!"

命御史中丞滕甫考诸路监司课绩。

旧制,审定殿最格法,自发运使下至知州,皆归考课院,专以监司所第等级为据。至考监司,则总其甄别部吏能否,副以采访才行,合二事为课,悉书中等,无高下。帝即位,凡职皆有课,凡课皆责实,监司所上守臣课不中等者,展年降资;而治状优异者,增秩赐金帛,以玺书奖励之。若监司以上,则命御史中丞、侍御史考校。

参知政事张方平,以父忧罢。

庚戌,给陕西转运司度僧牒,令籴谷赈霜旱州县。

癸丑,诏:"翰林学士、御史中丞、侍御史知杂事举材堪御史者各二人。"

甲寅,翰林学士司马光初进读《通志》于迩英阁,赐名《资治通鉴》,亲制序以赐光,令候书成写入,又赐颍邸旧书二千四百二卷。序略曰:"博而得其要,简而周于事,是亦典刑之总会,册牍之渊林矣。"

癸酉,知青涧城种谔复绥州。夏将嵬名山部落在绥,其弟夷山降于谔,谔使人因夷山以诱之,赂以金盂。名山小吏李文喜受而许降,而名山未之知也。谔即奏言:"谅祚累年用兵,人心离贰,尝欲发横山族帐尽过兴州,族帐皆怀土重迁,其首领嵬名山欲以横山之众取谅祚以降。"帝信之。知延州陆诜言以情伪未可知,戒谔毋妄动,谔持之力。诏诜召谔问状,且与转运使薛向议招纳。乃共画三策,令幕佐张穆之入奏。穆之阴受向指说,言必成。帝意诜不协力,徙之秦凤。谔不待报,悉起所部兵长驱而前,围其帐。名山惊,援枪欲斗,夷山呼曰:"兄已约降,何为如是?"文喜因出所受金盂示之,名山投枪大哭,遂举众从谔而南,得酋领三百,户万五千,胜兵万人。将筑城于其地,诜以无诏出师,召谔还。军次怀远,虏众四万人垒集城下。谔出兵击走之,遂城绥州。

初,谔言名山约降,帝将令边臣招纳其众。司马光上疏极论,以为:"名山之众未必能制谅祚。幸而胜之,灭一谅祚,生一谅祚,何利之有?若其不胜,必引众归我,不知何以待之!臣恐朝廷不独失信于谅祚,又将失信于名山矣。若名山馀众尚多,还北不可,入南不受,穷无所归,必将突据边城以救其命。陛下独不见侯景之事乎?"帝不听。及谔取绥州,费六十万,西方用兵盖自此始矣。

种谔既取绥州,夏人乃诈为会议,诱知保安军杨定等,杀之。朝廷谋西讨,邵亢曰:"天下财力殚屈,未宜用兵,唯当降意抚纳,俟不顺命,则师出有名矣。"因条上其事。诏报曰:"中国民力,大事也。兵兴之后,不无倍率,人心一摇,安危所系。且动自我始,先违信誓,契丹闻之,将不期而自合,兹朕所深忧者。当悉如卿计。"于是欲弃绥州,知延州郭逵言:"贼既杀王官,而又弃绥不守,见弱已甚。且嵬名山举族来归,当何以处之?"帝不听。

十一月,丁丑,诏近臣各举才行可任使者一人。

文彦博言于帝曰:"诸路帅臣、转运使,职任至重,一道惨舒系焉,所宜择人久任。"又言:"两府堂陛之重,亦当久任,使其下不能倾危,乃可立事。"韩绛曰:"汉王嘉以为二千石尊重难危,乃可使下,况堂陛之势乎!"

戊寅,诏求直言。

诏御史台每遇起居日,令百僚转对。

丙戌,诏曰:"故事,二府初入,举所知者三人,将以观大臣之能。比年多因请谒干誉,荐者不公,其令中书、枢密院举人皆明言才业所长,堪任何事,以副朕为官择人之意。"

改命韩琦判永兴军兼陕西路经略安抚使,赐手札趣令治装。琦言:"边臣肆意妄作,构怨戎狄。臣朝夕引道非难,但须禀朝廷成算,愿召二府亟决之。"琦入辞,曾公亮等方奏事,乞与琦同议,帝召之,琦曰:"臣前日备员政府,所当共议。今藩臣也,惟奉行朝廷命令耳,决不敢与闻。"又言:"王陶指臣为跋扈,今陛下乃举陕西兵柄授臣,复有劾臣如陶者,则臣赤族矣。"帝曰:"侍中犹未知朕意邪?"

丁亥,诏:"令天下州军各上所辖县令治状优劣,其条约,令考课院详定以闻。"

戊子,分命宰臣祈雪。

置马监于河东交城县。

庚寅,诏:"近臣以举官不当,经三劾者,中书别奏取旨。"

壬辰,夏国遣使进回鹘僧、金佛、《梵觉经》于辽。

乙未,诏:"内外文武官各举所知二人,见任两府三人,或耻于自媒,久淹下位,或偶因微累,遂废周行者,咸以名闻。"

先是以向传范知澶州兼京东、西路安抚使。传范,敏中之子也。知谏院杨绘言:"后族不当领安抚使,请易之,以杜外戚干进之渐。"文彦博曰:"传范累典郡有政声,非由外戚。"帝曰:"谏官如此言甚善,可以止它日妄求者。"己亥,命改知郓州。它日,绘又言曾公亮不当用其子孝宽判鼓院。帝谓滕甫曰:"鼓院,传达而已,何与于事?"甫曰:"人有诉宰相者,使其子传达,可乎?且天下见宰相子在是,岂敢复诉事?"帝为寝其命。绘亦解谏职,改兼侍读,绘固辞。甫言于帝,帝诏甫谕意,绘曰:"谏官不得其言则去,经筵非姑息之地。"卒不拜。未阅月,复知谏院。

十二月,丁未,辽参知政事刘诜仍为枢密副使,以枢密直学士张孝杰参知政事。己酉,以孝杰同知枢密院事。孝杰附耶律伊逊,故累迁。

辽主行再生礼,赦死罪以下。

辛酉,诏以来岁日食正旦,自乙丑避正殿,减常膳,罢朝贺。

壬戌,诏起居日增转对官二人。

丙寅,诏曰:"狱者,民命之所系也。比闻有司岁考天下之奏而瘐死者多。其具为令,提点刑狱岁终会死者之数以闻。委中书检察,或死者过多,官吏虽已行罚,当更黜责。"

己巳,夏人求以亡命景询易嵬名山,郭逵曰:"询,庸人也,于事何所轻重!受之则不得不还名山,恐自是蕃酋无复敢向化矣。"是月,逵诇得杀杨定等首领姓名,谍告,将斩之于境以谢罪,逵曰:"是且枭死囚以绐我。"报曰:"必执李崇贵、韩道喜来。"夏人言杀之矣,逵命以二人状貌物色诘问,敌情得,乃锢而献之。

夏国主谅祚殂,年二十一,国人谥曰昭英皇帝,庙号毅宗,葬安陵;子秉常即位,时年七岁,梁太后摄政。

是月,韩琦至永兴。初,薛向、郭逵等议欲存绥州,诏琦度其可否,琦奏:"贼今已诱杀杨定等,绥州不可弃也。"及谅祚病死,其子秉常方幼,琦因奏:"当此变故,尤非弃绥之时。"文彦博、吕公弼耻于中变,督促弃绥如初,琦条陈不已。帝遣中使赍手诏访琦利害,琦复具奏,言绥不可弃,乃诏如琦议。

是岁,观文殿学士、太子少师致仕胡宿卒。宿内刚外和,临事慎重,不辄发,发即不可回,尤顾惜大体,其笃行自厉,至于贵达,常如布衣时。

辽南京旱、蝗。

【译文】

宋纪六十五　起丁未年(公元 1067 年)正月,止十二月,共一年。

治平四年　辽咸雍三年(公元 1067 年)

春季,正月,庚戌朔(初一),群臣在大庆殿为英宗呈上奉尊号的册文,太尉恭敬地捧着册文交给阁门使,再转交给内常侍,内常侍由垂拱殿呈上。这天,大风席卷尘土吹得天昏地暗。

辛亥(初二),辽国国主辽道宗前往鸭子河。

丁巳(初八),英宗在福宁殿驾崩。太子赵顼即位(神宗),当时二十岁。文武百官进入福宁殿举行丧仪,听取英宗遗诏,在殿东侧廊拜见新君神宗,一切都依照嘉祐末年仁宗驾崩英宗即位时的仪式,只是这时群臣在进了垂拱殿后门才哭,和前次不一样。

英宗刚驾崩,侍臣急忙去召太子,太子还没到达,英宗的手又动了动,曾公亮感到惊愕,立刻告诉韩琦,想暂且停止召来太子。韩琦拒绝他说:"先帝复活,便为太上皇。"越发催促召来太子。

神宗刚做皇子时,被英宗召见,便告诫府第官员说:"你们小心地守候在我的房舍中,皇上有更适合的继承人,我就回来。"即位后,每当命令近臣,必称其官号而不直呼其名。大臣们委婉地劝谏,神宗说:"朕就是在宫中使唤小臣也是这样。"

戊午(初九),宣布全国实行大赦,通常大赦不能赦免的人除外。文武百官晋升一级,优厚地犒赏各军,全都依照嘉祐末年时的做法,只是文武百官在拜谢大赦时不能行舞蹈之礼。行舞蹈之礼,是嘉祐时的失误。

己未(初十),尊奉皇太后为太皇太后,皇后为皇太后。任命宰相韩琦为山陵使。

御史刘库进言:"按照礼法,服丧期间不得饮酒食肉。仁宗丧礼时,文武百官和各路军兵早晚都供给酒肉,京城的羊肉都被吃光了。现在请求供给百官素食。"礼官表示赞成,执政大臣却不同意。

庚申(十一日),群臣恭敬地呈上表章请求神宗听取朝政,神宗不答应;表章上了三次,神宗才同意。

枢密院召来礼官,询问在给辽国母后的诏书中应当如何称呼,想自称重侄,称她为祖母。判太常寺李东之、同判太常寺宋敏求等人认为应当称侄孙、叔祖母,枢密院采纳了这个意见。

三司使韩绛、翰林学士承旨张方平上书说:"祖宗平定天下,收敛各地的金帛,将它们收藏在宫内各库中,所留给后代的基业已是相当丰厚了。自从康定、庆历年以来,调拨原来储藏的各种财富资助多项事业的兴办,百年来的积蓄,只留下空有记载名目的簿册。最近遵照敕书,对各军将校的赏给已经执行,至于文武百官,既已升官加职,那各种赏赐,如果再按照嘉祐末年的近例实行,臣等私下担心国家的财力不堪承受。恭请考察真宗仙逝及仁宗即位时的事例仿照施行。这是先朝体例,并非从现在开始减少。所营建的英宗陵墓规模,先帝有遗诏告诫要俭省节约,请下令三司及送葬经过的州县,凡是为修帝陵而临时征收赋税所分派

1381

到的地区,负责此事的官吏,应各自依据征收的准确数目,明确规定出实施的期限,务必爱惜官府和民间的财力物力。现在时间还宽裕,完全可以做好准备。至于各种费用支出,不是所急需的,就不能因为小的节约作用不大而不加节约,不能因为小的浪费损失不大而不加节制,深远地考虑长远的计划,以安定黎民百姓的生活。当今的迫切任务,没有比这更紧急而重要的了。"太子右庶子韩维进言道:"臣私下听说以前的惯例,故去的皇帝应当有遗物分赐给臣下。低头想到天下太平已经很久,官府与百姓都感到财力匮乏,还有,四年之内,两次遭遇皇帝驾崩的大事故,营建皇陵和厚赏士兵,花费的财物不胜计算。倘若沿用嘉祐末年的成例,对臣下进行丰厚的赏赐,恐怕损耗不少。如果认为尊奉先帝的遗志,情理上不可停止,那么希望查看内府各库,取出一些衣服、用具、玩物等东西来充用,只要足以表达先帝遗赐之意就可以了,不必

山西应县木塔 辽

过于丰厚。所有金帛等物,可以用作养兵济民的,希望予以爱惜,以便解决当今的迫切困难。"奏章呈进宫后,神宗下诏称凡是遗物分赐的事命内侍省听取圣旨,缩小营建皇陵的规模,命三司遵照遗诏办理。

起初讨论修建皇陵时,神宗将手诏赐给执政大臣说:"国家接连遇到国丧,公私财力困乏,应该减少多余的费用。"并且对执政大臣说:"仁宗的丧事,先帝为避免非亲生子不孝之嫌而不敢裁减,如今就没有这种嫌疑了。"

癸亥(十四日),宫内拿出英宗的遗留物品多少不等地赐给宗室、近臣。神宗对执政大臣说:"仁宗治理天下四十多年,宫中富饶,所以遗留的物品特别多。先宗统治天下才四年,当然难和仁宗相比,但也不可没有赏赐,所以赐给群臣的遗物比嘉祐末年减少了三分之二。"

甲子(十五日),辽国国主辽道宗在安流殿钓鱼。

丙寅(十七日),神宗开始到迎阳门幄殿听取朝政,接见文武百官。三司乞请从内库拨钱三十万缗来支助修建英宗陵墓的开销,神宗应允。

癸酉(二十四日),群臣上表章请求神宗到正殿处理政事,神宗不同意;表章连续上了三次,神宗才准奏。

戊寅(二十九日),以王陶为群牧使。

二月,乙酉(初六),神宗开始驾临紫宸殿接见群臣,退殿后,又到延和殿处理朝政。

龙图阁直学士韩维陈述三件事:"第一是,陛下在服丧期内应采用权宜变通之法听取朝政,这是因为不得已,只应对重大紧急的政务,随时做出裁决,其他的政务应该从简。第二是,执政官都是亲聆两朝先帝临终遗命的大臣,陛下应对他们推心置腹、厚加礼遇,每件政事都征询他们的意见,使他们竭尽心力。第三是,文武百官各有自己的职守,只应当要求他们认真负责,使他们尽展才智,如果君主代替有司处理事务,最失体统。"又说道:"天下大事,不能仓促处理,君主施政设教,自然有先有后,希望特别留意慎重。"同时注释滕世子问孟子居丧之礼一篇文章呈上,从而推论到后世礼仪的变化,来申述规劝讽喻之意;神宗欣喜地采纳了他的意见。

立安国夫人向氏为皇后。

丙戌(初七),神宗到垂拱殿。

辛卯(十二日),出现白虹横贯天空的天象。

壬辰(十三日),神宗亲笔诏书说:"朕曾在先帝身边侍奉,恭敬地聆听先帝德音,说是'旧制规定士大夫的儿子有聘娶皇帝女儿的,就都提高辈行,以便公主回避对公婆的尊礼。这种习俗行之已久,实在是没有什么意义。朕经常考虑此事,日夜不能平静。难道可以因为皇室尊贵富有的缘故,就不讲人伦长幼的秩序了吗?可以下诏令有司变革这种旧制。'朕恭敬地秉承先帝的遗旨,怎敢不执行!可以令中书省门下省商议,并下诏给有司,以发扬先帝的盛大美德。"于是令陈国长公主施行拜见公婆的礼节,驸马王师约不再提高辈行。公主施行拜见公婆的礼节从这时开始。

三月,以枢密直学士、礼部郎中王陶为右谏议大夫、权御史中丞。王陶进便殿应对,神宗询问他当时的国事,王陶建议神宗审慎地听取和采纳意见,严明赏罚,贬黜奸人,任用正直之士,恢复百官轮流奏对以通晓下情,节省民力以鼓励农业生产,率先俭约朴素以使全国形成俭朴风气,限定年龄和武艺以淘汰多余的兵员。

命天章阁待制陈荐参与修撰《仁宗实录》。

工部侍郎、御史中丞彭思永降职为给事中、黄州知州,主客员外郎、殿中侍御史里行蒋之奇降职为太常博士、监道州酒税。

在此之前,监察御史刘庠弹劾参知政事欧阳修进入福宁殿时,所穿丧服里面穿有紫色衣服,神宗扣留刘庠的奏章,派遣使者告谕欧阳修,命他更换服装。朝中舆论因为濮王追尊一事怨恨欧阳修的人很多,想攻击他并使他离职,却没有事由。有位叫薛良孺的人,是欧阳修妻子的堂弟,因荐举官员不当而遭到弹劾,希望在神宗即位大赦天下时得到赦免,而欧阳修却说不能因自己的缘故使他侥幸赦免,请求特别不要宽宥,薛良孺因此对欧阳修切齿痛恨。欧阳修的长子欧阳发娶盐铁副使吴充的女儿为妻,薛良孺因此诽谤欧阳修男女关系暧昧不清,事情牵连到吴氏。集贤校理刘瑾,与欧阳修也是仇家,立即到处传播这种诽谤言词。彭思永听说后,私下将这些告诉了他的属官。蒋之奇当初由于对追崇濮王一事的意见符合欧阳修的意思,欧阳修特意荐举他为御史,这时正担心舆论会说他是奸佞邪恶之人,便寻求自我解脱的办法,当得知彭思永传播的诽谤言词,独自上殿弹劾欧阳修,请求将这事公之于市朝。神宗怀疑弹劾不是事实,蒋之奇引出彭思永作证,坚决请求一定公之于众。蒋之奇起初没有与同僚商量这事,几天后,才将弹劾奏章的底稿给彭思永看,拉彭思永帮助自己。彭思永认为密室内的男女私情,不是外人所能知道的;只是欧阳修首先提出追崇濮王的建议,违背典章礼法而触犯众怒,不适宜再在枢密院任职。神宗便将蒋之奇、彭思永的奏章交给枢密院。欧阳修呈上奏章自我辩解。神宗开始时想斥责欧阳修,写手诏暗中询问天章阁待制孙思恭,孙思恭极力为欧阳修辩护。神宗醒悟,又取回蒋之奇、彭思永的奏章,连同欧阳修的奏章一起交给中书省,令彭思永、蒋之奇说明传播这事人的姓名上报。蒋之奇说消息从彭思永处得来,而彭思永推说消息出于传闻;便乘机竭力陈述大臣结党专擅放纵,对朝廷没有好处。欧阳修又上奏道:"臣愧为执政大臣,冤枉地遭到诬陷,只能依靠朝廷考察核实,使罪责归于肇事者。"奏章连上三次。而吴充也呈上奏章乞请朝廷全力为他辩明事情的真伪,使自家门户不至于冤屈地遭受污辱。于是神宗又批示中书省,令彭思永等人说明传播这事人的姓名和听到这事的真凭实据。彭思永与刘瑾是同乡,竭力为刘瑾掩盖,就说:"臣供职于御史台,凡有所听闻,应与僚属商议,所以对蒋之奇说了听来的传闻。然而事情模糊不清,缺乏根据,曾经告诫蒋之奇不要说出去。对此臣无法逃避罪过。"而蒋之奇也启奏道:"这事臣只从彭思永处得知,于是将这事上报了。如果认为臣不应当用传闻来评议大臣的事,臣甘愿与彭思永一起贬谪。"所以两人同时被贬黜。神宗亲自写诏书赐给欧阳修,命他出来处理政务。后来的一天,神宗对吴奎说:"蒋之奇敢于言事,但是说的事模糊不清,已经处罚了他胡乱评说之罪,又想奖励他敢于直言。"吴奎说:"奖励与处罚难以同时实施。"于是作罢。

权知贡举司马光等人上奏说,经考试合格的进士许安世以下三百零五人,其成绩分为四等;明经、其他各科二百一十一人,其成绩分为三等。神宗下诏:"进士第一、第二、第三等赐及第,第四等赐同进士出身。明经与其他各科第一、第二等都赐及第,第三等赐同进士出身。敕令下达贡院发榜公布,许安世及第二、第三名均任命为防御、团练推官,其余的人按照惯例等候选授官职。"

丙辰(初八),命提点开封府界公事、祠部郎中陈汝义判三司都磨勘司,以开封县知县、都官员外郎罗恺代任陈汝义的原职。罗恺晋见神宗,神宗询问开封府界的事务,罗恺都不知道,神宗很不高兴。等见到陈汝义问开封府界的事务时,陈汝义回答得既详细又快捷。第二天,神宗对执政大臣说:"罗恺缺乏才干,应该任用陈汝义,仍然让他兼任馆阁之职。"执政大臣说陈汝义资历已深,又任提点开封府界公事则是降职了,只宜命他试馆职而已;神宗依从了。知制诰邵必进言:"陛下刚即皇位,只凭言谈就提拔陈汝义,如同汉文帝奖赏上林苑的园丁,恐怕以后臣下争相凭借口才来求得进用。请停止这样做。"神宗不听。

昌王赵颢、乐安郡王赵頵请求解除官职来服丧,神宗下诏令两制与太常礼院详细确定典礼。翰林学士承旨张方平等人上奏说:"谨按已故皇帝遗留下来的制度,服丧时间按以一日代替一月计算,上自皇帝,下至文武百官,共同遵照先朝典章旧制。只是宗室出门时就穿浅色丧服,在家时就穿衰麻服装,直到守满丧期。大凡统一法度,都是用来尊崇天子的。皇帝继承大统,奉祀宗庙,昌王、乐安郡王应当与宗室同等对待,不容许因为私恩而与别人不一样。"神宗采纳了这个意见。

丙寅(十八日),钱明逸免去翰林学士的职务,任端明殿学士兼龙图阁学士。在此以前,御史蒋之奇上奏说:"钱明逸偏激刻薄而轻浮,在仁宗朝时,攀附贾昌朝、夏竦、王拱辰、张方平一伙,陷害杜衍、范仲淹、尹洙、石介等人,朝廷中的贤臣为之一空,天下人都痛恨他。况且他文辞错误百出,为政方法不当,怎么可以冒虚名而供职宫廷之中呢!"而且同知谏院傅卞也有类似意见。执政大臣召见钱明逸,向他出示台谏官的奏章,让他自己称病辞职,于是改任他的官职。

丁卯(十九日),三司上奏说:"在京城储存的粳米大约可以供应五年以上,考虑到时间久了粳米腐烂变质,想命令发运司在地方上缴朝廷的每年定额中,暂且停止解送五十万石,在谷物价格贵的地方减去官府征购民粮的数额,改作购买金银绢,征收的专卖货物封存在榷货务,分给三路,以备军需。"神宗批准此奏。

壬申(二十四日),尚书左丞、参知政事欧阳修免职,改任观文殿学士、刑部尚书、亳州知州。彭思永等人已经因弹劾欧阳修而被贬职,但是知杂事御史苏寀、御史吴申仍然不断上奏;欧阳修也三次上奏表请求罢官,所以命他出任知州。

起初,英宗因生病不能临朝听政,太皇太后垂帘听政,欧阳修与二三位大臣主持商议国事,每次在帘前向太皇太后奏事,或者执政大臣们相聚议论,对所谈事情意见不一致时,欧阳修没有不极力争辩的。台谏官到政事堂讨论政事时,事情虽然不是欧阳修自己提出的,同僚还未来得及开口,但欧阳修已经径直上前去批评台谏官意见的缺陷。士大夫分析政事利弊以及有所建议,以前的执政大臣常常依违两可,不明确指出是非,到欧阳修执政时,必定逐一告诉他们说:"某事能办,某事不能办。"因此怨恨诽谤他的人日益增多。英宗曾称赞欧阳修说:"性格直爽,不回避大家的怨恨。"欧阳修也曾借用已故宰相王曾的话说:"都想将恩惠归于自己,那怨恨让谁来承当呢!"出任知州后,欧阳修便连续六次进呈表章请求退休,神宗不同意。

癸酉(二十五日),任命枢密副使、礼部侍郎吴奎为参知政事。神宗想任用吴奎,宰相说:"陈升之有辅佐陛下继承皇位的功劳。"神宗说:"吴奎辅佐先帝登上帝位,那功劳更大。"于是破格任用吴奎。吴奎入宫谢恩的那天,进呈《治说》三篇。神宗曾对他说追尊濮王一事与汉宣帝追尊生父不同,吴奎回答道:"是的,汉宣帝对于汉昭帝为祖孙辈,太庙里的昭位穆位不相当,他又是由大臣所立为皇帝的,哪里能等同英宗由仁宗所亲立!这如天地般大的恩情,是不能忘记的。追尊濮王一事的确牵涉到个人私恩。"神宗说:"这件事是被欧阳修所贻误。"吴奎回答说:"韩琦在这件事上也失去了人心。臣多次被韩琦所荐举,但是天下的公论,不敢在陛下面前有所隐瞒。"后来,吴奎进言道:"陛下应该推心置腹以顺应天命,天意不是别的,只是合乎人心而已。如果用至诚去对待万物,万物没有不用至诚去顺应上天,自然会感召来祥瑞之气。如今民力疲困至极,国家用度窘乏,只需等到五谷丰登,然后才可顾及其他事情。帝王的职责,难的是判断区别忠良与邪恶,其余的日常政务,各有主管部门负责,只要不让小人得以陷害君子,君子常居重要而接近帝王的职位,那么国家自然能够治理好了。"神宗便说尧帝时还有四个凶人在朝中,吴奎回答说:"四凶虽然在朝,但不能迷惑尧帝的聪明。圣人以天下为限度,还有什么不能包容的呢!没有明显的罪过,本应包涵,只是不可让这种人处在重要及接近天子的职位上罢了。"

太常礼院进言道:"按照嘉祐年间的诏书,规定了太庙设置近世八室的制度。现在英宗皇帝神主入祔太庙指日可待,僖祖神主在七室之外,按礼法应当迁出太庙而安置在远祖神庙。将来英宗皇陵修建完毕,请将英宗的神主入祔太庙第八室。僖祖、文懿皇后的神主,依照唐朝旧例,迁藏于西夹室,以等待禘祭与祫祭。从仁宗以上到顺祖,依次升迁,恭谨地请求陛下令两制与待制以上官员共同商议。"翰林学士承旨张方平等人进言说:"同堂之内有八神室,太庙仪制早已确定,僖祖应当迁移神主,合乎典制礼法,请按照太常礼院的奏议办理。"神宗下诏恭敬地依照典礼。

乙亥(二十七日),尚书令兼中书令襄阳郡王赵允良去世,追赠太师。有司因为赵允良起居生活不合乎常规,日夜颠倒,所以定谥号荣易。

起初,蒋之奇弹劾欧阳修,神宗发怒说:"先帝病重时,邵亢提出由太皇太后垂帘听政的建议,这样大的事情不弹劾,却专门去揭发人家闺房的隐私吗!"蒋之奇将此话告诉吴申,吴申于是弹劾邵亢。弹劾的奏章下达到中书省,神宗渐渐知道吴申说的没有事实根据,中书省也将吴申的奏章扣压了下来。邵亢这时担任同知贡举,等到贡举结束,便上殿自我辩解道:"先帝生病以来,群臣没有谁能够进宫拜见,臣没有机会当面提出建议,对这事一定有奏章。希望陛下在宫中查找,如果找到了奏章,臣理当伏诛;不然的话,对那些诽谤臣的人岂能不追究? 臣甘愿下狱审讯查实。"神宗说:"朕没有怀疑爱卿,吴申所奏的事,已经不追问了。"

闰三月,癸未(初五),太白金星出现在白天。

甲申(初六),西夏国国主毅宗赵谅祚派遣使者前来献土特产并谢罪,表示要告诫约束境内酋长,守卫疆域,如去年冬季英宗所赐诏书的旨意。神宗又用诏书回答他说:"如果能按奏书所说的那样,忠守信义而不变,那么朝廷所赐给的恩礼,每年与旧例一样。"又赐给绢五百匹、银五百两。

己丑(十一日),任命京西转运使、刑部郎中刘述兼侍御史知杂事。这时苏寀调任度支副使,中书省上奏请求让刘述代任其职。御史中丞王陶进言:"刘述担任此职并非用了他的长处。"神宗赐给王陶亲笔诏书表示赞赏他的看法,然而还是最终任用了刘述。刘述,是湖州人。

御史吴申进言:"臣发现先前召十人测试馆职,而陈汝义也参与其中,便渐渐形成人员泛滥的现象。加上考试的内容只限于诗赋,不是治理国家、管理百姓所急需的,想请求兼用两制推举的人,并且停止考诗、赋,考试策问三道,问经史与政务。每道问十件事,根据回答得是否正确而决定优劣与去留。在此之前召试的人,也请甩新办法考试。希望正式下诏令两制官员详细商定办法上报。"此后翰林学士承旨王珪等人,启奏说应该停止考试诗赋,和吴申的意见类似,于是神宗下诏:"从今以后馆职考试议论一篇、策问一道。"

辛卯(十五日),辽国国主辽道宗暂住春州北淀。

庚子(二十二日),神宗下诏:"朝廷内外文武群臣,对于朝廷政事的缺失,国家的重要事务,边防军事的得失,州县民情的利弊,各自直言不讳。所奏意见如果适用,应当审察选用。"

御史中丞王陶进言:"臣奉诏另外荐举台官,遇到有才能品行可以荐举的人,大多因为资历浅不合乎敕令要求。想请求陛下允许荐举有担任三届知县以上资历官序的人为御史里行。"神宗准奏。在此之前,王陶请求重新任用吕大防、郭源明,执政大臣认为王陶是想威胁自己,感到不快。

工部郎中、知制诰王安石服满丧期后,神宗下诏令他进京。王安石多次称病请求担任分设在洛阳的中央官,神宗对辅佐大臣说:"王安石经历先帝朝,多次召用他都不上任,有人认为这是不敬。现在召他又不来,他真是有病吗?还是有什么要求呢?"曾公亮回答说:"王安石不论文章学问、才能器识,都应受到重用;多次召他不出来,一定是因为有病,他不敢欺骗陛下。"吴奎说:"王安石过去担任纠察刑狱,争议判决不当,虽然有诏免去他的过错,他却不肯进宫谢恩。他心里认为韩琦压制自己,所以不肯入朝。"曾公亮说:"王安石实在是宰相之才,吴奎说的话迷惑了陛下圣听。"吴奎说:"臣曾经与王安石同为群牧使,十分了解他袒护自己做的事,刚愎自用,处事不切实际;万一重用他,必定会使朝廷的纲纪混乱。"

癸卯(二十五日),神宗下诏命王安石为江宁府知府。人们认为王安石一定会推辞,龙图阁直学士韩维说:"王安石知晓道义,笃守正直,不为利益所动,久病不能上朝,现在如果刚受命任一个大州的长官,就起身赴任,那么这表明以前是傲慢地对待君命来求得使自己获得好处,臣当然知道王安石是不会这样做的。如果君主初即皇位,迫切地想得到贤人,与他谋划治理国家,谁不愿尽自己的忠心、施展自己的抱负呢!假设王安石病得厉害而且愚蠢也就算了,如果没有到这种地步,就一定会改变想法而前来上任。议论的人认为王安石可以慢慢召来而不可以猝然召他,而不懂得贤人可以用大义感动却不可以用计谋获得,请陛下裁决实施。"不久诏书发到,王安石立即去江宁府任职,没有再推辞。

学士院上奏说:"屯田员外郎夏倚、雄武节度推官章惇诗赋考试成绩为中等。"神宗下诏令夏倚为江南西路转运判官,章惇为著作佐郎。

甲辰(二十六日),神宗下诏:"各路帅臣及副总管如有调动的,可以依照庆历年间旧例,由中书省、枢密院共同商议。"

任命龙图阁直学士、蔡州知州吕公著,龙图阁直学士兼侍讲司马光均为翰林学士。司马光多次上奏坚决推辞,神宗不同意。神宗当面晓谕司马光说:"古代的君子,有的学富五车而不善于做文章,有的善于写文章而没有高深的学问,只有董仲舒、扬雄兼而有之。爱卿能文章有学问,还有什么理由要推辞的?"司马光说:"臣不会写四六骈体文。"神宗说:"像两汉制书那样就可以了。"司马光说:"按本朝惯例是不可以的。"神宗说:"爱卿能考中进士高等第而不能写骈体文,这是为什么?"司马光快步退出,神宗派宦官追到阁门,硬要司马光接受敕命,司马光拜而不受。催促司马光入朝谢恩,司马光入朝到了庭中,仍然坚决推辞,神宗命人将告敕放入司马光的怀中,司马光不得已才接受任命。后来有一天,神宗询问王陶:"吕公著与司马光任翰林学士,是否合适?"王陶说:"这两个人,臣曾经评论荐举过。陛下这样任用人才,天下还有什么担心治理不好的!"

丙午(二十八日),任命屯田员外郎刘攽、著作佐郎王存为馆阁校勘,太常丞张公裕、殿中丞李常为秘阁校勘,著作佐郎胡宗愈为集贤校理,都因被召参加学士院考试诗赋的成绩进入合格等级。刘攽的考试成绩属于优等,按旧例,应当担任直馆;另外,员外郎按惯例不任校勘。但刘攽平时与王陶有隔阂,王陶和侍御史苏寀一道排挤他,所以他才只担任馆阁校勘。

夏季,四月,以殿中丞唐淑问为监察御史里行。神宗告谕他说:"朕因家世关系任用爱卿,爱卿应当谨守家法。做臣子的最忌在外面结交同党,暗中攀附权贵,爱卿应该自己努力争取朕的信任。近来言官还将挑剔细小毛病作为有才能,谈论事情一定要从大局出发,才算称职。"唐淑问,是唐介的儿子。

庚戌(初三),在南郊举行给先帝奉上谥号的仪式。

召陕西宣抚使、判渭州郭逵回朝任同签书枢密院事。御史中丞王陶进言:"韩琦引荐郭迁到二府任职,甚至用太祖出师的旧事来挟制陛下,韩琦一定有奸邪的言论惑乱陛下的视听,希望罢免郭逵,贬他为渭州州官。"神宗不同意,说:"郭逵是先帝任用的人,如今忽然罢黜他,这是张扬先帝用人的过失。"

在此之前,御史台用公文向中书省申报说:"检阅《皇祐编敕》,平常朝会的这一天,轮流由一名宰臣领班。近日据引赞官说宰臣已变得不再去朝会领班,我们私下考虑这部《编敕》的礼仪制度对宰臣职责另有变动的规定,恭请明确指示。"中书省没有答复。辛酉(十四日),御史中丞王陶便用公文禀告宰相,又没有答复。乙卯(初八),王陶于是启奏弹劾韩琦、曾公亮平时朝会不领班,甚至指出韩琦跋扈,并援引霍光、梁冀专擅恣横的事作为比喻。甲子(十七日),韩琦、曾公亮上表章等待治罪。神宗将王陶的奏章出示给韩琦看,韩琦奏说:"臣不是跋扈之人,陛下派来一名小宦官,便可以将臣捆绑走。"神宗被他的话感动了,而王陶仍然接连上奏弹劾不止;神宗就此事询问知制诰滕甫,滕甫说:"宰相固然有过错,但是指责他专横跋扈,那么臣认为这是欺天害人了。"

丙寅(十九日),神宗调王陶任翰林学士,司马光任权御史中丞,两人对换职务。丁卯(二十日),司马光入朝谢恩,进言道:"近来宰相权力很大,如今王陶因论劾宰相而落职,那么御史中丞一职不能再任。臣愿等宰相在朝会领班后再就职。"神宗允许。当时司马光任权御史中丞的告敕已经发下,而王陶任翰林学士的敕命,中书省唯独把持着不发下。戊辰(二十一日),吴奎、赵概当面应对神宗,坚决请求将王陶罢黜出朝,神宗不答应;又请求任命王陶为群牧使,神宗同意了。不久神宗将告敕直接令人送中书省,以王陶为翰林学士。这时韩琦正在告假,居家不出,吴奎就上奏章说:"过去唐德宗猜疑大臣,信任一群小人,斥退陆贽而以裴延龄等人为心腹,天下人士称唐德宗为昏君。现在王陶依恃陛下旧恩,排挤压制正直忠良之士。像韩琦、曾公亮不领班一事,不过是向来如此承袭,并非从他们两位臣子开始废止旧制。现在如果又执行宫内指示,任命王陶为翰林学士,那么这是由于他有罪过,反而获得好的官职,天下人看待陛下会像哪一种君主呢!王陶不被罢免,陛下就无法要求朝廷内外大臣尽心尽责。"己巳(二十二日),吴奎便托病辞职。神宗将吴奎的奏札封上后出示给王陶看,王陶又弹劾吴奎依附宰相、欺骗天下等六条罪状。侍御史吴申、吕景启奏请求留下王陶依旧供职,都弹劾吴奎有目无皇上之心,历数他的五条罪状。神宗将亲笔书札赐给知制诰邵亢,催促他进宫呈上任命王陶为翰林学士的告敕,邵亢便启奏道:"御史中丞的职责在于弹劾,阴阳不和,责任在执政大臣身上。吴奎的话颠倒黑白,失了大臣的体统。"神宗因此有了贬黜吴奎的念头。龙图阁直学士韩维进言:"宰相跋扈,按法律是应当处死的。王陶说得对,宰相怎能没有罪!王陶说得不对,那么怎能只罢免台职就算了!现在他任翰林学士,这是升迁。希望陛下令群臣在朝廷中应对,使是非分明。"庚午(二十三日),神宗批示中书省:"王陶、吴申、吕景,过分诋毁大臣,将王陶贬出任陈州知州,吴申、吕景罚铜二十斤;吴奎位居执政官而弹劾御史中丞,将朕的手诏当作宫内批示,扣留三天不下发,罢免他的执政官,调任青州知州。"

神宗对张方平说:"吴奎免职,应当由爱卿代替其职。"张方平推辞,而且说:"韩琦长期休假,他见吴奎免职,一定不会再出任。韩琦对皇室有功,希望陛下恢复吴奎的职位,亲自书写诏书告谕韩琦,以保全君臣之间有始有终的名分。"司马光启奏道:"吴奎名望一向隆重,如今因为王陶而罢吴奎,恐怕大臣们都自感不安,纷纷引退,对于天下的舆论不利。"辛未(二十四日),曾公亮入宫应对,也请求留住吴奎,神宗答应了。壬申(二十五日),神宗在延和殿召吴奎应对,慰劳他,让他官复原职,说:"周成王难道不怀疑周公吗!"吴奎恢复原职后,邵亢又为这事发表意见,神宗用手札对邵亢说:"这样做没有其他原因,是想让在家休假的人上任官职罢了。"这是指韩琦。

起初,王陶侍奉韩琦非常恭谨,韩琦十分器重他。神宗刚被立为太子时,英宗任命蔡抗为詹事,韩琦就推荐王陶。文彦博私下对韩琦说,何不只任用蔡抗,韩琦不同意。等到神宗即位,对大臣的专权很不满意,王陶估计一定会改换许多官员,想自己谋取重要的官位,所以将韩琦视为仇人,竭力攻击他。文彦博对韩琦说:"是否还清楚地记得任命詹事时的情况?"韩琦很惭愧地说:"认识到时已经晚了,真该挨打!"王陶到陈州后,在呈上的谢恩表章中仍然不断诋毁宰相,中书省打算再贬任他。司马光说:"王陶的确有罪过,然而陛下想要广开言路,委屈自己而爱护王陶,而宰相就偏偏不能容忍吗!"中书省才作罢。

免去各州每年进贡饮食果药。

癸酉(二十六日),神宗下诏:"陕西、河东经略转运司,考察统率军队的臣僚中胆怯懦弱、年老多病的人上报朝廷。"

司马光上书,论修身的关键有三点,一是仁,二是明,三是武。治理国家的关键有三点,一是任用官员,二是该奖必奖,三是有过必罚。并且说:"臣曾经任谏官,就用这六句话献给仁宗,以后又献给英宗,今天再献给陛下。臣平生刻苦学习的收获,全在这六句话中了。"

这月,审查记录京城在押囚犯的罪状,派遣使者巡行陕西、河北、京东、京西各路进行考察安抚。

五月,辛巳(初四),由于长时间干旱,神宗命宰臣祈祷上天降雨。

韩琦、曾公亮进言:"臣等近来因为王陶上奏弹劾,不到文德殿领班一事,先前曾奏过。过去因为前殿退朝时间晚,到中书省聚厅接见访客,每天都有重要事情要商议,所以不能前去领班,这种情况为时已久,并非从现在开始。现在详细查阅唐代及五代《会要》,那时每月共有九次开延英殿听政,就明确其余不坐延英殿听政的日子里,宰臣必须前往正殿领班。到皇帝在延英殿接见宰臣的日子,没有到内殿之前,就令阁门使传旨散朝,这样宰臣不到正殿领班已是明确的了。本朝自从祖宗以来,每天临朝听政,宰臣奏事。《祥符敕令》规定宰臣依照旧例到文德殿领班,实施时间不长,又逐渐废止。因为中书省官员在退朝后讨论政事,动辄超过时间,如果每天到文德殿领班,那么重要的政务常会受到妨碍与耽误。请求将此事下交太常礼院详细审定。"司马光说按旧制宰臣应当领班,不必详细审定。癸未(初六),神宗下诏:"从今以后,每天到辰时正,垂拱殿奏事未完,听任宰相不到文德殿领班,令御史台散朝退出。没有到辰时正,一律按照《祥符敕令》实行,永远作为固定的制度。"

壬辰(十五日),辽国国主暂住纳葛泺。

甲辰(二十七日),任命屯田员外郎张唐英为殿中侍御史里行,这是接受了翰林学士王珪、范镇的荐举。张唐英当初调任谷城县令,县内园圃每年作畦种姜,将姜种借贷给百姓,收获后还给官府姜种,再按数额搭配出售取利。张唐英到任后,挖掉园圃中的姜,种上千株柳树,在中间建造柳亭,听说此事的人都予以赞颂。英宗刚即皇位,张唐英呈上劝谏皇上谨慎于始的奏疏,说道:"做人家后嗣的人就是做人家的儿子,恐怕以后有人会援引汉代定陶王的旧例来蛊惑陛下。希望杜绝这类事情的出现。"不久追尊濮王的议论果然发生,王珪、范镇认为张唐英有先见之明,所以推荐他。

乙巳(二十八日),宝文阁建成,设置学士、直学士、待制官,将英宗御书收藏在阁中。

六月,戊申(初二),辽国有司上奏说新城县百姓杨从谋反,非法任命官吏,辽道宗说:"小人无知,这不过是场儿戏罢了。"只流放其中的首恶,其余的释放。

河北干旱,百姓流亡到京城。待制陈荐请求把便籴司的陈米贷给百姓,每户二石,神宗批准。司马光上书说:"圣王的政治,使百姓安居乐业而没有离散的念头,其关键在于任官得人罢了。依臣愚见,不如选择公正的人任河北监司,让他巡察受灾的州县,知州县令不称职的就撤换他,然后多方筹措粮食,用来救济当地的百姓,生活在当地的百姓安定了,那么流亡在外的人就想返回故乡。如果每县都是这样,难道还有流民吗!"于是神宗下诏令河北发运司要求所辖州县,对百姓倍加抚恤。

己未(十三日),任命龙图阁直学士、成都府知府赵抃为知谏院。赵抃入朝谢恩,神宗对赵抃说:"听说爱卿去蜀地,自己只带一架琴、一只鹤相随,施政简便,也还顺利吗?"按旧例,近臣从蜀地回朝的,必定担任中书省或枢密院的官职,不任谏官;大臣对任命赵抃知谏院感到疑惑,神宗说:"我倚重他的意见罢了。倘若要重用他,何必一定要任省府之职呢!"赵抃上书论述了关于信任有道德的人,委任辅弼大臣,判别奸邪与正直,去掉奢侈之心,信守号令,公平奖罚,谨守机密,防备意外,不要经常赦免,容纳谏诤等十方面的事。又说吕诲、傅尧俞、范纯仁、吕大防、赵鼎、马默,都耿直敢言,长期贬降而不恢复原职,不能慰藉士大夫之心。又议论五项耗费,指的是后宫、宗室、官职泛滥、兵员冗多、土木建筑等五项耗费,这些意见大多被神宗采用。

辛未(二十五日),神宗下诏:"天下官吏有能知道差役的利弊,有办法能够从宽减轻的,逐条分析说明,封好奏章上报。"

在此之前,三司使韩绛上奏说:"损害农民的弊端,没有比差役之法更严重的了。差役最重的是在官府衙门当差,大多数人因此破产,其次是州役,也要负担很大的费用。以前听说京东百姓有父子两人将要到官府衙门当差,父亲告诉他儿子说:'我应当去死,使你们免于冻饿。'于是上吊而死。又听说江南有人将祖母嫁出去和与母亲分家来逃避差役,还有人将田地出卖来降低自己的户等,田地归于不负担差役的官户,而应负担的差役由现在同等级的人户承担。希望命令朝廷内外的臣民,逐条列出差役法的利弊,派侍从、台省官共同议论裁决,使差役没有过重的弊病,那么农民就有了乐于从事农业生产之心。"神宗采纳韩绛的意见,所以下发了这份诏书。关于差役法的议论从此开始。

陕西转运使薛向进言:"知青涧城种谔招安了西羌人朱令陵,成为横山最有势力的酋长,已给田地十顷、住宅一所,请求授任一个职位,让他向羌人们进行夸耀,以诱降横山一带众多的羌人。"神宗下诏令给朱令陵增加五顷田地。种谔,是种世衡的儿子。薛向在英宗朝时,曾献上《西陲利害》十五篇。去年冬季又上书陈述防御边境的五项益处:一是任命将帅来控制要塞,二是紧急攻伐使敌人疲惫,三是精简戍卒来提高战斗力,四是断绝财源来使敌国困乏,五是节约经费来巩固国本。呈上奏书后,英宗称赞说好,曾将它放在身边,神宗见了感到奇怪。适逢边境守臣多次进言说横山少数民族可以招降收纳,这天,神宗召薛向入宫。凡是薛向所陈述的计策,神宗都令他不要告诉两府,亲自书写诏书发下。

壬申(二十六日),辽国任度知使赵徽为参知政事。

乙亥(二十九日),御史张纪上奏说:"近年以来,朝廷各司事务,多禀告中书省决断。臣认为中书省不应当侵犯有司的职权,有司也不应当用具体的琐细事务干扰中书省。"神宗下诏:"中书省、枢密院,将应当归有司处理的琐碎事务,逐项列出上报。"后来中书省列出三十一项事,枢密院列出六十二事,都分别归有司处理。

秋季,七月,庚辰(初四),翰林学士承旨张方平等人启奏道:"本朝典章礼法,沿袭唐代旧制,真宗、仁宗都在明堂奉祀以配享天帝。今年九月深秋在明堂举行祭祀大典,恭谨地请求以英宗配享。"神宗下诏遵依此奏。

神宗下诏令检察富民因与妃嫔之家有姻亲关系而获得官职的人。

己丑(十三日),命户部郎中赵抃、刑部郎中陈荐详细审定朝廷内外的密封奏章。在此之前,神宗命张方平、司马光审定,这时又令赵抃等人共同参与审定。

辛卯(十五日),向天地、宗庙、社稷祭告英宗的谥号。

壬辰(十六日),在福宁殿呈上宝册。

神宗刚即皇位,宦官因皇帝施恩而升任朝官的,都免去宫内职务,只有句当御药院高居简等四人留任如故。司马光上书说:"高居简天性奸诈,巧于谗言,擅长阿谀,长期在皇上身边供职,罪恶很多。不久前在英宗朝时,依仗皇上,舆论痛斥。到陛下继承大统,就又抢先巴结,致使所获宠信之恩,超过了先帝。希望陛下公开惩治他的罪行,以消除天下人的疑惑。"神宗说:"等先帝神主入祔太庙之后,自然会驱逐他。"司马光说:"一个宫室小臣,怎能与先帝祭祀的先后牵扯在一起呢?舜帝罢去四凶,不是不忠于尧帝;仁宗贬降丁谓,不算不孝。"神宗听从此奏。癸巳(十七日),高居简被罢黜为供备库使。

乙未(十九日),以三司检法官吕惠卿编校集贤书籍。吕惠卿与王安石素来相好,王安石向曾公亮荐举他的才能,于是吕惠卿被推举担任馆职。吕惠卿,是晋江人。

辛丑(二十五日),火星在白天出现,共三十五天。

丙午(三十日),文州曲水县令宇文之邵上书论述朝政得失。宇文之邵,是绵竹人,任曲水县令,转运使抬高轻薄细绢的价格,要县府搭配出售,宇文之邵说:"本县地域狭小,百姓贫穷,耕田的人流亡殆尽,正当年景歉收,出现饥荒,羌人多次入侵,不能再使他们受困以牟取利益。"转运使大怒。适逢神宗即位征求群臣建言,宇文之邵于是上书说:"地广千里的州郡,于民有利的事不一定能施行,于民有害的事不一定能废罢,是因为转运使、提点刑狱干预挟制的缘故;地广百里的县邑,于民有利的事不一定能施行,于民有害的事不一定能废罢,是因为州郡干预牵制的缘故。前些天的大赦令,答应拖欠官府的税款一律免除,而有司要求得更急,督促得更厉害,使得圣上的恩泽不能惠及地方而小民日益贫困。如果选择贤才担任三司的官员,稍给郡县以权力,那么百姓的疾苦就解除了。然后借鉴古代番氏、聚氏、蹶氏、楀氏的兴盛故事来保全外戚,考察《诗经》中《棠棣》《角弓》篇的含义来使九族和睦,振兴已被破坏的典制,举拔被埋没的人才,疏远谄媚奸佞的小人,招徕忠诚耿直之士。凡是有所建置,一定要和大臣共同商议,以便采用众多的良好意见,命令和刑赏则要独断专行。如果这样,那么太平盛世就可以拱手而待了。"奏书呈上后,没有答复,他感慨道:"我不能继续做官了!"于是以太子中允退休,这时还不到四十岁。范镇说:"宇文之邵官位低下而言论高明,学问渊博而品行笃实,小我二十岁而比我先挂冠退休,使我感到遗憾。"

西夏国派遣使者前来慰问并资助皇陵的修建。

1391

八月，丁未朔（初一），太白金星在白天出现。

辛亥（初五），司马光启奏道："臣私下听说陛下喜欢命宦官采访朝外的事情以及向他们询问群臣是否能干，臣心想这不恰当。陛下内有中书和枢密两府、门下和尚书两省、御史台和谏院，外有提点刑狱、转运使、州郡长官，都是陛下的心腹耳目股肱之臣。如果真能精心选任其人，让他们各负其责，那么天下的事，好比汇集在一堂之上，陛下还担心对什么不了解呢！现在陛下深居内宫，向近侍询问，采纳道听途说的言论，听取阿谀奉承的奏说，不检验真伪，就实行赏罚，臣恐怕奸邪小人得以实现自己的爱憎，而陛下却为此受到非议。"

戊午（十二日），恢复与西夏国人的和市贸易。

张方平、司马光奏告所详细审定的朝内外密封奏疏，神宗令中书省参与商议。司马光上延和殿应对，说："密封奏事意见好的，全在于陛下决定施行。"神宗说："大臣大多不想实施。"司马光说："陛下征询臣民意见以扩大视听，这是国家的福分，而不是大臣的私利。"癸亥（十七日），神宗下诏："详细审定密封奏疏所讲述的内容，如果其中有难于实行的，可以召详审官到中书省质问辩驳，令他们陈述利弊上报。"

己巳（二十三日），京师发生地震。神宗询问辅佐大臣："地震是什么预兆？"曾公亮回答道："天裂，是阳气不足；地震，是阴气有余。"神宗说："谁是阴气？"曾公亮说："臣子是君王的阴气，儿子是父亲的阴气，妇人是丈夫的阴气，夷狄是中国的阴气，都应该警戒他们。"吴奎说："只因为小人势大气盛罢了。"神宗听了不高兴。

癸酉（二十七日），安葬宪文肃武宣孝皇帝于永厚陵，庙号英宗。

这月，判河阳军富弼上书说："帝王并没有具体的职事，仅在于辨别君子和小人。然而千官百职，怎么能全都烦帝王去辨别他们呢？只要精心选择担任国家政事的人，不让一个小人在其中掺杂任用，就不会得不到人才了。陛下不要认为所选用的范围既然广泛，所获得的人才一定很多，这里面应当防止小人惑乱陛下的视听。诡计像是正直，谎言像是忠诚，在是非难辨之际，不能不尽早明察。"

九月，丁丑（初二），神宗下诏令减免各路逃弃田地的税额。

壬午（初七），从太庙迁出僖祖与文懿皇后神主。乙酉（初十），英宗神主入祔太庙，演奏的祭乐是《大英之舞》。

戊子（十三日），减轻两京畿内、郑州、孟州的在押罪犯罪一等，百姓为修建皇陵服役的免纳赋税。

辛卯（十六日），改封昌王赵颢为岐王，乐安郡王赵𫗧为高密郡王。

派遣孙思恭等人到辽国答谢吊唁英宗之丧。

壬辰（十七日），录用周世宗从曾孙柴贻廓为三班奉职。

甲午（十九日），辽国派遣使者前来祝贺神宗即皇帝位。

戊戌（二十三日），召江宁府知府王安石为翰林学士。

辽国国主辽道宗命令供给各路囚犯的食粮。

辛丑（二十六日），韩琦、吴奎、陈升之一起免职。韩琦历任三朝宰相，有人说他专权。自从王陶弹劾他之后，曾公亮乘机极力荐举王安石，想借此离间韩琦。韩琦称病请求免职，神宗不允许，用诏书慰问他。韩琦又上书陈述有四点应当免职的理由，神宗依然不同意。英宗下葬永厚陵完毕后，韩琦更是不到中书省办事，请求离职的态度非常坚决。于是神宗夜晚召来张方平商议,并且说:"韩琦的决心不可改变了。"张方平就提出建议,应任命他为两镇节度使以表示恩宠,而且空出相位以表示要再用他为相;于是任命韩琦为镇安、武胜军节度使、守司徒、检校太师兼侍中、判相州。神宗又召知制诰郑獬草拟吴奎任青州知州与张方平、赵抃为参知政事的诏书,赐双烛给郑獬照明道路回舍人院,外廷没有人知晓。第二天清晨,郑獬呈上起草的诏书,于是将诏书下达到中书省。陈升之,原名陈旭,避与神宗的名字同音的讳,因此以字行世。神宗刚提升杨定之际,陈升之多次劝谏不应在边境挑起事端,因此违反了神宗的旨意;由于母亲年迈,请求到方便奉养母亲的州郡供职,于是出任越州知州。

以枢密副使吕公弼为枢密使,翰林学士承旨张方平、知谏院赵抃同为参知政事,三司使韩绛、开封府知府邵亢同为枢密副使。

在此之前,薛向奏告蕃部嵬名山有归附宋朝之意。壬寅(二十七日),司马光在延和殿应对,说赵谅祚称臣纳贡,不应当诱降他的叛臣来引起边境纠纷,神宗说:"这是外人没有根据的传说罢了。"司马光说:"陛下是否了解薛向的为人?"神宗说:"本不是端正忠直之士,只因他知晓钱粮和边境事务罢了。"司马光说:"钱粮事务确实知晓,边境事务他就不知晓。"又说张方平奸诈邪恶,贪婪卑鄙,神宗说:"有什么事实?"司马光说:"请允许陈述臣所亲眼见到的事。"神宗脸上变色说:"每当有大臣任命,舆论就沸沸扬扬,这不是朝廷的好事。"司马光说:"这才是朝廷的好事。了解一个人,尧帝都感到困难;何况陛下刚即皇位,万一任用了一个奸邪的人,如果台谏官缄默不语,陛下从哪里了解他呢?"神宗说:"吴奎是否依附宰相?"司马光说:"不知道。"神宗说:"结纳宰相与结纳君主哪个为贤?"司马光说:"结纳宰相为奸邪;然而曲意迎合,观察君主的意向而依从他的人,也是奸邪。"

潮州地震。

癸卯(二十八日),同签书枢密郭逵免职,出任宣徽南院使、判郓州;这是听从了张纪、唐淑问、赵抃的意见。郭逵到郓州七天,改任延州。

权御史中丞司马光又任翰林学士兼侍读学士,以滕甫为权御史中丞。司马光进言:"臣昨天评论张方平任参知政事,不孚众望,这些意见既然不值得采纳,那么所给臣的新任命,臣不敢恭受。"司马光等人的任命诰敕下发到通进、银台司,吕公著上奏将诰敕密封驳回。神宗用手诏晓谕司马光说:"朕因为爱卿的经术学识与品行操守,为世人所推重,现在将要开迩英阁讲席,想能和爱卿朝夕讨论,详细陈述治国方略,以告诫失误,所以调爱卿到宫禁之中,又兼任劝讲之职,不是因为前一天评论张方平的缘故。吕公著封还诰敕,是不了解这个意图罢了。"于是取来诰敕直接交给阁门使,催促司马光等人接受新职。吕公著又奏说:"任命诰敕不通过本司下发,那么封驳的职责因为臣的缘故而废止。"神宗亲笔批示他的奏章说:"等开迩英阁讲席时,会告谕朕的意图的。"

韩琦已出判相州,入宫应对,神宗流下眼泪,韩琦也涕泣称谢。神宗下诏规定,韩琦出入朝廷,对他用二府礼仪,又赐给他一所兴道坊宅,提拔他的儿子秘书丞韩忠彦为秘阁校理。神宗说:"爱卿离去后,谁可以主持国事?王安石怎么样?"韩琦说:"王安石任翰林学士则能力有余,安在辅弼大臣的位置上则不合适。"神宗默不作声。

这月,辽国国主辽道宗前往南京。

冬季,十月,丙午朔(初一),漳州、泉州等州发生地震。

丁未(初二),富弼被免去判河阳军的职务。

戊申(初三),建州、邵武、兴化军发生地震。

己酉(初四),神宗初次驾临迩英阁,召侍臣讲读经史。侍臣讲毕退出时,神宗只留下吕公著,对他说:"朕因为司马光有道德有学问,想让他常在身边,并非因为他的话说得不恰当。"吕公著听后恳求解除官职,神宗答应了。后来有一天,神宗又对吕公著说:"司马光为人正直,怎么迂阔不切实际呢?"吕公著说:"孔子至圣,子路还说他迂;孟轲大贤,当时人也说他迂。何况司马光这样的人,怎能避免迂阔这一名声! 大抵考虑事情深远,就近乎迂阔了。希望陛下进一步了解他!"

命御史中丞滕甫考核各路监司的政绩。

旧制,审定考核官吏政绩好坏的办法,从发运使以下到知州,都归考课院负责,专以监司所定等级为依据。到考监司,就综合他们甄别所属官吏的能力大小,配合访察他们的才能品行,汇合这两项作为考核内容,全写作中等,没有优劣之分。神宗即位,凡任职都有考核规定,凡考核都要求有实际内容,监司所呈报的在考核中未达到中等成绩的地方官,延长晋升年限,贬降资格;而考核成绩优异的,增高官秩,赏赐金帛,用盖有印玺的文书予以奖励。如是监司以上的官员,就命御史中丞、侍御史进行考核审察。

参知政事张方平,因父亲去世而解除职务。

庚戌(初五),给陕西转运司度僧牒,令购买粮食赈济遭受霜旱灾害的州县。

癸丑(初八),神宗下诏:"翰林学士、御史中丞、侍御史知杂事各自荐举才能胜任御史职务者两人。

甲寅(初九),翰林学士司马光首次在迩英阁进呈讲读《通志》,神宗赐书名为《资治通鉴》,亲自作序文赐给司马光,命令等书撰毕再抄写呈入宫中,又赏赐颖王府第旧时所藏书籍二千四百零二卷。序文大略写道:"广博而得其要,简约而记事周全,这也是典章刑法的汇总,册籍密集之处啊。"

癸酉(二十八日),知青涧城种谔收复绥州。西夏国将领嵬名山的部落在绥州,他的弟弟夷山向种谔投降,种谔派人通过夷山来劝诱他,送给他金盂。嵬名山帐下的小吏李文喜收下了金盂并答应投降,但嵬名山不知道此事。种谔当即启奏道:"赵谅祚连年用兵,人心叛离,曾想调动横山部族全部迁往兴州,部族都怀恋故土不愿迁徙,他们的首领嵬名山想借横山的部众力量捉住赵谅祚来投降。"神宗相信此话。延州知州陆诜说因为事情的真假还不清楚,告诫种谔不要轻举妄动,种谔却固执己见。神宗下诏令陆诜召见种谔询问情况,并与转运使薛向商议招纳一事。于是共同谋画出三条方案,令幕僚张穆之进京奏报。张穆之私下接受薛向的指示,说事情必定可以成功。神宗认为陆诜不协同努力,将他调往秦凤路。种谔不等指示,便率领部下所有军队长驱直入,包围嵬名山的部族。嵬名山大惊,取枪想要出战,夷山呼喊道:"兄已约定投降,为什么又这样?"李文喜就拿出所接受的金盂给他看,嵬名山丢枪大哭,于是率领部众随从种谔投降宋朝,得到部落首领三百人,家室一万五千户,士兵一万人。种谔将要在那个地方修筑城堡,陆诜以未得诏命而出师,召种谔返回。军队驻扎在怀远,西夏国军队四万人聚集到怀远城下。种谔出兵打跑他们,于是在绥州修筑城堡。

起初,种谔说嵬名山约定归降,神宗将命令边境守臣招纳嵬名山部众。司马光上书充分论述,认为:"嵬名山的部众不一定能够制服赵谅祚。即使侥幸战胜赵谅祚,恐怕也是消灭一个赵谅祚,又会出现一个赵谅祚,有什么益处呢? 如果他不能取胜,必然率领部众归附我朝,不知如何安置他们! 臣恐怕朝廷不仅失信于赵谅诈,又将失信于嵬名山了。如果嵬名山剩余的部众还很多,回到北方不行,向南入境而我朝不接受,走投无路,一定会突然占据边境城堡以救自己的命。陛下难道没有看见侯景的事吗?"神宗不听从。等到种谔夺取绥州,耗费六十万,西方战事便从此开始了。

种谔夺取绥州后,西夏国人就诈称要会面商议,诱捕知保安军,杨定等人,杀了他们。朝廷谋划征讨西夏国,邵亢说:"国家财力困乏,不宜用兵,只应当降旨安抚,等他们不服从诏命,就师出有名了。"因而逐条写出意见上奏。神宗下诏答复道:"中国民力,是大事。战争开始后,就不能不加倍征收赋税,人心一旦动摇,将关系到国家的安危。况且战事由我朝引起,先违反了盟约,契丹得知,将不约而自动联合,这是朕所深为忧虑的事。应当一切按照爱卿的建议去办。"于是准备放弃绥州,延州知州郭逵进言:"贼已杀我朝官员,而朝廷又放弃绥州不守,表现出虚弱得很。况且嵬名山率领全体部族前来归降,应当如何安置他们?"神宗不理睬。

十一月,丁丑(初三),神宗下诏令近臣各自荐举才能品行可以充任使者的人一名。

文彦博对神宗说:"各路帅臣、转运使,职责极重,关系到一路的安危,应该选择合适的人长期担任。"又说:"两府大臣肩负朝廷重任,也应当长期任职,使其下属部门不能出现瘫痪的危险,才可以建立业绩。"韩绛说:"汉代王嘉认为二千石之臣位尊权重而难以倾危,才能够指使下属,何况两府大臣的权势呢!"

戊寅(初四),神宗下诏征求耿直的言论。

神宗下诏令御史台每逢群臣朝参之日,百官轮流奏对政事。

丙戌(十二日),神宗下诏:"旧例,两府大臣刚上任,荐举所了解的三个人,将以此观察大臣的才能。近年多因私人请托求得名誉,荐举人不公正,现令中书省、枢密院荐举人都要说明才能特长,胜任什么职务,以符合朕为官职选择合适人员的愿望。"

改任韩琦判永兴军兼陕西路经略安抚使,赐手札催促他准备行装。韩琦进言:"边境守臣肆意妄为,结怨外族。臣早晚上路并不困难,只需领受朝廷的既定方针,希望令两府尽快决定下来。"韩琦入宫辞行时,曾公亮等人正在奏事,请求与韩琦一同商议,神宗召他前来,韩琦说:"臣从前为中书省官员,对朝政应当共同商议。现在是地方藩臣,只奉行朝廷命令而已,绝不敢参与商议。"又说:"王陶指责臣跋扈,如今陛下竟将陕西兵权交给臣,又有像王陶那样的人弹劾臣,那么臣就得灭族了。"神宗说:"侍中还不知道朕的心意吗?"

丁亥(十三日),神宗下诏:"令天下各州军上报所辖县令政绩的优劣,具体条款,令考课院详细审定上报。"

戊子(十四日),分命宰臣祈祷上天降雪。

在河东交城县设置马监。

庚寅(十六日),神宗下诏:"近臣因为荐举官员不合适,经过三次受到弹劾的,中书省另外启奏听取旨意。"

壬辰(十八日),西夏国派遣使者向辽国进献回鹘僧、金佛、《梵觉经》。

乙未(二十一日),神宗下诏:"朝廷内外文武官员各自荐举所了解的两个人,现任两府官员三个人,有的人耻于自我介绍,长期被埋没在低职位上,有的人偶尔因为小小过失的拖累,就不能官运亨通,都将这些人的姓名奏报上来。"

在此之前,以向传范为澶州知州兼京东、京西路安抚使。向传范,是向敏中的儿子。知谏院杨绘进言:"后妃亲族不应当任安抚使,请予改换,以杜绝外戚谋求仕进现象的发展。"文彦博说:"向传范连任知州而有良好声誉,并非由于他是外戚。"神宗说:"谏官像这样进言很好,可以制止以后妄图求官的外戚。"己亥(二十五日),命向传范改任郓州知州。后来有一天,杨绘又说曾公亮不应当任用自己的儿子曾孝宽判鼓院。神宗对滕甫说:"鼓院,传达而已,对于政事有什么关系呢?"滕甫说:"人有控告宰相的,派宰相的儿子传达,行吗?况且天下人士见宰相的儿子在这里,怎么敢再投诉有关事情呢?"神宗为此停止了对曾孝宽判鼓院的任命。杨绘也被解除谏官职务,改兼侍读,杨绘坚决拒而不受。滕甫禀报神宗,神宗下诏令滕甫告谕杨绘改任官职的意思,杨绘说:"谏官不能表达自己的意见就该离职,御前讲席不是姑息容身之处。"最终没有接受任命。不过一月,杨绘恢复知谏院之职。

十二月,丁未(初三),辽国参知政事刘诜仍任枢密副使,任命枢密直学士张孝杰为参知政事。己西(初五),任命张孝杰为同知枢密院事。张孝杰依附耶律伊逊,所以多次升官。

辽国国主辽道宗举行再生礼,赦免死罪以下的犯人。

辛酉(十七日),神宗下诏因明年元旦将出现日食,从乙丑(二十一日)起避开正殿,减少日常膳食,停止朝贺。

壬戌(十八日),神宗下诏令在群臣朝参之日增加轮流奏对官二人。

丙寅(二十二日),神宗下诏说:"牢狱,关系到百姓的性命。最近听说有司每年审查天下的奏报而因死在牢狱中的人很多。现立下法令,提点刑狱在年终统计因死狱中的人数上报。委托中书省检查此事,有的死人过多,有关官吏虽然已受到处罚,应当进一步受到贬黜。"

己巳(二十五日),西夏国人请求用逃亡过去的景询交换嵬名山,郭逵说:"景询,是庸人,对事情有什么轻重关系!接受他就不得不归还嵬名山,恐怕从此蕃部酋长没有人再敢归顺朝廷了。"这月,郭逵刺探到杀害杨定等人的首领的姓名,刺探消息的人报告说,西夏国人将在边境斩杀他们以向朝廷谢罪,郭逵说:"这可能是用杀掉死囚来蒙骗我方。"答复西夏国人说:"必须抓住李崇贵、韩道喜送来。"西夏国人说已经将他们杀掉了,郭逵命令就那两个人的形状外貌特征进行质问,敌方的情况掌握了,西夏国才将李崇贵、韩道喜关押起来献给宋朝。

西夏国国主赵谅祚去世,终年二十一岁,西夏人奉谥号昭英皇帝,庙号毅宗,葬在安陵;他的儿子赵秉常即位,当时七岁,梁太后摄政。

这月,韩琦到永兴。起初,薛向、郭逵等人建议要保留绥州,神宗下诏令韩琦考虑此议是否可行,韩琦启奏道:"贼现已诱杀杨定等人,绥州是不可放弃的。"等到赵谅祚病死,他的儿子赵秉常正年幼,韩琦于是上奏:"适逢这种变故,更不是放弃绥州的时候。"文彦博、吕公弼耻于中途变卦,督促按原计划放弃绥州,韩琦上书逐条地陈述理由不止。神宗派遣宦官带着手诏征询韩琦关于是否放弃绥州的利弊,韩琦又详细奏明,说绥州不能放弃,神宗便下诏令按韩琦的意见办。

这年,退休的观文殿学士、太子少师胡宿去世。胡宿内心刚直而表面温和,遇事慎重,不轻易采取行动,一旦行动起来就不可改变初衷,尤其能顾全大局,他举止敦厚,严格要求自己,以至于成为达官贵人,仍常和布衣百姓时一样。

辽国南京发生旱灾、蝗灾。

续资治通鉴卷第六十六

【原文】

宋纪六十六　起著雍涒滩【戊申】正月,尽屠维作噩【己酉】六月,凡一年有奇。

神宗体元显道法古立宪帝德　王功英文烈武钦仁圣孝皇帝

名项,英宗长子,母曰宣仁圣烈皇后高氏。庆历八年四月戊寅,生于濮王宫。八月,赐名仲铖,授率府副率,三迁至右千牛卫将军。嘉祐八年,侍英宗入居庆宁宫。英宗即位,授安州观察使,封光国公。帝天性好学请问,至日晏忘食,英宗尝遣内侍止之。帝正衣冠拱手,虽大暑未尝用扇。是年九月,加忠武军节度使、同中书门下平章事,封淮阳郡王,改今名。治平元年,进封颍王。十二月壬寅,立为皇太子。

熙宁元年　辽咸雍四年【戊申,1068】　春,正月,甲戌朔,日有食之。

诏改元。

复命武臣同提点刑狱。

丙子,辽主如鸳鸯泺。

丁丑,以旱减天下囚罪一等,杖以下释之。

辛巳,辽改易州兵马使为安抚使。

丁亥,命宰臣极言阙失。

辽主猎于炭山。

庚寅,御殿,复膳。

辛卯,辽遣使赈西京饥民。

壬辰,帝幸寺观祈雨。

参知政事赵概数以老求去,丙申,罢知徐州。概秉心和平,与人无怨恶,在官如不能言,然阴以利物者为多,时议比之刘宽、娄师德。

以三司使唐介参知政事。故事,执政坐待漏舍,宰相省阅所进文书,同列不得闻。介谓曾公亮曰:“身在政府而事不预知,上或有所问,何辞以对?”乃与同视,后遂以为常。

丁酉,诏修《英宗实录》。

壬寅,诏太学增置外舍生百员。初,太学置内舍生二百员,官为给食。至是待次盖百馀人,谏官以为言,故有是诏。

二月,甲辰朔,辽命元帅府募军。

辛亥,令诸路每季以雨雪闻。

乙卯,以孔宗愿子若蒙为新泰县主簿,袭封衍圣公。

初,言者交论种谔擅兴生事,诏系长安狱。谔乃悉焚当路所与简牍,置对,无一语罝人,惟自引伏。丙辰,贬谔秩四等,安置随州。

司马光进读《资治通鉴》,至苏秦约六国从事,帝曰:"苏秦、张仪掉三寸舌,乃能如是乎?"光对曰:"纵横之术,无益于治。臣所以存其事于书者,欲见当时风俗,专以辩说相高,人君悉国而听之,此所谓利口覆邦者也。"帝曰:"闻卿进读,终日忘倦。"

帝谓文彦博等曰:"天下敝事至多,不可不革。"彦博对曰:"譬如琴瑟不调,必解而更张之。"韩绛曰:"为政立事,当有大小先后之序。"帝曰:"大抵威克厥爱,乃能有济。"

丁卯,辽主巡行北方。

三月,癸酉朔,帝谓文彦博等曰:"当今理财最为急务,养兵备边,府库不可不丰,大臣宜共留意节用。"又曰:"汉文身衣弋绨,非徒然也,盖亦有为为之耳,数十年间,终有成效。以此言之,事不可不勉也。"

庚辰,夏遣薛宗道等来告哀。帝问杀杨定事,宗道言:"杀人者先已执送之矣。"乃赐诏慰之,并谕令上大首领数人姓名,当爵禄之,俟李崇贵至,即行册礼。及崇贵至,云:"定奉使谅祚,尝拜称臣,且许以归沿边熟户,谅祚遗之宝剑、宝鉴及金银物。"初,定之归,上其剑、鉴而匿其金银,言谅祚可刺,帝喜,遂擢知保安。既而夏人失绥州,以为定卖己,故杀之。至是事露,帝薄崇贵等罪而削定官,没其田宅万计。

夏亦遣使告哀于辽,辽遣人吊祭。

甲申,辽赈应州饥民。

先是辽禁南京种稻,民病之。乙酉,命除军行之地,并许民种稻。

丙戌,诏恤刑。

戊子,作太皇太后庆寿宫,皇太后宝慈宫。

庚寅,辽赈朔州饥民。

乙未,诏河北转运司预计置赈济饥民。

丁酉,潭州雨毛。

夏,四月,壬寅朔,新判汝州富弼入见,以足疾,许肩舆至殿门。帝特为御内东门小殿见之,令其子绍(隆)〔庭〕掖以进,且命毋拜。坐语从容至日昃,问以治道。弼知帝锐于有为,对曰:"人君好恶,不可令人窥测,可窥测则奸人得以傅会其意。陛下当如天之鉴人,善恶皆所自取,然后诛赏随之,则功罪无不得其实矣。"又问边事,弼曰:"陛下临御未久,当先布德泽。愿二十年口不言兵,亦不宜重赏边功。干戈一起,所系祸福不细。"帝默然良久。又问为治所先,弼曰:"阜安宇内为先。"帝称善,欲以集禧观使留之。弼力辞,赴郡。

乙巳,诏翰林学士王安石越次入对。安石素与韩绛、韩维及吕公著相友善,帝在藩邸,维为记室,每讲说见称,辄曰:"此维友王安石之说也。"及为太子庶子,又荐以自代,帝由是想见其人,甫即位,命知江宁府;数月,召为翰林学士,兼侍讲。至是始造朝入对,帝问为治所先,对曰:"择术为先。"帝曰:"唐太宗何如?"曰:"陛下当法尧、舜,何以太宗为哉!尧、舜之道,至简而不烦,至要而不迂,至易而不难,但末世学者不能通知,以为高不可及耳。"帝曰:"卿可谓责难于君矣。"

又问安石:"祖宗守天下,能百年无大变,粗致太平,以何道也?"安石退而奏书,其略曰:

"太祖躬上智独见之明,而周知人物之情伪,指挥付托,必尽其材,变置施设,必当其务,故能驾驭将帅,训齐士卒,外以扞夷狄,内以平中国。于是除苛政,止虐刑,废强横之藩镇,诛贪残之官吏,躬以简俭为天下先,其于出政发令之间,一以安利元元为事。太宗承之以聪武,真宗守之以谦仁,以至仁宗、英宗,无有逸德。此所以享国百年而天下无事也。然本朝累世因循末俗之弊,而无亲友群臣之义,人君朝夕与处,不过宦官、女子,出而视事,又不过有司之细故,未尝如古大有为之君,与学士大夫讨论先王之法以措之天下也。一切因任自然之理势,而精神之运有所不加,名实之间有所不察。君子非不见贵,然小人亦得厕其间;正论非不见容,然邪说亦有时而用。以诗赋记诵求天下之士,而无学校养成之法;以科名资格叙朝廷之位,而无官司课试之方。监司无检察之人,守将非选择之吏;转徙之亟,既难于考绩;而游谈之众,因得以乱真;交私养望者,多得显官;独立营职者,或见排沮。故上下偷惰,取容而已,虽有能者在职,亦无以异于庸人。农民坏于差役,而未尝特见救恤,又不为之设官以修其水土之利;兵士杂于疲老,而未尝申敕训练,又不为之择将而久其疆场之权。宿卫则聚卒伍无赖之人,而未有以变五代姑息羁縻之俗;宗室则无教训选举之实,而未有以合先王亲疏隆杀之宜。其于理财,大抵无法,故虽俭约而民不富,虽勤忧而国不强。赖非夷狄昌炽之时,又无尧、汤水旱之变,故天下无事过于百年,虽曰人事,亦天助也。伏惟陛下知天助之不可常,知人事之不可忽,则大有为之时,正在今日!"

明日,帝谓安石曰:"昨阅卿奏书,所条众失,卿必已一一经画,试为朕详言施设之方。"安石曰:"遽数之不可尽,愿陛下以讲学为事,讲学既明,则施设之方不言而自喻矣。"

辛亥,同天节,群臣及辽使初上寿于紫宸殿。

礼官议,欲用唐故事,以五月朔请御大庆殿受朝,因上尊号。翰林学士吕公著言:"五月会朝,始于唐德宗,取术数厌胜之说,宪宗以不经罢之。况尊号非古典,不系人主重轻。陛下方追复三代,何必于阴长之日为非礼之会,受无益之名!"从之。

戊午,回鹘贡于辽。

庚申,吕公著、王安石等言:"故事,侍讲者皆赐坐;自乾兴以来,讲者始立,而侍者皆坐听。臣等窃谓侍者可使立,而讲者当赐坐。"礼官韩维、刁约、胡宗愈言:"宜如天禧旧制,以彰陛下稽古重道之意。"刘敞曰:"侍臣讲论于前,不可安坐。避席言语,乃古今常礼。君使之坐,所以示人主尊德乐道也;若不命而请则异矣。"龚鼎臣、苏颂、周孟阳、王汾、韩忠彦皆同敞议,曰:"乾兴以来,侍臣立讲,历仁宗、英宗两朝,行之且五十年,岂可轻议变更!"帝问曾公亮,公亮曰:"臣侍仁宗书筵亦立。"后安石因讲赐留,帝面谕曰:"卿当讲日可坐。"安石不敢坐,遂已。

集贤院学士、判南京留司御史台刘敞卒。敞学问渊博,寝食坐卧,未尝不以《六经》自随。尝得先秦彝鼎数十,铭识奇奥,皆按而读之,因以考知三代制度,尤珍惜之,每曰:"我死,子孙以此蒸尝我。"朝廷每有礼乐之事,必就其家以取决焉。欧阳修每于书有疑,折简来问,敞对使答之,笔不停手,修辄叹服。庆历以前,学者守注疏之说,至敞为《七经小传》,始与诸儒异。后王安石修《经义》,盖本于敞,而新奇抑又甚矣。

癸亥,以孙觉为右正言、同知谏院。帝与觉言,欲革积弊,觉曰:"弊固不可以不革,革而当,其悔乃亡。"帝称其知理。

五月,癸酉,帝谓文彦博等曰:"丁谓、王钦若、陈彭年何如人?"彦博等各以所闻对,因言:

"当时修建宫殿,皆谓等开之,耗祖宗积储过半,至今府库不复充实。"帝曰:"王旦为宰相,不得无过。"韩绛曰:"旦尝谏,真宗不从;求去位,又弗许。"帝曰:"事有不便,当极论列,岂可以求去塞责?"

国子监言补试国子监生以九百人为额,从之。

甲戌,募饥民补厢军。

庚辰,诏两制及国子监举诸王宫教授。

丙戌,辽主驻特古里。

戊戌,废庆成军。

六月,癸卯,录唐魏征、狄仁杰后;从韩琦请也。

丁未,占城来贡。

辛卯,诏:"诸路(与)监司访寻州县,兴复水利,如能设法劝诱修筑塘堰、圩堤,功利有实,当议旌宠。"

壬子,辽西北路雨谷三十里。

乙卯,赐知唐州高赋敕书奖谕。赋在唐五年,比罢,增户万一千有奇,辟田三万馀顷,岁益税二万二千有奇,作陂堰四十有四。

是月,河溢恩州乌栏堤,又决冀州枣强埽,北注瀛州之域。

秋,七月,壬申,辽置乌库德呼勒部都统军司。

癸酉,诏:"谋杀已伤,按问,欲举自首者,从谋杀减二等论。"初,登州奏,有妇阿云,母服中聘于韦,恶韦丑陋,谋杀韦,伤而不死。及按问,欲举自首。审刑院、大理寺论死,用违律为婚奏裁,赖贷其死。知登州许遵奏,引律因犯杀伤而自首得免、所因之罪仍从故杀伤法,以谋为所因,当用按问欲举条减二等;刑部定如审刑、大理。时遵方召判大理,御史台劾遵,而遵不伏,请下两制议,乃令翰林学士司马光、王安石同议。安石以谋与杀为二事,光言:"谋杀,犹故杀也,皆一事,不可分。若谋为所由,与杀为二,则故与杀亦可为二邪?"二人议不同,遂各为奏,光议是刑部,安石议是遵。诏从安石议。

乙亥,名秦州新筑大甘谷口砦曰甘谷(堡)〔城〕。初,秦州生户为谅祚劫而西徙,有空地百里,名筚篥,知州马仲甫请城而耕之,即大甘谷口砦也。至是特赐名。

丙子,辽主猎于黑岭。

丁丑,诏:"诸路帅臣、监司及两制、知杂御史已上,各举武勇谋略三班使臣二人。"

赐布衣王安国进士及第。安国,安石弟也,举茂材异等。有司考其所献《序言》为第一,以母丧不试,庐墓三年。韩绛荐其材行,召试,赐及第,除西京国子教授。

己卯,群臣表上尊号曰奉元宪道文武仁孝,诏不许。及第三表,司马光入直,因言:"尊号之礼,非先王令典,起于唐武后、中宗之世,遂为故事。先帝不受尊号,天下莫不称颂。末年,有建言者谓国家与契丹往来书信,彼有尊号而我独无,以为深耻,于是群臣复以非时上尊号。昔汉文帝时,匈奴自称'天地所生日月所置匈奴大单于',不闻文帝复为大名以加之也。愿陛下追用先帝本意,不受此号。"帝大悦,手诏答光曰:"非卿,朕不闻此言。"遂终不许。

以观文殿学士、尚书左丞、知越州陈升之知枢密院事。故事,枢密使与知院事不并置,时文彦博、吕公著既为使,帝以升之三辅政,欲稍异其礼,故特命之。

辛巳,孙觉责授太子中允,仍知谏院。先是陈升之登对,帝面许擢置中枢。而觉相继登对，帝因与言："升之宜居宥密；邵亢不才，向欲使守长安，而宰相以为无过。"时升之已有成命，而觉不知，退即上言："宜使亢知永兴，升之为枢密使。"帝以觉为希旨收恩，故责之。觉又言滕甫贪污颇僻，斥其七罪，帝不信，以觉疏示甫，甫谢曰："陛下无所疑，臣无所愧，足矣。"

壬午，以恩、冀州河决，赐水死家缗钱及下户粟。

甲申，京师地震。乙酉，又震，大雨。是夜，月食，有司言《明天历》不效，当改；诏司天更造新历。

知开封府吕公著上疏曰："自昔人君遇灾者，或恐惧以致福，或简诬以致祸。上以至诚待下，则下思尽诚以应之，上下尽诚而变异不消者，未之有也。唯君人者去偏听独任之弊，而不主先入之语，则不为邪说所乱。颜渊问为邦，孔子以远佞人为戒。盖佞人唯恐不合于君，则其势易亲；正人唯恐不合其义，则其势易疏。惟先格王正厥事，未有事正而世不治者也。"

辛卯，以河朔地大震，命沿边安抚司及雄州刺史候辽人动息以闻。赐压死者缗钱。

京师地又震。

壬辰，遣御史中丞滕甫、知制诰吴充安抚河北。时河北地大震，涌沙出水，破城池庐舍，吏民皆幄寝芰舍。甫至，独卧屋下，曰："民恃吾以生，屋摧民死，吾当以身同之。"民始归安其室。乃命葬死者，食饥者，除田税，察惰吏，修堤防，缮甲兵，督盗贼，北道遂安。

韩琦自永兴复请相州以归。会河北地数震，知梓州何郯因上书言阴盛臣强以讥切琦，又乞召还王陶，以迎合上意，帝薄之。后陶入为三司使，迁翰林学士；中丞吕公著复论"陶赋性倾邪，当韩琦秉政，谄事无所不至；及为中丞，乃诬琦以不臣之迹，陷琦以灭族之祸。反覆如此，岂可信任！"乃出陶知蔡州。

癸巳，疏深州溢水。

甲午，减河北囚罪一等。

丁酉，降空名诰敕七十道付河北安抚司，募民入粟。

戊戌，知谏院钱公辅言："祠部遇岁饥河决，鬻度牒以佐一时之急。乞自今，宫禁遇圣节，恩赐度牒，并裁损或减半为紫衣，稍去剃度之冗。"从之。

是月，河溢瀛州乐寿埽。

辽南京霖雨，地震。

八月，壬寅，京师地又震。

同知谏院孙觉既降官，累章求出，不许。觉以为去岁有罚金御史，今兹有贬秩谏官，未闻罚金贬秩而犹可居位者也，乃出觉通判越州。

诏京东、西路存恤河北流民。

甲辰，京师地又震。

辛亥，迩英进读已，召司马光，问以河北灾变，光对曰："饥馑之岁，金帛无所用，惟食不可一日无耳，宜多漕江、淮之谷以济之。"帝因论治道，言州县长吏多不得人，政府不能精择。光曰："人不易知，天下三百馀州，责其精择诚难，但能择十八路监司，使之择所部知州而进退之，知州择所部知县而进退之，得人多矣。"又问："谏官难得人，谁可者？"对曰："凡择言官，当以三事为先：第一不爱富贵，次则重惜名节，次则晓知治体。具此三者，诚亦难得。盐铁副使吕诲、侍御史吴景，此两人似堪其选也。"

癸丑，曾公亮等言："河朔灾伤，国用不足，乞今岁亲郊，两府不赐金帛。"送学士院取旨。

司马光言："救灾节用,宜自贵近始,可听两府辞赐。"王安石曰："昔常衮辞堂馔,时议以为衮自知不能,当辞位,不当辞禄。且国用不足,非当今之急务也。"光曰："衮辞禄,犹贤于持禄固位者。国用不足真急务,安石言非是。"安石曰："所以不足者,由未得善理财之人耳。"光曰："善理财之人,不过头会箕敛以尽民财。民穷为盗,非国之福。"安石曰："不然,善理财者,不加赋而国用足。"光曰："天地所生财货百物,止有此数,不在民则在官,譬如雨泽,夏涝则秋旱。不加赋而国用足,不过设法以阴夺民利,其害甚于加赋。此乃桑弘羊欺汉武帝之言,史迁书之,以见其不明耳。"争论不已。帝曰："朕意与光同,今且以不允答之。"会安石当制,遂引常衮事责两府,两府亦不复辞。

乙卯,降空名诰敕付河东及鄜延路安抚司,募民入粟实边。

帝谓创业垂统实自太祖,甲子,诏中书门下:"考太祖之籍,以属近而行尊者一人,裂土地而王之,使常从献于郊庙,世世勿绝。"

乙丑,复行《崇天历》。

以盐铁副使吕诲为天章阁待制,复知谏院;用司马光言也。

诏:"自今试馆职,并用策论,罢诗赋。"

九月,同知太常礼院刘放言:"礼,诸侯不得祖天子,当自奉其国之祖。太祖传天下于太宗,继体之君,皆太祖子孙,不当别为置后。若崇德昭、德芳之后,世世勿降爵,宗庙祭祀,使之在位,则所以褒扬艺祖者至矣。"从之。辛未,泾州观察使舒国公从式进封安定郡王。从式,德芳之孙也。

初,韩琦自永兴入觐,言于帝曰:"推崇太祖之后,令择一人封王,常从献于郊庙,不知何故及此?自古主鬯从献,皆太子事;今忽择一人令郊庙从献,岂不疑骇天下视听乎!"帝悟,遂罢从献之旨。

丁亥,减后妃、臣僚荐奏推恩。

戊子,莫州地震,有声如雷。

丁酉,诏三司裁定宗室月料,嫁娶、生日、郊礼给赐。

己亥,辽主驻藕丝淀。

先是王安石讲《礼记》,数难记者之非是,帝以为然,冬,十月,壬寅,诏讲筵权罢讲《礼记》。是日,帝留安石坐,曰:"且欲得卿议论。"因言:"唐太宗必得魏征,刘备必得诸葛亮,然后可以有为。"安石曰:"陛下诚能为尧、舜,则必有皋、夔、稷、契;诚能为高宗,则必有傅说。彼二子者,何足道哉!以天下之大,常患无人可以助治者,以陛下择术未明,推诚未至,虽有皋、夔、稷、契、傅说之贤,亦将为小人所蔽,卷怀而去耳。"帝曰:"何世无小人,虽尧、舜之时不能无四凶。"安石曰:"惟能辨四凶而诛之,此其所以为尧、舜也。若使四凶得肆其谗慝,则皋、夔、稷、契,亦安肯苟食其禄以终身乎!"

丙午,帝问讲读官富民之术,司马光言:"富民之本在得人。县令最为亲民,欲知县令能否,莫若知州,欲知知州能否,莫若转运使。陛下但能择转运使,俾转运使案知州,知州案县令,何忧民不富也!"

辛亥,辽曲赦南京徒罪以下囚。以永清、武清、安次、固安、新城、归义、容城诸县并遭水灾,复一岁租。

乙卯,出奉宸库珠,付河北买马。

戊辰，禁销金服饰。

辽遣使册李秉常为夏国王。

十一月，癸酉，太白昼见。

丙戌，朝飨太庙，遂斋于郊宫。丁亥，祀天地于圜丘。

先是河溢恩、冀、深、瀛之境，帝忧之，以问近臣司马光等。都水监丞李立之，请于四州创生堤三百六十七里以御河，而河北都转运司言当用夫八万三千馀人，役一月成，今方灾伤，愿徐之。都水监丞宋昌言，谓今二股河门变移，请迎河港进约，签入河身，以纾四州水患，遂与屯田都监内侍程昉献议，开二股以导东流。于是都水监奏："近岁冀州而下，河道梗溢，致上下埽岸屡危。今枣强抹岸冲夺故道，虽创新堤，终非久计。愿相六塔旧口，并二股河导使东流，徐塞北流。"而提举河渠王亚等谓："黄、御河〔一〕带北行，经边界，直入大海，其流深阔，天所以限契丹。议者欲再开二股，渐闭北流，是未尝睹黄河在界河内东流之利也。"至是诏光及入内副都知张茂则乘传相度四州生堤，回日兼视六塔、二股利害。甲午，光入辞，因请河阳、晋、绛之任，帝曰："汲黯在朝，淮南寝谋，卿未可去也。"

乙未，京师及莫州地震。

十二月，壬寅，诏："自今内批指挥事，俟次日覆奏行下。"

癸卯，瀛州地大震。

庚戌，赐夏国主嗣子秉常诏："候誓表到日，即遣使封册，并以绥州给还，所有岁赐，自封册后，并依旧例。"

辛亥，录唐段秀实后。

夏遣使贡于辽。

庚申，以判汝州富弼为集禧观使，诏乘驿赴阙。

辛酉，邵亢罢。亢在枢密逾年，无大补益，帝颇厌之。至是引疾求去，遂出知越州。

是岁，前建昌军司理参军德安王韶，诣阙上《平戎策》三篇，其略曰："国家欲平西贼，莫若先以威令制服河湟；欲服河湟，莫若先以恩信招抚沿边诸族。盖招抚沿边诸族，所以威服唃氏也；威服唃氏，所以胁制河西也。陛下诚能择通材明敏之士、周知其情者，令往来出入于其间，推忠信以抚之，使其倾心向慕，欢然有归附之意，但能得大族首领五七人，则其馀小种，皆可驱迫而用之。诸种既失，唃氏敢不归？唃氏归，即河西李氏在吾股掌中矣。急之可以荡覆其巢穴，缓之可以胁制其心腹，是所以见形于彼而收功在此矣。今玛尔戬诸族，数款塞而愿为中国用者久矣，此其意欲假中国爵命以威其部内耳。而边臣以栋戬故，莫能为国家通恩意以抚之，弃近援而结远交，贪虚降而忘实附，使栋戬得市利而邀功于我，非制胜之利也。玛尔戬诸族皆唃氏子孙，各自屯结，其文法所及，远者不过四五百里，近者二三百里，正可以并合而兼抚之。臣愚以为宜遣人往河州与玛尔戬计议，令人居武胜军或渭源城，与汉界相近，辅以汉法。因选官一员有文武材略者，令与玛尔戬同居，渐以恩信招抚沿边诸羌，有不从者，令玛尔戬挟汉家法令以威之。其瞎征、欺巴温之徒，既有分地，亦宜稍以爵命柔服其心，使习用汉法，渐同汉俗，在我实有肘腋之助，且使夏人不得与诸羌结连，此制贼之上策也。"初，韶试制科不中，客游陕西，访采边事甚悉，故为是书以奏。帝异其言，召问方略，以韶管句秦凤经略司机宜文字。

夏改元乾道。

二年　辽咸雍五年【己酉，1069】　春，正月，丁亥，帝谓辅臣曰："尝闻太宗时，内藏财货，每千计用一牙钱记之，名物不同，所用钱色亦异，它人莫能晓也。皆匣而置之御阁，以参验帐籍中定数。晚年尝出其钱示真宗曰：'善保此足矣！'近见内藏库籍，文具而已，财货出入，略无关防。前此尝以龙脑、珍珠鬻于榷货务，数年不输直，亦不钩考。盖领之者中官数十人，唯知谨扃钥，涂窗牖，以为固密，安能钩考其出入多少与所蓄之数！"乃令户部、太府寺于内藏诸库皆得检察。置库百馀年，至是始编阅焉。

甲午，奉安英宗神御于景灵宫英德殿。

是月，司马光视河还，入对，请如宋昌言策，于二股之西置上约，擗水令东，俟东流渐深，北流淤浅，即塞北流，放出御河、胡卢河，下纾恩、冀、深、瀛以西之患。初，商胡决河，自魏之北至恩、冀、乾宁入于海，是谓北流。嘉祐八年，河流派于魏之第六埽，遂为二股，自魏、恩至德、沧，入于海，是谓东流。时议者多不同，李立之力主生堤，帝不听，卒用昌言策，置上约。

二月，诏："今后谋杀人自首，并奏听敕裁。"帝初从王安石议，凡谋杀已伤而自首，减二等科罪，众论不服。御史中丞滕甫请再选官定议，诏送翰林学士吕公著、韩维、知制诰钱公辅重定。公著等议如安石，于是法官齐恢、王师元、蔡冠卿等皆劾奏公著等所议为不当，又诏安石与法官集议。反覆论难，久之不决，故有是诏。

己亥，以观文殿大学士、判汝州富弼为尚书左仆射兼门下侍郎、平章事。

庚子，以翰林学士王安石为右谏议大夫、参知政事。

初，帝欲用安石，以问曾公亮，公亮力荐之。唐介言安石不可大任，帝："卿谓安石文学不可任邪，经术不可任邪，吏事不可任邪？"介曰："安石好学而泥古，议论迂阔，若使为政，恐多变更。"退，谓公亮曰："安石果用，天下困扰必矣。诸公当自知之。"帝又问侍读孙固曰："安石可相否？"固对曰："安石文行甚高，处侍从献纳之职可矣。宰相自有度，安石狷狭少容。必欲求贤相，吕公著、司马光、韩维其人也。"凡四问，皆以此对。帝不以为然，竟用安石，谓之曰："人皆以为卿但知经术，不晓世务。"安石对曰："经术，正所以经世务也。但后世所谓儒者，大抵多庸人，故流俗以为经术不可施于世务耳。"帝曰："然则卿所设施，以何为先？"安石曰："变风俗，立法度，今之所急也。"帝深纳之。

命翰林学士吕公著修《英宗实录》。

乙巳，以灾变，避正殿，减膳，彻乐。

丙午，司马光入对，乞郡。帝不许，曰："卿名闻外国，奈何出外？"先是吕公著使辽时，光初解台职，辽人因问光何不为中丞；公著归，告帝，故知之。

甲子，设制置三司条例司，掌经画邦计，议变旧法以通天下之利，命陈升之、王安石领其事。安石素与吕惠卿善，乃言于帝曰："惠卿之贤，虽前世儒者，未易比也。学先王之道而能用者，独惠卿而已。"遂以惠卿为条例司检详文字。事无大小，安石必与惠卿谋之；凡所建请章奏，皆惠卿笔也。时人号安石为孔子，惠卿为颜子。富弼以足疾未能人见。有为帝言灾异皆天数，非人事得失所致者，弼闻而叹曰："人君所畏惟天，若不畏天，何事不可为者！此必奸人欲进邪说以摇上心，使辅弼谏争之臣无所施其力，是治乱之机，不可以不速救。"即上书数千言，力论之。

王安石既用事，尝因争变法，怒目谓同列曰："公辈坐不读书耳！"赵抃折之曰："君言失矣，皋、夔、稷、契之时，有何书可读！"安石默然。

是月,遣刘航等册李秉常为夏国王。

三月,富弼始入见,曰:"臣闻中外之事,渐有更张,此必由小人献说于陛下也。大抵小人惟喜动作生事,则其间有所希冀。若朝廷守静,则事有常法,小人何望哉! 愿深烛其然,毋令后悔。"帝改容听纳,曰:"今日得卿至论,可谓金石之言!"

癸未,以苏辙为制置三司条例司检详文字。先是辙上疏曰:"所谓丰财者,非求财而益之也,去事之所以害财者而已。事之害财者三:一曰冗官,二曰冗兵,三(月)〔曰〕冗费。"疏奏,帝批付中书,因召对而有是命。

两府同奏事,富弼言大臣须和乃能成务。又言今所进用,或是刻薄小才,小才虽似可喜,然害事坏风俗为甚,须进用醇厚笃实之人。帝曰:"大臣固当与朝廷分邪正,邪正分则天下自治。"

乙酉,诏令三司判官、诸路监司及内外官各具财用利害闻奏。

戊子,夏国主秉常上誓表,纳塞门、安远二砦,乞绥州;许之。

壬辰,帝问王安石:"制置条例如何?"安石曰:"已检讨文字,略见伦绪。然今欲理财,则必使能。天下但见朝廷以使能为先,而不以任贤为急;但见朝廷以理财为务,而于礼义教化之际未有所及。恐风俗由此而坏,将不胜其敝。陛下当深念国体有先后缓急。"帝颔之。

乙未,以旱虑囚。

辽晋王耶律仁先,前以耶律伊逊之谮,出之于外。至是准布叛,辽主复思仁先,乃命为西北路招讨使,率禁军进讨。仁先入见,辽主亲谕之曰:"卿去朝廷远,每俟奏行,恐失机会,可便宜行事。"

夏,四月,戊戌,省内外土木工。

初,群臣请上尊号及作乐,帝以久旱不许。富弼言:"故事,有灾变皆彻乐,恐陛下以同天节辽使当上寿,故未断其请。臣以为此盛德事,正当以示外国,乞并罢上寿。"从之。

帝委任政府,责以太平。一日,政府召台谏官至都堂,富弼谓曰:"上求治如饥渴,正赖君辈同心以济。"知谏院钱公辅对曰:"朝廷所为是,天下谁敢不同! 所为非,公辅虽欲同之,不可得也。"

丙午,同天节,罢上寿。是日,雨。富弼言:"愿陛下不以今日雨泽为喜,常以累年灾变为惧。盖修德致雨,其应如此;万一于德有损,其灾应岂复缓邪!"帝亲书答诏曰:"敢不置之几席,铭诸肺腑! 更愿公不替今日之志。"

丁未,参知政事唐介卒。介为人简伉,以敢言见惮。帝谓其先朝遗直,故大用之;然扼于王安石,少所建明,声名减于谏官、御史时。

初,中书尝进除目,数日不决,帝曰:"当问王安石。"介曰:"陛下以安石可大用即用之,岂可使中书政事决于翰林学士! 近每闻宣谕,某事问安石,可即行之,不可不行。如此,则执政何所用! 必以臣为不才,愿先罢免。"

安石既执政,奏言:"中书处分札子,皆称圣旨,不中理者十常八九,宜止令中书出牒。"帝愕然。介曰:"昔寇准用札子迁冯拯官不当,拯诉之。太宗谓:'前代中书用堂牒,乃权臣假此为威福。太祖时以堂牒重于敕命,遂削去之。今复用札子,何异堂牒!'张洎因言:'废札子,则中书行事别无公式。'太宗曰:'大事则降敕;其当用札子,亦须奏裁。'此所以称圣旨也。如安石言,则是政不自天子出。使辅臣皆忠贤,犹为擅命;苟非其人,岂不害国?"帝以为然,乃止。

介数与安石争论，安石强辩，而帝主其说，介不胜愤懑，疽发背而卒。疾亟，帝临问，流涕。既卒，复幸其第吊哭，以画像不类，命取禁中旧藏本赐其家。盖介为谏官时，仁宗密令图其像，置温成阁中，御题曰"右正言唐介"，外庭不知也。

时安石锐意变更，而帝信任益专，介既死，同列无一人敢与之抗者。曾公亮屡请老，富弼称疾不视事，赵抃力不胜，遇一事变更，称苦者数十。故当时谓"中书有生、老、病、死、苦"，盖言安石生，公亮老，富弼病，唐介死，赵抃苦也。

初，仁宗时，范祥为制置解盐使，以盐募商旅输刍粟以实边，公私便之。祥卒，以陕西转运副使薛向继之，向请兼以盐易马，王安石时领群牧，主其说，请久任向。治平末，向坐与种谔开边罢去。至是淮南转运使张靖，被诏究陕西盐马得失，指向欺隐状，帝召向与靖对。钱公辅、范纯仁皆言向罪当黜；安石排群议，抵靖于法，以向为江、淮等路发运使。向乃请即永兴军置卖盐场，以边费钱十万缗储永兴为盐钞本，官自鬻而罢通商；从之。

知开封府滕甫罢。初，甫同修起居注，帝召问治乱之道，对曰："治乱之道，如黑白东西，所以变色易位者，朋党汩之也。"帝曰："卿知君子小人之党乎？"曰："君子无党。譬之草木，绸缪相附者，必蔓草，非松柏也。朝廷无朋党，虽中主可以济；不然，虽上圣亦殆。"帝以为名言，乃除翰林学士、知开封府。甫在帝前论事，言无文饰；帝知其诚荩，事无巨细，人无亲疏，辄以问之，甫随事解答，不少嫌隐。王安石尝与甫同考试，语言不相能，深恶甫。会新法行，天下讻讻，恐甫言而帝信之也，因事排甫，出知郓州。

戊申，富弼、曾公亮以旱上表待罪，诏不允。

癸丑，命曾公亮为西京奉安仁宗、英宗御容礼仪使。

丁巳，遣刘彝、谢卿材、侯叔献、(陈)〔程〕颢、卢秉、王汝翼、曾伉、王广廉八人行诸路，察农田水利赋役，从条例司请也。

甲子，御殿，复膳。

免河北归业流民夏税。

五月，辛未，宴紫宸殿，初用乐。

己卯，赐河北役兵特支钱。

癸未，翰林学士郑獬罢，知杭州；宣徽北院使王拱辰罢，知应天府；知谏院钱公辅罢，知江宁府。拱辰自北京还朝，言臣欲纳忠，未知陛下意所向，又言牛、李党事方作，不可不戒。帝以语辅臣，王安石曰："此未足为奸邪；谓未知陛下意所向，乃真奸邪也。"曾公亮因言拱辰在仁宗时已知其不正，不复任用。安石曰："拱辰交结温成皇后家，人皆知之。"獬权发遣开封府，民喻兴与妻谋杀一妇人，獬不肯用按问新法，为王安石所恶。安石雅与公辅善；既得志，排异己者，出滕甫知郓州，公辅数于帝前言甫不当去。薛向更盐法，安石主其议，而公辅谓向当黜逐，拂安石意。三人由是同日罢。

故事，两制差除，必宰相当笔。时富弼在告，曾公亮出使，独安石在中书，擅出獬等；弼以此不平，多称疾卧家。御史中丞吕诲上疏言："三人无罪被黜，甚非公议。"帝出诲奏示辅臣，安石曰："此三人者出，臣愧不能尽暴其罪状，使小人知有所惮，不意言者乃更如此！"

丙戌，王安石乞辞位；帝封还其奏，令视事如故。

壬辰，太皇太后迁居庆寿宫。

癸巳，枢密院言："欲检寻本院诸文书，凡关祖宗以来法制所宜施于边者，并删取大旨，编次成册，仍于逐门各留空纸，以备书将来处事。"从之，赐名《经武要略》。

王安石以为古之取士皆本于学，请兴建学校以复古，其诗赋、明经诸科悉罢，专以经义、论、策试进士。诏两制、两省、御史台、三司、三馆议之。

时议者多欲变旧法，直史馆、判官告院苏轼独以为不必变，议曰："得人之道，在于知人；知人之法，在于责实。使君相有知人之明，朝廷有责实之政，则胥史、皂隶未尝无人，而况于学校贡举乎！虽用今之法，臣以为有馀。使君相无知人之明，朝廷无责实之政，则公卿、侍从常患无人，况学校贡举乎！虽复古之制，臣以为不足矣。夫时有可否，物有兴废，使三代圣人复生于今，其选举亦必有道，何必由学乎！且庆历间尝立学矣，天下以为太平可待，至于今，唯空名仅存。今陛下必欲求德行道艺之士，责九年大成之业，则将变今之礼，易今之俗，又当发民力以治宫室，敛民财以养游士，百里之内，置官立师，而又时简不帅教者屏之远方，则无乃徒为纷乱以患苦天下邪！若无大更革而望有益于时，则与庆历之事何异！至于贡举之法，行之百年，治乱盛衰，初不由此。今议者所变改，不过数端：或曰乡举德行而略文章，或曰专举策论而罢诗赋，或欲举唐室故事，兼采誉望而罢封弥，或欲罢经生朴学，不用帖墨而考大义，此数者，皆知其一不知其二者也。夫欲兴德行，在于君人者修身以格物，审好恶以表俗，上之所向而下自趋焉。若欲设科立名以取之，则是教天下相率而为伪也。上以孝取人，则勇者割股，怯者庐墓；上以廉取人，则敝车羸马，恶衣菲食；凡可以中上意者，无所不至矣。自文章言之，则策论为有用，诗赋为无益；自政事言之，则诗赋、策论均为无用。然自祖宗以来，莫之废者，以为设法取士，不过如此也。矧自唐至今，以诗赋为名臣者，不可胜数，何负于天下而必欲废之！近世士人，纂类经史，缀缉时务，谓之策括，待问条目，搜抉略尽，临时剽窃，窜易首尾以眩有司，有司莫能辨也。且其易入也，无规矩准绳，故学之易成；无声病对偶，故考之难精。以易学之士，付难考之吏，其弊有甚于诗赋者矣。唐之通榜，故是弊法，虽有以名取人厌伏众论之美，亦有贿赂公行权要请托之害，卒使恩去王室，权归私门，降及中叶，结为朋党之论。通榜取人，又岂足尚哉！诸科取人，多出三路：能文者既已变而为进士，晓义〔者〕又皆去以为明经，其馀皆朴鲁不任〔化〕者也。至于人才，则有定分，施之有政，能否自彰。今进士日夜治经传子史，贯穿驰骛，可谓博矣，至于临政，曷尝用其一二！顾视旧学，已为虚器，而欲使此等分别注疏，粗识大义，而望其人能增长，亦已疏矣。臣故曰：此数者皆知其一而不知其二也。"

议奏，帝曰："吾固疑此，今得轼议，释然矣。"即日召见，问："方今政令得失安在？虽朕过失，指陈可也。"对曰："陛下求治太急，听言太广，进人太锐。"帝悚然曰："卿三言，朕当熟思之。"轼退，言于同列，安石滋不悦。帝欲用轼修中书条例，安石曰："轼与臣所学及议论皆异，别试以事可也。"乃命轼权开封府推官，将困之以事。轼决断精敏，声闻益远。

六月，己亥，辽主驻特古里。

丙午，吐蕃贡于辽。

丁巳，御史中丞吕诲罢。王安石执政，多变更祖宗法，务敛民财，诲屡诤不能得。著作佐郎章辟光上言岐王颢宜迁居外邸，皇太后怒，帝令治其离间之罪，安石谓无罪。诲请下辟光吏，不从，遂上疏劾安石曰："王安石外示朴野，中藏巧诈，骄蹇慢上，阴贼害物，臣略举十事：安石向在嘉祐中举驳公事不当，御史台累移文催促入谢，倨傲不从，迄英庙朝，不修臣节。慢上无礼,一也。安石任小官,每一迁转,逊避不已;自为翰林学士,不闻固辞。先帝临朝,则有山林独往之思;陛下即位,乃有金銮侍从之乐。何慢于前而恭于后?好名欲进,二也。安石侍迩英,乃欲坐而讲说,将屈万乘之重,自取师氏之尊,不识上下之仪,君臣之分。要君取名,三也。安石自居政府,事无大小,与同列异议。或因奏对,留身进说,多乞御批自中而下,是则掠美于己,非则敛怨于君。用情罔公,四也。昨许遵误断谋杀公事,安石力为主张,妻谋杀夫,用案问首举减等科罪。挟情坏法,五也。安石入翰林,未闻荐一士,首称弟安国之才,朝廷比第一人推恩,犹谓之薄,主试者定文卷不优,遂罹中伤。及居政府才及半年,卖弄威福,无所不至。背公死党,六也。宰相不书敕,本朝故事,未之或闻。专威害政,七也。安石与唐介争论谋杀刑名,遂致喧哗,众非安石而是介。忠劲之人,务守大体,不能以口舌胜,愤懑而死。自是畏惮者众,虽丞相亦退缩,不敢较其是非。陵轹同列,八也。小臣章辟光献言,俾岐王迁居外邸,离间之罪,固不容诛,而安石数进危言以惑圣听。朋奸附下,九也。今邦国经费,要会在于三司,安石与枢密大臣同制置三司条例,虽名商榷财利,其实动摇天下,有害无利,十也。臣诚恐陛下悦其才辩,久而倚毗,大奸得路,群阴汇进,则贤者尽去,乱由是生。且安石初无远略,唯务改作立异,文言以饰非,罔上而欺下。误天下苍生,必斯人也,如久居庙堂,无安静之理。辟光邪谋,本安石及吕惠卿所导,辟光扬言:‘朝廷若深罪我,我终不置此二人!’故力加营救。愿察于隐伏,质之士论,然后知臣言之当否。”帝方注倚安石,还其章,诲遂求去。帝谓曾公亮曰:“若出诲,恐安石不自安。”安石曰:“臣以身许国,陛下处之有义,臣何敢以形迹自嫌,苟为去就!”乃出诲知邓州。苏颂当制,公亮谓颂曰:“辟光治平四年上书时,安石在金陵,惠卿监杭州酒税,安得而教之?”故制词云:“党小人交潜之言,肆罔上无根之语。”制出,帝以咎颂,颂以公亮之言告,乃知辟光治平时自言它事,非此也。

诲之将有言,司马光自迩英趋资善堂,与诲相逢,光密问:“今日请对,欲言何事?”诲曰:“袖中弹文,乃新参也。”光愕然曰:“众谓得人,奈何论之?”诲曰:“君实亦为是言邪?安石虽有时名,然好执偏见,不通物情,轻信奸回,喜人佞己,听其言则美,施于用则疏。若在侍从,犹或可容;置之宰辅,天下必受其祸。”光曰:“今未有显迹,盍待它日?”诲曰:“上新嗣位,富于春秋,所与朝夕谋议者,二三大臣而已,苟非其人,将败国事。此乃腹心之疾,治之唯恐不逮,顾可缓邪?”章上,诲被黜而安石益横,光于是服诲之先见,自以为不及也。诲三居言职,皆以弹奏大臣而罢,天下推其鲠直。

以知开封府吕公著为御史中丞。

王安石以公著兄公弼不附己,乃白用公著为中丞以逼之。公弼果力求去,帝不许。

太白入井,壬戌,昼见。

辽以南院枢密使萧惟信知北院枢密使事,命北院枢密使魏王耶律伊逊加守太师,四方有军旅,许伊逊便宜从事。由是伊逊势震中外,门下馈赂不绝,凡阿顺者蒙荐擢,忠直者被逐窜,辽人谚云:“宁违敕旨,无违魏王白帖子。”

【译文】

宋神宗名顼,为英宗长子,母亲称宣仁圣烈皇后高氏。庆历八年(公元 1048 年)四月戊寅(初十)生于濮王宫。八月,赐名仲铖,授率府副率,三次升官至右千牛卫将军。嘉祐八年(公元1063年),侍奉英宗入居庆宁宫。英宗即位,授安州观察使,封光国公。神宗天性好学勤问,以致废寝忘食,英宗曹派遣宦官制止他这样。神宗衣冠整肃,拱手端坐,即使酷暑时节也不曾摇扇。这年九月,加忠武军节度使、同中书门下平章事,封淮阳郡王,改为现名。治平元年(公元1064年),进封颍王。十二月壬寅(二十二日),立为皇太子。

熙宁元年 辽咸雍四年(公元1068年)

春季,正月,甲戌朔(初一),出现日食。

神宗下诏改年号。

神宗又命武臣同提点刑狱。

丙子(初三),辽国国主辽道宗前往鸳鸯泺。

丁丑(初四),因旱灾给全国囚犯减罪一等,杖罪以下者释放。

辛巳(初八),辽国改易州兵马使为安抚使。

丁亥(十四日),神宗命宰臣尽量指出朝政的缺失。

辽道宗在炭山狩猎。

庚寅(十七日),神宗临朝,恢复日常膳食。

辛卯(十八日),辽国派遣使者赈济西京饥民。

壬辰(十九日),神宗亲临佛寺道观祈祷上天降雨。

参知政事赵概多次因年老请求离职,丙申(二十三日),免去参知政事职务,任徐州知州。赵概秉性平和,与人没有怨恶,为官似乎不善言辞,然暗中做了许多对别人有利的事,当时舆论将他比作东汉的刘宽、唐代的娄师德。

以三司使唐介为参知政事。旧例,执政大臣坐在待漏院舍,宰相审阅所呈进的公文,同僚不能参与闻知。唐介对曾公亮说:"身在中书省而事情不能参与闻知,皇上如果有所询问,臣将用什么话来回答?"于是与曾公亮一起阅览公文,后来便以此例为常规。

丁酉(二十四日),神宗下诏令修《英宗实录》。

壬寅(二十九日),神宗下诏令太学增加外舍生一百名。起初,太学设内舍生二百多,由官府提供膳食。到这时候补生员有一百多人,谏官将此情况上奏,所以有了这个诏令。

二月,甲辰朔(初一),辽国命令元帅府征募军队。

辛亥(初八),令各路每季将下雨下雪情况上报朝廷。

乙卯(十二日),以孔宗愿之子孔若蒙为新泰县主簿,袭封衍圣公。

起初,进言者交相谈论种谔擅自惹起事端,神宗下诏令将他逮捕囚禁在长安牢狱。种谔便全部烧毁朝中当权者所写给他的信件,审讯时,没有一句话牵涉到别人,只是自己承担责任愿意服罪。丙辰(十三日),贬种谔官秩四等,安置在随州。

司马光进宫读《资治通鉴》,读到苏秦约六国合纵的史事,神宗问"苏秦、张仪鼓动三寸不烂之舌,就能这样吗?"司马光回答道:"合纵连横的策略,无益于国家的统治。臣所以在书中记载这些史事,是想反映当时的社会风俗,专门以辩论游说相互显示高明,君主拿全国的利益而听信这类人的游说,这就是人们所说的以伶牙俐齿消灭邦国。"神宗说:"听爱卿进宫讲读,终日忘了疲倦。"

神宗对文彦博等人说:"天下弊端极多,不能不革除。"文彦博回答道:"譬如弹奏音乐时琴和瑟不协调，一定要解弦而重新安置。"韩绛说："为政治事，应当有大小先后的秩序。"神宗说："大抵上威严战胜私爱，才能成就事业。"

《资治通鉴》书影

丁卯（二十四日），辽道宗巡视北方。

三月，癸酉朔（初一），神宗对文彦博等人说："当前管理财政是最紧急的事务，养兵守备边防，国库不能不丰盈，大臣应该共同留意节约开支。"又说："汉文帝身穿黑色粗厚的衣服，并非只这样穿一穿，而是有目的才穿的，几十年间，终于有了成效。由此而言，做事不能不努力。"

庚辰（初八），西夏国派遣薛宗道等人前来报丧。神宗问到杀死杨定的事件，薛宗道说："杀人者先前已经捉住送过来了。"于是神宗赐诏慰问他们，并且命令他们上报几位大首领的姓名，准备封给爵禄，等李崇贵到达，便举行册封典礼。等李崇贵到达，说："杨定奉诏出使见赵谅祚，曾对他行拜礼称臣，并且答应归还沿边境已经内附我朝的羌人，于是赵谅祚赠给他宝剑、宝镜及金银物品。"起初，杨定从西夏国返回，只上缴了宝剑、宝镜而私藏了金银物品，说可以对赵谅祚行刺，神宗欣喜，便提拔他知保安军。不久西夏国丢失了绥州，认为是杨定出卖了自己，所以杀了他。到这时杨定事件真相大白，神宗就减轻李崇贵等人的罪过而削去杨定的官职，没收他的田地房产，折合银两以万计。

西夏国也派遣使者到辽国报丧，辽国派人前往吊祭。

甲申（十二日），辽国赈济应州的饥民。

在此之前，辽国禁止在南京种植水稻，百姓为此受到损害。乙酉（十三日），辽国下令除军队通行的地方之外，都允许百姓种植水稻。

丙戌（十四日），神宗下诏令谨慎用刑。

戊子（十六日），营建太皇太后的庆寿宫，皇太后的宝慈宫。

庚寅（十八日），辽国赈济朔州饥民。

乙未（二十三日），神宗下诏令河北转运使司预先计划筹备赈济饥民。

丁酉（二十五日），潭州随雨降下鸟兽毛。

夏季，四月，壬寅朔（初一），新判汝州富弼入宫晋见神宗，因脚病，允许他乘轿子到殿门。神宗特地为他御临内东门小殿接见他，令他的儿子富绍庭搀扶他进来，并且命他不必跪拜。神宗与富弼坐着从容交谈到太阳西斜，向他询问治国方略。富弼知道神宗急于有所作为，回答说："君主的好恶，不能让别人窥测到，能窥测得到就使奸人得以附会迎合。陛下应当像上天明鉴人一样，善恶都是人们所自取，然后随他们所作所为而加以诛杀或奖赏，那么功罪没有不名副其实的了。"神宗又询问边防事宜，富弼说："陛下即位不久，应当首先广泛布施德泽。希望二十年口中不谈战争，也不宜重奖边防战功。战争一旦爆发，那么关系到国家的祸福就不小了。"神宗听后沉默了许久。又问治国首先该做什么，富弼说："首先使国内富裕安定。"神宗称善，想任命他为集禧观使而将他留下来。富弼坚决推辞，去汝州上任了。

乙巳(初四),神宗下诏令翰林学士王安石逾越位次入朝应对。王安石一向与韩绛、韩维及吕公著相友好,神宗在王府时,韩维任记室,每次讲说都受到称许,韩维就说:"这是我的朋友王安石的看法。"到韩维做了太子庶子,又荐举王安石来取代自己,神宗从此想见王安石这个人,刚即位,就命王安石为江宁府知府;几个月后,召王安石为翰林学士,兼侍讲。到这时,王安石才开始入朝应对,神宗问治国首先要做什么,他回答说:"首先要选择治术。"神宗说:"唐太宗怎么样?"王安石说:"陛下应当效法尧、舜,为什么以唐太宗为楷模!尧、舜为政之道,极简约而不烦琐,极精练而不迂阔,极容易而不困难,只是后世学者不能彻底明白,认为高不可攀罢了。"神宗说:"爱卿可以说是在从难要求朕了。"

神宗又问王安石:"祖宗守天下,能百年无大变故,大体获得太平治世,用的是什么方略呢?"王安石退朝后上书,大略说:"太祖身具极高智慧与独到见解,全面了解人事的真伪,指挥托付,一定尽量发挥人们的才能,变置施设,一定符合形势的需要,所以能驾驭将帅,使士兵行动一致,对外而抵御夷狄,对内而平定中国。于是取消苛政,停止酷刑,废除强大而专横的藩镇,诛杀贪婪而残暴的官吏,身体力行地俭朴生活,给天下做出表率,他在发布政令之时,全都以安定便利百姓为根本。太宗以聪明英武继承基业,真宗以谦逊仁慈守护大统,直到仁宗、英宗,都没有失德之处。这就是所以能够享有国家百年而天下太平无事的原因。然而本朝历代沿袭前朝乱世习俗的弊病,而丧失了亲友群臣相处之义,君主朝夕与之相处的,不过是宦官、女子,出宫临朝听政,又不过是有司的琐细事情,不曾像古代大有作为的君主,与学士大夫讨论先王的法度来治理国家。一切都顺从自然的情势,而没有充分运用自己的精神,对名与实之间的差别也没有多加考察。君子不是不被尊重,但是小人也得以厕身其间;正直的言论不是不被容纳,但是奸邪的意见也有时被采用。以记诵诗赋征聘天下的人才,而没有学校培养成才的办法;以科举名次及资历来安排在朝廷的官职,而缺乏官司考核测试的方法。监司没有检察的人员,守将不是经过选拔的官吏;频繁的调动,既难于考察政绩,而众多游谈的人,由此能够以假乱真;结交私人、捞取声望者,大多获得显赫的官位;独立尽职守责者,有的却被排挤阻挠。所以上下苟且怠惰,只求过关而已,即使有才能的人在职任上,也无法不同于庸碌的人。农民深受差役之苦,却不曾特别受到救济和抚恤,又不为他们设置官吏来兴修水利,劝课农桑;士兵中混杂着疲怠老弱者,却不曾下令整饬训练,又不为他们选派将领长期承担军事指挥的责任。宫廷宿卫军则聚集了卒伍中的无赖之徒,而没有措施改变五代时期姑息笼络的坏风气;宗室则缺乏教育训导选举贤能的实际,也没有措施符合先王亲贤人远小人、奖功罚罪的好传统。至于管理财政,大概没有良好办法,所以虽然俭朴节约而百姓不富裕,虽然勤勉忧劳而国家不强盛。只是依靠不是外族兴盛的时期,又没有尧、汤时连年水旱的变故,所以天下得以太平无事超过一百年,虽说是人事,也是上天保佑的结果。恭谨地希望陛下知晓上天保佑不可常有,知道人事不可急于求成,那么大有作为的时机,就在今天!"

第二天,神宗对王安石说:"昨天看了爱卿的奏书,所分条陈述的众多朝政缺失,爱卿必定已经一一谋划,试为朕详细谈谈实施变革的方案。"王安石说:"匆忙之间细谈方案也不可能详尽,希望陛下以讲论学问为事,讲论学问明了后,那么实施变革的方案不说也自然知道了。"

辛亥(初十),为同天节,群臣及辽国使者首次在紫宸殿向神宗祝寿。

礼官建议,想要沿用唐代旧例,在五月初一请神宗御临大庆殿接受朝拜,就此奉上尊号。翰林学士吕公著进言:"五月进行朝拜,从唐德宗时开始,采用方术符咒消除不祥的说法,到唐宪宗时因为荒诞不经而停止。况且上尊号不是古代典章内容之一,无关君主的轻重。陛下正力图恢复三代之法,何必在阴气开始滋长之日作不符合礼法的朝会,接受没有益处的名号!"神宗听从了吕公著的意见。

戊午(十七日),回鹘人向辽国纳贡。

庚申(十九日),吕公著、王安石等人进言:"旧例,侍讲之臣均赐座;从乾兴年间以来,讲臣开始站着,而侍臣都坐着听。臣等私下认为侍臣可以让他们站着,而讲臣应当赐座。"礼官韩维、刁约、胡宗愈进言:"应该按照天禧年间的制度,以显示陛下效法先王、尊重事理之意。"刘攽说:"侍臣在御前讲论,不能安然而坐。离开座位谈论,是古今常礼。君主让侍臣坐,这是表明君王尊德乐道;如果没有令侍臣坐而他自己申请,那就不符合常礼了。"龚鼎臣、苏颂、周孟阳、王汾、韩忠彦均与刘攽的意见一致,说:"乾兴以来,侍臣站着讲论,经过仁宗、英宗两朝,实行了五十年,怎么可以轻易提出改变!"神宗征询曾公亮的意见,曾公亮说:"臣以前在仁宗书座前侍讲时也是站着的。"后来王安石因侍讲而被赐令留下,神宗当面告谕他说:"爱卿在侍讲之日可以坐着。"王安石不敢坐,这事因而算了。

集贤院学士、判南京留守司御史台刘敞去世。刘敞学问渊博,寝食坐卧,未曾不将《六经》带在身边。曾得到先秦彝鼎几十件,上面的铭文奇异古奥,他都经过研究而识读出来,由此考察得知夏商周三代的制度,因而特别珍爱这些彝鼎,常说:"我死后,子孙要用这些彝鼎在秋冬时节祭祀我。"朝廷每当遇到礼乐方面的事,必定派人到他家听取结论性意见。欧阳修每当读书遇到疑难,派人带着书信来请教,刘敞就当着来人的面答复,手不停地写,欧阳修总是叹服。庆历年以前,学者对儒家经典保守汉唐以来的注疏之说,到刘敞著《七经小传》,才开始与诸儒不同。后来王安石修撰《经义》,就是从刘敞的观点出发,见解新奇更有过之。

癸亥(二十二日),以孙觉为右正言、同知谏院。神宗与孙觉交谈,想革除积弊,孙觉说:"弊政当然不能不革除,革除得恰当,其祸患就消灭了。"神宗称赞他通晓事理。

五月,癸酉(初二),神宗对文彦博等人说:"丁谓、王钦若、陈彭年是怎么样的人?"文彦博等人各自根据所了解的做了回答,顺便进言道:"当时修建宫殿,都是丁谓等人首先提议,消耗祖宗的积蓄超过半数,至今国库不再充实。"神宗说:"当时王旦做宰相,不能没有过失。"韩绛说:"王旦曾经谏阻,真宗不依从;王旦请求离职,真宗又不同意。"神宗说:"事有不该做的,应当尽力论争,怎能用请求离职来推卸责任呢?"

国子监奏请补试国子监生以九百人为定额,神宗批准。

甲戌(初三),招募饥民补充厢军。

庚辰(初九),神宗下诏令两制及国子监荐举诸王宫的教授。

丙戌(十五日),辽道宗暂驻特古里。

戊戌(二十七日),撤销庆成军建制。

六月,癸卯(初三),录用唐代魏征、狄仁杰的后代;这是听从韩琦的建议。

丁未(初七),占城派遣使者前来进贡。

辛亥(十一日),神宗下诏:"各路监司访察州县,修复水利,如能设法劝导修筑塘堰、圩堤,确实收到功效,应建议表彰荣宠。"

壬子(十二日),辽国西北路三十里范围内天降谷米。

乙卯(十五日),赐给唐州知州高赋敕书加以奖谕。高赋在唐州五年,到解除职务时,增加户数一万一千有余,开垦田地三万余顷,年增税赋二万二千有余,筑陂堰四十四处。

这月,黄河溢出恩州乌栏堤,又在冀州枣强埽决口,向北流入瀛洲地区。

秋季,七月,壬申(初二),辽国设乌库德呼勒部都统军司。

癸酉(初三),神宗下诏:"谋杀致伤,要审讯,愿投案自首者,按谋杀罪减轻二等论处。"起初,登州奏报,有妇女阿云,在为母亲守丧期间嫁给韦姓男人,因厌恶韦某丑陋,便谋杀韦某,韦某受伤而未死。当审讯开始,阿云想投案自首。审刑院、大理寺判她死罪,按违反律令在为母亲守丧期间结婚之罪上奏请求裁决,敕令宽免她的死罪。登州知州许遵启奏,引律令因犯杀伤而自首得免死罪、所犯罪行仍依故意杀伤法,因为预谋是所犯罪的起因,应当用审讯时本想投案的条例减轻罪行二等;刑部的判决和审刑院、大理寺一样。当时许遵正被召判大理寺,御史台弹劾许遵,而许遵不服,请将此案下交两制官员讨论,于是令翰林学士司马光、王安石一同商议。王安石认为预谋与杀死是两回事,司马光说:"谋杀,如同是故意杀,都是一回事,不可分割。如果谋是犯罪的缘由,与杀是两回事,那么故意与杀害不也可以是两回事了吗?"两人的意见不同,便各自启奏,司马光的意见赞成刑部,王安石的意见赞成许遵。神宗下诏采纳王安石的意见。

乙亥(初五),神宗给秦州新筑大甘谷口砦命名为甘谷城。起初,秦州尚未归附宋朝的少数民族生产遭到赵谅祚的抢劫而向西迁徙,有空地百里,名叫竿篥,秦州知州马仲甫请求筑城并耕种其地,也就是大甘谷口砦。到这时,神宗特赐城名。

丙子(初六),辽道宗在黑岭围猎。

丁丑(初七),神宗下诏:"各路帅臣、监司及两制、知杂御史以上官员,各自荐举武勇谋略三班使臣两人。"

神宗赐布衣王安国进士及第。王安国,是王安石的弟弟,曾赴试中茂材异等。有司考评他所呈献的《序言》为第一,因母亲去世没有参加科举考试,庐居守墓三年。韩绛推荐他的才能品行,神宗召他考试,赐进士及第,授予西京国子教授。

已卯(初九),群臣奉表上神宗尊号为奉元宪道文武仁孝,神宗下诏不接受。到第三次上表时,司马光进宫值班,顺便进言:"皇帝上尊号之礼,不是先王令典,它开始于唐朝武则天、中宗时代,于是成为旧例。先帝不接受尊号,天下没有人不称颂。先帝末年,有人建议说国家与契丹往来书信,他们有尊号而我朝唯独没有,认为是奇耻大辱,于是群臣又在不恰当的时候奉上尊号。过去汉文帝时,匈奴自称'天地所生日月所置匈奴大单于',没有听说汉文帝也用大名号来加给自己。希望陛下追用先帝的本意,不接受这个尊号。"神宗十分高兴,以手诏答复司马光说:"不是爱卿,朕听不到这样的话。"于是始终不同意上尊号。

以观文殿学士、尚书左丞、越州知州陈升之为知枢密院事。旧例,枢密使与知院事不同时设置,当时文彦博、吕公著已任枢密使,神宗因陈升之三次为辅政大臣,想稍微给予特殊的礼遇,所以特地这样任命。

辛巳(十一日),孙觉因受责而被任为太子中允,仍知谏院。在此之前,陈升之登殿应对,神宗当面许他升任中枢职务。而孙觉相继登殿应对,神宗就对他说:"陈升之应居于辅佐位置;邵亢没有才干,曾想让他去长安任职,而宰相认为他没有过错。"当时陈升之已有任命,而孙觉不知道,退出殿后立即上奏说:"应让邵亢知永兴军,陈升之任枢密使。"神宗认为孙觉是迎合皇帝旨意,捞取恩宠,所以责备他。孙觉又说滕甫贪赃邪恶,指斥他七项罪行,神宗不相信,将孙觉的奏疏出示给滕甫看,滕甫谢恩道:"陛下不怀疑臣,臣心中无愧,这就足够了。"

壬午(十二日),因恩州、冀州黄河决口,赐给死于水灾的人家缗钱,赐给下等贫困户粮食。

甲申(十四日),京师发生地震。乙酉(十五日),又地震,天降大雨。当天夜晚,出现月蚀,有司奏报《明天历》不准确,应修改;神宗下诏令司天监另制新历法。

开封府知府吕公著上书说:"自古以来君主遇到天灾,有的恐惧修省而致福,有的简慢欺罔而致祸。君主以至诚对待臣下,那么臣下想竭尽忠诚来报答,君臣都竭尽诚意而灾变不消失的事,是不会有的。只有君主摒除偏信独裁的弊病,而不以先入之言为主,才不会被邪说所惑乱。颜渊曾请教孔子如何治国,孔子以疏远奸佞之人为告诫。因为奸佞之人唯恐不能迎合君主的心意,所以他们的表现容易被君主亲近;正直之人唯恐不能合乎正义,所以他们的表现容易被君主疏远。希望先使君王宽心,再纠正他办事的缺失,没有办事正确而天下不太平的。"

辛卯(二十一日),因河朔地区发生强烈地震,神宗命令沿边境的安抚司与雄州刺史侦察辽国的动静上报。赐给地震中被压死者家属缗钱。

京师又发生地震。

壬辰(二十二日),派遣御史中丞滕甫、知制诰吴充安抚河北地区。当时河北地区发生强烈地震,地下涌沙出水,破坏城墙房屋,吏民都睡帐篷或在草野露宿。滕甫到达后,独自睡在房屋内,说:"百姓依靠我们治理而生活,房屋塌毁而百姓身亡,我应当用自己的身体与百姓共命运。"这样,百姓才回来安居室内。于是下令埋葬死者,给饥民食物,免除田税,纠察懈怠的官吏,修筑堤防,整饬军队,督捕盗贼,河北地区因而安定下来。

韩琦在永兴军又请求去相州而回朝。适逢河北地区几次发生地震,梓州知州何郯于是上书说阴盛臣强来讽刺韩琦,又乞请召回王陶,借以迎合皇上旨意,神宗因此轻视何郯。后来王陶入朝任三司使,迁翰林学士,御史中丞吕公著又论"王陶秉性奸邪,在韩琦执政时,他奉承韩琦是无所不至;等做了御史中丞,便诬蔑韩琦有不忠的迹象,陷害韩琦以灭族之祸。如此反复无常,岂能信任!"于是调王陶出任蔡州知州。

癸巳(二十三日),疏导深州泛滥的洪水。

甲午(二十四日),减轻河北地区因犯罪一等。

丁酉(二十七日),神宗发下七十道空白任官诰敕给河北安抚司,用作招募民间向国家献粮。

戊戌(二十八日),知谏院钱公辅进言:"祠部遇到饥荒年份、黄河决口,出卖度牒以助一时之急。乞请从今以后,宫廷遇有皇帝生辰圣节,再恩赐度牒,并裁减或减去一半穿紫色袈裟的僧人,以稍革剃度为僧之滥。"神宗同意。

这月,黄河在瀛洲乐寿埽溢出。

辽国南京阴雨连绵,发生地震。

八月,壬寅(初二),京师又发生地震。

同知谏院孙觉降官之后,多次上章表请求离朝到外地任职,神宗不准许。孙觉认为去年有罚款的御史,如今又有降级的谏官,没听说罚了款降了级而还能在原职位上的,于是将孙觉调出朝廷作越州通判。

神宗下诏令京东路、京西路慰问抚恤河北地区流亡而至的灾民。

甲辰(初四),京师又发生地震。

辛亥(十一日),在迩英阁进读结束后,神宗召来司马光,就河北地区出现灾变一事询问他,司马光回答说:"饥荒年份,金帛没有用处,只是粮食不能一天没有啊,应该多漕运江淮流域的谷物来赈济灾民。"神宗顺便谈起治国之道,说州县长官大多不称职,中书省不能严格选择。司马光说:"人不容易了解,全国有三百多个州,责令中书省严格选择确实很难,只要能选好十八路监司,让他们去选择所管辖的知州而决定进用与罢黜,各知州再选择所管辖的知县而决定进用与罢黜,这样获得的称职人才就多了。"神宗又问:"谏官难得到称职的人,什么样的人可能胜任呢?"司马光回答道:"凡是选择谏官,应当以三事为前提:第一不爱富贵,第二珍惜名节,第三知晓治国体要。具备这三条的人,确实也难得。盐铁副使吕诲、侍御史吴景,这两人大概能胜任其选。"

癸丑(十三日),曾公亮等人进言:"河朔地区因灾受害,国家用度不足,请求今年皇上在郊外祭祀天地时,对两府臣僚不要赐金帛。"此议送学士院讨论后听取圣旨。司马光说:"救灾节用,应从权贵近臣做起,可以听任两府臣僚辞谢赏赐。"王安石说:"以前常衮辞谢政事堂公膳,当时人们认为常衮自知不能胜任,应辞去执政之位,不应当辞掉执政大臣的食禄。况且国用不足,不是目前的急务。"司马光说:"常衮辞去食禄,还是比保持食禄固守职位的人贤明。国用不足才真是目前的急务,王安石的话不对。"王安石说:"国用之所以不足,是因为没有任用善于理财的人罢了。"司马光说:"善于理财的人,不过是按人头计算用大簸箕敛取赋税来刮尽民财。百姓穷困,只好去做强盗,这不是国家的福。"王安石说:"不对,善于理财的人,不需增加赋税而使国用充足。"司马光说:"天地间生长的各种财物,只有这样多数量,不在民间就在官府,譬如下雨,夏季涝就会秋季干旱。不增加赋税而使国用充足,不过是设法来暗夺民利,其危害大于增加赋税。这是桑弘羊欺骗汉武帝的言论,太史公司马迁将其记载下来,以表明他不明白道理。"两人争论不休。神宗说:"朕意与司马光相同,现在暂且以不允许来答复他们吧。"正值王安石当班草拟制书,便援引常衮的事例责备两府臣僚,两府臣僚也就不再辞受赏赐。

乙卯(十五日),神宗发下空白任官诰敕给河北安抚司和鄜延路安抚司,用来招募民间献粮充实边备。

神宗认为创建大业、下传大统实际上开始于太祖,甲子(二十四日),下诏令中书省和门下省:"考察太祖皇帝的子孙名籍,将嫡亲而且辈分高的一人,划地封王,使他常能在皇帝祭祀天地祖宗时随从献礼,代代不断。"

乙丑(二十五日),恢复使用《崇天历》。

以盐铁副使吕诲为天章阁待制,又知谏院;这是采纳司马光的建议。

神宗下诏:"从今以后,凡考选馆职,都考策论,停考诗赋。"

九月,同知太常礼院刘攽进言:"按礼法规定,诸侯不能以天子为其奉祀之祖,应当自己奉祀本诸侯国之祖。太祖将国家传给太宗,那么继承大统的君主,都是太祖的子孙,不应另为太祖设置后嗣。如尊奉太祖之子赵德昭、赵德芳的后代,代代不降爵位,宗庙祭祀时,使他们在位参与，那么就充分地褒扬太祖了。"神宗听从了这个意见。辛未(初一)，泾州观察使舒国公赵从式进封安定郡王。赵从式，是赵德芳的孙子。

起初，韩琦从永兴军入朝觐见，对神宗说："推尊太祖的后代，令选一人封王，常在皇帝祭祀天地祖宗时随从献礼，不知是什么原因要这么做？自古以来，举行祭祀大典时主掌香酒从献，都是太子的事；如今忽然另选一人令他在祭祀时从献，岂不惑乱震惊天下视听吗！"神宗醒悟，于是废止所下从献之诏。

丁亥(十七日)，减少因后妃、臣僚荐举而受到皇帝恩赐的人。

戊子(十八日)，莫州发生地震，有如雷鸣之声。

丁酉(二十七日)，神宗下诏令三司裁定宗室每月所供物品，以及嫁娶、生日、祭祀时的赐予。

己亥(二十九日)，辽道宗暂驻藕丝淀。

在此之前，王安石讲《礼记》，多次批评记载中的错误，神宗认为批评得对，冬季，十月，壬寅(初三)，神宗下诏讲筵暂时停讲《礼记》。这天，神宗留王安石坐下，说："还想听爱卿谈论。"因而说道："唐太宗必得魏征，刘备必得诸葛亮，然后能够有所作为。"王安石说："陛下真能做尧、舜，就一定有皋陶、夔、后稷、契辅佐；真能做商朝高宗，就一定有傅说辅佐。那魏征、诸葛亮二位，有什么值得称道的呢！以天下之大，常忧虑没有能够辅佐治国的人，是因为陛下选拔人才的方略不明确，表现诚意不彻底，虽然有皋陶、夔、后稷、契、傅说那样的贤人，也将被小人所遮蔽，收起辅佐的心愿而离去呀。"神宗说："哪个时代没有小人，虽是尧、舜时代也不能没有四凶这样的奸人。"王安石说："只要能分辨出四凶而诛杀他们，这才能成为尧、舜。倘若让四凶得以肆意妄为，那么皋陶、夔、后稷、契这样的贤人，又如何肯苟且食禄直至终身呢！"

丙午(初七)，神宗向讲读官询问富民的方略，司马光说："富民的根本在于得到称职的官员。县令最接近百姓，要知道县令是否能干，莫如知州，要知道知州是否能干，莫如转运使。陛下只要能选好转运使，让转运使考察知州，知州考察县令，何愁百姓不富啊！"

辛亥(十二日)，辽国特赦南京徒罪以下囚犯。因永清、武清、安次、固安、新城、归义、容城等县均遭水灾，免除一年的租税。

乙卯(十六日)，取出奉宸库的珠宝，交给河北路购马。

戊辰(二十九日)，禁止使用金子装饰的服饰。

辽国派遣使者前往西夏国册封李秉常为西夏国国王。

十一月，癸酉(初四)，太白星在白天出现。

丙戌(十七日)，神宗祭祀太庙，便在郊宫斋戒。丁亥(十八日)，在圜丘祭祀天地。

在此之前，黄河在恩州、冀州、深州、瀛洲境内泛滥，神宗为此忧虑，以此事询问近臣司马光等人。都水监丞李立之，请求在这四州修筑新堤三百六十七里来防御黄河，而河北都转运司说这要用民伕八万三千余人，修筑一个月完成，如今正受灾害，希望暂缓修筑。都水监丞宋昌言，认为现今二股河的闸门变移位置，建议将其引入黄河支流，注入河道中，以解除四州的水患，于是与屯田都监内侍程昉献计，开通二股河以疏导洪水东流。因此都水监启奏道："近年冀州以下，黄河河道阻塞溢水，致使上下堤岸多次出现险情。如今枣强水漫堤岸而冲夺故道，虽建新堤，终究不是长久之计。希望治理六塔旧口，与二股河一起引导洪水东流，慢慢堵住北流。"而提举河渠王亚等人说:"黄河、御河一带水向北流,经过边界,直接进入大海,其水流深宽,这是上天以黄河阻遏契丹人。议论者想再次开通二股河,渐渐堵闭北流,这是未曾见到黄河在边界河道内向东流的好处。"到这时,神宗下诏令司马光及入内副都知张茂则乘驿马前往观察四州新堤,返回时兼察六塔口、二股河工程的利弊。甲午(二十五日),司马光入宫辞行,顺便请求到河阳军、晋州、绛州任职,神宗说:"西汉汲黯在朝中,淮南王就不敢谋反,爱卿是不可以离开朝廷的。"

乙未(二十六日),京师和莫州发生地震。

十二月,壬寅(初四),神宗下诏:"今后宫内批出指示的事项,等第二天覆奏后再发下执行。"

癸卯(初五),瀛洲发生强烈地震。

庚戌(十二日),神宗赐已故西夏国国主毅宗赵谅祚的嗣子赵秉常诏:"等宣誓表文到达时,立即派遣使者册封,并将绥州归还,所有每年应赐之物,自册封以后,均依照旧例进行。"

辛亥(十三日),录用唐代段秀实的后裔。

西夏国派遣使者向辽国进贡。

庚申(二十二日),神宗任命判汝州富弼为集禧观使,下诏令他乘驿马入京。

辛酉(二十三日),邵亢免职。邵亢在枢密院任职一年多,对朝政无多大贡献,神宗非常厌恶他。到这时他托病请求离职,于是被调出朝廷任越州知州。

这年,前建昌军司理参军德安人王韶,到朝廷呈上《平戎策》三篇,大略说:"国家要平定西夏敌寇,不如先施威令制服河湟地区;要制服河湟地区,不如先施恩信招抚沿边各部族。招抚沿边境的各部族,是为了威服那里的羌人首领唃厮啰氏;威服唃厮啰氏,是为了威胁挟制河西的夏国人。陛下真能选择通才机敏、全面了解那里情况的人,命他往来出入于各部族间,表明忠信来安抚他们,使他们倾心仰慕我朝,欣然有归附的愿望,只要能争取到大部族首领五、七人,那么其余小部族,就都可以胁迫他们而为我朝所用。失去了各部族,唃厮啰氏敢不归附?唃厮啰氏归附,就是河西夏国李氏在我朝的掌握之中了。急则可以扫荡摧毁他的巢穴,缓则可以威胁挟制他的心腹,这就是在河湟地区采取行动而在西夏国收到功效。现在玛尔戬等部族,多次叩边关通好而愿意为我朝效力已经很久了,这是想借我朝的官爵任命来威慑自己的部族内部罢了。而边境守臣因为唃厮啰氏首领栋戬的缘故,不能为国家表达恩意来安抚他们,放弃近援而结交远方,贪图假降而不顾实附,使栋戬得以牟利而向我朝邀功,这不是利于取胜的良策。玛尔戬等部族都是唃厮啰氏的子孙后代,各自屯寨,其部族教令所及,远的不过四五百里,近的才二三百里,正可以合并而一起进行安抚。臣的愚见是应派人去河州与玛尔戬商议,让他们住进武胜军或渭源城,与汉界相接近,用汉法辅助他们。顺便选拔一名有文才武略的官员,令他与玛尔戬同住,逐渐用恩信招抚沿边境的各部羌人,有不服从的,令玛尔戬倚仗我朝法令来威服他们。至于羌人中的瞎征、欺巴温之徒,既有自己的领地,也应稍以官爵任命来柔和地征服他们的心,让他们学习使用汉法,逐渐与汉俗融合,这在我朝实有密切的帮助,而且使得西夏国人不能与各部羌人联合,这才是制敌的上策。"起初,王韶应试制科未中第,去陕西游历,采访边境形势很详细,所以作了这三篇文章呈上。神宗十分重视他的意见,召见他询问方略,任命王韶管勾秦凤经略司机宜文字。

西夏国改年号为乾道。

熙宁二年　辽咸雍五年(公元1069年)

春季,正月,丁亥(十九日),神宗对辅佐大臣说:"曾听说太宗时,内库所藏财物,每一千件用一枚象牙钱作为标记,物件不同,所用钱色也不同,别人不能明白。这种象牙钱都放在匣中并搁在御阁,用来检验账册中的记数。太宗晚年曾将象牙钱拿出给真宗看,说:"好好保存这些就足够了!"近来见到内库所藏账册,不过是文书形式罢了,财物出入,基本上没有印凭手续。在此之前,曾将龙脑、珍珠卖给榷货务,几年不上交货款,也不检查。大概管理内库的几十名宦官,只知道小心锁好箱柜,关紧门窗,以为牢固严密了,怎么能检查出财物进出的多少与所储存的数量呢!"于是令户部、太府寺对内藏诸库都进行检查。设置内库百余年,到这时才开始检查储存情况。

甲午(二十六日),在景灵宫英德殿内安放英宗的神位。

这月,司马光视察黄河后回京,入宫应对,建议按宋昌言的主张,在二股河的西段修筑上水闸门,分水使其东流,等东流的河水渐深,北流的河水淤浅,就堵塞北流的河水,放水入御河、胡卢河,下解恩州、冀州、深州、瀛洲以西的水患。起初,黄河在商胡埽决口,从魏州北面流经恩州、冀州、乾宁进入大海,这叫北流。嘉祐八年(公元1063年),黄河在魏州第六埽分流,便成为二股河,从魏州、恩州东流到德州、沧州,进入大海,这叫东流。当时意见大多不同,李立之极力主张在四州建新堤,神宗不听,最终采用宋昌言的计策,修筑上水闸门。

二月,神宗下诏:"今后谋杀犯自首,都上奏听候降敕裁决。"神宗起初同意王安石的意见,凡谋杀已致伤害而自首的,减二等定罪,大家议论不服。御史中丞滕甫建议再选择官员商议决定,于是下诏让翰林学士吕公著、韩维、知制诰钱公辅重新审定。吕公著等人的意见和王安石的一样,这时法官齐恢、王师元、蔡冠卿等人都上奏弹劾吕公著等人所议是不正确的,神宗又下诏令王安石与法官共同讨论。如此反复争论,长时间不能决定下来,所以有了这个诏令。

己亥(初二),以观文殿大学士、判汝州富弼为尚书左仆射兼门下侍郎、平章事。

庚子(初三),以翰林学士王安石为右谏议大夫、参知政事。

起初,神宗想任用王安石,就问曾公亮,曾公亮竭力推荐他。唐介说王安石不可重用,神宗说:"爱卿认为王安石是文学方面不可任用呢,还是经术方面不可任用呢,又还是吏事方面不可任用呢?"唐介说:"王安石好学但拘泥古事,议论迂阔,如果让他执政,恐怕多有变更。"唐介退出后,对曾公亮说:"王安石要是果真受到重用,天下受到困扰将是必然的事了。诸公应当自己清楚这一点。"神宗又问侍读孙固说:"王安石是否能做宰相?"孙固回答道:"王安石文学品行很高,任侍从献纳之职可以了。宰相自有其气度,王安石偏激狭隘气度小。一定要求得贤能的宰相,吕公著、司马光、韩维是合适的人选。"共问了四次,都是这样回答。神宗不以为然,终究任用王安石做宰相,对他说:"人们都认为爱卿只懂经术,不通晓世务。"王安石回答说:"经术,正是用来经营世务的。只是后世的所谓儒者,大抵多是庸人,所以习惯上认为经术不可用来经营世务罢了。"神宗说:"那么爱卿施政,以什么为先呢?"王安石说:"移风易俗,建立法度,是当今所急需做的事。"神宗深表同意。

命翰林学士吕公著修撰《英宗实录》。

乙巳(初八),神宗因为发生灾变,避开正殿,减少日常膳食,撤去音乐演奏。

丙午(初九),司马光入宫应对,请求到地方任职。神宗不允许,说:"爱卿名闻外国,为

1419

什么离朝到地方任职?"在此之前,吕公著出使辽国时,司马光刚卸任台职,辽国人于是问司马光为什么不任御史中丞;吕公著回京,奏告神宗,所以神宗知道这个情况。

甲子(二十七日),设制置三司条例司,负责规划国家大计,筹议变革旧法以通天下之利,命陈升之、王安石主持此事。王安石平素与吕惠卿友好,便对神宗说:"吕惠卿的贤能,即使是前代的儒士,也不能轻易与他相比。学先王之道而能够应用的,只有吕惠卿而已。"于是神宗命吕惠卿为条例司检详文字。事情不论大小,王安石都一定与吕惠卿谋划;凡是王安石所建议请求的章奏,都由吕惠卿书写。当时人称王安石为孔子,吕惠卿为颜子。富弼因脚病不能入宫晋见神宗。有人对神宗说灾害异变都是天数,不是人事得失所引起,富弼听到后感慨地说:"君主所敬畏的只有上天,假如不敬畏上天,什么事不可以做呢! 这必定是奸人想进献邪说来动摇皇上的心,使辅佐谏争的臣僚无处施展自己的能力,现在是治乱的关键,不能不从速救治。"当即上书数千言,竭力论辩。

王安石执政之后,曾因争论变法,怒目对同僚说:"诸公之辈因不读书才这样啊!"赵抃反驳他说:"您这话错了,皋陶、夔、后稷、契的时代,有什么书可读!"王安石默然无语。

这月,神宗派遣刘航等人去册封李秉常为西夏国国王。

三月,富弼才入宫晋见神宗,说:"臣听说朝廷内外的事,渐有变更,这必定是由于小人向陛下进献了邪说。一般小人就喜欢动作生事,然后在其中有所企图。如果朝廷保持平静,那么凡事都有常规,小人能做什么指望呢! 希望陛下洞察这些情况,不让自己后悔。"神宗改变态度而听从,说:"今天听到爱卿的高论,可谓金玉良言!"

癸未(十六日),任命苏辙为制置三司条例司检详文字。在此之前,苏辙上书说:"所谓使财政充裕,不是求得钱财而使财政收入增加,而是除去有害于财政的事罢了。有害于财政的事有三项:一是多余无事的官员,二是多余无用的兵丁,三是不该支出的经费。"奏书呈上后,神宗批示交给中书省,因此召苏辙应对,并有了这项任命。

中书省与枢密院一起奏事,富弼说大臣须平和才能办成事。又说如今所进用的人,有的是刻薄的小才,小才虽然似乎可爱,但是破坏事情、伤风败俗很严重,须进用醇厚笃实的人。神宗说:"大臣固然应当为朝廷分清邪正,邪正分清了,那么天下自然就治理好了。"

乙酉(十八日),神宗下诏令三司判官、各路监司及朝廷内外官员各自详细写出财政支出上的利弊上奏。

戊子(二十一日),西夏国国主惠宗李秉常奉上誓表,献出塞门、安远二寨,请求归还绥州;神宗批准。

壬辰(二十五日),神宗问王安石:"制置条例一事进行得怎么样了?"王安石说:"已经检查讨论拟定的文字,大体有了头绪。但是现在要理财,就必须任用能干的人。天下只见朝廷以任用有能力的人为首要事务,而不以任用有贤德的人为迫切事务;只见朝廷以管理财政为紧急事务,而对礼义教化之事没怎么顾及。恐怕风俗由此变坏,将造成许多的弊端。陛下应当深念国家体制而有先后缓急。"神宗点头同意。

乙未(二十八日),因旱灾审察囚犯情况。

辽国晋王耶律仁先,以前因为耶律伊逊的谗言,被贬谪出朝。这时准布叛乱,辽国国主辽道宗又想起耶律仁先,于是任命他为西北路招讨使,率领禁军前去讨伐。耶律仁先入朝晋见辽道宗,辽道宗亲自告谕他说:"爱卿这次离朝远行,遇事等奏请后再实施,恐怕丧失机会,可以自己相机行事。"

夏季,四月,戊戌(初二),裁减宫廷内外的土木工程。

起初,群臣请求向神宗奉上尊号并恢复奏乐,神宗因久旱不允许。富弼进言:"旧例,发生灾害变故都撤除音乐演奏,这次唯恐陛下因同天节辽国使者该来祝寿,便不回绝群臣的请求。臣认为陛下不允许是大德之事,正应用来显示给外国人看,乞请同时停止祝寿。"神宗采纳了这个建议。

神宗将政事交给中书省办理,责求天下太平。一天,中书省召台谏官到议事都堂,富弼对他们说:"皇上求天下大治如饥似渴,正靠各位同心共济。"知谏院钱公辅回答说:"朝廷办的事正确,天下谁敢不赞成!办的事不正确,我即使想赞成,也不可能呀。"

丙午(初十),是同天节,停止为神宗举行祝寿活动。这天,下雨。富弼进言:"希望陛下不要为今天下雨而高兴,要经常为连年的灾害变故而警惕。修德能使上天降雨,应验就是这样;而万一有损于德,应验而至的灾害难道又能从缓吗!"神宗亲自书写诏书答复说:"怎敢不将此言置于案席上,铭记肺腑中!更希望你不改变今天进谏辅佐之志。"

丁未(十一日),参知政事唐介去世。唐介为人直率倔强,以敢言使人畏惮。神宗说他是先朝的正直之臣,所以重用他;然而他受到王安石的抑制,少有建树,声名低于任谏官、御史之时。

起初,中书省曾拟呈官员的任命名单,多日后未能决定下来,神宗说:"应当去问王安石。"唐介说:"陛下认为王安石可重用就用他,怎么可以让中书省的政事由翰林学士来决定呢!近来常听陛下宣谕,某事去问王安石,他说可以就施行,说不可以就不施行。这样,要执政大臣作何用!假如硬是认为臣没有才能,希望先罢免臣。"

王安石执政之后,启奏道:"中书省处理事件的札子,都称圣旨,但不合理的十常八九,应只让中书省发出堂牒。"神宗感到惊愕。唐介说:"过去寇准用札子升迁冯拯官不恰当,冯拯就控告他。太宗说:'前代中书省用堂牒颁发命令,这是权臣借此作威作福。太祖时堂牒的权威大于敕命,于是加以削除。如今又用札子,与堂牒有什么不同!'张洎因此进言:'废止札子,那么中书省办事就无别的公文形式可用了。'太宗说:'大事就降敕;其他应用札子时,也须上奏决定。'这才是称为圣旨。像王安石所说的,就是政令没有从天子发出。这样即使辅佐大臣都忠诚贤明,也仍是擅自发布命令;如果不是忠诚贤明的人,岂不害了国家?"神宗认为唐介说得对,于是未按王安石的建议办。

唐介多次与王安石争论,王安石强词夺理,而神宗赞成王安石的意见,唐介不胜愤懑,背上生疽疮而死。他病重时,神宗曾亲自前往慰问,流下眼泪。唐介死后,神宗又驾临他家吊哭,因画像不像生前容貌,便命人拿出宫中旧藏画本赐给他家。原来唐介做谏官时,仁宗暗中令人画他的像,放在温成阁中,亲自用笔题写道:"右正言唐介",宫廷外的人不知道。

当时王安石锐意变革法度,而神宗对他的信任更加专一,唐介死后,同僚中没有一个敢与王安石抗争的人。曾公亮多次因年老请求退休,富弼称病不上朝办事,赵抃能力不胜任,每遇一事变更法度,就叫苦数十次。所以当时传言:"中书省有生、老、病、死、苦",这是指王安石生,曾公亮老,富弼病,唐介死,赵抃苦。

起初,在仁宗朝时,范祥任制置解盐使,用发盐引来招商运粮草充实边境地区,公私都有利。范祥去世,命陕西转运副使薛向继任,薛向建议兼以盐交易马匹,王安石当时兼任群牧

中华传世藏书

續資治通鑒

1421

使,支持薛向的意见,请求长期任用薛向。治平末年,薛向因与种谔挑起边境战事之案有牵连而被撤职。到这时,淮南转运使张靖,奉诏探究陕西地区以盐交易马匹的得失,指出薛向欺骗隐瞒的情况,神宗召薛向与张靖对质。钱公辅、范纯仁都说薛向罪该罢黜;王安石力排众议,将张靖治罪,任用薛向为江、淮等路发运使。薛向于是请求在永兴军设卖盐场,用边防经费十万缗储存在永兴军作为盐票本钱,由官府专卖而停止商贩贸易;神宗采纳了这个意见。

开封府知府滕甫被免职。起初,滕甫参与修撰起居注,神宗召他询问治乱之道,他回答说:"治乱之道,好比黑白、东西,之所以变了颜色换了位置,是因为朋党扰乱。"神宗说:"爱卿知道君子之党、小人之党吗?"滕甫说:"君子无党。譬如草木,缠绕相依附的,一定是蔓草,而不是松柏。朝廷内没有朋党,即使是中等能力的君主也能够治理好国家;不然的话,即使是最圣明的君主也危险。"神宗认为这是名言,便任命他为翰林学士、开封府知府。滕甫在神宗面前论事,言词没有虚美的修饰;神宗了解他忠诚,事不论巨细,人不论亲疏,总是征求他的意见,滕甫也随事解答,没有丝毫忌讳隐瞒。王安石曾与滕甫一起考试,言谈不相投机,深深厌恶滕甫。当新法颁行时,天下汹汹,王安石担心滕甫进言而神宗相信他,就借事由排挤滕甫,使他离朝出任郓州知州。

戊申(二十日),富弼、曾公亮因旱灾上奏表请求处分,神宗下诏不同意。

癸丑(十七日),神宗任命曾公亮为西京奉安仁宗、英宗御容礼仪使。

丁巳(二十一日),神宗派遣刘彝、谢卿材、侯叔献、程颢、卢秉、王汝翼、曾伉、王广廉八人巡行各路,视察农田水利赋役情况,这是依从了三司条例司的请求。

甲子(二十八日),神宗驾临正殿,恢复平日膳食。

免除河北地区还乡务农的流亡农民的夏税。

五月,辛未(初六),神宗在紫宸殿设宴,开始演奏音乐。

己卯(十四日),神宗赐给在河北地区供役的士兵特别支付钱。

癸未(十八日),翰林学士郑獬被免职,出任杭州知州;宣徽北院使王拱辰被免职,出任应天府知府;知谏院钱公辅被免职,出知江宁府知府。王拱辰从北京回朝,说臣想献出忠心,不知陛下有何意向,又说像唐代牛李党争的事已开始出现,不能不警惕。神宗将他的话告诉辅佐大臣,王安石说:"说这话还不算是奸邪;说不知陛下有何意向,才是真正的奸邪。"曾公亮为此也说王拱辰在仁宗时就已知道他不正派,不再任用。王安石说:"王拱辰交结温成皇后家,人们都清楚这事。"郑獬暂且发遣开封府时,平民喻兴与其妻谋杀一妇女,郑獬不肯按新法令进行审讯,受到王安石的厌恶。王安石向来与钱公辅友好;得志以后,排斥异己,将滕甫调出朝廷任郓州知州,钱公辅多次在神宗面前说滕甫不应离开朝廷。薛向变更盐法,王安石赞成他的意见,而钱公辅认为薛向应当罢黜驱逐,违反了王安石的心意。这三人因此在同一天被免职。

依照惯例,两制官员的任免,一定要由宰相亲笔批示。当时富弼在家休假,曾公亮出使,只有王安石在中书省,擅自将郑獬等人调出朝廷;富弼因此愤然不平,常托病卧于家中。御史中丞吕诲上书说:"郑獬等三人无罪被贬黜,极不合公论。"神宗将吕诲的奏书出示给辅佐大臣看,王安石说:"这三人出朝,臣愧不能完全公布他们的罪状,使小人知道有所畏惮,没料到议论的人反而更这样为他们说话!"

丙戌(二十一日),王安石乞请辞去参知政事职位;神宗封还他的奏疏,命他任职如故。

壬辰(二十七日),太皇太后迁居庆寿宫。

癸巳(二十八日),枢密院进言:"想要检查本院所有文书,凡是有关开国以来制定的法规制度适于在边境地区施行的,均删取要旨,编辑成册,仍在各门类中留出空纸,以备书写将来对事务的处置。"神宗批准执行,赐名《经武要略》。

王安石认为古代取士都本于学校,建议兴建学校来恢复古法,那些诗赋、明经各科考试全废止,专以经义、论、策考选进士。神宗下诏令两制、两省、御史台、三司、三馆商议这事。

当时议论的人大多想变革旧法,直史馆、判官告院苏轼独自认为不必变革,议论说:"得人之道,在于知人;知人之法,在于责求实际。假使君王宰相有知人之明,朝廷有责求实际之政,那么即便是胥吏、皂隶中不曾缺乏人才,更何况在学校贡举中呢!虽用现在取士之法,臣也认为人才有余。假使君主宰相无知人之明,朝廷无责求实际之政,那么即使是公卿、侍从也常忧虑缺乏人才,更何况学校贡举中呢!即使恢复古代的制度,臣也认为人才不足。时尚有可否,事物有兴废,假使夏商周三代的圣人在今天复活,他们选举人才也必定有方法,何必由学校呢!况且庆历年间曾设立过学校,天下以为太平可望,到现在,却只仅剩有空名。如今陛下一定想征聘有德行道艺之士,责求九年可取得大成就的学业,那么就将变革今天的礼法,改变今天的习俗,又要调发民力来修筑宫室,聚敛民财来养游说之士,百里之内,设官立师,而且又时常要挑出不遵奉教令者摒弃到远方,那么不是徒劳地引起混乱来害苦天下吗!如果没有大的变革而期望有益于当代,那么与庆历年间所做之事有何差别!至于现行贡举之法,已实行了一百年,但国家的治乱盛衰,起初并不取决于此。如今议论的人所要改变的,不过几项:或是由各地荐举有德行的而不重文章,或是专取策论而停罢诗赋,或是想用唐朝旧例,兼采名望而废止考官封卷评阅,或是想停止生员学儒经,不考帖墨而考大义,这几项,都是只知其一而不知其二。要振兴德行,在于君主修养自身来纠正失误,明确好恶来为人表率,君主所向往的臣民自会追随。如果要设立科目来取士,那么这是教天下人相率做假。君主以孝取人才,那么勇敢的人就割腿上的肉给生病的父母做药吃,胆怯的人就在父母坟前搭草棚住三年;君主以廉取人才,那么众人就乘破车瘦马,穿粗衣吃粗食;这样凡能符合君主旨意的,就无所不至了。从文章而论,那么策论为有用,诗赋为无用;从政事而论,那么诗赋、策论均为无用。然而自从太祖太宗以来,无一废止,这是认为设法规取士,也不过是这样。更何况从唐代到今天,因诗赋中进士而成为名臣的,不可胜数,诗赋有什么负于天下的却一定要废除它呢!近代的士人,分类编纂经史,连缀汇集时事,称之为策括,将准备问答的条目,搜寻殆尽,临时剽窃,窜改首尾来迷惑有司,有司不能分辨。而且这样做容易,无规则与标准,所以学起来容易成功;无声病对偶的严格限制,所以考察起来难于精确。把容易学的士子,交给难于考察的考官,其中的弊病比考诗赋更严重。唐代科举考卷不封姓名的通榜,毕竟是有弊端的法规,虽然有以名声取人折服公论的优点,也有贿赂公行、权贵出面请托的害处,最终使恩离皇室,权归私门,发展到中叶,导致朋党之争。通榜取人,又怎么值得推崇呢!各科取人,多半出自三条途径:善做诗文者既已变而为进士,通晓经义者又均去而为明经,其余均为质朴愚鲁不堪教化之人。至于人才,那有一定的天分,让他们施政,能干与否自然会显露出来。如今进士日夜研究经传子史,贯通驰骋,可以说是渊博了,至于面对政事,何曾用上一二!回顾旧学,已成为无实际用途的东西,因而要使这些只能分别注释疏解,粗识大义的人,指望他们能有所长进,也已不现实了。臣所以说,那几项主张都是只知其一而不知其二。"

苏轼的议论上奏后,神宗说:"我本来对这些主张有疑虑,现在得到苏轼的奏议,明白了。"当天召见苏轼,问道:"当今政令得失在哪里? 即使是朕的过失,也可以指出。"苏轼回答说:"陛下求治好国家太急切,听取意见太广泛,进用人员太迅速。"神宗惊讶地说:"爱卿的这三句话,朕会仔细考虑的。"苏轼退出,将情况告诉同僚,王安石更不高兴。神宗想用苏轼修订中书省条例,王安石说:"苏轼与臣所学与所论都不同,可让他做别的事。"于是任命苏轼为权开封府推官,准备用具体事务困扰他。苏轼处理事务精明快捷,声望日益传播到远方。

六月,己亥(初四),辽国国主辽道宗暂驻特古里。

丙午(十一日),吐蕃向辽国纳贡。

丁巳(二十二日),御史中丞吕诲被免职。王安石执政,多次变更祖宗法度,竭力聚敛民财,吕诲多次直言规劝没有成效。著作佐郎章辟光上书说岐王赵颢应迁居宫外府邸,皇太后愤怒,神宗下令惩治他的离间之罪,王安石说他无罪。吕诲建议将章辟光下交狱吏审讯,未获允许,便上书弹劾王安石说:"王安石外表显得质朴无华,内心暗藏机巧狡诈,骄傲轻慢皇上,阴险危害政事,臣略举十件事:王安石过去在嘉祐年间列举批驳公事不恰当,御史台多次行文催促他入朝谢罪,他倨傲不听,直到英宗朝,仍不遵守为臣礼节。轻慢皇上没有礼节,这是第一件。王安石任小官时,每次调迁,都不断表示谦逊避让;自从做了翰林学士,没听说过坚决推辞。先帝临朝,他就有隐居山林的思想;陛下即位,他却有在金殿侍从的乐趣。为什么轻慢于前而恭敬于后呢? 喜好虚名想要进用,这是第二件。王安石在迩英阁侍讲,便想坐着讲说,要委屈皇上的尊贵,自己博取老师的尊严,不懂上下的仪礼,君臣的名分。要挟君主捞取名声,这是第三件。王安石自从执政以后,事无论大小,都与同僚意见不同。有时就借奏对的机会,单独留下皇上进言,多次请求皇上御批从宫中下发,对的就掠美于自己,错的就归怨于皇上。动用心计危害公家,这是第四件。去年许遵错判谋杀案件,王安石极力支持他,妻子谋杀丈夫,按审讯自首减等的条文定罪。挟带私情破坏法律,这是第五件。王安石进翰林院后,没听说荐举一名士人,首先称赞其弟王安国的才能,朝廷比照考绩第一名降恩,还说恩轻,主考官评定王安国文卷不优秀,就遭到中伤。到王安石执政仅才半年,就卖弄威福,无所不至。违背公道网罗死党,这是第六件。宰相不写敕文,按本朝旧例,从未听说过。专权害政,这是第七件。王安石与唐介争论谋杀罪的刑名,引起舆论喧哗,大家反对王安石而赞成唐介。唐介是忠诚耿直之人,努力保守大体,但不能用言辞取胜,愤懑而死。从此怕事的人多了,即使是宰相也退让畏缩,不敢计较王安石的是非。欺压同僚,这是第八件。小臣章辟光献言,使岐王迁居宫外府邸,离间之罪,本属罪不容诛,而王安石几次进耸人听闻之言,来扰乱圣听。勾结庇护奸邪的下僚,这是第九件。如今国家经费,由三司集中管理,王安石与枢密大臣共同主持制置三司条例司事宜,虽名为商讨财利,其实致使天下动荡不安,有害无利,这是第十件。臣唯恐陛下赏识他的辩才,长期依赖佑助他,大奸当道,众多小人涌进,那么贤人全部离去,祸乱由此而生。况且王安石本无长远谋略,只是一心改变作法标新立异,用华丽的辞藻掩饰谬误,瞒上而欺下。危害天下百姓的,必是此人,他如果长期处在朝中,国家就不会有安静之理。章辟光的邪恶阴谋,本是王安石与吕惠卿所导引,章辟光扬言:

'朝廷如果从重惩治我的罪,我最终不会放过这两个人!'所以他们竭力加以营救。希望陛下暗中察访,对证士大夫的言论,就可以知道臣说的是否正确。"神宗这时正一意倚重王安石,将奏书退还给吕诲,吕诲于是请求离职。神宗对曾公亮说:"如果调吕诲出朝,恐怕王安石心中不安。"王安石说:"臣以身许国,陛下处置有理,臣怎敢顾忌自己的所作所为,草率地决定去留!"于是命吕诲出朝任邓州知州。当时苏颂应草拟调任制书,曾公亮对苏颂说:"章辟光在治平四年(公元1067年)上书时,王安石在金陵,吕惠卿监杭州酒税,哪里能教唆他?"所以苏颂草拟的制词说:"党同小人是交相谮毁之言,肆意欺君是缺乏根据之语。"制书发出,神宗因这些措辞责备苏颂,苏颂将曾公亮的话禀告神宗,才知道章辟光在治平年间讲的其他事,不是这事。

吕诲将上书弹劾王安石之前,司马光从迩英阁去资善堂,与吕诲相遇,司马光悄悄问道:"今天请求应对,打算谈什么事?"吕诲说:"我衣袖中有弹劾的奏文,是新弹劾王安石的。"司马光惊愕地说:"人们都说王安石是位得其人,为什么弹劾他?"吕诲说:"君实你也说这种话吗? 王安石虽有社会名望,但好执偏见,不通物理人情,轻信奸邪,喜欢别人奉承自己,听他讲的话倒是极好,将他的话用来施政就脱离实际了。他如果处在侍从位置,或许还可以;处在宰辅位置,天下必将受他的祸害。"司马光说:"现在尚未有明显的祸害迹象,何不等以后再说?"吕诲说:"皇上新即位,年纪尚轻,所与朝夕谋议的人,仅两三位大臣而已,如果大臣不称职,将会败坏国事。这可是心腹之患,治疗唯恐不及时,反而可以迟缓吗?"奏书呈上后,吕诲被贬而王安石更加专横,司马光于是佩服吕诲有先见之明,自觉不如。吕诲曾先后三次任言官,都因上奏弹劾大臣而被罢免,天下人士推重他的耿直。

以开封府知府吕公著为御史中丞。王安石因吕公著之兄吕公弼不依附自己,便禀告神宗任用吕公著为御史中丞来逼走他。吕公弼果然坚决请求离任,神宗不同意。

太白星侵入井星星宿位置,壬戌(二十七日),在白天出现。

辽国以南院枢密使萧惟信为知北院枢密使事,命北院枢密使魏王耶律伊逊加官为守太师,四方边境发生战事时,允许耶律伊逊随机行事。从此耶律伊逊的权势震撼朝廷内外,门下送财物的人络绎不绝,凡是阿谀顺从者受到推荐提拔,忠诚正直者被贬谪放逐,辽国人作谚语说:"宁可违背皇帝的敕旨,不可违背魏王的白帖子。"

续资治通鉴卷第六十七

【原文】

宋纪六十七　起屠维作噩【己酉】七月,尽上章阉茂【庚戌】六月,凡一年。

神宗体元显道法古立宪帝德　王功英文烈武钦仁圣孝皇帝

熙宁二年　辽咸雍五年【己酉,1069】　秋,七月,乙丑朔,日有食之。

戊辰,夏主遣使诣辽谢封册。

初,知同州赵尚宽,知唐州高赋,知齐州王广渊,皆条奏置义仓事。知陈留县苏涓,亦言"臣劝谕百姓立义仓以备水旱",因条上措置事。义仓自庆历中罢,帝善其法,将复之;会王安石主青苗,己巳,言于帝曰:"民有馀粟,乃使之输官,非良法也。"乃止。

庚午,诏御史中丞举可为御史者,不限官高卑;赵抃争之弗得。于是侍御史知杂事刘述言:"旧制,举御史,官须中行员外郎至太常博士,资任须实历通判,又必翰林诸学士与本台丞、杂互举。盖众议金同,则各务尽心,不容有偏蔽私爱之患。今专委中丞,则爱憎在于一己,苟非其人,将受权臣属托,自立党援,不附己者得以媒蘖中伤,其弊不一。夫变更法度,重事也。今止参知二人同书札子,且宰相富弼暂谒告,曾公亮已入朝,台官今不阙人,何至急疾如此! 愿收还前旨,俟弼出,与公亮同议,然后行之。"弗听。

甲戌,太保、凤翔、雄武军节度使东平郡王允弼卒,帝临哭之恸。允弼,元偓之子也,性端重谨言,领宗正三十年,与濮安懿王共事,相友爱,为宗属推敬。

辛巳,立淮、浙、江、湖六路均输法。条例司言:"天下财用无馀,典领之官,拘于弊法,内外不相知,盈虚不相补。诸路上供,岁有常数,丰年便道,可以多致而不能赢;年俭物贵,难于供亿而敢不足。远方有倍蓰之输,中都有半价之鬻,徒使富商大贾,乘公私之急以擅轻重敛散之权。今发运使实总六路赋人,其职以制置茶、盐、矾、酒税为事,军储国用,多所仰给。宜假以钱货,资其用度,周知六路财赋之有无而移用之。凡籴买、税敛上供之物,皆得徙贵就贱,用近易远,令预知中都帑藏年支见在之定数所当供办者,得以从便变易蓄买以待上令。稍收轻重敛散之权,归之公上,而制其有无以便转输,省劳费,去重敛,宽农民,庶几国用可足,民财不匮。"诏本司具条例以闻;而以发运使薛向〔领〕均输平准事,赐内藏钱五百万缗,上供米三百万石。议者多言不便,帝弗听。向既董其事,乃请设置官属,从之。

壬午,赈恤被水州军,仍蠲竹木税及酒课。

癸未,帝谓辅臣曰:"人君不可怠于政,朕非好劳苦,盖思少壮精神,欲乘时有为以济生灵。至于兵,乃圣人之大权,所以安天下,但不可轻用,非独杀人,心所弗忍,亦恐天道不祐也。"

诏:"自今文臣换右职,须实有谋勇,曾著绩效,即得取旨。"

辽禁皇族恃势侵渔细民。

甲申,帝御资政殿,因语及选任知州未得善法,曰:"朕每思祖宗百战得天下,今以一州生灵付之庸人,常痛心疾首。卿等谓如何则可?"文彦博奏,以为责在监司,宜得至公之人,可任案察。吕公弼曰:"朝廷能择诸司长官及十八路监司,则无不济矣。"

己丑,韩琦等上《仁宗实录》,曾公亮等上《英宗实录》。

八月,侍御史刘琦、监察御史里行钱顗等言:"薛向小人,假以货泉,任其变易,纵有所人,不免夺商贾之利。"条例司检详文字苏辙言:"昔汉武外事四夷,内兴宫室,财用匮竭,力不能支,用贾人桑弘羊之说,买贱卖贵,谓之均输,虽曰民不加赋而国用饶足。然法术不正,吏缘为奸,掊克日深,民受其病。今此论复兴,众口纷然,皆谓其患必甚于汉。何者?方今聚敛之臣,财智方略未见有桑弘羊比;而朝廷破坏规矩,解纵绳墨,使得驰骋自由,唯利是嗜,其害必有不可胜言者矣。"权开封府推官苏轼亦言:"均输徙贵就贱,用近易远;然广置官属,多出缗钱,豪商大贾,皆疑而不敢动,以为虽不明言贩卖,既已许之变易,而不与商贾争利,未之闻也。"帝方惑于王安石言,皆不行,乃进向天章阁待制,以手诏赐向。然均输法讫亦不能成。

癸卯,侍御史刘琦,贬监处州盐酒务,监察御史里行钱顗,贬监衢州盐税。

先是王安石争谋杀自首之律,逾年不决,诏临时奏听敕裁。安石又言:"律意因犯杀伤而自首得免,所因之罪,仍从故杀伤法。若已杀从故杀法,则为首者必死,不须奏裁;为从者自有编敕奏裁之文,不须复立新制。"时文彦博以下皆主司马光议。唐介与安石争论于帝前,介曰:"此法天下皆以为不可首,独曾公亮、王安石以为可首。"安石曰:"以为不可首者,皆朋党也。"至是帝卒用安石言,敕自今并以去年七月诏书从事。侍御史知杂事兼判刑部刘述率同列丁讽、王师元封敕还中书者再。安石白帝,令开封府推官王克臣劾述罪。于是述率琦、顗共上疏曰:"安石执政以来,专肆胸臆,轻易宪度。陛下欲致治如唐、虞,而安石操管、商权诈之术,规以取媚,遂与陈升之合谋,侵三司利柄,取为己功,开局设官,用八人分行天下,惊骇物听,动摇人心。去年因遵安议案问自首之法,安石任一偏之见,改立新议以害天下。先朝所立制度,自宜世守勿失,乃欲事事更张,废而不用。安石自应举、历官,士心归向,陛下闻而知之,遂正位公府。遭时得君如此之专,乃首建财利之议,务为容悦。言行乖戾,一至于此,愿早罢逐,以慰安天下。曾公亮阴自结援,久妨贤路,亦宜斥免。赵抃则括囊拱手,但务依违,大臣事君,岂当如是!"疏上,安石奏贬琦、顗,司马光言琦、顗所坐,不过疏直,乞还其本资,不报。

殿中侍御史孙昌龄,素附安石,顗将出台,于众中责昌龄曰:"君昔官金陵,奴事王安石,宛转荐君,得为御史,亦当少思报国,奈何专欲附会以求美官?我视君犬彘之不若也!"即拂衣上马去。昌龄不得已,亦言王克臣阿奉当权,欺蔽聪明。乙巳,贬昌龄通判蕲州。顗后自衢徙秀,家贫母老,至丐贷亲旧以给朝晡,怡然无谪宦之色。

丙午,同知谏院范纯仁罢。纯仁自陕西转运副使召还,帝问:"陕西城郭、甲兵、粮储如何?"对曰:"城郭粗全,甲兵粗修,粮储粗备。"帝愕然曰:"卿之才,朕所倚信,何为皆言粗?"对曰:"粗者,未精之辞,如是足矣。愿陛下且无留意边功,若边臣观望,将为它日意外之患。"

拜起居舍人、同知谏院,奏言:"王安石变祖宗法度,掊克财利,民心不宁。《书》曰:'怨岂在明,不见是图。'愿陛下图不见之怨。"帝问:"何谓不见之怨?"对曰:"杜牧所谓'天下之人不敢言而敢怒'是也。"加直集贤院、同修起居注。

帝切于求治,多延见疏逖小臣,咨访阙失,纯仁言:"小人之言,听之若可采,行之必有累,盖知小忘大,贪近昧远。愿加深察!"

富弼在相位,称疾家居,纯仁言:"弼受三朝眷倚,当自任天下之重,而恤己深于恤物,忧疾过于忧邦,致主处身,二者均失。弼与先臣素厚,臣在谏院,不敢私谒以致忠告,愿示以此章,使之自省。"又论吕诲不当罢御史中丞,李师中不可守边。及薛向行均输法于六路,又言:"臣尝亲奉德音,欲修先王补助之政,今乃郊桑弘羊均输之法,而使小人为之掊克生灵,敛怨基祸。王安石欲求近功,忘其旧学,尚法令则称商鞅,言财利则背孟轲,鄙老成为因循,斥公论为流俗,合意者为贤,异己者为不肖。刘琦、钱颙等,一言便蒙降黜,在廷之人,方大半趋附,陛下又从而驱之,其将何所不至! 宜速还言者而退安石,以答中外之望。"又言曾公亮年老不退,惟务雷同;赵抃心知其非,凡事不能力救,退有后言。

帝皆弗听,遂求罢谏职;改判国子监,去意愈确。政府使谕之曰:"毋轻去,已议除知制诰矣。"纯仁曰:"此言何为至于我哉? 言不用,万钟非所顾也!"

戊申,河徙东行,张巩等因欲闭断北流,帝意向之。司马光言:"巩等欲塞二股河北流,臣恐劳费未易。幸而可塞,则东流浅狭,堤防未全,必致决溢,是移恩、冀、深、瀛之患于沧、德等州也。不若俟三二年,东流益深阔,堤防稍固,北流渐浅,薪刍有备塞之便。"帝命光与张茂则往视,王安石曰:"光议事屡不合,今令视河,后必不从其议,是重使不安职也。"乃独遣茂则。茂则奏二股河东倾已及八分,北流止二分;巩等亦奏大河东徙,北流已闭,诏奖谕之。已而河自许家港东决,泛滥大名、恩、德、沧、永静五州军境,果如光言。

夏国请从旧蕃仪,诏许之。

范纯仁前后章疏,语多激切,帝悉不付外。纯仁尽录申中书,于是在位大臣俱列名露章求罢,帝优诏答之。富弼自此不复出视事。安石乞重贬纯仁,帝曰:"彼无罪,姑与一善地。"己酉,命知河中府。寻徙成都路转运使,以新法不便,戎州县无得遽行,安石怒其沮格,以事左迁知和州;未至,徙庆州。

庚戌,条例司检详文字苏辙罢。辙与吕惠卿论事,动皆不合。会遣八使于四方,访求遗利,中外知其必迎合生事,皆莫敢言。辙往见陈升之曰:"昔嘉祐末,遣使宽恤诸路,各务生事,还奏,多不可行,为天下笑。今何以异此!"又以书抵王安石,力陈其不可。安石怒,将加以罪,升之止之。至是乞别除一差遣,帝阅辙状,问:"辙与轼如何? 观其学问颇相类。"安石曰:"轼兄弟大抵以飞箝捭阖为事。"帝曰:"如此,则宜合时事,何以反为异论?"诏依所乞,除河南府推官。

甲寅,朝神御殿。

辛酉,以秘书省著作佐郎河南程颢、太原王子韶并为太子中允、权监察御史里行。

颢自晋城令改著作佐郎,至是吕公著荐为御史。帝素知其名,数召见。每将退,必曰:"频求对,欲常常见卿。"一日,从容咨访,报正午,始趋出庭中。中官曰:"御史不知上未食乎?"

颢前后进说甚多,大要以正心窒欲、求贤育材为先,不饰辞辩,务以诚意感悟主上。帝尝使推择人材,颢所荐数十人,以父表弟张载及弟颐为首。又劝帝防未萌之欲,及勿轻天下士,帝俯躬曰:"当为卿戒之。"

帝尝召颢,问所以为御史,对曰:"使臣拾遗补阙、裨赞朝廷则可,使臣掇拾群下短长以沽直名则不能。"帝以为得御史体。居职数月,章疏屡上。又论时务十事,大略以为:"圣人创法,皆本诸人情,极乎理物。圣人之所必为者,行之有先后,用之有缓急,在讲求设施如何耳。"帝嘉纳之。

开封狱具,同判刑部丁讽、审刑院详议官王师元皆诬伏。侍御史知杂事兼判刑部刘述独谓朝廷不当劾言事官,三问,不承。王安石欲置之狱,司马光与范纯仁争之,乃止。壬戌,贬述知江州,讽通判复州,师元监安州税。

是月,辽主谒庆陵。

九月,甲子朔,交州来贡。

丁卯,立常平给敛法。

戊辰,初开经筵。

出内库缗钱百万,籴河北常平粟。

初,陕西转运使李参,以部内粮储不足,令民自隐度粟麦之赢,先贷以钱,俟谷熟还官,号"青苗钱";行之数年,廪有余粮。至是条例司言:"诸路常平、广惠仓,钱谷敛散,未得其宜,故为利未博。今欲以见在斗斛,遇贵量减市价粜,遇贱量增市价籴,可通融转运司苗税,及前〔钱〕斛就使转易者,亦许兑换。仍以见钱依陕西青苗钱例,愿预借者给之,令随税输纳斗斛,半为夏料,半为秋料。内有愿请本色,或纳时价贵,愿纳钱者,皆从其便。如遇灾伤,许展至次料丰熟日纳。非惟足以待凶荒之患,民既受贷,则兼并之家,不得乘新陈不接以邀倍息。又,常平、广惠之物,收藏积滞,必待年凶物贵,然后出粜,所及不过城市游手之人。(令)〔今〕通一路有无,贵发贱敛,以广蓄积,平物价,使农人得以趋时赴事,兼并者不得乘其急。凡此皆以为民,而公家无所利焉,是亦先王散惠兴利以为耕敛补助之意也。欲量诸路钱谷多寡,分遣官提举,每州选通判、幕职官一员,典干转移出纳,仍先自河北、京东、淮南三路施行,俟有绪,推之诸路。其广惠仓储,量留给老疾贫穷人外,余并用常平转移法。"从之。

初,王安石既与吕惠卿议定,出示苏辙曰:"此青苗法也,有不便,以告。"辙曰:"以钱贷民,使出息二分,本以救民,非为利也。然出纳之际,吏缘为奸,法不能禁。钱入民手,虽良民不免妄用,及其纳钱,虽富民不免逾限,恐鞭箠必用,州县之事不胜烦矣。唐刘晏掌国计,未尝有所假贷,有尤之者,晏曰:'使民侥幸得钱,非国之福;使吏倚法督责,非民之便。吾虽未尝假贷,而四方丰凶贵贱,知之未尝逾时。有贱必籴,有贵必粜,以此四方无甚贵甚贱之病,安用贷为!'晏之所言,汉常平法耳。今此法具在,而患不修;公诚有意于民,举而行之,晏之功可立俟也。"安石曰:"君言诚有理,当徐思之。"由是逾月不言青苗。会京东转运使王广渊言:"方春农事兴,而民苦乏,兼并之家,得以乘急要利,乞留本道钱帛五十万,贷之贫民,岁可获息二十五万。"从之。其事与青苗法合,安石始以为可用,召至京师,与之议。广渊请施之河北,安石遂决意行之,次第及于诸路。

辛卯,废奉慈殿。

壬辰,以秘书省著作佐郎吕惠卿为太子中允、崇政殿说书,从王安石荐也。

王安石独奏事,帝问曰:"程颢言不可卖祠部度牒作常平本钱,如何?"安石曰:"颢所言自以为王道之正,臣以为颢未达王道之权也。今度牒所得,可置粟四十五万石。若凶年人贷三石,可全十五万人。如是而犹以为不可,岂为知权乎!"

辽西北路招讨使耶律仁先奉命讨准布,严斥候,扼敌冲,诸属国并怀柔服从,诸事整饬。准布来寇,仁先逆击之,追杀八十馀里;大军继至,又败之。别部来救者,见仁先屡胜,不敢战而降,北边遂安。

冬,十月,丙申,富弼罢。王安石专权自恣,弼度不能争,常移病不入中书,久之遂辞位。章数十上,许之,问曰:"卿既去,谁可代卿者?"弼荐文彦博。帝默然良久,曰:"王安石如何?"弼亦默然。加检校太师,以武宁军节度使、同平章事、判亳州。弼初诣阙,即除司空兼侍中,固辞得免。及罢,不复加恩,盖帝意不乐故也。

以尚书右丞、知枢密院事陈升之行礼部尚书、同平章事。故事,宰相以侍郎为之,而无左右丞拜者;学士王珪当制,以为言,升之于是躐迁尚书。升之资历高于安石,而素与安石相表里,故安石劝帝先用之。

诏城绥州。先是韩缜与夏人议,许令纳安远、塞门二砦,还以绥州。郭逵曰:"此正商於之地六百里也!"时已有诏使逵焚弃绥州,逵曰:"一州既失,二砦不可得,中国为夏人所卖,安用守臣!"为藏其诏不出,上言绥州具存,且自劾违诏之罪。诏褒逵曰:"有臣如此,朕无西顾之忧矣!"既,誓诏已降,夏人犹不归二砦,且遣刚明鄂特来,言欲先得绥州。逵命机宜文字赵卨等如夏交所纳二砦,且定地界。刚明鄂特曰:"朝廷本欲得二砦,地界非所约。"卨曰:"然则塞门、安远二墙墟耳,安用之! 二砦之北,旧有三十六堡,以长城岭为界,西平王祥符所移书固在也。"刚明鄂特语塞。卨以夏人渝盟,请城绥州,不以易二砦;从之,改名绥德城。

司马光入对,帝问:"近相陈升之,外议云何?"光曰:"闽人狡险,楚人轻易。今二相皆闽人,二参政皆楚人,必将援引乡党之士,天下风俗,何由得更淳厚!"帝曰:"升之有才智,晓边事。"光曰:"不能临大节而不可夺耳。凡才智之人,必得忠直之士从旁制之,此明主用人之法也。"光又言富弼去可惜,帝曰:"朕留之至矣。"光曰:"弼所以去者,其言不用,与同列不合故也。"帝又问:"王安石何如?"光曰:"人言安石奸邪,则毁之太过;但不晓事,又执拗耳。"帝曰:"韩琦敢当事,贤于富弼,然为人太强。"光曰:"琦实忠于国家,但好遂非,此其所短也。"帝因历问群臣,至吕惠卿,光曰:"惠卿憸巧,非佳士;使王安石负谤于天下者,惠卿也。近日不次进用,大不合群心。"帝曰:"惠卿应对明辩,亦似美才。"光曰:"江充、李训若无才,何以动人主?"

戊戌,以蕃官礼宾使折继世为忠州刺史;左监门卫将军嵬名山为供备库使,赐姓赵,名怀顺。

己亥,辽主驻藕丝淀。

丙辰,诏:"御史请对,并许直由邠门上殿。"时御史里行张戬、程颢言:"台谏言责既均,则进见之期,理无殊别。况往复俟报,必由中书,万一事干政府,或致阻格。乞依谏官例,牒邠门求对;或有急奏,仍许越次上殿。"帝从其言,故有是诏。戬,长安人也。

己未,夏遣使来谢封册。

十一月,乙丑,命枢密副使韩绛同制置三司条例。陈升之深狡多数,为小官时,与王安石相遇淮南,安石深器之。及安石得政,务变更旧制,患同列不从,奏设制置条例司,与升之共事,凡所欲为,自条例司直奏行之,无复龃龉。升之心知其不可,而极力赞助;或时为小异,阳若不与安石同者。安石不觉其诈,甚德之,故推升之使先为相。升之既登相位,于条例司不肯关预,因言于帝曰:"臣待罪宰相,无所不统,所领职事,岂可称司!"安石曰:"古之六卿,即今之执政,有司马、司徒、司寇、司空,各名一职,何害于理!"升之曰:"兹事当归之三司,何必揽取为己任?"安石大怒,二人于是始判。帝谓安石曰:"向者升之在密院,今俱在中书,以制置条例并归中书,何如?"安石曰:"升之以制词云'金谷之计宜归内史',故耻任此职。陛下置司,本令中书、密院各差一人,今若差韩绛,共事甚便。"帝曰:"善!"遂命绛。安石每奏事,绛必曰:"安石所陈皆至当。"安石特以为助。

帝欲用苏轼同修起居注,王安石谮之,乃罢轼不用,用蔡延庆、孙觉。

丁卯,辽诏:"四方馆副使,止以契丹人充。"

甲戌,诏:"裁宗室授官法,惟宣祖、太祖、太宗之子,择其后一人为公,世世不绝;其馀元孙之子,将军以下,听出外官;祖免之子,更不赐名授官,许令应举。"初,吕夷简在仁宗时,改宗室补环卫官,骤增廪给,其后费大而不可止。韩琦为相,尝议更之而不果,至是遂行之。

丙子,罢诸路提点刑狱武臣。帝以武臣罕习吏文,不足以察举所部人才,故复用文臣;时皆以为便。

颁农田水利约束。

丁丑,五国诸部叛辽,辽主命左伊勒希巴萧苏拉往讨之。

庚辰,御迩英阁,司马光读《通鉴》至汉曹参代萧何事,曰:"参不变何法,得守成之道,故孝惠、高后时,天下晏然,衣食滋殖。"帝曰:"汉常守萧何之法不变,可乎?"光曰:"何独汉也!使三代之君常守禹、汤、文、武之法,虽至今存可也。"

壬午,吕惠卿进讲,因言:"先王之法,有一岁一变者,《月令》'季冬饰国典以待来岁之宜',《周礼》'始和,布法于象魏'是也。有数岁一变者,唐、虞'五载修五礼',《周礼》'十一岁修法则'是也。有一世一变者,'刑罚世轻、世重'是也。有数十世而变者,夏贡、商助、周彻,夏校、商序、周庠之类是也。有虽百世不变者,尊尊、亲亲、贵贵、长长、尊贤、使能是也。臣前见司马光以为汉初之治皆守萧何之法;臣案何虽约法三章,其后乃为九章,则何已不能自守其法矣。惠帝除挟书律、三族令,文帝除诽谤、妖言,除秘祝法,皆萧何法之所有,而惠与文除之,景帝又从而因之,则非守萧何之法而治也。"帝召问光,光曰:"布法象魏,布旧法也,何名为变?诸侯有变礼易乐者,王巡狩则诛之,王不自变也。刑新国用轻典,乱国用重典,是为世轻世重,非变也。且治天下譬如居室,敝则修之,非大坏则不更造;大坏而更造,非得良匠、美材则不成。今二者皆无,臣恐风雨之不庇矣。三司使掌天下财,不才而黜可也,不可使两府侵其事。今为制置三司条例司,何也?宰相以道佐人主,安用例?苟用例,则胥吏足矣。今为看详中书条例司,何也?"惠卿不能对,以它语诋光。帝曰:"相与论是非耳,何至是!"

光又言青苗之弊曰:"平民举钱出息,尚能蚕食下户,况县官督责之威乎?"惠卿曰:"青苗法,愿则与之,不愿固不强。"光曰:"愚民知取债之利,不知还债之害,非独县官不强,富民亦不强也。昔太宗平河东,立和籴法以给戍卒,时米斗十钱,民乐与官为市。其后物贵而和籴不解,遂为河东世患。臣恐异日之青苗,亦犹是矣。"帝曰:"陕西行之已久,民不以为病。"光曰:"臣陕西人也,见其病,未见其利。"帝问:"坐仓籴米何如?"听讲者皆曰不便,惠卿独曰:"京师坐仓得米百万石,则减东南岁漕百万石,转易为钱以供京师。"光曰:"东南钱荒而粒米狼戾,今弃其有馀,取其所无,农、末皆病矣。"侍讲吴申起曰:"诚至论也!"初,帝用仪鸾司官孙思道言,行坐仓籴米法,王安石以为善。坐仓者,以诸军馀粮愿籴入官者,计价支钱,复储其米于仓也。光以为民有米而官不用其米,民无钱而官必使之出钱,非通财利民之道,故因问极言其害。

赐汴口役兵钱。

己丑,减天下囚罪一等,徒以下释之。

闰月,庚子,诏调镇、赵、〔邢〕、洺、磁、相州兵夫六万浚御河,以寒食后入役,从刘彝、程昉言也。

壬寅,以张载为崇文院校书。载少喜谈兵,以书谒范仲淹,仲淹曰:"名教中自有可乐,何事于兵!"因劝读《中庸》,载读其书,犹以为未足,又访诸释、老,累年知无所得,反而求之《六经》。后与程颢兄弟语道学之要,涣然自信曰:"吾道自足,焉用傍求!"至是以御史中丞吕公著荐,召见,问以治道,对曰:"为政不法三代者,终苟道也。"帝悦,遂有是擢。它日,见王安石,安石曰:"新政方行,欲求助于子。"载曰:"公与人为善,则人以善归公。如教玉人琢玉,则宜有不受命者矣!"载,戬之兄也。

戊申,夏国主秉常遣使诣辽,乞赐印绶。

壬子,差官提举诸路常平、广惠仓兼管句农田水利差役事,从条例司请也。时天下常平钱谷见在一千四百万贯、石,诸路各置提举管句官凡四十一人,而常平、广惠之法遂变为青苗矣。

诏置交子务于潞州。条例司言:"交子之法,行于成都府路,人以为便。今河东官私苦运铁钱劳费,请行交子之法,仍令转运司举官置务。"从之。

十二月,癸亥朔,复减后妃、公主及臣僚推恩。

甲子,辽以太子行再生礼,减诸路徒以下罪一等。

乙丑,辽诏百官廷议国政。

癸酉,增失入死罪法。

甲戌,五国降于辽,仍献方物。辽主嘉萧苏拉功,徙北面林牙,寻改南院副部署。

帝以卿监、监司、知州有老不任职者,当与闲局,王安石亦欲以处异议者;丙戌,增置三京留司御史台、国子监及宫观(宫)〔官〕使,不限员。

是月,知通进银台司祖无择以事下秀州狱。初,无择与王安石同知制诰。故事,词臣许受人馈,谓之润笔。时有馈安石者,辞不获,取置院梁上。安石忧去,无择用为公费,安石闻而恶之,及得政,讽监司求无择罪。会知明州苗振以贪闻,御史里行王子韶出案其狱,迎安石意,发无择知杭州时事,自京师逮对,而以振狱付张载。苏颂言无择列侍从,不当与故吏对曲直,张戬亦救之,皆不听。狱成,无贪状,但得其贷官钱、接部民坐及乘船过制而已,遂谪忠正军节度副使。安石因言于帝曰:"陛下遣一御史出,即得祖无择罪,乃知朝廷于事但不为,未有为之而无效者。"无择少从孙复学,以言语政事为时名卿,用小过锻炼,放弃终身,士论惜之。

中旨下开封府,减价买浙灯四千馀枝,直史馆、权开封府推官苏轼言:"陛下留心经术,动法尧、舜,岂以灯为悦?此不过以奉两宫之欢耳。然百姓不可户晓,皆谓以耳目不急之玩,夺其口体必用之资。此事至小,体则甚大,愿追还前命。"即诏罢之。轼因上书极论时政,凡七千馀言。

其略曰:"臣之所欲献者,三言而已,曰结人心,厚风俗,存纪纲。

"人主所恃者,人心也。自古及今,未有和易同众而不安,刚果自用而不危者。祖宗以来,治财用者不过三司,今陛下又创制置三司条例司,使六七少年日夜讲求于内,使者四十馀辈分行营干于外。以万乘之主而言利,以天子之宰而治财,君臣宵旰,几一年矣,而富国之效,茫如捕风,徒闻内帑出数百万缗,祠部度五千人耳。以此为术,人皆知其难也。汴水独流,自生民以来,不以种稻,今欲陂而清之,万顷之稻,必用千顷之陂,一岁一淤,三岁而满矣。陛下使相视地形,所在凿空,访寻水利,堤防一开,水失故道,虽食议者之肉,何补于民!自古役人必用乡户,徒闻江、浙之间,数郡顾役,而欲措之天下。自杨炎为两税,租调与庸既兼之矣,奈何复欲取庸?青苗放钱,自昔有禁,今陛下始立成法,每岁常行,虽云不许抑配,而数世之后,暴君污吏,陛下能保之乎?昔汉武以财力匮竭,用桑弘羊之说,买贱卖贵,谓之均输。于时商贾不行,盗贼滋炽,几至于乱。臣愿陛下结人心者此也。

"国家之所以存亡者,在道德之浅深,不在乎强与弱;历数之所以长短者,在风俗之厚薄,不在乎富与贫。陛下当崇道德而厚风俗,不当急功利而贪富强。仁祖持法至宽,用人有序,专务掩覆过失,未尝轻改旧章。考其成功,则曰未至;言乎用兵,则十出而九败;言乎府库,则仅足而无馀。徒以德泽在人,风俗知义,故升遐之日,天下归仁。议者见其末年吏多因循,事不振举,乃欲矫之以苛察,济之以智能,招来新进勇锐之人,以图一切速成之效,未享其利,浇风已成。近岁朴拙之人愈少,巧进之士益多,唯陛下哀之救之,以简易为法,以清净为心,而民德归厚。臣愿陛下厚风俗者此也。

"祖宗委任台谏,未尝罪一言者,纵有薄责,旋即超升,许以风闻,而无官长。言及乘舆,则天子改容;事关廊庙,则宰相待罪。台谏固未必皆贤,所言亦未必皆是,然须养其锐气而借之重权者,将以折奸臣之萌也。臣闻长老之谈,皆谓台谏所言,常随天下公议。今者物论沸腾,怨讟交至,公议所在,亦知之矣。臣恐自兹以往,习惯成风,尽为执政私人,以致人主孤立,纪纲一废,何事不生!臣愿陛下存纪纲者此也。"王安石见而深恶之。

辽武安州观察使耶律迪里迁长宁宫使,检括户部司乾州钱帛逋负,立出纳经画法,公私便之。

三年 辽咸雍六年【庚戌,1070】 春,正月,甲午,辽主如千鹅泺。

癸丑,录唐李氏、周柴氏后。

乙卯,诏:"诸路常平、广惠仓给散青苗钱,本为惠恤贫乏,今虑官吏不体此意,均配抑勒,翻成骚扰。其令诸路提点刑狱官体量觉察,违者立以名闻,敢沮遏者亦如之。"

先是知通进银台司范镇言:"青苗钱者,唐衰乱之世所为。苗青在田,先估其直,收敛未毕,已趣其偿,是盗跖之法也。"右正言李常、孙觉亦言:"王广渊在河北,第一等给十五贯,第二等十贯,第三等五贯,第四等一贯五百,第五等一贯。民间喧然不以为便,而广渊入奏,称民间欢呼歌舞,歌颂圣德。"言者既交攻之,朝廷不得已,乃降是诏。

戊午,判尚书都省张方平出知陈州。初,方平为参知政事,帝欲用王安石,方平以为不可,寻以父忧去。服阕,以观文殿学士判尚书都省;安石言留之不便,遂有是命。及陛辞,极论新法之害,帝为之忧然。未几,召为宣徽北院使,留京师。安石深沮之,方平亦力求去,乃复出判应天府。

二月,壬戌朔,河北安抚使韩琦言:"臣准青苗诏书,务在优民,不使兼并者乘其急以邀倍息,而公家无所利其入。今每借一千,令纳一千三百,则是官自放钱取息,与初时抑兼并、济困乏之意,绝相违戾,欲民信服,不可得也。又,乡〔村〕每保须有物力人为甲头,虽云不得抑勒,而上户必不愿请,下户虽或愿请,必难催纳,将来决有行刑督责、同保均陪之患。陛下励精求治,若但躬行节俭以先天下,自然国用不乏,何必使兴利之臣,纷纷四出,以致远迩之疑哉! 乞尽罢诸路提举官,依常平旧法施行。"癸亥,帝袖出琦奏,示执政曰:"琦真忠臣,虽在外,不忘王室。朕始谓可以利民,不意乃害民如此! 且坊郭安得青苗,而亦强与之乎!"王安石勃然进曰:"苟从其欲,虽坊郭何害!"因难琦奏曰:"陛下修常平法以助民,至于收息,亦周公遗法也。如桑弘羊笼天下货财以奉人主私用,乃可谓兴利之臣。今抑兼并,振贫弱,置官理财,非以佐私欲,安可谓兴利之臣乎?"曾公亮、陈升之皆言坊郭不当俵钱,与安石论难,久之而罢。帝终以琦说为疑,安石遂称疾不出。

丙寅,以兵部员外郎傅尧俞同判流内铨。尧俞始除丧,至京师,王安石数召之。既见,语及新法,安石谓尧俞曰:"方今纷纷,迟君来久矣,将以待制、谏院还君。"尧俞曰:"新法世不以为便。诚如是,当极论之。平生未尝欺人,敢以实告。"安石不悦,遂有此命。

王安石称疾,求分司,翰林学士司马光为批答曰:"今士夫沸腾,黎民骚动,乃欲委还事任,退取便安。卿之私谋,固为无憾,朕之所望,将以委谁!"安石大怒,即抗章自辩。帝封还其章,手札慰安石曰:"诏中二语,失于详阅,今览之甚愧。"且命吕惠卿谕旨。安石固请罢,帝固留之。

甲戌,以河州刺史瞎欺丁术征为紫金光禄大夫、检校刑部尚书。

帝欲大用司马光,访之王安石,安石曰:"光外托劘上之名,内怀附下之实,所言尽害政之事,所与尽害政之人,而欲置之左右,使预国政,是为异论者立赤帜也。"及安石在告,帝乃以光为枢密副使。光上疏力辞,且曰:"陛下诚能罢制置条例司,追还提举官,不行青苗、助役等法,虽不用臣,臣受赐多矣。"

壬午,王安石出视事,诏以韩琦奏付条例司疏驳。安石之在告也,帝谕执政罢青苗法,曾公亮、陈升之欲即奉诏,赵抃独欲俟安石出,令自罢之。安石既视事,持之益坚,人言不能入矣。

乙酉,韩琦以论青苗不见听,上疏请解河北安抚使,止领大名府一路;王安石欲沮琦,即从之。

司马光力辞枢密副使之命,章凡九上。帝使谓曰:"枢密,兵事也。官各有职,不当以它事为辞。"对曰:"臣未受命,则犹侍从也,于事无不可言者。"会王安石出视事,遂诏收还敕诰。

是月,命张茂则、张巩相度澶、滑州以下至东流河势堤防利害,时方浚御河,韩琦言:"事有缓急,工有先后。今御河漕运通驶,未至有害,不宜减大河之役。"乃诏辍夫卒三万三千,专治东流。

三月,甲午,司马光移书王安石,请罢条例司及常平使者,开谕苦切,犹冀安石之悟而改也。且曰:"忠信之士,于公当路时,虽龃龉可憎,后必徐得其力;谄谀之人,于今诚有顺适之快,一旦失势,必有卖公以自售者。"光意盖指吕惠卿也。书凡三往反,安石答书,但言道不同而已。条例司疏驳韩琦所言,王安石令曾布为之;琦再辩列,不报。

文彦博亦言青苗之害,帝曰:"吾遣二中使亲问民间,皆云甚便。"彦博曰:"韩琦三朝宰相,不信,而信二宦者乎!"先是安石尝与入内副都知张若水、蓝元震交结,帝遣使潜察府界俵钱事,适命二人。二人使还,极言民情深愿,无抑配者,故帝信之不疑。

先是诏举选人淹滞者与京官,凡三十七人。国子直讲奉符姜潜在举中,帝闻其贤,召对延和殿,访以治道,对曰:"有《尧》《舜》二典在,顾陛下所以致之者如何耳。"知陈留县,至数月,青苗令下,潜出钱榜其令于县门,已而徙之乡落,各三日,无应者,遂撤榜付吏曰:"民不愿矣。"钱以是独得不散。司农、开封疑潜沮格,各使其属来验,皆入令。会条例司劾祥符不散青苗钱,潜知且不免,移疾去。

己亥,御集英殿策试进士,罢诗、赋、论三题。

帝遣刘方有谕司马光以依旧供职。是日,光入对,曰:"臣自知无力于朝廷。朝廷所行,皆与臣言相反。"帝曰:"相反者何事也?"光曰:"臣言条例司不当置,又言不宜多遣使者外挠监司,又言散青苗钱害民,岂非相反?"帝曰:"言者皆云法非不善,但所遣非其人耳。"光曰:"以臣观之,法亦不善。"帝曰:"元敕不令抑勒。"光曰:"敕虽不令抑勒,而所遣使者皆讽令俵配。如开封界十七县,惟陈留姜潜张敕榜县门,听民自来请则给之,卒无一人来请。以此观之,十六县恐皆不免抑勒也。"帝敦谕再三,光再拜固辞。

戊申,知通进银台司范镇罢。时韩琦极论新法之害,送条例司疏驳;李常乞罢青苗钱,诏令分析。镇皆封还,诏五下,镇执如初。司马光辞枢密副使,帝许之,镇封还诏书,曰:"臣所陈大抵与光相类,而光追还新命,则臣亦合加罪责。"帝令再送镇行下,镇又封还,曰:"陛下自除光为枢密副使,士大夫交口相庆,称为得人,至于坊市细民,莫不欢庆。今一旦追还诰敕,非惟诏命反汗,实恐沮光谠论忠计。"帝不听,以诏书直付光,不复由银台司。镇言:"臣不才,使陛下废法,有司失职。"遂乞解银台司,许之。

壬子,御集英殿,赐进士、明经、诸科叶祖洽以下及第、出身、同出身,总八百二十九人。祖洽策言:"祖宗多因循苟简之政,陛下即位,革而新之。"其意在投合也。考官吕惠卿列阿时者在高等,讦直者居下;刘攽覆考,悉反之。李大临、苏轼编排上官均第一,叶祖洽第二,陆佃第五。帝令陈升之面读均等策,擢祖洽为第一。祖洽,邵武人;佃,山阴人也。苏轼谓:"祖洽诋祖宗以媚时君,而魁多士,何以正风化!"乃拟进士策一篇献之。帝以示王安石,安石言:"轼才亦高,但所学不正,又以不得逞之故,其言遂跌荡至此。"数请黜之。

帝谓王安石曰:"陈荐言:'外人云,今朝廷以为天变不足惧,人言不足恤,祖宗之法不足守。昨学士院进试馆职策,其问意专指此三事。'"安石曰:"陛下躬亲庶政,唯恐伤民,惧天变也。陛下采纳人言,事无大小,唯是之从,岂不恤乎!然人言固有不足恤者,苟当于义理,何恤乎人言!至于祖宗之法不足守,则固当如此。且仁宗在位四十年,凡数次修敕,若法一定,子孙当世世守之,祖宗何故屡变也?今议者以为法皆可守,然祖宗用人皆不以次。陛下试如此,则彼异论者必更纷纷矣。"

乙卯,诏诸路毋有留狱。

丙辰,立试刑法及详刑官。帝因王安石议谋杀刑名,疑学者多不通律意,遂立刑法科,许有官无赃罪者试律令、《刑统》大义、断案,取其通晓者,补刑法官。

右正言、知审官院孙觉,贬知广德军。

帝初即位,觉以言事忤帝意,罢去。王安石早与觉善,将援以为助,自通州召还,知谏院,改知审官院。时吕惠卿用事,帝以问觉,觉对曰:"惠卿辩而有才,特以为利之故,屈身王安石。安石不悟,臣窃以为忧。"帝曰:"朕亦疑之。"青苗法行,议者谓:"《周官》泉府,民之贷者

1435

至输息二十而五,国事之财用取具焉。"觉条奏其妄曰:"成周赊贷,特以备民之缓急,不可徒与也,故以国服为之息。说者不明,郑康成释《经》,乃引王莽计赢受息无过岁什一为据,不应周公取息重于莽时。况载师任地,漆林之征特重,所以抑末作也。今以农民乏绝,将补耕助敛,顾比末作而征之,可乎?国事取具,盖谓泉府所领,若市之不售,货之滞于民用,有买有予,并赊贷之法而举之;倘专取具于泉府,则冢宰九赋,将安用邪?圣世宜讲求先王之法,不当取疑文虚说以图治。"安石览之,怒,始有逐觉意。会曾公亮言畿县散常平钱有追呼抑配之扰,因遣觉行视虚实。觉受命辞行,且言:"入陈留一县,前后榜令请钱,卒无一人至者,故不散一钱,以此见民实不愿与官中相交。所有体量,望赐寝罢。"遂坐奉诏反覆贬。

御史里行程颢上疏曰:"臣近累上言,乞罢预俵青苗钱利息及汰去提举官事,朝夕以觊,未蒙施行。臣窃谓明者见于未形,智者防于未乱,况今日事理,显白易知,若不因机亟决,持之愈坚,必贻后悔。而近日所闻,尤为未便。伏见制置条例司疏驳大臣之奏,举劾不奉行之官,徒使中外物情,愈致惊骇。伏望检会臣所上言,早赐施行,则天下幸甚!"

夏,四月,癸亥,幸金明池观水嬉,宴射琼林苑。

丁卯,给两浙转运司度僧牒,募民入粟。

戊辰,御史中丞吕公著罢。时青苗法行,公著上疏曰:"自古有为之君,未有失人心而能图治,亦未有胁之以威,胜之以辩,而能得人心者也。昔日之所谓贤者,今皆以此举为非,岂昔皆贤而今皆不肖乎?"王安石怒其深切。帝使公著举吕惠卿为御史,公著言惠卿奸邪不可用;帝以语安石,安石益怒。会韩琦论青苗之害,帝语辅臣以公著上殿言:"朝廷摧沮韩琦太甚,将兴晋阳之甲以除君侧之恶。"安石用此为公著罪,罢知颍州。公著实无此言,盖孙觉尝为帝言:"今藩镇大臣如此论列而遭挫折,若当唐末、五代之际,必有兴晋阳之甲以除君侧之恶者矣。"帝误记以为公著也。

己卯,参知政事赵抃罢。抃上疏曰:"朝廷事有轻重,体有大小。财利于事为轻,而民心得失为重;青苗使者于体为小,而禁近耳目之臣用舍为大。今去重而取轻,失大而得小,惧非宗庙社稷之福也。"遂出知杭州。

以枢密副使韩绛兼参知政事。侍御史陈襄言:"王安石参与大政,首为兴利之谋,先与陈升之同领条例司,未几,升之用为相而绛继之,曾未数月,遂预政事。是中书大臣皆以利进。乞罢绛新命,而求道德经术之贤以处之。"不报。

以前秀州军事判官李定为太子中允、监察御史里行。定,扬州人也,少受学于王安石,孙觉荐之朝。初至京师,谒谏官李常,常问曰:"君从南方来,民谓青苗法如何?"定曰:"民便之,无不喜者。"常曰:"举朝方共争是事,君勿为此言。"定即往白安石,且曰:"定但知据实而言,不知京师乃不许。"安石大喜,谓定曰:"君且得见,尽为上道之。"立荐对,帝问青苗事,具对如曩言。于是诸言新法不便者,帝皆不听。命定知谏院,宰相言前无选人除谏官之例,遂拜监察御史里行。知制诰宋敏求、苏颂、(吕)〔李〕大临言:"定不由铨考,擢授朝列,不缘御史,荐置宪台。虽朝廷急于用才,度越常格,然堕紊法制,所益者小,所损者大。"封还制书。诏谕数四,敏求等执奏不已;并坐累格诏命,落知制诰,天下谓之"熙宁三舍人"。未几,监察御史陈荐言:"定顷为泾县主簿,闻母仇氏死,匿不为服。"诏下江东、淮、浙转运使问状,奏云:"定尝以父年老,求归侍养,不云持所生母服。"定自辩,言实不知为仇所生,故疑不敢服,而以侍养解官。曾公亮谓定当追行服,安石力主之,罢荐御史,而改定为崇政殿说书。监察御史林旦、薛昌朝、范育，复言定不孝之人，不宜居劝讲之地，并论安石罪。安石又白罢三人。定亦不自安，求解职，乃以集贤校理、检正中书吏房公事。

监察御史里行程颢，每进见，必陈君道以至诚仁爱为本，未尝及功利。王安石之说既行，颢意多不合，事出必论列，数月之间，章疏十上。尤极论者：辅臣不同心，小臣与大计，公论不行，青苗取息，诸路提举官多非其人，京东转运司剥民希宠，兴利之臣日进，尚德之风浸衰，凡十馀事。以言不用，求去。帝令颢诣中书议，安石方怒言者，厉色待之，颢徐言曰："天下事非一家私议，愿平气以听之。"安石为之愧屈。乃出颢为京西路同提点刑狱。颢上疏言："台谏之任，朝廷纲纪所凭，使不以言之是非，皆得进职而去，臣恐纲纪自此废弛。臣虽无状，敢以死请。"乃改佥书镇宁军节度判官。

壬午，右正言、知谏院李常罢。初，王安石与常善，以为三司条例检详官，改右正言、知谏院。安石立新法，常预议，不欲青苗取息，至是疏言："条例司始建，已致中外之议。至于均输、青苗、敛散取息，傅会经义，人且大骇，何异王莽猥析《周官》片言以流毒天下！"安石见之，遣所亲密谕意，常不为止，又言："州县散常平钱，实不出本，勒民出息。"帝诘安石，安石请令常具官吏主名，常以为非谏官体；遂落职，通判滑州。

贬监察御史里行张戬知公安县，王子韶知上元县。

戬上疏论王安石变法非是，乞罢条例司及追还提举常平使者，并劾曾公亮、陈升之、赵抃依违不能救正。及韩绛代升之领条例司，戬言："绛左右徇从安石，与为死党，遂参政柄。李定邪谄，自幕官擢台职。陛下惟安石是信，今辅以绛之诡随，台臣又用李定辈，继续而来，芽蘖渐盛。吕惠卿刻薄辩给，假经术以文饰奸言，附会安石，惑误圣听，不宜劝讲君侧。"章数十上。最后言："今大恶未去，横敛未除，不正之司尚存，无名之使方扰，臣自今更不敢赴台供职。"又诣中书争之，声色甚(励)〔厉〕。曾公亮俯首不答，王安石以扇掩面而笑，戬怒曰："戬之狂直，宜为公笑，然天下之笑公者不少矣！"陈升之从旁解之，戬顾曰："公亦不得为无罪。"升之有愧色。戬寻被贬，后徙监司竹监，至，举家不食笋。

子韶初附安石，按苗振之狱，陷祖无择于罪；至是论新法不便，乞召还孙觉、吕公著，故与戬同贬。

初，戬兄载出按振狱，及还朝，会戬以言得罪，载乃谒告西归，屏居终南山下，敝衣蔬食，专意学问。

癸未，侍御史知杂事陈襄，罢为同修起居注。襄论青苗法不便，乞贬斥王安石、吕惠卿以谢天下；又乞罢韩绛政府，以杜大臣争利而进者；且言韩维不当为中丞，刘述、范纯仁等无罪，宜复官；皆不听。会召试知制诰，襄以言不行，辞不肯试，愿补外，帝惜其去，留修起居注。

以淮南转运使谢景温为工部郎中兼侍御史知杂事。王安石屏异己者，数月之间，台谏一空。景温雅善安石，又与安石弟安国通姻。先是安石独对，曰："陛下知今日所以纷纷否？"帝曰："此由朕置台谏非其人。"安石曰："陛下遇群臣无术数，失事机，别置台谏官，恐但如今日措置，亦未能免其纷纷也。"于是专用景温。

甲申，翰林学士司马光读《资治通鉴》至贾山上疏，因言从谏之美、拒谏之祸，帝曰："舜圣谗说殄行。若台谏为谗，安得不黜！"及退，帝留光，谓曰："吕公著言藩镇欲兴晋阳之甲，岂非谗说殄行？"光曰："公著平居与侪辈言，犹三思而发，何上前轻发乃尔？外人多疑其不然。"帝曰："今天下汹汹者，孙叔敖所谓国之有是，众之所恶也。"光曰："然陛下当察其是非。

今条例司所为,独王安石、韩绛、吕惠卿以为是耳,陛下岂能独与此三人共为天下邪?"光又读至张释之论啬夫利口,曰:"孔子称恶利口之覆邦家者。夫利口何至覆邦家?盖其人能以是为非,以非为是,以贤为不肖,以不肖为贤。人主信用其言,则邦家之覆,诚不难矣。"时吕惠卿在坐,光所论,专指惠卿也。

先是辽西北路招讨使耶律萨沙讨蕃部之违命者,是月,以准布部长至行在。蕃使中有能跃驼峰而上者,以儇捷称相诧。萨沙问左右曰:"谁能此?"禁军萧和克被重铠而出,手不及峰,一跃而上,(藩)〔蕃〕使大骇。萨沙以女妻之。辽主闻之,召为护卫。

五月,癸巳,诏并边州军毋给青苗钱。

太白昼见。

壬寅,命司马光详定转对封事。

甲辰,诏:"近设制置三司条例司,本以均通天下财利;今大端已举,惟在悉力应接以趣成效,其罢归中书。"先是文彦博等皆请罢条例司,帝谓彦博曰:"俟群臣稍息,当罢之。"盖恐伤安石意也。

辽主清暑特古里。

壬子,诏罢入郐仪。

王珪等言:"入郐者,乃唐只日紫宸殿受常朝之仪也,非为盛礼,不可遵行。"故罢之。

甲寅,辽设贤良科。诏应是科者,先以所业十万言进。

旧制,文臣京朝官,审官院主之;武臣内殿崇班至诸司使,枢密院主之,供奉以下,三班院主之。丁巳,诏:"枢辅不当亲有司之事,其以审官为东院;别置西院,专领郐门祇候以上诸司使磨勘、常程差遣。"

是月,夏人号十万,筑闹讹堡,知庆州李复圭合蕃、汉兵才三千,遣偏将李信、刘甫、种咏等出战。信等诉众寡不敌,复圭威以节制,亲画阵图方略授之;兵进,遂大败。复圭惧,欲自解,即执信等而取其图略,命州官李昭用劾以故违节制。咏瘐死狱,斩信、甫,配流郭贵。复出兵邛州堡,夜入栏浪市,掠老幼数百;又袭金汤,而夏人已去,惟杀其老幼一二百人,以功告捷,而边衅大起矣。

六月,癸亥,以前知广德军朱寿昌通判河中府。寿昌,天长人,父巽,守京兆时,妾刘有娠而出,生寿昌,数岁,乃还父家,母子不相闻者五十年。寿昌行四方,求之不得。熙宁初,与家人诀,弃官入秦,誓不见母不还。行次同州,得焉,刘时年七十馀矣。知永兴军钱明逸以其事闻,诏寿昌赴阙。时言者共攻李定不服母丧,王安石力主定,因忌寿昌,但付审官院授通判。居数岁,其母卒,寿昌哭泣几丧明,士大夫多以歌诗美之,苏轼为作序,且激世人之不孝者。李定见而衔之。

东上郐门使、枢密都承旨李评,喜论事,又尝言助役法不可行,王安石尤恶之。初,紫宸上寿,旧仪但言枢密、宣徽、三司副使不坐,而故事,亲王、皇亲并坐,惟集英大宴,乃有亲王、驸马都尉不坐之仪。时评定新仪,初无改易,而遽劾郐门内不当令亲王、皇亲、驸马于紫宸预坐,以为不遵新制,贾佑、马仲良皆坐免官。王安石奏:"评所定自不明,而辄妄劾郐门官吏,当罪评。"帝曰:"评固有罪,然亦未可专罪评也。"安石遂留身,乞东南一郡,帝不许。安石恶评,必欲去之。丁卯,入对,辩其上寿新仪不可用,且具言评欺罔之状,乞推鞫;帝令送宣徽院取勘,亦不遽罪评。已巳,安石谒告,请解机务。帝怪安石求去,曰:"得非为李评事乎?朕与卿相知,近世以来所未有。所以为君臣者,形而已,形固不足累卿;然君臣之义,固重于朋友。若朋友与卿要约勤勤如此,亦宜少屈;朕既与卿为君臣,安得不为朕少屈!"安石欲退,帝又固留,约令人中书。安石复具奏,而邠门言:"有旨,不许收接。"安石乃奉诏。

司马光乞差前知龙水县范祖禹同修《资治通鉴》,许之。祖禹,镇从孙也。

戊寅,诏修武成王庙。

乙酉,辽以特里衮耶律白为中京留守。

丙戌,知谏院胡宗愈罢。

王安石议分审官为东、西院,东主文,西主武,以夺枢密之权,且沮文彦博也。彦博言于帝曰:"若是,则臣无由与武臣相接,何由知其才而委令之哉!"帝不听。宗愈亦力言其不可,且言李定匿丧不孝。帝恶之,手诏:"宗愈潜伏奸意,中伤善良,贬通判真州。"宗愈,宿之子也。

是月,辽主御永安殿,放进士赵(彦)〔廷〕睦等百三十八人。

【译文】

宋纪六十七　起己酉年(公元 1069 年)七月,止庚戌年(公元 1070 年)六月,共一年。

熙宁二年　辽咸雍五年(公元 1069 年)

秋季,七月,乙丑朔(初一),出现日食。

戊辰(初四),西夏国国主惠宗赵秉常派遣使者到辽国谢册封。

起初,同州知州赵尚宽,唐州知州高赋,齐州知州王广渊,都列条上奏建议设置义仓的事。陈留县知县苏涓,也称"臣劝告百姓建立义仓以防水旱灾事",并列条上奏具体措施。义仓在庆历年间废除,神宗认为义仓的办法好,将要恢复它;正值王安石主张实行青苗法,己巳(初五),对神宗说:"百姓有余粮,便要他们交给官府,这不是好办法。"于是停止恢复义仓。

庚午(初六),神宗下诏令御史中丞荐举可任御史的人,不限官位高低;赵抃对此有争议而未如愿。这时侍御史知杂事刘述进言:"旧制规定,荐举御史,被举者官位必须是中行员外郎至太常博士,资历必须是实际做过通判,又必须由翰林院诸学士与御史台的中丞、知杂事交互荐举。因为众人意见一致,那么各人都努力尽心,不可能有偏袒私爱的弊病发生。现在专门委托御史中丞荐举,那么爱憎在于一人,如果所荐举的人不称职,将会接受权臣嘱托,自己拉党结派,对不依附自己的加以寻衅中伤,其弊害不一而足。变更法度,是重大事情。现在只有参知政事两人一同书写札子呈上,而且宰相富弼暂时告假,曾公亮已入朝,御史台官员目前不缺人,何至于急切到这种程度!希望陛下收回日前所下诏旨,等富弼销假复出,与曾公亮一起商议,然后施行。"神宗不听。

甲戌(初十),太保、凤翔、雄武军节度使东平郡王赵允弼去世,神宗亲临哀哭,非常悲痛。赵允弼,是赵元偓的儿子,性情端庄稳重,言语谨慎,任宗正三十年,与濮安懿王共事,相互友爱,被宗室亲属所推重尊敬。

辛巳(十七日),在淮南路、两浙路、江南东路、江南西路、荆湖南路、荆湖北路实行均输法。三司条例司进言:"天下财用没有盈余,主管财政的官员,拘泥于弊病之法,使朝廷内外互不了解,盈亏不相弥补。各路上供的物品,每年有定额,遇丰年运输方便,可以多交纳而不能盈余;年成不好物价昂贵,难于供给而又不敢供应不足。这样边远地区输纳的物品要费成倍的价格,在京城却以半价出售这些物品,白让富商大贾,乘公私双方的急需来操纵物价贵贱及囤积散卖之权。如今发运使事实上总管六路的赋税收入,其职责是以管理调配茶、盐、矾、酒税为事,军队储备与国家财用,大多仰仗这些财税供给。应支给发运使钱财,资助其用度,让他们完全了解六路财赋的有无、盈亏情况而作调剂之用。凡购买、征收上供的物品,都得避贵就贱,用就近收购代替远道运输,让他们预先知道京城的库藏、每年开支、现在留存的定数及所应当供办的数额,可以灵活地改变储存采购之数来等待朝廷下令。逐渐从商贾手中收回价格贱贵与囤积散卖之权,归于公家,而控制物品的有无以便于转运,减省辛劳费用,取消重税,放松农民的负担压力,差不多可以使国家财用充足,百姓财力不至匮乏。"神宗下诏令三司条例司逐条订出规则上报;并任命发运使薛向管领均输平准事,赐内藏库钱五百万缗,上供米三百万石。议论此事的人大多认为均输法不好,神宗不听。薛向监管此事后,便请求设置属官,神宗批准。

壬午(十八日),救济遭受水灾的州军,又免竹木税及酒税。

癸未(十九日),神宗对辅佐大臣说:"君主不可对政务懈怠,朕不是喜好劳苦,因为考虑到自己年轻有精力,想要趁此时机有所作为来救助百姓。至于军队,是圣人的大权,是用来安定天下的,只是不能轻易动用,不只是杀人,心中有所不忍,也恐怕天道不保佑啊。"

神宗下诏:"从现在起,文臣换成重要的官职,须的确有谋有勇,曾取得显著的业绩,就能取旨受命。"

辽国禁止皇族依仗权势侵害平民百姓。

甲申(二十日),神宗亲临资政殿,因谈及选任知州未能有好的办法,说道:"朕每想到祖宗经过百战而得到天下,如今将一州的百姓交给平庸之徒,就常常痛心疾首。诸位爱卿认为如何是好?"文彦博启奏,认为责任在监司,应选取大公无私之人,才可派去担任按察职事。吕公弼说:"朝廷能够选好各司长官及十八路监司,那么就没有什么事做不好的了。"

己丑(二十五日),韩琦等人呈上《仁宗实录》,曾公亮等人呈上《英宗实录》。

八月,侍御史刘琦、监察御史里行钱颛等人启奏:"薛向是小人,支借给他钱财,任凭他变通交易,纵然有所收入,也不免侵夺商人的利益。"三司条例司检详文字苏辙启奏:"从前汉武帝对外攻打四夷,在内兴建宫室,财用匮竭,力不能支,采用商人桑弘羊的意见,贱买贵卖,称之为均输,虽说百姓不加税赋而国家财用充足。然而办法不正当,官吏借此为奸,剥削日渐加重,百姓深受其害。现在此论又兴,众说纷纭,都认为其弊害必定比汉代更加严重。为什么呢? 当今聚敛民财的臣僚,理财的智慧谋略不见得可与桑弘羊相比;而朝廷破坏规矩,放松了法度,使他们得以放纵自由,唯利是图,这种做法必定有不可说尽的危害呀。"权开封府推官苏轼也进言:"均输法避贵就贱,用近易远;然而广泛设置属官,多出缗钱,豪商大贾,都疑惧而不敢行动,认为朝廷虽然不明说贩卖物品,但既然已允许他们变通买卖,而不与商人争利,从未听说过。"神宗当时正被王安石的言论所迷惑,对上述意见都不采用,竟提拔薛向任天章阁待制,用亲手书写的诏书赐给薛向。然而均输法最终也未能成功。

癸卯(初九),侍御史刘琦,被贬为监处州盐酒务,监察御史里行钱颛,被贬为监衢州盐税。

在此之前,王安石曾争论谋杀自首的律令,过了一年也没有决定下来,神宗下诏令临时上奏听取敕旨裁决。王安石又进言:"律令的意思是因犯杀伤之罪而自首得免,所犯罪名,仍按故意杀伤的法律对待。如果已经杀死人按故意杀人的法律判,那么为首者必属死罪,不必上奏裁决;作为从犯自有编敕奏裁的条文,不必再立新制。"当时文彦博以下的臣僚都支持司马光的意见。唐介与王安石在神宗面前争论,唐介说:"这种法律天下人都认为不可因自首减罪,只有曾公亮、王安石认为可因自首减罪。"王安石说:"认为不可以自首减罪的,都是同党。"到这时神宗终于采用王安石的意见,敕令从今以后一律按去年七月的诏书办理。侍御史知杂事兼判刑部刘述率领同僚丁讽、王师元连续两次将敕令封住送还中书省。王安石禀告神宗,令开封府推官王克臣弹劾刘述的罪过。于是刘述率领刘琦、钱顗共同上书说:"王安石执政以来,一心放纵自己的想法,轻易更改法度。陛下想要达到唐尧、虞舜时那样的太平盛世,而王安石操持管仲、商鞅的权诈法术,以献媚讨好来谋求私利,于是与陈升之合谋,侵犯三司的财权,夺为己用,建立官署,设置属官,任用八人分巡天下,骇人听闻,动摇人心。去年因许遵妄议审问自首之法,王安石坚持一己偏见,改立新法来危害天下。先朝所建立的制度,自应世代遵守不要丢失,他却想事事更改,废止不用。王安石自从科举中试、历任官职,士心向往他,陛下听说后才知道他,于是让他位居宰辅。他遭遇时机,得到陛下如此专一的宠信,便首倡财利之议,竭力逢迎以博取陛下的欢心。其言行乖戾,竟至如此地步,希望陛下尽早罢免驱逐他,以告慰安定天下。曾公亮暗中结党互援,长期妨碍贤人进用之路,也应将他斥退罢免。赵抃却是闭口拱手,只会遇事犹豫不决,大臣侍奉君主,难道应当这样!"奏书呈上后,王安石上奏贬谪刘琦、钱顗,司马光说刘琦、钱顗所犯的过失,不过是直率,请求恢复他们原来的官职,没有答复。

殿中侍御史孙昌龄,平素依附王安石,钱顗将要离开御史台时,在众人面前斥责孙昌龄说:"您过去在金陵做官,像奴仆一样事奉王安石,王安石几经辗转荐举您,您才得以做了御史,也应当多少想到报效国家,怎么能专想依附别人来求取美官呢?我看您连猪狗都不如!"随即拂衣上马离去。孙昌龄不得已,也奏说王克臣阿谀奉承当权者,欺蒙皇上的视听。乙巳(十一日),贬孙昌龄为薪州通判。钱顗以后从衢州调到秀州,家贫母老,以至向亲朋好友借贷来供给老母的早晚两餐,却怡然无谪官的愁容。

丙午(十二日),同知谏院范纯仁被免职。范纯仁由陕西转运副使任上被召回京城,神宗问道:"陕西的城郭、甲兵、粮食储备情况如何?"范纯仁回答说:"城郭粗全,

王安石像

甲兵粗治,粮储粗备。"神宗惊愕地问:"爱卿的才干,是朕所倚重信赖的,为什么都说粗呢?"范纯仁回答道:"粗,是不精之词,这样就足够了。希望陛下暂且不要留意边境上的功业,如果边境守臣有所观望,将成为以后意外兴起战事的祸患。"

任命范纯仁为起居舍人、同知谏院,他启奏道:"王安石改变祖宗的法度,刻薄地搜刮钱

财,民心不宁。《尚书》说:'怨恨岂在明处,要从那些不易发现的怨恨上注意谋求。'希望陛下深思不易发现的怨恨。"神宗问:"什么叫不易发现的怨恨?"范纯仁回答说:"杜牧所谓'天下之人不敢言而敢怒'就是。"神宗为范纯仁加官直集贤院、同修起居注。

神宗急于求得天下大治,多次召见被疏远的小臣,咨询朝政的缺失,范纯仁奏说:"小人的话,听后似乎可以采用,施行起来必有祸患,这是因为他们只知小处而忘了大处,贪图近利而不明远景。希望陛下加以深入考察。"

富弼身处宰相之位,托病闲居家中,范纯仁启奏道:"富弼受三朝皇上眷顾倚重,应当自己担当天下的重任,而体恤自己深于体恤他人,担忧疾病过于担忧国家,辅佐君主,处世立身,二者均有失当。富弼与臣之先父素有深交,臣在谏院供职,不敢私自谒见提出忠告,希望陛下将此奏章出示给他看,使他自省。"又论说吕海不该罢免御史中丞,李师中不可镇守边塞。当薛向在六路推行均输法时,范纯仁又进言:"臣曾亲自聆听陛下德音,想要修先王有益于清明之政,现在却仿效桑弘羊均输之法,而使小人为此克剥百姓,聚敛怨恨,埋下祸根。王安石想求得眼前之功,忘掉了他曾经研习的儒学,崇尚法令就称赞商鞅,讲论财利就背叛孟轲,鄙视老成为因循守旧,斥责公论为流俗之言,符合己意者是贤良,不同意己者是不肖。刘琦、钱颛等人,一开口就蒙受贬降罢黜,在朝廷的人,正有大半趋附于他,陛下又从而任用他,他将何所不为! 应从速召直言之臣回朝而斥退王安石,以满足朝廷内外的愿望。"又说曾公亮年老而不退休,只会一心一意附和王安石;赵抃心里知晓王安石不对,但凡事不能尽力挽救,退朝后又背后议论。

神宗都不听从,于是范纯仁请求免去谏官之职;神宗改任他为判国子监,他离开朝廷的态度愈加明确坚定。执政大臣派人告诉他说:"不要轻易离去,已经议定任命你为知制诰了。"范纯仁说:"这话为什么对我说呢? 谏言不被采纳,万钟富贵我也不顾惜!"

戊申(十四日),黄河改道东流,张巩等人便想要截断北流的河道,神宗倾向同意这种做法。司马光启奏道:"张巩等人想要堵塞二股河以北的河道,臣恐怕耗费劳力财用而不易做到。倘幸而可以堵塞,那么东流河道浅而狭窄,堤防设施不齐备,必定导致决口泛滥,这是将恩州、冀州、深州、瀛洲的水患转移给沧州、德州等地。不如等三二年,东流河道更深更宽,堤防稍加巩固,北流河道渐浅,准备的柴草也可以供堵塞之用。"神宗命司马光与张茂则前往视察,王安石说:"司马光议事常常不符合实际,如今命他视察河道,以后必定不会采纳他的意见,这会加重使他不安于职位。"于是只派遣张茂则前去。张茂则上奏二股河向东流的水已有八成,向北流的水只有二成;张巩等人也奏报黄河主河道东移,北流已止住,神宗下诏嘉奖他们。不久黄河从许家港东边决口,泛滥于大名府、恩州、德州、沧州、永静军五地境内,果然如司马光所料。

西夏国请求依照过去番邦礼仪,神宗下诏允许。

范纯仁先后所上的奏书,语言多激烈切直,神宗都未交给外廷。范纯仁全部抄录申报中书省,于是在位的大臣都署名上章请求免职,神宗以优抚之语下诏答复他们。富弼从此不再上朝处理政事。王安石请求从重贬谪范纯仁,神宗说:"他无罪,姑且给他一个好地方做官。"己酉(十五日),任命范纯仁为河中府知府。不久调任成都路转运使,认为新法不便,告诫州县不得急速实行,王安石恼怒他阻挠新法,借故将他降为和州知州;尚未到任,又改调庆州。

庚戌(十六日),三司条例司检详文字苏辙被免职。苏辙与吕惠卿商议政事,动辄意见不一致。适逢朝廷派遣八名使者去各地,访求该收而未收的财利,朝廷内外知道这些使者必定迎合执政大臣的意思制造事端,但都不敢说话。苏辙前往谒见陈升之说:"以前嘉祐末年,派遣使者减轻体恤各路负担,各自努力制造事端,回朝奏报,多数不可实行,被天下人讥笑。现在的做法与这种情况有何不同!"又以书信致王安石,极力陈述这样做不行。王安石气恼,将加给他罪名,陈升之制止了王安石。到这时苏辙请求改任一个差遣,神宗审阅苏辙的奏状,问:"苏辙与苏轼相比怎么样?看他们的学问很相似。"王安石说:"苏轼兄弟大抵以纵横捭阖为能事。"神宗说:"这样的话,那么应该合于时事,为什么反而持不同意见呢?"神宗下诏依从苏辙的请求,任命他为河南府推官。

甲寅(二十日),朝拜神御殿。

辛酉(二十七日),任命秘书省著作佐郎河南人程颢、太原人王子韶同为太子中允、权监察御史里行。

程颢从晋城县令改任著作佐郎,到这时吕公著荐举他为御史。神宗平素知道程颢的名声,多次召见他。每次将退出时,神宗必说:"希望经常请求应对,朕想常常见到爱卿。"一天,神宗从容咨询,已报时至正午,程颢才快步走出庭中。宦官说:"御史不知道皇上没进膳吗?"

程颢前后进言甚多,其要旨是以端正人心杜绝情欲、访求贤能培育人才为先,不修饰词藻,努力以诚意使皇上感悟。神宗曾让他推选人才,程颢所荐举的几十人,以父亲的表弟张载和弟弟程颐为首。又劝神宗防止尚未萌生的欲望,以及不要轻视天下士人,神宗俯身说:"朕将为爱卿警戒此事的发生。"

神宗曾召见程颢,问如何做好御史,程颢回答道:"让臣拾遗补阙、补益赞助朝政则可以,让臣摘拾群臣的短处来捞取直言的名声则不可。"神宗认为说到了御史之职的根本。程颢任职几个月,奏章频频呈上。议论时事十项,大致认为:"圣人创建法令,都本之于人情,归结为治理万物。圣人所必须做的,行之有先后,用之有缓急,在于讲求措施如何罢了。"神宗赞赏地采纳了这些意见。

开封府审狱立案,同判刑部丁讽、审刑院详议官王师元都无辜服罪。侍御史知杂事兼判刑部刘述独自认为朝廷不应当弹劾言事的官员,审问三次,都不认罪。王安石想将他投入监狱,司马光与范纯仁为此争辩,才作罢。壬戌(二十八日),将刘述贬为江州知州,丁讽贬为复州通判,王师元贬为监安州税。

这月,辽国国主辽道宗拜谒庆陵。

九月,甲子朔(初一),交州前来进贡。

丁卯(初四),制定常平给敛法。

戊辰(初五),初开经筵。

支出内藏库缗钱一百万,为河北地区的常平仓购入粮食。

起初,陕西转运使李参,因辖区内粮食储备不足,令百姓自己审度秋后粟麦的盈余情况,官府先借钱给百姓,等庄稼成熟后用粮食还给官府,号称"青苗钱",实行了几年,官仓有了余粮。到这时三司条例司上奏:"各路常平仓、广惠仓,钱粮的收取与发放,没找到适宜的办法,所以获利不多。现在想以现有的储粮,遇到粮价贵时适当低于市价出售,遇到粮价低时适当高于市价购入,可以通融转运司的苗税,以及钱与粮能使之变换的,也允许兑换。仍用现钱依照陕西实行的青苗钱例,愿意预先借贷的借给他们,令他们随税金交纳粮食,一半为夏粮,一半为秋粮。其中有愿交实物，或者交纳时实物价贵，愿交纳钱的，都听其自便。如遇到天灾谷物受害，允许延迟到次年庄稼丰收时交纳。这样，不仅足以防备灾荒之患，而且百姓既然接受了官贷，那么兼并之家，就不能乘青黄不接的时机来求得成倍的利息。再有，常平仓与广惠仓的粮物，收藏积压，一定要等到灾年物价昂贵时，然后才能出售，受惠所及不过是城市中游手好闲之人。现在畅通一路粮物的有无，贵时卖出，贱时收买，以便扩大积蓄，平抑物价，使农民能够随着季节从事生产，兼并者不能乘农民的急难取利。所有这些都是为了百姓，而公家没什么利益可图，这也是先王布惠兴利而对农业生产进行帮助之意。要计量各路钱粮的多少，分别派遣官员掌管，每州选任通判、幕职官一员，主管转移出纳，仍先从河北、京东、淮南三路施行，等有了头绪，再推广到各路。至于广惠仓的储粮，酌量留给年老、有病、贫穷的人以外，其余都采用常平仓转移之法。"神宗采纳了这个建议。

起初，王安石与吕惠卿商定之后，将草案给苏辙看，说："这是青苗法，有什么不当之处，告诉我。"苏辙说："把钱借贷给百姓，让他们出利息二分，本是为了救助百姓，不是为了获利。然而在发放与收取之间，官吏借此为奸，法令禁止不了。钱入百姓手中，即使是良民也不免乱用，到了还钱时，即使是富民也不免超过期限，恐怕必须用上刑罚，那样州县的事务就不胜其烦了。唐代刘晏掌管国家财政，不曾有过借贷措施，有指责他的，刘晏说：'使百姓侥幸得钱，不是国家的福分；使官吏靠刑法来督察责罚，不是百姓的便利。我虽不曾借贷，但是各地年成丰歉物价贵贱，了解情况从不过时。遇贱必购入谷物，遇贵必售出谷物，因此各地没有甚贵甚贱的弊病，用借贷做什么！'刘晏所说的，是汉代的常平法罢了。现在此法都在，只怕不仿效实施；您确实有意为百姓着想，拿来推行它，刘晏当年的功绩现在可以立即实现。"王安石说："您的话确实有道理，我应当慢慢思考这事。"此后一个多月，不再谈青苗法。正遇到京东转运使王广渊进言："正值春季农业生产进行时，而百姓苦于困乏，兼并之家，得以乘农民急需谋取利息，请求留给本路的钱帛五十万，借贷给贫民，一年可获利息二十五万。"神宗批准。这办法与青苗法吻合，王安石才认为可以实行，就召王广渊到京城，与他商议。王广渊请求将此法在河北路施行，王安石于是决意实行青苗法，逐步推广到全国各路。

辛卯（二十八日），废除奉慈殿。

壬辰（二十九日），任命秘书省著作佐郎吕惠卿为太子中允、崇政殿说书，这是听从王安石的推荐。

王安石单独奏事，神宗问道："程颢说不可出卖祠部发给僧尼的度牒作常平仓的本钱，怎么样？"王安石说："程颢所言自以为是王道的正统，臣认为程颢没有通晓王道的权变。现在出卖度牒的收入，可购置粮食四十五万石。如遇荒年每人借贷三石，可保全十五万人的生命。像这样而仍认为不可以，难道是通晓权变吗！"

辽国西北路招讨使耶律仁先奉命讨伐准布，严密侦察敌情，控制敌人的要道，对各属国都加以安抚使其服从，诸事做得很完备。准布来犯，耶律仁先迎击他，追杀八十余里；大军随后到达，又打败了他。别的部族来救援的，见耶律仁先频频取胜，不敢交战便投降了，北方边境于是安宁。

冬季，十月，丙申（初三），富弼被免职。王安石专权而为所欲为，富弼自忖不能与他抗争，常借病不进中书省，时间一长就提出辞职。辞呈上了几十次，神宗才批准，问道："爱卿离职后，谁可以代替爱卿？"富弼推荐文彦博。神宗沉默了许久，说："王安石如何？"富弼也沉默不语。神宗给富弼加官检校太师，命为武宁军节度使、同平章事、判亳州。富弼初到朝廷，就授任司空兼侍中，坚决推辞才得以免任。到免去宰相职务，不再加恩，大概是神宗心中不快的缘故。

以尚书右丞、知枢密院事陈升之行礼部尚书、同平章事。旧例，宰相由侍郎担任，而没有由左右丞拜任的；翰林学士王珪值班应拟写任命制书，对此提出意见，陈升之于是越级升任尚书。陈升之资历高于王安石，而且素来与王安石互相配合，所以王安石劝神宗先任用他。

神宗下诏令在绥州筑城。在此之前，韩缜与西夏国人谈判，答应让他们交出安远、塞门二寨，将绥州还给他们。郭逵说："这正是重蹈张仪诈许楚怀王以商於之地六百里的覆辙呀！"当时已有诏书令郭逵烧毁放弃绥州，郭逵说："一州已失，二寨又不可得，中国为西夏国人所骗，还用守边之臣做什么！"为此藏起诏书不出示，上奏说绥州还保存着，并且弹劾自己违诏之罪。神宗下诏褒奖郭逵说："有这样的臣子，朕无西顾之忧了！"不久，誓约交换地方的诏书已经下达，西夏国人还不归还安远、塞门二寨，而且派遣刚明鄂特前来，说要先得到绥州。郭逵命令机宜文字赵卨等人到西夏国交涉他们所应交出的二寨，并且划定地界。刚明鄂特说："朝廷本来想要得到二寨，地界不属誓约的内容。"赵卨说："既然如此，那么塞门、安远二寨不过是两堵废墙而已，有什么用！在二寨以北，过去有三十六堡，以长城岭为界，西平王在祥符年间所递交的文书至今还在呢。"刚明鄂特无言以对。赵卨因西夏国人违反盟约，建议在绥州筑城，不用绥州换取二寨，神宗应允，改绥州名为绥德城。

司马光入宫应对，神宗问："近日任用陈升之为宰相，外面议论说什么？"司马光说："闽地人狡猾阴险，楚地人轻率随便。如今两位宰相都是闽地人，两位参知政事都是楚地人，必将援引同乡同党之士，天下风俗，怎么能更淳厚！"神宗说："陈升之有才智，通晓边疆事务。"司马光说："不能做到面临生死关头而保持节操啊。凡是才智之人，必须有忠直之士从旁边制约他，这是英明君主的用人方法。"司马光又说富弼离开相位可惜，神宗说："朕极力挽留过他了。"司马光说："富弼之所以离去，是因为他的意见不被采纳，与同僚不合的缘故。"神宗又问："王安石怎么样？"司马光说："有人说王安石奸邪，那是对他诋毁得太过分了；他只是不明事理而又执拗罢了。"神宗说："韩琦敢于担当国事，比富弼贤能，但为人太强硬。"司马光说："韩琦确实忠于国家，只是喜欢顺着自己不对之处做下去，这是他的短处。"神宗顺便问起其他各位大臣的情况，问到吕惠卿，司马光说："吕惠卿逢迎弄巧，不是好的士大夫；让王安石在天下受到诽谤的，是吕惠卿。最近不依正常次序加以进用，很不得人心。"神宗说："吕惠卿应对机敏善辩，也像是美才。"司马光说："汉代江允、唐代李训如果无才，靠什么打动君主？"

戊戌（初五），以蕃官礼宾使折继世为忠州刺史；左监门卫将军嵬名山为供备库使，赐姓赵，名怀顺。

己亥（初六），辽国国主辽道宗暂驻藕丝淀。

丙辰（二十三日），神宗下诏："御史请求应对，都可以直接从阁门上殿。"当时御史里行张戬、程颢进言："御史台与谏院进言之责既然相等，那么进见君主的期限，按理无太大差别。况且往返等待答复，必须经过中书省，万一奏事关系到中书省，或许会受到阻挠。请求依照谏官之例，用公文送交阁门求对；有紧急奏报时，仍允许越过次序上殿。"神宗同意这个建议，所以有了这一道诏书。张戬，是长安人。

1445

己未(二十六日),西夏国派遣使者前来谢册封。

十一月,乙丑(初二),命枢密副使韩绛同制置三司条例。陈升之深沉狡猾,多有手段,做小官时,与王安石在淮南相遇,王安石非常器重他。等到王安石执政,致力于变更旧制,怕同僚不听从,上奏设立制置条例司,与陈升之共事,凡所想要做的事,从条例司直接上奏后推行,不再有抵触。陈升之心中知道这样做不可以,却极力赞助;有时提出小的异议,表面上不与王安石意见相同。王安石未察觉他的虚伪,很感激他,所以推荐陈升之让他先做了宰相。陈升之登上相位后,对条例司的事不肯参与,就向神宗进言说:"臣忝为宰相,无所不管,所领职事,怎么可以称司!"王安石说:"古代的六卿,就是今天的执政大臣,有司马、司徒、司寇、司空,各有一职名,何伤于理!"陈升之说:"此事应当归于三司,何必揽取为己任?"王安石大怒,两人从此开始不合。神宗对王安石说:"以前陈升之在枢密院,现在你们都在中书省,将制置条例司并归中书省,怎么样?"王安石说:"陈升之因为制书说'钱粮的计划管理应归内府官吏',所以耻于担任此职。陛下设置条例司,本来令中书省、枢密院各派一人,现在如果派韩绛,共事非常方便。"神宗说:"好!"于是任命了韩绛。王安石每次奏事,韩绛必说:"王安石所陈述的都极为恰当。"王安石依恃他作为助手。

神宗想任用苏轼同修起居注,王安石诋毁他,便放弃苏轼不用,而用蔡延庆、孙觉。

丁卯(初四),辽国道宗下诏:"四方馆副使,只以契丹人充任。"

甲戌(十一日),神宗下诏:"删定宗室授官法,只有宣祖、太祖、太宗之子,选择他们的后代一人为公,世代不绝;其余长孙之子,将军以下,随其出任地方官;五服以外的远亲之子,改为不赐名、不授官,允许参加科举考试。"起初,吕夷简在仁宗朝时,曾改宗室子弟充任禁卫官,骤然增加了官粮的供给,以后费用大而不可止住。韩琦为宰相,曾建议改变这种做法而没能实现,到这时才实行。

丙子(十三日),免去各路提点刑狱官中的武臣。神宗认为武臣很少有人熟习文吏应掌握的律令,不能考察推举所辖部下中的人才,所以恢复任用文臣;当时都认为便利。

颁布农田水利规约。

丁丑(十四日),五国各部族背叛辽国,辽道宗命左伊勒希巴萧苏拉前往讨伐它们。

庚辰(十七日),神宗驾临迩英阁,司马光读《通鉴》至汉代曹参代替萧何为相之事,说:"曹参不改变萧何的法规,掌握守成之道,所以孝惠帝、高后时,天下平安无事,衣食丰裕。"神宗说:"汉代永远保守萧何的法规不变,可以吗?"司马光说:"何止汉代!假使夏商周三代之君永远守住禹、汤、文、武之法,即使到现在还保存有天下也是可能的。"

壬午(十九日),吕惠卿进迩英阁侍讲,顺便说道:"先王之法,有一年一变的,《月令》'冬末修改国典以待来年适用',《周令》'正月初一开始协调,在宫阙之外宣布法令'就是这样。有几年一度的,唐尧、虞舜'五年修五礼',《周礼》'十一年修法则'就是这样的。有一代一变的,'刑罚一代轻、一代重'就是这样。有几十代而变的,夏代赋税称贡、商代赋税称助、周代赋税称彻、夏代学校叫校、商代学校叫序、周代学校叫庠之类就是这样。也有虽经百代而不变的,尊敬尊者、热爱亲人、以贵者为贵、以官长为长、尊重贤者、使用能人就是这样。臣日前见司马光认为汉初之治全因守萧何之法;臣考察萧何虽起初约法三章,以后却为九章,那么证明萧何已不能自守其法了。汉惠帝废除挟书律、三族令,汉文帝废除诽谤、妖言律,废除秘祝法,都是萧何之法中所有的,而汉惠帝与汉文帝却废除了它们,汉景帝又随之因袭汉惠帝、汉文帝的做法,那么证明汉初并非保守萧何之法而治国。"神宗召问司马光,司马光说:"在宫阙之外宣布法令,是宣布旧法,怎么叫变呢? 诸侯中有改换礼乐的,天子巡狩时就讨伐他们,可见天子不自改礼乐。在新兴的国家执法用轻刑,混乱的国家用重刑,这才是一代轻一代重,不是改变刑法。况且治天下好比治居室,破了就修理它,不是大坏就不改造;大坏而改造,没有高明的工匠、优质的材料就不行。如今二者全无,臣恐怕连风雨都不能遮蔽了。三司使掌管天下财政,没有才干就罢黜是可以的,不可让中书省、枢密院侵夺其职权。如今设制置三司条例司,是什么缘故? 宰相以治国之道辅佐君主,何必用条例? 如果用条例,那么用办理文书的吏员就足够了。如今设看详中书条例司,是什么缘故?"吕惠卿无言以对,用别的话诋毁司马光。神宗说:"相互议论是非罢了,何至于这样!"

司马光又谈起青苗法的弊病说:"平民百姓借钱付息,还能侵剥贫困民户,何况县官监督催逼之威呢!"吕惠卿说:"青苗法规定,愿意借就贷给他,不愿意本来也不勉强。"司马光说:"愚民只知借债的益处,不知还债的害处,不只是县官不勉强他们,富人也不勉强他们借钱啊。以前太宗平定河东,立和籴法来供应戍卒的粮食,当时一斗米十钱,百姓愿意卖给官府。以后物价贵了而和籴法没有废除,于是成为河东的社会弊害。臣担心将来的青苗法,也如同此法啊。"神宗说:"陕西实行青苗法已有很久,百姓不认为不好。"司马光说:"臣是陕西人,只见其害,未见其利。"神宗问:"坐仓籴米如何?"听讲的人都说不便利,只有吕惠卿说:"京城坐仓得米一百万石,就减少了东南各路每年漕运的粮食一百万石,转换为钱来供给京城。"司马光说:"东南各路严重缺钱而粮食很多,如今放弃那里有余的粮食,收取那里没有的钱,农业、商业就都受到损害了。"侍讲吴申站起来说:"实在是高论!"起初,神宗采用仪鸾司官员孙思道的建议,施行坐仓籴米法,王安石认为好。坐仓,是指将各军余粮自愿卖给官府的,计价付钱,再将军粮储存在官仓中。司马光认为百姓有米而官府不用其米,百姓无钱而官府一定要求他们出钱,这不是流通财货利于百姓的办法,所以趁神宗询问而极力陈述此法之害。

赐钱给在汴口服役的士兵。

己丑(二十六日),减全国囚犯的罪一等,徒刑以下的释放。

闰月,庚子(初七),神宗下诏调镇州、赵州、邢州、洺州、磁州、相州的军队与民工六万人疏浚御河河道,在寒食节后开工,这是听从了刘彝、程昉的建议。

壬寅(初九),任命张载为崇文院校书。张载年少时喜欢谈论军事,投书谒见范仲淹,范仲淹说:"礼教中自有可乐之处,为什么学习军事!"因而劝他读《中庸》,张载读了《中庸》,仍觉得不满足,又访寻佛、老之书,连续几年知识没得到多少,反过来研读《六经》。后来与程颢兄弟谈论道学的要旨,涣然自信地说:"我的道学已经自足了,何用他求!"到这时因御史中丞吕公著的荐举,神宗召见他,询问治国之道,他回答说:"为政不遵循三代之法,终归是苟且之道。"神宗喜悦,于是有了这次提拔。后来有一天,张载见到王安石,王安石说:"新政正在施行,希望能得到您的帮助。"张载说:"您与人为善,那么人以善回报您。如果您去教玉匠琢玉,那么就会有人不接受命令了!"张载,是张戬的兄长。

戊申(十五日),西夏国国主赵秉常派遣使者到辽国,请求赐给印绶。

壬子(十九日),神宗派官员提举各路常平仓、广惠仓兼管农田水利差役之事,这是听从三司条例司的建议。当时全国常平仓钱粮现存一千四百万贯、石,各路各设提举管勾官共四十一人,而常平仓、广惠仓之法便变成青苗法了。

神宗下诏令在潞州设置交子务,管理纸币的流通。条例司进言:"交子之法,施行于成都府路,人们认为方便。现在河东路官府和私人以运输铁钱辛劳而且浪费为苦,请求实行交子之法,仍令转运司推举官员设置交子务。"神宗批准。

十二月,癸亥朔(初一),又减少对后妃、公主及臣僚的推恩待遇。

甲子(初二),辽国因太子行再生礼,减轻各路徒刑以下的犯人罪一等。

乙丑(初三),辽道宗下诏令百官在朝廷讨论国政。

癸酉(十一日),增设关于误判死罪的法令。

甲戌(十二日),五国部族向辽国投降,仍旧贡献当地特产。辽道宗嘉奖萧苏拉的军功,调任北面林牙,不久改任南院副部署。

神宗在卿监、监司、知州中有年老而不称职的,应当授予清闲事少的职务,王安石也想借此来处置持不同政见的人;丙戌(二十四日),增设三京留司御史台、国子监及宫观官使,不限名额。

这月,知通进银台司祖无择因事故被捕入秀州监狱。起初,祖无择与王安石同任知制诰。按旧例,词臣允许接受别人的馈赠,称之为润笔。当时有人馈赠王安石,王安石推辞不掉,就拿来放在翰林院的屋梁上。王安石为母亲守丧去后,祖无择将这份馈赠物用作公家费用,王安石听说后很反感,当执政以后,暗示监司寻找祖无择的罪过。适逢明州知州苗振因贪污罪被人告发,御史里行王子韶出京审讯此案,迎合王安石的心意,揭发祖无择做杭州知州时的事情,从京城解送他去对质,而将苗振的案子交给张载办理。苏颂说祖无择位居皇帝侍从,不应当与过去的属官去对质是非曲直,张戬也救助他,神宗都不听从。审案完毕,没有发现贪污情节,只查出他借贷官钱给人、接待所辖百姓同坐以及乘船超过规格而已,于是贬为忠正军节度副使。王安石为此向神宗进言道:"陛下派一名御史出京,就发现了祖无择的罪行,由此可知朝廷对事情只有不去做,没有去做而无效果的。"祖无择年少时跟随孙复学习,以评论政事为当时有名的公卿,因为小小过失被罗织罪名,终身被弃置不予重用,士论为他惋惜。

神宗从宫中下旨给开封府,减价购买两浙所产灯四千余只,直史馆、权开封府推官苏轼启奏道:"陛下留意经术,处事效法尧、舜,怎能以灯为乐?这不过是借此来侍奉两宫太后而讨她们的欢心罢了。然而在百姓对此不可能家喻户晓,都认为是用并不急需的供耳目娱乐的玩物,夺去他们衣食必用的物资。此事虽极小,但影响很大,希望陛下追回先前的诏命。"神宗立即下诏停办购灯。苏轼为此上书剀切议论时政,共七千余言。

苏轼的奏书大略说:"臣所想要奉献的,三句话而已,即结人心、厚风俗、存纪纲。

"君主所依恃的,是人心。自古至今,没有谦和平易与众一致而社会不安定,刚愎自用而不危险的。自祖宗开国以来,治理财政用度的不过是三司,如今陛下又创立制置三司条例司,让六七个青年在宫内日夜讲求治道,使者四十余人在地方分头经营。以万乘之主而谈利,以天子之宰臣而理财,君臣宵衣旰食,将近一年了,而使国家富裕起来的功效,渺茫如捕风捉影,只听说内库拿出钱几百万缗,祠部度五千名僧人罢了。以此为法,人们都知其难于成功。汴河水流浑浊,自远古以来,百姓不用它种稻,如今想要筑堤围水而使水变清,万顷稻田,必用千顷陂塘,而陂塘每年淤积泥沙,三年就泥沙淤满陂塘了。陛下派人视察地形,到处开凿道路,访寻水利,而堤防一开,河水偏离故道,即使吃建议者之肉,但对百姓又有何补益!自古以来役使百姓必用当地人户,只听说江、浙之间,几州雇人服役,而又要在天下推行这种做法。自从唐代杨炎推行两税法,租调与庸已经兼有了,为什么又要取消庸?青苗借钱,自古有禁令,现在陛下开始立为成法,每年都得施行,虽说不许强行摊派,但是几代之后,暴君污吏,陛下能保证他们不强行摊派吗?过去汉武帝因财力匮乏,采用桑弘羊的主张,买贱卖贵,称为均输。在当时商人不能经商,盗贼越来越多,几乎导致天下大乱。臣希望陛下结人心就是这个道理。

"国家之所以存亡,在于道德修养的深浅,不在于力量的强与弱;王朝之所以长短,在于风俗的淳厚与浇薄,不在于富与贫。陛下应当崇尚道德而使风俗淳厚,不应当急功近利而贪图富强。仁宗执法最宽,用人有序,专心致力于掩盖过失,不曾轻易改变旧制。考察当时的功业,可以说不显赫;谈及用兵,那是十出而九败;谈及府库,那是刚好够用而没有剩余。只因恩德惠及世人,风俗淳厚百姓知义,所以驾崩之日,天下称之为仁。议论的人见仁宗末年官吏大多因循守旧,国事没有振兴,于是想以苛刻的督察来加以纠正,以智慧才能来加以补助,招徕新被进用而勇敢的人,希图收到一切速成的功效,然而还未享有其利,浇薄的风气已经形成。近年来质朴憨厚的人越来越少,投机取巧而进用的人日益增多,希望陛下对此现状感到痛心并加以挽救,以简单易行为法,以清静无为为意,而使百姓的道德归于淳厚。臣希望陛下厚风俗就是这个道理。

"祖宗委任台谏官,不曾惩罚一个进言的人,即使有轻微责罚,很快就越级提升,允许据传闻言事,而不必顾及长官。言事涉及皇帝,那么天子改变神色;事情关系到朝廷,那么宰相等待治罪。台谏官当然未必都是贤人,所说的也未必都正确,但必须养其锐气而借给他们重权,是将要依靠重权来摧折奸臣的萌生。臣听德高望重的前辈们谈论,都认为台谏官所说的,通常顺直了天下的公论,现在人们的议论沸沸扬扬,怨言谤语交相而至,公论所在,也就清楚了。臣担心从此以后,习惯成为风气,台谏官全成了执政大臣的私人,以致君主被孤立,纪纲一旦废弛,什么事情不会发生!臣希望陛下存纪纲就是这个道理。"王安石见了这份奏书后,对苏轼深恶痛绝。

辽国武安州观察使耶律迪里调任长宁宫使,清查户部处理乾州拖欠钱帛之事,创立出纳经划法,官府与私人都觉得方便。

熙宁三年 辽咸雍六年(公元1070年)

春季,正月,甲午(初二),辽国国主辽道宗前往千鹅泺。

癸丑(二十一日),录用唐代李氏、后周柴氏的后代为官。

乙卯(二十三日)神宗下诏:"各路常平仓、广惠仓发放青苗钱,本是为了救济抚恤贫困百姓,现在考虑到官吏不能体察此意,平均摊派,强行逼迫,反而酿成骚扰。特命各路提点刑狱官体量旨意察知情况,违者立即将姓名上报,敢于阻挠的也将其姓名上报。"

在此之前,知通进银台司范镇启奏:"青苗钱这种措施,是唐朝衰乱时期所实行的。庄稼的青苗长在田间,先估量其价值,收获未结束,已经催促还债,这是盗跖的做法。"右正言李常、孙觉也启奏:"王广渊在河北路,第一等户借给青苗钱十五贯,第二等户十贯,第三等户五贯,第四等户一贯五百,第五等户一贯。民间喧哗吵闹认为不便利,而王广渊入朝上奏,说民间欢欣鼓舞,歌颂圣上的恩德。"议论的人既然异口同声的攻击这种做法,朝廷不得已,才下发这道诏令。

戊午(二十六日),判尚书都省张方平离朝出任陈州知州。起初,张方平任参知政事,神宗想用王安石,张方平认为不可以,不久因守父丧离职。守丧期满后,以观文殿学士判尚书都省;王安石说留他在朝中对新法不利,于是有了这项任命。等到向神宗辞行时,张方平极力论到新法的弊害,神宗为之怃然。不久,召他为宣徽北院使,留在京城。王安石竭力阻挠,张方平也极力请求离朝,于是又命他离朝出判应天府。

二月,壬戌朔(初一),河北安抚使韩琦启奏:"臣准照青苗诏书,力求优抚百姓,不使兼并之家乘百姓急需来求得成倍的利息,而公家并无利可取。现在每借出一千钱,令百姓归还一千三百钱,那就是官府自己放钱取息,与起初抑制兼并、救济贫困的意图,绝对相违背,想要百姓信服,是不可能的。另外,乡村每保须有财力的人为甲长,虽说不许强行逼迫,而上户一定不愿请求借贷,下户虽然有的愿意请求借贷,以后必定难于催其归还,将来肯定会有行刑督责、同保百姓均陪同受罚之患。陛下励精图治,如果只是躬行节俭来为天下的先导,自然国家财用不会缺乏,何必使兴利之臣,纷纷四面出动,以致远近生疑呢!乞请全部撤去各路提举官,按照常平仓旧法施行。"癸亥(初二),神宗从袖子中取出韩琦的奏书,出示给执政大臣说:"韩琦真是忠臣,虽在地方做官,也不忘王室。朕当初认为青苗钱可以利民,没料到竟是如此害民!况且坊郭居民哪来青苗,也要强行贷钱给他们吗!"王安石气得变了脸色,说:"如果顺从他们的愿望,虽然是坊郭居民又有什么害处!"因而责难韩琦的奏书说:"陛下修改常平仓法以便救助百姓,至于收取利息,也是周公遗留下来的古法。像桑弘羊聚敛天下的财货来供奉君主私用,才可以说是兴利之臣。如今抑制兼并,救济贫弱,设官理财,不是以此助长私欲,怎么可以说是兴利之臣呢?"曾公亮、陈升之都说坊郭居民不应当贷给青苗钱,与王安石论辩,很久才停止。神宗最终因韩琦所说而对青苗法感到疑虑,王安石于是托病不出来办事。

丙寅(初五),以兵部员外郎傅尧俞同判流内诠。傅尧俞刚守丧满期,解除丧服,到达京城,王安石多次召见他。见面之后,谈到新法,王安石对傅尧俞说:"当前事情繁多,等待您归来已经很久了,将恢复您的待制、谏院之职。"傅尧俞说:"如今人们认为新法不便利。真的如此,应当充分讨论。平生不曾欺骗人,我冒昧地以实相告。"王安石心中不悦,于是有了这个任命。

王安石称病,请求调到西京的中枢分设机构,翰林学士司马光代神宗在奏书上拟文批答道:"如今士大夫议论纷纷,百姓骚动,你竟想推诿事务责任,辞职就便。爱卿为个人打算,固然无所遗憾,朕所寄予的希望,将把它托付给谁!"王安石大怒,立即上奏章申辩。神宗封还他的奏章,亲笔写信安慰王安石说:"诏书中的两句话,失于详细审阅,现在看了感到很惭愧。"并且命吕惠卿向王安石告谕旨意。王安石坚决请求免职,神宗坚决挽留。

甲戌(十三日),以河州刺史瞎欺丁术征为紫金光禄大夫、检校刑部尚书。

神宗想重用司马光,征询王安石的意见,王安石说:"司马光表面上假托劝谏皇上之名,内心里怀有附和臣下之实,所讲的全是危害朝政的事,所结交的全是危害朝政的人,而想要将他安置在陛下的身边,让他参与国政,这是为对新法持不同意见的人树立红旗。"等到王安石在休假期间,神宗便以司马光为枢密副使。司马光上书竭力推辞,并且说:"陛下真能撤销制置条例司,追回提举官,不推行青苗、助役等法,即使不任用臣,臣所受恩赐也很多了。"

壬午(二十一日),王安石复出治理政务,神宗下诏令将韩琦的奏书交给条例司一一驳回。王安石在告假的时候,神宗指示执政大臣停止实行青苗法,曾公亮、陈升之想立即奉诏执行,赵抃偏想等王安石回朝,让他自己去停止。王安石理政以后,坚持青苗法更加坚决,别人的意见听不进了。

乙酉(二十四日),韩琦因论述青苗法的意见不被采纳,上书请求解除河北安抚使的职务,只管大名府一路;王安石想阻止韩琦反对新法,立即同意他的请求。

司马光极力推辞枢密副使的任命,奏章共上了九次。神宗派人对他说:"枢密,是掌管军事的。官各有职责,不应以其他理由推辞。"司马光回答说:"臣没有接受任命,那么仍是侍从之臣,对政事没有不可以进谏的。"适逢王安石复出治理政事,于是神宗下诏收回曾任命司马光的敕书诰命。

这月,命张茂则、张巩勘测澶州、滑州以下到东流黄河水势堤防的利弊,当时正在疏导御河,韩琦启奏道:"事情有缓急,工程有先后。如今御河漕运畅通,不至于有害,不应减少黄河的工程。"于是神宗下诏令疏导御河的民工士兵三万三千人停工,专门治理黄河东流。

三月,甲午(初三),司马光致书函给王安石,建议撤销条例司和常平仓使者,开导劝谕十分恳切,仍希望王安石醒悟而改变做法。并且说:"忠直诚信之士,在您执政时,虽然意见不合让您感到可恨,以后您一定会慢慢得到他们的帮助;谄谀之人,在现在对您确有顺从迎合的快意,一旦失势,一定有出卖您来投靠新的执政者的。"司马光的意思是指吕惠卿。书信共往返三次,王安石回信,只说政见不同而已。条例司一一驳斥韩琦的意见,王安石令曾布做这事;韩琦第二次论辩,没有答复。

文彦博也谈青苗法的危害,神宗说:"朕派两位宦官亲自到民间访问,都说青苗法很便利。"文彦博说:"韩琦是三朝宰相,不相信他,却相信两个宦官吗!"在此之前,王安石曾与入内副都知张若水、蓝元震交往,神宗派使者暗中察访开封府境内发放青苗钱的情况,恰巧命他们两人前去。两人出使回来,极力说百姓心里十分愿意,没有强行摊派的现象,所以神宗深信不疑。

在此之前,神宗下诏令推举候选的官员中滞留下位不能升迁者授予京职,共三十七人。国子监直讲奉符人姜潜在被推举之中,神宗听说他贤能,召他在延和殿应对,询问治国之道,姜潜回答说:"有《尧典》《舜典》二典在,只看陛下怎样实施它们罢了。"姜潜被授命为陈留县知县,上任几个月,青苗令下这,姜潜出钱并将青苗令张贴在县衙门口,不久又在乡村张贴,各三天,没有响应的人,于是撕下公告交给吏员说:"百姓不愿意啊。"因此唯独陈留县没有发放青苗钱。司农寺、开封府怀疑姜潜阻挠青苗法,各派属官来查验,发现做法都符合法令规定。恰遇条例司弹劾祥符县不发放青苗钱,姜潜知道将不能免罪,便转而称病离职而去。

己亥(初八),神宗驾临集英殿策试进士,免试诗、赋、论三题。

神宗派遣刘方有晓谕司马光依旧供职。这天,司马光入宫应对,说道:"臣自知在朝廷不能起作用,朝廷所施行的,都与臣的意见相反。"神宗说:"相反的是什么事?"司马光说:"臣认为条例司不应当设置,又认为不应多派遣使者外出扰乱监司,又认为发放青苗钱坑害百姓,难道不是相反?"神宗说:"进言的人都说青苗法并非不好,只是所派遣的人不称职罢了。"司马光说:"依臣看来,青苗法也不好。"神宗说:"本来敕令就不准强行逼迫。"司马光说:"敕令虽不准强行逼迫,但派遣的使者都暗示地方官让他们摊派借贷青苗钱。如开封府

1451

境内十七县,只有陈留县姜潜将敕令张贴在县衙门口,听任百姓自己来请贷便借给他们,始终无一人前来请贷。由此看来,十六县恐怕都不免强行逼迫了。"神宗敦促劝谕再三,司马光再次拜谢坚决推辞。

戊申(十七日),知通进银台司范镇免职。当时韩琦极力奏论新法的危害,神宗派人将奏章送交条例司逐条驳回;李常请求停止发放青苗钱,神宗下诏令他分析说明。范镇都将诏书封好退还,诏书下达五次,范镇坚持如初。司马光辞枢密副使之职,神宗同意了,范镇将诏书封好退还,说:"臣所陈述大抵与司马光的看法相似,而司马光追回了新的任命,那么臣也应当加罪责罚。"神宗命令再次将诏书送交范镇下发,范镇又封好诏书退还,说:"陛下自从任命司马光的枢密副使,士大夫异口同声相互庆贺,称赞朝廷得到了称职的人选,直至坊市的平民,无不欢喜庆贺。如今一旦追回任命诰敕,不仅是诏命反悔,其实是担心阻止司马光正直的言论和忠于国家的计谋。"神宗不听从,将诏书直接交付司马光,不再通过银台司下发。范镇说:"臣无能,使陛下废弃法度,有司失职。"于是请求解除银台司的职务,神宗批准。

壬子(二十一日),神宗驾临集英殿,赐进士、明经、各科叶祖洽以下及第、出身、同出身,总共八百二十九人。叶祖洽的策论说:"祖宗多因循苟且之政,陛下即位,改革而使朝政一新。"其意在于迎合。主考官吕惠卿将迎合当时政策的列在高等,直率批评当时政策的列在下等;刘攽复查考核,将等次全都反了过来。李大临、苏轼编排名次列上官均为第一,叶祖洽为第二,陆佃为第五。神宗令陈升之当面读上官均等人的策论,将叶祖洽提升为第一。叶祖洽,是邵武人;陆佃,是山阴人。苏轼说:"叶祖洽诋毁祖宗来迎合今世君主而成为众士魁首,怎么能匡正风气!"于是撰写进士策一篇呈献给神宗。神宗将它拿给王安石看,王安石说:"苏轼的才气也很高,只是所学不正,又因不得志的缘故,他的言论便放纵到如此地步。"王安石多次建议罢黜他。

神宗对王安石说:"陈荐进言:'外面的人说,现在朝廷认为天变不值得惧怕,人言不值得顾忌,祖宗之法不值得遵守。昨天学士院进呈的馆职考试的策问,所问的意思专指这三件事。'"王安石说:"陛下亲自处理朝政,唯恐损害百姓,是惧怕天变。陛下采纳人们的意见,事无论大小,只要正确就依从,难道是不顾忌人们的意见吗!然而人们的意见本来有不值得顾忌的,如果合乎道理,顾忌人言干什么!至于祖宗之法不值得遵守,那本应当如此。况且仁宗在位四十年,共有几次修改敕令,如果法令一旦制定,子孙应当世世代代遵守,祖宗为什么屡次更改法令呢?现在议论的人认为祖宗之法都可遵守,但是祖宗用人都不按职位的次序。陛下如果这样办,那么那些持不同政见的人必然更加议论纷纷了。"

乙卯(二十四日),神宗下诏令各路不要有拖延积压的狱案。

丙辰(二十五日),设立刑法的考试科目及详刑官。神宗因王安石议论谋杀案刑律,怀疑学者大多不通晓律令的意旨,于是设立刑法科目,允许有官职而无贪污受贿罪的人考试律令、《刑统》要义、断案,录取那些通晓的人,充任刑法官。

右正言、知审官院孙觉,被贬为知广德军。

神宗刚即位,孙觉因谈论政事违忤神宗的意旨,免职离朝。王安石早年与孙觉友好,打算援引他作为助手,从通州召回朝中,任知谏院,又改任知审官院。当时吕惠卿当权,神宗就他的为人询问孙觉,孙觉回答说:"吕惠卿善于词辩而且有才干,只因为私利之故,屈身迎合王安石。王安石不明白,臣私下为此担忧。"神宗说:"朕也怀疑这点。"青苗法施行后,议论的人说:"《周官》的泉府法规定,百姓借贷的交纳利息至百分之二十五,国事的财政用度由此取办。"孙觉上奏逐条指出其荒谬说:"西周赊贷,只用以防备百姓的急需,不能白白借给,所以依照交纳赋税标准而交纳利息。议论的人不明白,郑康成解释《经》的要义,是引王莽计算利润收取利息每年不超过十分之一为依据,但周公取息不应比王莽时还重。况且周朝载师制定赋税,对漆林的征税特别重,是抑制工商业的缘故。现在因为农民十分困乏,需要帮助他们春耕秋收,反而比照工商业来征农民的税,可以吗?国事财政用度的取办,说是由泉府所掌管,如果市场上东西销售不出去,百姓用的货币流通不畅,泉府有买有卖,同时实行借贷之法;如果只从泉府支取备办,那么冢宰掌管的九种赋税,将用在哪里呢?圣世应讲求先王之法,不应采取让人怀疑的文字记载与无依据的说法来希望治理好天下。"王安石看后,感到恼怒,开始有了驱逐孙觉的想法。恰遇曾公亮上奏说京畿属县发放常平钱有强行摊派的侵扰,因此派遣孙觉巡视虚实。孙觉受命辞行,并且说:"进入陈留一个县,见先后张榜令百姓申请青苗钱,最后没有一个人前来借贷,所以没有发放一个钱,由此可见百姓确实不愿意与官府打交道。经过考察,希望赐令停止青苗法。"于是因奉诏后又反而不执行之罪被贬官。

御史里行程颢上书说:"臣近来多次上奏,乞请停止预先发放青苗钱赚取利息与裁汰提举官之事,日夜盼望,不见实行。臣私下认为明察的人在事物未成形时就见着了,聪明的人在动乱未爆发时就预防了,何况今天的事理,明显清楚,容易了解,如果不顺应时机紧急决断,坚持新法越坚决,必定会导致后悔。而近日所闻,青苗法尤其不便利。臣见制置条例司逐条反驳大臣的奏书,检举弹劾不奉行青苗法的官员,只能使朝廷内外人心,更加惊骇。恭谨地希望考查综合臣所上的奏言,尽早赐令施行,那么天下就大幸了!"

夏季,四月,癸亥(初三),神宗驾临金明池观赏水上游艺,在琼林苑宴饮射箭。

丁卯(初七),发给两浙转运司僧人度牒,用来招募百姓输纳粮食。

戊辰(初八),御史中丞吕公著被免职。当时青苗法施行,吕公著上书说:"自古以来有作为的君主,没有失人心而能谋求天下大治的,也没有用威力来胁迫,用巧辩来取胜,而能赢得人心的。以前的所谓贤者,如今都认为施行青苗法不对,难道以前都贤而如今都不贤了吗?"王安石对其言辞深刻感到恼怒。神宗让吕公著推举吕惠卿做御史,吕公著说吕惠卿奸邪不可任用;神宗将这话告诉王安石,王安石更加愤怒。正遇韩琦论列青苗法的危害,神宗告诉辅佐大臣说吕公著曾上殿进言:"朝廷挫伤压制韩琦太过分,将导致像春秋时晋国赵鞅那样发动晋阳之兵来清除君主身边的恶人。"王安石以此作为吕公著的罪状,罢免他的御史中丞一职,贬他出朝任颍州知州。吕公著实际上没说过这种话,原来是孙觉常对神宗说:"现在藩镇大臣这样论述评议朝政而遭受挫折,如若处在唐末、五代之际,必然有类似赵鞅当年发动晋阳之兵那样兴兵清除君主身边恶人的人了。"神宗误记以为是吕公著所言。

己卯(十九日),参知政事赵抃被罢官。赵抃上书说:"朝廷的事有轻有重,体制有大有小。财利于事为轻,而民心的得失为重;青苗使者对于体制而言为小,而宫中皇上身旁的耳目之臣的任用屏退为大。现在去重而取轻,失大而得小,恐怕不是宗庙社稷的福气。"于是被贬出朝廷任杭州知州。

以枢密副使韩绛兼任参知政事。侍御史陈襄进言:"王安石参预大政,首创兴利之谋,先与陈升之共同主持条例司,不久,陈升之被任命为宰相而韩绛接替他,不过几个月,就参与政事。这表明中书省大臣都是以兴利而进用。请求撤销对韩绛的新任命,而求得有道德经术

1453

的贤人来处在这个职位上。"没有答复。

以前秀州军事判官李定为太子中允、监察御史里行。李定,是扬州人,年少时师从王安石,孙觉将他推荐给朝廷。刚到京城,拜见谏官李常,李常问道:"您从南方来,百姓认为青苗法怎么样?"李定说:"百姓觉得便利,没有不喜欢的。"李常说:"整个朝廷正在共同争论此事,您不要说这种话。"李定随即前往禀告王安石,而且说:"我只知道根据实情而说,不知道在京城竟然不许这样说。"王安石十分高兴,对李定说:"您将能见到皇上,何不对皇上说说这些。"于是立即推荐李定应对,神宗询问青苗法一事,李定回答全和先前说的一样。这时各种说新法不便利的意见,神宗都不听。任命李定知谏院,宰相说过去没有候选官授命为谏官的例子,于是任为监察御史里行。知制诰宋敏求、苏颂、李大临进言:"李定不经过铨叙考察,就提升为朝官,不通过御史,而荐举安置在御史台,虽然朝廷急于任用人才,可越过正常的程式,然而破坏扰乱了法制,这样做的结果是获益小,损失大。"封好诏书送还。神宗下诏晓谕四次,宋敏求等人坚持奏言不懈;于是三人一起因多次阻挠诏命而获罪,被罢去知制诰的官职,天下称他们为"熙宁三舍人"。不久,监察御史陈荐启奏道:"李定不久前任泾县主簿,得知母亲仇氏去世,隐瞒这事不为报丧。"神宗下诏给江东、淮、浙转运使了解情况,他们回奏道:"李定曾因父亲年老,请求回家侍养父亲,没说过为生母服丧。"李定自我申辩,说确实不知道自己是仇氏所生,所以疑惑而不敢为她服丧,而因侍养父亲解除官职。曾公亮说李定应当追行服丧,王安石全力支持李定,免去陈荐的御史职务,而改任李定为崇政殿说书。监察御史林旦、薛昌朝、范育,又启奏说李定是不孝之人,不适于处在劝说讲解的职位上,并且论列王安石的罪过。王安石又禀告神宗免去了这三人的职务。李定自己也感到不安,提出辞职,于是任命为集贤校理、检正中书吏房公事。

监察御史里行程颢,每次进见,必定陈述为君之道以至诚仁爱为根本,不曾谈及功利。王安石的主张实施后,程颢的思想大多与王安石不同,每当新法颁布,程颢必定一一批评,几个月时间中,奏章上了十次。尤其极力议论的是:辅佐大臣不同心,小臣参与大计,公论得不到采用,青苗法收取利息,各路提举官大多不称职,京东转运司剥削百姓邀取宠幸,赚钱聚财之臣日渐进用,崇尚道德的风气渐渐衰落,共有十多项。因自己的意见不被采用,请求辞官离朝。神宗令程颢到中书省提议,王安石正在恼怒进言的人,面色严厉地接待程颢,程颢从容地说道:"天下事不能由一家私议,希望平心静气地听着。"王安石为此感到惭愧心虚。于是将程颢调出朝廷任京西路同提点刑狱。程颢上书说:"台谏官的责任,是朝廷纲纪的依靠,假使不根据他们说的是对还是错,都可以晋升官职而离朝,臣恐怕朝廷纲纪从此废弛。臣虽然没有功绩,斗胆以死请求离职。"于是改任金书镇宁军节度判官。

壬午(二十二日),右正言、知谏院李常免职。起初,王安石与李常友好,让他任三司条例检详官,又改任右正言、知谏院。王安石创立新法,李常参与商议,不主张青苗法收取利息,到这时上书说:"条例司刚建立,已经招致朝廷内外的批评。至于均输法、青苗法,贷款取息,附会经典之义,人们更是大为惊骇,这与王莽曲解《周官》的片言只语而流毒天下有什么区别!"王安石见到奏书后,派亲信私下向李常转告自己的意图,李常没有因此而停止评论,又上奏说:"州县发放常平钱,其实不出本钱,而强迫百姓交纳利息。"神宗诘问王安石,王安石建议让李常列出有关官吏的姓名,李常认为这不符合谏官进言的体统;于是被削除原职,改任滑州通判。

贬监察御史里行张戬为公安县知县,王子韶为上元县知县。

张戬上书论列王安石变法不正确,请求撤销三司条例司和召回提举常平使者,并弹劾曾公亮、陈升之、赵抃犹豫不决而不能匡正。等到韩绛代替陈升之主持条例司,张戬启奏:"韩绛辅助顺从王安石,与他结为死党,于是参与执政。李定奸邪谄媚,从幕僚官提拔为御史台官。陛下只信任王安石,如今又加上韩绛的诡秘附和,御史台又用李定之辈,这些人相继而来,势力渐盛。吕惠卿刻薄善辩,假借经术来修饰奸邪之言,附会王安石,迷惑妨害圣听,不适宜在君主身旁劝说讲解。"奏疏上了几十次。最后他说:"如今大恶之臣未离开,横征暴敛未停止,不正当的机构还存在,无正当名目的使者正在扰乱,臣从现在起再不敢去御史台供职。"又到中书省争论,声色极其严厉。曾公亮低头不答,王安石用扇掩面而笑,张戬愤怒地说:"我的过于直率,应当受到您的嘲笑,但是天下嘲笑您的人也不少了!"陈升之从旁调解,张戬望着他说:"您也不能说没有罪过。"陈升之听后面有愧色。张戬很快被贬,后来调任监司竹监,上任后,全家不吃竹笋。

王子韶起初依附王安石,审讯苗振狱案,使祖无择蒙受罪名;到这时评议新法不便利,请求召回孙觉、吕公著,所以与张戬一起被贬。

起初,张戬之兄张载出朝审讯苗振的狱案,等回到朝中,适逢张戬因言事获罪,张载于是告假西归,隐居在终南山下,敝衣蔬食,专心研究学问。

癸未(二十三日),侍御史知杂事陈襄,免去原官职改任同修起居注。陈襄评议青苗法不便利,请求贬斥王安石、吕惠卿以向天下人谢罪;又请求罢免韩绛执政之职,以杜绝大臣为争利而晋升;而且说韩维不应当任御史中丞,刘述、范纯仁等人无罪,应当恢复职任;神宗都不理睬。适逢召试知制诰,陈襄因奏言不被采用,推辞不肯应试,希望到外地任职,神宗为他离朝感到惋惜,便留他修起居注。

以淮南转运使谢景温为工部郎中兼侍御史知杂事。王安石排斥异己,几月之间,台谏官被黜一空。谢景温一向与王安石友好,又与王安石之弟王安国通婚。在此之前,王安石单独应对,说:"陛下了解目前为什么议论纷纷的原因吗?"神宗说:"这是由于朕安置在御史台、谏院的人不称职。"王安石说:"陛下对待群臣缺乏策略手段,失掉了成事的时机,另外安置台谏官,恐怕仅仅像现在这样的措施,也不能避免议论纷纷。"于是专用谢景温。

甲申(二十四日),翰林学士司马光读《资治通鉴》至贾山上书,趁机论述从谏如流的美德、拒纳谏言的祸患。神宗说:"舜痛恨谗言伤害君子的行为。如果台谏官进谗言,怎能不罢黜!"到退殿时,神宗留下司马光,对他说:"吕公著说藩镇大臣要兴晋阳之兵清君侧,难道不是谗言灭绝君子的行为吗?"司马光说:"吕公著平时与同僚说话,还三思而后说出,怎么会在皇上面前轻率地说出这种话来呢?外面的人大多怀疑他不会这样。"神宗说:"现在天下汹汹,正是春秋时孙叔敖所说的国家有此,众人厌恶。"司马光说:"但是陛下应当审察其是非。如今条例司所做的,只有王安石、韩绛、吕惠卿认为对而已,陛下难道只能与这三个人共同治理天下吗?"司马光又读到张释之谈论低级胥吏口齿伶俐时,说:"孔子说厌恶能言善辩致使邦国和家庭毁灭的人。能言善辩何至于使邦国和家庭毁灭呢?因为那种人能将是说成非,将非说成是,将贤说成不肖,将不肖说成贤。君主听信采用他们的话,那么邦国和家庭的覆灭,确实不难了。"当时吕惠卿在座,司马光所论,是专门针对吕惠卿的。

在此之前,辽国西北路招讨使耶律萨沙讨伐蕃部中违抗命令的人,这月,因准布部落的首领到达辽国的行宫所在地,蕃部使者中有能跃上骆驼背峰的人,以轻捷灵巧来炫耀。耶律萨沙向身旁的随从问道:"谁能这样?"禁军萧和克身披厚重铠甲走了出来,手不触及驼峰,一跃而上,蕃部使者大为惊骇。耶律萨沙将女儿嫁给萧和克为妻。辽国国主辽道宗听说后,召来萧和克做护卫。

五月,癸巳(初四),神宗下诏令所有沿边州军不发放青苗钱。

太白星在白天出现。

壬寅(十三日),神宗命司马光详细审定臣僚们轮流上奏的密封奏章。

甲辰(十五日),神宗下诏:"近来设立制置三司条例司,本来用以平衡天下财利;如今大的方面已经施行,只是在全力呼应配合来促成收效,条例司撤销并入中书省。"在此之前,文彦博等人都请求撤除条例司,神宗对文彦博说:"等群臣议论稍稍停息,会撤掉它的。"这是因为担心伤王安石的心。

辽国国主辽道宗在特古里避暑。

壬子(二十三日),神宗下诏取消入阁门的仪式。

王珪等人进言:"入阁门,原是唐代逢单日在紫宸殿接受臣下定期朝见的仪式,不是盛大的仪礼,不可遵照执行。"所以取消。

甲寅(二十五日),辽国设立贤良科。辽道宗下诏令报考这科的人,先将所学写的文章十万言呈上。

按旧制,文臣中在京城的朝廷官员,由审官院掌管;武臣中从内殿崇班至各司使,由枢密院掌管,供奉官以下,由三班院掌管。丁巳(二十八日),神宗下诏:"中枢的辅佐大臣不应当亲自掌管有司的事,现以审官院为东院;另设西院,专管阁门祇候以上各司使的政绩勘验、常规差遣。"

这月,西夏国人号称十万,修筑闹讹堡,庆州知州李复圭纠集蕃兵、汉兵仅三千人,派遣偏将李信、刘甫、种咏等人出战。李信等人诉说寡不敌众,李复圭以长官节制来威胁他们,亲自画出兵阵图作战方案交给他们;军队进攻,随即大败。李复圭畏惧战败责任,想自我解脱,便逮捕李信等人而取回阵图和作战方案,命令州官李昭用弹劾他们故意违抗节制。结果种咏在狱中饥寒而死,李信、刘甫被杀头,郭贵被发配流放。李复圭又出兵邛州堡,夜间进入栏浪市,掳掠老幼几百人;又袭击金汤,而西夏国人已经撤走,只杀了他们的老幼一二百人,以此作为功劳向朝廷报捷,因而边境大规模的战事发生了。

六月,癸亥(初四),以前任知广德军朱寿昌为河中府通判。朱寿昌,是天长人,父亲朱巽,为京兆府知府时,侍妾刘氏怀孕而离开朱家,生下朱寿昌,长到几岁,才回到父亲家,从此母子失去联系五十年。朱寿昌行走四方,寻找不到母亲。熙宁初年,与家人诀别,弃官到了关中地区,发誓不找到母亲不回家。走到同州,寻到母亲,刘氏这时年已七十多岁了。知永兴军钱明逸将这事上报朝廷,神宗下诏令朱寿昌赴京。当时进言的人都攻击李定不为母亲服丧,王安石极力支持李定,因而厌忌朱寿昌,只交付审官院授予他通判之职。过了几年,其母去世,朱寿昌哭泣几乎失明,士大夫多以诗歌赞美他,苏轼为诗歌写序,而且激励世人中的不孝者悔过自新。李定见了后怀恨在心。

东上阁门使、枢密都承旨李评,喜欢评论政事,又曾进言说助役法不可实行,王安石特别嫌恶他。起初,在紫宸殿为神宗祝寿,旧仪礼只说枢密、宣徽、三司的副使不坐,而旧例,亲王、皇亲一起就座,只有集英殿大宴,才有亲王、驸马都尉不坐的仪礼。当时李评制定新仪礼,最初没有改变,但突然弹劾阁门内不该让亲王、皇亲、驸马都尉在紫宸殿预坐,认为不遵守新制,贾佑、马仲良都因此获罪丢官。王安石启奏:"李评所订立的制度本身就不明确,而动辄妄加弹劾阁门官吏,应当治李评的罪。"神宗说:"李评当然有罪,然而也不能只治李评一人的罪。"王安石就在退朝时留下,请求辞现职而到东南一州去任职,神宗不同意。王安石嫌恶李评,一定要驱逐他。丁卯(初八),王安石入宫应对,论辩李评制定的为皇上祝寿的新仪礼不可使用,并且详细说明李评欺骗蒙蔽的情况,请求审讯李评;神宗令送交宣徽院取证核实,也不匆忙治李评的罪。己巳(初十),王安石告假,请求解除机要政务。神宗对王安石请求离职感到奇怪,说:"莫非是为了李评的事?朕与爱卿相知,是近代以来所没有的事。所以成为君臣,不过是形式罢了,形式当然不足以牵累爱卿,然而君臣之义,本来就重于朋友。如果朋友与爱卿相约殷勤恳切至这种程度,也应当多少委屈自己;朕既然与爱卿是君臣关系,怎么能不为朕稍微受些委屈!"王安石想退出,神宗又坚决挽留,约令他到中书省供职。王安石又呈上奏章,而阁门官员说:"有圣旨,不许收接。"王安石才接受诏命。

司马光乞请差遣前任龙水县知县范祖禹共同修撰《资治通鉴》,神宗批准了。范祖禹,是范镇的从孙。

戊寅(十九日),神宗下诏修缮武成王庙。

乙酉(二十六日),辽国任命特里衮耶律白为中京留守。

丙戌(二十七日),知谏官胡宗愈被免职。

王安石建议分审官院为东院、西院,东院主管文臣,西院主管武臣,以便夺枢密院的权,而且阻挠文彦博行使权力。文彦博向神宗进言道:"如果这样,那么臣无法与武臣接触,怎么了解他们的才能而委令他们呢!"神宗不听。胡宗愈也竭力声称这样做不行,并且说李定隐瞒母丧是不孝。神宗厌恶胡宗愈,亲自写下诏书:"胡宗愈暗藏奸意,伤害善良之士,贬为真州通判。"胡宗愈,是胡宿的儿子。

这月,辽国国主辽道宗御临永安殿,宣布录取进士赵廷睦第一百三十八人。

续资治通鉴卷第六十八

【原文】

宋纪六十八　起上章阉茂【庚戌】七月,尽重光大渊献【辛亥】十二月,凡一年有奇。

神宗体元显道法古立宪帝德　王功英文烈武钦仁圣孝皇帝

熙宁三年　辽咸雍六年【庚戌,1070】　秋,七月,辛卯,诏新判太原府欧阳修罢宣徽南院使、知蔡州。

先是修以病辞官,至五六,因论青苗法不便;又移书责王安石,安石不答而奏从其请。

壬辰,枢密(副)使吕公弼罢;以御史中丞冯京为枢密副使。公弼以王安石变法,数劝其务安静,安石不悦。公弼具疏将论之,从孙嘉问窃其稿以示安石,安石先白之。帝怒,遂出公弼知太原府。吕氏号嘉问为"家贼"。京尝言:"薛向总利权无效,近者复除天章阁待制,于侍从为最亲,非向所堪处。"帝不悦,以语安石。安石请改用京,帝许之,至是以为枢密副使。

罢潞州交子务。转运司以其法行则盐矾不售,有害入中粮草,遂奏罢之。

秘书省正字唐坰,以父任得官,上书云:"秦二世制于赵高,乃失之弱,非失之强。"帝悦其言。又云:"青苗法不行,宜斩大臣异议者一二人。"王安石喜而荐之,故得召对。癸巳,赐进士出身,为崇文院校书。

戊戌,雨雹。

辛亥,辽主猎于哈噜额特。

甲寅,置三班院主簿。

八月,戊午朔,罢看详银台文字所。

乙丑,司马光因入对,乞外。帝曰:"王安石素与卿善,何自疑?"光曰:"臣素与安石善,但自其执政,违迕甚多。今迕安石者如苏轼辈,皆肆行诋毁,中以危法。臣不敢避削黜,但欲苟全素履。臣善安石,岂如吕公著?安石初举公著,后复毁之。彼一人之身,前是而后非,必有不信者矣。"帝曰:"青苗有显效。"光曰:"兹事天下知其非,独安石之党以为是耳。"帝又曰:"苏轼非佳士,鲜于侁在远,轼以奏稿传之;韩琦赠银三百两而不受,乃贩盐及苏木、瓷器。"光曰:"凡人当察其情,轼贩鬻之利,岂能及所赠之银乎?安石恶轼,以姻家谢景温为鹰犬,使力攻之,臣焉能自保?不可不去也。且轼虽不佳,岂不贤于李定?定不服母丧,禽兽之不如,安石喜之,乃欲用为台臣,何独恶于轼也?"

丙寅,以旱虑囚,死罪以下递减一等,杖笞者释之。

以卫州旱,令转运司赈恤,仍蠲租赋。

丙子,辽中京留守耶律白卒,追封辽西郡王。

戊寅,诏:"川峡、福建、广南七路官,令转运司立格就注,具为令。"

己卯,夏人大举入环庆,攻大顺城、柔远砦、荔原堡、怀安镇、东谷、西谷二砦、业落镇,兵多者号二十万,少者不下一二万。屯榆林,距庆州四十里,游骑至城下,九日乃退。钤辖郭庆、都监高敏、魏庆宗、秦勃等死之。

九月,戊子朔,中书言请置检正中书五房公事官,从之。

韩绛以夏人犯塞,请行边。王安石亦请往,绛曰:"朝廷方赖安石,臣宜行。"乙未,以绛为陕西宣抚使。

陆佃尝受经于王安石,至是应举入京师,王安石问以新政,佃曰:"法非不善,但推行不能如初意,还为扰民。"安石惊曰:"何为乃尔?吾与吕惠卿议之。"又访外议,佃曰:"公乐闻善,古所未有;然外间颇以为拒谏。"安石笑曰:"吾岂拒谏者!但邪说营营,顾无足听。"佃曰:"是乃所以致人言也。"明日,召佃,谓之曰:"惠卿言:'私家取债,亦须一鸡半豚。已遣李承之使淮南质究矣。'"既而承之还,诡言民无不便,佃说遂不行。

知开封府刘庠不肯屈事王安石,安石欲见之,或以语庠,庠曰:"彼自执政以来,未尝一事合人情,往将何语邪!"卒不往,而上疏极言新法非是,帝曰:"奈何不与大臣协心济治乎?"庠对曰:"臣事陛下,不敢附大臣。"

以曾布为崇政殿说书、同判司农寺。

王安石常欲置其党一二人于经筵,以防察奏对者。吕惠卿遭父丧去职,安石遂荐布代之。布资序浅,人尤不服。寻奏改助役为免役,惠卿大恨之。

己亥,命崔台符、曾布、朱温其试法官。法官之试自此始。

庚子,曾公亮罢。公亮初嫉韩琦,故荐王安石以间之。及同辅政,知帝方向安石,凡更张庶事,一切阴助之,而外若不与同者;尝遣其子孝宽参其谋,至帝前,略无所异。由是帝益信任安石,安石深德之。公亮以老求去,遂以守司空兼侍中、领河阳三城节度使、集禧观使,五日一奉朝请。苏轼尝从容责其不能救正,公亮曰:"上与介甫如一人,此乃天也。"然安石犹以公亮不尽附己,于是听其罢相。

辛丑,以枢密副使冯京参知政事,翰林学士、三司使吴充为枢密副使。京为中丞时,尝疏论王安石更张失当,累数千言。安石指为邪说,请黜之,帝不从,至是乃更大用。

乙巳,御崇政殿,策贤良方正及武举。制策中禁切言者,篇末云:"毋谓古人陈迹既久而不可举,本朝成法已定而不可改;其惟改之而适中,举之而得宜,不迫不迁,归于至当。其悉以文陈,朕亦不惮于有为焉。"太原判官吕陶对策曰:"陛下初即位,愿不惑理财之说,不间老成之谋,不兴疆场之事。陛下措意立法,自谓庶几尧、舜;然以陛下之心如此,天下之论如彼,独不反而思之乎?"及奏第,帝顾王安石取卷,读未半,神色丧沮。帝觉之,使冯京竟读,称其言有理。会范镇所荐台州司户参军孔文仲对策,凡九千馀言,立论安石所建理财训兵之法非是,宋敏求第为异等。安石怒,启帝,御批文仲试卷曰:"意尚流俗,毁薄时政,恐不足收录以惑天下。"于是罢文仲还故官。齐恢、孙固封还御批,韩维、陈荐、孙永皆力论文仲不当黜。镇上疏言:"文仲草茅疏远,不识忌讳;且以直言求之而又罪之,恐为圣之累。"帝不听。文仲竟被黜,陶亦止授通判蜀州。文仲与弟武仲、平仲,皆以文誉著江西,时号三孔。

庚戌,辽主如藕丝淀。

壬子，太白昼见。

癸丑，作东、西府以居执政。

甲寅，辽以马希白诗才敏妙，十吏书不能给，召试之。

翰林学士司马光求去益力，乃以端明殿学士出知永兴军。朝辞进对，犹乞免本路青苗、助役。

和川令刘恕，博闻强记，于史学尤精，光修《资治通鉴》，奏请为局僚，遇史事纷错难治者，辄以委恕。王安石与恕有旧，欲引置三司条例，恕以不习金谷为辞，因言："天子方属公大政，宜恢张尧、舜之道以佐明主，不应以利为先。"安石不能用。及吕诲得罪去，恕往见安石，为条陈所更法令不合众心者，宜复其旧，则议论自息。安石怒，变色如铁；恕不少屈，遂与之绝，至是光出永兴，恕亦以亲老告归南康，乞监酒税以就养，诏即官修书。后光迁书局于洛阳，恕请诣光，留数月而归，书未成，卒。

诏："环庆阵亡义勇馀丁当刺者，悉免之。"

冬，十月，辛酉，诏延州毋纳夏使。

通判宁州邓绾，条上时政数十事，又上书言："陛下得伊、吕之佐，作青苗、免役等法，民莫不歌舞圣泽。以臣所见宁州观之，知一路皆然，以一路观之，知天下皆然，愿勿移于浮议而坚行之。"其辞盖媚王安石；又贻书及颂，极其妄谀。安石荐于帝，驿召对。方庆州有夏寇，绾敷陈甚悉，帝问："识王安石否？"曰："不识。"帝曰："今之古人也。"又问："识吕惠卿否？"曰："不识。"帝曰："今之贤人也。"绾退，见安石，欣然如旧交。陈升之、冯京以绾陈边事，值安石致斋日，复使知宁州。绾闻之不乐，讼言："急召我来，乃使还邪？"或问："君今当作何官？"曰："不失为馆职。""得无为谏官乎？"曰："正自当尔。"明日，果除集贤校理、检正中书孔目房公事。乡人在都者皆笑且骂，绾曰："笑骂从汝，好官我自为之！"绾，双流人也。

甲子，雨木冰。

丁卯，五国部长朝于辽。

壬申，朝谒神御殿。

丙子，贬知庆州李复圭为保静军节度副使。复圭兴兵败绩，诬裨将李信、刘甫、种咏以死，御史劾之，故有是贬。

戊寅，陈升之以母忧罢。升之与安石忤，安石数侵辱之，升之不能堪，称疾卧家逾十旬，会母丧而去。

〔己卯〕，贬秦凤经略使李师中知舒州。先是管句经略司机宜文字王韶，请筑渭、泾上下两城，屯兵以胁武胜军，抚纳洮河诸部。下师中议，师中以为不便，诏师中罢帅事。韶又言："渭源至秦州，良田不耕者万顷，愿置市易司，稍笼商贾之利，取其赢以治田，乞假官钱为本。"诏秦凤经略司以四川交子易物货给之，命韶领市易事。师中言："韶所指田，乃极边弓箭手地耳。又将移市易司于古渭，恐秦州自此益多事，所得不补所失。"王安石主韶议，为削师中职，徙知舒州，而以窦舜卿代，且遣内侍李若愚案实。若愚至，问田所在，韶不能对；舜卿检索，仅得地一顷，地主有讼，又归之矣。舜卿、若愚奏其欺，安石又为谪舜卿而命韩缜，缜遂附会实其事，乃进韶太子中允。

乙酉，诏罢诸场务内侍监当。

翰林学士范镇罢。先是镇举苏轼谏官，又举孔文仲制科。轼被劾，文仲罢归故官，镇皆力争之，不报。即上疏曰："臣言不行，无颜复立于朝。臣论青苗不见听，一宜去；荐苏轼、孔文仲不见用，二宜去。李定避持服，遂不认母，坏人伦，逆天理，而欲以为御史，反为之罢舍人，逐台谏。王韶上书，肆意欺罔以兴造边事，事败则置而不问，反为之罪帅臣。不用苏轼，则掎摭其过。不悦孔文仲，则遣之还任。以此二人况彼二人，事理孰是孰非，孰得孰失，其能逃圣鉴乎！"因复极言青苗之害，且曰："陛下有纳谏之资，大臣进拒谏之计；陛下有爱民之性，大臣用残民之术。"疏入，安石大怒，持其疏至手颤，乃自草制极诋之，以户部侍郎致仕，凡所宜得恩典悉不与。镇表谢，略曰："愿陛下集群议为耳目，以除壅蔽之奸，任老成为腹心，以养中和之福。"天下闻而壮之。苏轼往贺曰："公虽退而名益重矣。"镇愀然曰："天下受其害而吾享其名，吾何心哉！"日与宾客赋诗饮酒。或劝使称疾杜门，镇曰："死生祸福，天也，吾其如天何！"

〔丙子〕，知山阴县陈舜俞，自劾违旨不散青苗钱；谪监南康军盐酒税。又有乐京、刘蒙，亦皆以役法废黜。京知长葛县，白提举常平官，言助役不便。使之条析，又不报。因自列求去，坐夺官。蒙知湖阳县，常平使者召会诸县令，议免役法，蒙以为不便，不肯与议，退而条上其害，即投劾去。京，荆南人；蒙，渤海人也。

陕西宣抚使下令分义勇戍边，选诸军骁勇士，募市井恶少年为奇兵，调民造干糒，悉修城池楼橹，关辅骚然。知永兴军司马光上疏，极言："公私困敝，不可举事。而永兴一路皆内郡，缮治非急，宣抚之令，皆未敢从。若乏军兴，臣当任其责。"于是一路独得免。

十一月，戊子朔，赈河北饥民徙京西者。

壬辰，斸陕西蕃部贷粮。

甲辰，夏人寇大顺城，都监燕达等击走之。

丁未，客星出娄。

开封府判官、祠部郎中赵瞻，因出使得奏事，帝问："卿为监司久，知青苗法便乎？"对曰："青苗法，唐行之于季世扰攘中，掊民财甚便。今陛下欲为长久计，爱养百姓，诚不便。"王安石阴使其党俞充诱瞻曰："当以知杂御史奉待。"瞻不应。由是出为陕西转运副使。

乙卯，以韩绛兼河东宣抚使，凡机事不可待报者，听便宜施行；授以空名告敕，得自除吏。

朝廷命诸道议更役法。梓州路转运使汲人韩玎，首建并纲减役之制，纲以数计者百二十有八，衙前以人计者二百八十有三，于是省役人五百。又请裁定诸州衙簿。王安石言："玎所言皆久为公私病，监司背公邀誉，莫之或恤，而玎独能体上意，宜加赏。"乃下诏褒玎，入为盐铁副使。

辽禁鬻生熟铁于回鹘、准布等界。

十二月，己未，辽以坤宁节赦徒罪以下。

辛酉，禁汉人捕猎。

乙丑，立保甲法。

时王安石言："先王以农为兵，今欲公私财用不匮，为宗社长久计，当罢募兵，用民兵。"乃立保甲。其法，十家为保，选主户有干力者一人为保长。五十家为大保，选主户物产最高者一人为大保长。十大保为一都保，选主户有行止材勇为众所伏者为都保正，又以一人为之副。应主客户两丁以上选一人为保丁，授之弓弩，教之战阵。每一大保，夜轮五人往来巡警，遇有盗，画时声鼓，大保长以下率保丁追捕。如盗入别保，递相击鼓应接袭逐。凡告捕所获，以赏格从事。同保犯强盗、杀人、强奸、略人、传习妖教、造畜蛊毒,知而不告,依律伍保法。馀事非干己及非敕律所听纠,皆无得告,虽知情亦不坐,若于法邻保合坐罪者,乃坐之。其居停强盗三人,经三日,保邻虽不知情,科失觉罪。逃移、死绝,同保不及五家,并它保。有自外入保者,收为同保,户数足则附之,俟及十家,则别为保,置牌以书其户数姓名。

提点刑狱赵子几,迎安石意,请先行于畿县;诏行之。遂推行于永兴、秦凤、河北东、西五路,以达于天下。于是诸州籍民为保甲,日聚而教之,禁令苛急,往往去为盗,郡县不敢以闻。判大名府王拱辰抗言其害曰:“非止困其财力,夺其农时,是以法驱之使陷于罪(苦)〔罟〕也,浸淫为大盗。其兆已见,纵未能尽罢,愿裁损下户以纾之。”主者指拱辰为沮法,拱辰曰:“此老臣所以报国也!”抗章不已,帝悟,由是下户得免。

丁卯,以韩绛、王安石并同中书门下平章事,翰林学士承旨王珪参知政事。绛开幕府于延安,诏即军中拜之。前一日,使者数辈召珪,珪入,帝御小殿,得旨,草制相安石,因出御批示珪曰:“已除卿参知政事。”翼日,命果下。珪典内外制十八年,尝因斋宫赋诗,有所感叹;帝闻而怜之,遂有是拜。

庚午,夏人寇镇戎军,三川砦巡检赵普伏兵邀击,败之。

戊寅,行免役法。

先是诏条例司讲立役法,条例司言:“使民出钱募人充役,即先王致民财以禄庶人在官者之意。”命吕惠卿、曾布相继草具条贯,逾年始成。计民之贫富,分五等输钱,名“免役钱”。若官户、女户、寺观、单丁、未成丁者,亦等第输钱,名“助役钱”。凡输钱,先定州若县应用顾直多少,随户等均取顾直。又增取二分,以备水旱欠阙,谓之“免役宽剩钱”,用其钱募人代役。

既试用其法于开封府,遂推行于诸路。既而东明县民数百,诣开封府诉降等第,帝知之,以诘安石,安石力言:“外间扇摇役法者,谓输多必有赢馀,若群诉,必可免。彼既聚众侥幸,苟受其诉,与免输钱,当仍役之。”帝乃尽用其言。寻以台谏多论奏,因谓安石,宜少裁之,安石曰:“朝廷制法,当断以义,岂即规规浅近之论邪!”

司马光言:“上等户自来更互充役,有时休息;今使岁出钱,是常无休息之期。下等户及单丁户,从来无役;今尽使之出钱,是鳏寡孤独之人俱不免役。夫力者,民之所生而有;谷帛者,民可耕桑而得;至于钱者,县官之所铸,民之所不得私为也。今有司立法,惟钱是求,岁丰则民贱粜其谷,岁凶则伐桑枣、杀牛、卖田得钱以输,民何以为生乎!此法卒行,富室差得自宽,贫者困穷日甚矣。”帝不听。

赐西蕃栋戬诏并衣带、鞍马。

庚辰,命王安石提举编修三司令式。时天下以新法骚然,邵雍屏居于洛,门人故旧仕州县者,皆欲投劾而归,以书问雍,雍曰:“正贤者所当尽力之时。新法固严,能宽一分,则民受一分之赐矣,投劾何益邪!”

是岁,赈河北、陕西旱饥,除民租。

交趾入贡。

广源下溪州蛮来附。

夏改元天赐礼盛国庆。

四年 辽咸雍七年【辛亥,1071】 春,正月,戊子,辽主如鸭子河。

己丑，韩绛使种谔袭夏人，败之。绛素不习兵事，开幕府于延安，措置乖方。选番兵为七军，复以谔为鄜延钤辖、知青涧城，信任之，命诸将皆受其节制，众皆怨望。绛与谔谋出兵取横山，安抚使郭逵曰："谔，狂生耳，朝廷徒以种氏家世用之，必误大事。"绛奏逵沮挠军事，召还之。谔寻败夏人于啰兀，因以众二万城焉。自是夏人日聚兵为报复计，吕公弼言谔稔边患不便，宜戒之，弗听。已而绛言谔入夏之功，乞加旌赏，诏从之。

壬辰，王安石请鬻天下广（德）〔惠〕仓田，为河北东、西、陕西、京东四路常平仓本；从之。

乙未，渝州部夷梁承秀等叛；命夔州路转运使孙构讨平之。承秀与其党李光吉、王兖导生獠入寇，巡检李宗敏等战死。转运判官张诜请诛之，选构为使，倍道之官。至则遣浯州豪杜安行募千人往袭，自督官军及黔中兵击其后，斩承秀，入讨二族，火其居，馀众保黑崖岭。黔兵从间道夜噪而进，光吉坠崖死，兖自缚降。以其地建南平军。构，博平人也。

丁酉，朝谒太祖、太宗神御殿。

先是括坊监牧马馀地，立田官，令专掌稼政以资牧养之用，按原武、单镇、洛阳、沙苑、淇水、安阳、东平七监地，馀良田万七千顷，赋民以收刍粟，从枢密副使邵亢请也。至是河北屯田司屡言丰岁所入，亦不偿费，诏："沿边屯田，不以水陆，悉募民租佃。罢屯田务，收其兵为州厢军。"

丁未，立京东、河北贼盗重法。

庚戌，罢永兴军买盐钞场。

辛亥，以著作佐郎朱明之为崇文院校书。明之，王安石妹婿也。

二月，丁巳朔，罢诗赋及明经诸科，以经义、论、策试进士。

先是议更贡举法，帝以苏轼言为是，它日，以问王安石，安石曰："不然，今人材乏少，且学术不一，异论纷然，此盖不能一道德故也。欲一道德，则必修学校；欲修学校，则贡举法不可以不变。"赵抃亦是轼议，安石曰："若谓此科常多得人，自缘仕进别无它路，其间不容无贤，以为科法已善则未也。今以少壮时当讲求天下正理，乃闭门学作诗赋，及其入官，世事皆所不习。此乃科法败坏人材，致不如古。"帝以为然。

已而中书言："古之取士皆本学校，道德一于上，习俗成于下，其人才皆足以有为于世。今欲追复古制，则患于无渐，宜先除去声病、对偶之文，使学者得专意经术，以俟朝廷兴建学校，然后讲求三代所以教育、选举之法，施之天下。"于是罢明经及诸科，进士试诗赋，各专治《易》《诗》《书》《周礼》《礼记》一经，兼以《论语》《孟子》。每试四场，初本经，次兼经大义，凡十道；次论一首，次策三道；礼部试即增二道。中书撰大义式颁行。试义者须通经有文采，乃为中格，不但如明经墨义粗解章句而已。取诸科解名十分之三，增进士额。其殿试则专以策，限千字以上。分五等：第一等、二等赐进士及第，三等赐进士出身，第四等赐同进士出身，第五等赐同学究出身。置京东、西、陕西、河东、河北路学官，使之教导。

辛酉，诏治吏沮格青苗法者。

甲子，以曾布检正中书五房公事。布每事白王安石，即行之。或谓布当白两参政，盖指冯京、王珪也。布曰："丞相已议定，何问彼为？俟敕出，令押字耳！"

乙丑，女真进马于辽。

丙寅，辽南院枢密使姚景行，出知兴中府事。

戊辰，诏赈河北民乏食者。赙恤西界战死军人。

壬申,进封高密郡王頵为嘉王。

癸酉,诏审官院所定人赴中书,察堪任者引见。

甲戌,赐讨渝州夷贼兵特支钱。

三月,丁亥,夏人陷抚宁诸城。初,种谔进筑永乐川、赏捕岭二砦,分遣都监赵璞、燕达筑抚宁故城,及分荒堆三泉、吐浑川、开光岭、葭芦川四砦与河东路修筑,各相去四十馀里。已而夏人来攻顺宁砦,遂围抚宁。折继昌、高永能等拥兵驻细浮图,去抚宁咫尺,啰兀兵势尚完。谔在绥德节制诸军,闻夏人至,茫然失措;欲作书召燕达战,悸不能下笔,顾运判李南公,涕泗不已。由是新筑诸堡悉陷,将士殁者千馀人,果不出郭逵所料云。会庆州军叛,诏罢西师,弃啰兀城。

夔州路转运使孙构言杜安行等讨夷贼,斥地七百里;诏遣著作佐郎章惇乘驿同转运司制置以闻。先是李承之荐惇于王安石,安石曰:"闻惇极无行。"承之曰:"顾其才可用耳。公诚与语,自当爱之。"安石见惇,惇素辩,又善迎合,安石大喜,恨得之晚。

戊子,庆州广锐卒叛,转运司以闻,帝召二府,出奏示之,深以用兵为忧。枢密使文彦博曰:"朝廷行事,务合人心,宜兼采众论,不当有所偏听。陛下励精求治,而人心未安,盖更张之过也。祖宗法制,未必皆不可行,但有废坠不举之处耳。"冯京曰:"府界溉淤田,又修差役,作保甲,人极劳敝。"帝曰:"询访邻近百姓,皆以免役为喜,盖虽令出钱,而复其身役,无追呼刑责之虞,人自情愿故也。"彦博又言:"祖宗法制具在,不须更张以失人心。"王安石曰:"法制具在,则财用宜足,中国宜强。今皆不然,未可谓之法制具在也。"

诏讨庆州叛卒,平之。

庚寅,诏诸路置学官,州给四十顷以赡士;并置小学教授。

辛卯,诏察奉行新法不职者。

癸卯,减河东、陕西路囚罪一等,徒以下释之。民缘军事科役者,蠲其租赋。

丙午,种谔坐陷抚宁堡,责授汝州团练使、潭州安置;寻再贬贺州别驾。

丁未,韩绛坐兴师败衄罢,以本官知邓州。

己酉,辽主如黑水,论讨五国功,晋秩有差。

〔丙申〕都水监丞宋昌言,从内侍程昉之议,请浚漳河,役兵万人,袤一百六十里。帝患财用不足,文彦博曰:"足财用在乎安百姓,安百姓在乎省力役。且河久不开,不出于东则出于西,利害一也。今发夫开治,徙东从西,何利之有!"会京东、河北风变异常,民大恐,帝手诏中书,令省事安静以应天变,漳河之役妨农,来岁为之未晚。

夏,四月,丙辰朔,恤刑。

癸亥,罢陕西交子法。

(丁卯)〔戊申〕,以邓绾为侍御史知杂事、判司农寺。时新法皆出司农,而吕惠卿居忧,曾布不能独任其事,王安石欲藉绾以威众,故有是命。绾言:"判亳州富弼,责蒙城官吏散常平钱谷,妄追县吏,重笞之;又遣人持小札下诸县,令未得依提举司牒施行;本州金判、管句官徐公衮,以书谕诸县,使勿奉行诏令。乞尽理根治。"诏:"送亳州推勘院,其富弼止令案后收坐以闻。"弼上奏,乞独坐,且云:"青苗一事,天下之人皆知为害。臣来本州,不散钱斛,愿当严谴。其馀徐公衮以下州县吏,望圣慈特与矜贷。"

癸酉,以司马光判西京御史台。先是光任永兴,以言不用,乞判留台,不报。又上疏曰:

"臣不才,最出群臣之下,先见不如吕诲,公直不如范纯仁、程颢,敢言不如苏轼、孔文仲,勇决不如范镇。此数人者,睹安石所为,抗章、对策,极言其害,而镇因乞致仕。臣闻居其位者必忧其事,食其禄者必任其患,苟或不然,是为盗窃;臣虽无似,不敢为盗窃之行。今陛下惟安石是信,安石以为贤则贤,以为愚则愚,以为是则是,以为非则非,谄附安石者谓之忠良,攻难安石者谓之谗慝。臣才识固安石之所愚,议论固安石之所非,今日所言,亦安石之所谓谗慝者也。若臣罪与范镇同,则乞依镇例致仕;若罪重于镇,或窜或诛,唯陛下裁处!"久之,乃从其请。光既归洛,绝口不论事。

辽主如纳葛泺。

甲戌,诏司农寺月进诸路所上雨雪状。

以前大理评事常秩为右正言、直集贤院、管句国子监。秩屡征不起,诏郡以礼敦遣。至是始诣阙,对垂拱殿。问:"今何道免民于冻馁?"对曰:"法制不立,庶民食侯食,服侯服,此今日大患也。臣才不适用,愿得辞归。"帝曰:"既来,安得不少留!"遂有是命。寻迁天章阁侍讲、同修起居注,仍使供谏职。秩名重一时,世以为无宦情。及安石更法,秩独以为是,一召即起,任谏职,列侍从,低首抑气,无所建明,闻望日损。秩长于《春秋》,及安石废《春秋》,秩遂尽废其学,时论薄之。

权开封府推官苏轼出通判杭州。初,轼直史馆,王安石赞帝以独断专任。轼因试进士,发策以"晋武平吴,独断而克,苻坚伐晋,独断而亡;齐桓专任管仲而霸,燕哙专任子之而败;事同功异"为问。安石见之大怒,使侍御史谢景温论奏其过,穷治无所得,轼遂请外。

乙亥,辽禁布帛短狭不中尺度者。

丙子,遣使按视宿、亳等州灾伤,乃令修饬武备。

壬午,定进士考转官。

五月,甲午,右谏议大夫提举崇福宫致仕吕诲卒。诲初求致仕,表言:"臣本无宿疾,偶值医者用术乖方,妄投汤剂,率情任意,差之指下,祸延四肢,浸成风痹,非祗惮跕蹩之苦,又将虞心腹之变。虽一身之微,固不足恤,而九族之托,良以为忧。"盖以身疾喻朝政也。疾亟,犹旦夕愤叹,以天下事为忧。既革,司马光往省之,至则目已瞑,闻光哭,蹶然而起,张目强视曰:"天下事尚可为,君实勉之!"遂卒。

壬寅,诏许富弼养疾西京。

丙午,高丽来贡。高丽为辽所阻,不通中国者四十三年,至是福建转运使罗拯令商人黄(贞)〔真〕招接通好,高丽王徽乃因(贞)〔真〕还,移牒福建,愿备礼朝贡。拯以闻,朝议谓可结以谋辽,乃命拯谕意。徽遂遣其民官侍郎金悌等由登州入贡。自是复与中国通,朝贡相继。

辛亥,诏:"宗室率府副率以上遭父母丧及嫡孙承重,并解官行服。"

壬子,诏:"恩、冀等州灾伤,遣使赈恤,蠲其税。"

御史中丞杨绘言:"东明等县百姓千馀人,诣开封府诉超升等第出助役钱事,本府不受,遂突入王安石私第。安石谕云:'此事相府不知。'仍问:'汝等来,知县知否?'皆言不知。又诣御史台,臣以本台无例收接诉状,谕令散去。退而访问,乃司农寺不依诸县元定户等,却以见管户口量第定出役钱数付诸县,各令管认,别造簿籍,前农务而毕。臣窃谓凡等第长降,盖视人家产高下,乃得其实。今乃自司农寺先画数,令本县依数定簿,岂得民无争诉哉!判司农寺乃邓绾、曾布,一为知杂,一为都检正,非臣言之,谁敢言者!"王安石指陈绘言为不然,遂置而弗问。

初,保甲法行,乡民惊扰,至有截指断腕以避丁者。知开封府韩维言之,帝以问王安石,安石曰:"就令有之,亦不足怪。为天下主者,如止任民情,则何必立君而为之建官置吏也!保甲法不特除盗,可渐习为兵,且省财费。惟陛下果断,不恤人言以行之。"安石由此益恶维。帝欲命维为御史中丞,维以兄绛居政府,力辞。安石因言:"维善附流俗以非上所建立,乞允其请。"会文彦博求去,帝曰:"密院事剧,当除韩维佐卿。"明日,维奏事殿中,以言不用,力请外,帝曰:"卿东宫旧人,当留辅政。"维对曰:"使臣言得行,胜于富贵。若缘攀附旧恩以进,非臣之愿也。"遂出知襄州。

六月,丁巳,河北饥民为盗者,减死刺配。

戊午,监察御史里行刘挚上疏曰:"君子、小人之分,在义、利而已。小人才非不足用,特心之所向,不在乎义,故希赏之志,每在事先;奉公之心,每在事后。陛下有劝农之意,今变而为烦扰;陛下有均役之意,今倚为聚敛。其爱君忧国者,皆无以容于其间。今天下有喜于敢为之论,有乐于无事之论,彼以此为流俗,此以彼为乱常,畏义者以进取为可耻,嗜利者以守道为无能,此风浸长,汉、唐之党祸必起矣。愿陛下虚心平听,审察好恶,收过与不及之论,使归于大中之道。"挚初除御史,未及陛对,即奏论:"亳州狱起,小人意在倾富弼以市进。今弼已得罪,愿少宽之。"又言:"程昉开漳河,调发猝迫,人不堪命。赵子几擅升畿县等使纳役钱,县民日数千人遮诉宰相,京师喧然,何以示四方!张靓、王廷老擅增两浙役钱,督赋严急,人情怨嗟。此皆欲以羡馀希赏,愿行显责,明朝廷本无聚敛之意。"及入见,帝面赐褒谕,因问:"卿从学王安石邪?安石极称卿器识。"对曰:"臣东北人,少孤独学,不识安石也。"退,即上是疏,安石不悦。

庚申,群臣三上尊号曰绍天法古文武仁孝,帝不许。

甲子,知(青)〔蔡〕州欧阳修以太子少师、观文殿学士致仕。修以风节自持,既连被污蔑,年六十,即乞谢事。及守青州,上疏请止散青苗钱,王安石恶之,修求归益切。冯京请留之,安石曰:"修善附流俗,以韩琦为社稷臣。如此人,在一郡则坏一郡,在朝廷则坏朝廷,留之何用!"

时贤士多引去。杨绘上疏言:"老成人不可不惜。今旧臣告归或屏于外者,悉皆未老,范镇年六十有三、吕诲五十有八、欧阳修六十有五而致仕,富弼六十有八而引疾,司马光、王陶皆五十而求散地,陛下何不思其故邪!"

甲戌,富弼坐沮格青苗,落使相,以左仆射徙判汝州。王安石曰:"鲧以方命殛,共工以象恭流。弼兼二罪,止夺使相,何由沮奸!"帝不答。弼行过应天,谓判府张方平曰:"人固难知。"方平曰:"谓王安石乎?亦岂难知者!方平顷知皇祐贡举,或称安石文学,辟以考校,既至,院中之事皆欲纷更。方平恶其为人,檄之使出,自是未尝与语也。"弼有愧色,盖弼亦素善安石云。

己卯,吐蕃贡于辽。

秋,七月,己丑,辽遣使案问五京囚。

辛卯,北京新堤第四、第五埽决,漂溺馆陶、永济、清阳以北,遣内侍都知张茂则乘驿相视。

甲午，赈恤两浙水灾。

丁酉，贬监察御史里行刘挚监衡州盐仓；御史中丞杨绘，罢为翰林侍读学士。

挚上疏论率钱助役有十害；绘亦言其不便，前后凡四奏，又论："提刑赵子几，怒知东明县贾蕃不禁遏县民使讼助役事，摭以它故，下蕃于狱而自鞫之，是希王安石意旨而陷无辜于法也。"挚亦言："子几捃摭贾蕃，欲箝天下之口，乞案其罪。"安石大怒，使知谏院张璪取绘、挚所论，作十难以诘之，璪辞不为。判司农寺曾布请为之，既作十难，且劾绘、挚欺诞怀向背，诏下其疏于绘、挚，使各分析以闻。挚奋然曰："为人臣，岂可压于权势，使天子不知利害之实！"即条对所难以伸其说，且曰："臣待罪言责，采士民之说以闻，职也。今乃遽令分析，交口相直，无乃辱陛下耳目之任！"不报。明日，复上疏曰："自青苗之议起，而天下始有聚敛之疑。青苗之议未已，而均输之法行；均输之法方扰，而边鄙之谋动；边鄙之祸未艾，而漳河之役作；漳河之害未平，而助役之事兴。其议财，则市井屠贩之人皆召至政事堂；其征利，则下至于历日而官自鬻之。推此而往，不可究言。轻用名器，混淆贤否，忠厚老成者，摈之为无能；侠小儇辩者，取之为可用；守道忧国者，斥之为流俗；败常害民者，称之为通变。凡政府谋议经画，独与一掾属决之，然后落笔，同列预闻，反在其后；故奔走乞丐之人，其门如市。今西夏之款未入，反侧之兵未安，三边疮痍，流溃未定，河北大旱，诸路大水，民劳财乏，县官减耗。圣上忧勤念治之时，而政事如此，皆大臣误陛下，而大臣所用者误大臣也。"疏奏，安石欲窜挚岭外，帝不许，但谪监仓。绘寻出知郑州，璪亦落职。璪，洎之孙也。

遣察访使遍行诸路，促成役书。

庚子，诏宗室不得祀祖宗神御。

辽主如藕丝淀。

丁未，诏唐、邓给流民田。

八月，癸丑朔，遣官体量陕西差役新法及民间利害。

甲寅，诏："郡县保甲与贼斗死伤者，给钱有差。"

庚申，复《春秋三传》明经取士。王安石初欲释《春秋》以行世，而孙觉经解已出，自知不能复出其右，遂诋圣经，至目为"断烂朝报"，故贡举不以取士。杨绘尝言当复，安石不许，至是帝特命复之。

癸酉，置洮河安抚司，命王韶领其事。初，议取河湟，自古渭寨接青唐、武胜军，应招纳蕃部市易、募人营田等事，韶悉主之，遂至秦。会诸将以蕃部俞龙珂（任）〔在〕青唐最大，渭源羌与夏人皆欲羁縻之，议先致讨。韶因案边，引数骑直抵其帐，谕以成败，遂留宿。明旦，两种皆遣其豪随韶以东，龙珂率其属十二万口内附。既归朝，自言："平生闻包中丞朝廷忠臣，乞赐姓包氏。"帝如其请，赐姓包、名顺。

己卯，以前旌德县尉王雱为太子中允、崇政殿说书。雱，安石子也，为人剽悍阴刻，无所顾忌。年十三，得秦卒言洮河事，叹曰："此可抚而有也。使夏得之，则敌强而边患博矣。"故安石力主王韶议。初举进士，调旌德尉，著策二十馀篇，极论天下事。时安石执政，所用多少年，雱亦欲与选，乃与父谋曰："执政子虽不可预事，而经筵可处。"安石欲帝知而自用，乃以雱所作策镂板鬻于市，邓绾、曾布又力荐之，召见而有是命。安石更张政事，雱实导之。

辛巳，辽置佛骨于招山浮图，罢猎，禁屠杀。

是月，河溢澶州，曹村埽决。镇宁金判程颢方救护小吴，相去百里，州帅刘涣以事急告颢,一夜驰至。涣俟于河桥,颢谓涣曰:"曹村决,京城可虞。臣子之分,身可塞亦所当为,请尽以厢兵见付,事或不集,公当亲率禁兵以继之。"涣即以本镇印授颢,曰:"君自用之。"颢得印,不暇入城省亲,径走决堤,谕士卒曰:"朝廷养尔辈,正为缓急耳! 尔知曹村决则注京城乎? 吾与尔辈以身捍之!"众皆感激自效。论者或以为势不可塞,徒劳人耳,颢命善泅者度决口,引大索以济众,两岸并进,数日而合。

九月,丙戌,河决郓州。

辛卯,大享明堂,以英宗配。赦天下。内外官进秩有差。

庚子,夏主秉常遣使入贡,表乞绥州城,愿依旧约。诏答曰:"前已降诏,更不令交塞门、安远二砦,绥州亦不给还,今复何议! 俟定界毕别进誓表日,颁誓诏,恩赐如旧。"

癸卯,增选人俸;鬻诸路坊场河渡,募人承买,收取其利,一岁得钱六百九十八万馀缗,谷帛九十七万石、匹有奇。

冬,十月,壬子朔,罢差役法,使民出钱募役。

立选人及任子出官试律令法。

乙卯,辽主如医巫闾山。

丙辰,置枢密院检详官。

〔庚申〕,以鲜于侁为利州转运副使。

初,助役法行,诏监司各定所部助役钱数。利州路转运使李瑜欲定四十万。侁时为判官,争之曰:"利州民贫地瘠,半此可矣。"瑜不从,遂各为奏。时诸路役书皆未就,帝是侁议,谕司农曾布,使颁以为田式,因黜瑜而擢侁副使兼提举常平。侁素恶王安石,及安石用事,侁乃上书,论时政可忧可叹,其逆治体而召民怨者,不可概举。其意专指安石,安石怒,毁短之。帝称其文学可用,安石曰:"何以知之?"帝曰:"有章奏在。"安石乃不敢言。既为副使,部民不请青苗钱,安石遣吏诘之,侁曰:"青苗之法,愿取则与。民自不愿,岂能强之哉!"

戊辰,立太学生三舍法。初,国子生以京朝七品以上子孙应荫者为之,太学生以八品以下子孙及庶人之俊异者为之;试论策经义如进士法。及帝即位,垂意儒学,自京师至郡县既皆有学,岁时月各有试程,其艺能以差次升舍,其最优者为上舍,免发解及礼部试而特赐之第,遂专以此取士。又累增太学内舍生至九百人。至是侍御史邓绾言:"国家治平百馀年,虽有国子监,仅容释奠斋庖,而生员无所容。至于太学,未尝营建,止假锡庆院廊庑数十间,生员才三百人。请以锡庆院为太学,仍修武王庙为右学,上以拟三王、四代胶庠序学东西左右之制。"乃诏尽以锡庆院及朝集院西庑建讲书堂,斋舍、直庐略具。自主判官外,增置直讲为十员,率二员共讲一经,令中书遴选或主判官奏举。厘生员为三等:始入太学为外舍,初不限员,后定额七百人;外舍升内舍,员二百;内舍升上舍,员一百。各执一经,从所讲官受学,月考试其业,优等以次升上舍,免发解及礼部试,召试赐第。其正、录、学谕,以上舍生为之,经各二员。学行卓异者,主判、直讲复荐于中书,奏除官。

初,苏(颁)〔颂〕子嘉在太学,国子监直讲颜复尝策问王莽、后周变法事,嘉极论其非,擢优等;苏液密写以示曾布曰:"此辈倡和,非毁时政。"布大怒,责张璪曰:"君以谏官判监,学官与生徒非毁时政,而竟不弹劾!"遂以告王安石。安石大怒,尽逐诸学官,以李定、常秩同判监;选用学官,非执政所喜者不与。陆佃、黎宗孟、叶涛、曾肇、沈季(良)〔长〕与选。季(良)〔长〕,安石妹婿;涛,其侄婿;佃,门人;肇,布弟也。佃等夜在安石斋(授)〔受〕口义,旦至学讲之,无一语出己。其设三舍,盖亦欲引用其党也。

辽主谒乾陵。

壬申,以西京国子监教授王安国为崇文院校书。安国官满至京师,帝以其兄安石故,赐对。帝曰:"汉文帝何如主?"对曰:"三代以后未有也。"帝曰:"但恨其才不能立法更制尔。"对曰:"文帝自代来,定变俄顷,恐无才者不能。至用贾谊言,待群臣有节,专务以德化民,海内兴于礼乐,几致刑措,则文帝加有才一等矣。"帝曰:"王猛佐苻坚,以蕞尔国而令必行;今天下之大,不能使人,何也?"曰:"猛教坚以峻刑,致秦祚不传世。今小人必有以是误陛下者。诚以尧、舜、三代为法,则下岂有不从者乎?"又问:"卿兄秉政,外论谓何?"曰:"恨知人不明,聚敛太急。"帝不悦。安国尝力谏安石,以天下汹汹不乐新法,皆归咎于兄,恐为家祸,安石不听。

丙子,诏:"罪人配流遇冬者,至仲春乃遣。"

庚辰,辽诏百官廷议军国事。

十一月,甲申,诏蠲天下见欠贷粮,总计米一百六十六万八千馀石,钱十一万七千馀缗。百姓闻诏,莫不称庆。

丁亥,作中太一宫;从司天冬宫正周琮言也。

戊子,辽免南京流民租。己丑,赈饶州饥民。

壬寅,开洪泽湖,达于淮。

十二月,辛亥朔,诏增赐国子监钱四千缗。

壬子,辽以契丹行营都部署耶律呼敦知北院枢密使事,以知北院枢密使事萧惟信为南府宰相兼契丹行宫都部署。

丁巳,辽主命汉人行宫都部署李仲禧、北院宣徽使刘霖、枢密副使王观、都承旨杨兴功俱赐国姓。

戊午,归夏俘。

己未,安定郡王从式卒。

丙寅,省诸路厢军。

乙亥,崇义公柴咏致仕,子若纳袭封。

戊寅,回鹘贡于辽。

先是河溢卫州王供,时新堤凡六埽而决者二,下属恩、冀,贯御河,奔冲为一。帝忧之,自秋迄冬,数遣使经营。议者争言导河之利,张茂则等谓:"二股河地最下,而旧防可因,今埋塞者才三十馀里,若度河之湍浚而逆之,又存清水镇河以析其势,则悍者可回,决者可塞。"帝然之,是月,令河北转运司开修二股河上流,并修塞第五埽决口。镇宁河清卒,于法不它役,程昉为都水丞,欲尽取诸埽兵治二股河。金判程颢以法拒昉,昉请于朝,命以八百人与之。天方大寒,昉肆其虐імп众,逃而归,将入城,州官畏昉,欲弗纳,颢曰:"彼逃死自归,弗纳,必为乱。昉有言,颢自当之。"即亲往开门抚谕,约归休三日复役,众欢呼而入。具以事上闻,得不复遣。后昉奏事过州,扬言于众曰:"澶卒之变,乃程中允诱之,吾必诉于上。"同列以告,颢笑曰:"彼方惮我,何能为!"果不敢言。

【译文】

宋纪六十八　起庚戌年(公元1070年)七月,止辛亥年(公元1071年)十二月,共一年有余。

熙宁三年　辽咸雍六年(公元1070年)

秋季,七月,辛卯(初三),神宗下诏令新判太原府欧阳修免去宣徽南院使,改任蔡州知州。

先前欧阳修因病辞官,上书五六次,为议论青苗法于民不利之事;又写信责备王安石,王安石没有回信而奏请神宗答应他辞官的请求。

壬辰(初四),枢密副使吕公弼免官,任命御使中丞冯京为枢密副使。吕公弼因王安石变法之事,多次劝告他务必谨慎稳妥,王安石心中不快。吕公弼写奏书准备评论变法之事,从孙吕嘉问偷窃了那份奏稿拿给王安石看,王安石预先禀报神宗。神宗恼怒,于是将吕公弼调出朝廷任太原知府。吕氏家族称吕嘉问为"家贼"。冯京曾说:"薛向统管财政大权而少有功效,近来又升任天章阁待制,这个职位在侍从官中是最亲近皇帝的,不是他能够胜任的。"神宗听后很不高兴,把这些话告诉王安石。王安石奏请调动冯京,神宗应允,到这时任命他为枢密副使。

撤销潞州交子务。转运司因交子务推行的办法实行以后会造成公家的盐、矾卖不出去,会影响上交给朝廷的粮草,于是奏请皇帝撤销交子务。

秘书省正字唐坰,凭借父亲做官的恩荫得到官位,他上书说:"秦二世受制于赵高,他的缺陷在于软弱,而不在于赵高的强悍。"神宗看后很高兴。他又说:"青苗法推行不了,应该杀掉几个持异议的大臣。"王安石听后十分高兴,便向神宗推荐他,因此他才得到皇帝垂询。癸巳(初五),赐进士出身,任命他为崇文院校书。

戊戌(初十),天降冰雹。

辛亥(二十三日),辽道宗耶律洪基到哈噜额特狩猎。

甲寅(二十六日),设立三班院主簿。

八月,戊午朔(初一),撤销看详银台文字所。

乙丑(初八),司马光趁入宫应答,乞求调往地方任官。神宗说:"王安石一向与你友好,为何自生疑心?"司马光回答道:"我一向与王安石友好,只是从他执政以来,互相违逆甚多。如今违逆王安石的如苏轼之辈,皆被肆意诋毁,使他们受峻法处治。我不敢躲避削职罢官的灾祸,只想保全平素的操守。我与王安石的友好,哪里比得上吕公著?王安石当初举荐了吕公著,后来又诽谤他。他现今还是那个人,以前称赞你而后又否定你,他必定有不可信任的地方。"神宗说:"推行青苗法有显著的效果了。"司马光说:"此事天下人都认为不正

司马光像

确,只有王安石的同伙才认为正确。"神宗又说:"苏轼不是个优秀的士大夫,鲜于侁在远处,苏轼还把奏章的草稿传给他;韩琦赠送三百两白银给他而不接受,却去贩卖盐、苏木、瓷器取利。"司马光说:"凡对人应察知他的实际情况,苏轼贩卖的赢利难道比得上韩琦所赠的银两数吗?王安石厌恶苏轼,以亲家谢景温为鹰犬,指使他极力攻击苏轼,如此看来我何能自保?不得已才请求离开朝廷的。况且苏轼虽不是完人,难道比李定还不贤吗?李定不为母亲服丧,连禽兽都不如,王安石却喜欢他,就想任命他为御史台官员,为何单单憎恶苏轼呢?"

丙寅(初九),因旱灾审察记录囚犯罪状,死罪以下的犯人都减罪一等,判杖刑笞刑的犯人一律释放。

因卫州旱灾,令转运司赈济抚恤,又减免租赋。

丙子(十九日),辽国中京留守耶律白去世,追封辽西郡王。

戊寅(二十一日),下诏令:"川陕、福建、广南七路官员,令转运司制定标准按资历任命官职,定为条令。"

己卯(二十二日),西夏军大举入侵环庆,攻打大顺城、柔远寨、荔原堡、怀安镇、东谷、西谷两寨、业落镇,军队多的号称二十万,少的不下于一二万,屯聚在榆林,距庆州四十里;前锋骑兵抵达城下,九天才撤退。钤辖郭庆、都监高敏、魏庆宗、秦勃等人战死。

九月,戊子朔(初一),中书省奏请设立检正中书五房公事官,神宗批准。

韩绛因西夏人进犯边塞,请求巡视边境。王安石也请求前往,韩绛说:"朝廷正靠王安石主持,应派我去巡边。"乙未(初八),任命韩绛为陕西宣抚使。

陆佃曾师从王安石学习经书,至此时入京参加科举考试,王安石询问新政推行情况,陆佃说:"法令并非不好,只是推行起来不符合当初的意愿,转而侵扰百姓了。"王安石大惊道:"怎么会搞成这样呢?我与吕惠卿商议一下。"又询问朝廷外面的议论如何,陆佃说:"你喜欢听取善意的言论,古所未有;然而外面许多人认为您拒绝规劝。"王安石笑着说:"我哪里是拒绝规劝的人呢!但邪说纷纷,只是不值得去听。"陆佃说:"这正是招致非议的缘故啊。"第二天,召见陆佃时,神宗对他说:"吕惠卿说:'私人讨债,还须破费一鸡半猪。'扰民的事已经派遣李承之出使淮南去查究了。'"不久李承之返京,谎称对百姓没有什么不便利的,陆佃的话便没有被采纳。

开封知府刘庠,不肯屈从侍奉王安石,王安石想要见他,有人告诉了刘庠,刘庠说:"他自从执政以来,未曾有一件事合乎人心,去见他有什么可说呢!"终于没去见王安石,而且上书极力陈述新法的不是,神宗说:"为什么不与大臣同心协力治理天下呢?"刘庠回答说:"臣只侍奉陛下,不敢依附于大臣。"

任命曾布为崇政殿说书、同判司农寺。

王安石常想在讲经席上安排他的一两个同党,以防范并考察那些当面回答神宗问题的人。吕惠卿遇父丧离职,王安石于是推荐曾布代替他。曾布资历浅,众人尤其不服。不久他上奏改助役法为免役法,吕惠卿十分恼恨王安石。

己亥(十二日),命崔台符、曾布、朱温其考试法官。法官的考试自此开始。

庚子(十三日),罢免曾公亮。曾公亮起初嫉妒韩琦,所以举荐王安石以离间韩琦与神宗的关系。等到一同辅政,知道神宗正亲近王安石,凡是改革举办各种事务,都在暗中帮助他,而表面上好象与王安石政见不同;曾派其子曾孝宽参与王安石的谋划,在神宗面前,所陈述的意见与王安石的没什么区别。因此神宗更加信任王安石,王安石也深深感谢曾公亮。曾公亮以年老请求离职,于是以守司空兼侍中、同时兼任河阳三城节度使、集禧观使,五天朝见一次。苏轼曾从容指责他不能纠正朝政缺失,曾公亮说:"皇上与王安石亲密得如同一人,这是天意。"但是王安石还是认为曾公亮不是完全依附于自己,于是听任他被罢免宰相之职。

辛丑(十四日),任命枢密副使冯京为参知政事,翰林学士、三司使吴充为枢密副使。冯京任御史中丞时,曾上书评论王安石变法失当,上奏文书达数千字。王安石指斥为邪说谬论,请求罢免他的官职,神宗不同意,到这时更加重用他。

乙巳(十八日),神宗亲临崇政殿,策试贤良方正和武举人。神宗的策问中禁止激切的言论,篇末说:"不要说古人陈迹已经过去很久而不可以推行,本朝成法已经确定而不可以更改;只要更改适当,推行得宜,不急切也不迂缓,才算最为适宜。你们都以文章陈述观点,我也不怕有所作为的。"太原府判官吕陶在策论中说:"陛下刚刚继位,希望不要为理财之说迷惑,不要疏远德高望重的大臣的谋略,不要发动边疆战争。陛下着意创立新法,自以为差不多近于尧舜了;但是陛下的愿望如此,而天下人的议论截然相反,难道不能反过来思考一下吗?"等到上报考生的等级,神宗回首看王安石取来试卷,还没读到一半,已经神色沮丧。神宗发现了,让冯京接着读完,并称赞其言之有理。适逢范镇推荐的台州司户参军孔文仲的策论,共九千多字,论述王安石设置的理财练兵之法不妥当,宋敏求评其策论为特等。王安石大怒,禀报神宗,神宗在孔文仲试卷上批道:"文意崇尚流俗,毁谤鄙薄时政,恐怕不能录取以免惑乱天下。"于是不录取孔文仲,仍让他回去任原职。齐恢、孙固封好御批送回,韩维、陈荐、孙永都极力论述不该不录取孔文仲。范镇上书说:"孔文仲是身处荒远之地的草野之人,不知忌讳;况且朝廷要求直言而又以直言怪罪于人,恐怕会牵连到皇上。"神宗不听。孔文仲最终被黜不取,吕陶也仅授官为蜀州通判。孔文仲与其弟武仲、平仲,都以文才誉满江西,时人称他们为三孔。

庚戌(二十三日),辽道宗前往藕丝淀。

壬子(二十五日),太白星在白天显现。

癸丑(二十六日),修建东府、西府以供执政者居住。

甲寅(二十七日),辽国因为马希白诗才敏捷高妙,十个书吏记录都跟不上速度,辽帝召他面试。

翰林学士司马光请求免除朝官更加用力,于是以端明殿学士身份任知永兴军。入朝辞别应答皇上时,还乞求免除本路青苗、助役法。

和川县令刘恕,博闻强记,对史学尤其精通,司马光修《资治通鉴》,上奏请求让刘恕进修书局为僚属,每遇史实纷乱错杂难以处理的问题,都交与刘恕处理。王安石与刘恕为旧交,想推荐他到三司条例司任职,刘恕以不熟悉钱粮事务为理由拒绝,并由此而说:"天子正把国家大政交付给您,您应当发扬光大尧舜之道来辅佐贤明的君主,不当把利益放在前面。"王安石没能任用他。等到吕诲获罪免官,刘恕前往拜见王安石,一一陈述变法法令不合人心之处,申明应当恢复旧法,这样天下人的议论自然就平息了。王安石大怒,脸色铁青;刘恕一点也不屈从,于是与王安石绝交,到这时司马光出知永兴军,刘恕也以双亲年迈请假回到南康,乞求监管酒税以奉养父母,皇上下诏令他在官府中撰写史书。后来司马光把修书局迁往洛阳,刘恕要求去司马光那里修史,留居数月就回家去了,书未修完就去世了。

下诏说:"环庆阵亡乡兵以外的民丁应当刺字征为乡兵的,全部免征。"

冬季,十月,辛酉(初四),下诏令延州不要接纳西夏使者。

宁州通判邓绾,列条上奏时政几十件事,又上书说:"陛下得到伊尹、吕尚之类的辅佐之臣,制订青苗、免役等法令,百姓无不为圣上的恩泽欢欣鼓舞。以臣所见到的宁州来看,可知一路都如此,希望不要因为一些无根据的议论而改变新法,而要坚决推行下去。"这些言辞目的在于取悦王安石;又写了信和歌功颂德的文章,极尽讨好之能事。王安石把邓绾推荐给神宗,用驿车召进朝廷问答。正当庆州有西夏人侵犯,邓绾陈述得十分详尽,神宗问道:"认识王安石吗?"邓绾回答:"不认识。"神宗说:"他是当今的古人。"又问:"认识吕惠卿吗?"回答说:"不认识。"神宗说:"他是当今的贤人。"邓绾退朝后,见到王安石,欣然像是老朋友的样子。陈升之、冯京因邓绾陈述边境事务时,王安石正值斋戒日,于是仍派他为宁州知府。邓绾知道后很不高兴,就争论道:"紧急召我进京,又让我回宁州吗!"有人问他:"你现在应做什么官?"他说:"至少不失为馆职。"又问他:"是不是当谏官呢?"邓绾说:"正应当如此。"第二天,果然任命他为集贤校理、检正中书孔目房公事。同乡在京城人的人都笑他骂他,邓绾说:"笑骂都由你们,好官我还是要做的!"邓绾,是双流人。

甲子(初七),下雨黏附于树木上凝结成冰。

丁卯(初十),五国部族的首领朝见辽道宗。

壬申(十五日),朝拜神御殿。

丙子(十九日),贬庆州知州李复圭为保静军节度副使。李复圭发兵战败,诬害副将李信、刘甫、种咏犯有死罪,御史弹劾他,所以有此贬谪。

戊寅(二十一日),陈升之因母丧罢官。陈升之与王安石有抵触,王安石多次欺凌侮辱他,陈升之不能忍受,称病在家卧床超过十旬,正好遇母丧而罢官。

〔己卯〕(二十二日),贬秦凤经略使李师中为舒州知州。先前管勾经略司机宜文字王韶,奏请修筑渭、泾上下两城,屯兵以控制武胜军,安抚招纳洮河各部。朝廷让李师中评议此事,李师中认为不适宜,皇上下诏令李师中罢免主帅之职。王韶又进言:"渭源到秦州,没有耕种的良田有万顷,希望设置市易司,稍收商贾之利,取其利润用来整治田地,请求官府借给本钱。"朝廷下令秦凤经略司以四川的纸币交子换成货物供给他,令王韶主管交易事务。李师中进言:"王韶所指的田地,是最偏远边境上弓箭手练射之地。现在将把市易司迁至古渭,恐怕秦州自此以后更加多事,得不偿失。"王安石支持王韶的意见,为此削去李师中的官职,调任舒州知州,而以窦舜卿代李师中为秦凤经略使,并派内侍李若愚调查核实此事。李若愚一到,问万顷良田何在,王韶不能回答;窦舜卿查找,仅仅找到一顷田地,那块田地的主人还提出诉讼,又归还给人家了。窦舜卿、李若愚把王韶的欺骗行为上奏给皇上,王安石又为此贬谪窦舜卿而命韩缜去查核,韩缜就牵强附会以其事为实,于是升王韶为太子中允。

乙酉(二十八日),下诏撤去任各场务监当官的内侍。

翰林学士范镇免官。先前是范镇举荐苏轼为谏官,又举荐孔文仲参加制科考试。苏轼被弹劾,孔文仲落选回任原官,范镇都竭力争辩,神宗不予答复。于是他就上书道:"臣的话不能实行,没有脸面再在朝做官。臣论青苗法不被采纳,这是应免官的一个原因;荐举苏轼、孔文仲不被任用,这是应免官的原因之二;李定躲避为母亲服丧,是不认生母,破坏人伦,违背天理,竟然还想任用他为御史,反而为此罢免舍人、斥逐台谏官。王韶上书,肆意欺骗蒙蔽朝廷来制造边境事端,事情败露又搁置起来不予追究,反而为此加罪将帅大臣。不任用苏轼,就指摘他的过失,不喜欢孔文仲,就派他回任原职。以此二人比较那二人,事理孰是孰非,孰得孰失,哪能逃过圣上的明察呢!"因此又极力陈述青苗法的危害,并且说:"陛下有纳谏的资质,而大臣又进拒谏的计谋;陛下有爱民的天性,而大臣又使用害民的手段。"奏书送上,王安石大怒,拿奏书的手都颤抖起来了,于是自己草拟制书极力诋毁范镇,让他以户部侍郎退休,凡所应得的赏赐恩典全都不给予。范镇上表致谢,其大意是:"希望陛下集众议为耳目,以除去遮蔽圣听之奸;任用老成之人为心腹之臣,以养中正平和之福。"天下人听到这些话都认为他胆壮敢言。苏轼前往祝贺道:"您虽然免官告退而声名更重了。"范镇忧愁地说:"天下人受其害而我却享虚名,我的心情会如何呢!"他每天与门下宾客饮酒赋诗。有人劝他称病闭门谢客,范镇说:"生死祸福在于天,我能把天意怎么样呢!"

山阴知县陈舜俞,自己弹劾自己违抗圣旨不散发青苗钱,朝廷贬他为监南康军盐酒税。还有乐京、刘蒙,也都因役法问题免官。乐京任长葛县知县,对提举常平官说助役法不便实行。让他逐条分析,又不答复。因此自列罪状请求免官。刘蒙任湖阳县知县,常平使者召集各县令商议推行免役法,刘蒙认为不便推行,不肯参与商议,回去后逐条陈述免役法的弊害,又立即投上弹劾自己的辞呈去职。乐京是荆南人;刘蒙是渤海人。

陕西宣抚使下令分配乡兵戌守边境,选拔各军中勇猛矫健的士兵,招募街市上的恶少年作为奇兵,征调百姓制作干粮,各地修缮城墙护城河和瞭望台,关中地区骚动不宁。知永兴军司马光上书,极力陈述:"官府、百姓都困乏疲惫,不可发动战争。而永兴一路都是内地州郡,修缮城池并非急需,宣抚使的命令,都不敢依从。如若缺少军用物资,臣应当负责任。"于是这一路百姓单独免除了这些行动。

十一月,戊子朔(初一),救济迁居京西的河北饥民。

壬辰(初五),减免陕西蕃部借贷的官粮。

甲辰(十七日),西夏人入侵大顺城,都监燕达等人率兵击退了进攻。

丁未(二十日),客星出现在娄宿的位置。

开封府判官、祠部郎中赵瞻,因出使外地得以面见皇上奏事,神宗问:"你做监司官很久了,知道青苗法便利可行吗?"赵瞻回答说:"青苗法,唐代推行于末世纷乱动荡之时,对搜刮民财很便利。如今陛下要为国家长治久安考虑,爱护养育百姓,的确不适合。"王安石暗中派同党俞充诱惑赵瞻说:"将任命你为知杂御史。"赵瞻不予理睬。因此被调任陕西转运副使。

乙卯(二十八日),以韩绛兼河东宣抚使,凡机密要事不及上报朝廷的,听任他权宜办理;授予他空白的委任官员的诰敕,可以自己委任官吏。

朝廷命令各道官员讨论更改役法。梓州路转运使汲县人韩琦,首创纲纲减役的制度,纲以数目计算共一百二十八纲,衙门役夫以人计算有二百八十三人,因此减省役夫五百人。又请求裁定各州衙前役夫的簿籍。王安石说:"韩琦所说的都是官府与百姓感觉到的弊病。监司官员违背公法邀取声誉,没有人忧虑此事,只有韩琦能体察圣上爱民之意,应当给予奖赏。"于是下诏褒奖韩琦,调任朝廷盐铁副使。

辽国禁止出售生铁、熟铁到回鹘、准布等地区。

十二月,己未(初二),辽国因坤宁节而赦免徒刑以下的犯人。

辛酉(初五),禁止汉人捕兽打猎。

乙丑(初六),制定保甲法。

当时王安石进言:"先王以农夫为兵丁,如今要想官府百姓的财物都不匮乏,为宗庙社稷的长远大计,应当废止招募士兵,以农为兵。"于是创立保甲法。这种法是,十户人家为一保,选拔其中有才干有能力的一人担任保长。五十户人家为一大保,选拔主户中财物产业最多的一人任大保长。十大保为一都保,选拔主户中品行好、有能力、勇力过人的人任都保正,另以一人为副都保正。凡主户、客户有两个男丁以上的人家选一人为保丁,授给他弓弩武器,教给他作战阵法。每一大保,每夜轮流派五人往来巡逻警卫,遇上有盗贼,记下时间并击鼓报警,大保长以下率保丁追捕盗贼。如果盗贼窜进其他保内,则一保接一保击鼓袭击驱逐盗贼。凡是上告并捕获盗贼的,按赏格予以奖赏。同保之人有犯强盗、杀人、强奸、掠卖人口、传布妖教、制造畜养蛊毒的,知而不告,按伍保法条例处罚。其余与自己无关以及不涉及律令规定必须检举之事,都不用向官府告发,即使知情也不受牵连治罪,如果邻保依法皆连及治罪的,才治罪。其居留强盗三人,超过三日,同保邻居即使不知情,也要处以失察之罪。逃跑移居、死亡,同保不够五家的,合并到别的保内。有从外地迁入保内的,收归同保,户数已满则依附此保,等累积到十家,就另外立一保,设牌写明户数与姓名。

提点刑狱赵子几,迎合王安石心意,建议先在京师周围地区推行保甲法;神宗下诏令推行。于是在永兴、秦凤、河北东、西、河东五路推行,而后推行天下各地。于是各州登记户籍设立保甲,每日聚集保丁教习作战,禁令苛刻急迫,百姓往往离家为盗,州县不敢上报。大名府通判王拱辰上书直言其害:"非但使百姓财困力乏,侵占农业生产的季节,这是驱赶百姓使其陷于法网,渐渐发展为大盗。这种征兆已出现,即使不能完全停止推行保甲法,希望能减少贫困下户的支出以缓解他们的困难。"主持保甲法的官员指责王拱辰阻挠法令,王拱辰说:"这是老臣用以报效国家的做法!"直言反对保甲法的奏章不断,神宗明白了此事,因此贫困下户人家得以免除参加保甲。

丁卯(十一日),以韩绛、王安石同为同中书门下平章事,翰林学士王珪为参知政事。韩绛在延安设立幕府,下诏就在军中授予官职。前一天,朝廷使者好几批人召王珪入宫,王珪入宫,神宗到小殿,王珪奉旨,草拟诏书任命王安石为宰相。神宗顺便拿出御批给王珪说:"已升你为参知政事。"第二天,诏令即下达。王珪掌管内外两制十八年,曾在斋宫赋诗,大发感叹,神宗听到后很同情他,于是有了这次的任命。

庚午(十四日),西夏人侵犯镇戎军,三川寨巡检赵普埋伏军队截击,击退西夏人。

戊寅(二十二日),推行免役法。

先前神宗下诏令条例司商量制订服役的法令,条例司官员说:"让百姓出钱招募别人代替服役,即先王收罗百姓的钱财供给庶民在官府当差的薪俸之意。"神宗令吕惠卿、曾布先后草拟有关的条款,过了一年才完成。计算百姓的贫富,分为五个等级缴钱,名为"免役钱"。至于官户、无男丁的女户、僧寺道观、无兄弟的成年男子、未成年的男子,也按等级缴钱,名为"助役钱"。凡是缴钱,先定下州、县应该用于雇役的钱有多少,按各户的等级平均收缴雇役的钱。另外加收二成,以备水旱灾年欠缺时使用,称为"免役宽剩钱"。用这些钱雇人代役。

在开封府试行免役法之后,随即在各路推行。不久东明县百姓数百人,前往开封府申诉,请求降低缴钱等级,神宗知道后,诘问王安石,王安石力争道:"外面煽动阻止免役法的人,认为缴钱多了必定有盈余,如若群起申诉,必定可以减免。他们已聚众申诉以侥幸免缴,如果接受他们的申诉,免掉他们应交的免役钱,就应当仍让他们服役。"神宗于是完全采纳了他的意见。不久因台谏官多次上奏,神宗对王安石说,应该稍稍减低一些,王安石回答道:"朝廷制订的法令,应当以义理来判断,难道能听从于鄙陋肤浅的议论吗!"

司马光进言:"上等户从来都是轮流服役,有时间休养;如今让他们每年都出钱,这样就常常没有休养的时间。下等户与单丁户,从来就不服役;如今让他们全都出钱,这就等于鳏夫寡妇、孤儿、没有儿女的老人都不免除服役。力气,是百姓生来就有的;谷帛,百姓耕田种桑养蚕可以得到;至于钱币,是官府铸造的,百姓是不能私造的。如今有司制定法令,只求钱财,丰年时百姓贱卖粮食换钱,灾年时只有砍伐桑树枣树、杀耕牛、卖田得钱上缴,百姓靠什么维持生活呢!此法终于施行,富户人家略微有些宽裕,贫困人家就一天一天更加穷困了。"神宗没有采纳。

赐给西蕃栋戬以诏书和衣带、鞍马。

庚辰(二十四日),命王安石主持编修盐铁、户部、度支三司的条令规章。当时天下因新法推行而骚动不安,邵雍隐居于洛阳,门人旧友在州县做官的,都想递交弹劾自己的辞呈归家,写信征询邵雍的意见,邵雍说:"当今正是贤能之士应当为国尽力之时。新法固然严酷,如能使新法减少一分,那么百姓就多受一份恩赐,引咎辞职有什么好处呢!"

这一年,救济河北、陕西旱灾的饥民,免除百姓的田租。

交趾上朝进贡。

广源下溪州的蛮人部族前来归附朝廷。

西夏改年号为天赐礼盛国庆。

熙宁四年 辽咸雍七年(公元1071年)

春季,正月,戊子(初二),辽道宗到鸭子河。

乙丑(初三),韩绛派种谔袭击西夏人,击败了西夏人。韩绛一向不熟悉军事,在延安设立幕府,不少事情处理失当。挑选番兵组成七军,又以种谔为鄜延钤辖、知青涧城,信任并重用他,命令众将领都归他指挥,众将都心怀不满。韩绛与种谔商议出兵攻打横山,安抚使郭逵说:"种谔,不过是个狂妄自大的人,朝廷只凭种氏的门第家世就任用他,必定会贻误国家大事。"韩绛上书说郭逵阻挠军事行动,朝廷就召回了郭逵。不久种谔在啰兀打败了西夏人,就在那里用二万人修筑城堡。从此西夏人每天集合军队准备报复,吕公弼进言说种谔酿成边境上的祸患不利于国家,应该警戒他,神宗不听从。过后韩绛奏说种谔进攻西夏之功,请求加以表彰奖赏,下诏照此办理。

壬辰(初六),王安石请求出售天下广惠仓的田地,作为河北东、西、陕西、京东四路常平仓的本钱;神宗批准了。

乙未(初九),渝州部夷人梁承秀等叛乱,命令夔州路转运使孙构讨伐平定叛乱。梁承秀与其同伙李光吉、王衮引导生獠入侵,巡检李宗敏等战死。转运判官张铣请求诛讨他们,朝廷选派赵构为转运使,兼程赶往当地任职。他一到就派泸州豪杰杜安行招募一千人前去袭击,自己督率官军和黔中兵抄其后路,斩杀梁承秀,进而讨伐夷、獠二族,焚烧他们的房屋,余下的人退保黑崖岭。黔军从小路乘夜呐喊着进攻,李光吉坠崖而死,王衮自己绑了自己投降。朝廷以那个地区设立南平军。赵构,是博平人。

丁酉(十一日),在神御殿拜谒太祖、太宗。

先前搜刮坊监牧马多余的土地,设立田官,令其专管农务,以资助放牧畜养的费用,按查原武、单镇、洛阳、沙苑、淇水、安阳、东平七监的牧马土地,剩余良田一万七千顷,交给百姓耕种以收取草料粮食,这是依从枢密副使邵亢的建议。到此时河北屯田司屡次说丰年的收入,也抵偿不了开支,下诏说:"沿边屯田,不分水田旱地,全部招募百姓租佃。撤销屯田务,把屯田兵收为州厢军。"

丁未(二十一日),制订京东、河北路重惩盗贼的法令。

庚戌(二十四日),撤销永兴军的买盐钞场。

辛亥(二十五日),任命著作佐郎朱明之为崇文院校书。朱明之,是王安石的妹夫。

二月,丁巳朔(初一),撤销诗赋及明经诸科,以经义、论、策考试进士。

先前讨论更改贡举法,神宗认为苏轼的正确,另一天,神宗问王安石,王安石说:"不对,如今人才缺乏,而且学术不统一,各种议论很多,这是不能统一道德的缘故。要想统一道德,则必须办好学校;要办好学校,则贡举法不能不改革。"赵抃也认为苏轼的看法正确,王安石说:"如果说科举常常得到不少人才,是因为读书人进身做官别无他路,其中不可能没有贤能之人,如果以此认为科举之法已经完善则未必。如今读书人在少壮年龄应该探求天下正理,却闭门学作诗赋,等到做官,对世上事情都不了解。这就是科举方法败坏了人才,以至不如古代。"神宗认为王安石说得正确。

不久中书省进言:"古代取士都以学校为基础,道德统一于上,习俗形成于下,那些人材都足以在世上有所作为。如今想追求恢复古代的制度,却担心没有逐渐发展的过程,应该先取消声韵、对偶的文章,使学习的人专心于国有用的经术之学,等待朝廷兴建学校,然后探求夏商周三代用以教育、选举官员的办法,推行于天下。"于是停止考试明经以及各科、取消进士考诗赋,参与考试的人各自专门研究《易经》《诗经》《尚书》《周礼》中的一部经书,兼学《论语》《孟子》。每次考试共分四场,初场考本经,次场考经书的要旨大义,总共十道题目;再次场做议论文一篇,最后是考策问三道题;礼部考试增加二道题。中书省撰写经书大义的格式颁布。考试经义的必须通晓经义而且有文采,才算合格,不只象考明经科墨写经文、粗解章句就行。录取各科人数为与试者的十分之三,增加进士录取名额。皇帝主持的殿试只专考策论,文章限一千字以上。进士分五等:第一、二等赐进士及第,三等赐进士出身,第四等赐同进士出身,第五等赐同学究出身。设置京东、京西、陕西、河东、河北路学官,让他们教导士人。

辛酉(初五),下诏令惩罚阻挠青苗法的官员。

甲子(初八),任命曾布为检正中书五房公事。曾布每遇一事都禀报王安石,即刻同意办理。有人说曾布应向两位参政禀报,指的是冯京、王珪。曾布说:"丞相已经议定的事,何必问他们呢! 等皇上的诏令出来,让他们签字就行了。"

乙丑(初九),女真人进献马匹给辽国。

丙寅(初十),辽国南院枢密使姚景行,出京担任兴中府知事。

戊辰(十二日),下诏令救济河北断粮的百姓。抚恤西部边境战死的军人家属。

壬申(十六日),进封高密郡王赵颢为嘉王。

癸酉(十七日),下诏令审官院所确定的人选赴中书省,考察可以阻挡职任的人并引见给皇上。

甲戌(十八日)赏赐讨伐渝州夷人贼寇的军士以特支钱。

三月,丁亥(初二),西夏人攻陷抚宁各城。开初,种谔进军修筑永乐川、赏捕岭二寨,分派都监赵璞、燕达修复抚宁旧城,又把荒堆三泉、吐浑川、开光岭、葭芦川四寨分给河东路修筑,各处相距四十余里。不久西夏人来攻顺宁寨,接着包围了抚宁城。折继昌、高永能等率兵驻扎在细浮图,离抚宁咫尺之遥,啰兀城兵力还算完备。种谔在绥德调度指挥各军,听说西夏人攻来,茫然失措;想写信叫燕达来作战,惊吓得不能下笔写信,回头看运判李南公,眼泪鼻涕流个不停。因此新筑的各个寨堡全部失陷,将士阵亡达一千多人,果然不出郭逵所料。恰逢庆州的军队反叛,下诏撤回西边的军队,放弃了啰兀城。

夔州路转运使孙构上奏杜安行等人讨伐夷贼,开拓疆土七百里;下诏派著作佐郎章惇乘驿车会同转运司制定措施上报朝廷。先前李承之向王安石推荐章惇,王安石说:"听说章惇品行极其恶劣。"李承之说:"只是他的才能可用罢了。您真心与他谈谈,自然会喜欢他的。"王安石接见章惇,章惇一向能言善辩,又善于迎合别人,王安石大喜,遗憾得到他太晚了。

戊子(初三),庆州广锐的兵士叛乱,转运司上报朝廷,神宗召集枢密院、中书省两府官员,拿出奏书给他们看,深以用兵为忧。枢密使文彦博说:"朝廷行事,务求合乎人心,应当兼采众论,不该偏听偏信。陛下励精图治,但人心未定,这是改革造成的过失。祖宗的法令制度,未必都不可行,只是有废弃不用之处罢了。"冯京说:"开封府境内以淤泥水灌溉田地,又要服劳役,参加保甲,人们极度劳苦疲惫。"神宗说:"询问察访邻近的百姓,都以免役为喜,这是因为虽然让他们出钱,但免除了他们的劳役之苦,没有追逼召唤、施刑责罚的忧虑,人们自己情愿的缘故。"文彦博又说:"祖宗的法令制度全都完备,无须改革而失去人心。"王安石说:"法令制度完备,则应该财用丰足,中原应该强盛。如今一切都不是这样,不能说祖宗的法令制度是完备的了。"

下诏征讨庆州叛乱的士卒,平息了叛乱。

庚寅(初五),下诏令各路设置学官,每州拨给四十顷田地以供养读书人;同时设置小学教授。

辛卯(初六),下诏查访执行新法不尽职的官员。

癸卯(十八日),河东、陕西路罪囚减罪一等,徒刑以下的犯人释放。百姓因战争而服劳役的,免其租赋。

丙午(二十一日),种谔因失陷抚宁堡得罪,罚他授汝州团练使,谪居潭州;不久又贬为贺州别驾。

丁未(二十二日),韩绛因出兵战败免职,以原来官衔任邓州知州。

己酉(二十四日),辽道宗前往黑水,讨论征伐五国部族的功劳,按功劳等级晋升官职增加俸禄。

都水监丞宋昌言,听从内侍程昉的意见,建议疏通漳河,服劳役的兵士达一万人,修河道长一百六十里。神宗担心财用不足,文彦博说:"使财用充足在于安定百姓,安定百姓在于减省劳役。况且河道长久淤塞,水不向东溢出就向西溢出,利害是相同的。如今派民夫疏通河道,把水患从西移到东,有什么好处!"正遇京东、河北风灾异常,百姓很恐慌,神宗下诏令给中书省,简省事务安定人心以应付天灾,疏通漳河的工程妨害农耕,来年进行并不为晚。

夏季,四月,丙辰朔(初一),慎用刑法。

癸亥(初八),停止陕西的交子法。

丁卯(十二日),任命邓绾为侍御史知杂事、判司农寺。当时新法都出自司农寺,而吕惠卿居丧在家,曾布不能独自担负司农寺事务,王安石想借邓绾使众人畏服,因而有了这项任命。邓绾进言:"亳州判官富弼,责问蒙城官员分发常平钱粮,非分地追究县官,重加鞭笞;又派人拿着文书下到各县,命令不得依照提举司的公文执行;本州金判、管勾官徐公衮,以书信告谕各县,让他们不要奉行诏令。请求依理予以处治。"下诏令:"送亳州推勘院,将富弼审案拘捕以后上报。"富弼上奏书,请求只定他一人之罪,并且说:"青苗法一事,天下人都知道它的害处。臣来本州任职,不散发钱谷,甘愿承担严厉的责罚。其余徐公衮以下各州县官员,希望圣上仁慈特与怜悯宽免其罪。"

癸酉(十八日),任命司马光为判西京御史台。先前司马光任职永兴军,因进言未被采纳,请求任职西京御史,没有给予答复。司马光又上书说:"臣无才,在群臣中位居最下等,先见之明不如吕诲,正直无私不如范纯仁、程颢,敢于直言不如苏轼、孔文仲,勇敢果断不如范镇。这几个人,目睹王安石所作所为,上书、直接进言,极力陈述他的害处,而且范镇因此请求辞官退休。臣听说居于官位的人必须忧虑其职事,享其俸禄者必定担当其忧患,倘或不这样,则形同盗贼;臣虽不贤,也不敢做盗贼之事。如今陛下只信任王安石,王安石认为贤者才是贤人,认为愚者就是愚人,认为正确的才是正确,以为不正确的就是不正确,谄媚依附王安石的人称为忠良,攻击责难王安石的人称为逸佞。臣的才识本是王安石认为愚蠢,论议本是王安石认为不正确的,今日所进之言,也是王安石称之为逸佞的。如若臣罪与范镇相同,则请求依照范镇之例辞官退休;如若比范镇之罪还重,或流放或诛杀,只听陛下裁决处置!"过了很久,神宗才答应了他的请求。司马光回到洛阳,闭口不议论政事。

辽道宗前往纳葛泺。

甲戌(十九日),下诏令司农寺每月上报各路所呈送的雨雪情况的文书。

任命前大理评事常秩为右正言、直集贤院、管勾国子监。常秩屡次被征召都不出来做官,下诏州县官以礼敦请并送他上路。到此时才到朝廷来,在垂拱殿应答皇上。神宗问:"如今有何办法使百姓免受冻饿?"常秩回答说:"法令制度不确立,百姓食地方之食,衣地方之服,这是如今的大患。臣的才能不适合任用,希望能辞官归家。"神宗说:"既然来了,怎么能不稍留住些时日!"于是有了这项任命。不久升迁为天章阁侍讲、同修起居注,仍让他担任谏官之职。常秩名重一时,世人都认为他无做官的欲望。到了王安石变法,常秩一人认为正确,一召就起,担任谏官之职,列于侍从之位,低头屏气,无所作为,名望一天天降低。常秩擅长于《春秋》之学,及至王安石废止学习《春秋》,常秩就全部抛弃自己生平所学,当时舆论很轻视他。

权开封府推官苏轼调任杭州通判。起初,苏轼任职直史馆,王安石协助神宗独断专行。苏轼乘进士考试之机,策论以"晋武帝平定东吴,独断而克敌制胜,苻坚征讨东晋,独断而招致灭亡;齐桓公专任管仲而称霸诸侯,燕哙专任子之而导致失败;事情相同而成败各异"为题目。王安石见了大怒,指使侍御史谢景温上奏论苏轼的过失,想狠狠惩治他而毫无结果,苏轼于是请求到外地任官。

乙亥(二十日),辽国禁止短窄不合尺度的布帛。

丙子(二十一日),派使者巡视宿、亳等州的灾害,于是命令修治整顿武备。

壬午(二十七日),定进士考试转官。

五月,甲午(初十),右谏议大夫、提举崇福宫、退休的吕诲去世。吕诲开初请求退休时,上表说:"臣本无旧病,偶遇医生诊治乱开药方,误下汤药,纵情任意,虽差误不大,但祸害延及四肢,渐成风痹之病,非但怕足掌扭曲之苦,还要担忧心腹发生病变。虽然我一个人微不足道,本就不值得怜惜,但家族的重托,颇以为忧。"这是以身体的疾病比喻朝政大事。病重时,还日夜忧愤慨叹,以国家大事为忧。病危时,司马光前往探视,到达时吕诲双目已闭,听到司马光的哭声,急速起身,张开双眼注视司马光说:"国家大事还可以有所作为,君实你要努力啊!"说完就去世了。

壬寅(十八日),下诏允许富弼在西京养病。

丙午(二十二日),高丽前来进贡。高丽为辽国阻隔,与中原朝廷断绝往来已有四十三年,到这时福建转运使罗拯命令商人黄真与高丽往来交好,高丽王王徽于是乘黄真回国之机,送文书给福建,表示愿意备礼物朝贡。罗拯上报朝廷,朝廷商议认为可以结交以对付辽国,于是命令罗拯转达朝廷的意向。王徽就派高丽民官侍郎金悌等人从登州来朝贡。从此重新与中原朝廷往来,朝贡不断。

辛亥(二十七日),下诏说:"宗室率府副率以上遇父母丧事及嫡孙遭祖丧而父已亡故者,都辞官居丧。"

壬子(二十八日),下诏说:"恩、冀等州有灾害,派遣使者赈济抚恤,减免赋税。"

御史中丞杨绘进言:"东明等县百姓一千多人,前往开封府陈诉提高等级纳助役钱之事,开封府不予受理,于是闯进王安石私人住宅。王安石告诉他们说:'此事丞相府不清楚。'又问:'你们来,知县知道吗?'都说知县不知道。他们又往御史台,臣因本台没有收受诉状的先例,命令他们散去。退下来询问,才知是司农寺不依各县原定人户的等级,却以现管户口估量等级订出免役钱数量交给各县,命各县认管,另造簿册登记,在农忙之前结束。臣私下认为凡是等级的升降,应看人们家产多少,才能符合实际。如今却由司农寺先确定数目,命令各县依此数定在簿册之上,岂能使百姓不抗争告状呢!判司农寺的是邓绾、曾布,一为知杂事,一为都检正,如果不是臣陈述此事,谁敢说呢?"王安石指责杨绘所言并非正确,于是搁置起来不加追究。

当初,推行保甲法,乡民受到惊扰,以至有截断指腕来躲避充当保丁的。开封府知府韩维把这些事上告皇上,神宗以此事询问王安石,王安石说:"即使有这种事,也不值得惊奇。作为天下君主,如果只听任民情,那何必立君主为他建官府设官吏呢!保甲法不只为清除盗贼,还可渐渐熟悉军事而成为士兵,而且节省钱财费用。希望陛下果断,不因人们议论而推行它。"王安石因此而更加厌恶韩维。神宗想任命韩维为御史中丞,韩维因其兄韩绛在官府任职,极力推辞。王安石乘机说:"韩维惯于附会流俗而否定朝廷建立的制度法令,请求答应他的要求。"恰逢文彦博请求辞官,神宗说:"枢密院事务繁多,应任命韩维辅佐你。"第二天,韩维到殿中奏事,因进言不被采纳,极力请求去外地任职,神宗说:"你是往日朕为太子时的旧臣,应当留下来辅佐我执政。"韩维回答说:"让我的进言得以施行,胜于给我富贵。如果因攀附旧恩而升官,不是我所希望的。"于是出京任襄州知州。

六月,丁巳(初四),河北饥民当盗贼的,减去死罪,处以刺字流放之刑。

戊午(初五),监察御史里行刘挚上书说:"君子、小人的区别,在于如何对待义与利的态度罢了。小人的才能并非不可任用,只是心志所向,不在于义理,所以希望得到赏赐的心意,总放在所行之事前面,克己奉公之心,总放在办事的后面。陛下有鼓励农事之意,如今却变成烦忧;陛下有平均劳役之意,如今却变为靠它聚敛民财;那些爱君忧国的人,都不被容纳。如今有喜欢敢作敢为之议论的,有乐于清静无为之议论的,他们以此为同于流俗,此以彼为扰乱常规,敬畏义的人以进取为可耻,好利之徒以遵守秩序为无能,这种风气漫延开来,汉代、唐代的党人相争之祸必定又会兴起了。希望陛下平心静气听取进言,审察是好言还是恶言,约束激切和不及的议论,使之符合于中庸之道。"刘挚刚被升为御史,还没有上殿应答,就上书论道:"亳州的案狱发生了,小人之意在于使富弼下台以求自己升官。如今富弼已经获罪,希望稍加宽大处置他。"又说:"程昉疏通漳河,调动劳役仓促急迫,民不堪命。赵子几擅自提高京畿各县缴纳免役钱的等级,县里百姓每天数千人拦住宰相申诉,京师喧哗,怎么向天下四方之人交代!张靓、王廷老擅自增加两浙的免役钱,督责赋税十分严厉急迫,民情怨叹。这都是想以羡余求赏赐,希望实行公开的责罚,表明朝廷并无聚敛之意。"等到入宫面见皇上,神宗当面赐给褒扬的谕旨,顺便问:"你跟从王安石学习过吗?王安石极力称赞你的器量和见识。"刘挚回答说:"臣是东北人,年少而孤,独自求学,不认识王安石。"退出来,就送上这份奏书,王安石很不高兴。

庚申(初七),群臣三次呈上皇帝尊号为绍天法古文武仁孝,神宗不予答应。

甲子(十一日),蔡州知州欧阳修以太子少师、观文殿学士身份退休。欧阳修以高风亮节自守,接连遭受诬蔑之后,年已六十岁,就请求辞去官职。等到任知蔡州,上书请求停止散发青苗钱,王安石讨厌他,欧阳修要求辞官归乡更加急迫。冯京请求挽留他,王安石说:"欧阳修惯于附和流俗,认为韩琦为社稷之臣。像他这种人,在一州任职就败坏一州,在朝廷就败坏朝廷,留他有何用处!"

当时贤能之士大多引退辞归,杨绘上书说:"对老成的官员不可不爱惜。如今旧臣辞官回家或屏退于朝廷之外的,全都未老,范镇年六十三岁、吕诲五十八岁、欧阳修六十五岁就退休了,富弼六十八岁托病辞官,司马光、王陶都只有五十岁就请求任闲散职务,陛下怎么不思考其中的缘故呢?"

甲戌(二十一日),富弼因阻挠青苗法而获罪,被免去使相之职,以左仆射调判汝州。王安石说:"鲧因违命被杀,共工以貌似恭谨实则倨傲而被放逐。富弼兼有以上两罪,只剥夺他的使相之职,如何可以阻止奸邪之人呢!"神宗不予答复。富弼路过应天府,对判应天府张方平说:"人心本来就难测。"张方平说:"是说王安石吗?哪里是难于了解的人呢!我曾主持过皇祐年间的贡举考试,有人称赞王安石的文章、学问都好,征召为考校官,到任之后,贡院中的事务他都要改革。我讨厌他的为人,下文书让他离开贡院,从此未曾与他说过话。"富弼听后面有愧色,这是由于平时富弼也和王安石友好。

己卯(二十六日),吐蕃向辽国进贡。

秋季,七月,己丑(初六),辽国派使者审问五京的囚犯。

辛卯(初八),北京新堤的第四、第五处堤坝决口,淹没了馆陶、永济、清阳以北地区,朝廷派内侍都知张茂则乘驿车视察灾情。

甲午(十一日),赈济抚恤两浙水灾灾民。

丁酉(十四日),贬监察御史里行刘挚为监衡州盐仓;御史中丞杨绘,免去职务改任翰林侍读学士。

刘挚上书陈述以人户计钱助役有十大害处;恰遇杨绘也议论助役法不便推行,前后上书四次,又说:"提刑赵子几,恼怒东明县知县贾蕃不禁止阻拦百姓上告助役之事,挑出其他缘由,把贾蕃下狱且亲自审问,是迎合王安石的意旨而使无辜之人陷入牢狱之境。"刘挚也进言道:"赵子几搜罗贾蕃的罪名,是想钳制天下人之口,请求审查他的罪行。"王安石大怒,让知谏院张璪取杨绘、刘挚上书的议论,提出十条加以驳难,张璪推辞不干。判司农寺曾布请求做这件事,写出了十条驳议,又弹劾杨绘、刘挚欺罔虚夸,心怀不轨,神宗下诏把曾布的上书发给杨绘、刘挚,让他们各自剖析上报。刘挚激奋地说:"作为人臣,岂可迫于权势,使天子不了解利害的真相!"立即针对驳难申述自己的观点,并且说:"臣担任进言的职责,收集官民的言论上报朝廷,是我的责任。如今竟然急切地命令分条剖析,互相辩驳,不是侮辱了陛下的耳目之官吗!"神宗不予答复。第二天,刘挚又上书说:"自从青苗法之议论出现,而天下才有借机搜刮财物的疑虑。青苗法的议论未停,而均输法又推行;均输法正在扰民,而边境地区起衅的谋划就发生了;边境地区的祸患未平息,而疏浚漳河的工程又开始了;漳河之害未平息,而出钱助役之事又兴起了。为议论财利,就把市井上的屠夫小贩之类的人招进政事堂;为了征收财利,就连小到日历之类的东西都由官府自己出售。由此推及其他,不可尽言。轻易地任用官品等级名号,混淆了贤人与不贤人的区别,忠厚老成的人被摒弃为无能之人;狭隘小气巧言善辩之人,取之为可用之人;坚守正道为国分忧的人,被指斥为混同流俗;败坏常道而害民之人,称许为通晓权变。凡是朝廷官府谋议策划治国大计,只与个别属吏决策,然后起草文书,同僚听到决策的消息,反在属吏之后;因此奔走钻营乞求奉迎之徒,使其门庭若市。如今西夏归顺的条款还未签订,反复无常的士兵未安定,各边境地区的创伤,还没有治愈,河北大旱,各路洪水泛滥,百姓疲劳、财力困乏,官府费用减少。圣上忧虑勤奋力图整治国家之时,而国家大事如此,这都是大臣们耽误了陛下,而大臣所任用的官吏又耽误了大臣们啊。"奏书呈上后,王安石想把刘挚流放到岭南去,神宗没有同意,只贬他为监仓。不久杨绘调出任郑州知州,张璪也丢了官。张璪,是张洎的孙子。

朝廷派察访使全面巡视各路,促使各地登记百姓按等纳役钱的簿书。

庚子(十七日),下诏令不得祀奉祖宗的遗像。

辽道宗前往藕丝淀。

丁未(二十四日),下诏令唐、邓两州给流亡的百姓以田地。

八月,癸丑朔(初一),派官员考察陕西差役新法以及对民间的利弊。

甲寅(初二),下诏说:"各郡县保甲与贼寇战斗而死伤的,分不同等级给钱抚恤。"

庚申(初八),恢复明经科考试以《春秋三传》取士。王安石起初想注释《春秋》以通行于世,而孙觉的《春秋》经解已问世,自知不能再出其上,于是就诋毁圣人的经典,以至视经书为"断烂朝报",所以贡举考试不以《春秋》取士。杨绘曾提出应当恢复考试《春秋》,王安石不同意,到这时神宗才特定恢复。

癸酉(二十一日),设置洮河安抚司,任命王韶主持该司事务。开初,商议攻取河湟,从古渭寨连接青唐、武胜军,应招纳蕃部参与交易活动、招募百姓开荒种田等事,王韶全都主管,于是来到秦州。正遇上诸将领因蕃部俞龙珂在青唐势力最大,渭源羌人和西夏人都想笼络他,商议先讨伐他。王韶乘巡视边境之机,带领几个骑兵直到他的军营中,晓以成败利害,就留宿在他军营中。次日早晨,渭源羌人与西夏人都派其豪强跟随王韶东行,俞龙珂率部众十二万人归附宋朝廷。俞龙珂归顺朝廷后,自己进言:"平生听说包中丞是朝廷忠臣,乞请赐姓包氏。"神宗准其请求,赐他姓包名顺。

己卯(二十七日),任命前旌德县尉王雱为太子中允、崇政殿说书。王雱,王安石之子,为人剽悍不驯,阴险刻薄,无所顾忌。十三岁时,听到秦州士卒说及洮河之事,感叹道:"可以通过安抚而得到此地。假如让西夏人得到它,那么敌人强大而边境上祸患就多了。"因此王安石极力支持王韶的意见。王雱刚中进士,调任旌德县尉,撰写策论二十多篇,纵论天下大事。当时王安石执政,任用的大多是年轻人,王雱也想参加选官,就与王安石商议说:"执政大臣的儿子虽不能参与朝廷政事,而经筵之位还是可以担任的。"王安石想让神宗了解王雱而后自己任用他,于是把王雱所作策论文刻板印刷后在街市出售,邓绾、曾布又大力推荐他,神宗召见王雱因而有了此项任命。王安石改革政事,实际上是王雱启导的。

辛巳(二十九日),辽国把佛骨安放在招山佛塔中,停止在此地打猎,禁止屠杀生灵。

这个月,黄河在澶州泛滥,曹村的堤坝决口。镇宁金判程颢正在救护小吴灾民,相距百里,州帅刘涣把这一紧急情况通告程颢,程颢一夜奔到曹村。刘涣等待在河桥上,程颢对刘涣说:"曹村河堤决口,京城有危险。作臣子的人,用身体堵塞水道也要去做,请把厢兵全部交给我,事情如若不成功,你当亲率禁兵继续干下去。"刘涣即把本镇帅印交给程颢,说道:"你自己调用他们。"程颢拿到帅印,来不及进城探望亲人,直接跑到决堤处,告谕士卒说:"朝廷供养你们,正是为了应付紧急情况啊!你们知道曹村堤决则河水就会淹没京城吗?我与你们用身体来捍卫堤坝!"众人都感动得自愿出力。议论者有人认为水势不可堵塞,白白让人费气力罢了,程颢命令擅长泅水的人游往决口之处,拉上大绳索引渡众人,两岸同时进行,数日就把决口堵住了。

九月,丙戌(初五),黄河在郓州决口。

辛卯(初十),在明堂大举祭祀,以英宗配祀。大赦天下。朝廷内外官员按等级晋级加禄。

庚子(十九日),西夏国王李秉常派使臣入京进贡,上表请赐给绥州城,愿意依照原订的条约。神宗下诏答复说:"以前已降下诏书,不再令你们交还塞门、安远二寨,绥州也不交还,如今又商议什么!等划定疆界完毕另进誓表之日,颁发立誓的诏书,恩赐与过去一样。"

癸卯(二十二日),增加举人俸禄;出卖各路的坊场、河流的渡口,招募人们承买,官府收取财利,一年得钱六百九十八万余缗,谷物和丝帛九十七万石、匹有余。

冬季,十月,壬子朔(初一),停止差役法,让百姓出钱雇人代役。

制定候选官员及因父兄功绩得官的人出任官职时考试律令的法规。

乙卯(初四),辽道宗前往医巫闾山。

丙辰(初五),设立枢密院检详官。

庚申(初九),任命鲜于侁为利州转运副使。

起初,助役法实行,下诏令监司各定所辖州县助役钱数目。利州路转运使李瑜想要定为四十万,鲜于侁当时任判官之职,争辩说:"利州百姓贫困土地贫瘠,此数的一半就可以了。"李瑜不依从,于是各自上奏。当时各路役册都未编定,神宗认为鲜于侁的意见正确,告谕司农曾布,让他颁布鲜于侁的方案作为按田收取助役钱的标准,于是罢黜李瑜而提拔鲜于侁为转运副使兼提举常平。鲜于侁一向讨厌王安石，等到王安石当权，鲜于侁就上书，议论时政可忧可叹，其违逆治国的根本而招致百姓怨恨的事，不可胜举。他的意向专门针对王安石，王安石大怒，诋毁贬低他。神宗称赞鲜于侁的文才学问可用，王安石说："怎么知道呢？"神宗说："有他的奏章在此。"王安石才不敢说什么。鲜于侁做了转运副使后，属下的百姓不再请求青苗钱，王安石派官吏去诘问，鲜于侁说："青苗之法，愿意要的就给予。百姓自己不愿要，怎能强迫他们呢？"

戊辰（十七日），制定太学生三舍法。起初，国子监学生以京城七品以上朝官应恩荫得官的子孙充当，太学生以八品以下官员的子孙和庶民百姓中才智出众的人充当；考试论、策、经义各科目与进士考试一样。到神宗即皇位，垂青于儒家学说，从京师到各州县都设立学校，每年每季每月都有课程考试，其才能按等级次序升舍，其中最优秀的学生居上舍，免掉由州县发送京师参加礼部会试的程序而直接特别赐予进士及第，于是就用此法取士。又多次增加太学内舍生至九百人。到此侍御史邓绾进言："国家太平安定已有百多年，虽然有国子监，只能容纳举行祭祀先师的释奠礼时作为斋戒的庖厨，而学生就没有地方容纳了。至于太学，未曾营建；只是借锡庆院廊屋几十间，学生才三百人。请求以锡庆院为太学校舍，再修武王庙作为右学，以比拟上古夏禹、商汤、周文王三王和虞、夏、殷、周四代学校一东一西、一左一右的建制。"于是神宗下诏令，以锡庆院和朝集院西侧廊屋全都作为讲书堂，斋舍、值宿的处所大致齐备。除主判官外，增设直讲为十人，一率二人合讲一经，直讲人选由中书省遴选或由主判官推荐。分生员为三等：刚进太学的生员为外舍，起初不限制人数，以后定额为七百人；由外舍升内舍，人数定额为二百人；由内舍升上舍，人数定额一百人。生员每人学习一部经书，跟随讲官学习，每月考试其学业，成绩优秀的依次序升为上舍，免除由州县发送和参加礼部会试，由皇上召见面试赐予及第。太学的学正、学录、学谕，由上舍生担任，每经各二人。学问品行杰出的，主判官和直讲再推荐给中书省，上奏皇上授予官职。

开初，苏颂之子苏嘉在太学读书，国子监直讲颜复曾策问王莽、后周变法之事，苏嘉竭力阐述其不妥之处，提为优等；苏液写密告信给曾布说："这帮人一唱一和，非议诽谤时政。"曾布大怒，责问张琥说："你以谏官主持国子监事务，学官与生员非议诋毁时政，竟然不予弹劾！"于是将此事禀告王安石。王安石大怒，把众学官全部驱逐，任命李定、常秩一同主持国子监；选用学官，不是执政者喜欢的人都不用。陆佃、黎宗孟、叶涛、曾肇、沈季长被选中。沈季长是王安石的妹夫；叶涛是王安石的侄女婿；陆佃是王安石的学生；曾肇是曾布之弟。陆佃等人夜间在王安石的书房听王安石口授经义，白天到太学讲授经书，没有一句话出于自己的见解。在国子监设立外、内、上三舍，目的是引荐、任用他的党羽。

辽道宗拜谒乾陵。

壬申（二十一日），任命西京国子监教授王安国为崇文院校书。王安国在外地做官期满回京师，神宗因其兄王安石的缘故，专门召见应对。神宗说："汉文帝是怎样的君主？"王安国回答说："三代以下从未有过的贤明君主。"神宗说："只是遗憾他的才能不足以制定法令更改旧制。"王安国回答说："文帝从代王封地来朝廷，平定叛乱于顷刻之间，恐怕没有才干是做不到这样的。至于采用贾谊的建议，对待群臣有分寸，专门致力于以德政感化百姓，天下大兴礼乐教化，几乎达到人人守法、刑法搁置不用的境地，那么文帝比有才干的人更胜一筹了。"神宗说："王猛辅佐苻坚，凭着那么个小国而政令必行；如今天下这么大，却不能使人们归同,是什么缘故呢?"王安国说:"王猛教导苻坚以严刑峻法治国,使前秦皇位不能传给后代子孙。如今有些小人必定以此而误陛下的。果真以尧、舜、三代为榜样,那么下面哪里有不听从的呢!"神宗又问:"你兄长执掌朝廷大政,外面有些什么议论?"王安国说:"只可惜的是知人不明,搜刮财物太急迫。"神宗听后不高兴。王安国曾经极力劝谏王安石,认为天下喧闹不宁、人们不喜欢新法,都归罪于王安石,恐怕会给家族带来灾祸,王安石不予理睬。

丙子(二十五日),下诏说:"罪犯发配、流放正遇上冬寒之时的,到仲春再遣送。"

庚辰(二十九日),辽国下诏令百官到朝廷来议论国家军政大事。

十一月,甲申(初三),下诏令免除全国现今所拖欠的钱粮,总计米一百六十六万八千多石,钱十一万七千多缗。百姓听到诏令,无不高兴庆祝。

丁亥(初六),修建中太一宫,这是听从司天冬宫正周琮的建议而修的。

戊子(初七),辽国免除南京流亡百姓的赋税。己丑(初八),赈济饶州饥民。

壬寅(二十一日),开浚洪泽湖,通至淮河。

十二月,辛亥朔(初一),下诏令增加赏赐给国子监钱四千缗。

壬子(初二),辽国以契丹行营都部署耶律呼敦为知北院枢密使事,以知北院枢密使事萧惟信为南府宰相兼契丹行官都部署。

丁巳(初七),辽道宗命汉人行宫都部署李仲禧、北院宣徽使刘霖、枢密副使王观、都承旨杨兴功全都赐姓国姓。

戊午(初八),遣还西夏战俘。

己未(初九),安定郡王赵从式去世。

丙寅(十六日),减少各路厢兵。

乙亥(二十五日),崇义公柴咏退休,儿子柴若纳继承封爵。

戊寅(二十八日),回鹘向辽国进贡。

先前黄河在卫州王供泛滥,当时新堤坝总共六个而有两个决口,河水下游到恩州、冀州,通到御河,奔流冲撞成一条河。神宗为此担忧,从秋到冬,多次派使者前往治理。议论的人争着谈论疏导黄河的好处,张茂则等人说:"二股河地势最低,而且旧有的河堤还可以利用,如今湮塞之处只有三十余里,如果测量黄河水流湍急之处的深度加以疏浚并阻拦,又保存清水镇的河流来分散水势,那么最猛的水势可以扭转,决口的地方可以堵塞住。"神宗认为言之有理,这个月,命令河北转运司开浚修治二股河上游河道,并修补堵塞第五个堤坝的决口。镇宁河清地方的士卒,依法令不到别处服役,程昉为都水丞,想要全部征调各坝士兵去修治二股河。镇宁金判程颢依照法令规定拒绝了程昉,程昉向朝廷求助,命令以八百人给程昉调用。天气正是大寒之时,程昉恣意暴虐,随意调用那些兵士,士兵逃跑回来,将要进城,州官畏惧程昉,想不接纳进城,程颢说:"他们逃离死亡自己归来,不接纳进城,必定叛乱。程昉若有怪罪,我程颢自己担当责任。"随即亲自前往打开城门,慰问安抚士卒,约定回城休息三天后再去服役,众士卒欢呼进城。程颢把这件事详尽地上报朝廷,于是士卒得以不再派去服役。后来程昉入朝奏事路过澶州,对众人扬言说:"澶州士卒哗变,是程中允诱导的,我必定向皇上陈诉。"同僚把这些话告诉程颢,程颢笑着说:"他正害怕我,怎么敢呢!"程昉果然不敢说什么。

续资治通鉴卷第六十九

【原文】

宋纪六十九　起玄黓困敦【壬子】正月,尽昭阳赤奋若【癸丑】十二月,凡二年。

神宗体元显道法古立宪帝德　王功英文烈武钦仁圣孝皇帝

熙宁五年　辽咸雍八年【壬子,1072】　春,正月,辽北部叛,乌库德呼勒部详衮耶律巢率师进讨,癸未,遣使奏捷。辽主以战多杀人,饭僧于南京、中京。

甲申,辽主如鱼儿泺。

己丑,诏听降羌归国。

己亥,置京城逻卒,察谤议时政者,收罪之。

辛丑,司天监灵台郎(尤)〔冘〕瑛言:"天久阴,星失度,宜罢免王安石。"帝以瑛状付中书,安石遂谒告。诏刺配英州牢城,安石翼日乃出。

辽境自壬寅后,昏雾连日。

二月,壬子,以两浙水,赐谷十万石赈之,仍募民兴水利。

丙辰,辽北、南枢密院言无事可陈。时耶律伊逊用事,群臣俱畏之,莫敢言其短,唯后族与之抗。伊逊居常怏怏。

壬戌,辽主论讨北部功,以乌库德呼勒部详衮耶律巢知北院大王事,以都监萧阿噜岱为乌库德呼勒部详衮,加左监门卫上将军。

癸亥,太白昼见。

丙寅,以知郑州吕公弼为宣徽南院使、〔判秦州〕,龙图阁直学士、知渭州蔡挺为枢密副使。挺在渭州,籍禁兵,悉过府,不使有隐占。建勤武堂,轮诸将五日一教阅,队伍、金鼓之法甚备。储劲卒于行间,遇用奇,则别为一队出战。甲兵整习,常若寇至。时土兵有阙,诏募三千人。挺奏:"土兵不必补。当以泾、渭、仪、原四州义勇分五番,番三千人,防秋以八月十五日上,九月罢,防春以正月十五日上,三月罢,周而复始。比之募土兵,省费多矣。"从之。岁省粟帛钱缗十三万有奇。

挺又括并边生地冒耕田千八百顷,募人佃种,以益边储;取边民阑市蕃部四八千顷,以给弓箭手养马。镇戎军壕外有土山,挺因险筑砦,乘高四望,觇贼往来,开膏腴之地二千顷,募弓箭手三千耕守,赐名熙宁砦。

谍告夏人数万集胡卢河,挺出奇兵迎击之,遂溃;遣四将分路追讨,破其七族。夏人复犯诸砦,环庆兵不能御,挺遣张玉以万人往解其围。庆州军变,关中大扰,挺讨平之。帝曰:"庆卒为乱,不至猖獗,泾原之力也"进龙图阁直学士。挺自以有劳,久留边,郁郁不得志,寓意词曲,有"玉关人老"之句,中使至,使优伶歌之以达于禁掖。帝闻而闵之,故有是拜。

戊辰,辽以岁饥,免武安州租税,赈恩、蔚、顺、惠等州民。

三月,甲午,南平王李日尊卒,子乾德嗣。日尊,公蕴之孙也,既死,乾德幼,母黎氏燕太妃与宦者李若吉同主国事。讣至,遣使吊赠。

戊戌,判汝州富弼致仕。

弼至汝两月,即上言:"新法臣所不晓,不可以治郡,愿归洛养疾。"许之。弼虽家居,朝廷有大利害,知无不言。帝虽不尽用,而眷礼不衰。王安石尝有所建明,帝却之曰:"富弼手疏称'老臣无以告诉,但仰屋窃叹'者,即当至矣。"其敬之如此。

癸卯,辽有司奏:"春、泰、宁江三州三千馀人愿为僧尼,受具足戒。"许之。辽主崇佛教,僧有拜司徒、司空者,故一时习尚如此。

丙午,行市易法。

自王韶倡为缘边市易之说,王安石善之,以为与汉平准法同,可以制物低昂而均通之,遂用草泽魏继宗议,以内藏库钱帛置市易务于京师。凡货之可市及滞于民而不售者,平其价市之,愿以易官物者听。以抵当物力多少均赊请,相度立限,岁出息二分纳还。以户部判官吕嘉问为提举。嘉问上建置(三十)〔十三〕条,其一云:"兼并之家较固取利,令市易务觉察,申三司,按置以法。"帝削去此条。御史刘孝孙言:"于此见陛下宽仁爱民之至。"安石曰:"孝孙称颂此事,以为圣政,臣愚窃谓此乃圣政之阙也。"自是诸州上供蕲席、黄芦之类,悉令计直,从民愿者市之以给用。寻改在京市易务为都提举市易司,秦凤、两浙、滁州、成都、广州、郓州六市易司皆隶焉。

戊申,群牧使李肃之知永兴军。帝戒令抚绥一路,肃之曰:"自是朝廷以常平、助役扰州县耳。"帝不悦。

夏,四月,庚戌朔,立殿前马步军春秋校试殿最法。

壬子,辽赈义、饶二州饥民。

丁巳,辽主驻塔里舍。

己未,括闲田。

知定州滕甫言:"河北州县近山谷处,民间各有弓箭社及猎射人,习惯便利,与蕃人无异。乞下本道逐州县,并令募诸色公人及城郭乡村百姓,有武勇愿习弓箭者,自为之社。每岁之春,长吏就阅试之。北人劲悍,缓急可用。"从之。

丁卯,二股河成,深十丈,广四百尺。方浚河,则稍障其决水,至是水入于河而决口亦塞。

己卯,辽主清暑特古里。

五月,辛巳,以古渭砦为通远军。帝志复河陇,会定州都监张守约请以古渭为军,帝从之,以王韶知军事,行教阅法。

诏:"宗室非祖免亲者许应举;初试黜其不成文理者,馀令覆试;累覆试不中者,亦量才擢用。"

壬午,辽晋王耶律仁先卒,遗命家人薄葬。仁先自受知兴宗,即著功绩,人望翕然归之。辽主初以定难故,甚德之;卒为耶律伊逊所间,出之于外,不竟其用,时论惜之。

庚寅,以青唐大首领包顺为西头供奉官。

辛卯,王安石以王韶书进呈;韶言已拓地千二百里,招附三十馀万口。帝与安石论人有才不可置之闲处,因言汉武亦能用人。安石曰:"武帝所见下,故所用将帅止卫、霍辈,至天下户口减半,然亦不能灭匈奴。"帝曰:"武帝自为多欲耳。"安石曰:"欲亦不能害政。如齐桓公亦多欲矣,而注措方略,不失为霸于天下,能用人故也。"帝曰:"汉武至不仁,以一马之故劳师万里,侯者七十馀人,视人命若草芥,所以户口减半也。人命至重,天地之大德曰生,岂可如此!"

壬辰,以赵尚宽等前守唐州辟田疏水有功,增秩,以劝天下。

丙午,太白昼见。

行保马法。

王安石始建此议,文彦博、吴充以为不便,安石持论益坚。乃诏开封府界诸县保甲,愿牧马者听,仍令以陕西所市马选给之。于是曾布等上其条约,凡陕西五路义勇、保甲,愿养马者户一匹,物力高愿养马二匹者听,皆以监牧见马给之,或官与其直,令自市。先行于开封府及陕西五路,府界无过三千匹,五路无过五千匹。袭逐盗贼外,乘越三百里者有禁。岁一阅其肥瘠,死病者补偿。在府界者,免体量草二百五十束,加给以钱布;在五路者,岁免折变缘纳钱。三等以上,十户为一保,四等以下,十户为一社,以待病毙补偿者。保户马死,保户独偿;社户马死,社户半偿之。其后遂遍行于诸路。

六月,壬子,司空兼侍中、河阳三城节度使、判永兴军曾公亮以太傅致仕。

甲寅,辽赈易州贫民,以次及于中京及兴中府皆赈之。

癸亥,诏分经义、论、策为四场,以试进士。

丙寅,作京城门铜鱼符。

甲戌,辽以枢密副使耶律观参知政事兼知南院枢密使事。时北府宰相杨绩累表告归,辽主不许,封为赵王。

枢密院言仁宗时尝建武学,乞复之。乙亥,诏于武成王庙置武学,选文武官知兵者为教授。

丁丑,高丽遣使贡于辽。

是月,河溢北京夏津。

秋,七月,己卯,辽以庆州靳文高八世同居,命赐爵。

壬午,诏以権货务为市易西务下界,市易务为东务上界。

辛卯,诏"在京商税院、〔杂卖场〕、杂买务,并隶提举市易务。"

丙申,辽赈饶州饥民。

丁酉,辽主如黑岭。

壬寅,以曾孝宽为史馆修撰兼枢密都承旨。都承旨旧用武臣,以文臣兼领自孝宽始。

〔是月〕,编修三司敕条例删定官郭逢原上疏曰:"陛下固以师臣待王安石矣,而使之自五鼓趋朝,仆仆然亟拜,守君臣之常分,臣之所未喻也。"又曰:"宰相代天理物,无所不统,当废枢密府,并归中书。今安石居宰辅之重,朝廷有所建置,特牵于枢密而不预,臣恐陛下所以任安石者盖不专矣。"疏奏,帝甚不悦。它日,谓安石曰:"逢原必轻俊。"安石问:"何以知之?"帝曰:"见所上书,(并欲归)〔欲并〕枢密院。"安石曰:"人才难得,如逢原亦且晓事,可试用也。"

丁未,辽主以手书《华严五颂》出示群臣。

闰月,庚戌,遣中书检正官章惇察访荆湖北路。帝思用兵以威四夷,湖北提点刑狱赵鼎上言峡州峒酋刻剥无度,蛮众愿内附。辰州布衣张翘亦上书言南北江利害。遂诏惇察访,经制蛮事。

时北江则彭氏主之,有州二十,南江则舒氏有四州,田氏有四州,向氏有五州,皆自太祖以来受朝命隶辰州入贡者。及惇往经制,蛮相继纳土,愿为王民,始创城砦,比之内地矣。

辛亥,帝因河溢,语辅臣曰:"闻京东调夫修河,有坏产者,河北调急夫尤多;若河复决,奈何?且河决不过占一河之地,或西或东,利害无所校,听其所趋如何?"王安石曰:"北流不塞,占公私田至多。又水散漫,久复淀塞。昨修二股,费至少而公私田皆出,向之潟卤,俱为沃壤,庸非利乎?况急夫已减于去岁,若复葺理堤防,则河北岁夫愈减矣。"帝以为然。

章惇经制夔夷,狎侮郡县,吏无敢与共语。知南川县新津张商英,负气倜傥,豪视一世;部使者念独商英足抗惇,檄至夔,与惇相见。商英著道士服,长揖就坐。惇肆意大言,商英随机折之,落落出其上。惇大喜,延为上客,荐诸王安石,得召对,除光禄寺丞,寻加太子中允、权监察御史里行。商英上疏曰:"陛下即位以来,更张改造者数十百事,其最大者三事:一曰免役,二曰保甲,三曰市易。三者,得其人,缓而讲之,则为利;非其人,急而成之,则为害。愿陛下与大臣安静休息,择人而行之。苟一事未已,一事复兴,虽使禆谌适野而谋,墨翟持筹而算,终莫见其成也。"

壬子,诏:"武学生员以百人为额,遇科场前一年,委枢密院降宣,命武臣路分都监及文臣转运判官以上,各奏举堪应武举者一人,其被举人遇生员阙,愿入学者,听。"

〔丙辰,权〕监察御史里行张商英言:"判刑部王庭筠立法,凡蝗蝻为害,须捕尽乃得闻奏。今大名府、祁、保、邢、莫州、顺安、保定军所奏,凡四十九状,而三十九状除捕未尽,进奏院以不应法,不敢通奏。夫蝗蝻几遍河朔,而邸吏拘文,封还奏牍,必俟其扑尽方许上闻。陛下即欲于此时恐惧修省,以上答天戒而下恤民隐,亦晚矣。"御批:"进奏院遍指挥诸路转运、安抚司,今后有灾伤,令所在画时奏闻。"王安石曰:"诸路安抚司有无限合经制事,又何暇管句奏灾伤状乎?"帝笑而不答。

先是内批付安石:"闻市易买卖极苛细,市人籍籍怨谤,以为官司浸淫尽收天下之货,自作经营,可令但依魏继宗元擘画施行。"于是安石留身白帝曰:"必有事实,乞宣示。"帝曰:"闻榷货卖冰,致民卖雪都不售;又闻买梳朴即梳朴贵,买脂麻即脂麻贵;又闻立赏钱,捕人不来市易司买卖者。"安石曰:"果尔,则是臣欲以聚敛误陛下也。臣素行陛下所知,何缘有此事?"帝曰:"恐所使令未体朝廷意,更须审察耳。"安石曰:"此事皆有迹,容臣根究勘会,别有闻奏。"

辛未,辽主射熊于殽羊山。彰国军节度使耶律普锡谒于行宫。辽主问边事,普锡曰:"自应州南境至天池,皆我耕牧之地,清宁间,边将不谨,为宋所侵,烽堠内移,似非所宜。"辽主然之,拜普锡为北面林牙。

甲戌,徙知青州赵抃为资政殿大学士、知成都府。时成都以戍卒为忧,朝廷选择大臣为蜀人所信爱者,故以命抃。召见之,抃乞以便宜从事,即日辞去。既至蜀,治益尚宽,密为经略,而燕劳闲暇如它日,兵民晏然。剑州民李孝忠聚众二百馀人,私造符牒,度民为僧。或以谋逆告,狱具,抃不下法吏,以意决之,但处孝忠以私度罪,馀皆不问。

八月,甲申,观文殿学士、太子少师致仕欧阳修卒。太常初谥曰文,以配韩愈。常秩方兼太常,与修相失,乃言修有定策之功,请加以"忠"字,实抑之也。修天资刚劲,见义勇为,放逐至于再三,志气自若。治郡简而不扰,所至民便之。或问:"为政宽简而事不弛废,何也?"曰:"以纵为宽,以略为简,则政事弛废而民受其弊。吾所谓宽者,不为苛急;简者,不为繁碎耳。"奖引后进,如恐不及。曾巩、王安石、苏洵、洵之子轼、辙,布衣屏处,未为人知,修即游其声誉,谓必显于世。为文丰约中度,其言简而明,信而通,五代以来,文体卑弱,至是一变而复于古。修殁后数日,诏求其所撰《五代史记》,后与官修《五代史》并行。

秦凤路沿边安抚使王韶引兵城渭源堡,破蒙罗角,遂城乞神平,破抹耳水巴族。初,羌各保险,诸将谋置阵平地,韶曰:"贼不舍险来斗,则我师必徒归。今已入险地,当使险为吾有。"乃径趋抹邦山,逾竹牛岭,压贼军而阵,令曰:"敢言退者斩!"使皆下马少息。贼乘高下斗,军小却。韶麾帐下兵击之,羌溃走,焚其庐帐,洮西大震。会玛尔戬渡洮来援,馀党复集。韶命别将由竹牛岭路张军声,而潜师越武胜,遇玛尔戬首领瞎药等,与战,破之,遂城武胜。韶言:"措置洮河,只用回易息钱,未尝辄费官本。"文彦博曰:"工师造屋,初必小计,冀人易于动工。及既兴作,知不可已,乃始增多。"帝曰:"屋坏岂可不修!"王安石曰:"主者善计,自有忖度,岂为工师所欺也!"彦博不复敢言。自是韶进讨,辄肆欺诞,朝廷不与计财。

壬辰,以武胜(城)〔军〕为镇洮军。

乙未,诏侍从及诸路监司各举有才行者一人。

己亥,诏:"京西分南、北两路,襄、邓、随、房、金、均、郢、唐八州为南路,西京、许、孟、陈、汝、蔡、颍七州、信阳军为北路。"

(辛丑)〔癸卯〕,贬太子中允、同知谏院唐垌为潮州别驾。初,王安石喜垌,令邓绾举为御史。数月,将用为谏官,安石疑其轻脱,将背己立名,不除职,以本官同知谏院,非故事也。垌果怒安石易己,凡奏二十疏论时事;皆留中不出。垌乃因百官起居日叩陛请对,帝令谕以它日,垌伏地不起,遂召升殿。垌至御座前,进曰:"臣所言皆大臣不法,请对陛下一一陈之。"乃搢笏展疏,目安石曰:"王安石近御〔座前〕听札子!"安石迟迟,垌诃曰:"陛下前犹敢如此,在外可知!"安石竦然而进。垌大声宣读,凡六十条,大抵言"安石专作威福,曾布表里擅权,天下但知惮安石,不复知有陛下。文彦博、冯京知而不敢言,王珪曲事安石,无异厮仆"。且读且目珪,珪惭惧俯首。又言:"元绛、薛向、陈绎,安石颐指气使,无异家奴;张璪、李定为安石爪牙,张商英乃安石鹰犬。逆意者虽贤为不肖,附己者虽不肖为贤。"至诋安石为李林甫、卢杞。帝屡止之,垌慷慨自若。读已,再拜而退。邠门纠其渎乱朝仪,贬潮州别驾。邓绾申救之,且自劾缪举。安石曰:"此素狂,不足责。"改监广州军资库。

甲辰,王韶破玛尔戬于巩令城,降其部落二万馀人。

帝患田赋不均,诏司农重定方田及均税法,颁之天下。

方田之法,以东西南北各千步,当四十一顷六十六亩一百六十步为一方。岁以九月,县委令佐分地计量,随陂原、平泽而定其地,因赤淤、黑垆而辨其色。方量毕,以地及色参定肥瘠,而分五等以定其税则。至明年三月毕,揭以示民,一季无讼,即书户帖,连庄帐付之,以为地符。均税之法,县各以其租额税数为限。尝收蠲奇零,如米不及十合而收为升,绢不满十分而收为寸之类,今不得用其数均摊增展,致溢旧额,凡越额增数皆禁。若瘠卤不毛及众所食利山林、陂塘、沟路、坟墓,皆不立税。凡田方之角,立土为峰,植其野之所宜木以封表之,有方帐,有庄帐,有甲帖,有户帖,有分烟析产、典卖割移,官给契,县置簿,皆以今所方之田为正。令既具,乃以巨野尉王曼为指教官,先自京东路行之,诸路仿焉。

九月,癸丑,许宗室试换文资。

癸亥,始御便殿句校诸军武技。

甲子,辽主如藕丝淀。

丁卯,诏:"淮南分东、西两路,扬、亳、宿、楚、海、泰、泗、滁、真、通十州为东路,寿、庐、蕲、和、舒、濠、光、黄八州、无为军为西路。"

权发遣延州赵卨奏:根括地万五千九百馀顷,招汉、蕃弓箭手四千九百馀人骑,(围)〔团〕作八指挥。壬申,诏以卨为吏部员外郎,锡银、绢三百匹、两。

冬,十月,戊寅,知华州吕大防言:"九月,丙寅,少华山前皁头谷山岭摧陷,陷居民六社,凡数百户。"诏赐陷没之家钱有差。

己丑,辽参知政事耶律观坐矫制营私第,降为庶人。

癸巳,回鹘贡于辽。

戊戌,升镇洮军州以为熙、河、洮、岷四州及通远军,置熙河路,除王韶龙图阁直学士,为经略安抚使、知熙州。然河、洮、岷犹未能复也。减秦、凤囚罪一等。

十一月,庚戌,辽免祖州赋税。

癸丑,河州首领瞎药等来降,以为内殿崇班,赐姓名包约。

丙辰,辽地大雪,许民樵采禁地。

丁卯,贬〔权〕监察御史里行张商英监荆南税。时台勘劫盗李则,从轻定罪,枢密检详官刘奉世驳之;诏纠察司劾治。商英言:"此出大臣私忿。愿陛下收还主柄,自持威福,使耳目之官无为两府所胁。"帝为停其狱。商英遂言枢密庇博州亲戚,失人死罪,及纵院吏任远犯法十二事,于是文彦博、吴充、蔡挺并上印求去。帝难之,为谪商英。

壬申,分陕西为永兴、秦凤两路,仍置六路经略司。

章惇招降梅山峒峒蛮。蛮姓苏氏,旧不通中国,其地东接潭,南接邵,西接辰,北接鼎、澧,惇招降之,籍其民万四千八百馀户,田二十六万四百馀亩,均定其税,使岁一输。筑武阳、开陕二城,置(安)〔新〕化县,隶邵州。

十二月,戊辰,辽以汉人行宫都部署耶律仲禧为枢密副使,封韩国公;以枢密副使柴德滋参知政事。出参知政事赵徽为武定军节度使;擢汉人行宫副部署大悲努为都部署;以同知南院枢密使事萧罕嘉努知左伊勒希巴事。以参知政事、同知枢密院事张孝杰为北府宰相,封陈国公。辽主称孝杰勤干,数问以事,汉人中贵幸无与比者。

丙子,赦亡命荆(南)〔湖〕谿峒者。

丁丑,诏太原置弓箭手。

辽以清宁节大赦。

戊寅,改温成庙为祠。

壬午,陈升之起复为检校太傅、行礼部尚书、同平章事、枢密使。

癸未,雨土。

乙未,筑熙州南北关及诸堡砦。

是岁,河北大蝗。

中华传世藏书

續資治通鑒

1491

帝尝言:"祖宗皆爱惜天地,不肯横费,汉文帝云:'朕为天下守财耳。'"王安石曰:"人主能以尧、舜之政泽其民,虽竭天下之力以奉乘舆,不为过当。守财之言,非天下正理。然安于俭节,自是盛德,足以率厉风俗。"

六年　辽咸雍九年【癸丑,1073】　春,正月,丁未,辽主如鸳鸯泺。

辛亥,诏奉僖祖为太庙始祖,迁顺祖神主藏夹室。孟夏祀感生帝,以僖祖配。

先是,中书奏请议僖祖神主祧迁,下两制详议。元绛等言:"自古受命之主,既以功德享有天下,皆推其本,统其尊,事其祖。商、周以契、稷有功于唐、虞之际,故谓之祖有功。若祖必有功,则夏后氏何以郊鲧乎?今太祖受命之初,立亲庙自僖祖始,僖祖以上,世数既不可复得而知,则僖祖之为始祖无疑矣。傥谓僖祖不当比契、稷为始祖,是使天下之人不复知尊祖,而子孙得以有功加其祖考也。请以始祖为僖祖之庙,庶合先王礼意。"翰林学士韩维言:"太祖皇帝睿智神武,兵不血刃,坐靖大乱,子孙遵业,万世蒙泽,功德卓然,为宋太祖,无可议者。僖祖虽为高祖,然仰迹功业,未见所因,上寻世系,又不知其所始。若以所事稷、契奉之,窃恐于古无考,而于今有所未安也。"天章阁待制孙固请特为僖祖立室,禘袷之日,以僖祖权居东向之位,以伸其尊;由太祖而下,亲近迭毁之主,皆藏诸僖祖宗。礼官章衡等请以僖祖为别庙。苏(祝)〔税〕请以僖祖祔景灵宫。

帝以固议问王安石,安石曰:"为祖立别庙,自古无此礼。姜嫄所以有别庙者,盖姜嫄禖神也,以先妣故,盛其礼与歌舞,皆序于先祖之上。不然,则周不为誉庙而立姜嫄者,何也?"帝以安石论为然,诏依绛等议。

二月,辛卯,夏人寇秦州,都巡检使刘维吉败之。

丙申,永昌陵上宫东门火。

王韶复河州,获玛尔戬妻子。

壬寅,韩绛自许州徙知大名府。

三月,己酉,诏(增)〔赠〕熙河死事将田琼礼宾使,录其子三人,孙一人。

庚戌,置经义局,修《诗》《书》《周礼》三经义,命王安石提举,吕惠卿、王雱同修撰。帝欲召程颢预其事,安石不可,乃止。

辛亥,试明经诸科。

丙辰,司天监言四月朔,日当食九分。诏自丁巳避殿减膳,降天下囚罪一等,流以下释之。

己未,诏:"诸路学官,并委中书选京(官)朝官、选人或举〔人〕充。"又诏:"诸路择举人最多州军,依五路法,各置教授一员。"

壬戌,御集英殿,赐奏名进士、明经诸科余中以下及第、出身、同出身、同学究出身,总五百九十六人。赐及第进士钱三千缗,诸科七百缗,为期集费。中,常州人也。

丁卯,宰相上表请复膳,不许。

诏进士、诸科并试明法注官。

戊辰,置诸路提点刑狱司检法官各一员,从吕惠卿请也。

庚午,封李乾德为交趾郡王。

1492

夏,四月,甲戌朔,日当食,云阴不见。宰臣进贺,以为圣德所感,乞御殿复膳;从之。

乙亥,以朝集院为律学,置教授四员。公试习律令生员义三道,习断案生员一道,刑名五事至七事;私试义二道,案一道,刑名(五)〔三〕事至(三)〔五〕事。命官举人皆得入学习律令。

戊寅,知桂州沈起乞自今本路有边事,止申经略司专委处置及具以闻,从之。

自王安石用事,锐意开边,知邕州萧注,喜言兵,羡王韶等获高位,乃上疏言:"交趾虽奉朝贡,实包祸心久矣,今不取,必为后忧。"会交人为占城所败,或言其馀众不满万,可计日以取,诏以注知桂州,经略之。注入朝,帝问攻取之策,注复以为难。时起为度支判官,言南交小丑,无不可取之理;乃以起代注。起迎合安石,遂一意事攻击,交趾始贰。

乙酉,熙河经略司上河州得功将卒,王安石白帝:"士气自此益振。"帝曰:"古人谓举事则才自练,此言是也。"安石曰:"举事则才者出,不才者困,此不才者所以不乐举事也。"

壬辰,辽主如旺国崖。

甲午,定齐、徐等州保甲。

戊戌,裁定在京吏禄。

己亥,文彦博罢。

市易司既立,至果实亦官监卖,彦博以为损国体,敛民怨,致华岳山崩,为帝极言之,且曰:"衣冠之家罔利于市,搢绅清议尚所不容。岂有堂堂大国,皇皇求利,而天意有不示警者乎?"王安石曰:"华山之变,殆天意为小人发。市易之起,自为细民久困,以抑兼并尔,于官何利焉!"先是韩绛与安石协力排彦博,每议事,绛多面沮之,又置审官西院以夺其权。彦博内不平,坚求补外,帝遣中使召入,押赴枢密院者数矣。至是求去益力,遂以守司徒兼侍中、河东节度使、判阳河。

是月,始置疏浚黄河司。

先是有选人李公义者,献铁龙爪扬泥车法以浚河。其法,用铁数斤为爪形,以绳系舟尾而沉之水,篙工急棹,乘流相继而下,一再过,水已深数尺。宦官黄怀信以为可用,而患其太轻。王安石请令怀信、公义同议增损,乃别置浚川杷。其法,以巨木长八尺,齿长二尺,列于木下如杷状,以石压之;两旁系大绳,两端碇大船,相距八十步,各用滑车绞之,去来挠荡泥沙,已又移船而浚。或谓水深则杷不能及底,虽数往来无益;浅则齿碍泥沙,曳之不动,卒乃反齿向上而曳之。人皆知不可用,惟安石善其法,使怀信先试之以浚二股,又谋凿直河数里以观其效,且言于帝:"开直河则水势分,其不可开者,以近河每开数尺即见水,不容施功耳。今第见水师〔即〕以杷浚之,水当随杷改趋。直河苟置数千杷,则诸河浅淀,皆非所患,岁可省开浚之费几百千万。"帝曰:"果尔,甚善。闻河北小军垒当起夫五千,计合境之丁,仅及此数,一夫至用八缗。故欧阳修尝谓开河如放火,与其劳人,不如勿开。"安石曰:"劳人以除害,所谓毒天下而民从之者。"帝乃许春首兴工,而偿怀信以度僧牒十五道,公义与堂除。以杷法下北京,令都大提举大名府界金堤范子渊与通判、知县共试验之,皆言不可用。会子渊以事至京师,安石问其故,子渊意附会,遽曰:"法诚可善,第同官议不合耳。"安石大悦。至是乃置浚河司,将自卫州浚至海口,以子渊为都大提举,公义为之属。

五月,癸卯朔,湖北蛮向永晤、舒光银以其地来降。

戊申,诏兴水利,凡创水碓碾硙有妨灌溉民田者,以违制论。

乙丑,诏京东路察士人有行义者以闻。

以泸夷叛,诏遣中书检正官熊本为梓夔察访司,得以便宜措置诸夷事。

六月，丁丑，提举在京市易务奏三班借职张吉甫为上界句当公事。吉甫辞以见为李璋指使，方在降谪，一旦舍去，义所不安。帝叹曰："吉甫虽小人，陈义甚高，贤于李清臣远矣，可遂其志。"初，韩绛宣抚，清臣从辟，会绛被贬，清臣图自全，多毁绛，故帝薄之。

辛巳，提举司天监陈绎等言《崇天历》气后天，《明天历》朔后天，浮漏、浑仪亦各有舛戾。诏卫朴别造历，与旧历比较疏密。其浮漏、浑仪，今依新样制造，司天别测验以闻。

己丑，中书以劝课栽桑之法奏御，帝曰："农桑，衣食之本，宜以劝民。然民不敢自力者，正为州县约此以为资，升其户等耳。旧有条禁，可申明之。"遂以其法下诸路，每岁二月终点检，栽及十分者有赏，不及七分者有罚。

王雱言："今天下甲胄弓弩以千万计，而无一坚利者，莫若更制。其法，敛数州之所作而聚以为一，若今钱监之比，择知工事之臣，使典其职，且募良工为匠师。"从之。己亥，置军器监，以吕惠卿判监事。

是月，知南康军周敦颐卒。敦颐初因舅郑向任，为分宁主簿，有狱久不决，敦颐至，一讯立辨。调南安司理，有囚，法不当死，转运使王逵欲深治之。敦颐力与辨，逵不听，敦颐委手板，将弃官去，曰："如此，尚可仕乎！杀人以媚人，吾不为也。"逵悟，囚得释。调桂阳令，改知南昌，富家、大姓、黠吏、恶少，不独以得罪为忧，而且以污秽善政为耻。累迁至广东转运判官，病作，遂求知南康以归，至是卒。

敦颐信古好义，以名节自砥砺。黄庭坚称其胸怀洒落，如光风霁月。为南安司理时，通判程珦以其学为知道，使二子颢、颐往与之游。敦颐每令寻孔、颜乐处，所乐何事。颢尝曰："自再见周茂叔后，吟风弄月以归，有吾与点也之意。"学者称为濂溪先生。

秋，七月，甲辰，辽主猎于大熊山。

乙巳，诏："京西、淮南、两浙、江西、荆湖六路各置一铸钱监，江南、荆湖南路以十五万缗，馀以十万缗为额。"

戊申，辽乌库德呼勒统军言部〔人〕杀其节度使以叛。己酉，辽主命分部诸军讨之。

甲寅，以旱录在京囚，死罪以下降一等，杖罪释之。

丁巳，诏："沿边吏杀熟户以邀赏者，戮之。"

乙丑，分河北为东、西路。大名、开德、河间三府，沧、冀、博、棣、莫、雄、霸、德、滨、清、恩十一州，德清、保顺、永静、（保）〔信〕安、保定五军为东路；真定、中山、信德、庆源四府，相、浚、怀、卫、洺、深、磁、祁、保九州，天威、北平、安肃、永宁、广信、顺安六军为西路。

丙寅夜，西北有声如砲。

辽南京奏归义、涞水两县蝗飞入宋境，馀为蜂所食。

八月，命检正中书刑房公事沈括辟官相度两浙水利。帝谓王安石等曰："此事必可行否？"安石曰："括乃土人，习知其利害，性亦谨密，宜不妄举。"帝曰："事当审计，无如郑瞶妄作，中道而止，为害不细也。"丁丑，括奏言："浙西诸州水患，久不疏障，堤防川渎，多皆堙废，今若一出民力，必难成功，乞下司农贷官钱，募民兴利。"从之。

甲申，罢简州岁贡绵绸。

甲午，赐熙河、泾原军士特支钱。

丙申，辽以枢密副使耶律仲禧为南院枢密使。

戊戌，复比间族党之法。

九月，壬寅，置两浙和籴仓，立敛散法。

癸卯，辽主驻独卢金。

戊申，诏兴水利。

辛亥，御崇政殿，策武举。初，枢密院修武举法，不能答策者，答兵书墨义。王安石曰："武举而试墨义，何异学究！诵书不晓理者，无补于事。先王收勇力之士皆属于军右者，欲以备御侮之用，则记诵何所施！"帝从之。至是始策试焉。

戊午，岷州首领摩琳沁以其城降。

初，王韶既复河州，会降羌叛，诏回军击之。吐蕃玛尔戬以其间据河州，韶进破诃诺木藏城，穿露骨山，南入洮州境，道狭隘，释马徒行，或日至六七。玛尔戬留其党守河州，自将尾官军。韶力战，破走之，河州复平。进攻宕州，拔之，通洮州路。摩琳沁闻先声，遂以城降。韶入岷州，于是叠、洮二州羌酋，皆相继诣军中，以城听命。军行凡五十四日，涉千八百里，得州五，斩首数千级，获牛羊马以万计。是役也，人皆传韶已全师覆没，及奏捷，帝大喜，进韶左谏议大夫、端明殿学士。

戊辰，收免行钱。

先是京师百物有行，官司所须，俱以责办，下逮贫民负贩，数有赔折。吕嘉问请约诸行利入厚薄，令纳钱以赋吏禄，与免行户袛应。而禁中卖买百货，并下杂买场务，仍置市司估物低昂，凡内外官司欲占物价，则取办焉。至是遂行之。

冬，十月，辽主如阴山，遂如西京，旋命行幸之地免其租税。

辛未，章惇击南江蛮，平之。初，湖北蛮向永晤、舒光银等各以其地归顺，独田氏有元猛者，颇桀骜难制。惇遣左侍禁李资招谕之。资褊宕无谋，亵慢夷僚，为懿州蛮所杀。惇遂进兵破懿州，南江州峒遂平。

驸马都尉张敦礼乞立《春秋》学官，不许。帝谓王安石曰："卿尝以《春秋》自鲁史亡，其义不可考，故未置学官。敦礼好学不倦，第未知此意耳。彼但读《春秋》而不读《传》，《春秋》未易通也。"

辛巳，以复熙、河、洮、岷、叠、宕等州，御紫宸殿受群臣贺，解所服玉带赐王安石。安石固辞，曰："陛下拔王韶于疏远之中，恢复一方，臣与二三执政奉承旨而已，不敢独当此赐。"帝义谕曰："群疑方作，朕亦欲中止，非卿助朕，此功不成。"安石乃受赐。

甲申，朝献景灵宫。

丙戌，赈两浙、江、淮饥。

壬辰，行折二钱。

丁酉，遣使瘗熙、河战骨。

是月，开直河。时北流闭已数年，水或横决散漫，常虞壅遏。外都水监丞王令图献议，于大名第四、第五埽等处开修直河，使大河还二股故道，乃命范子渊及朱仲立领其事。开直河，深八尺，又用杷疏浚二股及清水镇河，凡退背、鱼肋河则塞之。王安石乃盛言用杷之功，若不辍工，虽二股河上流，可使行地中也。

知定州滕甫入觐，言新法之害曰："臣始以意度其不可耳。今为郡守，亲见其害于民者。"具道所以之状。甫在定州，以上巳宴郊外，有报辽师入寇、边民有逃者，将吏大骇，请即治兵。甫笑曰："非尔所知也。"益置酒作乐，遣人谕逃者曰："吾在此，彼不敢动。"使各归业。明日，问之，果妄，诸将以是愧服。

韩忠彦使于辽，杨兴公劳迎，问甫所在，且曰："滕公可谓开口见心矣！"忠颜归奏，帝喜，进甫礼部侍郎，使再任。甫著书五篇：一曰《尊主势》，二曰《本圣心》，三曰《校人品》，四曰《破朋党》，五曰《赞治道》，上之。其略曰："陛下神圣文武，自足斡运六合，譬之青天白日，不必点缀，自然清明。"识者韪其言。

十一月，癸丑，〔中〕太一宫成。乙卯，亲祀〔中〕太一宫。

甲子，辽南院大王耶律哈哩济致仕。哈哩济尝为辽兴军节度使、东北路详衮，明达勤恪，怀柔有道。置诸宾馆及西边营田，皆自哈哩济发之。未几卒。

丙寅，诏京畿收养老弱冻馁者。

十二月，辛未，辽以知北院枢密使事耶律宜新为中京留守，以南院宣徽使耶律萨喇为南院大王。

壬辰，高丽、夏并遣使贡于辽。

【译文】

宋纪六十九　起壬子年（公元 1072 年）正月，止癸丑年（公元 1073 年）十二月，共二年。

熙宁五年　辽咸雍八年（公元 1072 年）

春季，正月，辽国北方都落叛乱，乌库德哕勒部详衮耶律巢率兵前去征讨，癸未（初三），派使者报捷。辽道宗耶律洪基因战争杀人太多，在南京、中京舍饭给僧众。

甲申（初四），辽道宗前往鱼儿泺。

己丑（初九），下诏听凭投降的羌人回返故国。

己亥（十九日），设置京城巡逻兵卒，调查诽谤时政的人，予以拘捕治罪。

辛丑（二十一日），司天监灵台郎亢瑛进言："天气长期阴雨，星辰违反运行规律，应该罢免王安石。"神宗把亢瑛的奏书交给中书省处理，王安石告假。下诏将亢瑛刺面发配到英州牢城，王安石第二天就出来了。

辽国境内从壬寅（二十二日）后，连日阴雾天气。

二月，壬子（初二），因两浙水灾，赐给谷物十万石赈济，并且招募民众兴修水利。

丙辰（初六），辽国北、南枢密院称没有事情可以陈述。当时耶律伊逊当权，群臣都畏惧他，没有谁敢说他的短处，只有皇后一族才敢与他抗衡。耶律伊逊经常抑郁不快。

太湖围田今景

壬戌（十二日），辽道宗评议讨伐北方部落的功劳，任命乌库德哕勒部详衮耶律巢知北枢密院大王事，任命都监萧阿噜岱为乌库德哕勒部详衮，加封左监门卫上将军。

癸亥（十三日），太白星白天出现。

丙寅（十六日），任命郑州知州吕公弼为宣徽南院使，判秦州，任命龙图阁直学士、渭州知州蔡挺为枢密副使。蔡挺在渭州时,给禁兵登记造册,一律经过州府,不让有虚报。建造勤武堂,让诸将五天一轮教阅士卒,列队布阵、击鼓鸣金的法度十分完备。藏精兵于队伍之中,遇上紧急情况,就另组一队出战。军队戒备严密,好象随时有敌人来侵犯一样。当时士卒编制不全,下诏让他招募三千士兵。蔡挺上奏:"不必补充士卒。应当将泾、渭、仪、原四州的乡勇分为五番,每番三千人,秋季防御从八月十五日起,九月结束,春季防御从正月十五日起,三月结束,周而复始。与招募士兵相比,可节省许多费用。"神宗听从了他的建议。每年节省粟帛钱十三万缗有余。

蔡挺又查收了边远荒地和冒耕田一千八百顷,招募民众耕种,用以增加边防储备;没收边民私购的蕃部田八千顷,用以给弓箭手养马之用。镇戎军城壕外有土山,蔡挺利用险地修筑塞墙,登高观察四方,观察敌人的行踪,又开垦肥沃土地两千顷,招募弓箭手三千人耕田守卫,朝廷赐名为熙宁寨。

侦察兵报告西夏兵数万人聚集在胡卢河,蔡挺出动奇兵攻击,于是击溃西夏人;又派四个将领分路追击,击破西夏七个部族。西夏人再侵犯各寨,环庆兵抵挡不住,蔡挺派张玉率一万兵前往解围。庆州军队哗变,关中地区受到骚扰,蔡挺出兵平定了叛乱。神宗说:"庆州兵叛乱,没有扩大事态,是依靠泾原的力量。"晋升蔡挺为龙图阁直学士。蔡挺自以为有功劳,却长期滞留在边境地区,郁郁不得志,便将心思用在词曲上,有"玉关人老"的词句,皇上的宦官来了,让曲艺艺人歌唱他写的词以便传到宫廷内去。神宗听到后很怜恤他,因此有这项任命。

戊辰(十八日),辽国因当年发生饥荒,免掉安武州的租税,赈济恩州、蔚州、顺州、惠州等州的百姓。

三月,甲午(十四日),南平王李日尊去世,其子李乾德继位。李日尊,是李公蕴的孙子,他死后,李乾德年幼,由母亲黎氏燕太妃和宦官李若吉共同主持国政。讣告送达,朝廷派使者吊唁。

戊戌(十八日),判汝州富弼退休。

富弼到汝州才二月,就上书说:"新法是我不了解的,不能用新法治理州郡,希望回洛阳养病。"神宗同意了。富弼虽然闲居在家,朝廷有关重大利害的事情,总是知无不言。神宗虽不全部采纳,却一直很敬重他。王安石曾有建议,神宗回绝他说:"富弼手书中所谓'老臣没有什么可说的,只有仰望屋顶私下感叹'的预言,就要来临了。"对富弼的敬重到了如此地步。

癸卯(二十三日),辽国的官府上奏:"春、泰、宁江三州有三千多人愿做和尚、尼姑,接受了具足戒。"辽道宗批准了。辽道宗崇尚佛教,僧人有拜为司徒、司空的,所以当时风尚如此。

丙午(二十六日),推行市易法。

自从王韶提出进行沿边贸易的意见,王安石赞同他,认为这与汉代平准法相同,可以抑制物价而使物价稳定,于是采纳百姓魏继宗的建议,从内藏库拨出钱帛在京城设立市易务。凡是可以买卖的货物以及滞留民间难以销售的货物,用平价购买,愿意与官府交换货物的听其自便。按照抵押在官府的物品价值多少贷给钱款,并视货物情况订立偿还期限,每年出利息二分。任命户部判官吕嘉问为提举。吕嘉问呈上建议十三条,其中一条说:"豪商大姓兼并之家非法取利,让市易务加以察访,申报三司,依法处置。"神宗删去此条。御史刘孝孙说:"从这里可见陛下宽仁爱民之至。"王安石说:"刘孝孙称颂这件事,认为是圣上的德政,愚臣私下以为这正是圣上德政的缺陷。"从此各州上供的薦席、黄芦之类物品,全都计算价值,合百姓之意的就卖出,以其所得用于官府开支。不久将京城市易务改为都提举市易司,秦凤、两浙、滁州、成都、广州、郓州六个市易司都隶属其下。

戊申(二十八日),任命群牧使李肃之知永兴军。神宗命令他安抚全路,李肃之说:"从此朝廷以常平仓、助役法骚扰地方州县了。"神宗很不高兴。

夏季,四月,庚戌朔(初一),设立殿前马步军春秋比试武艺确定优劣的法度。

壬子(初三),辽国赈济义、饶二州饥民。

丁巳(初八),辽道宗进驻塔里舍。

己未(初十),查收荒闲之田。

定州知州滕甫说:"河北各州县靠近山谷的地方,民间都有弓箭社和射猎手,其技巧娴熟,与蕃人没有什么差别。请给本道各州县,招募各类小吏及城乡百姓,有勇武并愿意学习弓箭技术的,自组社团。每年春季,地方长官即来检阅。北方人强悍,遇上紧急情况可以派上用场。"神宗采纳了他的建议。

丁卯(十八日),二股河治理结束,河深十丈、宽四百尺。在刚疏浚黄河时,就稍稍阻拦了决口河水的流动,到这时河水汇入黄河而决口也堵塞上。

己卯(三十日),辽道宗到特古里避暑。

五月,辛巳(初二),把古渭寨命名为通远军。神宗立志收复河陇地区,正遇会州都监张守约请求以古渭为军镇,神宗答应他,任王韶为知军事,推行教阅法。

下诏令:"皇族中五服以外的人可以应科举考试;初试淘汰文理不通者,其余的令参加复试;多次复试都不中举的,也量才录用。"

壬午(初三),辽国晋王耶律仁先去世,遗嘱命家人予以薄葬。耶律仁先自从受辽兴宗知遇倚重,即功绩卓著,众望所归。辽道宗开始因他平乱有功,非常感激他;后因耶律伊逊挑拨离间,将他外放,没有全部发挥他的才干,当时舆论对此很觉惋惜。

庚寅(十一日),任命青唐大首领包顺为西头供奉官。

辛卯(十二日),王安石将王韶的奏书进呈给皇上;王韶报告说已经开拓边地一千二百里,招附人口三十余万。神宗与王安石谈论不可把有才干的人放在闲职位上搁置,顺便说及汉武帝也能知人善任。王安石说:"汉武帝的见识不高,因此所用将帅只有卫青、霍去病之流,结果天下户口减半也不能消灭匈奴。"神宗说:"汉武帝个人欲望太多了。"王安石说:"欲望多并不损害朝政。比如齐桓公也是欲望很多的,但他措施策略得当,仍不失为天下霸主,是因为善于用人的缘故。"神宗说:"汉武帝是最不仁的,因一匹马的缘故就兴师动众、远征万里,封侯的多达七十余人,却视人命如草芥,因此天下户口才减少一半。人命是最重要的,天地之间最高的道德就是重视生命,怎么能如此草菅人命呢!"

壬辰(十三日),因为赵尚宽等人从前守卫唐州时开拓田地、疏通河流有功,增加他们的俸禄以劝勉天下。

丙午(二十七日),太白星白天出现。

推行保马法。

王安石开始提出这项建议时,文彦博、吴充认为不便施行,王安石更加坚持自己的看法。于是下诏令开封府各县的保甲,有愿意牧马的听其自便,并命将自陕西买来的马匹挑选一部分给他们喂养。这时曾布等人上奏建议,凡陕西五路的义勇和保甲,愿意养马的每户分给一匹,财力稍好的人家有愿意养两匹的,也听其自便,全都以监牧现成的马匹拨给他们,或者官府出钱由其自购。先在开封府及陕西五路推行,开封府界内不过三千匹,陕西五路不过五千匹。除追击盗贼外,禁止骑马超过三百里。每年检查一次马匹的肥瘦,马有病死的,由养马户赔偿。在开封府界内的养马户,减免体量草二百五十束,并加给钱布;在陕西五路养马的,则免掉每年的折变缘纳钱。三等以上户,十户为一保,四等以下户,十户结为一社,用以准备赔偿病死的马匹。保户的马死了,由该保户单独赔偿;社户的马死了,由社户赔偿一半。后来,此法推行于各路。

六月,壬子(初四),司空兼侍中、河阳三城节度使、判永兴军曾公亮以太傅衔退休。

甲寅(初六),辽国赈济易州贫民,其次中京及兴中府百姓一并得到赈济。

癸亥(十五日),下诏令科举考试分经义、论、时务策为四场,以考试进士。

丙寅(十八日),制作京城城门的鱼形铜符。

甲戌(二十六日),辽国合作枢密副使耶律观为参知政事兼知南院枢密使事。当时北府宰相杨绩屡次上表辞官,辽道宗不批准,进封他为赵王。

枢密院进言说宋仁宗时曾设立武学,请求恢复。乙亥(二十七日),下诏在武成王庙设置武学,选拔文武官员中熟悉军事的人作教授。

丁丑(二十九日),高丽派使者向辽国进贡。

这个月,黄河在北京大名府的夏津泛滥。

秋季,七月,己卯(初二),辽国因庆州靳文高一家八代不分居,下令赐给他爵位。

壬午(初五),下诏以权货务为市易西务下界,市易务为东务上界。

辛卯(十四日),下诏:"在京城的商税院、杂卖场、杂买务,一并隶属提举市易务。"

丙申(十九日),辽国赈济饶州饥民。

丁酉(二十日),辽道宗前往黑岭。

壬寅(二十五日),任命曾孝宽为史馆修撰兼枢密都承旨。都承旨以往由武官担任,以文官兼任从曾孝宽开始。

当月,编修三司敕条例删定官郭逢原上书说:"陛下本来以老师的礼数待王安石了,但让他五更天就赶着上朝,风尘仆仆地拜谒,恪守君臣之间的常礼,这是臣下难以理解的。"又说:"宰相代替天子治理国政,无所不管,应当废掉枢密府,将其归并到政事堂。如今王安石身居宰辅的重要地位,他在朝廷每有建议措施,就受到枢密院牵制而不能施展,臣下恐怕陛下对王安石的信任并不专一。"奏书呈上后,神宗很不高兴。另一天,神宗对王安石说:"郭逢原一定是个轻率之人。"王安石问:"怎么知道呢?"神宗说:"看他的上书,想要合并枢密院。"王安石说:"人才难得,象郭逢原这样的人也懂得政事,可以试用一下。"

丁未(三十日),辽道宗将亲手抄写的《华严五颂》拿给群臣传阅。

闰月,庚戌(初三),派中书检正官章惇察访荆湖北路。神宗意图以武力威慑四夷,湖北提点刑狱赵鼎上奏说,峡州的峒族首领无限度地刻薄百姓,蛮族部众愿意归附朝廷。辰州百姓张翘也上书议论南北江的利害关系。于是下诏令章惇察访,处理蛮族事务。

当时北江之地由彭氏治理,有二十个州,南江地区则是舒氏占有四州,田氏占有四州,向氏占有四州,都是自宋太祖以来受朝廷命令隶属辰州、每年向朝廷上贡的部族。等到章惇来这里办理蛮族事务时,蛮族相继贡田纳土,愿做朝廷的臣民,开始修筑城寨,与内地一样。

辛亥(初四),因黄河泛滥,神宗对辅政大臣说:"听说京东路征调民夫修治黄河,有损害百姓产业的,河北路紧急征调的民夫更多;如果黄河再决口,怎么办呢?而且黄河决口不过侵占一河之地,或向西流或向东流,两者的利害没什么不同,任它流向哪个方向怎么样呢?"王安石说:"黄河北流若不堵塞,淹没公田、私田最多。又因河水四处流淌,时间长了积淀许多淤泥。前不久修治二股河,花费很少而公田、私田都开拓出来了,过去河水冲积而成的盐碱地,都变成肥沃的良田,难道不是好处吗?何况紧急征调民夫的数量比去年减少了,如果再修治好堤防,那么河北每年征调的民夫就会更少。"神宗认为他说得有理。

章惇治理夔州夷族的事务,轻侮州县的官吏,官吏们无人敢与他一起商议。南川知县、新津人张商英,意气自负、豪放不羁,傲视一切;监司官员看到只有张商英可以与章惇抗衡,发文书召他来夔州,与章惇相见。张商英穿着道士衣服,施长揖礼后落座。章惇放肆地讲大话,张商英随机应变地驳斥他,落落大方占了上风。章惇大喜,邀他为上宾,推荐给王安石,得到皇上征召对答,升任光禄寺丞,不久又加封太子中允、权监察御史里行。张商英上书说:"陛下继位以来,改弦更张了数十数百件事,其中最重要的三件事:一是免役法,二是保甲法,三是市易法。这三件事,如果用人得当,慢慢商议着施行,会有利于国家;如果用人不当,急切地推行,会有害于国家。希望陛下与大臣平心静气、选择合适的人来推行它。如果一件事还未办妥,又兴办另一件事,就算有神谋的谋略、墨翟的算计,恐怕也终难见到成效啊!"

壬子(初五),下诏令:"武学的生员以五百人为限额,每逢科举考试的前一年,委托枢密院颁布文告,命令武官中的路分都监和文官中的转运判官以上的官员,各人举荐够格参加武举之人一名,如果被荐人遇上武学生员缺额,愿意入武学为生员的,听其自便。"

丙辰(初九),权监察御史里行张商英说:"判刑部王庭筠订立法律,凡有蝗灾,必须捕捉干净才能上报朝廷。现今大名府、祁、保、邢、莫州,顺安、保安军所上奏共四十九状,其中有三十九状说捕蝗未净,进奏院因其不合法规,不敢向上通报。蝗灾几乎遍及河朔地区,而衙中小吏拘泥于规定,却将奏文封还回去,必待其捕净蝗虫才准许上奏。陛下就是在此时开始诚惶诚恐地修身反省,以上答天神的警告而下抚百姓的痛苦,恐怕为时已晚了。"神宗御批:"进奏院下发指令文书到各路转运、安抚司,今后如有灾害,命当地官员要即时奏报。"王安石说:"各路安抚司有许多政事要处理,哪有闲暇负责上报有关灾害的情况呢?"神宗笑而不答。

先前神宗批示给王安石:"听说市易务买卖极其苛刻烦琐,街市上人们都纷纷怨谤,认为官府逐渐要收尽天下货物,自己经营,可下令就按魏继宗原先的筹划施行。"于是王安石在退朝后留下来对神宗说:"必定有什么事情,请告诉我。"神宗说:"听说権货务出售冰,致使百姓卖雪都卖不出去;又听说要收购梳朴,梳朴价格就上涨,收购芝麻、芝麻就涨价;又听说悬立赏钱,专门捕捉不来市易司买卖货物的人。"王安石说:"果然这样,那就是臣想借聚敛民财而耽误陛下了。臣平素的行事陛下是知道的,怎么会有这等事呢?"神宗说:"恐怕是派去经办的人未能体察朝廷的用意。这就必须认真察访了。"王安石说:"这些事情都有迹可察,容臣仔细调查,另外上奏。"

辛未(二十四日),辽道宗在殺羊山射猎熊。彰国军节度使耶律普锡到行宫谒见,辽道宗问起边境上的事情,耶律普锡说:"从应州的南部边界到天池,都是我国的耕牧之地,清宁年间,守边将领不谨慎,被宋朝侵占,边界烽火台向内推移,似乎不该这样下去。"辽道宗赞同他的说法,拜耶律普锡为北面林牙。

甲戌(二十七日),调青州知州赵抃为资政殿大学士、知成都府。当时成都为戍卒问题担忧,朝廷要选派为蜀人信任爱戴的大臣,所以任命赵抃为知成都。神宗召见他,赵抃请求让他相机处理事务的权力,当天就辞别去上任。到了蜀地后,政务更加宽松,暗地却加紧策划,而宴饮闲暇与往常一样,士卒与百姓都平静安乐。剑州百姓李孝忠聚众二百多人,私下制作符牒,剃度平民为僧。有人以阴谋造反上告,罪案送上后,赵抃不将他交给司法官处理,只以己意处置,仅处李孝忠以私度罪,其余人全不予追究。

八月,甲申(初八),已经退休的观文殿学士、太子少师欧阳修去世。太常寺开始给他的谥号是"文",以与韩愈相配。常秩当时正兼任太常卿,他与欧阳修失和,于是说欧阳修有参与谋划拥立太子的功劳,请加谥号为"忠",实际上是贬抑欧阳修。欧阳修生性刚直,见义勇为,再三遭到放逐,仍不改平常的志气。治理地方政令宽简而不扰民,所到之处百姓安适。有人问:"处理政务宽松简略而又不耽误事情,这是为什么?"欧阳修说:"以放纵为宽松,以粗略为简略,则政事就会被耽误、百姓就会受害。我所说的宽松,是不苛刻、急迫;简略,是不烦琐杂碎罢了。"他奖励提拔年轻人,唯恐不及。曾巩、王安石、苏洵、苏洵之子苏轼、苏辙,身为百姓隐居未出、不为人知之时,欧阳修即宣扬他们的声誉,说他们一定会显赫于世。写文章繁简适度,语言简洁明快、准确流畅,自五代以来,文风卑弱,到他这里一变而恢复古代文风。欧阳修死后数日,下诏搜求他所撰写的《五代史记》,后来与官修的《五代史》并行于世。

秦凤路沿边安抚使王韶领兵在渭源堡筑城,击破蒙罗角,又在乞神平筑城,击败抹耳水巴族。当初,羌人各自据险而守,诸将谋划在平地上布阵,王韶说:"敌贼不弃险地来战,那么我军就会徒劳而返。如今我们已深入险地,就应当使险要为我军所有。"于是率军直趋抹邦山,越过竹牛岭,紧逼贼军布阵,下令说:"敢说后退的人斩首!"让大家下马稍做休息。敌贼凭借高地冲下来拼斗,宋军稍稍后撤。王韶亲率帐下士兵迎击敌贼,羌人溃败而逃,焚烧了他们的帐篷,洮西地区受到极大震动。正好玛尔戬渡洮水来援助,羌人残部又聚集起来。王韶命令部将从竹牛岭路上虚张声势,却悄悄率军越过武胜,遇上玛尔戬首领瞎药等人,与他们战斗,打败了他们,于是在武胜筑城。王韶说:"处置洮河地区的事务,只用经营回易的息钱就行了,未曾动用官府的本钱。"文彦博说:"工匠建造房屋,开始时一定要少预算些,以期别人易于动工。等到开工兴建以后,知道工程不能停止了,才开始增加费用。"神宗说:"房屋坏了怎能不修!"王安石说:"主持修建的人善于算计,自有估量,怎么会被工匠欺骗呢!"文彦博不敢再说什么。从此王韶发兵讨伐,都肆意欺骗朝廷,朝廷也不与他计较财用。

壬辰(十六日),改武胜军为镇洮军。

乙未(十九日),下诏令侍从大臣和各路的监司每人举荐一名有才能德行的人。

己亥(二十三日),下诏令:"京西路分为南、北两路,襄、邓、随、房、金、均、郢、唐八州为京西南路,西京、许、孟、陈、汝、蔡、颍七州和信阳军为京西北路。"

癸卯(二十七日),贬太子中允、同知谏院唐坰为潮州别驾,开初,王安石喜欢唐坰,让邓绾举荐他任御史。数月后,又要任命他为谏官,王安石怀疑他处事轻率,会背叛自己扬名,就不任命他为御史,以他原有官衔任同知谏院,这是不合惯例的。唐坰果然恼恨王安石轻视自己,上书二十封议论时政的得失,都被搁置禁中不做批示。唐坰于是乘百官朝见皇帝之日,叩首请求奏事,神宗令他改日再奏,唐坰拜伏在地不起身,神宗只好召他上殿对答。唐坰来到御座之前,进言说:"臣下所奏都是大臣违法之事,请允许向陛下一一陈述。"于是插上笏板展开奏疏,看着王安石说:"王安石到御座前来听奏札!"王安石迟迟不动,唐坰呵斥道:"在陛下前还敢这样,在外面就可想而知了。"王安石畏惧不安地近前来。唐坰大声宣读奏书,共六十条,大意说:"王安石专权作威作福,曾布里外揽权,天下人只知道畏惧王安石,不知还有陛下。文彦博、冯京明知此事又不敢直言,王珪曲意逢迎王安石,和奴仆没有两样。"边读边看王珪,王珪羞惭畏惧地低下头。唐坰又说:"元绛、薛向、陈绎,王安石对他们颐指气使,象家奴一样;张璪、李定是王安石的爪牙,张商英是王安石的鹰犬。敢违逆王安石之意的人,即使贤能也被当成不肖之徒,依附自己的人,虽然不肖也被当成能干之人。"直接把王安石骂为李林甫、卢杞。神宗多次制止他,唐坰慷慨自若。读完后,再拜退下。阁门使纠举他渎乱朝廷礼义之罪,贬唐坰为潮州别驾。邓绾为他申辩,企图解救,而且弹劾自己举荐失误。王安石说:"此人一向狂傲,不值得责罚。"于是改任监广州军资库。

甲辰(二十八日),王韶在巩令城击败玛尔戬,收降部众二万余人。

神宗担心田地赋税不均,下诏令司农寺重定方田以及均税法,颁布天下。

方田之法,以东西南北各一千步,相当四十一顷六十六亩又一百六十步为一方。每年九月,各县委派官吏分地丈量,按坡地、平地和洼泽来定土地种类,依红泥、黑壤分土地颜色。丈量完毕,根据土地种类和颜色确定土地肥瘠,分为五等制定纳赋标准。到第二年三月,公布告示百姓,如一个季节没有争讼,就书写户帖,连同庄帐一起交付给田主,作为土地的凭证。均税之法,各县以其租赋数额为限度。以前曾在收税时凑零为整,如米不到十合就按一升收取,绢不满十分就按一寸收取,现在不许再用凑零为整的办法摊增税额,以致超出过去的限额,凡是超额增数的都要禁止。像那些贫瘠盐碱、寸草不生之地以及百姓赖以养生的山林、坡塘、沟路、坟墓,都不征收赋税。凡是方田的四角,立起土堆,种植适合当地生长的树木,作为田界的标记。有登记方田的方帐,有登记庄田的庄帐,有保甲掌管的甲帖,有每户收存的户帖。如有分家分财产、典卖土地,转移田产税额的,由官府发给契约,县里置簿籍,全部以现在丈量的方田为准。法令发布后,任命巨野县尉王曼为指教官,先从京东路推行,各路再仿照推行。

九月,癸丑(初八),允许皇族经过考试取得文官官资。

癸亥(十八日),神宗开始在便殿检阅各军武技。

甲子(十九日),辽道宗前往藕丝淀。

丁卯(二十二日),下诏令:"淮南路分为东、西两路,扬、亳、宿、楚、海、泰、泗、滁、真、通十州为淮南东路,寿、庐、蕲、和、舒、濠、光、黄州八个州,无为军为淮南西路。"

权发遣延州赵卨上奏:彻底查收了一万五千九百多顷土地,招募了蕃汉弓箭手四千九百余人马,编为八个指挥。壬申(二十七日),下诏任命赵卨为吏部员外郎,赐银、绢三百匹、两。

冬季,十月,戊寅(初三),华州知州吕大防进言:"九月、丙寅(二十一日),少华山前面的阜头谷山岭崩陷,埋没了居民六社,共数百户人家。"下诏赐给被陷没人家抚恤钱多少不等。

己丑(十四日),辽国参知政事耶律观因假托朝命私自营造宅第的罪行,贬为庶人。

癸巳(十八日),回鹘向辽国进贡。

戊戌(二十三日),将镇洮军升格为熙、河、洮、岷州及通远军,设置熙河路,任命王韶为龙图阁直学士、经略安抚使、知熙州。但河、洮、岷诸州尚未收复。秦、凤二州囚犯减罪一等。

十一月，庚戌（初五），辽国免除祖州的赋税。

癸丑（初八），河州首领瞎药来归降，任命他为内殿崇班，赐给他姓名为包约。

丙辰（十一日），辽国各地普降大雪，朝廷允许百姓入禁地采樵。

丁卯（二十二日），贬权监察御史里行张商英为监荆南税。当时御史台审问劫盗李则，从轻定罪，枢密检详官刘奉世予以驳回；下诏令纠察司复审劾奏。张商英上言："这是大臣出于私愤所致。望陛下收回权柄，自做主断，以使耳目之官不为中书、枢密两府所胁迫。"神宗因而停止了此案的审查。张商英于是上奏枢密使庇护博州亲戚，错判犯人死罪，以及放纵枢密院吏员任远犯法等十二件事，结果文彦博、吴充、蔡挺一同交印请求辞官。神宗很为难，因此贬谪了张商英。

壬申（二十七日），分陕西路为永兴、秦凤两路，仍设置六路经略司。

章惇招降了梅山峒峒蛮族。蛮族人姓苏氏，过去不与中原往来，其居住地东接潭州、南接邵州、西接辰州、北接鼎州、澧州，章惇招降了他们，登记其地居民共一万四千八百多户，田地二十六万四百余亩，平均了他们的赋税，让他们每年交纳一次。修筑武阳、开陕二城，设置了新化县，隶属于邵州。

十二月，戊辰（有误），辽国任命汉人行宫都部署耶律仲禧为枢密副使，封韩国公；任命枢密副使柴德滋为参知政事。调参知政事赵徽为武定军节度使；升任汉人行宫副部署大悲努为都部署；任命同知南院枢密使事萧罕嘉努为知左伊勒希巴事。任命参知政事、同知枢密院事张孝杰为北府宰相，封陈国公。辽道宗称赞张孝杰勤奋有才干，多次向他询问国事，汉人大臣中被尊重宠幸的没有人可与他相比。

丙子（初二），赦免逃亡到荆湖溪峒的人。

丁丑（初三），下诏在太原设置弓箭手。

辽国因清宁节大赦天下。

戊寅（初四），改温成庙为温成祠。

壬午（初八），重新起用陈升之为检校太傅、行礼部尚书、同平章事、枢密使。

癸未（初九），天降泥雨。

乙未（二十一日），修筑熙州南北关和诸堡寨。

当年，河北发生重大蝗灾。

神宗曾说："祖宗都很爱惜天地，不肯奢费，汉文帝说：'朕不过是为天下守财罢了。'"王安石说："君主如能以尧、舜那样的德政恩泽百姓，就是竭尽天下之力供养他，也不为过分。守财的话，不是治理天下的正理。但能安于节俭、自然也是大德，足以作为风俗的表率。"

熙宁六年 辽咸雍九年（公元 1073 年）。

春季，正月，丁未（初三），辽道宗前往鸳鸯泺。

辛亥（初七），下诏尊奉僖祖为太庙始祖，将顺祖神位迁至宗庙的夹室中。孟夏时节祭祀感生帝，以僖祖配享。

先前，中书省上奏请求议定迁移僖祖神位之事，神宗让内外两制诰详议此事。元绛等人说："自古受天命的帝王，靠其功德享有天下，都推崇其本原，尊奉其祖先。商、周时因其祖先契、后稷在唐尧、虞舜时代有功绩，所以说其祖先有功。如果说作为祖先的人必有功于世，那么夏人为什么郊祀无功的鲧呢？今朝太祖受天命立国之初，立亲庙从僖祖开始，僖祖以上，世系既已不可得知,那么僖祖为始祖就没有疑问了。倘若说僖祖不应当象契、后稷那样作为始祖,那就是让全天下的人不再尊崇祖先,而且后世子孙也可用有功劳的理由凌驾于他的祖、父之上了。请将僖祖之庙当作始祖,才合乎先王礼崇祖先之意。"翰林学士韩维说:"太祖皇帝睿智神勇、兵不血刃,平定天下大乱,子孙遵循其大业,千秋万代蒙受恩泽,功德卓著,作为宋太祖,无可非议。僖祖虽是高祖,但推究其功业,未见从何而来,上溯其世系,又不知他的始源。如果用像对待契、后稷那样的礼仪供奉他,那么我恐怕没有先例可考,而于当今之世也有不妥之处。"天章阁待制孙固请求专门为僖祖立庙室,每当举行合祭祖先之时,让僖祖权且居于朝东的位置,以申明其尊贵;以太祖以下,亲近宗支和几代后须更迭毁庙的神位,都藏于僖祖庙室里。礼官章衡等人请为僖祖另立庙堂。苏悦请将僖祖附祭于景灵宫。

神宗以孙固的议论询问王安石,王安石说:"为祖先另外立庙,自古没有这样的礼法。姜嫄之所以单独立庙,因为她是孕育了周族的媒神,是周人始祖母的缘故,所以享受的礼乐、歌舞,都排在先祖之上。不然的话,周人不为帝喾立庙而为姜嫄立庙,是什么原因呢?"神宗认为王安石的话正确,下诏按元绛等人的意见去办。

二月,辛卯(十七日),西夏人侵犯秦州,都巡检使刘维吉击败他们。

丙申(二十二日),永昌陵上宫东门失火。

王韶收复河州,俘获玛尔戬的妻子、孩子。

壬寅(二十八日),韩绛自许州调任知大名府。

三月,己酉(初六),下诏赠封熙河死于国事的将领田琼为礼宾使,录用其子三人、孙一人。

庚戌(初七),设置经义局,编修《诗经》《尚书》《周礼》三经经义,命王安石为提举,吕惠卿、王雱为同修撰。神宗想召程颢参与这件事,王安石不同意,于是作罢了。

辛亥(初八),举行明经科等科的考试。

丙辰(十三日),司天监说四月初一,太阳要亏蚀十分之九。下诏从丁巳(十四日)起不居政殿、减少膳食,给天下因犯减罪一等,流刑以下的犯人释放。

己未(十六日),下诏:"各路学官,一并委托中书选择在京的朝官、选人或举人充任。"又下诏:"各路选择举人最多的州、军,依照五路法,各设置教授一员。"

壬戌(十九日),神宗驾临集英殿,赐给奏名进士、明经各科余中以下及第、出身、同出身、同学究出身,总共五百九十六人。赐给及第进士每人三千缗钱,各科每人七百缗钱,作为定期集会的费用。余中,是常州人。

丁卯(二十四日),宰相上表请求神宗恢复正常进膳,神宗不同意。

下诏令进士、诸科一并考试明法科,依资叙授官。

戊辰(二十五日),设置各路提点刑狱司检法官各一员,这是依吕惠卿的奏请而设的。

庚午(二十七日),封李乾德为交趾郡王。

夏季,四月,甲戌朔(初一),应当出现日食,因为天阴看不见日食现象。朝臣进贺,认为是圣德感动了天地,请神宗返归正殿,恢复正常膳食;神宗依从了。

乙亥(初二),在朝集院设律学,设置教授四员。学习律令的生员由朝廷派官公试大义三道,学习断案的生员公试一道,同时考试刑名五事至七事;私试大义二道,断案一道,刑名三事至五事。朝廷命官与举人都要入学学习律令。

戊寅(初五),知桂州沈起请求自今以后本路发生边境事端,只申报给经略司并专门委托它处置,然后上报朝廷,听从了他的请求。

自从王安石主政,锐意开拓边疆。知邕州萧注好谈兵事,羡慕王韶等人获取高官厚禄,于是上书说:"交趾国虽然朝奉进贡,其实暗藏祸心已很久了,现今不攻取,一定为后患。"正遇交趾人被占城国打败,有人说其残部不满一万人,不几天就可攻取,下诏任命萧注知桂州,策划攻交趾之事。萧注入京上朝,神宗询问他攻取交趾的方略,萧注又认为此事难办。当时沈起为度支判官,说南方交趾小丑,没有不可攻取的道理;于是以沈起代替萧注。沈起迎合王安石,于是一心一意攻伐,交趾国开始背叛。

乙酉(十二日),熙河经略司上报河州立功官兵的名单,王安石告诉神宗说:"士气从此更振。"神宗说:"古人说办大事人才自然得到磨炼,这话说得对。"王安石说:"办大事则人才能够显露,无才能的人就受困窘,这就是无才能的人不愿办大事的原因。"

壬辰(十九日),辽道宗前往旺国崖。

甲午(二十一日),在齐、徐等州推行保甲法。

戊戌(二十五日),裁定在京官吏的俸禄。

己亥(二十六日),罢免文彦博。

市易司设立后,甚至果实也由官府监卖,文彦博认为有损国家尊严,招致民怨,以致华山发生崩塌,对神宗极力陈述利害,而且说:"衣冠大户在市上欺诈取利,尚且为缙绅们的舆论不容。哪有堂堂大国,皇皇求利,而天意不示警戒止的呢?"王安石说:"华山的灾异,恐怕是为小人而发。市易司的设立,自然是为了小民长期受困、用以抑制兼并的,对官府有什么利益呢!"先前韩绛为王安石协力排挤文彦博,每逢议政,韩绛总是当面与他作对,又设置审官西院削夺他的权力。文彦博内心气忿,坚决请求外调,神宗派中使召他入宫,并多次派人监督他返回枢密院任上。至此请求外调更加尽力,于是以守司徒兼侍中、河东节度使的官衔,判河阳。

当月,开始设置疏浚黄河司。

先前,有一个名叫李公义的选人,进献了铁龙爪扬泥车法用以疏浚黄河。这种方法,是用数斤铁铸成爪形,再用绳索系在船尾,沉入水中,篙工用力划船,顺水流相继而下,如此往复数次,水已增深数尺。宦官黄怀信认为此法可以使用,但又担心铁爪太轻。王安石请神宗命令黄怀信、李公义共同商议增减铁爪的分量,于是另外制造出浚川杷。这种方法是,用八尺长的巨木,下装二尺长的齿,如同钉杷形状,上面用石块压住;两端用粗绳拴上,再连接在两边固定住的大船上,两船相距八十步,一起用滑车绞拉巨木,来回地挠挖荡涤泥沙,挖完以后再移船别处疏浚河道。有人说河水太深则木杷不能到底,虽然多次往来也不见成效;河水太浅杷齿又陷入泥沙拉曳不动,结果杷齿反过来朝上才拉动。人们都知道此法不可用,只有王安石很赞赏,他让黄怀信先在二股河试验疏浚,又计划开凿直河数里以观其成效,而且对神宗说:"开凿直河水势就会分流减缓,不能开凿的原因,是因为在靠近河道的地方每开凿数尺水就涌现,工程难以进行。如今见水军用齿杷疏浚,水势自会随杷而改变流向。在直河如果设置数千张杷,那么各条河道的浅层淤泥,都不足为患,每年可节省开浚河道的费用几乎达成百上千万。"神宗说:"果然这样的话,那就太好了。听说河北路小军垒应征发民夫五千人,合计全部的役夫,刚好达到此数,一个民夫的费用达到八缗钱。所以欧阳修曾说开河如放火,与其劳民伤财,不如不开。"王安石说:"劳民伤财是为了除害,这就是所谓危害天下而

1505

百姓仍然能够顺从的原因。"神宗于是同意春初开工,补偿黄怀信度僧牒十五道,李公义则由政事堂奏注差遣。把浚川耙法下达到北京大名府,命令都大提举、大名府金堤人范子渊,与通判、知县一同试验此法,都说此法不可用。恰好范子渊因事到京城,王安石问他其中缘故,范子渊想附和王安石,立即说:"此法的确是好,只是同僚们有不同意见罢了。"王安石大喜,到此时就设置浚河司,准备从卫州疏浚至入海口,任命范子渊为都大提举,李公义为他的部下。

五月,癸卯朔(初一),湖北蛮族向永晤、舒光银归降,并献出土地。

戊申(初六),下诏兴修水利,凡是设立水磨、石碾和碓臼有妨碍灌溉农田的,以违逆朝廷命令论处。

乙丑(二十三日),下诏令京东路察访士人中品行好的人上奏给朝廷。

因为泸夷反叛,下诏派中书检正官熊本为梓夔察访司,允许他相机自行处理诸夷事务。

六月,丁丑(初五),提举在京市易务上奏举荐三班借职张吉甫为市易上界句当公事。张吉甫推辞不就,因为他正在李璋手下,而李璋正在被贬期间,一旦弃他而去,于情义不安。神宗叹道:"张吉甫虽然是个小人物,道德崇高,远比李清臣要好,可以顺从他的志向。"当初,韩绛为宣抚使、李清臣是他的部属,韩绛被贬职时,李清臣想自我保全,就竭力诽谤韩绛,所以神宗很看不起他。

辛巳(初九),提举司天监陈绎等人奏言《崇天历》上的节气晚于实际日期,《明天历》上的朔日也晚于实际日子,浮漏和浑天仪也都有错乱。神宗下诏让卫朴另造历法,并与旧历比较其疏略与精确的情况。那些浮漏和浑天仪都要依照新样制造,司天监另外测试,并上奏朝廷。

己丑(十七日),中书把劝课栽桑之法上奏皇上,神宗说:"农桑是衣食的本源,应当勉励农民耕桑。然而农民不敢在土地上尽力耕作,正是因为地方州县以其收获为依据,提高他们纳税的户等。过去有条规禁止这样做,可以再加以申明。"于是将劝课农桑法下达各路,每年二月末检查,栽种满十成的有赏,不到七成的有罚。

王雱奏言:"现在天下的甲胄弓弩很多,数以千万计,却没有一件坚利合用的,不如重新打造。其方法是:把数州制造军器的合并在一起,像现在铸钱监一样,挑选精于此道的大臣,让他负责这件事,并招募能工巧匠做技师。"依从了他的建议。己亥(二十七日),设置军器监,任命吕惠卿为判监事。

当月,知南康军周敦颐去世。周敦颐当初因其舅郑向的推荐,做了分宁主簿,有一个诉讼案件长时期不能判决,周敦颐上任后,仅经一次审讯就判明是非。后调任南安司理,有个囚犯,依法不应判死罪,转运使王逵想要重办他。周敦颐据理力辩,王逵不依,周敦颐抛下笏板,要弃官离去,说:"像这样做,还能做官吗!用杀人来取媚于人,我不做这种事。"王逵听后醒悟,死囚得到释放。调任桂阳县令,又改知南昌,使当地的富豪、大姓、狡猾的官吏、纨绔子弟,不仅以获罪受罚为忧,而且以玷污清明的政治为耻。屡次升迁至广东转运判官,疾病发作,于是请求任知南康军以回归故里,到此时去世。

周敦颐崇尚古风喜好仁义,以名节砥砺自己。黄庭坚称赞他胸怀坦荡,如清风明月。任南安司理时,通判程珦因为他的学问是真知正道,让两个儿子程颢、程颐拜他为老师。周敦颐常令二人寻求孔子、颜回的人生快乐处,问他们为什么快乐。程颢曾说:"自从再次见到周茂叔(敦颐)以后,吟风弄月归来,真有当年曾点的意气。"学者们称周敦颐为濂溪先生。

秋季,七月,甲辰(初三),辽道宗打猎于大熊山。

乙巳(初四),下诏:"京西、淮南、两浙、江西、荆湖六路各设置一个铸钱监,江南、荆湖南路定额十五万缗,其余各路以十万缗为限。"

戊申(初七),辽国乌库德咮勒统军奏言其部落中人杀其节度使反叛。己酉(初八),辽道宗命令各部落诸军征讨他们。

甲寅(十三日),因天下大旱而审查在京囚犯,死罪以下的犯人降罪一等,杖罪犯人释放。

丁巳(十六日),下诏:"沿边境地区军吏有敢杀内附蕃人来邀功请赏的,一律处死。"

乙丑(二十四日),分河北为东、西两路。大名、开德、河间三府,沧、冀、博、棣、莫、雄、霸、德、滨、清、恩十一州,德清、保顺、永静、信安、保定五军为河北东路;真定、中山、信德、庆源四府,相、浚、怀、卫、洺、深、磁、祁、保九州,天威、北平、安肃、永宁、广信、顺安六军为河北西路。

丙寅(二十五日),夜,西北方向有象石磨的声音。

辽国南京上奏归义、涞水两县的蝗虫飞入宋朝境内,其余的被蜂吃掉。

八月,命检正中书刑房公事沈括召集官员考察两浙的水利。神宗对王安石等人说:"此事一定可行吗?"王安石说:"沈括是当地人,熟知那里的利弊,而且生性谨慎,不会轻举妄动。"神宗说:"此事应当仔细盘算,不要像郏亶那样妄动,结果半途而废,为害不浅。"丁丑(初六),沈括上奏说:"浙西诸州河水为患,河道长时间没有疏浚,堤防渠沟,多数被埋没废弃,如今若仅靠民力,一定难以成功,请求司农寺贷给官钱,招募民工兴修水利。"依从了他的建议。

甲申(十三日),免去简州每年贡纳的绵绸。

甲午(二十三日),赐给熙河、泾原军士特支钱。

丙申(二十五日),辽国任命枢密副使耶律仲禧为南院枢密使。

戊戌(二十七日),恢复比间族党法。

九月,壬寅(初二),设置两浙和籴仓,制定敛散法。

癸卯(初三),辽道宗进驻独卢金。

戊申(初八),下诏兴修水利。

辛亥(十一日),神宗驾临崇政殿,策试武举。当初,枢密院修订武举法,不能答策的人,就笔试兵书内容。王安石说:"考武举而笔试义理,与学究何异!读书而不通晓精髓的人,是无补于事的。先王招收有勇力的士卒全放在军中显贵的地位,是想让他们抵御侵犯之用的,死记硬背书本有何作用!"神宗听从了他。至此才有策试武举。

戊午(十八日),岷州首领摩琳沁献城归降。

当初,王韶收复河州,恰逢归降的羌人反叛,王韶回师讨伐。吐蕃玛尔戬乘机占据了河州,王韶进军攻破诃诺木藏城,穿越露骨山,向南进入洮州境内,道路狭窄,下马徒步行军,有时一天达六七次。玛尔戬留其同伙守卫河州,自己率兵尾追宋朝官军。王韶力战,打跑了玛尔戬,河州再度收复。又进攻宕州,攻下了它,打通了洮州的道路。摩琳沁听到消息,于是献城归降。王韶进入岷州,在这时叠、洮二州的羌人首领,都相继到王韶军中,愿献城听命。军队出动五十四天,跋涉一千八百里,收取五个州,杀敌数千,俘获牛羊马数以万计。这一战役,人们都传闻王韶已全军覆没,等到捷报传来,神宗大喜,提升王韶为左谏议大夫、端明殿戊辰(二十八日),征收免行钱。

先前京城中各种货物都有行,官府所需物资,都责令各行筹办,下及贫民商贩,致使他们多有赔损。吕嘉问请求按各行赢利的多少,命令他们交纳钱币作为官吏的俸禄,免除行户供奉实物。而宫中买卖货物,都下达给杂买场务操办,仍设置市易司估价货物的贵贱,凡内外官府要出价购物,就由市易司办理。到这时才推行它。

冬季,十月,辽道宗前往阴山,于是到了西京,随即命令所到之处免除租税。

辛未(初二),章惇攻击南江蛮人,平定了他们。当初,湖北蛮人向永晤、舒光银等人各自献地归降,只有田氏族中叫元猛的人,非常桀骜不驯。章惇派左侍禁李资招降他。李资偏宕无谋,亵渎侮慢了夷獠,被懿州蛮人杀害。章惇于是进军攻取懿州,南江州峒就平定了。

驸马都尉张敦礼请求设立《春秋》学官,神宗没有同意。神宗对王安石说:"你曾认为《春秋》经自鲁国史书失传,其经义已不可考证,所以没有设置学官。张敦礼好学不倦,只是不了解这个意思。他只读《春秋》经而不读《传》,是不容易通晓《春秋》的。"

辛巳(十二日),因收复熙、河、洮、岷、叠、宕等州,神宗驾临紫宸殿接受群臣朝贺解下随身所佩玉带赐给王安石。王安石坚辞不受,说:"陛下提拔王韶于疏远之中,收复一方国土,臣与几位执政不过是奉旨办事而已,不敢单独享受这个赏赐。"神宗又下令说:"当众人疑虑正兴时,朕也想中止此事,不是你助朕,此事不能成功。"王安石这才接受赏赐。

甲申(十五日),在景灵宫举行朝献礼。

丙戌(十七日),赈济两浙、江、淮饥民。

壬辰(二十七日),推行折二钱。

丁酉(二十八日),派使者掩埋在熙、河二州战死士卒的遗骨。

当月,开凿直河。当时黄河北流河道已堵塞好几年,河水横溢,常有淤塞之忧。外都水监丞王令图献计,在大名府第四、第五个堤坝等处开修直河,使大河流回二股河故道,于是命令范子渊与朱仲立负责这件事。开凿直河,河深八尺,又用齿耙疏浚二股河与清水镇河,凡是退背、鱼肋状河汊就堵塞它。王安石极力推崇用耙疏浚河道之功效,若不停工,即使二股河上游,也可使河水在地面以下位置通行。

知定州滕甫入京朝见皇上,奏言新法之害说:"臣开始时只是内心揣度新法不可施行。如今做了郡守,亲眼目睹新法坑害百姓的情形了。"于是详细陈述他所了解的情况。滕甫在定州时,于上巳节在郊外设宴,有人报告说辽军入侵、边境百姓出现逃亡的情况,将官吏员大惊失色,请求马上调集军队。滕甫笑着说:"这不是你们所知晓的。"更加饮酒作乐,派人告诉逃亡的人说:"我在此,辽国人不敢轻举妄动。"让他们各自照旧营生。第二天,问明情况,果然是虚妄,诸将因此羞愧不已,从而很佩服他。

韩忠彦出使辽国,杨兴公迎接慰劳,询问滕甫在何处,并且说:"滕公可谓开口见心了!"韩忠彦归来奏报,神宗很高兴,升滕甫为礼部侍郎,让他留任知定州。滕甫著书五篇:一是《尊主势》,二是《本圣心》,三是《校人品》,四是《破朋党》,五是《赞治道》,将书上呈神宗。大略说:"陛下神圣不凡、文武兼备,自足以掌握运转天地四方,好象青天白日,不用点缀,自然清明。"有识之士都赞同他的话。

十一月,癸丑(十四日),中太一宫建成。乙卯(十六日),神宗亲自在中太一宫举行祭祀。

甲子(二十五日),辽国南院大王耶律哈哩济退休。哈哩济曾任辽国兴军节度使、东北路详衮,明智豁达、勤奋谨慎,笼络别人很有办法。设置诸宾馆以及在西部边疆开垦田地,都是哈哩济提议的。不久就去世了。

丙寅(二十七日),下诏在京畿地区收养老弱冻馁之人。

十二月。辛未(初三),辽国任命知北院枢密使事耶律宜新为中京留守,任命南院宣徽使耶律萨喇为南院大王。

壬辰(二十四日),高丽、西夏都派遣使臣向辽国进贡。

续资治通鉴卷第七十

【原文】

宋纪七十　起阏逢摄提格【甲寅】正月,尽十二月,凡一年。

神宗体元显道法古立宪帝德　王功英文烈武钦仁圣孝皇帝

熙宁七年　辽咸雍十年【甲寅,1074】　春,正月,辛亥,赏复岷、洮等州功,西京左藏库使桑湜等迁官有差。

壬子,幸中太一宫,宴从臣。

乙卯,封皇子俊为永国公。

辽主如鸳鸯泺。

甲子,熊本奏平泸夷,得地二百四十里。本尝通判戎州,习其俗,谓彼能扰边者,介十二村豪为向导耳,乃以计致百馀人,枭之泸州。其徒股栗,愿矢死自赎,独柯阴一酋不至。本合晏州十九姓之众,发黔南义军强弩,遣大将王宣等率以进讨,贼悉力旅拒,败之黄葛下,追奔深入。柯阴窘,乞降,本受之,尽籍丁口、土田及其重宝、善马归之官。于是乌蛮罗氏鬼主诸夷皆求内附。本还,帝劳之曰:“卿不伤财,不害民,一旦去百年之患。至于橔奏详明,近时鲜俪。”擢集贤殿修撰、同判司农寺。西南用兵自此始。

二月,辛未,发常平米赈河阳饥民。

癸未,诏三司岁会天下财用出入之数以闻。

辽以平州民初复业,蠲其租赋。

戊子,准布贡于辽。

庚寅,诏国子监许卖《九经》、子、史诸书与高丽国使人。

诏以郓州左司理参军叶涛等二十三人为诸路教授,国子监言涛等所业堪充教授故也。

乙未,知河州景思立与青宜结果庄战于踏白城,败死,贼遂围河州。

废辽州。

三月,壬寅,玛尔戬寇岷州。时王韶入朝,景思立既败死,玛尔戬势复炽,遂围岷州。总管高遵裕遣包顺等击走之。

癸卯,以旱,避正殿,减膳。

乙巳,诏:“役钱每千纳头子五文,凡修官舍、作什器、夫力、辇载之类,并用此钱;不足,即用情轻赎铜钱;辄圆融者,以违制论,不以去官赦原。”先是公家之费有敷于民间者,谓之“圆融”,污吏乘之以为奸,至是始悉禁焉。

丙午,遣使奉行诸路,募武士赴熙河。

庚戌,诏熙河死事者家给钱有差。

令诸路监司察留狱。

两浙察访沈括言:"两浙上供帛年额九十八万,民间陪累甚多。后来发运司以移用财货为名,增两浙预买绸绢十二万。乞罢之以宽民力。"从之。

诏:"闻定州民有折卖屋木以纳免役钱者,令安抚、转运、提举司体量,具实以闻。"

癸丑,帝问王安石:"纳免行钱如何? 或云提汤瓶人亦令出钱,有之乎?"安石曰:"若有之,必经中书指挥,中书实无此文字。陛下治身无愧于尧、舜,至于难壬人,疾谗说,即与尧、舜实异。"帝曰:"士大夫言不便者甚众。"安石曰:"士大夫或不快朝廷政事,或与近习相为表里;自古未有令近习如此而能兴治功者。"帝又患置官多费,安石曰:"创置官司,所以省费也。"帝曰:"即如此,何故财用不足? 若言兵多,则今日兵比庆历中为极少。"安石曰:"陛下欲足用,必先理财,理财即须断而不惑,不为左右小人异论所移,乃可以有为。"帝曰:"古者什一而税足矣,今取财百端,不可谓少。"安石曰:"古非特什一之税而已,市有泉府之官,山林、川泽有虞衡之官,有次布、总布、质布、廛布之类甚众。关市有征,而货有不由关者,举其货,罚其人。古之取财,亦岂但什一而已!"

丙辰,辽主以河东路沿边增修戍垒,起铺舍,侵入蔚、应、朔三州界内,使林牙萧禧来言,乞行毁撤,别立界至。禧归,帝面谕以"三州地界,俟遣官与北朝官即境上议之。其雄州外罗城,修已十三年,并非创筑,且非近事。北朝既不欲,更不令续修。白沟馆驿亦须遣官检视,如有创置楼橹箭窗等,并令毁拆,屯戍兵亦令撤回"。国书云:"傥事由夙昔,固难徇情;诚界有侵逾,何吝改正!"遂遣太常少卿刘忱、秘书丞吕大忠如辽。

(甲子)〔癸亥〕,诏司农寺以常平米三十二万斛、三司米百九十万斛置官场,减直出粜。

辽主如特古里。以耶律巢为北院大王。

翰林学士韩维对延和殿。帝曰:"天久不雨,朕夙夜焦劳,奈何?"维曰:"陛下忧闵旱灾,损膳避殿,此乃举行故事,恐不足以应天变。愿陛下痛自责己,下诏广求直言,以开壅闭。"帝感悟,即命维草诏行之。

乙丑,诏曰:"朕涉道日浅,暗于致治,政失厥中,以干阴阳之和,乃自冬迄今,旱暵为虐,四海之内,被灾者广。间诏有司,损常膳,避正殿,冀以塞责消变;历日滋久,未蒙休应。嗷嗷下民,大命近止,中夜以兴,震悸靡宁,永惟其咎,未知攸出。意者朕之听纳不得于理与? 讼狱非其情与? 赋敛失其节与? 忠谋谠言郁于上闻,而阿谀壅蔽以成其私者众与? 何嘉气之不久效也? 应中外文武臣僚,并许实封直言朝政阙失,朕将亲览,考求其当,以辅政理。三事大夫,其务悉心交儆,成朕志焉!"诏出,人情大悦。

夏,四月,辛未,辽以奚人达噜三世同居,赐官旌之。

自去岁秋七月不雨至于是月,帝忧形于色,嗟叹恳恻,欲尽罢法度之不善者。王安石曰:"水旱常数,尧、汤不免。今旱暵虽久,但当修人事以应之。"帝曰:"朕所以恐惧者,正为人事之未修耳。今取免行钱太重,人情咨怨,自近臣以至后族,无不言其害者。"冯京曰:"臣亦闻之。"安石曰:"士大夫不逞者以京为归,故京独闻此言,臣未之闻也。"

初,光州司法参军福清郑侠为安石所奖拔,感其知己,思欲尽忠。秩满入都,时初行试法之令,选人中式者超京官。安石欲使以是进,侠以未尝习法辞。问以所闻,侠曰:"青苗、免

1511

役、保甲、市易数事,与边鄙用兵,在侠心不能无区区也。"安石不答。侠退,不复见,但数以书言法之为民害者。久之,监安上门。安石虽不悦,犹使其子雱来,语以试法。方置修经局,又欲辟为检讨,命其客黎东美谕意。侠曰:"读书无几,不足以辱检讨。所以来,求执经相君门下耳。而相君发言持论,无非以官爵为先,所以待士者亦浅矣。果欲援侠而成就之,取其所献利民、便物之事,行其一二,使进而无愧,不亦善乎!"是时,免(役)〔行〕法出,人以为苦,虽负水、拾发、担粥、提茶之属,非纳钱者不得贩鬻。税务索市利钱,其末或重于本,商人至以死争,如是者不一。侠因东美列其事。未几,诏小夫负贩者免征,商之重者,日损其七,它皆无所行。

至是大旱,东北流民,扶携塞道,羸瘠愁苦,身无完衣,并城民买麻糁麦面合米为糜,或茹木实草根,至身被锁械,而负瓦揭木,卖以偿官,累累不绝。侠知安石不可谏,乃绘所见为图,具疏诣邹门,不纳,遂称密急,发马递,上之银台司。其略曰:"去年大蝗,秋冬亢旱,麦苗焦枯,五种不入,群情俱死。方春斩伐,竭泽而渔,草木鱼鳖,亦莫生遂。灾患之来,莫知或御。愿陛下开仓廪,赈贫乏,取有司掊克不道之政,一切罢去,冀下召和气,上应天心,延万姓垂死之命。今台谏充位,左右辅弼,又皆贪猥近利,使夫抱道怀识之士,皆不欲与之言。陛下以爵禄名器驾驭天下忠贤,而使人如此,甚非宗庙社稷之福也。窃闻南征北伐者,皆以其胜捷之势,山川之形,为图来献,料无一人以天下之民质妻鬻子、斩桑坏舍、流离逃散、皇皇不给之状,图以上闻者。臣谨按安上门逐日所见,绘成一图,百不及一,但经圣览,亦可流涕,况于千万里之外,有甚于此者哉!陛下观臣之图,行臣之言,十日不雨,即乞斩臣宣德门外,以正欺君之罪。"

疏奏,帝反复观图,长吁数四,袖以入内。是夕,寝不能寐。翼日,癸酉,遂命开封体放免行钱,三司察市易,司农发常平仓,三(卫)〔衙〕具熙、河所用兵,诸路上民物流散之故,青苗、免役,权息追呼,方田、保甲并罢,凡十有八事,民间欢叫相贺。是日,果雨。

甲戌,辅臣入贺。帝出侠图及疏示辅臣,且责之,皆再拜谢,外间始知所行之由。群奸切齿,遂以侠付御史狱,治其擅发马递罪。吕惠卿、邓绾言于帝曰:"陛下数年以来,忘寝与食,成此美政,天下方被其赐,一旦用狂夫之言,罢废殆尽,岂不惜哉!"相与环泣于帝前。于是新法一切如故,惟方田暂罢。

河州之被围也,王韶自京师还,至兴平,闻之,乃与李宪日夜驰至熙州。熙方城守,韶命撤之,选兵得二万。诸将欲趋河州,韶曰:"贼所以围城者,恃有外援也。今知救至,必设伏待我。且新胜气锐,未可与争,当出其不意以攻其所恃,所谓批亢捣虚、形格势禁,则自为解也。"乃直趋定羌城。乙亥,破四蕃结河川族,断夏国通路,进临宁河,分命偏将入南山。玛尔戬知有援,拔栅去。

初,景思立覆军,贼势复振,而京师风霾旱灾相仍,议者欲弃河湟,帝数遣中使戒韶持重勿出。及是捷闻,乃大喜,赐诏嘉之。

丙子,御殿,复膳。求言诏下,判西京御史台司马光读之感泣,欲默不忍,乃复上疏曰:"方今朝之阙政,其大者有六而已:一曰广散青苗钱,使民负债日重,而县官无所得;二曰免上户之役,敛下户之钱,以养浮浪之人;三曰置市易司,与细民争利,而实耗散官物;四曰中国未治而侵扰四夷,得少失多;五曰团练保甲,教习凶器以疲扰农民;六曰信狂狡之人,妄兴水利,劳民费财。若其它琐琐米盐之事,皆不足为陛下道也。"知青州滕甫言:"新法之害民者,陛下既知之矣。但一下手诏,自熙宁二年以来所行新法,有不便者悉罢之,则民气和而天意解矣。"皆不听。

己卯,以高遵裕为岷州团练使。

甲申,诏:"边兵死事无子孙者,廪其亲属终身。"

王韶还熙州,以兵循西山,绕出踏白城后,焚贼八千帐,斩首七十馀级。玛尔戬穷蹙,乙酉,率酋长八十馀人诣军门降。

是日,雨雹。

丙戌,王安石罢;以观文殿大学士、知大名府韩绛复同平章事,翰林学士吕惠卿为右谏议大夫、参知政事。

安石秉政五年,更法度,开边疆,老成正士,废黜殆尽,儇慧巧佞,超进用事,天下怨之,而帝倚任益专。一日,侍太后至太皇太后宫,太皇太后语帝曰:"祖宗法度,不宜轻改,吾闻民甚苦青苗、助役,宜罢之。"帝曰:"此所以利民,非苦之也。"太皇太后曰:"王安石诚有才学,然怨之者甚众,欲保全之,不若暂出之于外。"帝曰:"群臣惟安石为国家当事。"时帝弟岐王颢在侧,因进曰:"太皇太后之言,至言也,不可不思。"帝怒曰:"是我败坏天下邪?汝自为之!"颢泣曰:"何至是!"皆不乐而罢。久之,太后流涕谓帝曰:"安石乱天下,奈何?"帝始疑之。及郑侠疏进,安石不自安,求去位,帝再四慰留,欲处以师傅之官。安石不可,愿得便郡,乃以吏部尚书、观文殿大学士,知江宁府。吕惠卿使其党变姓名投匦留之,安石感其意,因乞韩绛代己而惠卿佐之,帝从其请。二人守其成规不少失,时号绛为"传法沙门",惠卿为"护法善神"。

以南江蛮懿州地置沅州。

己丑,诏曰:"朕度时之宜,造为法令,已行之效,固亦可见。吏有不能奉承,然朕终不以吏或违法之故辄为之废法,要当博谋广听,按违法而深治之。"时吕惠卿虑中外因王安石罢相言新法不便,以书遍遗诸路监司、郡守,使陈利害,又白帝降此诏申明之。

壬辰,帝与执政论免行钱利害,且曰:"今日之法,使百姓出钱轻于往日,即是良法。至如减定公使钱,人犹以为言者,此实除去牙前陪费深弊。且天下贡物所以奉一人者,朕已悉罢,群臣亦当体朕此意,以爱惜百姓为心。"冯京曰:"朝廷立法,本意出于爱民,然措置之间,或有未尽,但当广开聪明,尽天下之议,便者行之,有不便者不吝改作,则天下受赐矣。"

诏中书,自熙宁以来创立改更法度,令具本末编类以进。

丁酉,诏王韶发玛尔戬及其家赴阙。进韶观文殿学士、礼部侍郎,官其兄弟及两子,前后赐绢八千匹。初,韶入朝,加资政殿学士,至是又加观文殿学士。非尝执政而除者,皆自韶始。

辽遣枢密副使萧素等议疆界于代州境上。

初,刘忱、吕大忠既奉使,而大忠遭父丧,有诏起复,知代州。忱对便殿,奏曰:"臣受命以来,在枢府考核文据,未见本朝有尺寸侵辽地。臣既辱使指,当以死拒之。"忱出疆,帝手敕曰:"辽理屈则忿,卿姑如所欲与之。"忱不奉诏。至是与素等会于代,素等设次,据主席,大忠却之,乃移次于长城北。(改西上邠门使知石州)大忠数与素等会,皆以理折之,稍屈。辽指蔚、应、朔三州分水岭土垅为界,及忱与之行视,无土垅,乃但云以分水岭为界。凡山皆有分水岭,相持久之,不决。

五月,戊戌朔,左司郎中、天章阁待制李师中言:"旱既太甚,民将失所。今日之事,非有动民之行,应天之实,恐不足以塞天变。伏望诏求方正有道之士,召诣公车对策;如司马光、苏辙辈,复置左右,以辅圣德。如此而后,庶几有敢言者。臣愚不肖,亦未忘旧学,陛下欲为富国强兵之事,则有禁暴丰财之式;欲为代工熙载之事,则有利用厚生之道。有臣如是,陛下其舍诸!"帝以师中敢肆诞谩,辄求大用,责授和州团练副使,本州安置。师中素为王安石所恶,至是吕惠卿附安石意,请出师中疏付外,因摘其语激帝怒,遂废斥之。

壬寅,雨雹;癸卯,又雨雹。

辛亥,罢制科。自孔文仲对策忤王安石意,因言于帝曰:"进士已罢诗赋,所试事业,即与制科无异,何必复置是邪?"帝然之。已而秘阁考试所言应制科陈彦古所试六论不识题及字数皆不足,至是吕惠卿执政,复言制科止于记诵,非义理之学,遂诏罢之。

丙辰,以馆阁校勘吕升卿、国子监直讲沈季长并为崇政殿说书。升卿,惠卿弟也,素无学术,每进讲,多舍经而谈财谷利害。帝时问以经义,升卿不能对,辄目季长从旁代对。帝问难甚苦,季长辞屡诎。帝问从谁受此义,曰:"受之王安石。"帝笑曰:"然则且尔。"季长虽党附安石,而常非王雱、王安礼及吕惠卿所为,以为必累安石。雱等甚恶之,故不甚进用。

壬戌,国子监言:"太学生员多而斋舍少,先以朝集院为律学外,屋尚百馀间,乞尽充学舍。"从之。为屋百楹,学者以千计。

乙丑,大雨水,坏陕、平陆二县。

丙寅,辽主以久旱,命录囚。

是月,三司使曾布、提举市易司吕嘉问并罢。

初,嘉问提举市易,连以羡课受赏,帝闻其扰民,以语王安石,安石力辩,至诋帝为丛脞,不知帝王大略。且曰:"非嘉问,孰敢不避左右近习? 非臣,孰为嘉问辨?"帝曰:"即如是,士大夫何故以为不便?"安石请言者姓名,令嘉问条析以奏。时市易隶三司,嘉问恃势陵使薛向,出其上。及布代向,怀不能平。会帝出手札询布,布访于魏继宗,具上嘉问多收息干赏,挟官府而为兼并之事。帝将委布考之,安石言二人有私忿,于是诏布与惠卿同治。惠卿故憾布,胁继宗使诬布,继宗不从。布言惠卿不可共事,帝欲听之,安石持不可。帝遂诏中书曰:"朝廷设市易,本为平准以便民,若《周官》泉府者;令顾使中人之家失业若此,吾民安得泰然也! 宜厘定其制。"

布见帝,言曰:"臣每闻德音,欲以王道治天下。今市易之为虐,骎骎乎间架、除陌之事矣。如此之政,书于简牍,不独唐、虞、三代所无,历观秦、汉以来衰乱之世,恐未之有也。嘉问又请贩盐鬻帛,岂不贻笑四方?"帝颔之。事未决,安石去位。惠卿执政,遂治前狱,请令中书悉取案牍异同以奏。后二日,布对延和殿,条析先后所陈并较治平、熙宁出人钱物数以闻。帝方虑岁费浸广,令布送中书。至是诏章惇、曾孝宽鞫布所究市易事,又令户房会财赋数,与布所陈异,而嘉问亦以杂买务多入月息不觉,皆从公坐有差。未几,并落职,布出知饶州,嘉问出知常州。

六月,戊辰,辽主亲出题试进士,旋放进士刘霄等如额。

壬申,辽主命臣庶皆得直言得失。

丙子,辽主御永安殿策贤良。

丁亥,广州凤凰见。

以玛尔戬为荣州团练使,赐姓名赵思忠。

辛卯,诏以司天监新制浑仪、浮漏于翰林天文院安置。

初,日官皆市井庸贩,法象、图器,一无所知。乃以太子中允沈括提举司天监,始制浑仪、景表、五壶浮漏;招卫朴造新历;募天下(士)〔上〕太史占书,杂用士人,分方技科为五。至是浑仪、浮漏成,括与秋官正皇甫愈等各赐银绢有差。

〔乙亥〕,诏监安上门郑侠勒停,编管汀州。

始,朝廷以侠为狂,置而不问。及吕惠卿执政,命下之日,京师大风,雨土,翳席逾寸。侠又上疏论之,仍取唐魏征、姚崇、宋璟、李林甫、卢杞传为两轴,题曰《正直君子邪曲小人事业图》,迹在位之臣,暗合林甫辈而反于崇、璟者,各以其类,复为书献之。疏极陈时政得失、民间疾苦,凡五千言,且曰:"安石为惠卿所误至此,今复相扳援以遂前非,不复为宗社计。昔唐天宝之乱,国忠已诛,贵妃未戮,人以为贼本尚在。今日之事,何以异此!"惠卿大怒,白帝,重责之。

〔乙酉〕,帝谓辅臣曰:"天下财用,朝廷若少留意,则所省不可胜计。昨者拨并军营,令会计减军员十将以下三千馀人,除二节(度)〔特〕支及廉从外,一岁省钱四十五万缗,米四十万石,绸绢二十万匹,布三万端,草二百万束。若每事如此,及诸路转运使得人,更令久任,使之经画,财其可胜用哉!"

秋,七月,癸卯,群臣五上尊号曰绍天宪古文武仁孝皇帝,不许。

丙辰,辽主如秋山。

辽俗君臣尚猎,而辽主尤善骑射,往往以国服先驱,所乘马号飞电,瞬息百里,常驰入深林邃谷,扈从求之不得。萧后素慕唐徐贤妃之为人,上疏谏曰:"妾闻穆王远驾,周德用衰;太康佚豫,夏社几屋。此游佃之往戒,帝王之龟鉴也。顷见驾幸秋山,不闲六御,特以单骑从禽,深入不测,此虽威神所届,万灵自为拥护,倘有绝群之兽,果如东方所言,则沟中之豕,必败简子之驾矣。妾虽愚暗,窃为社稷忧之。惟陛下尊老氏驰骋之戒,用汉文吉行之旨,不以其言为牝鸡之晨而纳之。"辽主虽嘉纳而心颇厌远。以后遂稀得见。

辽有女子耶律常格,太师迪噜之妹也,操行修洁,自誓不嫁,能诗文,不苟作。尝作文以述时政,其略曰:"君以民为体,民以君为心。人主当任忠贤,人臣当去比周,则政化平,阴阳顺。欲怀远则崇恩尚德,欲强国则轻徭薄赋。四端、五典,为治教之本;六府、三事,实生民之命。淫侈可以为戒,勤俭可以为师。错枉则人不敢诈,显忠则人不敢欺。勿泥空门,勿饰土木,勿事边鄙,妄费其金帛。满当思溢,安必虑危。刑罚当罪,则民劝善;不宝远物,则贤者至。建万世磐石之业,制诸邦强横之心。欲率下则先正身,欲治远则始朝廷。"所言多切时弊,辽主虽善之而不能用。时枢密使耶律伊逊方揽权,闻其才,屡求诗,常格遗以回文,伊逊知其讽己,衔之。

癸亥,以米十五万石赈河北西路灾伤。

是日,辽主谒庆陵。

时免役出钱或未均,司农寺言五等丁产簿多隐漏不实。吕惠卿用其弟曲阳县尉和卿计,创手实法,请行之。其法,官为定立物价,使民各以田亩、屋宅、资货、畜产随价自占。凡居钱五,当蓄息之钱一。非用器、食粟而辄隐落者许告,获实,以三分之一充赏。预具式示民,令依式为状,县受而籍之,以其价列定高下,分为五等。既该见一县之民物产钱数,乃参会通县役钱本额而定所当输钱。诏从其言,于是民家尺椽寸土,检括无遗,至鸡豚亦遍抄之。

初,惠卿创是法,犹令灾伤五分以上不预。荆湖察访使蒲宗孟上言:"此天下之良法,使民自供,初无所扰,何待丰岁!愿诏有司勿以丰凶弛张其法。"从之,民由是益困。

八月,丙戌,命知制诰沈括为河北西路察访使。先是遣内侍籍民车,人未喻朝廷意,相扰为忧。又,市易司患蜀盐不可禁,欲尽实私井而运解盐以给之。言者论二事如织,皆不省。括侍帝侧,帝顾曰:"卿知籍车乎?"对曰:"知之。"帝曰:"何如?"括曰:"敢问欲何用?"帝曰:"北边以马取胜,非车不足以当之。"括言:"车战之利,见于历世。巫臣教吴子以车战,遂霸中国;李靖偏箱鹿角,以禽颉利。臣但未知一事,古人所谓兵车者,轻车也,五御折旋,利于便捷。今民间辎车,重大椎朴,以牛挽之,日不能三十里,少蒙雨雪,则跬步不进,故世谓之太平车,恐兵间不可用耳。"帝喜曰:"人言无及此者,朕当思之。"遂问蜀盐事,括对曰:"私井既容其扑卖,则不得无私易。一切实之,而运解盐,使一出官售,此亦省刑罚、笼遗利之一端。然忠、万、戎、泸间,夷界小井尤多,不知辽盐又何如止绝?若更须列候加警,则恐得不偿费。"帝颔之。明日,二事俱寝。执政喜,谓括曰:"君有何术,立谈而罢此二事?"括曰:"圣主可以理夺,不可以言争。若车可用,虏盐可禁,括不敢以为非也。"括自太子中允擢知制诰才三月,至是察访河西路所陈凡三十一事,诏皆可之。

癸巳,集贤院学士宋敏求上编修《郊门仪注》。

九月,〔丁未〕,有司言:"供亿钱谷多在浙西,计置及水利事尽在苏、秀等,今分为两路,必至阙事。"于是诏两浙仍合为一路。

庚戌,辽主如东京,谒二仪、五鸾殿。

壬子,三司火,自巳至戌止,焚屋千八十楹,案牍殆尽。时元绛为三司使,宋迪为判官,迪遣使煮药失火。火炽,帝御西角楼以观。知制诰章惇判军器监,遽部本监役兵往救,经由西角楼,帝顾问,左右以惇为对。明日,迪夺官,绛罢,以章惇代之。诏诸路,熙宁五年文帐悉封上,防其因火为奸也。

癸丑,置三十七将,京畿七、河北十七、京东十、京西三,从蔡挺请也。

知大名府文彦博言:"河溢坏民田,多者六十村,户至万七千,少者九村,户至四千六百,愿蠲租税。"从之。又命都水诘官吏不以水灾闻者。外都水监丞程昉以忧死。

都水监丞刘璯言:"自开直河,闭鱼肋,水势增涨,行流湍急,渐塌河岸;而许家港、清水镇河极浅漫,几于不流。虽二股深快,而蒲泊以东,下至四界首,退出之田,略无固护。设遇漫水出岸,牵回河头,将复成水患。宜候霜降水落,闭清水镇河,筑缕河堤一道,以遏涨水,使大河复循故道。又退出良田数万顷,俾民种耕。而博州界堂邑等退背七埽,岁减修护之费,公私两济。"从之。

代北疆议(谕)〔逾〕时不决,辽复遣萧禧来言。甲寅,诏枢密院议边防。

癸亥,辽主祠木叶山。

冬,十月,丁卯,辽主驻藕丝淀。

壬申,遣中使赐韩琦、富弼、文彦博、曾公亮诏曰:"通好北敌,凡八十年,近岁以来,生事弥甚。代北之地,素无定封,故造衅端,妄来理辨。比敕官吏同加按行,虽图籍甚明,而诡辞不服。今横使复至,意在必得。敌情无厌,势恐未已,万一不测,何以待之?古之大政,必咨故老,卿其具奏。"

琦奏言："臣观近年朝廷举事,似不以大敌为恤。始为陛下谋者,必曰自祖宗以来,因循苟且,治国之本,必先聚财积谷,募兵于农,则可鞭笞四夷,复唐故疆。故散青苗钱,为免役法,置市易务,次第取钱。新制日下,更改无常,而监司督责,以刻为明。今农怒于畎亩,商叹于道路,长吏不安其职,陛下不尽知也。夫欲攘斥四夷以兴太平,而先使邦本困摇,众心离怨,此则为陛下始谋者大误也。臣今为陛下计,宜遣报使,且言:'向来兴作,乃修备之常,岂有它意。疆土素定,悉如旧境,不可持此造端,以堕累世之好。'可疑之形,如将官之类,因而罢去。益养民爱力,选贤任能,疏远奸谀,进用忠鲠,使天下悦服,边备日充。若其果自败盟,则可一振威武,恢复故疆,摅累朝之宿愤矣。"

弼言："朝廷诸边用兵,辽所以先期求衅。不若委边臣诘而严备之,来则御,去则备;亲征之谋,未可轻举。且选人报聘。彼籍吾岁赐,方能立国,岂无欲安静之理!"

彦博言："萧禧之来,欲以北亭为界,缘庆历西事未平之时,来求黄嵬之地,容易与之。中国御戎,守信为上,必以誓书为证。若萌犯顺之心,当预备边,使战胜守固而已。"

公亮言："嘉祐间,夏国妄认同家堡为界,延州牒问,遂围大顺,寇边不已,绝其岁赐,始求帖服。今待辽极包容矣,不使知惧,恐未易驯扰。控制之术,毋令倒持。"

帝召刘忱、吕大忠与执政议之,将从其请。大忠曰:"彼遣一使来,即与地五百里;若使魏王英弼来,尽索关南地,亦与之乎?"帝默然。忱与大忠坚执不与,执政知不可夺,乃罢忱还三司,许大忠终制。

丁丑,辽命有司颁行《史记》《汉书》。

辽以知蓟州事耶律庶箴善属文,迁都林牙。庶箴上表,乞广本国姓氏曰:"我朝创业以来,法制修明,惟姓氏止分为二,耶律与萧而已。始,太祖制契丹文字,取诸部乡里之名,续作一篇,著于卷末。臣请推广之,使诸部各立姓氏,庶男女婚媾,有合典礼。"辽主以旧制不可遽厘,不听。

戊寅,诏浙西路提举司出米赈常、润州饥。

韩绛请选官置司,以天下户口、人丁、税赋、场务、坑冶、河渡、房园之类,租额、年课及一路钱谷出入之数,去其重复,岁比较增亏、废置及羡馀、横费,计赢阙之处,使有无相通,而以任职能否为黜陟,则国计大纲可以省察。三司使章惇亦以为言。庚辰,诏置三司会计司,以绛提举。

范纯仁自和州徙知邢州,未至,〔癸巳〕,诏加龙图阁直学士,知庆州。纯仁过阙,入对,帝曰:"卿父在庆著威名,卿今继之,可谓世职。卿随侍既久,兵法必精,边事必熟。"纯仁度必有以开边之说误帝者,对曰:"臣儒家,未尝学兵法。先臣守边时,臣尚幼,不复记忆。且今日事势,宜有不同。陛下使臣缮治城垒,爱养百姓,臣策疲驽不敢辞。若使开拓封疆,侵攘边境,非臣所长,愿别择才帅。"帝曰:"卿才何所不能,顾不肯为朕悉心耳。"遂行。

十一月,戊午,高丽贡于辽。

己未,冬至,合祭天地于圜丘,以太祖配。

吕惠卿得君怙权,虑王安石复进,乃援郊祀赦例,荐安石为节度使。方进札,帝察知其情,遽问曰:"安石去不以罪,何故用赦复官?"惠卿无以对。

十二月,丙寅,省熙、河、岷三州官百四十一员。

丁卯,文武官加恩。

以知(庆)〔熙〕州王韶为枢密副使。

辛巳,辽诏改明年元曰(太)〔大〕康。大赦。

往时高丽入贡,皆自登州。是岁,遣其臣金良鉴来言,乞改涂由明州诣阙;从之。

湆井、长宁夷十郡、八姓及武都夷皆内附。

辽生女直部节度使阿库纳卒。女直本女真,避辽兴宗讳,改曰女直。其始祖曰函普,函普生乌鲁,乌鲁生跋海,跋海生绥可,绥可生石鲁,石鲁生阿库纳,阿库纳能役属诸部。会辽五国佛宁部节度使巴哩美叛,辽将致讨,阿库纳恐辽兵深入,得其山川险易,或将图之,乃告辽曰:“彼可计取也。若用兵,必先走险,非岁月可平。”从之。阿库纳因袭而禽之以献。辽主召见,燕赐加等,授生女真部节度使,始有官属,纪纲渐立矣,然不肯受印,系辽籍。其部内旧无铁,邻国有以甲胄往鬻者,必厚价售之。得铁既多,因以修弓矢,备器械,兵势稍振,前后愿附者众。至是五国穆延部舍音贝勒复叛辽,阿库纳伐之,舍音败走。阿库纳将见边将,自陈败舍音之功,行次拉林水,疾作而死。于是和里布嗣。

【译文】

宋纪七十　起甲寅年(公元 1074 年)正月,止十二月,共一年。

熙宁七年　辽咸雍十年(公元 1074 年)

春季,正月,辛亥(十三日),奖赏收复岷、洮等州的功劳,西京左藏库使桑湜等人各有升迁。

壬子(十四日),神宗驾幸中太一宫,宴请随从大臣。

乙卯(十七日),封皇子赵俊为永国公。

辽道宗前往鸳鸯泺。

甲子(二十六日),熊本上奏平定泸夷,拓地二百四十里。熊本曾任戎州通判,熟悉那里的习俗,说那里能骚扰边境的原因,是依靠十二村豪做向导,于是用计招诱来一百多人,在泸州将其斩首。其余同伙非常害怕,愿意以誓死不变来赎罪,只有柯阴的一个首领不来归附。熊本集合晏州十九姓部落之众,调发黔南乡兵的强弩手,派大将王宣等人率军前往讨伐,贼人全力抗拒,王宣在黄葛岭下击败贼军,并深入追击。柯阴走投无路,乞求归降,熊本接受了,将其人口、土地及重要宝物、良马全部登记造册归入官府。于是乌蛮罗氏鬼主等诸夷都要求归附。熊本回京,神宗慰劳他说:“你不浪费钱财,不扰害百姓,一下子就除去了百年大患。至于奏报的详尽明白,是近来很少有比得上的。”擢升他为集贤殿修撰,同判司农寺。对西南地区用兵从此开始。

二月,辛未(初三),调发常平仓米赈济河阳饥民。

癸未(十五日),下诏令三司每年将财政收支的数目统计上报。

辽国因平州百姓刚刚恢复生产,免除他们的租赋。

戊子(二十日),准布向辽国进贡。

庚寅(二十二日),下诏给国子监允许卖《九经》、诸子书、史书给高丽国使者。

下诏任命郓州左司理参军叶涛等二十三人为各路教授,是因为国子监奏言叶涛等人的学业足可充任教授的缘故。

乙未(二十七日),知河州景思立与青宜结果庄在踏白城战斗,战败而死,贼寇于是包围了河州。

废撤辽州。

三月，壬寅（初五），玛尔戬侵犯岷州。当时王韶入京朝拜，景思立战败而死后，玛尔戬的势力又强盛起来，于是包围了岷州。总管高遵裕派包顺等率军击退敌人。

癸卯（初六），因天旱，神宗不居正殿，节减膳食。

乙巳（初八），下诏："役钱每一千文交纳头子钱五文，凡是修造官府、制作日常器具、雇用力夫、运输之类的事情，全都使用此钱；如果不够，就用罪犯减刑交纳的赎铜钱；总以圆融名义扰民的，按违旨论处，不能因罢官而赦免其罪。"先前官府费用转嫁到民众头上的，称为"圆融"，贪官污吏乘机为非作歹，到此时才全部禁止。

丙午（初九），派使臣奉旨巡行诸路，招募武士赶赴熙河。

庚戌（十三日），下诏令赐给在熙河之役战死的家属多少不等的赏钱。

命令各路监司审理滞留的案件。

两浙察访使沈括奏言："两浙每年上供的丝帛定额为九十八万，百姓受赔损很多。后来发运司以转运钱财货物为名，增收两浙预买绸绢十二万。请求免掉这些以减轻百姓负担。"依从了他。

下诏："听说在定州有人变卖房屋树木用以交纳免役钱的，命令安抚司、转运司、提举司核实，将实情上报。"

癸丑（十六日），神宗问王安石："交纳免行钱的情况怎么样？有人说连提汤瓶的人也让他交钱，有这种事吗？"王安石说："如果有这种事，一定要经过中书下文指令，但中书实在没有这种文书。陛下修身无愧于尧、舜，至于拒斥小人、憎恨谗言方面，就与尧、舜不一样了。"神宗说："士大夫中说此法不便推行的人很多。"王安石说："士大夫中有人不喜欢朝廷的政事，有人与亲近大臣里外串通；自古以来还没有让亲信如此放肆而能使国家大治的功业的！"神宗又担心设官花费太多，王安石说："创设官府，就是为节省开支。"神宗说："既然如此，为何财用仍然不足？如果说是因为军队士卒太多，那么今日士卒的数目比庆历年间可少得多。"王安石说："陛下要想财用充足，必先理财，要理财就必须决断而不犹豫，不为左右小人的奇谈怪论所动摇，这才会有所作为。"神宗说："古代抽取十分之一的税就足够了，现在什么都抽税，不能说少了。"王安石说："古代不只抽十分之一的税就罢了，市上设有负责交易的泉府官，山林、川泽有虞衡官掌管，有次布、总布、质布、廛布之类的税收很多。关市有征税的，但有货物不经过关口的，要没收其货物，处罚其人。古代取财，又何止什一税而已呢！"

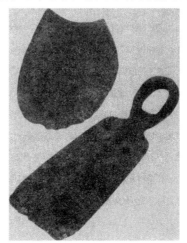

铁犁壁　北宋

丙辰（十九日），辽道宗因为河东路沿边境增修戍垒，兴建驿站，侵入辽国蔚、应、朔三州地界，派林牙萧禧来进言，请求撤毁，另立界标。萧禧将归辽国，神宗当面告诉他："三州的边界，等派官员与你们北朝官员在边境上议定。其雄州外罗城，修筑已有十三年，并非新修，而且不是最近的事。北朝既然不愿意,不令他们继续修筑就是了。白沟的馆驿也须派官前去察看,如有新建的楼橹箭窗之类,都令他们拆毁,驻扎的军士也令撤回。"国书里说:"假若边境情况早就如此,固然难以顺从你们的意愿;果真有侵逾边界之事,怎么会不改正!"于是派太常少卿刘忱、秘书丞吕大忠前往辽国。

癸亥(二十六日),下诏令司农寺用常平仓米三十二万斛、三司库米一百九十万斛设立官营市场,减价出售。

辽道宗前往特古里。任命耶律巢为北院大王。

翰林学士韩维在延和殿答对。神宗说:"天长久不降雨,朕日夜焦急,怎么办?"韩维说:"陛下担心旱灾,减少膳食,不居正殿,这只不过照旧例行事,恐怕不足以应付天灾。希望陛下彻底地责备自己,下诏广求直言,以开辟阻塞的言路。"神宗觉悟,马上命韩维草拟诏书施行。

乙丑(二十八日),下诏说:"朕涉足治国之道时间太短,在治理天下方面昏昧。政令失于中和之道,从而干扰了阴阳和谐,于是从冬季到如今,旱灾肆虐,四海之内,受灾地区很多。近来诏令有关衙门,减少日常膳食,避居正殿,希望以此抵罪消灾;但过了很长时间,也未见上天感应。困苦之中的百姓,快要活不下去了,半夜醒来,内心震颤不安,反复思虑导致灾害的过失,不知到底出自何处。在于朕所听从采纳的不合于理吗?断案不合于情吗?赋敛没有节制吗?忠言直谏不能上达、而献媚掩盖真相来谋求私利的太多了吗?为什么嘉祥之气很久不出现呢?所有内外文武臣僚,一概准许直言朝政的失误并实封上奏,朕当亲自览阅,考察寻求其中妥当的部分,用以辅佐治理政事。自三公以下诸臣,都要尽心相互告诫,以助成朕的心意。"诏书发出,人心大悦。

夏季,四月,辛未(初四),辽国人因奚人达鲁三代不分家,赐官表彰他。

自从去年秋季七月,天不下雨到这个月,神宗忧形于色,发自内心地嗟叹,想全部废止不妥当的法度。王安石说:"涝旱是常有的事,尧帝、商汤王时也免不了发生。现在干旱虽久,只应修治人事来应付它。"神宗说:"朕忧虑恐惧的原因,正是因为人事没有修治。现今收取的免行钱太苛重,人心怨怒,从近臣到后族,无人不说它的害处。"冯京说:"臣也听说了。"王安石说:"士大夫不得志的都归附冯京,所以只有冯京听说这种话,臣从未听说过。"

当初,光州司法参军福清人郑侠被王安石奖赏提拔,感激他的知遇之恩,想要尽忠报答。他任官期满到京城,当时刚开始推行试法之令,选人考中的超授京官。王安石想让他从这条途径升官,郑侠以未曾学习法律推辞。问他所见所闻,郑侠说:"青苗、免役、保甲、市易这几件事,与边远地区用兵之事,在我心中不能没有芥蒂。"王安石不予回答。郑侠退下,不再来见,但多次写信说新法为害百姓之处。过了很久,他监管安上门。王安石虽不高兴,仍派其子王雱来,告诉郑侠试法的内容。正好设置了修经局,王安石又想任他为检讨官,命门客黎东美传送此意。郑侠说:"读书不多,不能胜任检讨官之职。我来这里的原因,只求在丞相门下执经受业罢了。而丞相说话做文章,总是以官爵为先,以此待士人也太浮浅了。果真要帮助我取得成绩,就采纳我所献利民利国的建议,施行一两件,使我进升官职也无惭愧,不是很好吗!"当时,免行法出台,百姓叫苦不迭,即便担水、理发、担粥、提茶之类的人,不交纳钱就不得经营买卖。税务向商贩索取市利钱,征税数比本钱还多,商贩以死相争,像这样情况的不止一处。郑侠借黎东美陈述了这些事。不久,下诏小商小贩免征税钱,大商人的重税,减少十分之七,其余的建议未被采纳实行。

至此时天仍大旱,东北地区的流民,扶老携幼壅塞于路道之上,贫病交加,愁苦不堪,身上没有完好的衣服,与城里百姓一起买五谷杂粮与米掺和做粥食,或者吃野果草根,甚至身披枷锁的囚犯,也要背瓦撤屋,卖掉用以偿还官府之钱,这样的事经常不断。郑侠知道王安石不能进谏言,于是把所看见的情形绘为图画,写好奏疏送到阁门,不被接纳,于是假称紧急机密奏折,发快马传递,上交到银司台。其大意说:"去年发生大蝗灾,秋冬季节干旱,麦苗枯焦,五谷无法下种,百姓已濒临绝境。方到春季就砍伐收获,竭泽而渔,连草木鱼鳖也不能逃生。灾害来临,没有人知道如何抵御它。希望陛下打开粮仓,赈济饥民,取那些官府苛刻盘剥不讲公道的政令,一并废止,以此期望下召和睦之气,上顺天意,拯救天下百姓濒死的生命。如今台谏官空占其位,左右辅弼大臣,又都贪婪逐利,使那些有识之士,都不愿和他们说话。陛下用爵禄地位驾驭天下的忠贤之士,而又让人这样,实在不是祖宗和国家的福分啊。臣私下听说那些南征北战的将帅,都将他们得胜的形势、山川的状况,绘成地图贡献上来,想来无一人将地方上百姓典卖妻子儿女,斩桑拆房、流离逃亡、惶惶不可终日之惨状绘成图画,上奏朝廷。臣下谨将在安上门每天所见的情状,绘制成图画,还不及原状的百分之一,但陛下览阅之后,也会心痛流泪的,何况千万里之外,还有比这更惨的呢!陛下看了臣下所绘的图画,实行臣下所言,十天内天不降雨,请将臣下斩于宣德门外,以惩罚欺君之罪。"

奏疏呈上后,神宗反复观看图画,长叹数次,揣进袖中回宫。当晚,夜不能寐。次日,癸西(初六),就命开封府酌情停收免行钱,让三司检查市易务,司农寺开常平仓赈济,让三衙上报熙、河用兵情况,诸路上奏百姓流亡的原因,青苗、免役暂停,方田、保甲法全部废除,总共推行十八件事,百姓欢庆祝贺。当天,果然降雨。

甲戌(初七),辅佐大臣上朝祝贺。神宗拿出郑侠绘的图和奏书给大臣看,并责备他们,大臣再拜谢罪,外面才知道所行之事的来由。奸臣们咬牙切齿,于是把郑侠交付御史台下狱,惩治他擅自发送快马递奏书的罪行。吕惠卿、邓绾对神宗说:"陛下数年以来,废寝忘食,成就如此的德政,天下人正沐浴其恩德,一旦采用狂徒的建议,全部废止,岂不可惜!"相互围在神宗面前哭泣。于是新法一切照旧执行,只有方田法暂时停止。

河州被围困,王韶从京城返回,走到兴平,听到消息,就与李宪日夜兼程赶至熙州。熙州正在部署守城,王韶命令撤掉防守,挑选军兵二万人。诸将要赶赴河州,王韶说:"贼军之所以包围河州城,是恃其有外援。如今知道有救援之兵来解围,必定设伏兵等着我们。而且他们刚得胜气盛,不能与之争斗,应当出其不意攻击其所依恃的外援,这是所谓避实击虚、利用形势的限制,那么包围的敌军自己就解散了。"于是率兵直扑定羌城。乙亥(初八),在结河川击败蕃人四部,切断西夏国通路,进逼宁河,分别命偏将进入南山。玛尔戬知道有援军来,拔塞撤退。

当初,景思立全军覆没,贼军声势再度振兴,而京城风霾旱灾相沿不断,议论者想放弃河湟地区,神宗也多次派中使告诫王韶稳重不轻易出战。等到这是听到捷报,于是大喜,下诏嘉奖王韶。

丙子(初九),神宗迁回正殿居住,恢复正常膳食。求直言诏颁下,判西京御史台司马光读后感动涕泣,不忍心再沉默下去,于是重又上书说:"当今朝政的阙失,最大的有六条而已:第一是广散青苗钱,使百姓负债日益沉重,而官府一无所得;第二是免上户徭役,收敛下等户的钱财,用来豢养游手好闲之人;第三是设置市易司,与小民争利,而实际上耗散国家财物;第四是中原尚未稳定就侵扰周边四夷,得不偿失;第五是设团练保甲,教练凶器而烦扰农民;第六是轻信狂妄狡猾之人,乱兴水利工程,劳民伤财。像其他一些琐碎小事,都不值得说给陛下听了。"知青州滕甫也说:"新法的害民之处,陛下已经知道了。只要下一道诏令,自熙宁二年以来所施行的新法,有不便施行的都予以废止,那么民意可以和谐、天意也可化解了。"都没有听从。

己卯(十二日),任命高遵裕为岷州团练使。

甲申(十七日),下诏:"边境兵士因战事死亡而没有子孙的,官府供养其亲属终身。"

王韶回到熙州,派兵顺西山,绕出踏白城,焚烧贼军八千帐篷,斩杀七千多人。玛尔戬走投无路,乙酉(十八日),率首领八十多人到宋军军门投降。

当日,天降冰雹。

丙戌(十九日),罢免王安石;任命观文殿大学士、知大名府韩绛复旧职同平章事,任命翰林学士吕惠卿为右谏议大夫,参知政事。

王安石执政五年,变更制度法令,开拓边疆,老成正直之士,几乎全部罢黜,狡猾奸佞之人,则被破格提拔任用,天下人都怨恨他,而神宗却更加倚重他。一天,神宗陪侍太后到太皇太后宫中,太皇太后对神宗说:"祖宗立的制度法令,不应轻易更改,我听说百姓很苦于青苗法、助役法,应该废止它。"神宗说:"这些都是为了百姓的利益,不是要害他们。"太皇太后说:"王安石的确有才能有学问,但怨恨他的人很多,如想保全他,不如暂时放他到外地去。"神宗说:"群臣中只有王安石可以主持国政。"当时神宗弟弟岐王赵颢在旁边,乘便进言说:"太皇太后的话,是至理名言,不可不考虑。"神宗气愤地说:"难道是我败坏了国家吗?那么你来试试看!"赵颢哭泣着说:"何至于此!"大家不欢而散。过了很久,太后流泪对神宗说:"王安石祸乱天下,怎么办呢?"神宗才开始怀疑王安石。到郑侠的奏书送上,王安石自感不安,请求辞去官位,神宗再三劝慰挽留,想安排他任太师、太傅之官。王安石不愿意,希望去一个近便的地方任职,于是以吏部尚书、观文殿大学士的身份,知江宁府。吕惠卿指使同党之人改姓换名上书投到匦箱中,挽留王安石,王安石感激他的一番好意,因而请求任命韩绛代替自己的职位,以吕惠卿辅佐他,神宗依从了他的请求。二人恪守王安石的成规丝毫不改变,当时人称韩绛为"传法沙门",称吕惠卿为"护法善神"。

在南江蛮懿州之地设置沅州。

己丑(二十二日),下诏说:"朕相度适宜的时机,制订法令,实行之后的效果,确是有目共睹。有的官吏不能依法令行事,但朕没有因为有官吏违法就为之废止法令,关键在于多谋划多征询意见,检查出违法的就严办。"当时吕惠卿顾虑朝廷内外因为王安石罢相而说新法不便施行,修书遍送各路监司、郡守,让他们陈述利害得失,又请求神宗降下此诏令予以申明。

壬辰(二十五日),神宗与执政大臣讨论免行钱的利害,并且说:"现今的法令,让百姓出钱少于往昔,就是好法令。比如减轻各地征收的公使钱,人们还有不满的议论,这实际上是清除了牙前役人赔偿费的大弊。而且用天下的贡物供奉一个人的事情,朕已经全部罢掉,大臣们也要体察朕的这番心意,将爱惜百姓放在心上。"冯京说:"朝廷立法的本意,就是出于爱民,但具体执行中间,有的没有完全达到目的,只要广听博采,让天下人充分议论,适宜的就施行,不适宜的就不惜更改,那么天下人就受此恩惠了。"

下诏中书,自熙宁年间以来新创和变更的法令,从头至尾分类编排后呈送上来。

丁酉(三十日),下诏让王韶将玛尔戬及其全家送往京师。升王韶为观文殿学士、礼部侍郎,授官给他兄弟以及两个儿子,前后赐赏绢八千匹。当初,王韶入京朝拜,加官为资政殿学士,到这时又加封观文殿学士。没有担任执政大臣而授此职的,都从王韶开始。

辽国派枢密副使萧素等人在代州边境上商议划分疆界事宜。

当初,刘忱、吕大忠奉命出使辽国,吕大忠正遇上父表,下诏复任知代州。刘忱在便殿对答,上奏说:"臣下受命以来,在枢密府考核文件,没有见到本朝有侵占辽国领土一尺一寸的事。臣下既然受命出使,定当冒死与辽国相争。"刘忱出国境后,神宗下手令说:"辽国理屈就会恼怒,你姑且依从他们的要求让给辽国。"刘忱没有奉行诏命。到此时与萧素等人在代州会见,萧素等人设定座次,自己占据主席,吕大忠拒绝了,于是移动会址至长城以北。吕大忠与萧素等人会谈数次,都据理驳斥对方,稍做退让。辽国指定蔚、应、朔三州分水岭土陇为边界,到刘忱与他们一同前往巡视,并无土陇,于是只说以分水岭为界。凡山都有分水岭,双方相持很久,没有结论。

五月,戊戌朔(初一),左司郎中、天章阁待制李师中说:"旱灾已十分严重,百姓将流离失所。依现在的情形,非得有感动百姓的行动,顺应天意的措施,恐怕不这样做不足以阻止灾变。伏请下诏征求有德有才之士,以公车召入朝廷对策答疑;象司马光、苏辙等人,重新安排在左右,以辅佐陛下的德政。如此以后,或许会有敢于直言的人。臣下愚昧不肖,也没有忘记过去所学的知识,陛下想做富国强兵的事,就有禁暴政增财富的方法;想要兴世代之功业,就有物尽其用、富裕百姓的主张。有这样的臣下,陛下能舍弃他吗!"神宗认为李师中放肆荒诞,只求得到重用,责授他为和州团练副使,并在本州安置处理政事。李师中一向为王安石所憎恶,到此时吕惠卿依从王安石的心意,请求发下李师中的奏书给朝臣,并摘出其中一些话激怒神宗,于是贬斥了他。

壬寅(初五),天降冰雹。癸卯(初六),又降冰雹。

辛亥(十四日),罢废制科。自从孔文仲在答策时忤逆了王安石之意,就对神宗说:"进士科已不考诗赋,考试内容与制科没有两样,何必再设制科呢?"神宗同意了他。不久秘阁考试所上言,参加制科考试的陈彦古所考的六道论策文不对题,而且字数都不足,到此时吕惠卿执政,又上言说制科只是记诵之学,不是义理之学,于是下诏罢废制科。

丙辰(十九日),任命馆阁校勘吕升卿、国子监直讲沈季长同为崇政殿说书。吕升卿,是吕惠卿之弟,一向没有什么学问,每次进讲,多舍弃经义而谈财谷利害。神宗有时询问经义,吕升卿回答不出,总是以目示意沈季长从旁代为回答。神宗提问发难深涩,沈季长经常言辞吞吐。神宗问他跟谁学习的经义,说:"跟王安石学的。"神宗笑着说:"既然如此就到此为止吧。"沈季长虽然依附于王安石,却常批评王雱、王安礼及吕惠卿的作为,认为他们一定会连累王安石。王雱等人非常厌恶他,所以他不大受到重用。

壬戌(二十五日),国子监进言:"太学生员人数多而斋舍少,先前以朝集院为律学之处,还剩余一百多间房屋,请全部作为学舍。"神宗批准了。造屋百间,安顿生员数以千计。

乙丑(二十八日),天降大雨,毁坏陕、平陆二县。

丙寅(二十九日),辽道宗因天久旱,下令复审在押囚犯。

当月，三司使曾布、提举市易司吕嘉问一同被免官。

当初，吕嘉问任提举市易司，接连因课税有余而受赏，神宗听说他骚扰百姓，便告诉王安石，王安石竭力为他辩白，甚至诋毁神宗太烦琐，不懂得帝王大略。而且说："不是吕嘉问，谁敢不避讳左右亲信？不是臣下，谁为吕嘉问辩白？"神宗说："就算这样，士大夫为什么认为他办事不妥呢？"王安石请神宗说出批评者的姓名，命吕嘉问逐条辨析上奏。当时市易司隶属于三司。吕嘉问仗势欺凌指使薛向，压在他头上。等到曾布代替薛向，内心仍不服。正好神宗下手诏问询曾布，曾布向魏继宗了解，上报说吕嘉问多收利息钱以求赏，倚仗官府势力而做兼并百姓的事。神宗准备派曾布调查此事，王安石说他二人有私怨，于是下诏令曾布与吕惠卿一同处理此事。吕惠卿以前就不满曾布，胁迫魏继宗诬陷曾布，魏继宗不从。曾布说与吕惠卿不能共事，神宗准备听信他，王安石坚持不赞成。神宗于是下诏给中书说："朝廷设立市易司，本来是为了平抑物价以便利百姓，就如《周官》中的泉府那样；如今反而使中等人家破产成这样，我的百姓怎能安定呢！应该订正这一制度。"

曾布进见神宗，说："臣下经常听陛下讲，想要以王道治理天下。如今市易司为害百姓，快赶上间架税和除陌钱的事了。像这样的政事，写在史书上，不单唐、虞、三代所没有，就是观秦、汉以来衰败混乱的时代，恐怕也是没有的。吕嘉问又请求贩卖盐、帛，岂不让天下人耻笑？"神宗点头赞许。这件事尚未决定，王安石就离任了。吕惠卿执政，于是审理先前这个案子，请求令中书将所有意见不同的文案上奏。过了两天，曾布在延和殿对答，逐条辨析先后陈奏的意见，并用治平、熙宁年间钱物收支数目进行比较后上报。神宗正担心每年花费增多，命令曾布将奏报交送中书。至此下诏令章惇、曾孝宽审查曾布所追究的市易司之事，又命令户房总汇财赋数目，与曾布所奏的不一样，而吕嘉问也因杂买务多收月息钱而未发觉，都依法给以不同的处分。不久，又一并撤职，曾布出任知饶州，吕嘉问出任知常州。

六月，戊辰(初二)，辽道宗亲自出题考试进士，不久张榜公布进士刘霄等人中第。

壬申(初六)，辽道宗命令大臣和百姓都要直言朝政的得失。

丙子(初十)，辽道宗驾临永安殿策问贤良方正之士。

丁亥(二十一日)，广州有凤凰出现。

任命玛尔戬为荣州团练使，赐给姓名为赵思忠。

辛卯(二十五日)，下诏将司天监新造的浑天仪、浮漏安置在翰林天文院。

当初，掌管天文历法的日官都是些市井小贩，对于法象、图器一无所知。于是任命太子中允沈括为提举司天监，开始制造浑天仪、景表、五壶浮漏；招来卫朴造新历法；悬赏让天下人进献太史占书，任用各种士人，将方技科分为五类。至此浑天仪、浮漏造成，赐给沈括与秋官正皇甫愈等人各自多少不等的银绢。

乙亥(初九)，下诏监安上门郑侠勒令停职，送汀州编管。

开始，朝廷以郑侠为狂妄之人，置之不理。等到吕惠卿执政，任命诏书下达之日，京城狂风大作，天降尘土，覆盖超过一寸厚。郑侠又上书议论此事，就取唐代魏征、姚崇、宋璟、李林甫、卢杞的传记合为两轴，题名为《正直君子邪曲小人事业图》，罗列在位之大臣，暗合于李林甫等人而与姚崇、宋璟相反的，各自分类，又写成文献上。上书极力陈述时政得失、民间百姓的疾苦，总计五千字，并且说："王安石被吕惠卿耽误到这个地步，如今又相互攀援勾结以继续从前的弊政，不再为祖宗国家着想。从前唐代天宝之乱，杨国忠已被诛杀，杨贵妃没有被杀,人们就认为奸贼的根源还存在。今天的情形,与此有什么不同!"吕惠卿大怒,报告给神宗,重罚了郑侠。

乙酉(十九日),神宗对辅佐大臣说:"天下财用,朝廷稍稍留意的话,那么节省的开支就不可胜计。前些天省并军营,下令共裁减军将十员和士卒三千多人,除二个节日特支钱以及官员侍从的开支外,一年节省钱四十五万缗,米四十万石,绸绢二十万匹,布三万端,草料二百万束。如果每件事都这样,以及诸路转运使用人得当,使他们长期任职,让他们谋划,财物怎么用得完呢!"

秋季,七月,癸卯(初七),群臣先后五次请神宗上尊号"绍天宪古文武仁孝皇帝",神宗不同意。

丙辰(二十日)。辽道宗前往秋山。

辽国习俗是君臣都爱好打猎,而辽道宗尤其擅长骑射,往往身穿国服为先驱,所骑之马叫"飞电",瞬间奔驰百里,经常驰入深山幽谷,随从们寻找不到。萧皇后一向钦慕唐代徐贤妃的为人,上疏辽道宗谏道:"臣妾听说周穆王远行,周代国运因此衰败;太康贪图享乐,夏代社稷几乎倾覆。这都是以往游玩畋猎的教训,后代帝王的借鉴。不久前见圣上驾临秋山,不安坐于御车之中,只以单人匹马追逐禽兽,深入危险不测之地,这虽然是陛下神威所到之处,众多神灵自然围护左右,但若有超凡的野兽,果然如东方朔所说的那样,那么小沟中的野猎,也必定毁坏赵简子的车驾的。臣妾虽昏庸愚昧,私下也为国家担忧啊!希望陛下尊奉老子不得驰骋的训诫,仿效汉文帝不纵马飞驰以求平安远行的意旨,不因为这番话是母鸡报晓而采纳。"辽道宗虽然赞许采纳了谏言,而内心却对她厌恶疏远。以后就很少得到召见了。

辽国有个女子叫耶律常格,是太师迪鲁的妹妹,操行端正,自己发誓终身不嫁人,能吟诗作文,不轻易而作。曾经写文章陈述时政,其大意说:"君主以百姓为根本,百姓就以君主为核心。作君主的应当任用忠贤,为人臣的应当清除朋党,那么政治就会清明安定,阴阳之气调和顺畅。要想让远方的人倾心归附就必须尊崇恩惠道德,要想增强国力就必须轻徭薄赋。四端(恻隐之心、羞恶之心、辞让之心、是非之心)、五典(父义、母慈、兄友、弟恭、子孝),是政治教化的本原;六府(水、火、金、木、土、谷)、三事(端正德行、物尽其用、富裕人民),实在是百姓的命根。淫侈奢侈应以为鉴戒,勤俭图治应以为良师。惩治奸邪小人,那么小人就不敢相互欺诈,显扬忠良之人,那么人们就不敢相互蒙骗。不要醉心于佛教,不要大兴土木粉饰太平,不要追求边功,胡乱耗费国家财力。水满要防溢出,居安要思乱危。以刑罚惩治罪恶,那么百姓就会勤勉善良;不以远方来物为宝,那么贤人就会来投。建立万世不变的牢固基业,制约诸邦的称霸野心。想要作下面人的表率而先正己身,想要治理好远方就从朝廷开始。"她所讲的话大多切中时弊,辽道宗虽然赞同却不能采用。当时枢密使耶律伊逊正大权独揽,听说她的才学,多次求索诗文,常格送给他回文诗,耶律伊逊知道她是嘲讽自己,因而怀恨在心。

癸亥(二十七日),用十五万石米赈济河北西路的灾害。

当日,辽道宗拜谒庆陵。

当时百姓交纳免役钱有不平均的,司农寺说五等丁资产登记簿有许多隐漏不实的现象。吕惠卿采用其弟曲阳县尉吕和卿的计策,创立手实法,请求推行。这种方法,由官府制订物价,让百姓各自将本人的田亩、屋宅、财货、牲畜按照官价自报数目。凡固定资产价值五份,当作生利息钱一份。除了日常用品、食物之外有隐匿不报的,允许别人揭发,核查属实,用所没收的钱物的三分之一赏给告密者。先将官定格式告示给百姓,让百姓按格式填写申报表格,县府收上来后编成籍册,依官价分列确实资产的高下,分为五等。既已汇总掌握了全县百姓的钱物财产数额,就参照全县役钱的总额来确定中户所应输纳的钱额。下诏依照他所说的方法执行,于是百姓家的一尺椽子一寸土地,清查登记无一遗漏,甚至连鸡猪之类家禽,也全部收罗在内。

当初,吕惠卿创立这个方法,还下令受灾害减产五分以上的地区不施行此法。荆湖路察访使蒲宗孟进言:"这是天下的良法,让百姓自报家产,对百姓没有丝毫损害,为何还要等到丰年!希望诏令官府不要因为丰年或灾年影响法令施行。"听从了他,百姓从此更加穷困。

八月,丙戌(二十一日),任命知制诰沈括为河北西路察访使。先前派内侍登记百姓的车辆,人们不了解朝廷的用意,扰得人心惶惶。还有,市易司担忧蜀地的私盐禁止不住,要将私人盐井全部封死,而运送官盐供给当地。言官们对这二件事议论纷纷,但神宗都不予理睬。沈括侍立在神宗身边,神宗回头问他:"你知道登记车辆的事吗?"回答说:"知道这件事。"神宗说:"怎么样?"沈括说:"冒昧地请问想借此作何用?"神宗说:"北方的人以骑马作战为优势,不用战车不足以抵挡。"沈括说:"车战的好处,见于历代。巫臣教给吴王车战,结果称霸中原;李靖用偏箱车和鹿角车,擒获了颉利可汗。臣下只是不明白一件事,古代所谓的兵车,是轻捷的车辆,有五种驾驭术使其转弯回旋,非常轻快。现在百姓的载重车辆,厚重朴实,用牛牵拉,每天走不到三十里,稍微遇上雨雪天气,就半步也前进不得,所以人们都叫它太平车,恐怕军队中不能使用吧!"神宗高兴地说:"别人的议论都没有涉及这个问题,朕要考虑一下。"接着又问蜀盐之事,沈括回答说:"私人盐井既然允许商贩贩卖,那就不能杜绝私下交易。全部封井,而运送解州官盐,使盐统一由官府出售,这也是减省刑罚、集敛遗漏之财利的一个方面。然而在忠、万、戎、泸各州,夷人地区的小盐井特别之多,而且不知道辽国的私盐又如何禁止?如果还要派兵警戒防范,那恐怕就得不偿失了。"神宗点头称是。第二天,这两件事全都停止执行了。执政大臣非常高兴,对沈括说:"您有什么方法,一谈就能罢废这两件事?"沈括说:"圣明的君主可以用道理来说服,而不能用言辞争辩。如果民车可以使用、私盐可以禁绝,我沈括也不敢说其不可了。"沈括从太子中允擢升知制诰才三个月,至此察访河西路所奏陈的三十一件事,神宗都下诏批准了。

癸巳(二十八日),集贤院学士宋敏求献上他编修的《阁门仪注》。

九月,丁未(十二日),有关衙门奏言:"供应国家所需钱谷多半出自浙西,而计划设置以及水利之事都在苏州、秀州等地,现在将浙江分为两路,必定会耽误大事。"于是下诏令两浙仍合为一路。

庚戌(十五日),辽道宗前往东京辽阳府,拜谒二仪殿、五鸾殿。

壬子(十七日),三司衙门失火,从巳时火起,至戌时扑灭,焚毁房屋一千零八十间,案卷几乎烧光。当时元绛为三司使,宋迪为判官,宋迪派人煮药失了火。火势正旺时,神宗驾临西角楼观察火势。知制诰章惇任判军器监,紧急调本监役兵前往救火,经过西角楼时,神宗看到这队人马问是何人,身边人说是章惇的部下。第二天,宋迪被免官,元绛被罢官,任命章惇代替他。下诏给诸路,熙宁五年的文献账簿全部封存上交,防止有人因火灾作弊。

癸丑(十八日),设置三十七员军将,京畿七将,河北路十七将,京东路十将,京西路三将,这是听从蔡挺的请求设置的。

知大名府文彦博说:"黄河泛滥毁坏民田,多的达六十村,一万七千户,少的也有九村,四千六百户,希望免除那里的租税。"依从了他。又命令都水监责问那些不将水灾情况上报的官吏。外都水监丞程昉忧虑而死。

都水监丞刘珵说:"自从开凿直河,堵塞鱼肋河汊,水势增涨,水流湍急,渐渐冲塌黄河河岸;而许家港、清水镇河又特别水浅流慢,几乎没有流动。二股河虽然水深流速,但蒲泊以东,向下游至四界首退出的滩田,一点也没有坚固的堤防。假若遇到河水漫出河岸。把黄河水引回,将又造成水患。应该等到霜降水位下落时,堵塞清水镇河,修筑一道河堤,用来阻遏上涨的河水,使大河回归故道。又退出了良田数万顷,可以让百姓耕种。而且博州界内堂邑县等地的河水也退背七埽之远,每年可减少维修的费用,公私两便。"依从了他。

代北地区疆界的协议过了很长时间还没有结果,辽国又派萧禧来谈此事。甲寅(十九日),下诏让枢密院商议边防之事。

癸亥(二十八日),辽道宗到木叶山祭祀。

冬季,十月,丁卯(初三),辽道宗进驻藕丝淀。

壬申(初八),派宦官下诏令给韩琦、富弼、文彦博、曾公亮等人说:"与北方敌国通好,已有十八年了,近年以来,制造的边境事端更多。代北地区,向来没有确定的边界,所以制造事端挑衅,前来胡搅蛮缠。近来敕令有关官吏一起巡行边疆,虽然图册上边界标画很清楚,但敌方却诡辩不服。如今蛮横的使臣再次到来,其意在必得。敌人是贪得无厌的,势头恐怕还不会停止,万一发生不测,如何对待呢? 古时候的国家大政,必定向故老旧臣咨询,你们要提出建议奏报上来。"

韩琦上奏说:"臣下观察近年来朝廷的举动,似乎从不为大敌当前担忧。原先为陛下谋划的大臣,一定会说自祖宗以来,国家因循苟且,治国之本,必须首先聚集财富、积蓄粮谷,从农民中招募兵卒,就可以打击四方夷族,恢复过去唐朝的疆土。所以散放青苗钱,颁布免役法,设置市易务,一次接一次地征收钱财。新法令一天天下达,又变更无常,而且监司们督责地方,以严苛来显示自己的精明。如今农民怨愤于田间,商贾悲叹于道路,官吏们也不安于职守,陛下不尽了解。要想抵抗四夷求得太平盛世,却先使国家根本困顿动摇,民心离散怨恨,这就是先前为陛下谋划的大臣们之大错。臣下如今为陛下谋算,应派遣使臣回复辽国,并且说:'向来在边境上修造工程,只是平常的整修,怎么会有其他用意呢。两国疆界一向有定论,全像过去一样,不要寻机制造事端,以破坏两国历代的友好。'有可疑的情况,如前线将官之类,因此要罢免他们。要更加休养百姓爱惜民力,选贤任能,疏远奸佞谄媚的小人,擢升重用忠诚耿直之人,从而使天下欢悦诚服,边境防御力量日益充实。如果他们果真违背盟约,就可以一振国威军威,收复过去的疆土,雪历朝的旧恨。"

富弼奏言:"朝廷在各个边境用兵,因而辽国才乘机首先挑衅。不如让边将一面谴责对方一面严加防备,敌人侵来就抵御,敌人退走就防备;御驾亲征的打算,不可轻易做出。而且选择合适的大臣回访辽国。他们依靠我们每年的赏赐,方能立国,岂有不想平安和平的道理呢!"

文彦博奏言:"萧禧前来,想以北亭为界,就是因为庆历年间西面的战事平息时,他们要求黄嵬那块地方,我们就轻易答应了他们。中原之国对付戎夷,以守信用为上,一定要以盟誓条文为证。如果他们萌生挑衅侵犯之心,就应当严守边防,使边防军能够战而胜之,守而坚固。"

曾公亮奏言:"嘉祐年间,夏国狂妄地指同家堡为界,延州发牒文质问,于是他们出兵包围了大顺城,不断地侵犯边境,我们断绝了每年给他们的赏赐,才开始帖服。如今对待辽国极其宽容了,不让他们知道厉害,恐怕不容易驯服。驾驭控制敌人的方法,不要使他们倒持对付我们。"

神宗召见刘忱、吕大忠与执政大臣共议此事,准备同意辽国使臣的请求。吕大忠说:"他们派一个使臣来,就给他们五百里土地;如果他们派魏王英弼前来,索要全部关南地方,也给他们吗?"神宗默不作声。刘忱与吕大忠坚持主张不给,执政大臣知道难以说服他们,于是免去刘忱的现职,退回三司,允许吕大忠在家守丧直到期满三年。

丁丑(十三日),辽国命令有关衙门颁行《史记》《汉书》。

辽国因知蓟州事耶律庶箴善做文章,升任他为都林牙。庶箴上表章,请求增加本国的姓氏,他说:"我朝自从开国以来,法令制度都很健全,唯有姓氏只分为二种,耶律和萧姓而已。开始时,太祖创立契丹文字,收取各部族乡里的名字,续写为一篇,放在篇末。臣下请求推广它,让各部族分别立姓氏,以便男女通婚,符合典章礼仪。"辽道宗认为旧有制度不可随意更改,不予采纳。

戊寅(十四日),诏令浙西路提举司出米赈济常州、润州饥民。

韩绛请求挑选官员、设置机构,将天下的户口、人丁、税赋、场务、采矿冶炼、河渡、房园之类,其租额、年课以及每路钱谷收支的数额,去掉重复部分,每年比较一次盈亏、废置羡余、意外花费,计算富裕与短缺之处,使其互通有无,官员以其任职政绩好坏决定升降,那么国家财政大纲就可以看清楚了。三司使章惇也奏言此事。庚辰(十六日),下诏设置三司会计司,任命韩绛为提举。

范纯仁从和州调任知邢州,尚未到任,癸巳(二十九日),下诏加任他为龙图阁直学士,知庆州。范纯仁路过京城,入朝答对,神宗说:"你的父亲在庆州威名显著,你现在去继任,可以说是世代之职了。你随从侍奉你父亲已久,兵法必定精通,边境事务也必定熟悉。"范纯仁心想必有用发动边境战争之说来误导神宗的人,于是回答说:"臣下一介儒生,未曾学习过兵法。先父守卫边境时,臣下还年幼,不再记得什么了。而且如今的情势,应该与那时有所不同。陛下让臣去整修城垒,爱护百姓,臣竭尽余力去做,不敢推辞。如果让臣下去开拓边疆,侵犯边境,这不是臣下的长处,希望另外选择有才干的将帅。"神宗说:"你的才干有什么做不了的呢,只不过不肯为朕尽心尽力罢了。"于是只好去上任了。

十一月,戊午(二十四日),高丽人向辽国进贡。

己未(二十五日),冬至节,在圜丘合祭天地,以太祖配享。

吕惠卿得到皇上宠信掌握大权,顾虑王安石再度复位,于是援引郊祭时大赦的成例,推荐王安石为节度使。正要进奏札,神宗觉察到他的用意,突然问道:"王安石离任不是因为犯了罪,为什么用赦令的形式复职呢?"吕惠卿无言以对。

十二月,丙寅(初三),精简熙、河、岷三州官员一百四十一人。

丁卯(初四),给文武官员加施恩惠。

任命知熙州王韶为枢密副使。

辛巳（十八日），辽道宗下诏令次年改元为大康。大赦天下。

从前高丽人入朝进贡，都从登州而来。这一年，高丽派使臣金良鉴来说，请求改道从明州赴京城；同意了他的请求。

渭井、长宁地方的夷人有十郡、八姓以及武都的夷人都归附于朝廷。

辽国生女直部节度使阿库纳去世。女直本来称女真，是为了避辽兴宗耶律宗真的名讳，改称女直。女真的始祖叫函普，函普生乌鲁，乌鲁生跋海，跋海生绥可，绥可生石鲁，石鲁生阿库纳，阿库纳能够役使统帅各个部落。恰逢辽五国佛宁部节度使巴哩美反叛，辽军将要去讨伐，阿库纳恐怕辽兵深入其境，熟悉了这里的山川险易的形势，也许将来图谋攻伐自己，于是告诉辽朝廷说："可以用计来攻取他们。如果用兵攻打，他们一定会预先退走险地，那就不是一年一月可以平定的了。"依从了他。阿库纳就出兵突袭，生擒巴哩美献给辽朝廷。辽道宗召见他，加等赐宴、赏赐，授予生女真部节度使，从此生女真部才开始有官属，法纪也渐渐设立了，但不肯接受辽朝廷的官印，仅依附于辽籍。女真部从前没有铁，邻国有拿甲胄到他们那里去卖的，必定是高价出售。得到的铁渐渐多了，就用来修造弓箭，造器械，军势稍稍振作，许多部落先后依附于他们。到这时，五国穆延部舍音贝勒又反叛辽国，阿库纳讨伐他们，舍音兵败逃走。阿库纳要去会见辽国边将，自己陈述击败舍音的功劳，走到拉林河，发病而死。于是和里布继承其位。

续资治通鉴卷第七十一

【原文】

宋纪七十一　起旃蒙单阏【乙卯】正月,尽柔兆执徐【丙辰】十二月,凡二年。

神宗体元显道法古立宪帝德　王功英文烈武钦仁圣孝皇帝

熙宁八年　辽太康元年【乙卯,1075】　春,正月,乙未,辽主如混同江。

庚子,蔡挺罢。挺奏事殿中,疾作而仆。帝亲临赐药,罢为资政殿学士、判南京留司御史台。

是日,冯京亦罢。

初,郑侠劾吕惠卿奸邪,且荐冯京可用,并言禁中有人被甲登殿诟骂等事,惠卿奏为谤讪,令中丞邓绾、知制诰邓润甫治之,坐编管汀州。御史台吏杨忠信谒侠曰:"御史缄默不言,而君上书不已,是言责在监门而台中无人也。"取怀中《名臣谏疏》二帙授侠曰:"以此为正人助。"

京与惠卿同在政府,议论多不合,而王安国素与侠善,惠卿欲并中之,乘间白帝曰:"侠书言青苗、助役、流民等事,此众所共知也。若禁中有人被甲登殿诟骂,侠安从知?盖侠前后所言,皆京使安国导之,乞追侠付狱穷治。"已而帝问京曰:"卿识郑侠乎?"对曰:"臣素未之识。"帝颇疑之。御史知杂事张璪承惠卿旨,劾侠尝游京之门,交通有迹。邓绾、邓润甫言王安国尝借侠奏稿观之,而有奖成之言,意在非毁其兄。诏付御史狱。时侠已行至太康,还,对狱,实不识京,但每遣门人吴无至诣检院投匦时,集贤校理丁讽辄为无至道京称叹之语。及罢局时,遇安国于途,安国马上举鞭揖之曰:"君可谓独立不惧!"侠曰:"不意丞相为小人所误,一旦至此!"安国曰:"非也。吾兄自以为人臣不当避怨,四海九州之怨悉归于己,而后可为尽忠于国家。"侠曰:"未闻尧、舜在上,夔、契在下,而有四海九州之怨者。"

狱成,侠改送英州编管,无至及忠信皆编管湖外,京以右谏议大夫出知亳州,讽落职,安国放归田里。舍人钱藻草京制,有"大臣进退,系时安危,持正不回,一节不挠"等语。邓绾惧京再入,且希惠卿旨,言藻撰词失当,于是藻亦落职。

始,惠卿事安石如父子,安国恶憸巧,数面折之。一日,安石与惠卿论新法于其第,安国好吹笛,安石谕之曰:"宜放郑声。"安国曰:"亦愿兄远佞人。"惠卿知其以佞人目己,深衔之,至是因侠狱陷安国。侠赴汀州,方在道,惠卿令奉礼郎舒亶往捕,搜其筐,得所录《名臣谏疏》,有言新法事及亲朋书札,悉按姓名治之。惠卿欲致侠于死,帝曰:"侠所言,非为身也,忠诚亦可嘉,岂宜深罪!"但徙侠英州。既至,得僧屋将压者居之,英人无贫富贵贱皆加敬,争遣子弟从学,为筑室以迁焉。

壬寅,辽赈云州饥。

丙午,分京东为东、西两路,青、淄、潍、莱、登、密、沂、徐八州、淮阳军为东路,郓、兖、齐、濮、曹、济、单七州、南京为西路。

辍江南东路上供米,均给灾伤州军。

丁未,御宣德门观灯。

乙卯,诏出使廷臣,所至采吏治能否以闻。

雨木冰。

丁巳,权永兴军等路转运使皮公弼言:"交子之法,以方寸之纸,飞钱致远;然不积钱为本,亦不能以空文行。今商、虢铁冶,所收极广,苟即治更铸折二钱,岁除工费外,可得百万缗为交子本。"并上可行十二事。帝批委公弼总制营办。

戊午,诏:"所在流民归业者,州县资遣之。"

己未,洮西安抚司以岁旱,请为粥以食羌户饥者。

二月,甲子,以太常寺太祝王安上为右赞善大夫、权发遣度支判官。安上,安石幼弟也。

增陕西钱监改铸大钱,从皮公弼请也。

丙寅,封皇子佣为景国公。

丁卯,辽以祥州火灾,遣使恤之。

癸酉,观文殿大学士、吏部尚书、知江宁府王安石复以本官同平章事。初,吕惠卿迎合安石,骤至执政。既得志,遂叛安石,忌其复用,凡可以害安石者无所不为。一时朝士见惠卿得君,谓可倾安石以媚惠卿,遂更朋附之。时韩绛颛处中书,事多稽留不决,且数与惠卿争论,度不能制,密请帝复用安石,帝从之。惠卿闻命愕然。翼日,帝遣中使赍诏召安石,安石不辞,倍道而进,七日至京师。

戊寅,命枢密副都承旨张诚一、入内押班李宪等行视宽广处,关殿前司〔差〕马步军二千八百人,教李靖营阵法。

乙酉,察访使曾孝宽言:"庆历八年,尝诏河北州军,坊郭第三等,乡村第二等,每户养被甲马一匹,以备非时官买,乞检令施行。"从之。户马法始于此。

丙戌,诏停京畿土功七年。

辽主驻大鱼泺。丁亥,以鹰坊使耶律阳陆获头鹅,加工部尚书。

三月,丁酉,赈润州饥。

戊戌,知河州鲜于师中乞置蕃学,教蕃酋子弟,赐田十顷,岁给钱千缗,增解进士二人;从之。

庚子,辽复遣萧禧来理河东黄嵬地,命韩缜与禧议之,争辩或至夜分。禧执分水岭之说不变,留馆不肯辞,曰:"必得请而后反。"帝不得已,遣知制诰沈括报聘。括诣枢密院阅故牍,得顷岁所议疆地书,指古长城为分界,今所争乃黄嵬山,相远三十馀里,表论之。帝喜,谓括曰:"大臣殊不究本末,几误国事。"命以画图示禧,禧议始屈。乃赐括白金千两,使行。括至辽,辽枢密副使杨遵勖来就议,括得地讼之籍数十,预使吏士诵之,遵勖有所问,则顾吏举以答;它日复问,亦如之。遵勖无以应,谩曰:"数里之地不忍,而轻绝好乎?"括曰:"师直为壮,曲为老。今北朝弃先君之大信,以威用其民,非我朝之不利也。"凡六会,竟不可夺,遂舍黄嵬而以天池请，括乃还。在道，图其山川险易迂直，风俗之淳庞，人情之向背，为《使契丹图》，上之。拜翰林学士、权三司使。

乙巳，辽主命太子写佛书。

癸丑，复赈常、润饥民。

戊午，太白昼见。

张方平以宣徽北院使出知青州。未行，帝问方平以祖宗御戎之策，对曰："太祖不勤远略，如夏州李彝兴、灵武冯晖、河西折御卿，皆因其酋豪，许以世袭，故边围无事。董遵诲捍环州，郭进守西山，李汉超保关南，皆十馀年，优其禄赐，宽其文法，诸将财力丰而威令行。间谍详审，吏士用命，贼所入辄先知，并力御之，战无不克，故以十五万人而获百万之用。终太祖之世，边鄙不耸，天下安乐。及太宗平并，又欲远取燕蓟，自是岁有契丹之虞；曹彬、刘(延谦)〔廷让〕、傅潜等数十战，各亡士卒十馀万，又内徙李彝兴、冯晖之族，致继迁之变，二边皆扰，而朝廷始旰食矣。真宗之初，赵德明纳款，及澶渊之克，遂与契丹盟，至今人不识兵革，可谓盛德大业。祖宗之事，大略如此。近岁边臣建开拓之议，皆行险侥幸之人，欲以天下安危试之一掷，事成则身蒙其利，不成则陛下任其患，不可听也。"

夏，四月，乙丑，诏减将作监冗官。

太常礼院言："已尊僖祖为太庙始祖，当正东向之位，仍请自今禘祫著为定礼。"乙亥，诏恭依。

丙子，辽赈平州饥。

戊寅，以吴充为枢密使。

壬午，湖南江水溢。

乙酉，辽主如辋山。

闰月，枢密使陈升之以足疾请外；乙未，罢为检校太尉、镇江军节度使、同平章事、判扬州。升之深狡多数，善傅会以取富贵。初附王安石，及拜相，即求解条例司。世以是讥之，号为"筌相"。

广源州蛮刘纪寇邕州，归化州依智会败之。

壬寅，沈括上《奉元历》，行之。

癸卯，宣徽北院使、知青州张方平改判永兴军。分秦凤兵为四将。

丙午，辽赈平、滦二州饥。

庚戌，辽皇孙延禧生，太子浚之子也。辽主喜甚，旋命太子妃之亲及东京僚属赐爵有差。

壬子，沂州民朱唐告前馀姚县主簿李逢谋反，辞连宗室右羽林大将军世居、河中府观察推官徐革，命御史中丞邓绾、知谏院范百禄、御史里行徐禧杂治之。狱具，世居赐死，逢、革等伏诛。初，蜀人李士宁，得导气养生之术，又能言人休咎，以此出入贵家。尝见世居母康，以仁宗御制诗赠之，又许世居以宝刀，且曰："非公不可当此。"世居与其党皆神之，曰："士宁，二三百岁人也。"解释其诗，以为至宝之祥。及鞫世居得之，逮捕士宁。而王安石故与士宁善，百禄谓士宁以妖妄惑世居致不轨，罪当死；禧右士宁，以为无罪。帝命御史知杂、枢密承旨参治，执政主禧议，士宁但决杖，配永州；而百禄坐报上不实，贬监宿州税。百禄，镇兄子也。惠卿始兴此狱，连坐者甚众，欲引士宁以倾安石。会安石再入秉政，谋遂不行。

〔丁未〕，赐大理寺丞欧阳发进士出身。发，修之子也。

甲寅,录赵普后。

乙卯,诏西南蕃五姓蛮五年一入贡。

五月,辛酉朔,虑囚,降死罪一等,杖以下释之。

甲子,分环庆兵为四将。

丁丑,雨土及黄毛。

甲申,熙河路蕃官殿直顿理谋叛,伏诛。

己丑,遣使赈鄜延、环庆饥。

六月,癸巳,辽以兴圣宫使奚人色嘉努知奚六部大王事。

戊戌,辽知三司使事韩操,以钱谷增羡,授三司使。

辛丑,都官员外郎刘师旦言:"《九域图》,自大中祥符六年修定,至今六十馀年,州县有废置,名号有改易,等第有升降,且所载古迹,或俚俗不经,乞选有地理学者重修。"乃命馆阁校勘曾肇、光禄丞李德刍删定。既而言旧书不绘地形,难以称图,更赐名《九域志》。

癸卯,辽遣使按问诸路囚。以特里衮大悲努为始平(府)〔军〕节度使,出参知政事柴德滋为武定军节度使。

丙午,醯汴水入〔蔡〕河以通漕,从都水监丞侯叔献请也。渠成而舟不可行,寻废。

己酉,王安石进所撰《诗、书、周礼义》。帝谓安石曰:"今谈经者言人人殊,何以一道德?卿所撰经义,其以颁行,使学者归一。"遂颁于学官,号曰《三经新义》。

〔辛亥〕,加安石尚书左仆射兼门下侍郎,吕惠卿给事中,王雱龙图阁直学士。雱辞新命,惠卿劝帝许之,由是王、吕之怨益深。安石《新义》行,士子以经试于有司,必宗其说,少异,辄不中程。晚岁又为《字说》二十四卷,多穿凿傅会,其流入于佛、老,天下争传习之,而先儒之传注悉废,士亦无复自得之学。故当时议者,谓王氏之患,在好使人同己。

乙卯,吐蕃贡于辽。

丙辰,辽诏皇太子浚兼北南枢密院事,总领朝政,仍戒谕之。以武定军节度使赵徽为南府宰相,以枢密副使杨遵勖参知政事。

辽主为太子选僚属,以客省使耶律寅吉秉直好义,命为辅导。枢密使耶律伊逊谋摇太子,恶寅吉在侧,旋奏出为群牧林牙。

戊午,司徒兼侍中、太师、魏国公、判相州韩琦卒。前一夕,大星殒州治,枥马皆惊。帝发哀苑中,哭之恸。发两河卒为治冢,帝自为碑文,篆其首曰"两朝顾命定策元勋之碑"。赠尚书令,谥忠献,配享英宗庙廷,常令其子若孙一人官于相,以护丘墓。

琦识量英伟,喜愠不见于色,论者以厚重比周勃,政事比姚崇。嘉祐、治平间,再决大策以安社稷,处危疑之际,知无不为。或谏曰:"公所为诚善,万一蹉跌,岂惟身不自保,恐家无处所。"琦叹曰:"是何言也!人臣尽力事君,死生一之。至于成败,天也,岂可豫忧其不济,遂辍不为哉!"子忠彦使辽,辽主闻知其貌类父,即命工图之,其见重如此。琦天姿朴忠,家无留资。尤以奖拔人材为急,公论所与,虽意所不悦,亦收用之。与富弼齐名,号称贤相,时谓之"富韩"云。

秋,七月,辛酉朔,辽主猎平地松林。

甲子,处州江水溢。

丙寅,辽赈南京贫民。

1533

戊寅,太白昼见。

戊子,分泾原兵为五将。

命天章阁待制韩缜如河东,割地以界辽。辽主以侵地之议起于耶律普锡,命普锡往正疆界,力争不已。帝问于王安石,安石曰:"将欲取之,必姑与之。"以笔画其地图,依黄嵬山为界,萧禧乃去。至是遣缜往,尽举与之,东西弃地七百里。监察御史里行分宁黄廉叹曰:"分水画境,失中国险矣。"其后辽人果包取两不耕地,下临雁门。辽主擢普锡为南院宣徽使。

秋,八月,庚寅朔,日有食之。

癸巳,募民捕蝗易粟,苗损者偿之,仍复其赋。丙申,减官户役钱之半。

诏:"发运司体实淮南、江东、两浙米价,州县所供米每过百万石,减直予民,斗钱勿过八十。"

庚戌,韩绛罢。绛居相位,数与吕惠卿异议;王安石复入,论政愈驳。会有刘佐者坐法免,安石欲拔拭用之,绛执不可,议于帝前,未决,绛即再拜求去。帝惊曰:"此小事,何必尔?"绛曰:"小事尚不伸,况大事乎!"帝为逐佐。至是称疾求罢,以礼部尚书、观文殿大学士知许州。

发河北、京东兵及监牧卒修都城。

丁巳,大阅。

九月,庚申朔,立武举绝伦法。凡武举人射两石弓,马射九斗,谓之绝伦,虽程文不合格,并赐第。

乙亥,辽主驻藕丝淀。

己卯,辽以南京饥,免租税一年,仍出钱粟赈之。

冬,十月,己丑朔,以崇政殿说书吕升卿权发遣江南西路转运副使。

庚寅,吕惠卿罢。先是惠卿弟升卿考试国子监,而惠卿妻弟方通在高等,为御史蔡承禧所劾,惠卿乃谒告。帝遣冯宗道抚问,召赴中书,王安石又亲诣惠卿道帝意。惠卿于是上表求外者三,帝皆遣中使封还,又有札子,帝复令安石同王珪谕惠卿。惠卿入见,帝曰:"无事而数求去,何也?岂以安石议用人不合邪?"惠卿曰:"此亦不系臣去就。前此安石为陛下建立庶政,千里复来,乃一切托疾不事事,与昔日异,不知欲以遗之何人?"帝曰:"安石何以至此?"惠卿曰:"安石不安其位,盖亦缘臣在此。不若逐臣使去,一听安石,天下之治可成。"帝曰:"终不令卿去,且俱至中书。"惠卿顿首曰:"臣不敢奉诏。"既退,帝复遣中使谕惠卿,惠卿入见,乃复就职。

初,蔡承禧奏:"惠卿弄权自恣,朋比欺国,如章惇、李定、徐禧之徒,皆为死党,曾旼、刘泾、叶唐懿、周常、徐申之徒,又为奔走,此奸恶之尤大者。"而中丞邓绾亦弥缝前附惠卿之迹以媚安石。王雱复深憾惠卿,遂讽绾发惠卿兄弟强借华亭富民钱五百万与知县张若济买田共为奸利事,置狱鞫之。帝既决意罢惠卿政事,故先出升卿,寻诏惠卿守本官、知陈州。

乙未,彗出轸。

己亥,诏以灾异数见,避殿,减膳,求直言,及询政事之未协于民者。

王安石率同列上疏言:"晋武帝五年,彗出轸,十年,又有孛,而其在位一十八年,与《乙巳占》所期不合。盖天道远,先王虽有官占,而所信者人事而已。天文之变无穷,上下傅会,不无偶合。周公、召公,岂欺成王哉?其言中宗享国日久,则曰严恭寅畏天命,自度治民不敢荒宁,其言夏、商多历年所,亦曰德而已。禆灶言火而验,复请以宝玉禳之,公孙侨不听,则曰:"不用吾言,郑又将火。'侨终不听,郑亦不火。有如禆灶,未免妄诞,况今星工乎!所传占书,又当世所禁,誊写讹缪,尤不可知。陛下盛德至善,非特贤于中宗,周、召所言,则既阅而尽之矣,岂须愚瞽复有所陈!窃闻两宫以此为忧,望以臣等所言力行开慰。"帝曰:"闻民间殊苦新法。"安石曰:"祈寒暑雨,民犹怨咨,此无庸恤。"帝曰:"岂若并祈寒暑雨之怨亦无邪!"安石不悦,退而属疾卧。

庚子,权三司使章惇罢。中丞邓绾言:"吕惠卿执政逾年,所立朋党不一,然与惠卿同恶相济无如惇。今惠卿虽已斥逐,而尚留惇在朝廷,亦犹疗病四体而止治其一边,粪除一堂而尚存秽之半也。"乃出惇知湖州。

壬寅,赦天下。

罢手实法。中丞邓绾言:"凡民养生之具,日用而家有之,今欲尽令疏实,则家有告讦之忧,人怀隐匿之虑。商贾通殖货利,交易有无,或春有之而夏已荡析,或秋贮之而冬即散亡,公家簿书,何由拘录,其势安得不犯!徒使嚚讼者趋赏报怨,畏怯者守死忍困而已。"遂诏罢手实法。

王安礼应诏上疏曰:"人事失于下,变象见于上。陛下有仁民爱物之心而泽不下究,意者左右大臣是非好恶不求诸道,谓忠者为不忠,不贤者为贤,乘权射利者,用力弹于沟瘠,取利究于园夫,足以干阴阳而召星变。愿察亲近之行,杜邪枉之门。至于祈禳小数,贬损旧章,恐非所以应天变也。"帝览疏嘉劝,谕之曰:"王珪欲使卿条具,朕尝谓不应沮格人言以自障壅。今以一指蔽目,虽泰、华在前弗之见;近习蔽其君,何以异此?卿当益自信。"

吕公著应诏上疏曰:"陛下临朝愿治,为日已久,而左右前后莫敢正言,使陛下有欲治之心而无致治之实,此任事之臣负陛下也。夫士之贤不肖素定,今则不然,前日所举以为至贤,而后日逐之以为至不肖,其于人才既反覆不常,则于政事亦乖戾不审矣。古之为政,初亦有不信于民者,若子产治郑,一年而人怨之,三年而人歌之。陛下垂拱仰成,七年于此,然舆人之诵亦未有异于前日,陛下独不察乎!"

丁未,彗不见,自始出至没凡十二日。

丙辰,御殿,复膳。

丁巳,张方平应诏上疏曰:"新法行已六年,事之利害,非一二可悉。天地之变,人心实为之,故和气不应,灾异荐作,顾其事必有未协于民者矣。法既未协,事须必改;若又惮改,人将不堪,此臣所以为陛下痛心疾首,一夕而九兴也!"

十一月,辛酉,辽皇后萧氏被诬,赐死。

时耶律伊逊擅政,深恶后族。及太子总政,法度修明,伊逊不得逞,乃谋陷后以构太子。先是重元家婢单登没为宫婢,后善音乐,伶人赵惟一得侍左右,单登亦善筝与琵琶,与惟一争能而不胜。辽主尝召登弹筝,后谏曰:"此叛家婢女,中独无豫让乎?安得亲近御前!"出遣外直,登深怨之。登有妹为教坊朱顶鹤妻,而顶鹤为伊逊所昵,登与顶鹤诬后与惟一私,因伊逊以闻。辽主下伊逊及张孝杰穷治之,加惟一以钉灼诸酷刑;词连教坊高长命,皆诬服。枢密副使萧惟信闻之,驰语伊逊、孝杰曰:"皇后贤明端重,诞育储君,此天下母也,而可以叛家仇婢一语动摇之乎!"不听。狱词上,辽主犹未决,孝杰复锻炼证实之。辽主怒甚,即日族诛惟一,并斩长命,勒后自尽。太子及公主皆披发流涕,乞代母死,不许。后赋绝命词,自缢死,尸还母家。太子投地大呼曰："杀吾母者，耶律伊逊也！"闻者莫不咋舌。

知桂州沈起规取交趾，妄言受密旨，遣官入谿峒点集土丁为保伍，授以阵图，使岁时肆习。继命人因督运盐之海滨，集舟师，寓教水战，故时交人与州县贸易，一切禁止。知邕州苏缄遗起书，请止保甲，罢水运，通互市；起不听，劾缄沮议。朝廷以起生事，乃罢起，命刘彝代之。彝至，不改起之所为，奏罢广西所屯北兵，而用枪杖手分成，大治戈船，遏绝互市。交人疑惧，至是分三道入寇，戊寅，陷钦州。

壬午，立陕西蕃丁法。

癸未，以右谏议大夫宋敏求、知制诰陈襄为枢密直学士。先是知制诰邓润甫言："近者群臣专尚告讦，此非国家之美。宜登用敦厚之人，以变风俗。"帝嘉纳之。居数日，敏求及襄有是命。

帝尝访人材之可用者，襄对以司马光、韩维、吕公著、苏颂、范纯仁、苏轼，下至郑侠，凡三十三人。且谓："光、维、公著皆股肱心膂之臣，不当久外。侠愚直敢言，发于忠义，投窜瘴疠，朝不谋夕，愿使得生还。"帝不能用。

甲申，交趾陷廉州。

王安石称疾不出，帝遣使慰勉之。丙戌，安石出视事。其党为安石谋曰："今不取门下士上素所不喜者暴用之，则权轻，将有窥人间隙者矣。"安石从之。帝亦喜安石之出，凡所进拟，皆听，安石由是权益重。

诏渝州置南平军。先是渝州南川獠木斗叛，命秦凤都转运使熊本往安抚之。本进营铜佛坝，破其聚落，谕以盛德，木斗举（秦）〔溱〕州地五百里来归，为四砦、九堡。至是建铜佛坝为南平军，召本还，以天章阁待制知制诰。

帝数称其文有体，命院吏别录以进。本因上疏曰："天下之治，有因有革，期于趋时适治而已。陛下改制之始，安常习故之徒交欢而合噪，或诤于廷，或谤于市，或投劾引去者，不可胜数。陛下烛见至理，独立不夺，今虽少定，彼将伺隙而逞，愿陛下深念之，勿使交欢之众有以窥其间。"其意盖专媚王安石也。

十二月，己丑，辽以南京统军使耶律瑞弩为特里衮，以汉人行宫都部署耶律霖为枢密副使，以同知东京留守事萧多喇为伊勒希巴。

庚寅，辽主赐张孝杰国姓。孝杰既与耶律伊逊共陷皇后，伊逊深德之。辽主不悟其奸，眷注弥厚。

壬辰，辽以西京留守萧延陆为左伊勒希巴。

壬寅，以翰林学士元绛参知政事，龙图阁直学士兼枢密都承旨曾孝宽为枢密直学士、签书枢密院事。绛在翰林，谄事王安石，而安石德曾公亮之助己，欲引其子孝宽于政地以报之，由是二人同升。

辛亥，以天章阁待制赵卨为安南道招讨使，嘉州防御使李宪副之，以讨交趾。张方平言："举西北壮士健马弃之炎荒，其患有不可胜言者。若师老费财，无功而还，社稷之福也。"后皆如其言。

王安石复撰《诗·关雎解义》以进。初，安石撰《诗序》，称颂帝德，以文王为比。帝曰："以朕比文王，恐为天下后世笑，但言解经之意足矣。"遂改撰《诗序》以进。至是诏前后所上并付国子监镂板施行。

癸丑,诏曰:"安南世受王爵,而乃攻犯城邑,杀伤吏民,干国之纪,刑兹无赦。已命赵卨充安南道行营马步军都总管,须时兴师,水陆兼进。天示助顺,既兆布新之祥;人知侮亡,咸怀敌忾之气。"时交趾所破城邑,即为露布,揭之衢路,言中国作青苗、助役之法,穷困生民,今出兵欲相拯济;王安石怒,故自草此诏。

是岁,夏改元大安。

九年 辽太康二年【丙辰,1076】 春,正月,己未,辽主如春水。

乙丑,雨木冰。

戊辰,交践围邕州,知州苏缄悉力拒守,外援不至,城遂陷。缄曰:"吾义不死贼手!"呕还州廨,阖门,命其家三十六人皆先死,藏尸于坎,乃纵火自焚。城中人感缄之义,无一人从贼者。于是交人尽屠其民,凡五万八千馀口。

己卯,下谿州刺史彭师晏降。

章惇使湖北提点刑狱李平招纳师晏誓下州峒蛮张景谓、彭德儒、向永胜、覃文猛、覃彦坝,各以其地归版籍,师晏遂降。诏遣师晏诣阙,授礼宾副使,官其下六十有四人。

辛巳,赠苏缄奉国军节度使,谥忠勇。以其子子元为西头供奉官、邵门祗候,赐对便殿,帝曰:"昔唐张巡与许远守睢阳,蔽捍江、淮,较之卿父,未为远过也。"

初,邕州将陷,缄愤沈起、刘彝致寇,彝又坐视不救,欲上疏论之,属道梗不通,乃列二人罪状榜于市,冀达朝廷。至是治起、彝开衅之罪,贬起〔郪州〕团练〔副〕使、安置郪州;彝〔均州〕团练副使、安置随州。

辽耶律伊逊既诬陷皇后,又欲害太子,乘间言于辽主曰:"帝与后如天地并位,中宫岂可旷也?"因盛称驸马都尉萧锡默之妹美而贤,辽主信之,纳于掖庭。锡默党于伊逊,故伊逊欲引为助。

二月,戊子,以宣徽南院使郭逵为安南行营经略招讨使,赵卨副之;召李宪还。宪久在西北边,好论兵,王韶之开熙河,宪与有劳,故用宪。既而卨、宪议事不合,帝因问卨:"孰可代宪?"卨言:"逵老于边事,愿为裨赞。"帝从之。仍诏占城、真腊合击交趾。

辽赈黄龙府饥。

己丑,宗噶尔首领果庄寇五牟谷,蕃官蔺毡讷支等邀击,大破之。

己亥,以出师罢春宴。

癸丑,辽以南京路饥,免租税一年。

乙卯,雨雹。

三月,(丙辰)〔辛酉〕朔,恤钦、廉、邕三州死事家,(瘁)〔瘥〕战亡士;贼所蹂践,除其田征。

辛酉,辽太后萧氏殂,谥曰仁懿太后。太后慈惠端淑,凡正旦生辰,诸国贡币,悉赐贫瘠。初在滦河,亲督卫士平重元之乱,后梦重元曰:"臣骨在太子山北,不胜寒栗。"即命屋之。其慈闵类此。

丁卯,辽大赦。

甲戌,御集英殿,赐进士徐铎以下并明经诸科及第、出身、同学究出身总五百九十六人。铎,邵武人也。帝以详定官陈(择)〔绎〕等取第一甲不精,并罚铜。

丁丑,以广西进士徐伯祥为右侍禁,钦、廉、白州巡检。

己卯,宗噶尔首领果庄复寇五牟谷,熙河钤辖韩存宝败之。

庚辰,复种谔礼宾副使、知岷州,韩绛再相,尝讼其前功故也。

夏,四月,戊戌,复广济河漕。

癸卯,诏:"广南亡没士卒及百姓为贼残破者,转运安抚司具实并议赈恤以闻。"

甲辰,降空名告身付安南行营,以招降赏功。诏诸路募武勇赴广西,赠广西死事将士官有差。

辛亥,茂州夷寇边,知成都府蔡延庆乞发陕西兵援茂州,候兵至,当自将以往。帝遣内(副)〔侍〕押班王中正经制。诏延庆务在持重,毋得轻离成都。

甲寅,辽遣耶律孝纯以太后丧来告。帝发哀成服,辍视朝七日。

五月,丙辰朔,诏:"邕州沿边州峒首领来降者,周惠之。"

丙寅,复分两浙为东、西路。明年,又合为一,以财赋不可分故也。

丁卯,城茂州。

壬申,诏:"安南诸军过岭有疾者,所至护治。"

庚辰,静州下首领董整白等来降。

六月,己丑,绵州都监王庆、崔昭用、刘珪、左侍禁张义援茂州,战死。

辛卯,诏:"滨海富民得养蜑户,毋致为外夷所诱。"

甲午,辽葬仁懿太后于庆陵。

己亥,虑囚,降死罪一等,杖以下释之。

己亥,辽主驻特古里。辽护卫萧和克愤耶律伊逊恣行不法,尝伏于桥下,伺伊逊过,欲杀之。会暴雨,桥坏,不果;又欲杀之于猎所,为亲友所阻而止。廷臣侧目,莫敢言其奸者。北面林牙萧岩寿密言于辽主曰:"伊逊自皇太子预政,内怀疑惧,又与张孝杰相附会,数相过从,恐有阴谋,动摇太子,不可使居要地。"辽主悟,壬寅,出伊逊为中京留守。一时称辽主能纳忠言,同知南院宣徽使谐里、都林牙耶律庶箴及耶律孟简各以表贺。

辽仁懿太后山陵事未毕,耶律伊逊之党见伊逊外迁,恐辽主意移,亟劝立后,辽主从之。丁未,册萧氏为皇后,遂封后父祗候郎君迪里喇为赵王,后叔西北路招讨使伊哩额为辽西郡王,后兄汉人行宫都部署锡默为柳城郡王。伊逊既外迁,以参知政事杨遵勖知南院枢密使事,以北院枢密副使萧锡萨知北院枢密使事,以汉人行宫副部署刘诜参知政事。

己酉,南府宰相赵徽致仕。

秋,七月,丙辰,朱崖军黎贼黄婴入寇,诏广南西路严兵备之。

壬戌,城下谿州,赐名会谿城,戍以兵,隶辰州,出租赋如汉民。

癸亥,静州将杨文绪结蕃部谋叛,王中正斩之以徇。

戊辰,辽主如秋山,一日射鹿三十,宴从官,酒酣,命赋《云上于天诗》。命北府宰相耶律孝杰坐御榻旁,辽主诵《黍离诗》"知我者谓我心忧,不知我者谓我何求"。孝杰奏曰:"今天下太平,陛下何忧? 富有四海,陛下何求?"辽主大悦。

癸酉,辽柳城郡王萧锡默卒。

是月,安南行营次桂州,郭逵遣钤辖和斌等督水军涉海自东入,诸军自广西入。

八月,己丑,罢鬻祠庙。时司农寺令天下祠庙,许依坊场河渡募人承买,收取净利。应天府阏伯、微子庙亦在鬻中。判官刘挚叹曰:"一至于此!"往见判府张方平曰:"独不能为朝廷言之邪?"方平矍然,托挚为奏曰:"阏伯迁商丘,主祀大火,火为国家盛德所乘;微子开国于宋,亦本朝受命建号所因。又有双庙,乃唐张巡、许远,以孤城死贼,能捍大患者也。今若令承买,小人规利,冗亵渎慢,何所不为!岁收微细,实损国体。乞存此三庙,以称国家严恭典礼,追尚前烈之意。"疏上,帝震怒,批付司农曰:"慢神辱国,莫此为甚,可速止之!"于是天下祠庙皆得不鬻。

庚寅,辽主出猎,遇麂失其母,闵之,不射。

丁酉,禁北边民阑出谷粟。

九月,戊午,浚汴河。

辽以南京蝗,免明年租税。

丙寅,诏罢都大制置河北河防水利司。

〔己卯〕,诏恤岭南死事家,表将士墓。

己卯,辽主驻藕丝淀。

冬,十月,乙酉,太白昼见。

戊子,翰林学士、权御史中丞邓绾罢为兵部郎中、知虢州。壬辰,贬中书户房习学公事练亨甫为漳州军事判官。

初,王安石与吕惠卿互相倾陷,遣徐禧、王古等按华亭狱,不得惠卿罪,更使蹇周辅按之,狱久不决。安石子雱切责亨甫与吕嘉问,二人乃共谋取绾所列惠卿事,杂它书下制狱,安石不知也。堂吏遽告惠卿于陈,惠卿以状闻,且上书讼安石曰:"安石尽弃素学,而隆尚纵横之末数以为奇术,以至潜想胁持,蔽贤党奸,移怒行很,方命矫令,罔上恶君。凡此数恶,力行于年岁之间,莫不备具,虽古之失志倒行而逆施者,殆不如此。"帝以状示安石,安石谢无有。归以问雱,雱言其情,安石咎之。时雱已病疽弥年,坐此益忿恚,疽溃而卒;安石悲伤,求去愈切。绾虑安石去而己失势,乃力劝帝留安石,其言甚无顾忌。帝再三诘绾,绾以实告曰:"安石门人练亨甫为臣言。"帝令吴充以己意问安石,安石大骇,即上奏曰:"闻御史中丞邓绾尝为臣子营官及荐臣婿可用,又为臣求赐第京师。兼绾近举御史二人,寻却乞不施行。闻其一人彭汝砺者,尝与练亨甫相失,绾听亨甫游说,故乞别举。绾所为如此,岂可令执法在论思之地!亨甫亦不当留备宰属。"帝以绾操心颇僻,贼性奸回,论事荐人,不循分守;亨甫身备宰属,与言事官交通,故有是命。绾始以附安石得居言职,及惠卿之党欲倾安石,绾皆竭力奏劾之,亨甫亦由谄事雱以进,至是乃因安石言,相继罢斥。

乙未,诏东南诸路教阅新军。

辽耶律伊逊之出为中京留守也,泣谓人曰:"伊逊无过,因谗见出。"其党以其言闻于辽主,辽主悔之。会伊逊生日,辽主遣近臣耶律白斯本赐物为寿,伊逊因私属白上:"臣见奸人在朝,陛下孤危,身虽在外,窃用寒心。"白斯本还,以闻。辽主赐伊逊车,谕曰:"无虑费用,行将召矣。"由是反疑萧岩寿,出为顺义军节度使。诏近臣议召伊逊事,北面官属无敢言者。契丹行宫都部署耶律萨喇曰:"萧岩寿言伊逊有罪,不可为枢臣,故陛下出之。今复召,恐天下生疑。"同知南院宣徽使谐里亦言不可复召。萨喇进谒者三,左右为之震悚,辽主卒不听。戊戌,召伊逊复为北院枢密使。

丙午,王安石罢。安石之再相也,多称疾求去。及子雱死,力请解机务。帝亦厌安石所为,乃罢为镇南军节度使、同平章事、判江宁府。雱死时,年三十三。

枢密使、检校太傅吴充,礼部侍郎、参知政事王珪并守前官、同平章事。充子安持虽娶王安石女,而充心不善安石所为,数为帝言新法不便。帝察其中立无与,及安石罢,遂相之。

以资政殿学士、知成都府冯京知枢密院事。京与王安石同在中书,多异议,安石颇疑惮之,故尝因事移私书于吕惠卿曰:"无使齐年知。"京、安石俱生辛酉,故谓之齐年。及安石再相,惠卿出知陈州,悉发安石前后私书奏之,其一云"无使齐年知",又其一云"无使上知"。帝以安石为欺而京不阿,故复用京。

十一月,乙卯,给广南东路空名告敕,募入钱助军。

辛酉,录魏征后。

甲戌,辽主欲观起居注,修注郎布延等不进,各杖二百,罢之。

耶律伊逊既复用,势益张,见耶律萨喇,让之曰:"与君无憾,何独异议?"萨喇正色曰:"此社稷事,何憾之有?"耶律庶箴私见伊逊而泣曰:"前者抗表,非庶箴之愿也。"伊逊怜而释之,出谐里为广利军节度使,谪耶律孟简巡磁窑关;未几,流萧岩寿于乌隈部,终身拘作。岩寿虽窜逐,恒以社稷为忧,时人为之语曰:"以狼牧羊,何能久长!"

乙亥,以安南行营将士疾疫,遣同知太常礼院王存祷南(狱)〔岳〕,遣中使建祈福道场。

己卯,洮东安抚司奏包顺等破果庄兵于多移谷。壬午,果庄寇岷州,种谔以轻兵袭击于铁城,败之。

是月,辽南京地震,民舍多坏。

十二月,丙戌,郭逵拔广源州,伪观察使刘纪降。

己丑,子佣生。

栋戳使果庄聚兵洮、岷,胁新附羌,多叛归之。甲午,遣内侍押班李宪乘驿往秦凤、熙河措置边事,诏诸将皆受节制。

御史中丞邓润甫、御史周尹、蔡承禧、彭汝砺言:"自古不闻有中人为将帅者。唐明皇时,覃行章乱黔中,始以杨思勖为招讨使,唐之祸萌于此。代宗时,鱼朝恩几危社稷。宪宗用吐突承璀,卒以轻谋败事,得罪后世。陛下其忍袭唐故迹而忘天下之患乎?"又言:"果庄之患小,用宪之患大。宪功不成,其祸小;功成,其祸大。"章再上,弗听。

辽以左伊勒希巴萧托卜嘉为南院统军使。耶律伊逊以北面林牙耶律延格为耳目。延格狡佞而敏,凡有闻见,必举以告。伊逊爱而荐之,辽主亦以为贤,拜左伊勒希巴。

丁酉,诏:"岷州界经果庄兵燹者赐钱,胁从来归者释其罪。"

癸卯,郭逵败交趾于富良江,获其伪太子洪真,李乾德遣人奉表诣军门降。初,赵卨举逵以自代,及逵至,辄与卨异。卨欲乘兵形未动,先抚辑两江峒丁,择壮勇,啗以利,使招徕携贰,堕其腹心,然后以大兵继之,逵不听;卨又欲使人赍榜入贼中招纳,逵又不听;遂令燕达先破广源,复还永平。卨以为广源间道距交州十二驿,趋利掩击,出其不意,川涂并进,三路致讨,势必分溃;固争,不能得。贼遂据富良江,列船数百,官军不得济。卨分遣将吏伐木治攻具,机石如雨,蛮舰皆坏。徐以罢卒致贼,设伏击之,斩首数千级。臧其渠酋,获洪真,贼穷蹙归命。时兵夫三十万人,冒暑涉瘴地,死者过半。至是大军距交州裁三十里,隔一水不得进。逵怍于玩寇,移疾先还,遂班师。

冷鸡朴诱山后生羌扰边。庚戌,诏:"有得冷鸡朴首者赏之。"玛尔戬请自效,众以为不可。李宪曰:"何伤乎!羌人天性畏服贵种。"听之往。玛尔戬盛装以出,诸羌耸视无斗志,宪师乘之,杀获万计,斩冷鸡朴。栋戡惧,即遣使奉赟效顺。加宪宣州观察使、入内副承旨。置威戎军。

辽耶律伊逊请赐牧地,群牧林牙耶律寅吉奏曰:"今牧地褊陋,畜不蕃息,岂可分赐臣下!"辽主乃止。伊逊由是益嫉寅吉,除怀德军节度使,旋贬漠北马群太保,未几卒。

【译文】

宋纪七十一　起乙卯年(公元 1075 年)正月,止丙辰年(公元 1076 年)十二月,共二年。
熙宁八年　辽太康元年(公元 1075 年)

春季,正月,乙未(初二),这一天,辽道宗耶律洪基前去混同江。

庚子(初七),蔡挺被罢职。蔡挺正在殿廷奏事,突然发病倒地。神宗亲自来探视并赐汤药,罢去原职,任为资政殿学士、判南京留司御史台。

同一天,冯京也被罢免。

起初,郑侠弹劾吕惠卿奸邪,并举荐说冯京可加任用,还说宫中有人身披甲胄登上殿堂辱骂朝廷等等。吕惠卿则上奏说是郑侠在诽谤,并命令御史中丞邓绾、知制诰邓润甫审查他,将他定罪贬往汀州加以编管。御史台的官员杨忠信来拜见郑侠,说:"御史们都沉默无言,你却上书不止,真是谏奏之责到了监门官手里,御史台却没有如此人才呀!"他从怀中取出两册《名臣谏疏》,交给郑侠说:"我拿此物来给正人君子助力。"

冯京与吕惠卿同在朝廷,二人处事意见往往不同,而王安国向来与郑侠友善,吕惠卿想一并中伤他们,乘机对神宗皇帝说:"郑侠上书所说青苗、助役、流民等事,都是人所共知的。至于宫中有人披甲登殿辱骂之事,郑侠哪里得知呢? 这是由于郑侠前后所说的,都是冯京指使王安国诱导他的结果。乞请皇上追回郑侠,将他下狱穷治。"不久,神宗问冯京:"爱卿认识郑侠吗?"冯京回答说:"臣下从来就不认识他。"神宗对此很是怀疑。御史知杂事张璪秉承吕惠卿心意,弹劾郑侠曾交游于冯京门下,二人交结有据可查。邓绾、邓润甫奏言王安国曾经借郑侠奏稿观看,说过褒奖之话,意在诋毁他的兄长王安石。神宗于是下诏把他们交付御史台治罪。当时郑侠已走到太康县,被追回对质,他确实不认识冯京,只是每次派门人吴无至去登闻检院往匦中投书时,集贤院的校理官丁讽经常对吴无至讲冯京称赞郑侠的话。郑侠被罢职后,在路途上遇见王安国,安国在马上举鞭拱手说:"你可真是特立独行无所畏惧呀!"郑侠说:"想不到丞相被小人所误,一下就成了这样!"王安国说:"不是这样。我的兄长自己就认为,做人臣不该躲避别人的怨恨。全天下的怨恨都集结到自己身上,然后就可以为国尽忠了。"郑侠说:"我没听说过尧、舜在上统治,夔、契在下辅佐,天下还会有怨恨之人的。"

定案后,郑侠被改送英州加以编管,吴无至和杨忠信都被送到荆湖路以远编管,冯京以右谏议大夫衔外放为亳州知州,丁讽被削职,王安国罢官回乡。中书舍人钱藻草拟贬降冯京的制文,内有"大臣的进退,关系时局的安危,坚持正义而不反复,气节如一而不屈服"这样的话。邓绾担心冯京再度入朝,又仰承吕惠卿之意,就奏言钱藻撰写制文言辞不当,于是钱藻也被削职。

起初,吕惠卿侍奉王安石就像儿子对父亲一样,王安国恶其奸猾,多次当面斥责他。有一天,王安石与吕惠卿在府第议论新法,王安国爱吹笛子,王安石告诫他说:"你应该抛弃淫靡的郑国曲调。"安国回答说:"也希望兄长远离奸佞小人。"吕惠卿知道他把自己视为奸佞小人,深恨于心,这时就借郑侠一案来陷害王安国。

郑侠前往汀州,正在途中,吕惠卿令奉礼郎舒亶前去追捕,搜查他的行李筐,搜出了抄录的《名臣谏疏》,里边有言及新法的和亲戚朋友间的书信,吕惠卿依照上面的姓名全部办罪。吕惠卿还想置郑侠于死地,神宗说:"郑侠所言,不是为他个人,忠诚可嘉,哪里能判重罪呢?"只将他流徙英州。郑侠到英州后,用一间快要倒塌的僧房给他住,但英州人无论贫富贵贱,都很尊敬他,争相把自己的子弟送来跟他学习,并为他修了房子,让他搬进去住。

壬寅(初九),辽国赈济云州的饥民。

丙午(十三日),宋朝把京东路划分为东、西两路,青州、淄州、潍州、莱州、登州、密州、沂州、徐州和淮阳军为东路,郓州、兖州、齐州、濮州、曹州、济州、单州和南京应天府为西路。

朝廷停止江南东路的上供米,将它们均分给受灾的州军。

丁未(十四日),神宗亲临宣德门观赏灯会。

乙卯(二十二日),神宗下诏给出使在外的朝廷官员,所到之处采访地方官吏的政绩优劣上奏朝廷。

天降木冰。

丁巳(二十四日),权永兴军等路转运使皮公弼奏言:"发行交子的办法,是用方寸大小的纸张,把钱寄送到远方;然而如果不积储铁钱作为本金,也不能用一纸空文来流通。现今商州、虢州的冶铁业,收集的铁非常多,如果在冶炼时改铸成折二钱,每年除掉工本费用,还可得一百万缗作为发行交子的本金。"他还同时上奏了便于推行的十二件事。神宗批示委任皮公弼总管经办这些事。

戊午(二十五日),神宗下诏:"各处流民要回乡归业的,当地州县要出资遣送他们。"

己未(二十六日),洮西安抚司因这年发生旱灾,请求设粥供羌族饥民食用。

二月,甲子(初二),任命太常寺太祝王安上为右赞善大夫、权发遣度支判官。王安上是王安石的小弟弟。

增设陕西路钱监,改铸大钱,这是依从皮公弼所请。

丙寅(初四),神宗封皇子赵佣为景国公。

丁卯(初五),辽国因祥州发生火灾,派遣使臣前往救恤。

癸酉(十一日),观文殿大学士、吏部尚书、知江宁府王安石以其本官复任同平章事。当初,吕惠卿迎合王安石,迅速升任为执政大臣。他得志后,就背叛了王安石,并且忌惮王安石会重新被重用,凡是可以用来陷害王安石的手段无所不用。一时间朝廷官员们见吕惠卿很得神宗宠任,认为可以通过倾轧王安石来取媚于吕惠卿,于是纷纷党附吕惠卿。当时,韩绛独擅中书事务,很多事情在这里被稽延,不能决断,并且,他多次与吕惠卿发生争执,估计不能制服吕惠卿,就秘密奏请神宗重新起用王安石。神宗听从了他,吕惠卿听到后非常吃惊。第二天,神宗派宦官带诏书去召王安石,王安石没有推辞,兼程赶路,七天就到达京师。

戊寅(十六日),神宗命令枢密副都承旨张诚一、入内押班李宪等人到处寻找开阔之地,并通知殿前司派马步军二千八百人,教授唐将李靖的布阵方法。

乙酉(二十三日),察访使曾孝宽上奏说:"仁宗庆历八年曾下诏给河北路各州军,凡城市中第三等户,乡村中第二等户,每户养披甲战马一匹,供官府在战时收买,乞请检查这项法令并施行。"神宗听从了,户马法从此开始。

丙戌(二十四日),神宗下诏停止京畿地区土木工程七年。

辽道宗驻跸大鱼泺。丁亥(二十五日),辽道宗因鹰坊使耶律阳陆捕获头鹅,加任为工部尚书。

三月,丁酉(初五),宋朝赈济润州饥民。

戊戌(初六),河州知州鲜于师中请求设置蕃学,教授吐蕃酋长的子弟,请赐学田十顷,每年拨钱一千缗,增加选送入京应考进士的名额二人;神宗听从了这一请求。

庚子(初八),辽国又派遣萧禧来宋朝办理河东路黄嵬地的归属问题,神宗命韩缜与萧禧商谈此事,双方有时争辩到半夜。萧禧仍然坚持依分水岭为界,留在馆驿中不肯回去,并说:"一定要接受我的要求,然后我才回国。"神宗不得已,派知制诰沈括去辽国回访。沈括到枢密院查阅旧时案卷,找到近年双方议定的疆界书,指定以古长城为分界线,而现在争论的是黄嵬山,与古长城相距三十多里远,于是上表报告了这件事。神宗很高兴,对沈括说:"大臣们一点也不了解事情的本末真相,几乎误了国家大事。"命令把边界地图出示给萧禧看,他才没有话讲了。于是给沈括赏赐白银千两,让他前往辽国。沈括抵辽后,辽国枢密副使杨遵勖来和他谈判。沈括找到两国议定疆界的文件几十种,预先让随从员吏们背诵好,杨遵勖每有所问,沈括就看着随从举出一人来回答;以后再问,也同样回答。杨遵勖无法应对,就以欺诈的口气说:"你们不忍放弃数里之地,却轻易地断绝两国的友好关系吗?"沈括说:"军队作战理直就强壮,理屈就衰弱。如今你们辽国丢弃前代国君的大信大义,依靠刑威来役使百姓,这不是我们宋朝的不利呀。"总共六次谈判,辽国始终不能屈服沈括,于是放弃黄嵬地,另以天池地相请,沈括这才回国。路上,沈括将辽国山川道路的险易曲直,风俗的淳朴庞杂,人心的向背情况,画成《使契丹图》,上呈给神宗。沈括被任为翰林学士、权三司使。

乙巳(十三日),辽道宗命太子抄写佛经。

癸丑(二十一日),宋朝再次赈济常州、润州饥民。

戊午(二十六日),太白金星在白天出现。

张方平以宣徽北院使的官衔出任青州知州,出发前,神宗向张方平询问祖宗抵御外族的策略,张方平回答说:"太祖不致力于向远方开拓疆土,象夏州的李彝兴,灵武的冯晖,河西的折御卿,都允许他们按原来的酋长制进行统治,并同意世代沿袭,所以边境没有战事。董遵诲守卫环州,郭进防守西山,李汉超保卫关南,都是十几年时间,朝廷给他们丰厚的禄赐,放宽那里的法令,各将领财力富足,威令推行。间谍探到了详尽的情报,官吏士卒都听命效力,贼寇入侵就能事先得知,并力抵抗入侵之敌,作战没有不胜利的,所以用十五万人马可以起到百万人的作用。整个太祖时期,边境没有大骚动,天下得以安乐。到太宗平定并州,还想进取远方的燕蓟之地,从此每年都有契丹入侵的忧患。大将曹彬、刘廷让、傅潜等作战数十次,各自丧失士卒十几万人,又内迁李彝兴、冯晖的部族,导致后来李继迁之变,东北和西北两地边境有了骚扰,朝廷开始寝食不安了。真宗继位之初,赵德明归顺朝廷,等到澶渊一战打败辽国,与契丹人结盟,到今天人们都忘记了战争,可以说是盛德大业。祖宗之事,大概就是这样。近年来边将们提出开拓疆土的建议,都是冒险侥幸之人,想以天下的安危来孤注一掷,事情成功了他们自身得到好处,不能成功就由陛下来承受祸患,不能听从他们。"

夏季,四月,乙丑(初四),下诏裁减将作监的冗官。

太常礼院上奏说："已经尊奉僖祖为太庙始祖,应该把神主置于正东的位子,并请从现在起在禘祫祭礼上定为常礼。"乙亥(十四日),下诏依从此奏恭敬执行。

丙子(十五日),辽国赈救平州的饥民。

戊寅(十七日),宋朝任命吴充为枢密使。

壬午(二十一日),荆湖南路江水泛滥。

乙酉(二十四日),辽道宗到犊山。

闰四月,枢密使陈升之因足疾请求离京外任。乙未(初四),罢掉他的枢密使职,改任为检校太尉、镇江军节度使、同平章事、判扬州。陈升之十分狡黠,很有权术,善于逢迎以求富贵,他起初依附王安石,等到他拜相后,就请求裁撤条例司,世人因此讥讽他,称他为"笭相"。

广源州的蛮族刘纪侵犯邕州,归化州依智会将他打败。

壬寅(十一日),沈括呈上《奉元历》,朝廷予以颁行。

癸卯(十二日),宣徽北院使、青州知州张方平改任判永兴军。宋朝把秦凤路的军队分拨四将统领。

丙午(十五日),辽国赈济平州、滦州的饥民。

庚戌(十九日),辽国的皇孙耶律延禧出生,他是太子耶律浚的儿子。辽道宗十分高兴,随即下令给太子妃的亲戚以及东京的僚属赐以高下不等的爵位。

壬子(二十一日),沂州百姓朱唐告发前任余姚县主簿李逢谋反,告词牵连到宗室右羽林大将军赵世居、河中府观察推官徐革。神宗命御史中丞邓绾、知谏院范百禄、御史里行徐禧共同审理。定案后,赵世居被赐死,李逢、徐革等人服罪处斩。起初,蜀地人李士宁学得导气养生的方术,又能预言别人的福祸,靠这些出入达官贵人之家。他曾见到赵世居的母亲康氏,就把仁宗皇帝写的诗赠送给她,又答应送赵世居宝刀,并且说:"除你以外没人可配此物。"赵世居及其党徒都认为他神奇,说:"李士宁是有二三百岁的人呀。"解释那首诗,认为是最宝贵的祥瑞。到审讯赵世居得到这首诗,就逮捕了李士宁。王安石原先与李士宁友善,范百禄认为李士宁用妖妄邪术迷惑赵世居,使他图谋不轨,罪当处死。徐禧袒护李士宁,认为他没罪。神宗命令御史知杂、枢密承旨参与案件审理,执政大臣赞同徐禧的意见,李士宁仅判杖刑,发配永州;范百禄则犯了奏报不实之罪,贬官为监宿州税。范百禄是范镇兄长之子。吕惠卿开始兴起这件案子,牵连治罪的人很多,企图借用李士宁来倾轧王安石。适逢王安石再次入朝执政,这一阴谋才没有得逞。

丁未(十六日),神宗赐给大理寺丞欧阳发进士出身。欧阳发是欧阳修的儿子。

甲寅(二十三日),朝廷录用赵普的后人为官。

乙卯(二十四日),下诏让西南蕃五姓蛮每五年入贡一次。

五月,辛酉朔(初一),审查在押囚犯,将判死刑的降罪一等,释放杖刑以下的犯人。

甲子(初四),把环庆路的军队划归四将统领。

丁丑(十七日),从天下落下尘土和黄毛。

甲申(二十四日),熙河路蕃官殿直图谋叛乱,认罪处死。

己丑(二十九日),朝廷派遣使臣去赈济鄜延路、环庆路的饥民。

六月,癸巳(初三),辽国任用兴圣宫使奚族人色嘉努为知奚六部大王事。

戊戌(初八),辽国知三司使事韩操,因为掌管钱谷增收,被授任为三司使。

辛丑（十一日），都官员外郎刘师旦奏称："《九域图》自从大中祥符六年被修订，至今已六十多年，这期间州县有废有置，名称有改变，等级有升有降，并且上面记载的古迹，有的是乡俚民俗所传，不足为据，乞请选择有地理知识的人重新修订。"于是神宗命令馆阁校勘曾肇、光禄丞李德刍加以删改修定。不久又奏说旧《九域图》没有绘制地理形势图样，难以叫作图，所以另赐名叫《九域志》。

癸卯（十三日），辽国派遣使臣讯查各路囚犯。任命特里衮大悲努为始平军节度使，把参知政事柴德滋外放为武定军节度使。

丙午（十六日），宋朝把汴水引入蔡河以便疏通漕运，这是依从都水监丞侯叔献的奏请。水渠修好后，船却不能通行，不久就废弃了。

己酉（十九日），王安石进献他写的《诗义》《书义》《周礼义》。神宗对王安石说："现今谈论经义的人，每人的说法有很大的不同，怎么能用来统一思想呢？爱卿所写的经义，可予颁行全国，使学习经义的人能统一认识。"于是把它们颁发给学官，号称《三经新义》。

童子捧经壶　北宋

辛亥（二十一日），神宗加任王安石为尚书左仆射兼门下侍郎，吕惠卿为给事中，王雱为龙图阁直学士。王雱推辞不接受这一新任命，吕惠卿劝神宗同意王雱之辞，因此王、吕之间的私怨更加深了。王安石的《三经新义》颁行全国后，读书人在官府考试经义，必须尊奉他的学说，稍有不同，就不合格。王安石晚年又写了《字说》二十四卷，内容多是穿凿附会来的，学派可归为佛教、道教之流，天下人争相传阅、学习，而前代名儒的注解全被废弃，读书人也不再有自己的见解。所以当时人议论说，王安石的缺点是喜欢让别人赞同他的观点。

乙卯（二十五日），吐蕃给辽国朝贡。

丙辰（二十六日），辽道宗诏令太子耶律浚兼领北南枢密院事，全面负责朝廷政务，并一如既往地告诫训谕他。辽道宗任命定武军节度使赵徽为南府宰相，任命枢密副使杨遵勖为参知政事。

辽道宗为太子选派僚属官吏，因客省使耶律寅吉秉性正直，爱好仁义，任为太子辅导。枢密使耶律伊逊图谋动摇太子的地位，忌恨耶律寅吉在太子身边，不久就奏请将他外任为群牧林牙。

戊午（二十八日），司徒兼侍中、太师、魏国公、判相州韩琦去世。韩琦死前的那天晚上，有一大陨石坠落在相州治所，厩中的马匹全都受惊。神宗在宫苑中为韩琦发丧，哭得很伤心。调发两河士卒为他修墓，神宗皇帝亲自撰碑文，碑首篆书"两朝顾命定策元勋之碑"，追赠韩琦为尚书令，加谥号为忠献，配享于英宗庙廷，命令他的子孙一人经常在相州做官，来保护他的坟墓。

韩琦见识英明，气度非凡，喜怒不形于色，评论他的人认为他像周勃一样厚重，像姚崇一样富有政绩。他在仁宗嘉祐、英宗治平年间，两次参与立君大策，安定了国家，身处危难遭受猜疑时，仍是知无不为。有人劝他："您所做的诚然是好事，但是万一有个挫折，岂不是不但保全不了自己，恐怕全家都没有安身之处。"韩琦叹道："你这是什么话！人臣竭尽全力侍奉君主，是生是死都是一样。至于做事成功还是失败，那是天意，怎么可以预先就去忧虑不能成功，就停手不干呢！"韩琦的儿子韩忠彦出使辽国，辽国国君听说他的相貌很像他父亲，就令画师画下他的图像，辽国看重韩琦到了这种程度。韩琦天生朴实忠厚，家中没有积财。尤其是他以奖勉、提拔人才为当务之急，只要是公认的人才，即使不合己意，也加以收用。韩琦与富弼齐名，都被称为贤相，当时的人称他们为"富韩"。

秋季，七月，辛酉朔(初一)，辽道宗在平地松林中打猎。

甲子(初四)，处州江河泛滥。

丙寅(初六)，辽国赈济燕京的贫民。

戊寅(十八日)，太白金星在白天出现。

戊子(二十八日)，把泾原路的军队划为五将统领。

朝廷命天章阁待制韩缜去河东，割地给辽国。辽道宗因侵犯宋朝土地的建议是由耶律普锡提出，就派他前去勘订疆界，他来宋廷后力争不止。神宗问计于王安石，王安石说："要想获取，必定暂时给对方一些好处。"他用笔画了地图，双方依黄嵬山为边界，萧禧这才离宋归辽。此时宋朝派韩缜前往辽国，把辽国索要的土地全都割给他们，自东到西放弃了总共七百里的国土。监察御史里行分宁人黄廉叹气说："以分水岭划分边境，中原的险要地势失去了。"后来，辽国果然全部占领了边境地区双方都不耕种的土地，一直进逼到雁门关。辽道宗提升耶律普锡为南院宣徽使。

秋季，八月，庚寅朔(初一)，发生日蚀。

癸巳(初四)，朝廷招募百姓捕杀蝗虫，可以换取粟米，庄稼有损坏的给予赔偿，依旧免除百姓赋税。丙申(初七)，减去官户一半役钱。

神宗下诏说："发运司查实淮南、江东、两浙地区的米价，州县上供米每超过一百万石，要减价售给百姓，每斗米价钱不得超过八十钱。"

庚戌(二十一日)，韩绛被罢官。韩绛身居宰相之位，多次与吕惠卿持不同意见；王安石再度入朝后，议论政事更加争论不休。适逢有个叫刘佐的人犯法免官，王安石想替他饰过而加以任用，韩绛坚持不同意。到神宗面前争论，也不能决断，韩绛就两次拜于皇帝面前，要求辞职。神宗吃惊地说："这是小事，何必如此？"韩绛说："小事尚且不能办理，何况大事呢？"神宗为此罢逐刘佐。此时韩绛称病请求辞职，于是以礼部尚书、观文殿大学士的官衔出知许州。

调征河北路、京东路军队以及监牧士兵修筑都城。

丁巳(二十八日)，神宗大阅军队。

九月，庚申朔(初一)，宋朝确立武举绝伦法。凡武举人能步射两石重的弓，骑马能射九斗重的弓，就叫作绝伦，即使笔试不合格，也一样赐给及第。

乙亥(十六日)，道宗驻跸藕丝淀。

己卯(二十日)，辽国因燕京饥荒，免当地百姓一年的租税，并拿出官府钱粮进行赈济。

冬季，十月，己丑朔(初一)，宋朝任命崇政殿说书吕升卿为权发遣江南西路转运副使。

庚寅(初二),吕惠卿被罢官。此前吕惠卿的弟弟吕升卿主持国子监考试,吕惠卿的妻弟方通名列高等,遭御史蔡承禧的弹劾,吕惠卿就向神宗请求退职。神宗派冯宗道前去安慰他,召他赴中书任事,王安石又亲自拜访吕惠卿,说明神宗的意思。吕惠卿于是三次上表请求离朝外任,神宗都派遣宦官将他的表文封还。吕惠卿又上了札子,神宗再次令王安石与王珪去告谕吕惠卿。吕惠卿入朝见神宗,神宗说:"你没有缘故却多次请求离任,是为什么?难道是因为王安石曾议论你用人不当吗?"吕惠卿说:"这并不关系臣的去留。以前王安石为陛下办理各种新政,如今他从千里之外再度入朝,竟然一概托病不理政事,与以前不同,不知他想把政事留给何人?"神宗说:"王安石为什么会这样呢?"吕惠卿说:"王安石不安心于目前的地位,大概是因为臣在朝中。陛下不若把臣赶出朝廷,一切都听王安石处理,天下就可以大治了。"神宗说:"朕终究不会让爱卿离开的,而且还要让你二人都去中书任事。"吕惠卿叩头说:"臣不敢听从陛下诏令。"吕惠卿退出后,神宗又派宦官去劝慰他,吕惠卿进朝拜见神宗,才重新任职。

起初,蔡承禧上奏说:"吕惠卿弄权放纵自己,结党欺诈朝廷,像章惇、李定、徐禧之徒,都是他的死党,曾旼、刘泾、叶唐懿、周常、徐申之徒,也是他的走卒,这是奸恶之中最严重的。"而御史中丞邓绾也掩盖他先前党附吕惠卿的行迹来取媚于王安石。王雱又深恨吕惠卿,就讽劝邓绾揭发吕惠卿兄弟强借华亭富户五百万钱,给知县张若济买田共同谋取奸利的事,并立案审讯。神宗已下决心罢免吕惠卿不让他执政,所以先把吕升卿调出朝廷,不久下诏让吕惠卿保留原官,出知陈州。

乙未(初七),彗星出现在轸宿星间。

己亥(十一日),神宗下诏,因多次出现灾异,皇帝避开不上正殿,减少膳食,恳求臣下直谏,并询问不利于百姓的政事。

王安石率领百官上疏说:"晋武帝五年,彗星出现在轸宿星间,十年时又有怪星出现,但是他仍在位十八年,与《乙巳占》所说的期限不相符合。大概是天道幽远,先王们有官府占卜,但相信的只是人事而已。天文的变化无穷,上下附会穿凿,不一定没有偶然的巧合。周公和召公,难道欺骗周成王吗?他们说到商朝中宗太戊统治时间长久,则说是严肃谦恭,敬畏天命,自思治理百姓不敢荒怠;他们说到夏、商立国很久,也是说用了德政而已。春秋时期裨灶预言有火灾发生,果然应验,他又请求用宝玉来禳除火灾,公孙侨没有听从,就说:'不听我的话,郑国又将有火灾。'公孙侨终究没听,郑国也没有再出火灾。象裨灶这样的人,都未免荒诞不经,何况今天这些星相之工呢!世上流传的星占之书,又是当今朝廷所禁止的,誊写错漏,更加不能使人明晓。陛下的盛德如此仁善,不仅比商朝中宗贤明,就是周公、召公所说的话,陛下看过后可以尽知了,难道还需那些愚昧之徒再来陈述!臣私下听说两宫太后为此担忧,希望陛下能以臣等所说尽力劝慰开导她们。"神宗说:"朕听说百姓们都苦于新法。"王安石说:"祈求冷暖降雨,百姓还要嗟怨不满,这些就不用担心了。"神宗说:"这难道能比喻成祈求冷暖降雨的怨嗟也没有吗!"王安石不高兴,退朝后接连称病卧床。

庚子(十二日),权三司使章惇被罢官。御史中丞邓绾上奏说:"吕惠卿执政一年多,他树立的朋党不止一人,然而与吕惠卿勾结作恶的没有比得上章惇的。如今吕惠卿虽然已被斥逐,却把章惇还留在朝廷,就好比治疗四体的病痛,而只治疗一边,好比清除一间房子的污秽而留下一半一样。"于是外放章惇出知湖州。

壬寅(十四日),宋神宗大赦天下。

朝廷罢掉手实法。御史中丞邓绾奏言:"凡是百姓养生的器具,每天要用,家家都有,现在要令他们全部申报登记下来,就会家家都有被人告发的担忧,人人怀着隐匿私产的想法。商人经商营利,交易有无,有的人春天时存有货物,可是到夏天已全部没有,有的在秋天时贮积下来,可是冬天一来就散失不存,官府的文书登记,还依据什么来清查,在这种情况下哪有不违反的呢!只不过让那些热衷于诉讼之徒趁机为求得赏钱来报复怨仇,胆小之人坐守等死忍受贫困而已!"于是神宗下诏罢黜手实法。

王安礼响应神宗诏令,上疏说:"人事失误于下,灾变就会昭显于上。陛下有仁爱百姓万物之心,而恩泽不能下推及民间,可能是左右大臣们的是非好恶不讲道义,把忠当成不忠,把不贤当成贤,利用权力牟取私利的人,把手伸到最贫困的地方,甚至在园夫身上榨取钱财,这些足以干扰阴阳招来星相灾变。希望陛下审察亲近大臣的行为,杜绝奸邪枉曲之路。至于祈祷禳灾这样的小术数,变改损减某些旧章,恐怕不能用来应付天变灾异。"神宗浏览了奏章,很是赞赏,告谕王安礼说:"王珪想让爱卿逐条呈奏,朕曾说过不应该阻止别人的谏言来自我闭塞。如果用一个指头遮住眼睛,即使是泰山、华山在面前也不能看见;亲宠之人蒙蔽他的君主,与此有什么差异?爱卿应更加自信。"

吕公著应神宗诏令上奏说:"陛下临朝后希望天下大治,已是很久,然而左右大臣没有人敢于当面直谏,使得陛下空有治好天下之心,却达不到使天下大治的实效,这是任事大臣辜负了陛下。士人的贤能与否本来素有定论,如今却不是这样,前一天被荐举,认为某人是最贤能的,过一天贬逐他,就认为他是最不肖的人,这样对人才评定反复无常,那么对于政事也就乖变难定了。古时治理国家的人,开始时也有不被百姓信任的,象子产治郑国,第一年人们都怨恨他,到第三年人人都歌颂他。陛下统治一来希望天下大治,这样子已是七年,可是众人的言论与前日并没有什么不同,陛下还没有察觉到吗?"

丁未(十九日),彗星看不见了,从开始出现到消失共有十二天。

丙辰(二十八日),神宗登殿,恢复正常膳食。

丁巳(二十九日),张方平应神宗之诏上疏说:"新法推行已六年,政事的利弊,不是一两句话可讲尽。天地灾变,实际上是人心的反映,所以没有呈现祥和之气,灾害变异却频频不断,从这些情况看来,必定是有政事不合于民意的。新法既然不合民心,政事就必须加以变革;如果又怕改正错误,那百姓将不堪忍受,这就是臣为陛下痛心疾首、一夜九起的原因!"

十一月,辛酉(初三),辽国皇后萧氏被人诬陷,赐以死罪。

当时耶律伊逊专擅朝政,特别厌恨皇后一族。等到太子总揽朝政,法令制度健全,伊逊不能得逞,就阴谋陷害皇后以便构害太子。在这之前,耶律重元的家奴单登被收入宫中为婢女,皇后擅长音乐,乐师赵惟一得以随侍在皇后左右,单登也擅弹筝和琵琶,与赵惟一争高下却胜不过他。辽道宗曾经选召单登弹筝,皇后劝谏说:"这些是叛臣家的婢女,其中没有豫让那样的刺客吗?怎么能够亲近于陛下面前呢?"于是把单登调出到外宫值班,单登因此深恨皇后。单登有个妹妹是教坊朱顶鹤的妻子,而朱顶鹤又被耶律伊逊宠爱,单登就与朱顶鹤诬陷皇后与赵惟一私通,并让耶律伊逊报告给辽道宗。辽道宗下令耶律伊逊和张孝杰彻底查办这件案子,给赵惟一施加钉灼等各种严酷刑罚;讼词又牵连到教坊的高长命,他们全都受

诬服罪。枢密副使萧惟信听说后,跑去对耶律伊逊、张孝杰说:"皇后贤明端庄,养育了太子,

是天下之母,难道可以因为叛臣家婢的一句话就动摇她的地位吗!"二人不听。案状上报后,辽道宗犹豫不能决断,张孝杰又用严刑拷打来加以证实。辽道宗非常愤怒,当天就杀了赵惟一全族,又斩了高长命,逼令萧皇后自尽。皇太子和公主都披头散发,痛哭流涕,乞请代替母后去死,辽道宗不加准许。皇后写了绝命词,自己上吊而死,尸体归还母家。太子扑倒在地,大声呼叫:"杀害我母亲的人,是耶律伊逊啊!"听到的人无不咋舌吃惊。

宋朝知桂州沈起计划攻占交趾,妄称接受朝廷密旨,派遣官吏进入溪峒征集当地士兵组织地方武装,给他们讲授阵图知识,让他们按年时操练演习。接着他又令人利用督运食盐的机会到海滨地区,调集水军,暗地里教练水战,先前交趾人与当地州县的贸易,一律加以禁止。知邕州苏缄写信给沈起,请他停止保甲,罢黜水运,开通边地互市。沈起不听,弹劾苏缄阻碍大事。朝廷认为沈起挑动战事,就罢免了他,命刘彝接替。刘彝到任后,对沈起的所作所为不做更改,并上奏请罢去广西屯守的北方军队,改用枪杖手分地戍守,大造武器船只,阻断双边互市。交趾人又怀疑又恐惧,于是分兵三路前来侵犯,戊寅(二十日),攻陷了钦州。

壬午(二十四日),宋朝颁立陕西蕃丁法。

癸未(二十五日),任右谏议大夫宋敏求、知制诰陈襄为枢密直学士。先前知制诰邓润甫上奏说:"近来群臣专门爱好告发别人,这对国家不是好事。应该提拔任用厚道朴实的人,用以改变一下风气。"神宗很赞赏地采纳了。过了几天,宋敏求、陈襄就有了上述任命。

神宗曾经访求可资任用的人才,陈襄回答说有司马光、韩维、吕公著、苏颂、范纯仁、苏轼,下至郑侠,共三十三人。他又说:"司马光、韩维、吕公著都是股肱心腹之臣,不应长留朝廷之外。郑侠为人诚实正直,敢于讲话,内心忠义,把他贬逐在瘴疠边地,性命朝不保夕,希望能让他活着回来。"神宗没能采用。

甲申(二十六日),交趾人攻下了廉州。

王安石称病不出,神宗派遣使者去慰问他。丙戌(二十八日),王安石出来处理政事。王安石的党羽为他出主意说:"如果不迅速提拔任用门下士人中那些皇上一向不喜欢的人,那就会权力旁落,必将有人窥伺机会来排挤你。"王安石听从了。神宗也高兴王安石出来任事,因此凡是王安石进用的人,全都批准,王安石由此权力更重。

朝廷诏令在渝州设置南平军。在此之前,渝州南川的獠人木斗叛乱,朝廷命令秦凤都转运使熊本前去安抚他。熊本进驻铜佛坝,攻破獠人的部落居地,用朝廷的仁德进行宣谕,木斗奉献溱州五百里地归顺朝廷,宋朝划为四砦、九堡。至此宋朝在铜佛坝设置南平军,召回熊本,以天章阁待制的职务任知制诰。

神宗多次称赞熊本的文章有自己的风格,命院吏把他的文章另外抄好呈上来。熊本趁机上疏说:"天下的治理,有继承也有变革,都是为着符合时势适于治理而已。陛下开始改制变法时,那些因循守旧的人互相鼓噪,有的在朝廷上谏净,有的在街市上讪谤,有的借故辞职,这样的人多得数不过来。陛下洞悉治国真理,坚持下来没有屈服,现在虽然稍有安定,他们仍会窥伺机会逞现自己,希望陛下对此有充分认识,不让那些交相鼓噪的人有机可乘。"熊本的用意大概是专为取媚于王安石。

十二月,己丑(初二),辽国把南京统军使耶律瑞弩任为特里衮,把汉人行宫都部署耶律霖任为枢密副使,把同知东京留守事萧多喇任为伊勒希巴。

1549

庚寅(初三),辽道宗赐张孝杰姓国姓耶律。张孝杰与耶律伊逊共同陷害萧皇后以后,耶律伊孙十分感激他。辽道宗没有发觉他的奸邪,对他更加宠爱信任。

壬辰(初五),辽国把西京留守萧延陆任为左伊勒希巴。

壬寅(十五日),宋朝任命翰林学士元绛为参知政事,任命龙图阁直学士兼枢密院都承旨曾孝宽为枢密直学士、签书枢密院事。元绛在翰林院时,媚事王安石,而王安石感激曾公亮帮过自己,想把他的儿子曾孝宽引荐到重要官职作为报答,因此元绛和曾孝宽二人同时升官。

辛亥(二十四日),任命天章阁待制赵卨为安南道招讨使,任嘉州防御使李宪为招讨副使,讨伐交趾。张方平上奏说:"征调西北地区健壮的兵马,把他们抛弃到炎热的南部边地,有说不完的害处。如果军队疲劳不战,仅仅耗费钱财,不能立功回师,这是国家有福了。"后来的事全都和他所说的一样。

王安石又撰写了《诗经·关雎解义》,进献神宗。起初,王安石写了《诗序》,称颂神宗的仁德,用周文王作比。神宗说:"把朕比作周文王,恐怕会被天下人和后世人取笑,只要解释一下经意就足够了。"王安石于是改写了《诗序》呈献神宗。至此神宗诏令把王安石先后呈献的著作一并交付国子监刻版印行。

癸丑(二十六日),下诏说:"安南国世世代代接受朝廷所封王咳,居然侵犯城邑,杀伤吏民,违犯朝廷法纪,要严刑惩罚不加赦免。朝廷已命令赵卨充任安南道行营马步军都总管,只等时令适合,就要出师征讨,水陆并进。上天显示会很顺利,并有除旧布新的祥兆;人人都知受辱亡命的痛苦,都怀有同仇敌忾的心情。"当时交趾人攻破一个城邑,就写了布告,张贴在街道上,说宋朝颁行青苗法、助役法,使百姓穷困不堪,现在他们要出兵拯救宋朝百姓。王安石大怒,所以亲自起草了这份诏令。

这一年,西夏国改年号为大安。

熙宁九年 辽太康二年(公元 1076 年)

春季,正月,己未(初二),辽道宗举行春水游猎。

乙丑(初八),天降木冰。

戊辰(十一日),交趾人围攻邕州,知州苏缄全力抵抗,外地援军没到,州城沦陷。苏缄说:"我发誓不死在贼人手中!"急忙赶回州衙,关上大门,命令他家的三十六人都先死,把尸体掩蔽在土穴里,就放把火自己烧死了。邕州城中的人为苏缄的节义所感动,没有一个人投降贼兵。因此交趾人把城中官民全部杀死,共有五万八千多人。

己卯(二十二日),下溪州刺史彭师晏降服。

章惇派湖北提点刑狱李平去招抚彭师晏所属州峒蛮人张景谓、彭德儒、向永胜、覃文猛、覃彦坝,这些人都将他们管辖的土地归入朝廷版籍,彭师晏于是归顺朝廷。朝廷下诏遣送彭师晏到京师,授任他为礼宾副使,他手下的人有六十四人被授任官职。

辛巳(二十四日),朝廷追赠苏缄为奉国军节度使,谥号为忠勇,任他的儿子苏子元为西头供奉官、阁门祗候,并赏赐他在便殿晋见皇上。神宗说:"以前唐朝的张巡和许远防守睢阳,保卫江、淮地区,与爱卿的父亲相比,也不是强过很多。"

起初,邕州快要陷落时,苏缄气愤于沈起、刘彝招来贼兵,刘彝又坐视不救,要上疏劾奏他们,碰上道路不通。于是数说二人的罪状,张贴在街市上,希望借此让朝廷知道。到这个时候,朝廷治理沈起、刘彝挑动边境战争的罪责,将沈起贬官为郢州团练副使,安置在郢州;

将刘彝贬为均州团练副使,安置在随州。

辽国耶律伊逊已经诬陷了萧皇后,又想加害太子,趁机对辽道宗说:"皇帝与皇后如天地一样并存,中宫哪里能空闲呢?"就大力称赞驸马都尉萧锡默的妹妹美貌贤惠,辽道宗相信了,就把她纳入后宫。萧锡默党附于耶律伊逊,所以伊逊想引用他来帮助自己。

二月,戊子(初二),任命宣徽南院使郭逵为安南行营经略招讨使,赵离为招讨副使,把李宪召回朝廷。李宪长期在西北边境,喜好谈论兵战,王韶开拓熙河,李宪参与其事并立下功劳,所以朝廷任用了李宪。不久,李宪与赵离议事不相一致,神宗因此问赵离:"谁可以替代李宪?"赵离说:"郭逵对于边防事务很有经验,臣愿意做他的副手。"宋神宗听从了他,仍旧诏令占城和真腊合力攻击交趾人。

辽国赈救黄龙府的饥荒。

己丑(初三),宗噶尔首领果庄进犯五牟谷,蕃官蔺毡讷支等人迎击,大败他们。

己亥(十三日),宋神宗因对外出兵停止春宴。

癸丑(二十七日),辽国因为南京路饥荒,免除当地一年的租税。

乙卯(二十九日),下冰雹。

三月,丙辰朔(初一),朝廷抚恤钦州、廉州、邕州死于国事的兵士家属,埋葬阵亡的士兵;被贼兵蹂践的地方,免除田租。

辛酉(初六),辽国太后萧氏去世,谥为仁懿太后。萧太后很仁慈贤惠,凡是新年和生日,各国进贡的钱物,她都赏赐给贫苦的人。当初她在滦河时,亲自督率卫士平定了重元的叛乱,后来她梦见重元说:"臣的尸骨在太子山以北,受不住寒冷。"太后立即命人给他修建墓室。太后的仁慈怜悯之心一贯如此。

丁卯(十二日),辽国大赦天下。

甲戌(十九日),宋神宗登临集英殿,赏赐进士徐铎以下明经诸科的举子以进士及第、进士出身、同学究出身,共有五百九十六人。徐铎是邵武人。神宗因为详定官陈绎等人取录的一甲进士不精,给他们都加以罚铜的处分。

丁丑(二十二日),宋朝任用广西进士徐伯祥为右侍禁兼钦、廉、白三州巡检。

己卯(二十四日),宗噶尔首领果庄再次侵犯五牟谷,熙河钤辖韩存宝将他打败。

庚辰(二十五日),宋朝复任种谔为礼宾副使、知岷州,这是由于韩绛再度任相,曾为他申辩过去功劳的结果。

夏季,四月,戊戌(十三日),宋朝恢复广济河的漕运。

癸卯(十八日),诏令:"广南地区阵亡的士兵以及被贼兵残害的百姓,转运安抚司要核实并拟定赈济抚恤措施上奏朝廷。"

甲辰(十九日),朝廷把空白任官文状下发给安南行营,用来招纳降将、赏赐有功之人。下诏各路招募勇武之士开赴广西地区,追赠广西死于战事的将士大小不同的官职。

辛亥(二十六日),茂州少数民族侵犯边境,知成都府蔡延庆乞请朝廷调发陕西军队援救茂州,等救兵赶到,他将亲自带兵前去讨伐。神宗派内侍押班王中正经管此事,诏令蔡延庆务必稳重,不得轻易离开成都。

甲寅(二十九日),辽国派遣耶律孝纯来宋朝报告萧太后的丧事。宋神宗为她举行丧礼,并穿戴孝服,停止上朝七天。

五月，丙辰朔(初一)，诏令："邕州沿边地区州峒首领来投降的人，要周到地接待他们。"

丙寅(十一日)，宋朝又把两浙划分为浙东路和浙西路。第二年，又把两路合为一路，这是由于这里财赋不能分开的原因。

丁卯(十二日)，宋朝在茂州筑城。

壬申(十七日)，诏令："安南行营各部队在过五岭时有患病的，所到之处要加以护理治疗。"

庚辰(二十五日)，静州下首领董整白等人来降顺宋朝。

六月，己丑(初五)，绵州都监王庆、崔昭用、刘珪、左侍禁张义援救茂州时战死。

辛卯(初七)，诏令："沿海地区富裕百姓可以供养以采珠为生的蜑户，不要让他们被外夷引诱走。"

甲午(初十)，辽国把仁懿太后埋葬在庆陵。

己亥(十五日)，宋朝清查在押犯人，死刑犯降罪一等，杖刑以下犯人释放出狱。

己亥(十五日)，辽道宗驻跸古特里。辽国护卫萧和克愤慨于耶律伊逊横行不法，曾埋伏于桥下，趁耶律伊逊经过时，准备刺杀他。碰上天下暴雨，桥被毁坏，没有成功。他又想在行猎的地方刺杀他，被亲友们劝阻住了。朝中大臣对耶律伊逊侧目而视，没有人敢说他的奸邪。北面林牙萧严寿秘密地对辽道宗说："耶律伊逊在太子参与朝政以来，就心怀疑惧，又与张孝杰相互勾结，多次私相来往，恐怕他怀有阴谋，想动摇太子地位，不能让他们身居要位。"辽道宗醒悟过来，壬寅(十八日)，把耶律伊逊外放为中京留守。一时间大家都称颂辽道宗能采纳忠言，同知南院宣徽使谐里、都林牙耶律庶箴和耶律孟简各自上表祝贺。

辽国仁懿太后下葬入陵的事情还没完成，耶律伊逊的党羽看到他被调出朝廷，担心辽道宗改变主意，急忙劝辽道宗立好皇后，辽道宗依从了。丁未(二十三日)，辽道宗册立萧氏为皇后，又封萧后的父亲祗候郎君萧迪里喇为赵王，封萧后的叔父西北路招讨使萧伊哩额为辽西郡王，封萧后的兄长汉人行宫都部署萧锡默为柳城郡王。耶律伊逊被调出朝廷后，辽道宗把参知政事杨遵勖任为知南院枢密使事，把北院枢密副使萧锡萨任为知北院枢密使事，把汉人行宫副部署刘诜任为参知政事。

己酉(二十五日)，辽国南府宰相赵徽退休。

秋季，七月，丙辰(初二)，朱崖军黎族贼人黄婴前来侵犯宋朝，朝廷诏令广南西路严密部署准备抵抗。

壬戌(初八)，宋在下谿州筑城，神宗赐名为会谿城，驻军戍守，隶属辰州，当地百姓要同汉人一样交纳租赋。

癸亥(初九)，静州将领杨文绪勾结蕃部图谋叛乱，王中正把他斩首示众。

戊辰(十四日)，辽道宗举行秋山游猎，一日内射中三十头鹿，设酒宴款待随从人员，酒喝到兴起时，辽道宗令人作《云上于天诗》，又命北府宰相耶律孝杰坐在御榻旁边，辽道宗吟诵《黍离诗》"知我者谓我心忧，不知我者谓我何求"。耶律孝杰上奏说："现在天下太平，陛下忧虑什么？富有四海，陛下需求什么？"辽道宗非常高兴。

癸酉(十九日)，辽国柳城郡王萧锡默去世。

这一月安南行营在桂州驻扎，郭逵派遣钤辖和斌等督率水军渡海从东进入交趾，其他各军从广西进入交趾。

八月,己丑(初六),宋朝停止祠堂庙宇的买卖。当时司农寺命令全国的祠庙,允许依照坊场渡口的惯例招募人们承买,收取纯利。应天府的阏伯庙和微子庙也在出卖之列。判官刘挚叹气说:"竟然到了这种地步!"他前去拜见判府张方平说:"就不能向朝廷讲一讲这件事吗?"张方平很吃惊,委托刘挚上奏说:"阏伯迁到商丘,主祀大火,火是国家德运的凭依所在;微子在宋建国,也是本朝受天命建国号的来源。又有双庙,是祭祀唐张巡和许远的,他们是防守孤城死于贼手,能够抵御大乱的人。如今要是令人承买,小民只知营利,猥亵渎慢神灵,什么事都做得出来!朝廷每年获些小利,实际上有损国家大体。乞请保留这三座祠庙,以便与国家严肃典制礼法,追尊前代先烈的意思相符合。"奏疏递上去后,神宗极其愤怒,将奏文批付司农寺说:"轻慢神灵,侮辱国体,没有比这更严重的,要迅速停止这种事!"因此天下神祠庙宇都不准再出卖了。

庚寅(初七),辽道宗外出打猎,遇上一只幼鹿失掉母亲,怜悯它没有射杀。

丁酉(十四日),宋朝禁止北部边境百姓擅自出售粮食到境外。

九月,戊午(初五),修浚汴河。

辽国由于燕京发生蝗灾,免除当地第二年的租税。

丙寅(十三日),宋神宗诏令罢掉都大制置河北河防水利司。

己卯(二十六日),神宗下诏抚恤岭南地区死于战事的兵士家属,给阵亡将士立墓碑。

己卯(二十六日),辽道宗驻跸藕丝淀。

冬季,十月,乙酉(初二),太白金星在白天出现。

戊子(初五),翰林学士、权御史中丞邓绾被罢贬为兵部郎中、知虢州。壬辰(初九),把中书户房习学公事练亨甫贬为漳州军事判官。

当初,王安石与吕惠卿互相倾轧,王安石派徐禧和王古等人查办华亭一案,没有找到吕惠卿的罪状,另外又派蹇周辅查办,案件很久不能了结。王安石的儿子王雱严厉斥责练亨甫和吕嘉问,二人于是共同商议用邓绾数列吕惠卿罪状的奏文,夹杂在别的文书中交付给制狱。有一个堂史急忙赶到陈州告知吕惠卿,吕惠卿把这些情况上奏,并上书告王安石的状说:"王安石完全抛弃了平生学问,反而崇尚纵横家的末技当作奇术,以至于逸言陷害他人,压迫贤能,党结奸邪,发泄私恨,行为凶狠,假托圣命,欺诈君主。凡此种种罪恶,他在这一年里放肆去做,没有一样不做到,即便是古代不能得志而倒行逆施的人,大概也不会像他这样。"神宗把这份书状转给王安石看,王安石推辞说没有。王安石回家后问王雱,王雱讲了事情本末,王安石责备了他。当时王雱生疽疮已是年多时间,受此责备更加气愤,疽疮溃烂而死;王安石很是悲伤,更加急切地请求离职。邓绾想到王安石离任后自己会失势,就力劝神宗挽留王安石,言辞无所顾忌。神宗再三诘问邓绾,邓绾就讲实话说:"这是王安石的门人练亨甫替臣下设的言辞。"神宗命令吴充拿他的意思去质问王安石,王安石十分惊吓,立即上奏说:"臣听说御史中丞邓绾曾经为臣的儿子谋求官职,又荐举臣的女婿可资任用,还为臣子请求在京师赐予府宅。再加上邓绾近来荐举二名御史,过不久却乞请不要任命。听说其中一人叫彭汝砺,曾与练亨甫失和,邓绾听了练亨甫的游说,所以请求荐举别人。邓绾行为如此,怎么可以让他在谋划国家大事的职位上执法呢!练亨甫也不应当留作宰相的部属。"神宗因为邓绾心思不正,本性奸诈,议论政事,荐举他人都不守本分;练亨甫身任宰相属官,却与言谏官交往,所以有了上述贬降二人的命令。邓绾开始是通过迎奉王安石而得以任为谏官,等到吕惠卿的党羽们想倾陷王安石,邓绾都是尽全力来弹劾他们,练亨甫也是由于媚事王雱得到任用,至此反而因为王安石的话而相继被罢官贬斥。

乙未(十二日),诏令东南诸路教习检阅新招募的部队。

辽国耶律伊逊被外放为中京留守时,哭着对人说:"我耶律伊逊没有过错,是因为别人的谗言被贬出朝廷的。"他的同党把这话说给辽道宗听,辽道宗后悔了。碰上耶律伊逊过生日,辽道宗派了近臣耶律白斯本去赏赐东西为他祝寿,耶律伊逊趁机私下托他奏告说:"臣下看到奸人在朝廷弄权,陛下孤单危险,臣虽身在京外,心里很为陛下担忧。"耶律白斯本回京后,把这些话报告给辽道宗。辽道宗赐车给耶律伊逊,告谕他说:"不要担心不受重用,很快就要召回你的。"从此反而怀疑萧岩寿,把他外调为顺义军节度使。又下诏要近臣们讨论召回耶律伊逊一事,北面官员中没有人敢说话。契丹行宫都部署耶律萨喇说:"萧岩寿奏言耶律伊逊有罪,不能做朝廷重臣,所以陛下把他调出朝廷。如今又要召他,恐怕天下人生出疑心。"同知南院宣徽使谐里也说不能召他回来。耶律萨喇三次进言,左右大臣为此都很震惊,辽道宗最后没有听从。戊戌(十五日),召回耶律伊逊,又任北院枢密使。

丙午(二十三日),王安石被罢相。王安石再度任相后,多次称病要求辞职,等到儿子王雱死后,又坚决请求神宗解除他的重要职务。神宗也厌烦了王安石的所作所为,于是把他罢官为镇南军节度使、同平章事、判江宁府。王雱死时,年三十三岁。

枢密使、检校太傅吴充,礼部侍郎、参知政事王珪在保留原职时,加任同平章事。吴充的儿子吴安持虽然娶了王安石的女儿,但是吴充内心不赞同王安石的所作所为,多次对神宗说新法不好,神宗察知吴充保持中立,不是王安石一党,等到王安石罢相后,就任他为宰相。

把资政殿学士、知成都府冯京任命为知枢密院事。冯京与王安石同时在中书处,议事多不相合,王安石很是痛恨他,曾经就某一件事情写私信给吕惠卿说:"不要让同年的人知道。"冯京和王安石都是出生在辛酉年,所以称他为同年。等王安石再度任相,吕惠卿外放为知陈州时,把王安石前后所写私信上交给朝廷,其中一信说"不要让同年知道",又有一信说"不要让皇上知道"。神宗认为王安石在欺蒙自己而冯京刚直不阿,所以重新任用冯京。

十一月,乙卯(初三),宋朝把空白任官文状发给广南东路,募集钱物来助军饷。

辛酉(初九),朝廷录用唐魏征的后人。

甲戌(二十二日),辽道宗要览阅起居注,修注郎布延等人没进呈,各自被杖打二百,并被罢职。

耶律伊逊被起用后,势力更加扩大,他看到耶律萨喇,责备他说:"我与你无冤无仇,为什么你一个人有意见?"耶律萨喇态度严肃地说:"这是国家大事,哪里有私怨呢!"耶律庶箴私下去见耶律伊逊,哭着说:"前次上表祝贺,并不是我庶箴的本意呀!"耶律伊逊可怜他,也就放过了他,把谐里调出为广利军节度使,把耶律孟简贬官为巡磁窑关;又过不久,把萧岩寿流放到乌隈部,并终身拘禁役作。萧岩寿虽然被流放,还经常担忧着国家,当时有人对他说:"用狼来牧羊,哪里能久长!"

乙亥(二十三日),宋朝因为安南行营的将士出现瘟疫,派遣同知太常礼院王存去南岳祈祷,又派遣宦官建造祈福道场。

己卯(二十七日),洮东安抚司奏报包顺等在多移谷打败果庄的部众。壬午(三十日),果庄侵犯岷州,种谔指挥轻装部队在铁城发动袭击,打败了他。

这一月,辽国燕京发生地震,百姓房屋多数被毁坏。

十二月,丙戌(初四),郭逵攻占了广源州,伪观察使刘纪投降。

己丑(初七),皇子赵傭出生。

栋戬指派果庄集结部队于洮、岷两州,胁迫新近归附的羌人,使他们大多背叛宋朝归顺果庄。甲午(十二日),宋神宗派遣内侍押班李宪乘坐驿站车马去秦凤、熙河路处理边境事务,诏令各将领都受李宪的节制。

御史中丞邓润甫、御史周尹、蔡承禧、彭汝砺上奏说:"从古以来没有听说过有宦官当将帅的。唐明皇时,覃行章在黔中发生叛乱,才开始用杨思勖为招讨使,唐代的祸乱从此开始。唐代宗时,宦官鱼朝恩几乎危害了国家。唐宪宗信用吐突承璀,最终因轻视谋略败事,给后世留下祸害。陛下难道忍心重袭唐朝旧事,忘记天下的祸患吗?"他又说:"果庄的祸患小,任用李宪的祸患大。李宪作战不成功的话,祸患要小;要是他有功,祸患就大了。"奏章两次递上去,神宗都没听从。

辽国把左伊勒希巴萧托卜嘉任为南院统军使。耶律伊逊把北面林牙耶律延格用作自己的耳目。耶律延格狡诈而且聪明,凡他见到、听到的,必定全部告诉给耶律伊逊。耶律伊逊宠爱他,举荐了他,辽道宗也认为他贤能,任用为左伊勒希巴。

丁酉(十五日),神宗诏令:"岷州地区内被果庄部队战火破坏的人户,赐给钱币,被果庄胁从的人前来归降的,免除罪行。"

癸卯(二十一日),郭逵在富良江打败交趾人,俘获他们的伪太子洪真,李乾德派人捧了表章来到宋军辕门前投降。起初,赵卨推荐郭逵来代替自己,等到郭逵来后,就和赵卨不相合。赵卨想趁军队没有出动时,先行招抚安定两江的峒人,挑选其中强壮有武艺的人,以利益相诱,让他们去招降交趾人中心怀二心的人,打垮他们的腹心,然后用大部队继续进攻。郭逵没有听从这个建议。赵卨又想派人携带榜文潜入贼兵中招降,郭逵又没有听从。于是命令燕达先攻破广源,再回到永平。赵卨认为广源的小路与交州相距十二驿站远,乘势暗中攻击,出其不意,水陆并进,三路攻击,敌人必定溃散;他与郭逵力争,还是没有采纳。贼军因此占据富良江,在江上列好几百艘战船,宋朝官军不能渡河。赵卨分别派遣将士砍伐树木,修治进攻器具,宋军发射的机石像雨点一样,交趾人的战船全被毁坏。然后以老弱疲兵诱敌,埋设伏兵攻击他们,斩获首级数千,割下交趾人酋长的耳朵,捉到了洪真,贼兵穷蹙投降了朝廷。当时兵卒和民夫三十万人,冒着暑热,跋涉在瘴疠地区,死去的人超过半数。至此宋朝大部队距离交州才三十里路,只是隔着一条江,不能前进。郭逵有愧于自己轻敌,就上奏称病先回去了,于是宋军班师。

冷鸡朴引诱山后生羌人侵扰边境。庚戌(二十八日),神宗诏令:"有能斩到冷鸡朴首级的给予奖赏。"玛尔戬自己请求为朝廷效力,大家认为不能同意。李宪说:"这有什么妨害!羌族人天性就是害怕高贵的人。"听任玛尔戬前往。玛尔戬盛装出阵,羌人各自顾着看,毫无斗志,李宪的部队乘机进攻,杀死和俘获的数以万计,斩了冷鸡朴。栋戬害怕,立即派使者带着礼物来表示归顺。朝廷把李宪加任为宣州观察使、入内副承旨,设置了威戎军。

辽国耶律伊逊请求赏赐牧地,群牧林牙耶律寅吉上奏说:"现在牧地狭窄,牲畜不能繁衍,怎能把牧地分赐给臣下!"辽道宗才停止此事。耶律伊逊因此更加嫉恨耶律寅吉,把他任为怀德军节度使,很快又把他贬为漠北马群太保,不久他就死了。

【原文】

宋纪七十二　起强圉大荒落【丁巳】正月,尽十二月,凡一年。

神宗体元显道法古立宪帝德　王功英文烈武钦仁圣孝皇帝

熙宁十年　辽太康三年【丁巳,1077】　春,正月,癸丑,辽主如混同江。

乙卯,省诸道春贡金帛及停周岁所输尚方银。

庚申,权发遣荆湖南路转运判官唐义问言:"近废荆门军为长林县,屯兵减少,不足以控制要会。闻自废军以来,盐酒课息每岁亏数,过于所存役钱。乞复建军。"诏荆湖北路监司相度以闻,既而不行。

戊辰,仙韶院火,不视朝。

己巳,白虹贯日。

庚辰,诏开封府判官吴几复劾东头供奉官王永年,以永年诣宰相讼宗室叔皮等易衣私出求卜也。永年妻,叔皮女弟。永年自江南罢官,押钱纲赴京师,盗用数千缗,冀妻家为偿之,叔皮不为偿;三司督钱甚急。永年知叔皮尝于上元夜微服游闾里,乃夜叩东府告变云:"叔皮兄弟私访卜者,为己有天命,谋作乱,密造乘舆服御物已具。"故命几复鞫之。几复按验,皆无状。永年既服罪,会病,死狱中。

侍御史周尹言:"近制,太庙大祠,并差宗室使相以上摄太尉行事,所以重宗庙,尊祖考,亲皇族,训子孙也。去冬腊享及期,中书方欲出敕,有宗室遽在告,既别差官,翼日即奉朝请,亦有受誓戒后复辞疾者。窃惟宗室亲贤,蒙九圣积累之烈,已极尊崇显宠矣,所宜春秋致力以举礼。今乃以一日奉祠为惮,则是悖德弃本,莫甚于此。宜申约束,自今宗室使相合赴太庙行事者,毋得临时以疾苟免。如谓宗室使相以上员数不多,祠事频数,即差节度使以上通摄。"从之。

二月,壬午朔,辽东北路统军使萧罕嘉努,加尚父,封吴王。

甲申,命北院枢密使魏王耶律伊逊同母兄弟,世预北、南院枢密之选;其异母诸弟,世预伊勒希巴之选。

戊子,以果庄败,种谔等赏官有差。

己丑,辽主如鱼儿泺。

辛卯,日中有黑子如李,至乙巳散。

辽以中京饥,罢巡幸。

乙未,权御史中丞邓润甫言:"尝有兴利之臣,议前代帝王陵寝,许民请射耕垦,而司农可之。缘此唐之诸陵悉见芟刈,闻昭陵木已剪伐无遗。熙宁令前代帝王陵寝并禁樵采,遇郊祀则敕吏致祭,其德意可谓远矣。小人掊克,不顾大体,使其所得不资,犹不可为,况所获至浅鲜哉!乞下所属,依旧禁止樵采耕垦,并黜责创议之人。"诏:"唐诸陵除立定令条禁止顷亩外,其馀民已请射地,许依旧耕佃,为守陵户,馀并禁止。"

丁酉,诏:"诸州岁以十月差官检视内外老病贫乏不能自存者注籍,人日给米豆各一升,小儿半之,三日一给。自十一月朔始,止明年三月晦。"

己亥,枢密副使王韶罢。韶与安石异,数以母老乞归,帝语安石勉留之,安南之役,韶言:"广源之建,臣以为贪虚名而忘实祸,执政乃疑臣为刺讥。方举事之初,臣力争极论,欲宽民力而省财用,但同列莫肯听,至以熙河事折臣。臣本意不费朝廷而可以至伊吾卢甘,初不欲令熙河作路,河、岷作州也。今与众异论,倘不求退,必致不容。"韶本凿空开边,骤跻政地,乃以勤兵费财归曲朝廷,帝由是不悦,以观文殿学士、户部侍郎知洪州;又坐谢表怨慢,落职,知鄂州。

丙午,以复广源、苏茂等州,群臣表贺。曲赦广南西路诸州军。安南道经略招讨都总管、荆湖南路宣抚司并罢。行营军马除量留防守外,尽放归本路。经贼坊郭、乡村户及避贼失业者,并被杀土丁之家,去年已放税者更放,今年并二税役钱已免两料者更免两料。应经贼杀戮之家,见存丁口孤贫不能自存者,所在州军日给口食米。以广源州为顺州。

赐李乾德诏,许依旧入贡,送还所掠省地人口。是役也,帝令中书、枢密院具行营兵马数,兵四万九千五百六人,马四千六百九十匹,除病及事故,见存二万三千四百人,马三千一百七十四匹。

以郭逵判潭州,赵卨知桂州。以征交趾,移疾先还,逵既坐贬,卨亦以不即平贼,降直龙图阁、知桂州。

戊申,三司言:"奉诏同制置解盐使皮公弼详议中外所论陕西解盐钞法利害。盐法之弊,由熙河钞溢额,钞溢额故钞价贱,钞价贱故粮草贵。又,东、西、南三路通商州县权卖官,故商旅不行。如此盐法不得不改,官卖不得不罢。今欲更张前弊,必先收旧钞,点印旧盐,行贴纳之法,然后自变法日为始,尽买旧钞入官。其已请出盐,立限许人自陈,准新价贴纳钱印盐席,给公据。令条具所施行事。东南旧法,盐钞一席毋过三千五百,西盐钞一席毋过二千五百,尽买入官。先令商人以钞赴解州榷盐院并池场照对批凿,方许中卖。已请出盐,立限告赏,许商人自陈。东南盐一席贴纳钱二千五百,西盐一席贴纳三千,与换公据,立限出卖,罢两处禁榷官卖。其提举司出卖盐,并依客人贴纳价钱,充买旧钞支用,取客人情愿对行算请。从省司降篆书盐席木印样,委逐州军雕造,付所差官检点印记,给与新引。将京西南、北、秦凤、河东路、在京开封府界应通商地分,各举官一员。其全席盐,限十日内经官自陈,点印贴纳,委所差官点数,用印号,毁抹旧引,给与新引,其贴纳钱,许供通抵当。如商人愿旧钞依定价折会贴纳盐钱者,听从便,于随处送纳,抹讫封印,送制置司。若私盐衰息,官盐自可通行。民间请出两路盐,无虑三十五万席,比候民间变转,约须期年。虑缘边未入新法盐钱,粮草有阙,乞权于去年折纳欠负谷粟,计物价借充军粮,候入到盐钱,依数拨还。通商州军县镇,岁终,委转运、提点司各以管下民户多少,同者将缴纳商人,注卖盐引多少为准,比较增亏,依编敕江、淮等路卖盐酒,比较赏罚。"诏:"除提举出卖解盐司官卖地分别降指挥外,及市易司已

1557

买盐,亦依客人例贴纳价钱,馀依所定。"

三月,辛酉,分命辅臣祈雨于郊、庙、社稷,仍诏开封府界京东、西、河北转运、提点刑狱司,各访名山灵祠,委长吏请祷。

丙寅,三司言:"相度及再体问商人,自来出产小盐及邻接京东、河北末盐地分,澶、濮、济、单、曹、怀州、南京及开封府界阳武、酸枣、封丘、考城、东明、白马、长垣、胙城、韦城九县,令通商,必为外来及小盐侵夺,贩卖不行。合依旧官自出卖,仍召客人入中外,其河阳、同、华、解州、河中、陕府及开封府界陈留、雍丘、襄邑、中牟、管城、尉氏、鄢陵、扶沟、太(原)〔康〕、咸平、新郑十一县,欲且令通商,候逐月缴到客交引,对比官卖课利,不相远,即立为定法,若相远,或趁办年额不敷,即依旧官卖。"从之。

先是张景温提举卖盐,颇增盐价,民不肯买,则课民日买之,随其贫富作业为多少之差。有买卖私盐者,重赏募人告,以犯人家财充赏。民买官盐,食不尽,留经宿者,同私盐法,民间骚怨。盐钞每席旧直六千,至是才二千有馀,商不入粟,边储失备。朝廷疑之,召陕西转运使皮公弼入议其事,公弼极陈官卖盐为不便,诏与三司议之。沈括在三司,虽不能夺公弼议,然王安石方主景温,括希安石意,乃言若通商,则岁失官卖缗钱二十馀万。虽乞将管城等十一县并南京、孟、陕、同、华、卫六州府通商,而中书讫不行。安石既去位,括始与公弼共言官卖盐不可不罢,于是诏许孟、陕、同、华、解、河中六州府、陈留等十一县通商,馀官卖犹如故云。

壬申,诏州县捕蝗。

夏,四月,辛巳,复置宪州。

枢密直学士、给事中、知定州薛向为工部侍郎,再任。向辞所迁官,降诏不允。故事,前执政辞官乃降诏;两省降诏,自向始也。

初,辽使求地者久留邸舍,数出不逊语。边奏云、应集兵,治涿、易道,谓北人渝盟有端,累诏向察其实。向还奏:"辽人欲速成地界议,故多张虚势以动中国。使者惧朝廷不如其请,故为嫚言,徼幸取成。且兵来,不除道也。"后卒如向言。

癸未,中书门下言:"新科明法及第出身人,当年秋以本业试中明法,至有循两资者,推恩太优。今欲应明法及第,入试中明法,除入第一等合差充刑法官与依例推恩外,馀只免试,更不推恩。"从之。

乙酉,辽主泛舟黑龙江。

丁亥,于阗国入贡。

丁酉,诏礼部:"进士依旧试策五道。又,祖宗袒免亲已授官者,听锁应;及非祖免亲,许应举国子监及礼部,别为一甲,试两场,五分为额,发解所取不得过五十人。殿试与正奏名进士试策,别作一项考校。累举不中,年四十者,申中书奏裁,量材录用。"

癸卯,三司言:"近奉朝旨,将旧法东南盐钞委官于在京等七处置场,每席三贯四百,权于内藏库借见钱二十万贯应副收买,候贴纳到盐钱逐旋拨还。寻令市易务依此收买。本务申,客人拥并赴务投下文钞,据所买计用钱五十九万三千馀贯,省司全阙见钱,深虑有妨钞法。欲将在京客人所乞中卖文钞,除单合用钞别无收附,对勘却退,令于向西州军官场就近勘合中卖外,其馀钞数,尽行收买。价钱内三分支还见钱,馀七分依沿边入中钞价,细算合支价钱目,给与新引。所有合贴新钞,候降下指挥,从省司牒三班院,差使臣一员,赴制置解盐司取拨合销新钞,赴市易务下界契勘书填给付客人,令于解地请领盐货。所贵买尽民间旧钞,兼客人换得新引请盐,趁时变卖。"从之。其新钞仍在熙宁十年合出钞额。

甲辰,河东经略使韩绛言:"岚州合河津并无地与夏国接界,乞减寨主,量留厢军五人,及废上下津十七铺。又,上平关虽当把截津要,亦阻黄河之险,欲(上)〔止〕留监押一员,军士三百人。"从之。

五月,庚戌朔,监两京抽税竹木务、太子中允程颢改太常丞。以知河南府贾昌衡等言颢通古今,行谊修洁,改官八年,未尝磨勘故也。

戊午,诏修仁宗、英宗两朝正史,命宰臣吴充提举,以龙图阁直学士宋敏求为修史,集贤院学士苏颂同修史,集贤校理王存、黄履、林希并为编修官。

癸亥,知越州、资政殿大学士赵抃知杭州。抃知越州时,两浙旱蝗,米价踊贵,饿死者什五六。诸州皆榜衢路,立告赏,禁人增米价。抃独榜衢路,令有米者任增价粜之。于是诸州米商辐辏诣越,米价更贱,民无饿死者。

先是淮浙饥,诏出本界上供米损市价粜,以活饥民。发运副使卢秉言:"价虽贱,贫者终不得米。请偿余本,尽以其馀赈恤流民。"诏可。是岁奏计,帝问曰:"如闻滁、和民食蝗以济,有之乎?"秉对曰:"有之。民饥甚,死者相枕籍。"帝惨然曰:"独赵抃为朕言,与卿合。"前此发运司入奏,多献羡馀以希恩,秉独以钱七十万缗偿三司旧负,因言:"发运司但督六路财赋,以时上之,本无羡馀;以进者,率正数也,乞遂禁绝。"帝嘉纳之。

丙寅,诏郑州长史柴衮,令流内铨与注远处主簿或尉。衮,周世宗之侄玄孙,受命已十年,乞注一官故也。

庚午,诏:"侍御史知杂事蔡确,知谏院黄履,定夺卫州运河及疏浚黄河利害异同、理曲不实之人,劾罪以闻。如合就按验,辍官一员及取旨遣内侍同往。"

初,熊本既受命,与都水监主簿陈祐甫、河北转运使陈知俭共按问,诸埽言:"八年故河道水减三尺,浚川杷未至间已增三尺,杷至又增一尺。且从此以前十年,水皆夏溢秋复,不惟此一年,水落实非杷所至。"本等乃集临清、冠氏县十五人责状,及据埽上水历,即南岸以杷试验,虽小有增深寸数,翼朝再测,已与未浚时无异。又访议者,皆以运河之兴,有费无利,且为官私之患。遂以文彦博所陈为是,奏乞废浚川司。

时范子渊在京师,先闻之,遽上殿言:"熊本、陈祐甫,意谓王安石出,文彦博必将入相,附会其意,以浚川杷为不便。臣闻本奉使按事,乃诣彦博纳拜,从彦博饮食,祐甫、知俭皆预焉,及屏人私语。今所奏必不公。且观彦博之意,非止言浚川杷而已。陛下一听其言,天下言新法不便者必蜂起,陛下所立之法大坏矣。"帝颇惑其言,诏以本等奏送都水监及外监丞司。子渊遂讼本等以七月中北岸水历定五月中南岸河流涨落,又不皆至河所视其利害,及大名府已尝保明用杷浚二股功利牒转运司,兼本等专取索浚河司事总四千七百馀纸,即未尝取索大名府安抚司转运司事相参照。而确亦劾本奉使不谨,议论不公,乞更委官定夺是非。故就委确及履仍即御史台置狱推究。

同提举成都府等路茶场公事蒲宗闵言:"本司般卖解盐,已蒙改法,依旧通商。外有茶法,事亦相关,须至更改。每年欲起发茶四万驮赴秦州、熙河路,依市价卖,仍认定税息钱,应副博马、籴买粮草。并川峡路民间食茶,许逐场依市价添减收买,每贯收息钱一分出卖,仍沿贯纳长引钱。凤州、凤翔、永兴军、环庆路州军亦依旧为商地,分许客人于川中茶场算请兴贩。"知彭州吕陶亦言官场买茶,亏损园户,有致词诉及生喧闹。旋诏川中茶场免收息三分。

丙辰，辽玉田、安次县有蝗伤稼。

己巳，辽主驻辙山，宴群臣。辽主曰："先帝用仁先、华噶，以贤智也。朕有仁杰、伊逊，不在仁先、华噶下。"欢饮至夜乃罢。

甲戌，太白昼见。

辽太子自母后之变，忧见颜色。而耶律伊逊之党，以皇后废立皆由其谋，欣跃相庆，肆腾谗言谤，忠良之士，斥逐殆尽。护卫太保萧锡沙辨黠，善揣摩人意，数出入伊逊家，见朝臣不附者，辄摘使去之，锡沙得迁殿前副检点。会护卫萧和克谋杀伊逊事觉，伊逊械系之，考劾不服，流于边。锡沙谓伊逊曰："今太子犹在，臣民属心，大王素无根柢之助，复有诬皇后之怨，它日太子立，大王置身何地？宜熟计之。"伊逊曰："吾忧此久矣。"夜，召其党萧德哩特，谋所以构太子者。乙亥，伊逊使其党护卫太保耶律扎喇等告都部署耶律萨喇、枢密使萧苏萨等谋立太子。辽主命按问之，无迹，乃出萨喇为始平军节度使，苏萨为上京留守，鞭护卫六人，其馀各徙于边。

丙子，辽以西北路招讨使辽西郡王萧呼哩额为北府宰相兼知契丹行宫都部署事。呼哩额，孝穆之孙，便佞滑稽，尚郑国公主，拜驸马都尉。初与耶律伊逊不协，出为宁远军节度使。自后呼哩额揣知伊逊意，倾心事之；伊逊欲引为助，遂有是擢。

丁丑，诏使臣换文资，试律令大义十道，以八通为上，六通次之，四通又次之，并为合格，中书取旨。

戊寅，辽诏告谋逆者加重赏，耶律伊逊之谋也。时有耶律喏噜与其弟乌页皆党于伊逊，时号二贼。

六月，己卯朔，辽耶律伊逊使其党牌印郎君萧额都温仲父房之耶律托卜嘉上急变曰："昨者耶律扎喇所告萨喇等，其事皆实，臣亦与其谋，本欲杀伊逊而立太子。臣等若不言，恐事白连坐。"辽主信之，杖太子，幽之别室，命伊逊及耶律孝杰、耶律仲禧、萧呼哩额、杨遵勖、耶律延格、萧锡沙等鞠治。太子具陈枉状，谓延格曰："上惟我一子，今为储嗣，尚何所求！公与我为昆弟行，当念无辜，达意于上。"萧锡沙闻之，谓延格曰："如此奏，则大事去矣；当易其辞为款伏。"延格入，如锡沙言奏之，辽主大怒。中外知其冤，无敢言者，惟北院枢密副使萧惟信廷争之，辽主弗听。伊逊等穷治太子之党，逮北院宣徽使耶律托卜嘉、汉人行宫都部署萧托卜嘉等下狱，不胜榜掠，皆诬伏。伊逊恐辽主犹有所疑，引托卜嘉等庭诘之，各令荷重校，绳系其颈，不能出气；诸人不堪其酷，唯求速死；伊逊乃入奏曰："别无异辞。"遂杀萧托卜嘉、耶律托卜嘉与其弟陈留及东宫宿直官，遣使杀始平军节度使耶律萨喇、上京留守萧苏萨及其诸子，执萧岩寿、萧和克至京，杀之。时牵连被杀者众，盛夏，尸不得瘗，地为之臭。流耶律孟简于保州。

壬午，注辇国遣使朝贡。

癸未，诏："南京、郓、兖等州及邢州之巨鹿、洺州之鸡泽、平恩、肥乡县盗贼，并用重法。"

丙戌，辽废太子浚为庶人，囚之上京。太子将出，曰："吾何罪而至是？"萧锡沙叱令登车，遣卫士阖其车门而去。萧德哩特监送太子，时促其行，不令下车，起居饮食，数加陵侮，至则筑堵环囚之。西南面招讨使吴王萧罕嘉努上书言太子冤，不报。

丙申，知制诰孙洙言："熙宁四年中，建言者患制诰过为溢美，以谓磨勘迁官，非有绩效，不当专为训词。遂著令，磨勘皆为一定之辞；文臣待制、武臣邻门使以上，方特命草制，其馀悉用四句定辞。遂至群臣虽前后迁官各异,而同是一辞;典诰者虽姓名各殊,而共用一制;一门之内,除官者各数人,文武虽别,而并为一体。至于致仕、赠官、荐举、叙复、宗室赐名、宗妇封邑、斋文疏语之类,虽名体散殊,而格以一律,岁岁遵用,非所以训百官,诏后世也。前世典章,本朝故事,未尝有此。陛下天纵神圣,言成典谟,而典诰之臣乃苟简如此,岂称明诏所以垂立一代制度之意哉!伏望皆令随事撰述,但不得过为溢美,以失事实。"诏:"舍人院撰词,少卿监以下,奏荐叙封,每遇大礼一易;恩泽举人,每科场一易;封宗室妇女,逐时草制;文官转官致仕并选人改京朝官知县,并随等撰定。"其后舍人院又请"百官封赠,尝任待制、观察使以上其子封赠,并随事别撰"。从之。

辛丑,枢密院言:"闻邕州、钦州峒丁,其人颇骁勇,但训练不至,激劝无术。欲委经略司选举才武廉干之人为都司巡检等,提举训练,每季分往按阅。逐峒岁终具武艺精强人数,首领等第给俸;提举官以武艺精强五分以上议酬奖。仍令五人附近者结一保,五保相附近者结一队。每按阅,保、队各相依附;至于战斗,互相救助。勇怯分为三等:有战功或武艺出众为上等,免差役;人才趫捷为中等,免科配;馀为下等。常日不妨农作,习学武艺,遇提举官按阅,即聚一村按试,毋得豫集边境。有盗贼,令首领相关报。"从之。

壬寅,三司言铸大钱欲乞且依旧额,今后如有添铸,乞除陕西、河北、河东外,诸路并铸小钱。又言河北西路转运司请于邢、磁州置监,鼓铸折二钱铁十万贯,今相度欲于永兴军路铸折二铁钱十万贯,却于河北西路添铸大铜钱。并从之。

丁未,置岷州铁城堡。

戊申,辽遣使按五京诸道狱。

秋,七月,辛亥,辽赏告谋废立者,护卫太保札喇加镇国大将军,预边州节度使之选;祗候郎君耶律托卜嘉加监门卫上将军,牌印郎君萧额都温为始平军节度使。额都温,即萧托卜嘉之弟也。先是萧托卜嘉尚赵国(主)〔公〕主,公主,懿德皇后所生,故萧托卜嘉与太子善;耶律伊逊嫉之,卒及于难。额都温见其兄死,遂欲逼尚公主;辽主许之,拜驸马都尉。公主以额都温党于伊逊,恶之。

辽徙太子馀党于边。耶律努旧与耶律伊逊有隙,亦在徙中。其妻萧意辛为呼图公主之女,辽主以公主故,欲使意辛与努离婚。意辛辞曰:"陛下以妾葭莩之亲,使免流窜,实天地之恩。然夫妇之义,生死以之。妾自笄年从努,一旦临难,顿尔乖离,背纲常之道,与禽兽何异!幸陛下哀怜,与努俱行,妾虽死无憾!"辽主从之。意辛在流所,亲执役事,无难色,事夫礼敬有加于旧。

伊逊追憾女子常格尝作诗讥己,欲因太子事诬以罪,按之无迹,获免。会其兄耶律迪噜谪镇州,常格与之俱。时朝臣屏息事伊逊,太子之废,扬扬如平时。常格在谪所,恒布衣疏食。问曰:"何自苦如此?"常格曰:"皇嗣无罪遭废,吾辈岂可美食安寝乎?"闻者愧之。

辽北院枢密副使萧罕嘉,经画西南边天池埅,立堡砦,正疆界,刻石而还。壬子,擢汉人行宫都部署。

癸丑,颍州团练推官邵雍卒。雍受《易》于李之才,探赜索隐,衍伏羲先天之旨,著书十万馀言。富弼、司马光、吕公著在洛,雅敬雍,为市园宅,雍名其居曰安乐窝。以荐授将作主簿,后补颍州团练推官,皆固辞;及受命,竟称疾不之官。程颐尝与议论终日,退而叹曰:"尧夫,内圣外王之学也。"

甲寅,祷雨。

诏:"今后广南西路系恶弱水土州郡,合差(依)〔医〕官处,如额外祗候人愿往者听。"

乙卯,帝谓辅臣曰:"元昊昔僭号,遣使上表称臣,其辞犹逊;朝廷不先诘其所以然,而遽绝之,纵边民、蕃部讨虏。故元昊常自谓为诸羌所立,不得辞,请于朝廷,不得已而反,西师战辄败,天下骚然,仁宗悔之。当元昊僭书来,谏官吴育谓夷狄难以中国叛臣处之,或可稍易以名号。议者皆以为不然,卒困中原,而使加岁赐,封册为夏国主,良可惜哉!"

丁巳,翰林学士、权三司使沈括为集贤院学士、知宣州。先是侍御史知杂事蔡确言:"括以白札子诣吴充陈说免役事,谓可变法令,轻役依旧轮差。括为侍从近臣,既见朝廷法令有所未便,不明上章疏,而但于执政处阴献其说。兼括累奉使察访,职在措置役法,是时但欲裁减下户钱,未尝言复差徭。今非其职而遽请变法,前后反覆不同。朝廷新政,规画巨细,括莫不预,其于役法讲之固熟。如轻役之不用差法,括前日不以为非而今日不以为是者,其意固不难晓。盖自王安石罢相,括恐大臣于法令有所改易,故潜纳此说以窥伺其意,为附纳之资尔。且括自主计以来,一无所补,其驭下则取悦而已,其事上则观望而已,中外之所共传,圣明之所尽照;而阴以异论干执政欲变更役法一事,尤为显著。窃闻中书亦尝以此札子进呈,下司农寺相度。天慈兼容,既不加诘,而臣以弹邪绳奸为职,安敢避默!伏望陛下推括之情,特行罢黜。"诏札与括知。括即上疏待罪,有诏,令括就职。确又言:"括谓役法可变,何不言之于检正察访之日而言之非职事之时?不言之于陛下而阴言之于执事?括之意岂在朝廷法度,但欲依附大臣,巧为身谋而已。伏望陛下断在不疑,正括之罪。"故有是命。

诏:"诸路岁上知县、县令考课优等治状,委主判官审校,取最优者上簿,司农寺主簿及提举常平官有阙,选最优者充;即治状尤异或资任已高须别如升擢者以闻。"

辛酉,群臣五上尊号曰奉天宪古文武仁孝皇帝,不许。

辛未,太常丞、集贤校理、知湖州鞠真卿为太常博士、直秘阁;以宣徽北院使王拱辰、御史中丞邓润甫言真卿自改官至登朝三十年,非特恩未尝陈请磨勘故也。

帝御资政殿,监修国史吴充率修国史宋敏求、编修官王存、黄履、林希以《仁宗、英宗纪草》进呈。帝服靴袍,内侍进案,敏求进读,帝立听顾问,终篇始坐。

乙亥,贬宣徽南院使、雄武军留后郭逵为左卫将军,西京安置;吏部员外郎、天章阁待制赵卨为左正言、直龙图阁,依旧知桂州;以御史知杂蔡确言逵经制南安,移疾先还,卨措置粮草乖方及不即平贼也。

是月,河复溢卫州王供及汲县上、下埽,怀州黄沁、滑州韩村,乙丑,遂大决于澶州曹村,澶州北流断绝,河道南徙,东汇于梁山张泽泺,分为二派:一合南清河入于淮,一合北清河入于海。凡灌郡县四十五,而濮、齐、郓、徐尤甚,坏田逾三十万顷。遣使修闭。

诏太常礼院续修《礼阁新编》。

辽主如秋山,谒庆陵。

八月,丙戌,诏监察御史里行黄廉为京东路体量安抚。廉尝言都检正俞充结中人,徼幸富贵,不宜使佐具瞻之地,并言王中正任使太重,恐为后忧,又面论之甚切。帝曰:"人才盖无类,顾驾驭之何如耳。"廉对曰:"虽然,渐不可长。圣人长驾远驭,故四凶在朝,不废时雍。彼皆才器犖然过人,任使称意;为后世虑,故放殛之耳。"帝曰:"且置此事。河决曹村,京东尤被其害,今以累卿。"

廉既受命，前后条举百馀事，大略疏张泽泺至滨州以纾齐、郓，而济、单、曹、濮、淄、齐之间，积潦皆归其壑。郡守、县令能救灾养民者，劳来劝诱，使即其功，发仓廪府库以赈不给。水占民居，未能就业者，择高地聚居之，皆使有屋避水。回远未能归者，遣吏移给之，皆使有粟。所灌县郡，蠲赋弃责，流民所过，毋得征算。使吏为之道地，止者赋居，行者赋粮；忧其无田而远徙，故假官地而劝之耕；恐其杀牛而食之，故质私牛而与之钱；弃男女于道者收养之，丁壮而饥者募役之。卒事，所活饥民二十五万三千口，壮者就功而食，又二万七千人。

戊子，镇南军节度使、同平章事王安石再上表，请以本官充集禧观使；诏不允，仍遣安石弟权发遣度支判官安上赍诏往赐之。

己丑，遣苏颂等贺辽生辰。颂至辽，遇冬至，其国历后宋历一日。北人问："孰为是？"颂曰："历家算术小异，迟速不同，如亥时节气交，犹是今夕，若逾数刻，则属子时，为明日矣。或先或后，各从其历可也。"北人以为然。使还，以奏，帝嘉曰："朕尝思之，此最难处，卿所对殊善。"因问其山川人情向背，对曰："彼讲和日久，上下相安，未有离贰之意。昔汉武帝久勤征讨，而匈奴终不服；至宣帝，呼韩单于稽首称藩。唐自中叶以后，河湟陷于吐蕃，宪宗慨然有收复意；至宣宗时，乃以三关、七州归于有司。由是观之，外国之叛服不常，不系中国之盛衰也。"颂意盖有所讽，帝以为然。

庚寅，辽汉人行宫都部署萧罕嘉以从猎坠马卒。

辛丑，权发遣三司使李承之言："三司近岁以来，财货匮乏为甚，计月支给，犹惧不足。以承平百馀年，当陛下缉熙庶政之日，国用如此，可不深虑？夫国无三年之蓄，国非其国，况无兼月之备乎？此则有司失职，因循苟且之罪也。唯深思邦计之重，诏股肱大臣谋所以理财经久之术。"诏："三司使副同讲求理财经久之术，具利害条画以闻。"其后三司言："在京官司，应支用系省钱物，并令关由三司。发运、转运、提举铸钱、盐事等司及州、县，于三司所统者，违慢不职，许行勘劾；事理重者，奏乞先行冲替；若职事修办，乞行奖擢。诸路上供不足，或年计不备，许选官体量。或因朝廷差官出入，许就委点检钱谷公事。"并从之。

辽主复谒庆陵。

是月，河决郑州荥泽埽。

九月，庚戌，赠颍州团练推官邵雍秘书省著作郎，赐粟帛。以知河南府贾昌衡言，雍行义闻于乡里，乞赠恤也。宰相吴充请于帝，赐谥康节。雍初与常秩同召，雍竟辞不起，士大夫高之。

乙卯，诏："诸官司承准传宣、内降与奏请及面得旨，事无条式者，申中书、枢密院覆奏。例不应申而辄申者，准直批圣旨敕科罪；诸房失检勘，受而施行者，亦如之。上殿进呈文书，并批送中书、枢密院，不得直批圣旨送诸处，违者承受官司缴（连）〔进〕以闻。即非理干求恩泽及乞原减罪犯者，中书、枢密院劾之。"

癸亥，以屯田郎中、侍御史周尹提点荆湖北路刑狱。

先是尹上言："成都府路置场榷买诸州茶，尽以入官，最为公私之害。初，李杞倡行榷法，夺民利未甚多，故为患稍浅。及刘佐攘代其任，增息钱至倍，无它方术，惟割剥于下，而人不聊生矣。大抵在蜀，则园户所苦，压其斤两支钱，侵其价直；在熙、秦州，则官价太高，而民间犯法不可禁止。又，般运不逮，糜费步乘，推积日久，风雨损烂，弃置道左，同于粪壤。兼所至不通客旅，惟资无赖小民，结连群党，持（伏）〔仗〕私贩，亏失征税。茶司认虚额，又侵盗相继,刑罚日滋,致数千里之害,可为深虑。臣顷在京师传闻其事,既未详尽,安敢轻议！今受命入蜀,所至体问,乃知买茶为害甚巨,有知彭州吕陶、知蜀州吴师孟等论奏,可以参验。往者杞、佐继陈苟法,即信用其言,曾不略加参考;今议者条其刑蠹,悉皆明白,未即采听。何勇于兴利而怯于除害乎？愿敕有司速究榷茶之弊,俯徇众论,宽西南之虑。"又曰:"窃详朝廷之意,未欲遽罢茶禁者,必以熙河路买马年计茶最为急耳。但通商之后,旧来诸路茶税年额钱总二十九万馀缗,先已复故,即可委诸路转运司一面管认赴熙河路外,有见今官茶所在州县,堆积极多,足支数年买马。自今商旅贩秦州、熙河路茶,必能有备。臣体问废罢改革事,皆商旅所愿。望速下本路,逐处根究。臣之所陈有实,即乞罢榷茶之法,许通商买卖以安远方。"尹还,未至都而有是命。

辽玉田县贡嘉禾。

乙丑,诏改名汴河上流北门曰宣泽。旧汴河下流水门南曰上善,北曰通津,上流水门南北皆曰大通,故改今名。五丈河下流水门曰善利,而上流水门旧无名,赐名曰永顺。

戊辰,泾原路经略司言德顺军捕获西界禹藏花麻使来卖马蕃部撒蝉等十四人,诏经略司估直给钱,安慰遣之。或言:"撒蝉等非卖马,实为间也。"蔡延庆曰:"彼疑,故来觇;执之,是成其疑也。"卒遣之。

壬申,辽修乾陵庙。

诏:"近范子渊奏用杷浚荥泽堈河北岸滩觜解南岸急危图状,可并付定夺所照会。"帝既令蔡确等定夺熊本及子渊是非,又令冯宗道监视子渊用杷浚汴。宗道测量汴流,有深于旧者,有为泥沙所淤更浅于旧者,有不增不减者,大率三分各居其一。宗道日具实以闻。帝意稍悟,治狱微缓。会荥泽河堤将溃,诏判都水监俞充往治之。充奏河欲决,赖用浚川杷疏导得完,子渊因图、状自明,于是治狱益急矣。

癸酉,立义仓。

甲戌,濮国公宗朴兼侍中,进封濮阳郡王。

权发遣河北西路提点刑狱丁执礼言:"今之县邑,往往故城尚存,然摧圮断缺,不足为固。乞择(今)〔令〕之明者,使劝诱城内中上户出夫以助工役,以渐治之。"诏:"诸路转运司委知州、知县,检视计度合修城壁功料,于丰岁劝诱。五路除缘边外,择居民繁庶及当冲要县诸路,即先自大郡修完。"初,执礼自馆阁校勘出为提刑,帝宣谕曰:"卿职刑狱盗贼,然盗贼最急,宜用心督捕。"

冬,十月,戊寅朔,濮阳郡王宗朴薨;封定王,谥僖穆。

庚辰,侍读邓润甫、陈襄迩英阁进读,因言:"司马迁载秦、汉以来君臣事迹,有不可陈于君父之前者,如《吕不韦传》之类是也。"帝曰:"类此者,皆阙之勿读。"侍讲沈季长、黄履奏:"讲《诗》毕,请讲何经？"帝曰:"先王礼乐法度莫详于周,宜讲《周礼》。"

辛卯,果庄、栋戳遣人入贡,听寓止同文馆。

癸巳,昭化军节度使宗谊封濮国公。诏濮王子以次袭封奉祠。

乙未,知河阳、翰林侍读学士吕公著提举中太一宫。公著至京师,时将祀南郊,特诏邠门以散斋日对延和殿,劳问周至,且曰:"不见卿七八年,殊觉卿老也。"公著回奏:"臣伏睹近诏举才行堪任升擢官。窃观陛下自临御以来,虚心屈己以待天下之士,诚欲广收人才,无所遗弃。然世固未尝乏贤,而人才亦不可多得。今中外所举盖百有馀人,虽不能尽当,诚参考名实而试用之,宜有可以塞厚望、应明指者。臣又窃详今日诏意,正欲达所未达,然数年以来,天下之士,陛下素知,其能尝试以事而终就闲外者尚多,恐其间亦有才实忠厚、欲为国家宣力者,未必尽出于迂阔缪戾而难用也。汉武帝时,公孙弘初举于朝,以不称旨罢,后再以贤良举,帝亲擢为第一,不数年,遂至宰相。由是观之,人固未易知,而士亦不可忽。何则?昔日所试,或未能究其详,数年之间,其才业亦容有进。惟陛下更任之事以观其能,或予之对以考其言,兼收博纳,使各得自尽,则圣明之世,无滞才之叹,不胜幸甚!”自熙宁初,论新法不附执政者,皆遣逐,不复收用,故公著首言之。

戊戌,太子太师张昪卒,年八十六。赠司徒兼侍中,谥曰康节。

庚子,永国公俊卒,年五岁。帝悲甚,废朝五日,又不视事三日。封兖王,谥哀献。太常礼院言准礼为无服之殇,诏特举哀成服。

辛丑,辽主驻藕丝淀。

乙巳,复永静军阜城镇为县。

十一月,庚午,以西蕃邈川首领栋戬都首领青宜结果庄为廓州刺史,阿令骨为松州刺史。

甲戌,祀天地于圜丘。

辽萧锡沙迁北院枢密副使,复为耶律伊逊陈阴害太子之计,伊逊从之。先是萧达和克以奸险附于伊逊,遂见奖援,稍迁至旗鼓苏拉详衮。伊逊欲害太子,以达和克凶果可使,遣与近侍直长萨巴诣上京同留守萧达德,夜,引力士至囚室,给以有赦,召太子,杀之,达德以病殂闻。太子死时年二十。辽主哀之,命有司葬龙门山;欲召其妃还,伊逊复遣人杀之。太子之子延禧及女延寿俱养于萧怀忠家。伊逊之党互相庆贺,聚饮数日。

耶律伊逊数荐引其党耶律哈噜,擢至北院大王,未几,其弟乌页亦至南院大王。然其党又互相猜忌。萧额都温既尚赵国公主,后与伊逊议不合,伊逊衔之,旋以车服僭拟人主被诛。额都温临刑语人曰:“前诬告耶律萨喇事,皆伊逊教我,伊逊恐事彰,杀我以灭口耳。”

辽以萧达和克为国舅详衮,耶律伊逊引之也。达和克恐杀太子事泄,出入常佩刀,有急召,即欲自杀。然辽主昏暗不省,卒得无恙。

前同知太常礼院张载卒。载家居,与诸生讲学,以《易》为宗,以《中庸》为体,以孔、孟为法,其家婚丧嫁祭,率用先王之意而傅以今礼。世称横渠先生。

十二月,丁丑朔,占城国献驯象。

壬午,诏改明年为元丰。

详定一司敕所以《刑部敕》来上,其朝旨自中书颁降者皆曰敕,自枢密院者皆曰宣,凡九门,共六十三条;从之。

甲申,手诏:“比杨琰、高靖检河道回,具所见条上,可召审问,参质利害,庶被灾之民不致枉有劳役。”

初,河决曹村,命官塞之,而故道已埋,高仰,水不得下。议者欲自夏津县东开签河入(董)〔董〕固,护旧河七十里九十步,又自张村埽直东筑堤至庞家庄古堤,衰五十里二百步,计用兵三百馀万,物料三十馀万。而琰等以为口塞水流,则河道自成,不必开筑以縻工役。帝重其事,故令审问,仍诏侍御史知杂事蔡确同相视以闻。既而以确母病,改命枢密都承旨韩缜。后缜言:“涨水冲刷新河,已成河道。河势变移无常,虽开河就堤及于河身创立生堤,枉费功力。欲止用新河,量加增修,可以经久。”从之。

丁亥,封皇子佣为均国公。

诏:"经制熙河路边防财用司条上利害事,内有可行者,宜先行下,庶于田事未兴,可及时经画,以助边费。"时以熙河用度不足,仰度支供亿,于是命入内都知李宪领经制财用司。中书具宪所条上可施行者凡十四事,如所奏行之。

癸巳,韩缜等上与辽人往复公移及相见语录并地图,诏缜同吕大忠以耶律荣等赍来文字、馆伴所语录及刘忱等按视疆场与北人论议及朝廷前后指挥,分门编录以闻。

甲午,知谏院黄履言:"近因陪侍郊祭,窃观礼乐之用,以今准古,有未合者。伏望命有司并群祀考正其大略,而归之情文相称。"诏履与礼院官讲求以闻。

辛丑,诏以诸路禁军阙额数多,遣大使臣七员于开封府界、京东、西、陕西、荆湖路,与长吏及当职官招简填补。

甲辰,诏铸钱司并以"元丰通宝"为文。

辽以北面宰相辽西郡王萧呼哩额知北院枢密使事,以左伊勒希巴耶律延格为契丹行宫都部署;耶律伊逊荐之也。

初,辽主从耶律伊逊之言,纳萧后,居二年,未有子。后有妹,嫁伊逊之子舒嘉。后言于辽主,称其宜子,遂离婚,纳于宫中。萧呼哩勒即以女侄妻舒嘉,恃势横肆,至有无君之语,朝野侧目。

辽预行正旦礼。

是岁,辽南京大有年。

【译文】

宋纪七十二　起丁巳年(公元1077年)正月,止十二月,共一年。

熙宁十年　辽太康三年(公元1077年)

春季,正月,癸丑(初二),辽道宗前往混同江。

乙卯(初四),宋朝减省各道春季上贡的金帛,停征每年都要输纳的尚方银。

庚申(初九),权发遣荆湖南路转运判官唐义问上奏说:"近来撤废荆林军改为长林县,屯兵减少,不足以控制这里的要害城镇。听说从废除荆门军以来,征课盐酒税每年亏损的数额,超过积存下来的役钱,乞请重新建置荆门军。"神宗诏令荆湖北路监司根据实情研究上奏,后来却没有什么行动。

戊辰(十七日),仙韶院发生火灾,神宗没有坐朝听政。

己巳(十八日),有白虹横贯太阳。

庚辰(二十九日),诏令开封府判官吴几复弹劾东头供奉官王永年,因为王永年去见宰相控告宗室赵叔皮等人换装私自外出占卜一事。王永年的妻子是赵叔皮的妹妹。王永年从江南解职后,押运钱纲赴京师,盗用了几千缗钱,希求妻子的娘家替他补偿,但赵叔皮不替他赔偿,而三司催索钱币很急。王永年得知赵叔皮曾经在上元夜穿便服游逛京城街巷,当夜就去叩开宰相府大门告发变乱之事:"赵叔皮兄弟私自访求占卜的人,认为自己有天命,图谋作乱,秘密制造乘舆皇袍等御用物品已经完备。"所以命令吴几复审查。吴几复审问,都没有证据。王永年认罪后,刚好生病,死在狱中。

侍御史周尹上奏说:"按近年的制度,在太庙举行大祭祀,同时要派宗室中有使相以上官衔的人以代理太尉的身份主持,这是为了尊重宗庙,尊奉祖先,亲睦皇族,训导子孙。去年冬天腊祭到期时,中书正要发出敕令,有的宗室突然告假,另外差派了官员后,这些宗室第二天就能朝见皇上,也有的宗室在接受戒誓后又称病辞职的。臣私下认为宗室是至亲至贤的人,承受了历代先祖积累下来的功业,地位已是最尊贵显宠了,应该在春秋祭祀时尽力于礼仪。现在却因一天的奉祀而害怕躲避,实在是违背了道德,丢弃了根本,没有比这更严重的。应该严明法纪道德,今后宗室中使相以上职衔的人应该赴太庙主持祭礼的,不准临时托病推辞。如果认为宗室中有使相以上官衔的人员不够,而祭祀频繁,就派节度使以上的官员代理。"神宗听从了。

二月,壬午朔(初一),辽国东北路统军使萧罕嘉奴被加官为尚父,封为吴王。

甲申(初三),辽道宗命令北院枢密使、魏王耶律伊逊的同母兄弟,世代预为北院和南院枢密的人选,他的异母兄弟,世代预为伊勒希巴的人选。

戊子(初七),宋朝因为果庄被打败,种谔等人被赏给高低不等的官职。

己丑(初八),辽道宗前往鱼儿泺。

辛卯(初十),太阳中出现李子一样大的黑子,到乙巳(二十四日)日消失。

辽国因为中京大定府饥荒,辽道宗取消了巡幸之事。

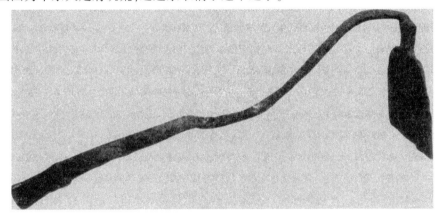

铁弯锄　北宋

乙未(十四日),权御史中丞邓润甫上奏说:"曾经有营利的大臣,建议把前代帝王的陵墓地区,允许百姓租借耕垦,而司农寺批准了。因为这个缘故,唐代各陵园都被砍去了树木,听说唐太宗的昭陵,树木已被砍伐无遗。熙宁年间下令,前代帝王陵园全都禁止砍柴伐木,遇到郊祀要敕派官吏前去祭奠,这种德意可以说很远大。小人贪利苟求,无视国家大体,即使收获多得不可计算,仍然不能去做,何况所获极其微小!乞请下令有关部门,依旧禁止采伐耕垦前代帝王陵园,并且贬罚首先提出这一建议的人。"神宗下诏:"唐代各帝王陵园除了制订条规禁止耕种的以外,其余已被百姓租借的地方,允许依旧租借耕种,成为守陵户,其余的禁止耕种。"

丁酉(十六日),诏令:"各州每年在十月派官员巡视各地方,有年老、生病、穷困不能自己生存的人,要登记注册,每人每天发给米豆各一升,小孩发半升,三天发一次,从十一月初一开始,至第二年三月底止。"

己亥(十八日),枢密副使王韶被罢官。王韶与王安石合不来,多次以母亲年老乞请归家,神宗要王安石劝慰挽留他。安南发生战事,王韶上奏说:"广源州的置建,臣以为是贪求虚名而忘记实祸,执政大臣反而怀疑臣在讥刺朝廷。与交趾的战争刚开始,臣极力争论反对,想要宽缓民力和节省钱财,但是同僚们不肯听,甚至借熙河一事来驳斥臣。臣下的本意是不耗费朝廷财力,却能把边境开拓到伊吾卢甘地区,最初并不想在熙河设路,河、岷设州,现在与大家意见不一,假若不请求免职,必定不为他人所容。"王韶本来因为打通边疆、开拓边境,迅速跻身执政地位,居然用多兴兵马耗费钱财来归罪于朝廷,神宗从此不高兴,把他以观文殿学士、户部侍郎的官衔出知洪州;又因为他的谢表中有怨望、轻慢之意,被免去馆职,任为知鄂州。

丙午(二十五日),因为收复广源、苏茂等州,群臣上表庆祝。朝廷特赦广南西路各州、军的囚犯,安南道经略招讨都总管、荆湖南路宣抚司都撤销,行营的兵马除了酌量留驻防守外,全部放归本路。被贼兵杀掠的城镇、乡村人户以及因躲避贼兵失业的,还有被贼兵杀害的土丁之家,去年已被免税的继续免税,今年连同两税役钱被免除两料的,继续免除两料。被贼兵杀害的人家,现存丁口孤单贫困不能自己生存的,所在的州军要每天发给口粮。把广源州改名为顺州。

宋朝赐给李乾德诏书,允许他依旧入朝纳贡,送还交趾各地被俘获的人口。此次作战,神宗命令中书门下、枢密院奏报行营兵马数字,有士兵四万九千五百零六人,马四千六百九十匹,除去因病因事死去的,现存二万三千四百人,马三千一百七十四匹。

朝廷任命郭逵判潭州,任命赵卨知桂州。因为征讨交趾时,郭逵上书称病先回,所以被贬官,赵卨也因为没有彻底平定贼人,降职为直龙图阁、知桂州。

戊申(二十七日),三司上奏说:"奉诏同制置解盐使皮公弼详细议论朝廷内外关于陕西解盐法利弊所持的观点。盐法的弊害,是由于熙河路发行的盐钞超过了定额,盐钞超过定额使得盐钞价格低,盐钞价格低又使粮草价格贵。加上东、西、南三路通商的州县食盐官卖,所以商旅不行。像这样盐法不能不改,官卖不能不停。现在想要纠正先前的弊害,必须先收回旧盐钞,清查旧盐,实行贴纳办法,然后从变法那天起,全部买回旧钞归官府。那些已经凭钞请出的盐,定下期限允许商人自己呈报,准许按照新价格缴纳贴纳钱,在盐席上加印,发给官府文据。下令各地分条陈报执行情况。东南地区过去的盐法,规定盐钞一席不能超过三千五百,西面盐钞一席不能超过二千五百,全部买归官府。先让商人凭盐钞到解州榷盐院和盐池场对照验实后,才允许转卖。已经请出的盐,立下期限让人告发领赏,也允许商人自己呈报。东南地区盐钞一席贴纳利息钱二千五百,西面盐钞一席贴纳三千钱,给他们换发官府文据,限期出卖,停止这两个地区的食盐官卖。凡是提举司出卖食盐,同样依照客商贴纳价钱,充作购买旧盐钞的费用,根据客商所愿对行算清。从省司发下来的篆体盐席木印样品,委派给各州、军刻制,给派遣去的官员交付点收印记,给予新发的盐引。京西南路、北路、秦凤路、河东路、在京开封府的地界内应该通商的地方,各自荐举一名官员。全部席盐限在十天内向官府自己呈报,核验贴纳利息钱,让派差去的官员点数,盖上印记,毁掉旧盐引,发给新盐引,那些贴纳的利钱,允许流通或作抵押。如果有商人愿意用旧盐引按照定价折成贴纳钱的,听其自便,随地都可以送缴贴纳钱,毁掉旧引,加盖官印,送交制置司。假如私盐减少,官盐自可通行。民间请出的两路之盐,不出估计有三十五万席,等民间流通,大约要一年。考虑到沿边地区没有收缴按新法应缴的盐钱,粮草有缺,乞请暂时用去年欠的谷粟折算,计算物价借充军粮,等收缴到盐钱,如数拨还。通商的各州、军、县、镇,年终时委托转运司、提点司各按它们管辖的民户多少,并依向上缴纳的商人注卖盐引的多少为标准,比较二者的增减情况,按此规定敕令江、淮等路出卖盐酒,加以评比,予以赏罚。"诏令:"除了提举出卖解盐司官卖地方分别下达指示外,以及市易司已买的盐,也依照客商的例子贴纳价钱,其余的依照所奏来执行。"

三月,辛酉(十一日),命令辅政大臣分别在郊祀祭坛、太庙、社稷坛场祈雨,并诏令开封府、京东路、京西路、河北路的转运司和提点刑狱司,各自访求名山灵祠,委派官吏祈祷。

丙寅(十六日),三司上奏:"经过考查和多次询问商人,向来出产小盐以及邻近京东、河北出产末盐的地方,澶州、濮州、济州、单州、曹州、怀州、南京应天府以及开封府内的阳武、酸枣、封丘、考城、东明、白马、长垣、胙城、韦城九县,让它们通商,必然会被外来盐与小盐侵夺市场,使本地无法进行贩卖。应该依旧由官府自行出卖,并召客商出入京师内外,河阳、同州、华州、解州、河中、陕府以及开封府内的陈留、雍丘、襄邑、中牟、管城、尉氏、鄢陵、扶沟、太康、咸平、新郑十一县,姑且让它们通商,根据每月上缴的客商盐引,与官卖获利相比较,相差不很大,就立为法规;如果相差很大,或是办理后每年入不敷出,就依旧实行官卖。"神宗听从了。

在此之前张景温提议卖盐,很是增加了盐价,百姓不肯买,就摊派百姓每天买盐,根据百姓贫富产业规定买盐的多少。有买卖私盐的,用重赏来召人告发,用违法人户的家财充当赏物。百姓买了官盐,吃不完留下过了夜,视同违犯私盐法,民间因此骚动不安。盐钞一席过去值六千钱,到现在每席才值二千多,商人不愿交纳粟谷,边境粮食储备不足。朝廷为此有疑心,召陕西转运使皮公弼进京讨论此事,皮公弼力陈食盐官卖不便利,神宗诏令他与三司商议。沈括正在三司,虽然不能驳倒皮公弼的意见,但是王安石正在主张张景温的做法,沈括迎合王安石之心,就说如果通商,那么每年会损失官卖缗钱二十多万。皮公弼虽然乞请把管城等十一县和南京应天府、孟、陕、同、华卫六州府通商,但是中书最终没有实行。王安石罢相后,沈括才与皮公弼共同奏言官卖盐不可不罢黜,于是神宗下诏允许孟、陕、同、华、解、河中六州府、陈留等十一县通商,其余地方仍旧官卖。

壬申(二十二日),诏令州县捕杀蝗虫。

夏季,四月,辛巳(初二),宋朝重新设置宪州。

枢密直学士、给事中、知定州薛向被任命为工部侍郎,再次留任定州。薛向推辞被升迁的官职,神宗下诏不同意。依过去惯例,前任执政大臣辞官才降诏。两省官员辞官而降诏,是从薛向开始的。

起初,辽国出使宋朝索求土地的使者,长期留在馆驿不肯回去,多次出言不逊。边境奏报辽国在云州、应州集结兵力,修整涿州、易州的道路,说辽国背弃盟约已有迹象,神宗多次下诏要薛向调查实情。薛向回奏说:"辽国想要尽快达成边境协议,所以虚张声势借以震慑我国。辽国使者担心朝廷不答应他的要求,所以讲些谩骂话来,以侥幸达到目的。况且兴兵侵犯,就不会整修道路。"后来果然像薛向所说。

癸未(初四),中书门下上奏说:"新科明法及第和赐出身的举人,当年秋天就可以按本业考试明法科合格,甚至有连续获得两级官资的,加恩过于优厚。现在应考明法科及第的人,想入试明法合格的,除进入第一等的人可以充任刑法官并依例推恩外,其余的只免试,不再推恩。"神宗听从了。

乙酉(初六),辽道宗乘船巡游黑龙江。

丁亥(初八),于阗国进朝纳贡。

丁酉(十八日),诏令礼部:"进士科依旧考试策论五道。又有,祖宗里祖免礼以内的亲族已经授任官职的,听任他们锁厅参加进士科考;不是祖免礼以内的亲族,允许他们应考国子监和礼部考试,另设一甲,考两场,五分为定额,发解取录人数不能超过五十。殿试与正奏名进士考策论,另作一项考核。屡次应考不中,年过四十岁的人,申报给中书上奏裁决,量材加以录用。"

癸卯(二十四日),三司上奏说:"近来奉照朝廷圣旨,在京城等七处设置场务,委任官吏把那些按旧法印行的东南地区盐钞,按每席三贯四百的价收买,暂时从内藏府库借现钱二十万贯支付,等到贴纳盐铁缴到后逐渐拨还。不久就命令市易务照此办法收买。市易务申报说,客商所有以及到市易务投卖盐钞,按所买数额估计要用钱五十九万三千多贯,省司全都缺少现钱,恐怕会妨害钞法的实行。准备把在京城中的客商所申请的转卖官盐的文钞,除掉单合用钞外不加收附,查验后退还本人,让他们向西部州军官场就近查验转卖外,其余盐钞全部收买。价钱总额中三分支付现钱,剩余七分依沿边地区上缴朝廷的钞价,细算出应支付的价钱数目,给予新盐引。所有应贴纳的新盐钞,等降下指令,由省司发文通知三班院,派使臣一人,前往制置解盐司调取应销新盐钞,到市易务查验填写应贴纳的数目,付给客商,让他们去解州领取官盐。这样做的好处,是买尽民间旧盐钞,并使客商换到新盐钞领盐,及时转卖。"神宗听从了。这些新盐钞仍在熙宁十年应支出的盐钞总额内。

甲辰(二十五日),河东经略使韩绛上奏说:"岚州合河津并没有土地与夏国接壤,乞请裁减寨主,适量保留厢军五人,并废除上下津十七铺。还有,上平关虽然正好处于津要之地,但有黄河天险,想只要留监押一人,军士三百人。"神宗听从了。

五月,庚戌朔(初一),监两京抽税竹木务、太子中允程颢改任为太常丞,这是因为知河南府贾昌衡等奏称程颢通晓古今,品行清廉正直,改官八年以来,没有考核升迁的缘故。

戊午(初九),诏令编修仁宗、英宗两朝正史,命令宰相吴充负责,把龙图阁直学士宋敏求任为修史,任集贤院学士苏颂同修史,任命集贤校理王存、黄履、林希同为编修官。

癸亥(十四日),知越州、资政殿大学士赵抃任知杭州。赵抃知越州时,两浙地区发生旱灾和蝗灾,米价飞涨,饿死的人占十分之五六。各州都在街市道路张贴榜文,立赏召人告发,禁止人们提高米价。独有赵抃在街道上张榜,令有米的人任意加价出卖。于是各州的米商纷纷运米到越州,结果米价更贱,百姓中没有人饿死。

此前淮浙一带饥荒,神宗诏令拨出本地上供米,低于市价出售,以便救活饥民。发运副使卢秉上奏说:"价钱虽是低贱,贫穷的人终究买不到米。请求收回买米本钱后,把其余的米全都用来赈济流亡的百姓。"神宗下诏批准了。这一年上送计簿时,神宗问道:"好像听说滁州、和州的百姓吃蝗虫来活命,有这种事吗?"卢秉回答说:"有这事。百姓极为饥荒,饿死的人尸骨成堆。"神宗悲伤地说:"只有赵抃给朕讲的,与爱卿相符合。"在此以前发运司进京奏事,多数人进献正税外的钱财来图取皇上恩赏,唯独卢秉以七十万缗钱偿还三司的旧账,趁机奏言:"发运司只是督运六路财赋,按时上缴,本来没有羡余;以羡余的名义进献的钱物,大都是本应上缴的正数,乞请就此禁绝这种做法。"神宗很高兴地采纳了。

丙寅（十七日），下诏给郑州长史柴衮，令他在九品流官内铨选，注拟为边远州县主簿或尉官。柴衮是周世宗的侄玄孙，受任已经十年，乞求注拟一个官职。

庚午（二十一日），诏令："侍御史知杂事蔡确、知谏院黄履，裁决在兴修卫州运河和疏浚黄河的利害上有不同意见、理由不实的人，弹劾他们的过错奏报上来。如需就地审理，就另派一名官员和领取圣旨派宦官一同前往。"

起初，熊本领受朝命，与都水监主簿陈佑甫、河北转运使陈知俭一起查问，各埽的人说："熙宁八年黄河故道水减少三尺，浚川耙未到时水已增加三尺，浚川耙使用时又增加一尺。并且在此以前十年，河水都是夏季上涨，秋季回落，不仅这一年是如此，河水下降实际上不是浚川耙的作用。"熊本等人就召集临清、冠氏县十五人询问情况，并根据埽上河水涨落的记录，到河南岸用浚川耙试验，虽然水深稍微增加几寸，第二天早晨再去测试，已经与没用浚川耙时没有差别。又走访一些议论此事的人，都认为兴修运河，浪费钱财而没有好处，并且是官府和百姓的祸患。于是他们就认为文彦博所陈奏的是正确的，奏请废除浚川司。

当时范子渊在京城，先听说了这事，急忙进殿上奏说："熊本、陈佑甫认为王安石罢相，文彦博必将入朝为相，就迎合他的意见，认为浚川耙没有好处。臣听说熊本奉命审查此事，竟然去拜访文彦博，跟着文彦博饮酒吃饭，陈佑甫、陈知俭都参加了，还屏退众人私下交谈。如今他所奏报的一定不会公正。况且看文彦博的意思，不仅说说浚川耙而已。陛下一旦听信他的话，天下说新法不好的人必然蜂拥而起，陛下所订立的新法就会全面毁坏了。"神宗很为他的话所迷惑，下诏把熊本等人的上奏送往都水监和外监丞司。范子渊于是告发熊本等人用七月份北岸的水位记录来确定五月份南岸的河水涨落，并且全都不到河边去观察利害情况，以及大名府已曾移文转运司，说明用浚川耙疏浚二股河有功效，加上熊本等人专门索取浚河司公文共四千七百多张，就是不曾索取大名府安抚司给转运司的公文作为参考。蔡确也弹劾熊本奉使不恭谨，议论不公正，请求另派官员裁决是非。所以神宗就委派蔡确与黄履再次在御史台立案审查。

同提举成都府等路茶场公事蒲宗闵上奏说："本司转运出卖解州盐，已遵旨改变办法，依旧通商。另外还有茶法，事情也有相关之处，必须加以变改。每年想起运茶叶四万驮到秦州、熙河路，按市价出售，依旧规定税息钱，作为扩充马匹、收买粮草的开支。川陕路民间食用茶，允许到茶场依市价增减收买，按一贯钱收息钱一分出卖，仍旧用贯纳长引钱的办法。凤州、凤翔、永兴军、环庆路的州军也照旧为通商之地，分别允许客商在川中茶场请出茶叶贩卖。"知彭州吕陶也奏言官场买茶，损害茶园户，有导致诉讼并产生喧闹的。很快神宗诏令川中茶场免收息钱十分之三。

丙辰（初七），辽国玉田、安次县有蝗虫伤害了庄稼。

己巳（二十日），辽道宗驻跸狘山，大宴群臣。辽道宗说："先帝任用耶律仁先、耶律华噶，是因为他们贤明有智慧。朕有耶律仁杰、耶律伊逊，他们不在仁先、华噶之下。"于是欢饮到晚上才散席。

甲戌（二十五日），太白金星在白天出现。

辽国太子自从母后自尽的变故发生以来，面色总是忧郁的。而耶律伊逊的党羽，因为皇后的废立都出自他们的谋划，欣然雀跃，互相庆祝，放肆用谗言诽谤陷害，忠直善良的人被贬逐得几乎没有了。护卫太保萧锡沙很狡黠，善于揣摩别人心意，多次进出耶律伊逊家，见到不依附的朝臣,就加以诬陷使其离开朝廷,萧锡沙因此升任殿前副检点。碰上护卫萧和克谋杀耶律伊逊的事情被发觉,耶律伊逊把他戴上刑具关押起来,拷打审问没有屈服,流放到边地。萧锡沙对耶律伊逊说:"如今太子还在,臣民归心于他,大王向来没有坚实的靠山,又有诬陷皇后的怨恨,日后太子立为皇帝,大王将置身于何处?应该周密地商议一下。"耶律伊逊说:"我忧虑此事很久了。"晚上,召来他的党羽萧德哩特,策划陷害太子的方法。乙亥(二十六日),耶律伊逊指使他的党羽护卫太保耶律扎喇等人告发都部署耶律萨喇、枢密使萧苏萨等人阴谋拥立太子即皇位。辽道宗命人审讯他们,没有证据,就把耶律萨喇外调为始平军节度使,萧苏萨外调为上京留守,鞭打护卫六人,其余的人各流放到边远之地。

丙子(二十七日),辽国把西北路招讨使、辽西郡王萧呼哩额任为北府宰相兼知契丹行宫都部署事。萧呼哩额是萧孝穆的孙子,为人奸佞圆滑,娶郑国公主为妻,拜为驸马都尉。起初与耶律伊逊不和,外调为宁远军节度使。此后萧呼哩额揣摩耶律伊逊的心思,全心全意迎附他,耶律伊逊也想拉他做助手,于是有了这次提升。

丁丑(二十八日),宋神宗诏令使臣改换文官资格,考试律令大义十道,以通八道为上等,通六道为次等,通四道又次等,都算合格,到中书去取旨。

戊寅(二十九日),辽道宗下诏有告发谋反的人加以重赏,这是耶律伊逊的主意。当时有耶律喏噜和他的弟弟耶律乌页都是耶律伊逊的党羽,时人号称他们为二贼。

六月,己卯朔(初一),耶律伊逊指使他的同党牌印郎君萧额都温二叔家的耶律托卜嘉上奏有紧急事变说:"前次耶律扎喇告发耶律萨喇等人,事情都属实,臣也参与这次谋划,本想杀死耶律伊逊,拥立太子。臣等若不揭发,恐怕事情大白后要受牵连。"辽道宗相信了,杖责太子,把他囚于别室,命令耶律伊逊和耶律孝杰、耶律仲禧、萧呼哩额、杨遵勖、耶律延格、萧锡沙等人审问他。太子详细陈说冤枉情状,对耶律延格说:"皇上只我一个儿子,如今我是储君,还有什么要求!公和我是同辈兄弟,应当念及我的无辜受害,向皇上传达这种情况。"萧锡沙听说后,对耶律延格说:"如果这样奏报上去,那么大事就完了;应当改变他的言辞为俯首认罪。"耶律延格进宫,象萧锡沙讲的那样上奏,辽道宗大怒。朝廷内外都知道太子冤枉,但没有人敢说,只有北院枢密副使萧惟信在朝廷上为太子争辩,辽道宗没听。耶律伊逊穷治与太子有关系的人,逮捕了北院宣徽使耶律托卜嘉、汉人行宫都部署萧托卜嘉等,关进监狱,受不住严刑拷打,都屈招了。耶律伊逊担心辽道宗还有什么疑虑,把萧托卜嘉等人拉到朝廷上加以审讯,各让他们戴沉重的刑具,用绳子系住脖子,不能出气,各人都忍受不了酷刑,只求快一点死。耶律伊逊于是进宫奏报:"都没有什么不同的供词。"于是杀了萧托卜嘉、耶律托卜嘉及其弟弟耶律陈留以及东宫的宿直官,派遣使臣去杀了始平军节度使耶律萨喇、上京留守萧苏萨及其儿子们,把萧岩寿、萧和克押解到京师杀死。当时受牵连被杀的人很多,在盛夏时节,尸体没能埋葬,地面都被弄臭了。把耶律孟简流放到保州。

壬午(初四),注辇国派遣使臣来宋朝朝贡。

癸未(初五),诏令:"南京应天府、郓州、兖州等州以及邢州的巨鹿县、洺州的鸡泽县、平恩县、肥乡县的盗贼,都要用重法加以惩治。"

丙戌(初八),辽国把太子耶律浚废为庶人,囚禁在上京。太子将要出京,说:"我有什么罪,落到这样地步?"萧锡沙叱骂让他登车,派卫士关上车门就出发了。萧德哩特监送太子,时时催促他快走,不让他下车,起居饮食上多次凌侮太子,到上京后,就修筑围墙四面包围把

1572

他囚禁起来。西南面招讨使吴王萧罕嘉努上书奏言太子冤枉,没有答复。

丙申(十八日),宋朝知制诰孙洙上奏说:"熙宁四年时,提建议的人担心制诰言辞过分美化,认为考核升迁一个官员,不是有突出政绩的,不应当专门为他写训词。于是定为制度,凡考核升迁官员,都写统一的令词;文臣中待制以上、武臣中阁门使以上,才特别命令为他们起草制诰,其余的人全都用四句固定的言辞。结果使得群臣虽前后升迁官职各不相同,而同用一种言辞;起草制诰的人虽然姓名不相同,却共用一种制书;一门之内,除授官职的各有多人,文臣武将虽有差别,却都是同一种体裁。甚至于官员退休、追赠官职、荐举人才、诠叙复职、宗室赐名、宗妇封邑、祭祀斋文、奏疏言语,虽然名称体裁有很大不同,却规定为同一种格式,年年遵照使用,不可以用来训教百官、诏示后世。按照前代的制度和本朝的惯例,都未曾是这样。陛下天生神圣,出言就是典范,然而主管制诰的大臣竟然如此苟且随便,怎么能够与陛下用圣明的诏书来垂范一代制度的本意相符合呢!请求命令主管制诰的大臣要随事情的不同分别拟写,只是不要过于溢美,不符事实。"诏令:"舍人院拟写诰词,凡少卿监以下的官员,奏举人才、诠叙官职、封赐爵地,每遇大礼改换一次文辞;恩取举人,每次科考改换一次文辞;封赐宗室妇女,随时起草制诰;文官调任、退休,幕职人员改任京朝官知县,都随等级不同撰写令辞。"后来舍人院又奏请:"凡百官封赐、追赠,曾担任过待制、观察使以上职务官员的儿子封赐、追赠,都随情况不同另外撰写诰词。"宋神宗依从了。

辛丑(二十三日),枢密院奏道:"听说邕州、钦州的峒丁,十分骁勇,但是没有训练,激励劝勉不得法。想委派经略司选择有才智武艺又廉明能干的人任都司巡检等职,负责训练峒丁,每季分别前往巡察检阅。按峒区每年年终上报武艺精强的人数,首领发给高低不同的俸禄;武艺精强的人数在一半以上的,要议发酬奖给主管官员。依旧命令居住在一起的五人结为一保,相近的五保结为一队。每次检阅,各保队互相联结;发生战斗,互相救援。峒丁按勇敢怯懦不同分为三等:立有战功或者武艺出众的为上等,免除差役;人才强健矫捷的为中等,免除正税外的临时科派;其余的为下等。平常不妨碍农作,训练武艺;遇上主管官员来检阅,就聚集到一村检试,不能预先聚集在边境地区。遇有盗贼,令首领互相通报。"神宗依从了。

壬寅(二十四日),三司上奏说铸造大钱,想请求暂时依照过去的数额,今后如有增加铸造,请除陕西、河北、河东以外,诸路都铸造小钱。又上奏说河北西路转运司请求在邢州、磁州设置铸钱监,鼓铸折二铁钱十万贯,现在计划想在永兴军路铸造折二铁钱十万贯,另在河北西路增铸大铜钱。神宗都依从了。

丁未(二十九日),宋朝设置岷州铁城堡。

戊申(三十日),辽国派使臣巡察五京各道的监狱。

秋季,七月,辛亥(初三),辽国奖赏告发阴谋废立的人,护卫太保耶律札喇加封为镇国大将军,预先为边州节度使的人选;祗候郎君耶律托卜嘉加官为监门卫上将军,牌印郎君萧额都温被任为始平军节度使。萧额都温是萧托卜嘉的弟弟。先前萧托卜嘉娶赵国公主为妻,公主是懿德皇后所生,所以萧托卜嘉与太子友善;耶律伊逊嫉恨他,所以最后遭难。萧额都温见兄长死了,于是想逼娶赵国公主;辽道宗允许,拜他为驸马都尉。公主因萧额都温是耶律伊逊的党羽,就厌恶他。

辽国把太子余党流放到边远之地。耶律努先前与耶律伊逊有嫌隙,也在被流放之列。他的妻子萧意辛是呼图公主的女儿,辽道宗因呼图公主的缘故,想要让萧意辛与耶律努离婚。萧意辛推辞说:"陛下因为与臣妾有亲戚关系,想使臣妾免被流放,这实在是天地一样的恩泽。但是夫妇之义,是生死与共的。臣妾自成年后跟从耶律努,一遇上患难,就立即背离,违背了纲常伦理,与禽兽有什么差别!希望陛下可怜,让臣妾与耶律努同去流放,臣妾就是死了也没有什么遗憾。"辽道宗听从了。萧意辛在流放之地,亲自操持杂事,面无难色,侍候丈夫的礼数比过去更加周到。

耶律伊逊因为女子耶律常格曾经作诗讥讽自己而心怀宿怨,想用太子一事来诬陷她有罪,审讯却没有证据,得以免难。刚好她的兄长耶律迪噜被贬往镇州,耶律常格和他一同前去。当时朝臣小心翼翼地侍奉耶律伊逊,太子被废,大家一如往常。耶律常格在贬谪之地,经常身穿布衣,以蔬菜为食。别人问她:"何必如此苦自己呢?"耶律常格回答说:"皇太子无罪被废,我们这些人哪里能吃美食睡安稳觉呢?"听到的人都为此惭愧。

辽国北院枢密副使萧罕嘉,经营规划西南边境的天池堡,设立堡寨,确立疆界,刻立石碑而后返回。壬子(初四),被提升为汉人行宫都部署。

癸丑(初五),宋朝颍州团练推官邵雍去世。邵雍跟从李之才学习《易经》,他探求幽隐深远的道理,阐述伏羲氏先天八卦的意旨,著书十多万字。富弼、司马光、吕公著在洛阳时,很敬慕邵雍,为他买了田园住宅,邵雍把他的居处取名为安乐窝。他被推荐授任将做主簿,后来补授为颍州团练推官,他都坚决推辞;到接受任命,竟称病不去上任。程颐曾经与他谈论了一整天,回来后叹说:"尧夫(邵雍的字)有内圣外王的学问!"

甲寅(初六),宋神宗祈雨。

诏令:"今后广南西路凡是水土恶劣的州郡,应该派遣医官的地方,如有编额之外的祗候愿意前去的,听其自便。"

乙卯(初七),神宗对辅政大臣说:"元昊过去僭称帝号,派使臣来上表称臣,言辞还谦卑;朝廷不先问他为什么这样做,而立即拒绝了他,放纵边地军民和蕃部人马讨伐。所以元昊经常自称被诸羌所拥立,不能推辞,向朝廷请求过,不得已而反叛,西部军队战则失败,天下不安,仁宗为之后悔。当元昊僭伪表书送来时,谏官吴育说对待夷狄不能像对待中原叛臣那样惩处,或者可以稍微改换一下他的名号。议论的人都不以为然,终于困扰了中原,还要每年给予岁赐,册封他为夏国国主,实在太可惜啊!"

丁巳(初九),翰林学士、权三司使沈括被任为集贤院学士、知宣州。先前侍御史知杂事蔡确上奏说:"沈括用白札子给吴充陈说免役的事情,说可以变更法令,轻的差役依旧轮流差派。沈括是侍从近臣,既然看到朝廷法令有不便之处,不明上奏章陈述,却只在执政大臣处暗献建议。加上沈括多次奉使外出访察,职责在于处置役法,当时他只想裁减下户役钱,未曾说过恢复差役的科派。如今他已不任其职,却急忙请求变更法令,前后反复不同。朝廷的新政规划的大小事情,沈括没有不参与其中的,他对于役法议论得本来很透彻。例如轻的差役适用于差派法,沈括先前不以为非,而现在又不以为是,他的用意本来不难知晓。大概是王安石罢相后,沈括担心大臣们对于法令有所变更,所以暗中献上这一建议来窥探别人意向,作为依附的资本。并且沈括自从主管财计以来,一无补益,他驾驭下属只不过取悦人心,他侍奉上司不过是观望动静,这已为朝廷内外所共传陛下圣明所尽知了;而他暗中以异说求执政大臣要变更差役法一事,就更加明显了。臣私下听说中书也曾经用这个札子进呈,陛下把它下达给司农寺审查议论。陛下天慈,兼容一切,既然不加诘问,而臣下以弹劾、惩治奸邪

1574

为职务,哪里敢对此回避沉默! 希望陛下推察沈括的情状,特别给以罢黜。"神宗诏令把札子交给沈括知道。沈括立即上疏等待受罚,神宗下诏令沈括就职。蔡确又上奏说:"沈括说役法可以改变,为什么不在检正察访任上讲,而在他不再任职时讲呢? 为什么不向陛下讲,而私下向执政大臣讲? 沈括的意图难道在变更朝廷法度,不过是想依附大臣,巧为自己谋划而已。希望陛下毫不迟疑地加以决断,惩办沈括的罪过。"因此有上述任命。

神宗诏令:"诸路每年上交的知县、县令政绩考核优等的奏报,委任主判官审查,把最优等的登记上簿,司农寺主簿和提举常平官有空缺,选择最优等的人充任;如果政绩尤其优异或者资历已很深,必须另加升任的则奏报上来。"

辛酉(十三日),群臣五次给宋神宗上尊号"奉天宪古文武仁孝皇帝",神宗没有同意。

辛未(二十三日),太常丞、集贤校理、知湖州鞠真卿被任为太常博士、直秘阁;这是因为宣徽北院使王拱辰、御史中丞邓润甫上奏说鞠真卿自从改任为京朝官到进入朝廷三十年,除了特别恩赏未曾陈请考核升迁的缘故。

神宗驾临资政殿,监修国史吴充率领修国史宋敏求、编修官王存、黄履、林希,将《仁宗、英宗纪草》进呈给神宗。神宗穿上朝靴朝袍,内侍宦官进呈书卷,宋敏求为神宗进读,神宗站着听,不时提问,整篇读完才坐下来。

乙亥(二十七日),把宣徽南院使、雄武军留后郭逵贬为左卫将军,发往西京河南府安置;把吏部员外郎、天章阁待制赵卨贬为左正言、直龙图阁,依旧知桂州;这是因为侍御史知杂事蔡确奏言郭逵负责安南战事时称病先回,赵卨办理粮草无方以及没有彻底平定叛贼。

这一月,黄河再次在卫州王供村以及汲县上、下埽、怀州黄沁、滑州韩村决堤泛滥。乙丑(十七日),就在澶州曹村大规模决堤,澶州往北的河流断绝,黄河河道往南移,往东与梁山张泽泺汇流,分为两支流:一条流汇进南清河流入淮河,一条流汇进北清河流入大海。总共淹没郡县四十五个,濮州、齐州、郓州、徐州尤其严重,毁坏田土超过三十万顷。宋朝派遣使臣去堵修决口。

诏令太常礼院继续编修《礼阁新编》。

辽道宗举行秋山游猎,拜谒庆陵。

八月,丙戌(初九),神宗诏令监察御史里行黄廉为京东路体量安抚。黄廉曾上奏说都检正俞充交结宦官,侥幸谋取富贵,不适于让他处于宰相辅佐之地,又说王中正被过分任用,恐为后患,又当着神宗的面急切地争论这件事。神宗说:"人才大多没有类别,只是看怎么来驾驭他们而已。"黄廉回答说:"虽然是这样,也不能助长小的祸患。圣人能驾驭长远,所以尧时四凶在朝,也不妨碍天下太平。他们都是才气超常的人,任用起来很合心意,但为后世考虑,所以舜还是把他们流放或诛杀了。"神宗说:"暂且不要管这事。黄河在曹村决口,京东路受害尤其严重,现在要劳累一下爱卿了。"

黄廉受任后,前后分条上奏了一百多件事,大意是疏浚张泽泺到滨州的河道以便解除齐州、郓州的水患,而使济、单、曹、濮、淄、齐之间的积水,都回到各自河道中。郡守、县令中能救灾活民的,加以勉励奖劝,使他们完成任务,散发仓廪府库的钱粮来赈济不能生存的百姓。洪水淹没了百姓住房,不能回家归业的,选择高地让他们聚居一处,都让他们有屋避水。路途曲折遥远不能返乡归家的,派官吏运送供养他们,使他们都有粟米。被淹没的郡县,蠲免当地的赋税和债务,流民经过的地方,不得征收赋税。派官吏为他们想办法,居留的人给予房屋,流动的人给予粮食;担忧百姓没有田地流亡远方,所以租借公家土地,劝他们耕种;担心他们杀掉耕牛而吃掉,所以典押私人耕牛,发给钱财;被抛弃在道路上的男女要收养起来,受饥饿的成年男子,雇募他们去做事。这项功业办理完后,救活饥民二十五万三千人,壮年人被雇募做事而得饭吃的,又有二万七千人。

戊子(十一日),镇南军节度使、同平章事王安石再次上表,请求以本官充任集禧观使;神宗下诏不同意,依旧派安石之弟、权发遣度支判官王安上携诏书前往颁赐给他。

己丑(十二日),宋朝派遣苏颂等人去祝贺辽道宗生日。苏颂到达辽国,遇上冬至节,辽国历法比宋朝晚一天。辽人问:"哪国的历法正确?"苏颂说:"历法家的算法小有差异,快慢就有不同,如果亥时节气相交,还是今天晚上,若是过了几刻,就属子时,是明天了。或先或后,各国依照自己的历法就是了。"辽国人认为有道理。出使回国后,苏颂把这事奏报上去,神宗嘉勉他说:"朕曾想过,这是最难处理的,爱卿回答得十分好。"于是又问辽国的山川地形和人心向背,苏颂回答说:"辽国讲和已很久了,上下安定,没有背离和约的意图。过去汉武帝长期从事征伐,而匈奴始终不屈服;到宣帝时,呼韩邪单于俯首称臣。唐朝自中叶以来,河湟地区陷落给吐蕃,唐宪宗慨然有收复之意;到宣宗时,才以三关、七州之地收归有关部门。由此看来,外族的归服和背叛没有规律,并不关系中国的盛衰。"苏颂之意可能有所讽谏,神宗认为是这样的。

庚寅(十三日),辽国汉人行宫都部署萧罕嘉因跟随辽道宗打猎,坠马而死。

辛丑(二十四日),宋朝权发遣三司使李承之上奏说:"三司在近些年来,财物匮乏严重,按月支出供给,还担心不够用。在天下太平一百多年,陛下治政圣明的时候,国家财政却是如此,怎么可以不认真想想呢?国家若无三年的积蓄,国家就不成其为国家了,何况没有两个月的积蓄!这是有关部门失职,因循苟且的罪过。希望仔细想想国家财政大计的重要,诏令股肱大臣商议用来长期有效地管理财政的方法。"诏令:"三司使和三司副使一起讨论找到长期有效地管理财政的办法,将利弊逐条奏报上来。"此后三司上奏说:"在京城的衙门,应支用与省有关的钱物,全都向三司呈报并批准。发运、转运、提举铸钱、盐司等司以及州、县官员,由三司统管的,如违章怠慢失职,允许审查弹劾;情节严重的,奏请先行贬降;如果职事办理很好,请求加以奖励提升。诸路上供数额不足,或是没有按规定上报,允许选派官员酌情处理。或者就着朝廷差派官员出入地方之机,允许他们就地点检钱谷公事。"神宗都依从了。

辽道宗再次拜谒庆陵。

这一月,黄河在郑州荥泽埽决堤。

九月,庚戌(初三),宋朝追赠颍州团练推官邵雍为秘书省著作郎,赐给粟帛。这是因为知河南府贾昌衡上奏,说邵雍的品行仁义在乡里传闻,请求朝廷追赠和抚恤。宰相吴充向神宗请求,赐邵雍谥号为康节。邵雍当初与常秩同时被召任官,邵雍竟推辞不去赴任,士大们很尊崇他。

乙卯(初八),诏令:"各衙门获准传宣的诏令、内降的诏令和上奏当面得到的圣旨,凡是事情没有条令规定的,要申报中书、枢密院重新奏报。按例不应申报而申报了的,依直批圣旨敕令定罪;各公事房失职没有检查审核,接受并执行了的,也一样办罪。上殿进呈文书,都要批送中书、枢密院,不能把直批圣旨送往各处,违反的,原承受官衙要原件进呈并上奏。如是无理请求恩泽以及乞请减免罪犯的,中书、枢密院加以弹劾。"

癸亥(十六日),把屯田郎中、侍御史周尹任为提点荆湖北路刑狱。

此前周尹上奏说:"成都府路设置榷场买卖各州茶叶,全部把茶入官,这是公私的最大祸害。起初,李杞倡导施行不好的法令,侵夺百姓利益不算很多,因而为害比较小。等到刘佐接替了他,增加息钱到一倍,没别的办法,只是刻薄百姓,弄得百姓不能生存。大概情形是,在蜀地,茶园户所苦的是,压低斤两来收买,付钱时又侵夺价值;在熙河路和秦州,则是官价太高,民间犯法不可禁止。加上茶叶来不及搬运,每一步都要损耗,长期堆积,被风雨破坏,抛弃在道路旁,同粪土一样。再加上所运之处不通客商,只有依靠无赖小人,结成帮伙,持杖私卖,损失了税收。茶司认报虚有数额,又加上盗贼相继,刑罚日益严酷,结果危害了数千里,实在值得担忧。臣下不久前在京师就听到了这些传闻,没有知道详细情况,哪里敢轻易发出议论!如今受命进入蜀地,每到一处寻访询问,才知买茶入官为害很大,有知彭州吕陶、知蜀州吴师孟等人的奏议,可做参考应验。过去李杞、刘佐相继陈报苛滥办法,就听信了他们的话,未曾稍做参照考查;如今议论的人逐条呈报了它的弊害,全都很清楚,又没有立即采纳。为什么有勇气兴利却后怕除掉祸害呢?愿请陛下敕令有关部门尽快查究茶叶专卖的弊害,听从下面众人的意见,缓解西南人士的忧虑。"周尹又说:"臣私下详细考虑朝廷的意图,不想立即废除茶禁的原因,必定是因为熙河路买马每年的费用中以茶叶的收入最为紧要。但是通商后,过去各路茶税每年总额有二十九万多缗钱,先恢复原来的作法,就可以委派各路转运司除负责管理送往熙河路外,现今官茶所在州县,茶叶堆积很多,足够用来支付几年买马费用。从今以后商人贩卖秦州、熙河路的茶叶,必定能够有所准备。臣下询问废除榷卖,加以改革的事,都是商贩所愿意的。希望迅速下诏到本路,逐处彻底查问。如果臣的奏陈属实,就请罢黜榷茶法,允许通商买卖,以便安定远方。"周尹回来,还没到京城就有以上任命。

辽国玉田县进贡嘉禾给朝廷。

乙丑(十八日),神宗诏令把汴河上游北面水闸改名为宣泽。过去汴河下游水闸南面的叫上善,北面的叫通津,上游水闸南北都叫大通,所以改成现在这个名字。五丈河下游水闸叫善利,上游水闸过去没有名字,赐名字叫永顺。

戊辰(二十一),泾原路经略司奏报,德顺军捕获了西部禹藏花麻部派来卖马的蕃部撒蝉等十四人,神宗诏令经略司估价付给钱币,加以安慰遣送回去。有人说:"撒蝉等人不是来卖马的,实际上是作间谍的。"蔡延庆说:"他们有疑,所以来窥探;如是捉他们,倒证实了他们的疑虑。"最后把他们放回去了。

壬申(二十五日),辽国修建乾陵庙。

宋神宗诏令:"近来范子渊上奏用浚川耙疏浚荥泽埽黄河北岸滩觜解除南岸危急的示意图,可以一起交付讨论。"神宗命令蔡确等人裁决熊本与范子渊的是非后,又命令冯宗道监视范子渊用浚川耙疏浚汴河。冯宗道测量汴河的水流,有些地方比过去要深,有些地方被泥沙淤积,比过去更浅了,有些地方水深不增不减,大约各占三分之一的比例。冯宗道每天都如实上报神宗。神宗心里稍有醒悟,审讯案件稍微放慢。碰上荥泽地段黄河河堤要决口,神宗诏令判都水监俞充前往治理。俞充上奏说黄河快要决口,依靠用浚川耙疏导得才保全,范子渊利用这示意图来表白自己,于是对熊本等人案件的审理更加急促了。

癸酉(二十六日),宋朝设立义仓。

1577

甲戌(二十七日),濮国公赵宗朴兼任侍中,被晋封为濮阳郡王。

权发遣河北西路提点刑狱丁执礼上奏:"如今的县邑,大多老城墙还存在,然而被破坏,残缺不全,不足以用来巩固城防。请求选择精明的县令,让他们去劝说城内中上人户出人力,协助修城,逐渐修好城墙。"诏令:"各路转运司委派知州、知县,检查计算修城墙要用的劳力与材料,在丰收年成劝民助修。五路地区除沿边之外,选择居民众多以及位于冲要县的各路,先从大郡修好城墙。"起初,丁执礼从馆阁校勘出任为提点刑狱,神宗告谕他说:"爱卿职掌刑狱盗贼之事,可现在盗贼事情最急迫,应用心督率部下捕捉盗贼。"

冬季,十月,戊寅朔(初一),濮阳郡王赵宗朴去世,被追封为定王,谥号为僖穆。

庚辰(初三),侍读邓润甫、陈襄在迩英阁为神宗进读经史,趁机说:"司马迁记述秦汉以来的君臣史事,有些不能在陛下面前讲读,例如《吕不韦传》一类就是这样。"神宗说:"像这一类的史书,都空过去不要读。"侍讲沈季长、黄履上奏说:"讲完《诗经》,请问讲哪一部经?"神宗说:"先王的礼乐法度没有比周代更详尽的,应该讲《周礼》。"

辛卯(十四日),果庄、栋戳派人来宋朝进贡,朝廷听任他们住宿在同文馆。

癸巳(十六日),昭化军节度使赵宗谊被封为濮国公。诏令濮王儿子按次序继承封爵,侍奉祭祀。

乙未(十八日),知河阳、翰林侍读学士吕公著掌管中太一宫。吕公著到达京师,当时快要到南郊祭祀,神宗特别诏令阁门使在散斋日让吕公著到延和殿答对,神宗很周到地加以慰劳询问,并说:"没看到爱卿七八年了,觉得爱卿老了。"吕公著回奏说:"臣见陛下近来下诏让举荐才能品行可以升擢的官员。臣私下看到陛下自从即位以来,虚心屈己来对待天下士人,确实想要广收人才,不使一人被遗弃。然而世上固然不曾缺乏贤才,但人才也是不可多得的。现在朝廷内外举荐的,大约有一百多人,虽说不能全部得当,只要考查他们名实是否相符而加以试用,应该有可以满足陛下的殷厚期望、符合陛下求贤标准的人。臣又私下认真思考今日诏书的本意,正在于想要让没有得到重用的人由此得到重用,然而多年来,天下士人,陛下向来是知道的,他们的才能曾经被试用过,但最终被外放担任闲职,这样的人还有很多,恐怕这些人中间也有干练忠厚、想为国家贡献才力的人,未必都是因为迂阔暴戾难于任用。汉武帝时,公孙弘初被举荐入朝,因不符皇上旨意而被罢退,后来再次被举为贤良,汉武帝亲自提拔为第一名,没有几年就官至宰相。由此看来,人固然不易被了解,士人也不可以忽视。为什么呢?过去所考核的,或许没能详尽周到,几年之后,他的才干也可以有所长进。希望陛下给他们改任别的事情,借以观察他们的才能,或者让他们当面答对来考查他们的言论,兼收博采,使每人都有机会各尽其能,那么圣明时代就不会有人才阻滞的感叹,不胜幸运!"自熙宁初年起,讨论新法不符合执政大臣的,都被贬逐,不再加以任用,所以吕公著首先讲了这件事。

戊戌(二十一日),太子太师张昇去世,享年八十六岁。被追赠为司徒兼侍中,谥号为康节。

庚子(二十三日),永国公赵俊去世,年龄五岁。神宗十分悲痛,五日不上朝,又有三天不处理政事。追封他为充王,谥为哀献。太常礼院上奏说依照礼仪赵俊之死是不穿丧服的夭折,神宗诏令特地举行穿丧服的丧礼。

辛丑(二十四日),辽道宗驻跸藕丝淀。

乙巳(二十八日),宋朝恢复永静军阜城镇为县建制。

十一月,庚午(二十三日),宋朝把西蕃邈川首领栋戬、都首领青宜结果庄任为廓州刺史,任阿令骨为松州刺史。

甲戌(二十七日),在圜丘祭祀天地。

辽国萧锡沙升任北院枢密副使,再次为耶律伊逊陈说阴谋陷害太子的计策,耶律伊逊听从了。此前萧达和克凭借奸诈阴险依附于耶律伊逊,于是被提拔,慢慢升官至旗鼓苏拉详衮。耶律伊逊想害死太子,因萧达和克凶险果断,可以利用,派他与近侍直长萨巴前往上京,会同上京留守萧达德,晚上,带着力士到囚禁太子的监房,假称有赦免令,召来太子,杀死了他,萧达德以太子病死奏报上去。太子死时年龄二十岁。辽道宗哀怜他,命令有关部门把他葬在龙门山;辽道宗想把太子妃召还京城,耶律伊逊又派人杀死了她。太子的儿子耶律延禧和女儿耶律延寿都寄养在萧怀忠家里。耶律伊逊的党羽们互相庆贺,聚饮了几天的酒。

耶律伊逊多次举荐他的同党耶律哈噜,提升至北院大王,不久,他的弟弟耶律乌页也升为南院大王。然而这些党羽们互相猜忌。萧额都温娶赵国公主为妻后,与耶律伊逊议事不合,耶律伊逊恨他,不久就以他的车驾服饰僭越人主的罪名杀了他。萧额都温临刑前对人说:"先前诬告耶律萨喇的事,都是耶律伊逊教唆我,耶律伊逊害怕事情显露,就杀我灭口。"

辽国把萧达和克任为国舅详衮,这是耶律伊逊引荐他的缘故。萧达和克担心杀死太子的事情泄露,出入常佩刀剑,遇有紧急召见,就想自杀。然而辽道宗昏庸,不明真相,萧达和克最后未得惩处。

宋朝前任同知太常礼院张载去世。张载在家时,多次给诸生讲学,以《易经》为宗旨,以《中庸》为本体,以孔、孟为法则,他家里的婚丧嫁娶、祭祀,都采用先王的圣意而合乎当世的礼节,世人称他为横渠先生。

十二月,丁丑朔(初一),占城国来向宋朝贡献驯象。

壬午(初六),下诏从明年起把年号改为元丰。

详定一司敕令献上《刑部敕》,其中朝廷圣旨从中书颁降的都叫敕,从枢密院颁降的都叫宣,共有九门,六十三条;神宗依从了。

甲申(初八),神宗下手诏说:"等到杨琬、高靖巡查黄河河道回京,把所见到的分条呈报上来,可以召请他们询问,参证利害,大概不会使受灾的百姓白费劳力吧。"

起初,黄河在曹村决堤,朝廷令官员去堵塞决口,然而黄河故道已被埋没,河床变高,河水不能流下。议论的人想从夏津县东边开挖分水的引河,使河水进入董固,修护旧河道七十里九十步,又从张村埽一直往东筑堤到庞家庄古堤,长五十里二百步,共计用兵三百多万,物料三十多万。而杨琬等人认为把决口堵塞,河水下游,那么河道自然会形成,不必开工筑堤来浪费劳力。神宗很重视这件事,所以下令多加询问,依旧诏令侍御史知杂事蔡确同去巡视然后奏报上来。不久因蔡确母亲生病,改令枢密都承旨韩缜去。后来韩缜奏言:"上涨的河水冲刷新河道,已冲成河道。黄河水势变动无常,即使开挖河道使河水依附河堤或在河身修建新堤,是白费劳力。想只利用新的河道,适当加以增修,可以维持长久。"神宗依从了。

丁亥(十一日),神宗封皇子赵傭为均国公。

诏令:"经制熙河路边防财用司逐条上奏利害事宜,其中有可以施行的,应先施行,或许在农事没开始时,可以及时筹划经营,来增加边防费用。"当时因为熙河路财用不足,仰赖度支司供给,于是命令入内都知李宪领管经制财用司。中书呈报李宪逐条上奏可以施行的共十四件事,按他上奏的给以施行。

癸巳(十七日),韩缜等人呈上与辽国人往来公文及会见时谈话记录和地图,神宗诏令韩缜同吕大忠一起,把耶律荣等人带来的文书、陪同的馆伴使记录的谈话内容,以及刘忱等人巡视边疆与辽国人的辩论,和朝廷前后的指示,分门类编录上报。

甲午(十八日),知谏院黄履上奏说:"近来因陪侍去郊祭,私下观看礼乐的运用,以现在的去和古代比较,有不符合的。请命令有关部门会同群祀之官考正其大略情形,使祭祀内容与礼仪形式相符合。"诏令黄履与礼院官研究,奏报上来。

辛丑(二十五日),下诏因各路禁军缺员很多,派遣大臣七人在开封府界内、京东路、京西路、陕西路、荆湖路,与地方长官及负责此事的官吏招募挑选,填补空缺兵员。

甲辰(二十八日),下诏铸钱司,铸钱都用"元丰通宝"为币面文字。

辽国把北面宰相辽西郡王萧呼哩额任为知北院枢密使事,把左伊勒希巴耶律延格任为契丹行宫都部署;这是耶律伊逊推荐的。

起初,辽道宗依从耶律伊逊的话,娶萧皇后,过了两年,没生皇子。萧后有个妹妹,嫁给了耶律伊逊的儿子耶律舒嘉为妻。萧后对辽道宗说,她妹妹可生儿子,于是让她离婚,娶进后宫。萧呼哩勒就把侄女嫁给耶律舒嘉,仗势横行,甚至讲出目无君上的话来,朝野为之侧目。

辽国预先举行正旦典礼。

这一年,辽国燕京地区粮食大获丰收。

续资治通鉴卷第七十三

【原文】

宋纪七十三　起著雍敦牂【戊午】正月,尽十二月,凡一年。

神宗体元显道法古立宪帝德　王功英文烈武钦仁圣孝皇帝

元丰元年　辽太康四年【戊午,1078】　春,正月,庚戌,命河北转运使令所在长吏分祷名山,旱故也。

乙卯,以王安石为尚书左仆射、舒国公、集禧观使。

交趾郡王李乾德上表言:"奉诏遣人送方物,乞赐还广源、机榔等州县。"诏:"候进奉人到阙,别降疆事处分。"

戊午,始命太常寺置局,以枢密直学士陈襄等为详定官,太常博士杨完等为检讨官。襄等言:"国朝(太)〔大〕率皆循唐故,至于坛壝神位、法驾舆辇、仗卫仪物,亦兼用历代之制。其间情文讹舛,多戾于古。每有规模苟略,因仍既久而重于改作者,有出于一时之仪而不足以为法者,请先条奏候训,以为礼式。"至五年四月十一日成书。

甲子,审官东院言:"广南两路员阙,愿就之人少。欲乞水土恶劣处为一等,繁难处为一等,其馀并为一等,令转运司保明申奏。"从之。

乙丑,以太皇太后疾,驿召天下医者。

权发遣三司使李承之言:"近年以来,朝廷宽假资格稍高之人,为其衰迟或不任事,未遽令休退,故置提举、管句宫观之职,优与俸禄,不立员数。而臣僚趋闲贪禄,或精神未衰,便私避事,亦求此职。条制既宽,初未厘革,今内外宫观约百馀员,无纤芥职事,岁费廪食不下数万缗。乞今后在京宫观提举、提点、句管官,共毋得过十五员,诸路倍之。如有除授,令依例待阙。所贵勤劳官守之人,有以区别,不虚费国用。"诏:"自今陈请宫观等差人,年六十以上听差,仍毋过两次。"

闰月,丙子朔,权发遣户部副使、兵部郎中陈安石为集贤殿修撰、河东都转运使。寻诏河东路十三州岁给和籴钱八万馀缗,自今罢之,以其钱付转运司市籴粮草。

先是安石乘驿与知太原府韩绛同转运司讲求边储利害。绛乞改和籴之法,减于原数三分,罢官支钱布,但宽其支移之苦,则实惠已及于民,遇灾伤十七,则又除之。而安石言:"十三州二税,以石计之,凡三十九万二千有馀,而和籴之数,凡八十二万四千有馀,所以灾伤旧不除免。盖十三州税轻,又本地恃为边储,理不可阙故也。其和籴旧支,钱布相半,数既畸零,民病入州县之费,以钞贸钱于市人,略不收半。公家支费实钱,而百姓乃得虚名。欲自今罢支籴钱,岁以其钱支与缘边州郡市粮草,封桩,遇灾伤,据民不能输数补填。如无灾伤,三年一免输,以封桩粮草充数,即不须如韩绛减数三分及灾伤除十七。"朝廷以为然,乃命安石为河东都转运使,悉推行之,又降是诏。

戊寅,前知曹州刘攽言知济阴县罗适开导古湨河,决泄积水有功,御批:"可记适姓名,俟府界剧县有阙与差,以考其能治之实。"于是以适知陈留县,仍诏适留旧任,候见任官成资日交替。

己卯,诏:"河北东西、永兴、秦凤、京东东西、京西南北、淮南东西路转运司,并依未分路以前通管两路,其钱谷并听移用;除河北、陕西外,馀减判官一员。"

庚辰,辽主如春水。

先是相州论决劫盗三人死罪,行堂后官周清驳之,谓其徒二人当减等,鞫狱者为失入人死罪。事下大理。详断官窦苹、周孝恭白检正刘奉世曰:"其徒手杀人,非失入也。"于是大理奏相州断是。清执前议再驳,复下刑部新官定。刑部以清驳为是,大理不服。方争论未决,会皇城司奏相州法司潘开赍货诣大理,行财枉法。初,殿中丞陈安民签书相州判官日断此狱,闻清驳之,惧得罪,诣京师,历抵亲识求救。文彦博之子及甫,安民之姊子,吴充之婿也。安民以书召开云:"尔宜自来照管法司。"开竭其家资入京师,欲货大理胥吏问消息。相州人高在等在京师为司农吏,利其货,与中书吏数人共耗用其物,实未尝见大理吏也。为皇城司所奏,言赍三千馀缗赂大理。事下开封按鞫,无行赂状,惟得安民与开书。谏官蔡确知安民与充有亲,乃密言事连大臣,非开封可了。诏移其狱御史台,从确请也。

辛巳,以翰林(待)〔侍〕读学士、宝文阁学士吕公著兼端明殿学士。

帝从容与论治道,遂及释、老。公著问曰:"尧、舜知此道乎?"帝曰:"尧、舜岂不知!"公著曰:"尧、舜虽知此,而惟以知人、安民为难,所以为尧、舜也。"帝又言唐太宗能以权智御臣下,对曰:"太宗之德,以能屈己从谏尔。"帝善其言。有欲复肉刑者,议取死囚试剧、刖。公著曰:"试之不死,则肉刑遂行矣。"乃止。夏人幽其主,将大举讨之。公著曰:"问罪之师,当先择帅,苟未得人,不如勿举。"及兵兴,秦、晋民力大困,大臣不敢言,公著数白其害。

壬午,礼部言:"禘祫之外,亲祠太庙,并以功臣配享。"从之。

诏:"常平钱谷当输钱而愿输谷若金帛者,官立中价示民,物不尽其钱者足以钱,钱不尽其物者还其馀直。常平仓钱谷,其在民者,有常钱,春散之,敛从夏秋税。有所谓缓急阙乏而货者,皆定输息二分,谷则岁丰量增价以籴,岁饥减时价粜之以赈饥。又听民以金帛易谷,而有司少加金帛之直。凡钱谷当给若粜,皆用九年诏书,通取留一半之馀。"

壬辰,枢密直学士孙固同知枢密院事。初,固言王安石不可为相。及新法行,数议事不合,出补外。至是帝思其先见,召知开封,遂大用之。

甲午,诏:"提举司天监近校月食时分,比《崇天》《明天》二法,已见新历为密。又,前闻正月岁在戊子,今复闰于戊午,恐理亦不谬,宜更不须考究。其所差讲究新历官等并罢,卫朴给路费钱二十千。"先是朴在熙宁初更造新历,至十年,议者以为占月食差,故再诏补集议,至是罢之。

辽赈东京饥。

丁酉,废提点熙河蕃部司。

御史台、邻门言:"忌日神御殿行香,自今令群臣班殿下,宰相一员升殿,上香跪炉。"

从之。

己亥，太傅兼侍中曾公亮卒，年八十。帝临哭，辍朝三日。赠太师、中书令。初谥忠献，礼官刘挚驳曰："公亮居三事，不闻荐一士，安得为忠！家累千金，未尝济一物，安得为献！"众莫能夺，改谥宣靖。及葬，御篆其碑首曰"两朝顾命定策亚勋之碑"。公亮性吝啬，殖货至巨万。力荐王安石以间韩琦，持禄固宠，为世所讥。

庚子，日中有黑子。

癸卯，以曾公亮配享英宗庙庭。

二月，庚戌，濮国公宗谊薨。

辛亥，日本国通事僧仲回来贡方物。

知谏院蔡确同御史台鞫相州失入死罪。〔潘开〕事下御史狱，句馀，所按与开封无异，乃诏确与御史同鞫。确以击搏进，吴充素恶其为人。会充谒告，王珪奏用确，帝从之。

权发遣提点开封府界诸县镇公事、集贤校理蔡承禧言："陛下讲义仓之法，使臣等奉行。今率以二硕而输一斗，至为轻矣。臣之领邑二十二，其九已行，岁解几万。请自今岁下税之始，不烦中覆而举行之。"乃诏畿县义仓事隶常平司。

甲寅，以邕州观察使宗晖为淮康军节度使，封濮国公。

乙丑，辽主驻埠获野。

三月，癸未，广南西路经略司乞教阅峒丁，从之。

乙未，御崇政殿阅诸军。

丁酉，辰、沅猺贼寇边，(州)州兵击走之。

鄜延路经略吕惠卿言："昨准朝旨，令延州西路同都巡检策应环庆路，庆州东路巡检策应鄜延路，遇贼大举，聚入一路，更以主兵之官引兵策应；若本路自有兵事，令经略临宜相度，以别将应援。臣窃谓虏兴师动数十万，分犯二路，则所在皆贼，我安知其何出也！苟知我有策应之法，而欲攻鄜延，必见兵形于环庆，环庆告急，则鄜延起兵以应之；欲攻环庆，必见兵形于鄜延，鄜延告急，则环庆起兵以应之。少则不足以应敌，多则本路必见空虚无备之处。如此，非特我兵趋疾疲曳，有堕贼掩伏之虞，彼又将分兵捣虚以袭我矣。臣愚以为，诸路有兵事，其邻路但当团集以为声援，或且依条相度牵制，不必更立互相策应之法，免致临事拘文，以犯兵家之忌。"诏鄜延路依奏，馀路别听指挥。或又言昔年刘平因救邻道战殁，自今宜罢邻道援兵，环庆副总管林广，以为诸道同力，乃国家制贼之长计，苟贼并兵寇一道而邻道不救，虽古名将，亦无能为。刘平之败，非援兵罪。于是互相策应之法得不废。

夏，四月，乙巳，知谏院蔡确既被旨同御史台按潘开狱，遂收大理寺详断官窦苹、周孝恭等，枷缚暴于日中，凡五十七日，求其受赂事，皆无状。中丞邓润甫夜闻掠囚声，以为苹、孝恭等，其实它因也。润甫心非确所为惨刻，而力不能制。确引陈安民，置枷于前而问之。安民惧，即言尝请求文及甫，及甫云"已白丞相，甚垂意"。丞相，指吴充也。确得其辞，喜，遽欲与润甫登对，具奏充受请求枉法，润甫止之。明日，润甫在经筵，独奏："相州狱事甚微，大理实未尝纳赂。而蔡确深探其狱，支蔓不已。窦苹等皆朝士，榜掠身无完肤，皆衔冤自诬，乞早结正。"权监察御史里行上官均亦以为言，帝甚骇异。明日，确欲登对，至殿门，帝使人止之，不得前。手诏："闻御史台勘相州法司颇失直，遣知谏院黄履、句当御药院李舜举引问证验。"

履、舜举至台，与润甫、确等坐庑下，引囚于前，读示款状，令实则书实，虚则陈冤。前此确屡问,因有变词者,辄笞掠,及是囚不知其为诏使也,畏吏狱之酷,不敢不承,独窦苹翻异。验拷掠之痕则无之。履、舜举还奏,帝颇不直润直等言。诏确、履及监察御史里行黄廉就台劾实,仍遣舜举监之。

吴充言:"御史台鞫相州狱,连臣婿文及甫,其事在(申)〔中〕书有嫌,乞免进呈,或送枢密院。"诏免充进呈及签书,候案上,中书、枢密院同取旨。

乙卯,知谏院蔡确为右谏议大夫、权御史中丞。翰林学士兼侍读、权御史中丞邓润甫落职,知抚州。太子中允、权监察御史里行上官均责授光禄寺丞、知光泽县。

先是帝别遣黄履、黄廉及李舜举赴御史台鞫相州法司狱,确知帝意不直润甫等,即具奏:"润甫故造飞语以中伤臣,及欲动摇狱情,阴结执政,乞早赐罢斥。"帝始亦疑相州狱滥及无辜,遣使讯之,乃不尽如润甫等所言,确从而攻之,故皆坐贬。确迁中丞,凡朝士系狱者,即令狱卒与之中室而处,同席而寝,饮食旋溷,共在一室。置大盆于前,凡馈食者,羹饭饼饵,悉投其中,以杓匀揽,分饲之如犬豕,置不问。故系者幸其得问,无罪不承。

癸亥,太白昼见。

乙丑,封虢国公宗谔为豫章郡王。

戊辰,塞曹村决河,名其埽曰灵平。

初,熙宁十年,河决郑州荥泽,文彦博言:"臣尝奏德州河底淤淀,泄水稽滞,上流必至壅遏。又,河势变移,四散漫流,两岸俱被水患,若不预为经制,必溢魏、博、恩、澶等州之境。而都水略无施设,止固护东流北岸而已。适累年河流低下,官吏希省费之赏,未尝增修堤岸,大名诸埽,皆可忧虞。谓如曹村一埽,自熙宁八年至今三年,虽每计春料(尝)〔当〕培低怯,而有司未尝如约,此非天灾,实人力不至也。今河朔、京东州县,人被患者莫知其数,嗷嗷吁天,上垂圣念,而水官不能自讼,犹汲汲希赏。臣前论所陈,出于至诚,本图补报,非敢微讦也。"至是决口始塞。

初议塞河也,故道湮而高,水不得下,议者欲自夏津县东开签河入董固以护旧河,袤七十里九十步;又自张村埽直东筑堤至庞家庄古堤,袤五十里二百步。诏枢密都承旨韩缜相视。缜言:"涨水冲刷新河,已成河道,河势(无)变移无常,虽开河就堤及于河身创立生堤,枉费功力。惟增修新河,乃能经久。"诏可。

五月,甲戌朔,御文德殿视朝。

是日,曹村决口新堤成,河还北流。自闰正月丙戌首事,距此,凡用功一百九十馀万,材一千二百八十九万,钱、米各三十万,堤长一百一十四里。

庚辰,召辅臣观麦于后苑。

丙戌,辽主驻散水原。

辛丑,诏右武卫大将军、象州刺史克颂贷死,追毁出身以来告敕,锁外宅;坐病狂殴伤妻刘死故也。

知宗正丞赵彦若言:"今宗正寺侍祠之外,专掌玉牒属籍而不豫荐士,窃恐职有未称。谓宜具为条流,俾诸教官依国子监外官学例,为课试法,每遇秋赋,就宗正寺投状锁试,别立人数,颇示优异,著于格令,俾其竞劝。贤者获升,不肖自抑,一切之恩,分当裁损,必无觖望。夫亲贤兼进,布列中外,以镇安四海,为磐石之固,与愚知混淆,聚于一处,徒殚禄廪而无所事者,不可同日而语也。"事虽不行,时论是之。

六月，癸卯朔，日有食之。甲辰夜，东南有光烛地，大星出魁瓜，裂于内阶，声如雷。

甲寅，准布进良马于辽。

辛酉，殿中丞陈安民等降谪有差。安民坐官相州与失入死罪，属大理评事文及甫言于宰相吴充也。

初，蔡确勘是狱，欲锻炼以倾充，词连充子安持。时三司使李承之、户部副使韩忠彦，皆帝所厚，忠彦琦子，而承之尝为都检正，确皆令囚引之。承之知之，数为帝言确险陂之情；帝意稍解，趣使结正。于是狱成，忠彦犹坐赎铜十斤。充上表乞罢相及阁门待罪者三四，帝趣遣中使召出，令视事。确屡率言事官登对，言安持当获重谴，帝曰："子弟为亲识请托，不得已而应之，此亦常事，何足深罪！卿辈但欲共攻吴充去之，此何意也？"以确所弹奏札还之，言者乃已。

秋，七月，癸酉朔，详定礼文所乞罢南郊坛天皇大帝设位，诏弗许。又言："古者帝牛必在涤三月，以致严洁。今既无涤宫系养之法，有司涤养不严，一切苟简。欲下将作度修涤宫，具系养之法，(饰)〔饬〕所属官司省视，委太常寺主簿一员阅察。"从之。

甲戌，辽诸路奏饭僧尼三十六万人。

(辛巳)，命西上邻门使、忠州团练使韩存宝经制泸州纳溪夷。

丁酉，御史黄廉言："前岁科场逐经发解，人数不均，如别试所，治《诗》者十取四五，治《书》者才及其一。乞自今，于逐经内各取人分数，所贵均收所长，以专士习。"诏："自今在京发解并南京考试，《诗》《易》各取三分，《周礼》《礼记》通取二分。"

又言："国子监生员著述议论，尽得讲官绪馀。将来逐官例差考试，窃恐去取之际，虽未必私徇，而于参校所长，多就己见，人情所不能免。如此，则外方疏远之人偶不相合，遂致黜落，甚非朝廷兼收博采之意。乞将来止选近岁一科人为试官，或差近郡教授。"诏："候差官日取旨。"

八月，癸卯，辽命有司决滞狱。

壬子，集贤殿修撰俞充为天章阁待制、知庆州。

王珪知帝欲伐夏，故奏乞用充为边帅，使图之，以迎合帝意。

戊午，以韩绛为建雄军节度使。

九月，癸酉，交趾来贡。癸未，李乾德表乞还广源等州，诏不许。

乙酉，以端明殿学士吕公著、枢密直学士薛向并同知枢密院事。向善商财，计算无遗策，然不能无病民，所上课间失实。时方尚功利，王安石从中主之，御史数有言，不听也，向以是益得展奋其业。至于论兵帝所，通畅明决，遂由文俗吏得大用。其事公著甚久，公著亦稍亲之，议论亦颇相左右。

诏："祀天地及配帝，并用特牲。"

乙未，辽主驻藕丝淀。

庚子，五国部长贡于辽。

冬，十月，癸卯，辽参知政事刘伸出为保静军节度使。先是伸以户部使受知于辽主，辽主谓宰相杨绩曰："当今群臣忠直，耶律玦、刘伸而已，然伸不及玦之刚介。"绩拜贺曰："何代无贤，世乱则独善其身，主圣则兼善天下。陛下区分邪正，升黜分明，天下幸甚！"辽主又谓伸曰："卿勿惮宰相。"伸对曰："臣于耶律伊逊尚不畏，何宰相之畏！"伊逊闻而衔之，相与诽诋，

中华传世藏书

續資治通鑑

遂外迁。珙亦出使于西北部,以酒疾卒。

丁未,重修都城毕工,周五十里。

己酉,诏兖州常以省钱修葺宣圣祠庙。

庚戌,定秋试诸军赏格。

侍禁忤全死事,录其弟宣为三班借职。

辛亥,韩存宝破泸夷后城等十有三囤。

己未,权发遣兴州罗观乞颁义仓法于川(陕)〔峡〕四路,从之。

壬戌,军器监言:"昨赞善大夫吕温卿言:'五路州军近年增置壮城兵,虽有教阅指挥,而所习武艺全无实用。如大名府城围四十馀里,炮手只有四人,其它挂搭、施放火药、全火等人亦皆阙。盖旧无教阅格,又无专点检之官。今欲令诸州壮城兵,除修葺城橹外,并轮上下两番,教习守御,以十分为率,内留炮手三分,馀并习挂搭,施用拒守器械。仍籍所习匠名,每季委本州比试升降。'尝下五路安抚司,而五路相度异同。本监今参酌,欲乞五路州军壮城兵,遇无修城池楼橹功料,即令安抚司以十分为率,三分令习炮,馀并习挂搭、拒守器械。其广备十一作工匠,并均付五路准备差使及指教施用,三年一替。熙河路州军亦依此。"从之。

又言:"温卿谓'朝廷差官制造澶州浮梁、火叉,其为防患不为不预。然恐万一寇至,以火筏、火船随流而下,顺风火炽,桥上容人不多,难以守御,不若别置战舰以攻其后。乞造战船二十艘,仍于澶州置黄河巡检一员,择河清兵五百,以捕黄河盗贼为名,习水战以备不虞。'下大名府路安抚司相度。本司言:'澶州界黄河,旧无巡检。当北使路若增创战船,窃虑张皇。欲止选河清兵百人为桥道水军,令习熟船水,可使缓急御捍上流舟筏及装驾战舰。'本监欲依安抚司所陈。"从之。

癸亥,于阗来贡。

十一月,壬申,详定礼文所言:"郊祀坛域当依仪注,设三壝,撤去青绳。"又言:"郊祀天地席当以稿鞂,配帝以蒲越,撤去黄褥、绯褥。"又言:"享宗庙当用制币及依仪注爇萧。"又言:"遇雨望祀,当服祭服,仍设乐。"又言:"分献官不当先期升坛,当依仪注。"又言:"《南郊式》,监祭、监礼俱立于坛南,非是。请分监祭立于坛之西北,东向;监礼立于东北,西向。"又言:"景祐中裁定衮冕制度,已与古合。今少府监进样不应礼,请改用朱组为纮,玉笄、玉瑱以玄纯,垂瑱以五采玉贯于五采藻为旒,以青、赤、白、黄、黑五色备为一玉,每一玉长一寸,前后二十四旒,垂而齐肩,其表里皆用缯。"又言:"服裳皆前三幅、后四幅,今以八幅为之,不殊前后。又,佩玉及绶并服章皆不如古制,当改正。"又言:"百官虽不执事,以朝服侍祠,非是。当并服祭服,如所考制度,修制五冕及爵弁服,各正冕弁之名。"又言:"天子六服,自鷩冕而下,今既不亲祠,废而不用。"又言:"六冕并用赤舄。"又言:"景灵宫、太庙、南郊仪注,并云祀前三日,仪鸾司铺御坐黄道褥。黄道褥设于郊庙,非是。"诏道褥不设,馀皆从之。

乙酉,详定礼文所言:"古者大带,天子、诸侯、大夫、士采饰单合皆不同。今群臣助祭服,一以绯白罗为之,无等降之别。"又言:"中单亦殊不应礼,并乞据礼改正。"诏送礼院。

丁亥,辽禁士庶服用锦绮日月山龙之文。

己丑,命龙图阁直学士宋敏求等详定正旦御殿仪注。敏求遂上《朝会仪》二篇,《令式》四十篇,诏颁行之。

回鹘遣使贡于辽。

庚寅,辽以南院枢密使耶律仲禧为广德军节度使,以耶律伊逊荐其可任也。仲禧偕伊逊鞫太子之狱,蔓引无辜,未尝雪正,为公论所不与。伊逊既害太子,因为辽主言:"皇弟宋魏国王和啰噶之子淳,可为储嗣。"群臣莫敢言。北院宣徽使萧乌纳及伊勒希巴萧托辉谏曰:"舍嫡不立,是以国与人也。"辽主犹豫不决。时太子之子延禧及女延寿久寄食于萧怀忠家,会宫中李氏进《挟谷歌文》,辽主感悟,召延禧及延寿,鞠养于宫中。

辛卯,辽锦州民张宝,四世同居,命其诸子为三班祗候。

戊戌,宰臣吴充、王珪、参知政事元绛,言功臣非古,始唐德宗多难之馀,乃有"奉天定难"之号,不应盛世犹袭陈迹,乞悉减罢;知枢密院冯京等继以为请,遂诏管军臣僚以下至诸军班衔内带功臣者并罢。

十二月,甲辰,二府奏事,语及淤田之利,帝曰:"大河源深流长,皆山川膏腴渗漉,故灌溉民田,可以变斥卤为肥沃也。"

丙午,日中有黑子如李。

丙辰,诏:"青州民王赟贷死,刺配邻州牢城。"

初,赟父九思,为杨五儿殴迫,自缢死。赟才七岁,尝欲复仇,而以幼未能。至是一十九岁,以枪刺五儿,断其头及手祭父墓,乃自首。法当斩,帝以赟杀仇祭父,又自归罪,可矜故也。

丁卯,辽以北院枢密副使耶律霖知北院枢密使事。

帝每愤辽人倔强,慨然有恢复幽燕之志,御景福殿库,聚金帛为兵费。是年,始更库名,自制诗以揭之曰:"五季失图,猃狁孔炽。艺祖造邦,思有惩艾。爰设内府,墓以募士。曾孙保之。敢忘厥志!"凡三十二库。后集羡赢,又揭以诗曰:"每虔夕惕心,妄意遵遗业。顾余不武姿,何日成戎捷!"

【译文】

宋纪七十三 起戊午年(公元1078年)正月,止十二月,共一年。

元丰元年 辽太康四年(公元1078年)

春季,正月,庚戌(初四),宋神宗命河北路转运使让辖内各地官吏分别去名山祈祷,这是天气干旱的缘故。

乙卯(初九),把王安石任为尚书左仆射、舒国公、集禧观使。

交趾郡王李乾德上表说:"奉诏派人送上地方物产,乞请赐还广源、机榔等州县。"神宗下诏说:"等入朝进贡的使臣到京城后,另外下达边疆事务处理指令。"

戊午(十二日),开始命令太常寺设置下属官署,任命枢密直学士陈襄等人为详定官,任命太常博士杨完等人为检讨官。陈襄等上奏说:"本朝大多沿用唐代旧制,至于祭坛神位、法驾舆辇、仪仗器物,也兼用历代的制度。其中有些内容与形式脱离,很多与古代礼制不相符合。经常有规格格局草率简略,沿袭已久而难以重新改革的,也有出于一时礼仪而不足为后世效法的,请先把这些分条奏明,听候陛下训示,以便成为规范的礼仪。"到元丰五年四月十一日才成书。

甲子(十八日),审官东院上奏说:"广南两路官员缺编,愿去就任的人少。想请朝廷把水土恶劣的地区划为一个等次,把政事复杂难处的地区划为一个等次,其余地区合为一个等次,令转运司申报他们保举的官员。"神宗依从了。

乙丑(十九日),因为太皇太后生病,通过驿站传召天下医生进京。

权发遣三司使李承之上奏说:"近些年来,朝廷对任职资历稍高的人予以优待,对那些年老迟钝或不胜任职事的人,没有立即令他们退休,所以设置了提举宫观、管句宫观一类的官职,从优给予俸禄,没定下人员限额。然而朝臣官员希求清闲贪图厚禄,有的尚未年老体衰,就私下躲避政事,也谋求担任这类官职。有关的条例制度本来就宽松,又没做任何修订,如今朝廷内外宫观官约有一百多人,没有一丁点的职责,每年耗费的俸禄不少于几万缗。请自今以后在京城的宫观提举、提点、句管官,总共不得超过十五个编制,各路可是这个数目的两倍。如果有任命,让他们依常例等待有空缺后再实授。这样就可以尊重那些辛勤守职的人,有所区别,不浪费国家钱财。"下诏说:"从今以后请求担任宫观官的人,年龄在六十岁以上的允许差派,任职仍旧不能超过两次。"

闰月,丙子朔(初一),权发遣户部副使、兵部郎中陈安石被任为集贤殿修撰、河东都转运使。不久诏令河东路十三州每年下拨的和籴钱二十多万缗,从今以后不再下拨,把这批钱交给转运司购买粮草。

此前陈安石乘坐驿车与知太原府韩绛同转运司讨论边境储备的利害得失。韩绛请求改革和籴制度,比原定数额减少三分,停止官府支付钱布,只要减轻百姓支移之苦,那么实惠就落到百姓身上了,遇到灾害又把其余七分免除。然而陈安石上奏说:"十三州征收的二税,以石来计算,共三十九万二千多石,但和籴的数目,共八十二万四千多石,所以遭受灾害过去不免除和籴的数目。由于十三州的赋税轻,本地又依赖和籴收入作边境储备,依理讲不可缺少。和籴过去支领的钱币与布绢各是一半,数额零散欠缺,百姓被州县费用所苦,用钞去向商人换钱,大体上收不到原来价值的一半。公家支付的是现钱,而百姓只得个虚名。想从此以后不再支付和籴钱,每年把这些钱支付给沿边州郡去买粮草,封存储备,遇有灾害,根据百姓不能输纳的数目,用此填补。如果没有灾荒发生,三年减免一次百姓的赋税,用贮存的粮草充作赋税数目,就不必象韩绛讲的那样减和籴原额的三分以及在灾荒时减去七分。"朝廷认为这样好,于是命令陈安石任河东都转运使,全面推行他的方案,又下达了这道诏书。

戊寅(初三),前任知曹州刘放奏报知济阴县罗适疏通过去的滉河,排泄积水有功劳。神宗御批说:"可以记录罗适姓名在案卷上,等府内下辖县份知县空缺时就差派他去,以此来考察他善于治理地方是否属实。"于是命令罗适知陈留县,并诏令罗适留任原职,等现任陈留知县任满取得官资时再去接任。

己卯(初四),下诏说:"河北东、西路、永兴路、秦凤路、京东东、西路、京西南、北路、淮南东、西路的转转司,都依照没有分路以前总管两路,两路的钱粮都任其调拨使用;除了河北路和陕西路,其余各路裁减判官一人。"

庚辰(初五),辽道宗举行春水游猎仪式。

此前相州判决三名抢劫强盗的死罪,中书省的堂后官周清反对这一判决,说其中的二名协从犯应当减刑,审判官犯了错判死罪的过失。案件转移到大理寺。详断官窦苹、周孝恭告诉诉检正刘奉世说:"两个协从犯亲手杀人,不是错判死罪。"因此大理寺奏报相州判案正确。周清坚持前议再次提出反驳,又将此案送交刑部新任官员审定。刑部裁定周清的反驳是正确的,大理寺不服。正当争论未决,刚好皇城司奏报相州法司潘开携带钱物来大理寺,行贿枉法。起初，殿中丞陈安民致书相州判官，让他一天内判决这一案件，听说周清反驳，害怕获罪，前往京城，遍访亲友求救。文彦博的儿子文及甫，是陈安民的外甥，吴充的女婿。陈安民致书潘开，召他来京，说："你最好亲自来打通法司关节。"潘开尽其家财来到京城，想贿赂大理寺的小吏打听消息。相州人高在等人在京城做司农寺的官吏，贪图潘开的钱财，与中书省的官吏几个人一起花费了他的钱财，实际上未曾见到大理寺的官吏。事情被皇城司奏报上去，说潘开携带三千多缗钱贿赂大理寺。案子下给开封府审理，没有查到行贿的证据，只找到陈安民给潘开的书信。谏官蔡确知道陈安民与吴充有亲戚关系，就暗中奏称此案牵连到朝廷大臣，不是开封府所能审理解决的。神宗诏令把案子移交给御史台办理，这是听从了蔡确的奏请。

辛巳（初六），任命翰林侍读学士、宝文阁学士吕公著兼任端明殿学士。

神宗悠闲地与吕公著谈论治国的道理，进而谈到了佛教和道教。吕公著问："尧、舜知道这样的治国道理吗？"神宗说："尧、舜怎能不知道！"吕公著说："尧、舜虽然知道这些，但他们只把知人善任、安定百姓看作关键，这是他们成为尧、舜的原因。"神宗又说到唐太宗能够用权术智谋来驾驭臣子，吕公著回答说："唐太宗的美德，在于他能屈己纳谏。"神宗认为他说得对。有人想恢复肉刑，建议拿死刑犯人试用割掉鼻的劓刑和砍掉双脚的刖刑。吕公著说："如果试验后犯人没死，那么肉刑就要实行了。"这才停止。西夏人幽禁了他们的君主，宋朝准备大举出兵讨伐。吕公著说："用来兴师问罪的军队，应先选好将帅，如果没有合适的将帅，不如不要兴兵。"等到起了兵，秦、晋两地民力大为困乏，大臣们都不敢说话，吕公著多次陈说兴兵的害处。

壬午（初七），礼部上奏说："除了禘祭和祫祭，皇上亲自祭祀太庙，都要以功臣来配享。"神宗听从了。

下诏说："凡是常平钱粮应当缴钱，但愿意缴纳粮食以及金帛的，官府要定下适中的折算价格，向百姓公布，所缴实物不足应缴钱币的，用钱补足，所缴实物多于应缴钱币的，要退还多余的钱额。常平仓的钱粮，其中保管在民间的，有固定的钱数，春季散发，夏秋征税时收回来。如有意外急需用钱而家中缺乏要求借贷的，确定缴纳二分的利息。常平粮则在丰收年成适当加价收买，年成饥荒时低于当时市价卖出，以便赈济饥民。另外听任百姓用金帛交换粮谷，有关部门稍微增加金帛的价值。凡常平钱粮应当支取和出卖，都依照熙宁九年的诏书，一般支取和存留各一半。"

壬辰（十七日），任命枢密直学士孙固同知枢密院事。起初，孙固奏称王安石不能担任宰相。等推行新法，孙固多次论事不合，被调出京城候补地方官职。到这个时候神宗想起他的先见之明，召他回来任开封府知府，逐渐重用他。

甲午（十九日），下诏说："提举司天监近来校正月食发生的时间，跟《崇天历》《明天历》比较，已经可以看到新历法更为精密。还有，上次闰正月是在戊子年，现在又在戊午年闰正月，恐怕在情理上也是对的，可以不必研究修改新历法了。那些差派去研究修改新历法的官员都停职，给卫朴发路费钱二十千。"此前卫朴在熙宁初年另造新历法，到熙宁十年，议论的人认为新历法推算月食有差错，所以再次召来卫朴进行集体讨论，至此时才停止下来。

辽国赈救东京的饥荒。

丁酉（二十二日），宋朝废除了提点熙河蕃部司。

御史台和閤门上奏说:"在先皇的忌日去神御殿烧香,从现在起命令群臣列班于殿下,宰相一人上殿,上香跪拜。"神宗依从了。

己亥(二十四日),太傅兼侍中曾公亮去世,享年八十岁。神宗临丧哭祭,停止三天没上朝。追赠他为太师、中书令。开始谥为忠献,礼官刘挚反驳说:"曾公亮身居高位,没听说他举荐过一位人才,怎么能称忠!他家积财千金,未曾助人一物,怎么能称献!"群臣不能反驳,就改谥号为宣靖。到下葬时,神宗亲自篆书他的墓碑为"两朝顾命定策亚勋之碑"。曾公亮生性吝啬,经营家财至巨万。他极力荐举王安石用来离间韩琦,他保持个人禄位,巩固皇上对他的宠信,受到世人讥笑。

庚子(二十五日),太阳出现黑子。

癸卯(二十八日),让曾公亮配享在英宗庙庭。

二月,庚戌(初五),濮国公赵宗谊去世。

辛亥(初六),日本国的通事僧仲回来宋朝贡献地方物产。

知谏院蔡确会同御史台审讯相州错判死罪的案子。潘开一案交给御史台审理,十多天后,审问结果与开封府没有不同,于是神宗诏令蔡确与御史共同审理。蔡确靠打击别人得以迅速提升,吴充向来厌恶他的为人。刚好吴充请假不在朝中,王珪奏请任用蔡确审案,宋神宗依从了。

权发遣提点开封府界诸县镇公事、集贤校理蔡承禧上奏说:"陛下倡导义仓法,派臣等去遵照执行。现在一般是纳税二石缴纳一斗的义仓米,非常的轻。臣下辖领二十二邑,其中九邑已经执行,每年收到几万。请求从今年秋税开始,不必麻烦皇上批准,直接推行义仓法。"于是诏令京畿各县义仓事务隶属于常平司。

甲寅(初九),把邕州观察使赵宗晖任为淮康军节度使,封为濮国公。

乙丑(二十日),辽道宗驻跸于埛获野。

三月,癸未(初九),广南西路经略使请求训练峒丁,神宗听从了。

乙未(二十一日),神宗亲临崇政殿检阅军队。

丁酉(二十三日),辰州、沅州的瑶族贼兵进犯边地州郡,州兵把他们打败赶走。

鄜延路经略吕惠卿上奏说:"不久前接到朝廷圣旨,命令延州西路同都巡检策应环庆路,令庆州东路巡检策应鄜延路,遇有贼兵大举进犯,把军队集合到一路反击,另以统兵将领带兵策应;如果鄜延路内自有战事发生,令经略随机处置,让其他将领带兵策应救援。臣私下认为贼人兴兵一动就是几十万,分头进犯二路,那么到处都是贼兵,我方怎能知道他们从哪里出动呢?如果贼人知道我方有互相策应的方略,那他们想攻打鄜延路,必定在环庆路佯装用兵,环庆路告急,那么鄜延路就要起兵策应环庆路;他们想攻打环庆路,必定在鄜延路佯装用兵,鄜延路告急,环庆路就要起兵策应鄜延路。援兵少就不足以迎击敌人,出动兵马多,那本路就会出现兵力空虚不能防备贼兵的地方。这样,不仅我方军队紧急行军而疲惫不堪,有陷入贼人埋伏的危险,而且敌人还会分兵直捣我方空虚前来偷袭。臣下认为,各路发生战事,邻近各路只应集结军队来声援,或者暂且依照条例随机应变进行牵制,不必另外规定互相策应的方略,以免临到战事发生而被条文束缚,犯了兵家之忌。"诏令鄜延路按照上奏所说行事,其余各路另听指挥。又有人说过去刘平因援救邻道战死,今后应停止邻近各道互派援兵。环庆路副总管林广认为,各道同心协力来作战,是国家抵御贼兵的良计,如果贼人合兵力侵犯一道而邻道不加援救,即使是古代名将作战,也不能有所作为。刘平的败亡,不是出兵救援的错误。因此互相策应的办法得以不被废除。

夏季,四月,乙巳(初二),知谏院蔡确接旨会同御史台审讯潘开一案后,就逮捕了大理寺详断官窦苹、周孝恭等人,戴上枷具放在正午的太阳下暴晒,总共五十七天,逼问他们受贿之事,但都没有供认。御史中丞邓润甫晚上听到拷打囚犯的惨叫声,以为是窦苹、周孝恭等人在受刑,其实是别的囚犯。邓润甫心中责怪蔡确手段残忍刻毒,但却无力制止。蔡确传讯陈安民,把枷具放在面前来审他。陈安民害怕,就说曾经请求过文及甫,文及甫说"事情已通告丞相,丞相十分关注"。丞相就是指吴充。蔡确得到这份供词,很高兴,急忙想和邓润甫进朝答对,详细奏报吴充受了人情请托枉法行事,邓润甫劝住了他。第二天,邓润甫在为皇帝讲经的席上,单独上奏说:"相州案件本来不大,大理寺官员实际上不曾收受贿赂。然而蔡确极力追查这一案子,牵扯的人没完没了。窦苹等人都是朝廷官员,被严刑拷打得体无完肤,都含冤屈招,乞请陛下早日结案。"权监察御史里行上官均也这样上奏,神宗非常吃惊。第二天,蔡确想上殿答对皇上,到了殿门,神宗派人阻住他,使他不能近前。神宗下达亲笔诏书说:"听说御史台审理相州法司一案很不公正,派知谏院黄履、句当御药院李舜举提审后验证。"

黄履、李舜举到御史台,与邓润甫、蔡确等坐在廊下,带囚犯到面前,宣读他们已经供认的罪状,让他们如供词属实就写上实字,供词虚假就陈说冤情。在此以前蔡确多次提审,囚犯有改变供词的,就用竹板拷打,到这次审问,囚犯们不知道主审官是皇上派来的使臣,害怕狱吏刑罚严酷,不敢不承认,只有窦苹翻供。验看拷打的伤痕,却没有发现。黄履、李舜举回去奏报,神宗很不满邓润甫等人的奏言。诏令蔡确、黄履以及监察御史里行黄廉赴御史台查实。依旧派李舜举督查。

吴充上奏说:"御史台审理相州案子,牵连到臣的女婿文及甫,该案文书在中书办理恐有嫌疑,乞请不要进呈中书,或者送往枢密院。"神宗下诏不让吴充进呈文书以及在文书上签字,等到案卷报上来后,中书、枢密院同去领取圣旨。

乙卯(十二日),知谏院蔡确被任为右谏议大夫、权御史中丞。翰林学士兼侍读、权御史中丞邓润甫被削职,出知抚州。太子中允、权监察御史里行上官均被斥责,改任光禄寺丞、知光泽县。

起初,神宗另派黄履、黄廉和李舜举前往御史台审理相州法司案件,蔡确知道神宗心里不满邓润甫等人,就上奏说:"邓润甫故意造出谣言来中伤陛下,并想改变案件真相,暗中勾结执政大臣,乞请陛下早日把他罢免斥退。"神宗开始也怀疑相州一案被滥加扩大牵连到无辜之人,派遣使臣去审讯,却与邓润甫等人所说不完全相同,蔡确接下来又攻击他,所以邓润甫等人被贬斥。蔡确升任御史中丞后,凡朝中官吏被捕进狱的,就命令狱吏把他们关在同一间牢房。睡在同一张席子上,饮食与大小便都在一间牢房里。房子前面放一个大盆,凡是送来的食物,无论饭菜饼饵,都投进盆中,用勺子搅匀,分给囚犯们吃,好象是喂猪狗,把他们放在一边不加提审。所以被捕的囚犯都庆幸被审问,对所有罪状都加以承认。

癸亥(二十日),太白金星在白天出现。

乙丑(二十二日),封虢国公赵宗谔为豫章郡王。

戊辰(二十五日),堵塞住了黄河在曹村的决口,把这段堤命名为灵平埽。

1591

起初，熙宁十年时，黄河在郑州荥泽决口，文彦博上奏说："臣曾奏报德州一段黄河河床淤泥沉积，水流迟缓，上游必定阻塞不通。另外，黄河水势变化，四处乱流，两岸都要遭受水灾，如果不预先加以规划控制，必然会泛滥到魏州、博州、恩州、澶州等境内。然而都水监没做一点防护措施，只是加固北岸而已。恰好连续几年黄河水位较低，官吏们希望获得节省治河经费的奖励，未曾增修河堤，大名府内各处堤埽，都值得忧虑。就说曹村这处堤埽，从熙宁八年到现在，三年来，虽然每年计划安排春季修堤物资，要加固低洼薄弱堤岸，但有关部门未曾按计划执行。这次决口不是天灾，实在是人力不到的结果。现在河朔、京东路各州县，遭受水灾的百姓不计其数，他们嗷嗷呼叫上天，皇上圣心垂念百姓，但治水官吏没有引咎自责，还汲汲不忘得到奖赏。臣以上奏陈的，都是出于至诚之心，本是为了补报朝廷，不敢攻击别人。"到这个时候黄河决口才被堵塞住。

起初讨论堵塞决口时，因黄河故道淤塞，河床又高，议论的人想从夏津县东边开挖引河流入董固来保护旧河道，长七十里九十步；又从张村埽一直往东修筑河堤到庞家庄古河堤，长五十里二百步。神宗诏令枢密都承旨韩缜实地视察。韩缜上奏说："河水上涨，冲刷新挖河床，已经形成河道，黄河水势变化移动没有规律，虽然开挖引河以就原有河堤以及在河旁修筑新的河堤，都是白费劳力，只有增修新河，才能长久。"下诏批准。

五月，甲戌朔（初一），神宗亲临文德殿上朝听政。

这一天，曹村的黄河决口处新修的河堤完工，黄河依旧北流。从闰正月丙戌（十一日）开始动工到现在，共用劳力一百九十多万，材料一千二百八十九万，钱、米各有三十万，堤长一百一十四里。

庚辰（初七），神宗召集辅政大臣到后苑观赏麦苗。

丙戌（十三日），辽道宗驻跸于散水原。

辛丑（二十八日），诏令免除右武卫大将军、象州刺史赵克颂的死罪，把他出仕以来的任命文书追回销毁，软禁在城外房子里；这是由于他患了疯狂病戕伤妻子刘氏致死的缘故。

知宗正丞赵彦若上奏说："如今宗正寺在负责宗庙祭祀外，专门掌管登记皇族宗室的谱牒名册，不参与推荐人才，私下担心这与它的职责不相称。臣以为应对宗室人员详细地分出高低，让各教官依照国子监外官学例，订立考核办法，每遇秋赋考试，在宗正寺内对宗室子弟举行锁试，另立录取人数，以示待遇与众不同，编入朝廷政令，让他们互相激励奋进。贤能的人获得升迁，不肖者自然会被抑制，所有恩泽，分别给以裁决减损，必定没有怨望。让同宗亲人与天下贤才同被重用，分布到朝廷和地方，用来镇抚安定天下，使国家稳若磐石。这样做，比起那种把宗室成员愚蠢与聪明的混淆不清，合在一起，白白耗尽国家俸禄而无所作为，两者不可同日而语。"这件事虽然没有实现，但当时舆论都认为正确。

六月，癸卯朔（初一），发生了日食。甲辰（初二）晚上，东南方有亮光照耀大地，有颗大星从匏瓜星飞出来，在殿内阶庭炸裂，响声如雷。

甲寅（十二日），准布族向辽国进贡良马。

辛酉（十九日），殿中丞陈安民等人被不同程度地贬官降职。陈安民因为任官相州时与错判人犯死罪有关，又嘱托大理寺评事文及甫向宰相吴充讲情。

起初，蔡确审办此案，想罗织罪名来倾陷吴充，供词牵连到吴充的儿子吴安持。当时三司使李承之、户部副使韩忠彦，都是神宗所倚重信任的，韩忠彦是韩琦的儿子，李承之曾做过都检正,蔡确都让囚犯牵连他二人。李承之知道后,多次对神宗说起蔡确阴险刻毒。神宗心中稍有宽解,催促结案。此时定了案,韩忠彦还是被罚交十斤铜赎罪。吴充上表请求罢相并闭门待罪,先后有三四次。神宗急忙派遣宦官召吴充出门,让他处理政事。蔡确多次率领言事官上朝奏对神宗,说吴安持应当受到重罚。神宗说:"子弟为亲朋故旧来请托求情,不得已而答应下来,这也算是平常小事,哪里值得过多地追究罪责!卿等只想一起攻击吴充使他离职,这是什么用心呀?"神宗把蔡确弹劾吴充的奏折退还给他,言谏官才停止下来。

秋季,七月,癸酉朔(初一),详定礼文所奏请撤掉南郊祭坛为天皇大帝设的神位,神宗下诏不予同意。详定礼文所又上奏说:"古时祭天用的牛必须在涤宫喂养三个月,以便祭牛真正洁净。如今没有涤宫喂养的规定,有关部门涤养不严格,一切都苟且从简。想请陛下下令给将作监,酌情修建涤宫,拟订喂养祭祀牺牲的法规,饬派所属官员前去视察,委派太常寺主簿一人巡阅检查。"神宗依从了。

甲戌(初二),辽国各路奏报总共供养僧尼人员三十六万。

辛巳(初九),神宗任命西上阁门使、忠州团练使韩存宝负责处理泸州纳溪夷人事务。

丁酉(二十五日),御史黄廉上奏说:"前几年科举考试按不同的经典选送应考人员,人数不平均,例如某个考场,学习《诗经》的人十个里面选送四五个,学习《书经》的人十个里面才选送一个。请自今以后,在学习各经的人内部分别确立选送的比例,这样做的好处是能平均选取各地各有专长的人,以便让士子们专心学习。"下诏说:"今后选送到京城和南京应天府考试,学习《诗经》《易经》的人各取十分之三,学习《周礼》《礼记》的人都选取十分之二。"

黄廉又上奏说:"国子监生员的著述议论,全部学到了讲官的学问。将来各讲官按例被差派主持考试,私下担心在决定取舍时,虽然不一定会徇私舞弊,但在判定优秀答卷时,大多会取与自己观点相同的答卷,这是一般人情不可避免的。这样一来,外地来的与国子监讲官关系疏远的考生偶尔与讲官见解不合,就会被淘汰落选,实在不符合朝廷兼收博采各种人才的本意。请今后只选派近年来任教的人担任主考官,或者差派邻近州郡的教授担任主考。"下诏说:"等差派考官时再领取圣旨。"

八月,癸卯(初二),辽道宗下令有关部门审理积压已久的案件。

壬子(十一日),集贤殿修撰俞充被任为天章阁待制、知庆州。

王珪知道神宗想讨伐西夏,所以奏请任用俞充为边防将帅,让他准备讨伐西夏,以便迎合神宗心意。

戊午(十七日),把韩绛任为建雄军节度使。

九月,癸酉(初二),交趾国前来宋朝进贡。癸未(十二日),李乾德上表乞请宋朝退还广源等州,神宗下诏不同意。

乙酉(十四日),任命端明殿学士吕公著、枢密直学士薛向一起同知枢密院事。薛向善于经商理财,计算收支没有遗漏,但是不能不让百姓受害,他所上报的税赋不时有失实的地方。当时正崇尚功利,王安石在朝中支持他,御史多次上奏过,但神宗不听从,薛向因此更加得以发展他的事业。至于在神宗那里谈论兵事,议论透彻,决断明快,于是他由一个文职俗吏得到重用。他事奉吕公著很久,吕公著也逐渐亲近他,在议论中很为他说话。

诏令:"祭祀天地和配祭上帝,都用完整的牺牲。"

1593

乙未(二十四日),辽道宗驻跸藕丝淀。

庚子(二十九日)，五国部族酋长向辽国进贡。

冬季，十月，癸卯(初二)，辽国参知政事刘伸被外调为保静军节度使。此前刘伸任户部使时被辽道宗赏识，辽道宗对宰相杨绩说："如今群臣中忠直的，只有耶律玦、刘伸而已，然而刘伸比不上耶律玦刚直耿介。"杨绩跪拜祝贺说："什么朝代没有贤能之人？贤人在世道昏乱时就独善其身，君主圣明时就兼善天下。陛下能区分奸邪与正直，升降分明，天下非常幸运！"辽道宗又对刘伸说："爱卿不要害怕宰相。"刘伸回答说："臣对耶律伊逊尚且不害怕，哪里还怕宰相！"耶律伊逊听到后就恨他，与人一起攻击陷害他，于是刘伸被外调了。耶律玦也被外放到西北地区任职，因饮酒致病去世。

丁未(初六)，宋朝重修都城城墙完工，周围共五十里长。

己酉(初八)，诏令兖州经常用省钱来维修宣圣孔子的祠庙。

庚戌(初九)，制定秋季阅军的奖赏标准。

禁中侍卫作全殉职，录用他的弟弟作宣为三班借职。

辛亥(初十)，韩存宝攻破泸州夷人后城等十三处据点。

己未(十八日)，权发遣兴州罗观请求把义仓法颁行到川峡四路，宋神宗听从了。

壬戌(二十一日)，军器监上奏说："以前赞善大夫吕温卿奏言：'五路州军近年增加设置壮城兵，虽然有训练指挥，但他们练习的武艺全都没有实际用处。例如大名府城墙周围有四十多里长，炮手只有四人，其他挂搭的人、施放火药的人、全火的人也都缺少。大概是过去没有进行训练的规章制度，又没有专职的检阅官员。现在想要让各州的壮城兵，除了修治城墙炮楼，都要轮流分为上下两班，训练他们守城御敌，以十分为标准，内留十分之三的人作炮手，其余的人都练习挂搭，使用攻敌守城的器械用具。依旧登记他们所学工种名称，每个季度委托本州官员进行比试，给予升降。'此项建议曾下达给五路安抚司，但五路的反映有所不同。本监现在参酌异同，拟请五路州军壮城兵，遇上没有修治城池炮楼工程时，就命令安抚司以十分为标准，让十分之三的人练习用炮，其余的人都学习挂搭和使用攻守器械。其中多组织十分之一的人作工匠，一并交付五路准备调用和训练，三年轮流一次。熙河路州军也依照这一办法办理。"神宗听从了。

军器监又上奏说："吕温卿说：'朝廷派遣官员建造澶州浮桥、火叉，这作为防御外患可以算是预备了。但恐怕万一敌寇到来，用火筏、火船顺江而下，顺着风势火力炽烈，浮桥上不能容纳很多人，难以防守抵御，不若另外建造战船来攻击敌人后路。请造战船二十艘，依旧在澶州设黄河巡检一人，挑选出五百名河清兵，用缉捕黄河盗贼的名义，训练水战以防备不测。'这个建议被转发给大名府路安抚司斟酌考虑。该司奏称：'澶州地段的黄河上，过去没有巡检。这里正是北国使臣往返道路，如果增设战船，私下考虑会使形势紧张。想只挑选一百名河清兵组成桥道水军，让他们熟习行船水战，可让他们在危急时抵御从上游来的船只以及装备驾驶战船。'本监想依照安抚司的奏陈办理。"神宗听从了。

癸亥(二十二日)，于阗派使臣来宋朝进贡。

十一月，壬申(初二)，详定礼文所上奏说："郊祀祭坛应当依照礼文仪注，设三个祭坛，把青绳撤掉。"又说："郊祀天地时，铺席应当用稻草、麦秆编织，配享天帝时，铺席应当用蒲苇编织，撤掉黄色铺褥、大红色铺褥。"又说："祭祀宗庙应当用一丈八尺长的制币，并依照仪注燃烧艾蒿。"又说："遇到下雨只能举行望祭时，应当穿上祭服，依旧奏乐。"又说："分献官不应当先行登上祭坛,应当依照仪注规定。"又说:"《南郊式》规定,监祭和监礼都立在祭坛南面,是不对的。请求分别让监祭立在祭坛的西北角,面向东方;监礼立在祭坛的东北角,面向西方。"又说:"景祐年间确定的皇上穿戴冠冕的制度,已经与古代礼制相符合。如今少府监进呈的样品不符合礼制规定,请改用红色丝带作纽带,玉笄、玉瑱用纯黑色,垂瑱用五彩玉石串在五彩丝绳上做垂旒,用青、红、白、黄、黑五色配成一玉,每一玉长一寸,前后总共二十四条旒,下垂齐肩,冠冕的表里都用缯制作。"又说:"服裳都是前三幅、后四幅,现在用八幅制成,前后没有区别。还有,佩玉、绥带以及衣服的花纹都不同于古制,应当改正过来。"又说:"祭祀时文武百官虽然不主持祭礼,但穿着朝服来陪祭,不对,应当都穿祭服,按改定好的制度,改制五冕和爵弁服,分别使冠冕和弁服名副其实。"又说:"天子的六种祭服,从鷩冕以下,现在天子既然不亲自祭祀,就要废弃不用。"又说:"穿六种冠冕都要穿红色复底礼鞋。"说:"景灵宫、太庙、南郊的祭礼仪注,都规定在祭前的三天,仪鸾司在御座上铺设黄道褥。把黄道褥铺设在郊庙里,不对。"神宗下诏不设道褥,其余都依从了。

乙酉(十五日),详定礼文所上奏:"古时的大带,天子、诸侯、大夫、士的色彩纹饰单数双数都不相同。如今群臣助祭穿的服装,一律用大红和白色罗缎制作,没有等级差别。"又说:"中单也不符合礼制规定,都请依照礼制加以改正。"神宗诏令把奏折送交礼院。

丁亥(十七日),辽国禁止官吏百姓穿用有锦绣日月、山龙纹饰的衣服。

己丑(十九日),命令龙图阁直学士宋敏求等人详细制定正月初一上殿的仪礼规定。宋敏求于是呈《朝会仪》二篇,《令式》四十篇,神宗诏令把它们颁布施行。

回鹘派使臣向辽国进贡。

庚寅(二十日),辽国把南院枢密使耶律仲禧任为广德军节度使,这是由于耶律伊逊荐举可以任用他。耶律仲禧配合耶律伊逊审理太子一案,任意牵连无辜之人,未曾给以昭雪平反,受到公众舆论的指责。耶律伊逊害死太子后,就此对辽道宗说:"皇弟宋魏国王和啰噶的儿子耶律淳,可以立为君位继承人。"群臣中没人敢说话。北院宣徽使萧乌纳以及伊勒希巴萧托辉进谏说:"抛弃亲生子孙不立为太子,这是把国家送给别人呀。"辽道宗犹豫不能决定。当时太子的儿子耶律延禧和女儿耶律延寿长期寄养在萧怀忠家,刚好宫妃李氏进呈《挟谷歌文》,辽道宗被触动而醒悟过来,宣召延禧和延寿,在皇宫中抚养起来。

辛卯(二十一日),辽国锦州百姓张宝,四世同堂,辽道宗把张家诸子任命为三班祗候。

戊戌(二十八日),宋朝宰相吴充、王珪,参知政事元绛,奏言功臣不是古来就有的,最初是在唐德宗遭遇多种危难时,才有"奉天定难"的功臣称号,太平盛世不应该还在沿袭过去事迹,请求全部废除;知枢密院冯京等也相继为此上奏请求,于是神宗诏令统兵大臣以下至各军入朝列班的武官官衔中带有功臣称号的都废掉。

十二月,甲辰(初四),二府奏报国事时,讲到用淤泥造田的好处,神宗说:"黄河源远流长,沿途都是山川肥沃土地流入河中,所以用来灌溉民田,能够把盐碱地改造成肥沃的良田。"

丙午(初六),太阳中有李子大小的黑子。

丙辰(十六日),神宗诏令:"青州百姓王赟免除死刑,刺配去邻州牢城。"

起初,王赟的父亲王九思,被杨五儿殴打欺侮,自己上吊死了。当时王赟只有七岁,曾想替父报仇,但因年小没能实现。到这时他十九岁了,用枪刺死杨五儿,砍下他的头和双手,在他父亲坟前祭奠,然后去官府自首。依照法律应被处以斩刑,但神宗因为王赟杀死仇人来祭奠父亲,又是自己投案认罪,值得原谅。

丁卯(二十七日),辽国任北院枢密副使耶律霖知北院枢密使事。

宋神宗痛恨辽国人强悍蛮横,慨然有收复幽燕地区的决心,亲临景福殿国库,聚集金钱布帛用作军费。这一年,才更改库名,亲自写诗一首,张贴在上面,说:"五季失图,猃狁孔炽。艺祖造邦,思有惩艾。爰设内府,基以募士。曾孙保之,敢忘厥志!"每库一字,共三十二库。后来征集各地的羡余钱,又写诗张贴在上面,说:"每虔夕惕心,妄意遵遗业。顾余不武姿,何日成戎捷!"(两诗意思是:"五代君主失算,使猃狁后代气焰嚣张。大宋太祖开创国家,想出兵征讨。于是设立皇宫内府,用来招募将士。后代子孙保有它们,不要忘记祖先大志!""日日夜夜保持警惕,才智不足却妄自要继承祖先事业。看看自己没有威武雄姿,何时才能打败戎夷报告胜利消息!")

续资治通鉴卷第七十四

【原文】

宋纪七十四　起屠维协洽【己未】正月,尽十二月,凡一年。

神宗体元显道法古立宪帝德　王功英文烈武钦仁圣孝皇帝

元丰二年　辽太康五年【己未,1079】　春,正月,壬申,辽主如混同江。

耶律伊逊荐耶律孝杰忠于社稷,辽主谓孝杰可方唐之狄仁杰,赐名仁杰,许放海东青鹘以宠异之。

辽主将出猎,耶律伊逊请留皇孙,辽主欲从之。宣徽使萧乌纳奏曰:"闻驾出游,欲留皇孙。皇孙尚幼,苟保护非人,恐有它变。果留,愿留臣左右,以防不测。"辽主悟,命皇孙从行,如山榆淀。辽主由是始疑伊逊。

乙亥,罢岢岚、火山军市马。

先是市易旧法,听人赊钱,以田宅或金银为抵当;无抵当者,三人相保则给之。皆出息十分之二,过期不输息,每月更罚钱百分之二。贫民取官货不能偿,积息罚愈多,囚系督责,仅存虚数。于是都提举市易王居卿建议:"以田宅金帛抵当者,减其息;无抵当徒相保者,不复给。"己卯,诏:"自正月七日以前,本息之外所负罚钱悉蠲之。"凡数十万缗。负本息者,延期半年。众议颇以为惬。

壬午,以容州管内观察使杨遂为宁远军节度使。

丁亥,诏:"宗室大将军以下愿试者,本经及《论语》《孟子》大义共六道,论一首;大义以五通,论以辞理通为合格。"

甲午,京兆府学教授蒋夔乞以十哲从祀孔子,从之。夔请以颜回为兖国公,毋称先师;而祭不读祝,仪物一切降杀;而进闵子骞九人亦在祀典。礼官以"孔子、颜子称号,历代各有据依,难辄更改;仪物献祝,亦难降杀。所请九人,已在祀典。熙宁祀仪,十哲皆为从祀,惟州县释奠未载。请白今二京及诸州春秋释奠,并准熙宁祀仪"。

丙申,帝谓辅臣曰:"向以陕西用度不足,出钞稍多,而钞加贱,遂建京师买盐钞之法。本欲权盐价飞钱于塞下,而出钞付陕西无止法,都内凡出钱五百万缗,卒不能救钞法之弊。盖新进之人轻议更法,其后见法不可行,犹遂非惮改。"王珪曰:"利不百不变法。"帝曰:"大抵均输之法,如齐之管仲,汉之桑弘羊,唐之刘晏,其才智仅能推行,况其下者乎!朝廷措置经始,所当重惜。虽少年所不快意,然于国计甚便,姑静以待之。"

二月,甲辰,诏威、茂、黎三州罢行义仓法。

1597

初,知兴州罗观乞置义仓于川峡四路,许之。既而成都府路提举司言:"威、茂、黎三州,夷、夏杂居,税赋不多,旧不推行新法,岁计军储,皆转运司支移;彭、蜀州税未就输及募人入中,恐不可置义仓。"故有是命。

庚戌,计议措置边防公事所言:"以环庆路正兵、汉、蕃弓箭手强人联为八将。第一将驻庆州,第二将环州,第三将大顺城,第四将淮安镇,第五将业乐镇,第六将木波镇,第七将水和寨,第八将郊州。"从之。

辛亥,诏:"礼部下第进士七举、诸科八举曾经殿试,进士九举、诸科十举曾经礼部试,年四十以上,进士五举、诸科六举曾经殿试,进士六举、诸科七举曾经礼部试,年五十以上者,听就殿试。内三路人第减一举,皇祐元年以前礼部进士两举、诸科三举准此,仍不限年。其进士一举,诸科二举,年六十以上者,特推恩。"又诏:"开封府、国子监间岁考场以前,到礼部进士五举、诸科六举,年五十以上者,许就殿试。"

甲寅,日中有黑子。

诏:"大理寺官属,可依御史台例,禁出谒及见宾客。"

乙卯,以泸州夷乞弟犯边,诏王光祖等讨之。

三月,庚午朔,栋戬遣使来贡。

辛未,诏:"河东定夺解板沟地界,毋得张皇或致生事,候究治得实,具奏听旨。"从管句缘边安抚司王崇拯言也。

辽以宰相耶律仁杰从猎得头鹅,加侍中。

辽主将次黑山之平淀,见扈从官属多随耶律伊逊后,心恶之,渐知其奸。

庚辰,亲试礼部进士。

辛巳,诏:"今岁特奏名明法改应新科明法人,试大义三道。"又诏:"京朝官、选人、班行所试经书、律令大义、断案,上等三人,循一资;中等三十四人,不依名次注官;下等七十人,注官。"

丙戌,龙图阁直学士、知成都刘庠进一官,知秦州。

太子中允、集贤校理、知谏院徐禧为右正言、直龙图阁、权发遣渭州,其计议措置边防事如故。

初,陕西缘边兵马、蕃弓箭手与汉兵各自为军,每战,多以蕃部为前锋,而汉兵守城,伺便利后出,不分战守,每一路必以数将通领之。吕惠卿帅鄜延,以为调发不能速集,始变旧法,杂汉、蕃兵团结,分战守,每五千人随屯置将,具条约以上。边人及议者多言其不便,帝颇采惠卿议,欲推其法于诸路,故遣禧往计议。禧先具环庆法上之,遣官措置泾原。而泾原帅蔡延庆以为不可,朝廷亦是之,并难禧环庆法。禧历疏泾原法疏略参错,图其状,别为法以奏,且〔言〕环庆法不可改。帝与惠卿诏曰:"徐禧论措置析将事,恻怛慷慨,谋国不顾己,令代延庆帅泾原,卿宜勉终之。"

庚寅,诏:"入内东头供奉官宋用臣都大提举导洛通汴,前差卢秉罢勿遣。"

初,去年五月,西头供奉官张从惠言:"汴河口岁岁闭塞,又修堤防劳费,一岁通漕才二百馀日,往时数有人建议引洛水入汴,患黄河啮广武山,须凿山岭十五丈至十丈以通汴渠,功大不可为。自去年七月黄河暴涨,异于常年,水落而河稍北去,距广武山麓有七里,远者退滩高阔,可凿为渠,引水入汴,为万世之利。"知孟州河阴县郑佶亦以为言。都水监丞范子渊言:

"汜水出王仙山，索水出嵩渚山，亦可引以入汴。合三水，积其广深，得二千一百三十六尺，视今汴流尚赢九百七十四尺。以河、洛湍缓不同，得其赢馀，可以相补。惧不足，则旁堤为塘，渗取河水，每百里置木闸一，以限水势。堤两旁沟湖陂泺，皆可引以为助，禁伊、洛上原私取水者。大约汴舟重载，入水不过四尺，今深五尺，可济漕运。起巩县神尾山至土家堤，筑大堤四十七里以捍大河，起沙谷至河阴县十里店，穿渠五十二里，引洛水入于汴渠，总计用工三百五十七万有奇。"疏奏，帝重其事，以子渊计画有未善者，乃命用臣经度，以杨珪往。至是用臣还奏可为："请自任村沙谷口至汴口开河五十里，引伊、洛水入汴，每二十里置束水一，以刍楗为之，以节湍急之势。取水深一丈，以通漕运，引古索河为原，注房家、黄家、孟王陂及三十六陂，高仰处潴水为塘，以备洛水不足，则决以入河。又自汜水关北开河五百步，属于黄河，上下置闸启闭，以通黄、汴二河船筏。即洛河旧口置水㳷，通黄河，以泄伊、洛暴涨之水。古索河等暴涨，即以魏楼、荥泽、孔固三斗门泄之。计用工九十万七千有馀。"又乞责子渊修护黄河南堤埽，以防侵夺新河。诏如用臣策，故有是命。始营清汴，主议者以为不假河水而足用。后岁旱，洛水不足，遂于汜水斗门以通木筏，为阴取河水以益之，朝廷不知也。

壬辰，辽北院枢密使耶律伊逊出知南院大王事，加裕悦。伊逊专政日久，至是始外出。以知北院枢密使耶律霖为北院枢密使，以北院枢密副使耶律德勒岱知北院枢密使事，以左伊勒希巴耶律世迁同知北院枢密使事。

癸巳，集英殿赐进士、明经诸科开封时彦以下及第、出身、同出身、同学究出身，总六百二人。

甲午，御集英殿，赐特奏名进士、明经诸科同学究出身、试将作监主簿、国子、四门助教、长史、文学、助教，总七百七十八人。

岐王颢之夫人冯氏，侍中拯之曾孙也，失爱于王，屏居后阁者数年。是春，岐王宫遗火，寻扑灭。夫人闻有火，遣二婢往视之。王诘其所以来，二婢曰："夫人令视大王耳。"王乳母素憎夫人，与二婢人共谮之曰："火殆夫人所为也。"王怒，命内知客鞫其事，二婢不胜拷掠，自诬服。王泣诉于太后，太后怒，谓帝必斩之。帝素知其不睦，徐对曰："俟按验得实，然后议之。"乃召二婢，命中使与侍讲郑穆同鞫于皇城司。数日，狱具，无实。又命翊善冯浩录问。帝乃以具狱白太后，因召夫人入禁中。夫人大惧，欲自杀。帝遣中使慰谕，命径诣太皇太后宫，太皇太后慰存之。太后与帝继至，诘以火事。夫人泣拜谢罪，曰："乃纵火则无之。然妾小家女，福薄，诚不足以当岐王伉俪，幸赦其死，乞削发出外为尼。"太后曰："闻诅詈岐王，有诸？"对曰："妾乘愤或有之。"帝乃罪乳母及二婢人，命中使送夫人于瑶华宫，不披薙；旧奉月钱五十缗，增培之，厚其资给，曰："俟王意解，当复迎之。"

复置熙州狄道县。

夏，四月，辛丑，幸金明池，观水嬉，宴射琼林苑。

丁巳，陈升之以检校太尉依前同平章事、镇江军节度使、秀国公，致仕。己未，升之卒，年六十九。赠太保、中书令，谥曰成肃。

□□□□□□□□□□□〔升之深狡多数，善傅会以取富贵〕。王安石用事，引升之自助，升之心知其不可，而竭力为之用，安石德之，故使先己为相。甫得志，即□□□□□〔求解条例司〕。时为小异，阳若不与之同者，□□□□□□□□□□□□□□□〔世以是讥之，谓之"筌相"。升之初名旭，

避神宗嫌名改焉。〕

辽主如纳葛泺。

癸亥,详定正旦御殿仪注所言:"元会受朝贺,执镇圭,非是,请不执。上寿准此。"又言:"元会行礼于朝,而天子服祭服,群臣服朝服,亦非是,请服通天冠、绛纱袍。"又言:"御殿当设旗帜。仍辟大庆殿门,皇帝即御座,礼官引中书、门下、亲王、使相押诸司三品、尚书省四品及宗室将军以上班,分东西入,《正安之乐》作,至位,乐止,群臣不服剑、不脱履舄。"并从之。

甲子,知审刑院安焘言:"天下奏案,视十年前增倍以上,审刑院、刑部详议、详断官,视旧员数颇减,乞复置详议官一员。又详议官遍签刑部断案,职事不专,乞分议官六员,每案二员连签。若情状可疑,未丽于法,即议官通鉴。如此,则疑难之狱得尽,众议明白,罪案不致留积。"诏:"增审刑院详议、详断官各一员。罢刑部签法官一员。馀如焘请。"

五月,戊辰朔,右神武大将军、衢州团练使秦国公克瑜为隰州团练使。大宗正言克瑜岁满当迁遥郡,帝以克瑜秦王后,袭公爵,故特迁正任。后以右武卫大将军、潮州刺史楚国公世恩为袁州刺史,右武卫大将军、封州刺史魏国公仲来为筠州刺史,右武卫大将军、滨州防御使陈国公仲郊为棣州团练使,用克瑜例也。

详定正旦御殿仪注所言:"正旦御殿合用黄麾仗。按唐《开元礼》,冬至朝会及皇太子受册,加元服,册命诸王大臣,朝燕蕃国,皆用黄麾仗。本朝故事,皇帝受群臣上尊号,诸卫各帅其属,勒所部屯门,殿庭列仗卫。今独修正旦仪注而馀皆未及,欲乞冬会等仪注悉加详定。"从之。

庚午,诏辅臣观麦于后苑。

丙子,顺州蛮叛,峒、州兵讨平之。

庚辰,诏以濮安懿王三夫人并称王夫人,祔濮园。

辛巳,太子少师致仕赵概上所集《谏林》。诏曰:"请老而去者,类以声问不至朝廷为高,唯卿有志爱君,虽退居山林,未尝一日忘也。当置于座右,时时省阅。"

甲申,参知政事元绛数请老,命其子耆宁校书崇文院,慰留之。会太学虞蕃讼博士受贿,事连耆宁,当下狱。绛请上还职禄而容耆宁即讯于外,从之。于是御史至第,簿责绛,绛一不自辨,罢知亳州。入辞,帝谓曰:"朕知卿,一岁即召矣,卿意欲陈诉乎?"绛谢罪,愿得颍,即以为颍州。

丁亥,辽主谒庆陵。以契丹行宫都部署耶律延格为南府宰相,以北面林牙耶律永宁为伊勒希巴。辽主以萧乌纳为忠,命同知南院枢密使事,复与驸马都尉萧酬斡并封兰陵郡王。

戊子,御史中丞蔡确参知政事。确自知制诰为御史中丞、参知政事,皆以起狱夺人位而居之,士大夫交口唾骂,而确自为得计。吴充数为帝言新法不便,欲稍去其甚者,确曰:"曹参与萧何有隙,至代为相,一遵何约束。今陛下所自建立,岂容一人挟怨而坏之!"法遂不变。

丙申,诏:"诸路有强劫盗人数稍众,许于听候差使及得替待阙官内选武勇使臣捕逐,给驿券。"从大名府文彦博请也。

六月,庚子,宰臣吴充以从子安国赃污抵法,奉表待罪;诏趣视事。

甲辰,广西捕斩依智春,执其妻子以献。

辛亥,准布贡于辽。

甲寅,清汴成,凡用工四十五日,自任村沙口至河阴瓦亭子并汜水关,北通黄河,接运河,长五十一里,两岸为堤,总长一百三里,引洛水入汴。

丁巳,辽以北府宰相辽西郡王萧伊哩頖为西北路招讨使。

己未,辽遣使录囚。

辛酉,诏镇宁军节度使、魏国公宗懿追封舒王。

左谏议大夫安焘等上《诸司敕式》。帝阅《讲筵式》,至"开讲申中书",曰:"此非政事,何豫中书!可刊之。"

是月,辽放进士刘瓘等一十三人。

秋,七月,己巳,三佛齐、詹卑国使来贡方物。

御史中丞李定言:"知湖州苏轼,本无学术,偶中异科。初腾沮毁之论,陛下犹置之不问。轼怙终不悔,狂悖之语日闻。轼读史传,非不知事君有礼,讪上有诛,而敢肆其愤心,公为诋訾;而又应试举对,即已有厌弊更法之意。及陛下修明政事,怨不用己,遂一切毁之,以为非是。伤教乱俗,莫甚于此。伏望断自天衷,特行典宪。"御史舒宣言:"轼近上谢表,颇有讥切时政之言,流俗翕然争相传诵。陛下发钱以本业贫民,则曰'赢得儿童语音好,一年强半在城中'。陛下明法以课试群吏,则曰,读书万卷不读律,致君尧、舜知无术。陛下兴水利,则曰'东海若知明主意,应教斥卤变桑田'。陛下谨盐禁,则曰'岂是闻《韶》解忘味,尔来三月食无盐'。其它触物即事,应口所言,无一不以诋谤为主。小则镂板,大则刻石,传播中外,自以为能。"并上轼印行诗三卷。御史何正臣亦言轼愚弄朝廷,妄自尊大。诏知谏院张璪、御史中丞李定推治以闻。时定乞选官参治,及罢轼湖州,差职员追摄。既而帝批令御史台选牒朝臣一员,乘驿马追摄,又责不管别致疏虞状;其罢湖州朝旨,令差去官赍往。

甲戌,张方平以太子少师致仕。

戊寅,详定朝会仪。

己卯,命中书句考四方诏狱。

辽主猎于夹山。

癸未,诏诸路转运司相度当置学官州军以闻。

乙酉,夏兵犯绥德城〔大会〕平,(等)〔第〕四将高永能等击败之。

丁亥,详定礼文所言:"请复四时荐新于庙之典,季春荐鲔,以应经义,无则阙之。"诏从其请;如阙王鲔,以鲂鲤代。

是月,诏:"诸路教阅禁军,无过两时。"

八月,丙申朔,夏人寇绥德城,都监李浦败之。

丁酉,诏:"春秋释奠昭烈武成王庙,令三班院选差使臣为读祝、奉币、分献官。"

辛丑,分泾原路兵马十一将。

壬寅,复八作司为东、西两司,各置监官文臣一员、武臣二员。

甲辰,同修起居注王存言:"古者左史记事,右史记言。唐贞观初,仗下议政事,起居郎执笔记于前,史官随之,其后或修或废。盖时君克己,厉精政事,则其职修;或庸臣擅权,务掩过恶,则其职废,皆理势然也。陛下临朝旰昃,裁决万几,判别疑隐,皆出群臣意表。欲望追唐贞观典故,复起居郎、舍人职事,使得尽闻明天子德音,退而书之,以授史官。悦以为二府奏事自有《时政记》,即乞自馀臣僚前后殿对,许记注官侍立,著其所闻关于治体者,庶几谟训之言,不至坠失。"帝善其言,卒不果行。

丙午,诏:"修起居注官虽不兼谏职,如有史事,宜于崇政殿、延和殿承旨司奏事后,直前陈述。"从修起居注王存请也。

丁未,右谏议大夫、知河南吕公孺知河阳。

洛口役兵千馀人,惮役,不禀令,排行庆关,不得入,西趋河桥。其徒有来告者,诸将请出兵击之,公孺曰:"此曹亡命,穷之则生变。"乃令曰:"敢杀一人者斩!"于是乘马东出,令牙兵数人前谕曰:"尔辈久役,固当还,然有不禀令之罪;若复渡桥,则罪加重矣。太守在此,愿自首者止道左。"众皆请罪。索其为首并助谋者,黥配之,馀置不问。复送役所,语洛口官曰:"如尚敢偃塞者,即斩之。"众帖然不敢动。乃自劾不俟命,诏释之。

戊申,诏:"浚淮南运河,自邵伯堰至真州十四节,分二年用工。"从转运司奏也。

甲寅,诏:"增太学生舍为八十斋,斋三十人,外舍生二千人,内舍生三百人。月一私试,岁一公试,补内舍生。间岁一舍试,补上舍生。"

戊午,以颍州为顺昌军节度。

庚申,辽主命有司撰《太宗神功碑》,立于南京。

甲子,详定朝会仪注所言:"隋、唐冠服,皆以品为定,盖其时官与品轻重相准故也。今之令式,尚或用品,虽袭旧文,然以官言之,颇为舛谬。概举一二,则太子中允、赞善大夫与御史中丞同品,太常博士品卑于诸寺丞,太子中舍品高于起居郎,内常侍比内殿崇班而在尚书诸司郎中之上,是品不可用也。若以差遣,则有官卑而任要剧者,有官品高而处冗散者,有一官而兼领数局者,有徒以官奉朝请者,有分局莅职特出于一时,随事立名者,是差遣又不可用也。以此言之,同品及差遣定冠绶之制,则未为允。伏请以官为定,庶名实相副,轻重有准。仍乞分官为七等,冠绶以如之。貂蝉、笼巾、七梁冠、天下乐晕锦绶为第一等;蝉旧以玳瑁为胡蝶状,今请改为黄金附蝉;宰相、亲王、使相、三师、三公服之。七梁冠、杂花晕锦绶为第二等,枢密使、知枢密院至太子太保服之。六梁冠、方胜宜男锦绶为第三等,左、右仆射至龙图、天章、宝文阁直学士服之。五梁冠、翠毛锦绶为第四等,左、右散骑常侍至殿中、少府、将作监服之。四梁冠、簇四雕锦绶为第五等,客省使至诸行郎中服之。三梁冠、黄师子锦绶为第六等,皇城以下城司使至诸卫率服之。内臣自内常侍以上及入内〔内〕侍省内东西头供奉官、殿头前班东西供奉官、左右侍禁、左右班殿直、京官秘书郎至诸寺、监主簿,既豫朝会,亦宜以朝服从事。今参酌自内常侍以上冠服,从本寺寄资者,如本官。入内内侍省内东西头供奉官、殿头三班使臣、陪位京官为第七等,皆二梁冠,方胜练鹊锦绶。高品以下服色衣,古者韠韨舄屦,并从裳色,今制朝服用绛衣而锦有十九等,其七等绶谓宜纯用红锦,以文采高下为差别。惟法官绶用青地荷莲锦,以别诸臣,其梁数与佩准本官。"从之。

废庆州府城寨、前村堡、平戎镇、环州大拔寨。

九月,癸酉,权发遣户部判官李琼言:"奉诏根究逃绝税役,有苏州常熟县天圣年簿管远年逃绝户倚阁税绸绢苗米丁盐钱万一千一百馀贯、石、匹、两。本县据税,合管苗田九百一十九顷有奇,今止根究得一百九十五户,共当输苗米三百五十三石,绸绢五十一匹,锦三十五两;其馀有苗米八千四百石,绸绢一千二百匹,锦一千九十两,丁盐钱九百文外,并无田产人户,亦无请佃主名。盖久失推究,奸猾因之失陷省税。乞差著作佐郎刘拯知常熟县,根究归著。它县有类此者,亦乞选官根究。"从之。拯,南陵人也。

己卯,辽命诸道毋禁僧徒开坛。

壬午,辽主禁扈从扰民。

壬辰,出《马步射格斗法》颁诸军。

西南诸蕃先后俱来贡。

冬,十月,丁酉,参知政事蔡确言:"御史何正臣、黄颜,皆臣任中丞日荐举,臣今备位政府,理实为嫌,乞罢正臣、颜御史。"于是权御史中丞李定言:"台官虽令官长荐举,然取舍在陛下,不在所举。夫舍公义而怀私恩,此小人事利者之所为。今选为台官者,必以其忠信正直,足以备耳目之任。傥以区区之嫌,遂使回避,则是以事利之小人待陛下耳目之官,此尤义理之所不可者也。"诏勿回避。

戊戌,夏遣使贡于辽。

己亥,辽主如独卢金。

癸卯,置籍田令。

诏立水居船户,五户至十户为一甲。

戊申,交趾归所掠民,诏以顺州赐之。

己酉,太皇太后疾,帝不视事,视疾寝门,衣不解带者旬日。庚戌,罢朝谒景灵宫;命辅臣祷于天地、宗庙、社稷;减天下囚死罪一等,流以下释之。

壬子,详定礼文所言:"今祭祀既用三代冕服,而加以秦剑,殊为失礼。又,从事郊庙,不当脱舄履,应改正。"从之。

辽定王爵之制,惟皇子仍一字王,馀并削降。于是赵王杨绩降封辽西郡王,魏王耶律伊逊降封混同郡王,吴王萧罕嘉努降封兰陵郡王,致仕。

乙卯,太皇太后崩,年六十四。帝侍奉太皇太后,承迎娱悦,无所不尽,后亦慈爱倍至。或退朝稍晚,必自屏风候瞩。初,王安石当国,变乱旧章,帝至后所,后曰:"吾闻民间甚苦青苗、助役,宜罢之。"帝尝有意于燕蓟,已与大臣定议,乃诣庆寿宫白其事。后曰:"吉凶悔吝生于动,得之不过南面受贺而已,万一不得,则生灵所系,未易以言。苟可取之,太祖、太宗收复久矣,何待今日!"帝曰:"敢不受教。"苏轼以诗得罪,下御史狱,后违豫中闻之,谓帝曰:"尝忆仁宗以制科得轼兄弟,喜曰:'吾为子孙得两宰相。'今闻轼以作诗系狱,得非仇人中伤之乎?捃至于诗,其过微矣。"轼由此得免。及崩,帝哀慕毁瘠,殆不胜丧。后卧内缄封一匮,帝发视之,则旧合同宝也。仁宗时,因火失宝,更铸之。后淘井得旧宝,故藏之匮中,而人无知者。

戊午,诏:"易太皇太后园陵曰山陵。"

辛酉,以群臣七上表,始听政。

命王珪为山陵使。

十一月,癸未,始御崇政殿。

辽复南京流民差役三年;被火之家,复租税一年。

丁亥,雨土。

癸巳,诏:"开封府界教大保长充教头,其提举官以昭宣使、果州防御使、入内副都知王中立、东上邻门使、荣州刺史狄咨为之。"

十二月,乙巳,御史中丞李定等言:"窃以取士兼察行艺,则是古者乡里之选。盖艺可以一日而校,行则非历岁月不可考。今酌《周官》书考宾兴之意,为太学三舍选察升补之法,上

《国子监敕式令》并《学令》凡百四十三条。"诏行之。初,太学生檀宗益上书言太学教养之策有七:一尊讲官,二重正禄,三正三舍,四择长谕,五增小学,六严责罚,七崇师业。帝览其言,以为可行,命定与毕仲衍、蔡京、范镗、张璪同立法,至是上之。

丙午,复置御史六察。

丁未,御史舒亶言:"比闻朝廷遣中官出使,所至多委州郡造买器物,其当职官承望风旨,追呼督索,无所不至,远方之民,受弊良甚,乞重立条约。"诏两浙提点刑狱司体量实状以闻。

戊申,广南西路提举常平等事刘谊言:"广西一路,户口才二十馀万,盖不过江、淮一大郡,而民出役钱至十九万缗,募役实用钱十四万缗,馀四万缗谓之宽剩。百姓贫乏,非它路比,上等之家不能当湖湘中下之户,而役钱之出,概用税钱。税钱既少,又敷之田米,田米不足,复算于身丁。广西之民,身之有丁也,既税以钱,又算以米,是一身已输二税,殆前世弊法。今既未能蠲除之,而又敷以役钱,甚可悯也。"诏下本路提举官齐谌相度。谌谓监司、提举司吏及通引官、客司,月给钱第减二千,岁可减役钱一千二百馀缗;从之。

辛亥,提举广南东路常平等事林颜言:"闻广西缘边稍已肄习武艺,东路虽间有枪手,然保甲之教尚阙。欲乞本路沿江海诸州,依西路法训阅,使其人既熟山川之险易,而又知夫弓矢金鼓之习,则一方自足为备。"诏下广南东路经略、转运、提举、钤辖司相度,皆言广、惠、潮、封、康、端、南恩七州,皆并边及江海,外接蛮贼,可依西路保甲教习武艺,从之。颜,福州人也。

乙卯,辽主如西京。

戊午,辽主行再生礼,赦杂犯死罪以下。

庚申,祠部员外郎、直史馆苏轼,责授检校水部员外郎、黄州团练副使、本州安置。

初,御史台既以轼具狱上法寺,当徒二年,会赦当原。于是中丞李定言:"轼之奸慝,今已具服,不屏之远方则乱俗,载之从政则坏法,伏乞特行废绝。"

御史舒亶又言:"驸马都尉王诜,收受轼讥讽朝政文字与遗轼钱物,并与王巩往还,漏泄禁中语。窃以轼之怨望、诋讪君父,盖虽行路犹所讳闻,而诜恬闻轼言,不以上报,既乃阴通货赂,密与燕游。至若巩者,向连逆党,已坐废停;诜于此时同辈议论,而不自省惧,尚相关通。案诜受国厚恩,列在近戚,而朋比匪人,志趋如此,原情议罪,实不容诛。乞不以赦论。"又言:"收受轼讥讽朝政文字人,除王诜、王巩、李清臣外,张方平而下凡二十二人,如盛侨、周(班)〔邠〕辈固无足论,乃若方平与司马光、范镇、钱藻、陈襄、曾巩、孙觉、李常、刘攽、刘挚等,盖皆略能诵说先王之言,辱在公卿士大夫之列,所当以君臣之义望之者,所怀如此,顾可置而不诛乎?"疏奏,诜等皆特责。狱事起,诜尝属辙密报轼,而轼不以告官,亦降黜焉。

轼初下狱,方平及镇皆上书救之,不报。方平书曰:"传闻有使者追苏轼过南京,当属吏。臣不详轼之所坐,而早尝识其为人,其文学实天下奇才,向举制策高等,而犹碌碌无以异于流辈。陛下振拔,特加眷奖,轼自谓见知明主,亦慨然有报上之心。但其性资疏率,阙于审重,出位多言,以速尤悔。顷年以来,闻轼屡有封章,特为陛下优容,四方闻之,莫不感叹圣明宽大之德。今其得罪,必缘故态。但陛下于四海生灵,如天覆地载,无不化育,于一苏轼,岂所好恶!自夫子删诗,取诸讽刺,以为言之者足以戒;故诗人之作,其甚者以至指斥当世之事,语涉谤黩不恭,亦未闻见收而下狱也。今轼但以文辞为罪,非大过恶,臣恐付之狴牢,罪有不测。惟陛下圣度,免其禁系,以全始终之赐,虽重加谴谪,敢不甘心!"

轼既下狱,众莫敢正言者。直舍人院王安礼乘问进曰:"自古大度之君,不以语言谪人。轼本以才自奋,今一旦致于法,恐后世谓不能容才。愿陛下无庸竟其狱。"帝曰:"朕固不深谴,特欲申言者路耳,行为卿贳之。"既而戒安礼曰:"第去,勿泄言。轼前贾怨于众,恐言者缘轼以害卿也。"始,安礼在殿庐,见李定,问轼安否状,定曰:"轼与金陵丞相论事不合,公幸毋营解,人将以为党。"至是归舍人院,遇谏官张璪忿然作色曰:"公果救苏轼邪?何为诏趣其狱?"安礼不答。其后狱果缓,卒薄其罪。

甲子,礼院言:"大行太皇太后祔仁宗陵庙,当去太字。册文初称大行太皇太后,所上尊谥即称慈圣光献皇后。谥宝宜以'慈圣光献皇后之宝'为文。馀行移文字及奏报,即存太字。"从之。

【译文】

宋纪七十四　　起己未年(公元1079年)正月,止十二月,共一年。

元丰二年　　辽太康五年(公元1079年)

春季,正月,壬申(初二),辽道宗前往混同江。

耶律伊逊推荐说耶律孝杰忠于国家,辽道宗说耶律孝杰可以跟唐代的狄仁杰相比,赐名为耶律仁杰,允许他放飞海东青鹘,以此表示宠爱优待。

辽道宗即将出外打猎,耶律伊逊恳请把皇孙留在宫中,辽道宗准备听从他的建议。宣徽使萧乌纳上奏说:"听说御驾出外游猎,想把皇孙留下,皇孙年纪还小,如果保护他的人不合适,恐怕会有意想不到的变乱。假如陛下一定要把皇孙留下,希望放在臣下的身边,以防发生不测。"辽道宗这才开始醒悟,命令皇孙同行,前往山榆淀。辽道宗从这件事开始怀疑耶律伊逊。

乙亥(初五),两军停留在岢岚、火山购买马匹。

以前市场买卖的旧法,允许人们赊账,用田宅或金银作为抵押;没有抵押的人,有三个人担保就可以付货;但要出十分之二的利息,超过期限还不能付利息,每月再加罚钱百分之二。取得官家货物的百姓不能付清债务,被罚的利息愈积愈多,被抓起来追逼索债,而收入却只有虚数了。这时都提举市易王居卿建议:"用田宅金帛作为抵押的人,减去他们的利息;没有抵押只有保人的,不再付给货物。"己卯(初九),下诏:"免除在正月七日以前本金利息之外所欠的全部罚款。"总共数十万缗。欠负本金和利息的,可以延期半年偿还。公众舆论以为很惬意。

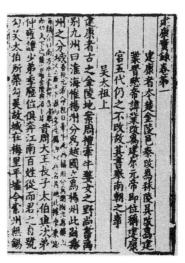

泥活字版印刷的《建康实录》　北宋

壬午(十二日),任命容州管内观察使杨遂为宁远军节度使。

丁亥(十七日),下诏:"宗室中大将军以下的人,有愿意参加考试者,需要考本经以及《论语》《孟子》大义共六道,论一首;大义以五通,论以辞理贯通为合格。"

甲午(二十四日),京兆府府学教授蒋夔恳请以十个哲人随同孔子祭祀,朝廷加以采纳。

蒋夔请求封颜回为兖国公,不再称作先师;祭祀时不再读祝文,一律降低仪式物品这种规格,而提高闵子骞九人,也给予祀典。礼官认为"孔子、颜子的称号,历代都各自有所依据,很难加以更改;也很难降低仪式物品、所献祝文。恳请的九个人,已经在祀典中。熙宁时祭祀的仪式,十位哲人都被从祀,只有各州、县礼典中没有记载。请求从今以后,二京以及各州春秋两季的祭奠,都要依照熙宁年间祭祀的礼仪。"

丙申(二十六日),宋神宗对辅政大臣说:"先前因为陕西的开支不足,发出的钱钞稍微多了些,因而使得钱钞变贱,于是就在京师建立买盐钞的办法。本来是想把盐的价钱以飞钱的形式发放到边塞,但是发出交付陕西的钱钞却没有止境,京师总共调出五百万缗,最后还是不能解救盐钞法的弊病。大概新进用的人,轻易商议变法,后来他们看见新变更的法令不能推行,于是就非难,害怕变法。"王珪说:"没有百倍的利益不要变法。"神宗说:"大概实行均输之法,象齐国的管仲,汉代的桑弘羊,唐代的刘晏,他们的才智仅仅能够推行新的法令,何况才智比不上他们的人!朝廷开始筹措时,就应该慎重考虑。虽然年轻官员不高兴,然而对国家的大计非常有利,姑且静观等待。"

二月,甲辰(初五),下诏命令威州、茂州、黎州停止实施义仓法。

起初,知兴州罗观请求在川陕四路设置义仓,神宗给予同意。不久成都府路提举上奏说:"威州、茂州、黎州,是蛮夷和汉人杂居之处,赋税的数额不多,以前又没有推行新法,每年所需军粮储备都从转运司支取;彭州、蜀州的赋税还没有输送以及招募人执行入中法,恐怕不能够设置义仓。"所以才有这次诏命。

庚戌(十一日),计议措置边防公事上奏说:"把环庆路的正兵、汉人、蕃人弓箭手及强人,整编为八将,第一将驻扎在庆州,第二将驻扎在环州,第三将驻扎在大顺城,第四将驻扎在淮安镇,第五将驻扎在业乐城,第六将驻扎在木波镇,第七将驻扎在木和寨,第八将驻所在邠州。"宋神宗加以采纳。

辛亥(十二日),皇上下诏说:"礼部考试落第的进士经过七次考试,其他科目经过八次考试并参加过殿试,年纪在四十岁以上;进士参加过五次科考、其他科目参加过六次科举考试并参加过殿试,进士参加六次科考、其他科目参加过七次科考,以前参加过礼部考试,年纪在五十岁以上的,上述人等都允许参加殿试。内三路的人可比上述人等递减一次科考,皇祐元年以前的礼部进士递减两次科考,诸科递减三次科考,年纪不限,也可以参加殿试。进士参加过一次科考,其他科目参加过二次科考,年龄在六十岁以上的,特别赐予恩典。"神宗又下诏:"开封府、国子监隔年考场以前,到礼部考试的进士参加过五次科考、其他科目参加过六次科考,年纪在五十岁以上的人,允许参加殿试。"

甲寅(十五日),太阳中出现黑子。

神宗下诏:"大理寺的官属,可依照御史台的做法,禁止出外谒见官员及会见宾客。"

乙卯(十六日),因为泸州夷人乞弟侵犯边境地区,诏令王光祖等征讨。

三月,庚午朔(初一),栋戬派遣使者前来朝贡。

辛未(初二),神宗下诏:"河东路确定的解板沟的地界,不得张扬以至于生出事端,等待调查确实,将情况上报听候旨令。"这是采纳管勾缘边安抚司王崇拯的建议。

辽国宰相耶律仁杰因侍从狩猎时取得头鹅,而加官为侍中。

辽道宗将要到黑山的平淀,看见耶律伊逊身后跟随许多扈从的官属,心中非常憎恶,渐渐知道耶律伊逊的奸邪。

庚辰(十一日),神宗亲自策试礼部的进士。

辛巳(十二日),神宗下诏:"今年参加特奏明法的人改而参加新科明法考试,考大义题三道。"神宗又下诏:"京朝官、选人、班行所试的经书、律令大义、断案科目,选拔上等三个人,可以加一年官序;选中等三十四人,不依照名次注授给官职;下等的七十人,注授官职。"

丙戌(十七日),龙图阁直学士、知成都府刘庠被晋升一级官职,担任秦州知州。

太子中允、集贤校理、知谏院徐禧为右正言、直龙图阁,暂时派遣他到渭州任职,仍然担任计议措置边防事如前。

当初,陕西沿边境地区的兵马,蕃人弓箭手与汉人士兵各为一部,每次发生战斗多派蕃人部队为先锋出击,而由汉人士兵守城,等待在有利形势时再出击,不分出战、守城,每一路都派数位将领统一指挥。吕惠卿担任鄜延地区的统帅,认为在征调军队时不能迅速集结,开始变更旧法,把汉兵、番兵混杂地编在一起,划分为出战与守城两部分,每五千人根据驻屯设置将领,并列具条规上报朝廷。边境地区官员及讨论的人多数认为不妥,神宗采纳吕惠卿的建议,想在各路推行他的方法,所以派遣徐禧前去与边境长官商议施行。徐禧首先列具环庆的办法上报,并且派遣官员到泾源实施。但泾源地区长官蔡延庆认为不可行,朝廷也同意他的意见,并责难徐禧在环庆的方法。徐禧多次上疏谈泾原原有方法的漏洞以及互相矛盾的地方,并以图形标示了其状况;他另外又提出一种办法上奏,而且说环庆的方法不可更改。神宗下诏给吕惠卿说:"徐禧讨论边境设防及分派将领的事情,忧虑慷慨,为国家谋划时不考虑自己,命令他取代蔡延庆担任泾原地区长官,卿应始终劝勉他。"

庚寅(二十一日),下诏:"任命入内东头供奉官宋用臣为都大提举疏导洛水入汴河事务,撤销先前差遣的卢秉的任命,不再差遣。"

起初,去年五月,西头供奉官张从惠上奏说:"汴河河口年年闭塞,再使用劳役修堤防花费很多,一年通航漕运的时间只有二百多天,以前经常有人建议引导洛水进入汴河,担心黄河侵蚀广武山,必需开凿山岭十五丈或十丈以开通汴渠,工程太大不能实施。自从去年七月黄河水暴涨,跟平常年景不同,河水下降而黄河水道稍向北移,跟广武山相距七里,较远的退水河滩地势高而宽阔,可以开凿成渠,引水入汴河,成为万世之利。"知孟州河阴县郑佶也为此提出建议。都水监丞范子渊进言:"汜水出自王仙山,索水出自嵩渚山,也都可以引水入汴河。合并为三条河流,积累的广度和深度,共有二千一百三十六尺,比现在的汴河流水尚多出九百七十四尺。因黄河、洛水水流缓急不同,得到其盈余,可以互相补充。如果顾虑水量不足,那么从旁筑堤修建水塘,凭借渗漏取得黄河水,每一百里设立一个木闸,以限制水势。堤两旁的沟、湖、陂、泺,都可以引水作为辅助设施,禁止伊水和洛水上游私自截取河水。在汴河中行船载重,大约入水不超过四尺,如今可深五尺,能够帮助加大漕运量。从巩县神尾山到土家堤,为了防护黄河修筑四十七里的大堤,从沙谷到河阴县十里店,开凿了一条五十二里的河渠,引导洛水进入汴渠,共计需要用工三百五十七万多。"上疏奏报,神宗非常重视这件事,因为范子渊的计划还有未完善之处,于是任命宋用臣勘测筹划,与杨珪一起前往。现在宋用臣回朝上奏认为:"请以任村沙谷口至汴口开河五十里,引导伊水、洛水进入汴河,每二十里设置一处束水,以草石填堵,以便控制水流的缓急。使水深达到一丈,便于疏通漕运。再引古索河为水源,注入房家、黄家、孟王陂以及三十六陂,在高处存水为池塘,以防备洛水不足时,放水进入汴河。另外,从氾水关北面并凿河道五百步,跟黄河连接起来,在河道上下设置开关,使黄河、汴河的船只相互贯通。在旧的洛河河口设置水达,与黄河相通,以疏泄伊水、洛水暴涨时的河水。古索河等河水暴涨,便由魏楼、荣泽、孔固三个斗门排泄,共计用工九十万七千多。"又乞请派范子渊负责修护黄河南岸的堤埽,以防止黄河河道侵夺新开凿的河道。神宗下诏依照宋用臣的建议实施,所以有这次任命。开始营修清汴河,主持的人认为不借用黄河的水已足够用。后来发生干旱,洛水不够,于是在氾水设置斗门以疏通木筏,暗中引入黄河水来增加水量,朝廷并不知道这件事。

壬辰(二十三日),辽国北院枢密使耶律伊逊出任知南院大王事,加官为裕悦。在朝中耶律伊逊专权很久,到现在才出朝任官。任命知北院枢密使耶律霖为北院枢密使,任命北院枢密副使耶律德勒岱为知北院枢密使事,左伊勒希巴耶律世迁被任命为同知北院枢密使事。

癸巳(二十四日),宋神宗在集英殿赐予进士、明经各科开封人时彦以下的人为及第、出身、同出身、同学究出身,总共六百零二人。

甲午(二十五日),神宗再到集英殿,赐予特奏名进士、明经各科同学究出身、试将作监主簿、国子、四门助教、长史、文学、助教,总共七百七十八人。

岐王赵颢的夫人冯氏,是侍中冯拯的曾孙女,失去了岐王的宠爱,独自居住在后阁中达数年之久。这一年春天,岐王宫中失火,不久被扑灭。夫人听说起火,派遣两个丫鬟前去探望火势。岐王诘问她们为什么前来,两个丫鬟说:"夫人派我们来看望大王。"岐王的乳母向来憎恨冯夫人,跟两个宠妾共同进谗言说:"这火大概是冯夫人放的。"岐王大怒,命令内知客审问他们。两个丫鬟经受不住严刑拷打,便屈打成招。岐王向太后哭诉,太后大怒,命令神宗一定要处斩冯夫人。神宗知道岐王夫妇关系向来不好,慢慢地回答说:"等调查清楚后再商议如何处置。"于是把两个丫鬟召来,命令宦官与侍讲郑穆共同在皇城司审问。几天后,查不到事实。又命令翊善冯浩进一步调查。神宗于是把审问的情况报告太后,因而冯夫人被召入宫。冯夫人非常害怕,想自杀。神宗派宦官前去劝慰,命她直接到太皇太后宫中,太皇太后又安慰劝解冯夫人。太后与神宗随后也到了,诘问失火的真情。冯夫人哭着跪拜谢罪说:"说我放火根本就没这回事,然而妾是小户人家的子女,福分浅,实在是不配与岐王结为夫妻,幸而赦免了我的死罪,请求剃发为尼。"太后说:"听说你诅咒辱骂过岐王,有这么一回事吗?"冯夫人回答说:"妾在有气时或许有过。"神宗于是将岐王的乳母以及两个宠妾治罪,命宦官送冯夫人到瑶华宫,不穿僧服,不剃发;先前五十缗的月钱,现在加倍,供给她丰厚的用品,并说:"等岐王醒悟后,一定再迎你回来。"

重新设置熙州狄道县。

夏季,四月,辛丑(初三),神宗到金明池,观看嬉水,在琼林苑设宴射猎。

丁巳(十九日),陈升之以检校太尉依照先前的同平章事、镇江军节度使、秀国公退休。己未(二十一日),陈升之去世,享年六十九岁。赠官为太保中书令,谥号为成肃。

陈升之深沉狡猾,心计很多,善用阿谀奉承来取得富贵。王安石执政时,任用陈升之帮助自己,陈升之知道王安石的办法行不通,却想尽办法为王安石所用,王安石因此很感激他,所以让他先于自己担任宰相。他刚刚得志,便请求撤销条例司,并且经常跟王安石有一点小摩擦,来表明自己跟王安石不同,世人因此讥讽他,称他为"得鱼忘筌的宰相"。陈升之最初名陈旭,因避神宗的讳而改名。

辽道宗到达纳葛泺。

癸亥(二十五日),详定正旦御殿仪注所进言:"元旦接受群臣朝贺时,手执镇圭是不对的,请皇上不要这样做。上寿时也应当如此。"又进言:"在朝廷上举行元旦朝会的仪式,而圣上穿着祭服,群臣穿朝服,也不合礼制,请戴通天冠,穿绛色纱袍。"又进言说:"御殿中应当设立旗帜。仍旧大开大庆殿殿门,皇帝坐在御座上,礼官引导中书、门下、亲王、使相率领各司三品、尚书省四品以上官员及宗室将军以上的朝班,从东西两侧入殿,《正安之乐》奏起,各位官员到位后,停止奏乐,群臣不能佩剑,不脱去鞋子。"都一并采纳。

甲子(二十六日),知审刑院安焘上奏说:"全国上奏的案件,比十年前增加了一倍以上,审刑院、刑部详议、详断官,比旧有的官员数目大量减少,请求重新设置详议官一员。另外,详议官要遍查刑部所断决的案件,职责不专一,乞请分别设置议官六员,每宗案件由两个人联合签署;如果案情有可疑之处,不符合法律,便令几位详议官全都签署。按照这样,疑难的案件可以得到完全彻底的审查,众人商议清楚明白,不至于留存积压。"下诏说:"增加设置审刑详议、详断官各一员,罢免刑部签法官一员。其他的按照安焘的建议施行。"

五月,戊辰朔(初一)。右神武大将军、衢州团练使秦国公赵克瑜被任为隰州团练使。大宗正进言说赵克瑜任职已满,应当迁升为遥领州郡的官职,神宗因为赵克瑜是秦王赵德芳的后代,世袭为公爵,所以特地迁升他为正任。后来又以右武卫大将军、潮州刺史楚国公赵世恩为袁州刺史,右武卫大将军、封州刺史魏国公赵仲来为筠州刺史,右武卫大将军、滨州防御使陈国公赵仲郃为棣州团练使,都是援用赵克瑜的例子。

详定正旦御殿仪注上奏说:"元旦在御殿朝会时应使用黄麾仪仗。根据唐代《开元礼》,冬至时期会及皇太子受册封,加太子冠服时,册命诸王大臣、朝会与宴请蕃国官员,都使用黄麾仪仗。本朝的惯例,皇帝接受群臣奉上尊号,诸卫要各自率领部属,勒令所部屯守各门,在殿庭排列仪仗护卫。现在只是修改了元旦朝会的仪式,而其余的都未涉及,想乞请冬至朝会等仪式都加以详细规定。"加以采纳。

庚午(初三),下诏辅政大臣到后苑观看小麦。

丙子(初九),顺州的蛮人反叛,峒兵和州兵讨伐并平定了他们。

庚辰(十三日),下诏濮安懿王的三位夫人并称为王夫人,合祭于濮园。

辛巳(十四日),以太子少师退休的赵概献上自己编集的《谏林》。神宗下诏说:"对年老请求离职的人,习惯以声音不达于朝廷的人为高洁,只有爱卿有热爱君主的志向,虽然退居在山林,也没有一天忘记国家大事。我应该作为座右铭,经常检阅。"

甲申(十七日),参知政事元绛多次请求退位,神宗命他的儿子元耆宁在崇政院校勘图书,来抚慰挽留元绛。正值太学生虞蕃上告博士接受贿赂,事情牵连到元耆宁,应当下狱问罪。元绛请求退还职官俸禄以便让元耆宁在狱外接受审讯,神宗给予同意。这时御史到元绛家中,以案牒诘问元绛,元绛对一切都不加以辩解;因此被罢职出任亳州知州。到宫中辞行,神宗对他说:"朕了解爱卿,一年后召你回来,爱卿想要陈述吗?"元绛谢罪,希望就任颍州知州,当即改任到颍州。

丁亥(二十日),辽道宗拜谒庆陵。契丹行宫都部署耶律延格被任命为南府宰相,北面林牙耶律永宁被任命为伊勒希巴。辽道宗认为萧乌纳忠诚,任命他为同知南院枢密使事,又与驸马都尉萧酬斡一同封为兰陵郡王。

戊子(二十一日),御史中丞蔡确被任命为参知政事。蔡确从知制诰出任御史中丞、参知政事,都是以兴起罪案夺取他人地位而由自己取代,士大夫都交口唾骂他,蔡确却自认为得计。吴充多次进言神宗讲新法不妥,想稍微废除一些太过分的法令,蔡确说:"曹参与萧何有矛盾,但是代替萧何担任丞相后,却一切遵从萧何所制定的法令。当今陛下自己制定的法令,怎么能够允许一人被怨恨而加以破坏呢!"新法因此没有改变。

丙申(二十九日),下诏:"各路强人劫盗稍多的地区,允许在听候差遣以及得替待阙官之内选拔勇武的使臣追捕驱逐,颁发给各绎站凭券。"这是听从了大名府文彦博的请求。

六月,庚子(初三),宰臣吴充因为侄子吴安国受赃贪污而依法受到制裁,上表听候处置,诏令他立即出来处理政务。

甲辰(初七),广西官府捕捉并且处斩了侬智春,捉到他的妻子儿女献给朝廷。

辛亥(十四日),准布部前往辽国朝贡。

甲寅(十七日),清汴渠开挖成功,总共花费了工期四十五天,从任村沙口到河阳瓦亭子以及氾水关,向北与黄河相通,连接运河,长五十一里,两岸筑有河堤,总共长一百零三里,引洛水进入汴河。

丁巳(二十日),辽国任命北府宰相辽西郡王萧伊哩颎为西北路招讨使。

己未(二十二日),辽国派遣使臣审理囚犯。

辛酉(二十四日),神宗下诏追封镇宁军节度使、魏国公赵宗懿为舒王。

左谏议上大夫安焘等人奏上《诸司敕式》。神宗阅读《讲筵式》,读到"开始讲解要申报中书"时说:"这不是政事,何必要中书参与! 应该删去。"

这个月,辽国考试录取进士刘瓘等十三人。

秋季,七月,己巳(初三),三佛齐、詹卑国派遣使者前来朝贡地方特产。

御史中丞李定上奏说:"知湖州苏轼本来没有学问,偶然考中异科。他初次乱发诋毁新法的言论时,陛下还置之不问。苏轼因此有所凭借,始终不改悔,每天都有他狂悖的言论传闻。苏轼读过史书、传记,并不是不知道对君王要有礼节,诋毁圣上应当受诛;但他却敢于放肆发泄怨愤的心情,公开进行诋毁;况且他在应试对策的时候,就已有了厌恨变法的意图。等到陛下整顿政务,他又怨恨自己不被任用。于是对一切都加以毁谤,臣下认为这是不对的。伤害教化,搞乱风俗,没有什么比这更坏的了。希望陛下以上天一样的善良加以决断,特别将他依法处罚。"御史舒亶也上奏说:"苏轼近来献上的谢表,很有讥讽当今政事的言论,下流庸俗之人都争相传诵。陛下给守本业的贫民发放钱币,他则说:'赢得儿童语音好,一年强半在城中。'陛下申明法令来考核各位官吏,他就说:'读书万卷不读律,致君尧舜知无术。'陛下要兴修水利,他就说:'东海若知明主意,应教斥卤变桑田。'陛下严肃有关盐务的禁令,他就说:'岂是闻韶解忘味,尔来三月食无盐。'其他接触事物,便应口而言,无一不是以诋毁诽谤为主的。小则雕版印刷,大则刻石制碑,传播到朝廷内外,自以为有能力。"并且献上苏轼印刷发行的诗三卷。御史何正臣也说苏轼愚弄朝廷,妄自尊大。诏令知谏院张璪、御史中丞李定审查后上报。当时李定乞求选派官员参加审查,并且罢免苏轼湖州知州的职务,派遣官员追拿归案,不久神宗下诏批令御史台选派一名官员乘驿马追拿,又责备不负责任的人;罢免湖州知州的诏旨,派差遣去那里的官员送达。

甲戌(初八),张方平以太子少师的职务退休。

戊寅(十二日),详细确定朝会的礼仪。

己卯(十三日),命令中书负责在全国考查下诏审理的官员犯法案件。

辽道宗在夹山狩猎。

癸未(十七日),下诏各路转运司考察应当设置学官的州、军上报。

乙酉(十九日),夏国军队侵犯绥德城大会平,第四将领高永能等将他们击败。

丁亥(二十一日),详定礼文所上奏说:"请在祖庙中恢复依四时用时新食物祭祀祖先的礼典;季春时以鲔祭祀,以符合经书之义,没有就暂时空缺。"神宗下诏采纳这个建议;如果缺少王鲔,就以鲂鲤代替。

这个月,下诏:"诸路对禁军的教阅,不要超过春秋两时。"

八月,丙申朔(初一),夏国人寇掠绥德城,都监李浦将其击败。

丁酉(初二),神宗下诏:"春秋季节祭奠昭烈武成王庙的时候,命令三班院选差使臣为读祝、奉币、分献官。"

辛丑(初六),把泾源路的军队整编归十一将统领。

壬寅(初七),把八作司恢复为东、西两司,各自设置文职监官一员,武职监官两员。

甲辰(初九)同修起居注王存上奏说:"古代由左史记录事务,右史记录言论。唐代贞观初年,在仪仗下商议政事,起居郎在前面执笔记录,随后史官记入史册,然后就修改或者废弃。当时的君主克制自己,勤勤恳恳地精心处理政务,史官便会尽心尽责;有的庸臣专擅权力,务必掩盖过失和恶行,那么史官的职责就作废了;这都是道理和形势的使然。陛下临朝勤于政事,裁决每天繁芜的事务,判别疑义隐微的事情,使群臣都感到意外。希望陛下依照唐代贞观年间的做法,恢复起居郎、舍人的职责,使他们清楚地了解圣明天子的德行、言语,退后记录下来,以便授给史官。如果认为二府上奏的政事本来有《时政记》记录,便乞求其余臣僚在殿上先后进行对策时,允许记注官在旁侍立,把所知道的关于治理国家及政体的事情记录下来,这样陛下谋划训导的言论才不至于被忽略。"神宗很赞赏他的话,但始终没有具体施行。

丙午(十一日),下诏:"虽然修起居注官员不兼任谏官的职责,如果涉及历史之事,应该在崇政殿、延和殿的承旨司奏事之后,直接上前陈述。"这是听从修起居注王存的请求。

丁未(十二日),右谏议大夫、河南府知府吕公孺被改调为河阳知府。

洛口服力役的一千多名士兵,害怕服役,不执行命令,在行庆关前排列,不能进去,往西奔向河桥。他们中间有人前来报告,各个将领请求出兵讨伐,吕公孺说:"这些人都是亡命之徒,走投无路便会叛乱。"于是骑马出城往东,命令数名牙兵前去劝导说:"你们作战已很久,本来应该回去了,然而也有不执行命令的罪过;如果再过了河桥,那么罪过就会加重。太守就在这里,愿意自首的人停在道路的左边。"众人都上前请罪。吕公孺只逮捕了为首的人及其同谋,在脸上刺字发配,对其他的人都不再问罪。又把他们送到服力役的地方,对洛口的官员说:"如果有人还敢闹事,立即将他处斩。"这些人都俯首帖耳不敢再动。于是吕公孺上奏弹劾自己没有等待命令,神宗下诏赦免他的过失。

戊申(十三日),下诏:"淮南路的运河疏浚,从邵伯堰到真州共分十四节,分两年动工。"这是采纳转运司的奏请。

甲寅(十九日),下诏:"增加太学生的宿舍为八十斋,每斋三十人,外舍生为二千人,内舍生三百人。每月由学官主持一次考试,每年由朝廷派官主持一次公试,外舍生补升为内舍生。每隔一年举行一次舍试,补充上舍生。"

戊午(二十三日),把颖州改归顺昌军节度。

庚申(二十五日),辽道宗命令有关部门撰写《太宗神功碑》,立在南京。

甲子(二十九日),详定朝会议注所上奏说:"隋、唐臣属的冠带服饰,都根据品级来决定,因为当时官职与品级的高低都是相符合的。如今的冠服式样,假如以品级确定,虽然是沿袭先前的典制,但若以官位比较来说,也颇为矛盾舛谬。大体举一两个例子说明,太子中允、赞善大夫与御史中丞品级相同,太常博士的品级低于各寺的寺丞,太子中舍的品级高于起居郎,内常侍与内殿崇班同级而在尚书省各司郎中品级之上,这就是说品级是不能作标准的。如果以差遣的职务为标准,那么官位虽低却担任重要职务,有些人官位虽高而处于冗散的职务,有的人一个官位而兼有多职,有的人徒然以官位来参加朝请,有的设立官署职位只是特殊地出于一时的需要,有些根据具体事务而立名目,这是说差遣的职务也不能作为标准。综上所说,用品级或差遣来确定冠服绶带的制度,不是很妥当。请求以官位来确定,这样才会使名实相副,轻重高下有标准。仍然乞请把官位分为七等,冠服绶带也是如此。貂蝉、笼巾、七梁冠、天下乐晕锦绶为第一等;旧貂蝉是把玳瑁做成蝴蝶状,现今请求把它改为黄金附在蝉上;宰相、亲王、使相、三师、三公使用这种服饰。七梁冠、杂花晕锦绶为第二等,枢密使、知枢密院至太子太保使用这种服饰。六梁冠、方胜宜男锦绶为第三等,左、右仆射至龙图、天章、宝文阁直学士使用这种服饰。五梁冠、翠毛锦绶为第四等,左、右散骑常侍至殿中、少府、将作监使用这种服饰。四梁冠、簇四雕锦绶为第五等,客省使至诸行郎中使用这种服饰。三梁冠、黄师子锦绶为第六等,皇城以下城司使至诸卫率使用这种服饰。宫内臣僚从内常侍以上及入内内侍省内东西头供奉官、殿头前班东西供奉官、左右侍禁、左右班殿直、京官秘书至各个寺、监的主簿,既然参加朝会,也应该身穿朝服来执事。如今参考内常侍以上的冠带服饰,根据本官署寄资的人,与自己本官相同。入内内侍省东西头供奉、殿头三班使臣、陪位京官为第七等,都服用二梁冠,方胜练鹊锦绶。高品以下臣僚穿着带颜色的冠服,古代的人要穿蔽膝和官靴,并且要和衣服的颜色相同,现在制作朝服用绛色衣服,锦绣有十九等,七等的绶带全部要用红色锦绣,以花纹的好坏作为区别。只有执法的官员绶带使用青地荷莲锦,来与其他的官员相区别,冠梁数量根据自己的官位来定。"神宗加以采纳。

庆州府城寨、前村堡、平戎镇、环州大拔寨被废除。

九月,癸酉(初八),权发遣户部判官李琼上奏说:"奉行诏令追究逃绝户的徭役和赋税,有苏州常熟县天圣年间的户口、税役簿籍所记载的长期以来逃绝户免除的赋税共有䌷绢、苗米、丁盐钱一万一千一百余贯、石、匹、两。根据本县的税额，应该交纳苗米三百五十三石，绅绢五十一匹，锦三十五两；其余的还有苗米八千四百石，绅绢一千二百匹，锦一千零九十两，丁盐钱九百文，并没有田产和人户，也没有请佃田地的主人名字。大概是长久没有清查，奸猾的人趁此机会而逃避交纳租税。乞求派遣著作佐郎刘拯担任常熟县知县，也请官员彻底清查。"神宗给予采纳。刘拯是南陵人。

己卯（十四日），辽国命令各道不要禁止僧人开设坛场。

壬午（十七日），辽国禁止扈从人员侵扰百姓。

壬辰（二十七日），颁发给各军队《马步射格斗法》。

西南的各个蕃国先后一起来朝贡。

冬季，十月，丁酉（初二），参知政事蔡确上奏说："御史何正臣、黄颜，都是臣下担任中丞时推荐的，臣下当今担任执政大臣，按道理确实应该避嫌，请求罢免何正臣、黄颜御史的职位。"于是权御史中丞李定上奏说："虽然让长官推荐御史台的官员，然而取舍在于陛下，而不是由推荐的人决定。舍去公正大义而心怀私心，这是贪图利益的小人所做。现在选拔御史台的官员，一定取忠信正直的人，才能够承担陛下耳目的责任。倘若以区区不足道的嫌隙，便要让官员回避，就是以贪图利益的小人之心来对待陛下的耳目之官，这尤其为道义和事理所不能接受。"神宗下诏不要再回避。

戊戌（初三），夏国派遣使者向辽国朝贡。

己亥（初四），辽道宗到达独卢金。

癸卯（初八），制定皇帝春季亲耕的法令。

下诏让水居的船户，五户至十户立为一甲。

戊申（十三日），交趾归还劫掠的民众，神宗下诏把顺州赐给它。

己酉（十四日），太皇太后生病，神宗不临朝理政，在太皇太后的寝宫门外探视，十天没有宽衣解带。庚戌（十五日），停止朝会，拜谒景灵宫；命令辅政大臣向天地、宗庙、社稷祷告；全国的死刑犯都减罪一等，流放以下罪犯予以释放。

壬子（十七日），详定礼文所上奏说："如今祭祀使用夏商周时的冠冕和服饰，但是却佩带秦代的宝剑，实在是失礼。另外，在太庙举行郊祭时，不应该脱去靴子，应该加以改正。"神宗予以采纳。

辽国制定册立王爵的制度，只有皇子仍然封为一字王，其余的人都给以降级。于是赵王杨绩被降级封为辽西郡王，魏王耶律伊逊被降封为混同郡王；吴王萧罕嘉努被降封为兰陵郡王，并让他退休。

乙卯（二十日），太皇太后驾崩，享年六十四岁。神宗侍奉太皇太后，顺从恭敬使她欢乐愉快，非常周到，太皇太后对他也特别地慈爱。有时退朝稍微晚了些，一定在殿中屏风那里等候张望。起初，王安石执政，改变和搞乱了旧的章法制度，神宗到太皇太后那里，太皇太后对他说："我听说百姓深受青苗法和助役法的危害，应该罢除掉。"神宗曾经有意夺取燕蓟地区，已经与大臣商议决定，因此到庆寿宫向太皇太后报告这件事。太皇太后说："吉凶、悔恨、耻辱都因有所行动而生，得到这一地区只不过是接受大臣、蕃国的朝贺而已，万一得不到，那么百姓所遭受的痛苦,就很难说了。如果能够得到,那么太祖太宗早已经收复了,何必等到现在!"神宗说:"怎么敢不接受您的教训。"苏轼因为写诗而犯罪,被送到御史那里关押审问。太皇太后在病中听说了这件事,对神宗说:"我曾经记得仁宗通过制科考试录用苏轼两兄弟,很高兴地对我说:'我为子孙得到了两个宰相。'现在听说苏轼因为作诗而被捕入狱,难道不会是仇人中伤吗?因为作诗而被获罪,这只是个很小的过失。"苏轼因此得以免罪。等到驾崩,神宗非常悲哀,身体消瘦,几乎无法参加丧礼。太皇太后卧室有一个封好的盒子,神宗打开看,里面是先前的合同御玺。仁宗时候,因发生火灾而失去了宝物,重新铸造了一个。后来在淘井时又找到了先前的御玺,所以把它藏在盒子里,但没有人知道这件事。

戊午(二十三日),下诏:"把太皇太后园陵改名为山陵。"

辛酉(二十六日),因为群臣已经七次上表,神宗开始处理政务。

王珪被任命为山陵使。

十一月,癸未(十九日),神宗开始到崇政殿。

辽国把南京流民免除三年的差役;遭受火灾的人家,免除一年的租税。

丁亥(二十三日),天上飞下尘土如雨。

癸巳(二十九日),神宗下诏:"开封府界内教阅由大保长充任教头,提举官由昭宣使、果州防御使、入内副都知王中立,东上阁门使、荣州刺史狄咨担任。"

十二月,乙巳(十一日),御史中丞李定等上奏说:"我私下认为选拔士人应该对品行和文才全面考察,这就是古代乡里的选拔。而品行不经过多年是不能了解的。现在参考《周官》以书考试升级之意,创立'太学三舍选察升补'的办法,献上《国子监敕式令》并《学令》共一百四十三条。"诏令施行。当初,太学生檀宗益上书提出在太学教育和培养学生的七条建议:一是尊敬讲学的官员,二是重视明确俸禄,三是确定三舍的方法。四是选拔学长教谕,五是增加设置小学,六是严明责罚,七是尊崇教师的成就。神宗看过这个建议,认为可以施行,命令李定与毕仲衍、蔡京、范镗、张璪共同制定办法,到时制定好了献上来。

丙午(十二日),重新设置御史六察。

丁未(十三日),御史舒亶上奏说:"近来听说宦官出任使臣,所到的地方多次委派州、郡制造、采购器物,在职的地方官员奉承迎合旨意,追要、呼喝、督责、取索,无所不至,远方的百姓,深受这种弊端的祸害,乞请严格地制定条规约束。"下诏两浙提点刑狱司调查真实情况上报。

戊申(十四日),广南西路提举常平等事刘谊上奏说:"广西的一个路,户口只有二十余万,大概不超过江、淮地区的一个大郡,而百姓交纳役钱达到十九万缗,招募的差役实际用钱十四万缗,其余的四万缗称之为"宽剩"。这里百姓穷困贫乏,不是其他路能相比的,上等的人家还比不上湖湘地区中下等的人家,支出的役钱,一概要使用税钱。而税钱却很少,又补上田米,田米不足,又要以人丁征税。广西的百姓,本身为人丁,既要交税钱,又要收粮米,是一身而交纳双重的税,大概这是前世留下的坏办法。到现在还没有改变撤销,却又加上役钱,非常令人怜悯。"下诏本路提举官齐谌调查研究。齐谌说监司、提举司吏以及退引官、客司,每月发给的钱递减二千,一年可以减省役钱一千二百多缗;神宗加以采纳。

辛亥(十七日)，提举广南东路常平等事林颜上奏说："听说广西边境已经练习武艺，东路虽然偶尔有枪手，然而还缺少保甲的教练。想乞请本路沿江海的各州，依照西路的方法训练检阅，使那里的人既熟悉山川的艰险平易，又了解弓矢金鼓的使用方法，那么这一方就足以保护自己。"下诏把这个命令发给广南东路经略、转运、提举、钤辖司研究实行，都说广州、惠州、潮州、封州、康州、端州、南恩州。它们都靠近边境以及江海，外相接于蛮贼，可依照广南西路的保甲方法教练武艺，神宗同意这个建议。林颜是福州人。

乙卯(二十一日)，辽道宗到达西京。

戊午(二十四日)，辽道宗举行再生礼，赦免杂犯死罪以下的犯人。

庚申(二十六日)，祠部员外郎、直史馆苏轼，被责降授予检校水部员外郎、黄州团练副使、在本州内安置。

起初。御史台把苏轼关押在上法寺审讯，应该判两年徒刑，正值特赦应当免罪。这时御史中丞李定上奏说："苏轼的奸邪行为，现在都已经审查清楚，不把他流放到边远地区就会扰乱风俗，让他从政就会破坏法令，乞请特别罢免他的官职。"

御史舒宜又上奏说："驸马都尉王诜，收受了苏轼讥讽朝政的文字以及送钱和物品给苏轼，并且跟王巩还有来往，泄漏了宫中的谈话。臣私下认为苏轼的怨恨、诋毁讪笑君王的言语，即使过路的人也忌讳听到，而王诜却非常喜欢听苏轼的言论，不但不向朝廷上报，而且暗暗跟他有钱物往来，秘密跟苏轼交往。至于像王巩这样的人，原来因为跟叛逆的人相往来，已经被罢免了官职，王诜在这个时候受到谴责和议论，不但不自我检省戒惧，反而还跟他们往来。王诜受到国家深厚的恩情，处于亲近的国戚地位，可是却跟匪人交友，有这样的思想，根据情节定罪，实在是罪不容诛。请求把他们不要列于赦免之内。"又上奏说："收到和接受苏轼讥讽朝政文字的人，除了王诜、王巩、李清臣外，还有张方平以下的二十二人，如盛侨、周邠等人，本来不足挂齿，但像张方平与司马光、范镇、钱藻、陈襄、曾巩、孙觉、李常、刘攽、刘挚等人，大概都略微能背诵讲说先王的言论，本应以君臣大义期待他们，他们却有这样的心怀，难道能放任不加以谴责吗？"上疏进奏，王诜等人都被特令谴责。这个案件兴起之后，王诜曾经给苏辙写信要他报知苏轼，苏辙因为没有将这件事报告给官府，也被降职贬黜。

苏轼刚下狱时，张方平与范镇都上书搭救，没有得到答复。张方平的上书说："听说派遣使者去南京追捕苏轼，当时已捕拿交给了官吏。我不太明白他因何事而犯法，而我早就了解了他的为人。他在文学方面真是个奇才，先前的考试制科对策曾被评为高等，但仍无所作为，跟低级的官吏没有什么区别。由于陛下的提拔，特别加以奖励，苏轼自己说被圣明的君主所了解，也有报答圣上的心意，但他天性粗心大意，缺乏稳重审慎的作风，好发表议论，但是很快又会后悔。近年以来，听说苏轼多次递上机密的奏章，特别地受到陛下的优待宽容，全国官员百姓知道后，没有不被陛下圣明宽大的恩德所感叹。如今他得罪陛下，一定是因为他的老毛病，但是陛下对于四海的生灵，就好象上天覆盖、大地承载，没有不加以教化养育，对于一个苏轼，为什么要有所好恶呢！自从孔夫子删改《诗经》，只收取那些讽刺弊端的内容，认为所说到的足以来劝诫世人，所以诗人的作品，其严厉的甚至指责当世的事情，语言涉及至诽谤亵渎，也没听说过因为这种事而被下狱。当今苏轼只是因为文辞的罪过，不是什么重大的过失,臣下恐怕要是送到牢中关押审问,那么他的罪名就无法判断了。只求陛下以圣明大度之心解除对他的关押,以保全善始善终的恩赐,即使再加重谴责和贬谪,他敢不心甘情愿!"

苏轼刚被捕入狱,大家都不敢公正地替他讲话。直舍入院王安礼趁机上奏说:"自古以来心怀大度的君王,都不因为言语上的过失而贬谪臣下。苏轼本来以文才自负,现在一旦因此而将他治罪,恐怕后世会说陛下不能包容人才。希望陛下不要将他下狱。"神宗说:"朕本来也不想过分地谴责他,只是特地想要为言谏官开辟进言的道路,不久将要爱卿宽大他。"过了一会儿又对王安礼说:"离去后,不要泄漏我们的话。苏轼以前与众人结怨,恐怕进言者借苏轼的事情来构陷爱卿。"开始,在殿堂中王安礼拜见李定,询问苏轼是否平安,李定说:"苏轼跟金陵丞相讨论事情意见不一致,阁下不要设法营救,那样人们将会认为你跟他同党。"现在回到舍人院,遇到谏官张璪发怒地对他说:"阁下果然营救了苏轼,为什么诏令加快处理这个案件?"王安礼没有回答。以后案情果然从宽,终于减轻了罪责。

甲子(三十日),礼院上奏说:"大行太皇太后已经同祭于仁宗的陵庙,应当去掉'太'字。册文起初称为大行太皇太后,所奉上的尊称谥号即称作'慈圣光献皇后'。谥印文字应该为'慈圣光献皇后之宝'。其余的公文及其奏报,可仍留存'太'字。"神宗同意了这个意见。

续资治通鉴卷第七十五

【原文】

宋纪七十五　起上章涒滩【庚申】正月,尽十二月,凡一年。

神宗体元显道法古立宪帝德　王功英文烈武钦仁圣孝皇帝

元丰三年　辽太康六年【庚申,1080】　春,正月,乙丑朔,以太皇太后在殡,不视朝。

癸酉,升许州为颍昌府。

辽主如鸳鸯泺。

癸未,审官东院言:"大理寺丞申天规昨乞长告,访求其父。今已迎归侍养,乞许天规不候岁满朝见。"从之。天规少失其父,至是访得之,年百岁矣。

己丑,高丽国遣使来贡。

白虹贯日。

辛卯,于阗来贡。

辽耶律伊逊以改封王爵,赴阙入谢。辽主即日遣还,改知兴中府事。

二月,丙午,以翰林学士章惇参知政事。

丙辰,始御崇政殿视朝。

丁巳,命辅臣祷雨。

三月,乙丑,工部侍郎、平章事吴充罢,为观文殿大学士、西太一宫使。

癸酉,葬慈圣光献皇后于永昭陵。

甲戌,命王珪提举修两朝国史。

丙子,南丹州人入贡。

庚辰,复置晋州赵城县。初,熙宁中,废入洪洞县为镇,至是知州王说言百姓输纳词诉回远,岁输税课不便,兼考赵城乃是国家得姓始封之地,不与他县邑比,故复之。

乙酉,祔慈圣光献皇后神主于太庙。

己丑,以慈圣光献皇后弟昭德军节度使曹佾为司徒兼中书侍郎、护国军节度使,馀亲属加恩有差。

庚寅,辽主出皇侄淳于外,立皇孙延禧为梁王,加守太尉兼中书令,时年六岁。以忠顺军节度使耶律颇德为南院大王,以广德军节度使耶律仲禧为南院枢密使,以户部使陈毅参知政事。

夏,四月,乙未,观文殿大学士吴充卒,年六十。赠司空兼侍中,谥正宪。充为相,务安静。将终,戒妻子勿以私事干朝廷。世谓充心正而力不足,讥其弗能勇退云。

丁酉,封宗晖为濮阳郡王,濮安懿王子孙皆进官一等。

乙巳,以泸州夷乞弟侵扰,诏边将讨之。戊申,乞弟寇戎州,兵官王宣等战殁。

御史台言:"奉诏复置六察,察在京官司。今请以吏部及审官东、西院、三班院等隶吏察;户部、三司及司农寺等隶户察;刑部、大理寺、审刑院等隶刑察;兵部、武学等隶兵察;礼、祠部、太常寺等隶礼察;少府、将作等隶工察。"从之。

甲寅,罢群牧行司,复置提举买马监牧司。

乙卯,辽主猎于炭山。

五月,甲子,翰林学士兼详定礼文张璪言:"伏见天地合祭,议者不一。臣窃谓阳生于十一月,阴生于五月。先王顺阴阳之义,以冬至日祀天于地上之圆丘,夏至日祭地于泽中之方丘,以至牲币、器服、诗歌、乐舞、形色、度数,莫不仿其象类,故天地神祇可得而礼。由此观之,夏日至祭地于方丘,而天子亲莅之,此万世不可易之理也。议者以为当今万乘仪卫加倍于古,方盛夏之时,不可以躬行,乃欲改用它月;不惟无所据依,又失所以事地顺阴之义。必不得已,宜即郊祀之岁,于夏至之日,盛礼容,具乐舞,遣冢(相)〔宰〕摄事;虽未能皆当于礼,庶几先王之遗意犹存焉。"诏礼院速详定以闻。礼官请如璪议,设宫县乐、文武二舞,改制乐章,用竹册、匏爵,增配帝牲及捧俎分献官,广坛壝、斋宫,修定仪注上之。

而判太常寺王存、知礼院曾肇言:"古之祭祀,或天子亲行。或有司摄事,不过此二者而已;今于摄事之中又分隆杀,盖古所未有也。且遣官虽重,终非亲祀,恐于天地父母之义有所未顺。璪本以合祭非礼,欲革去之;然其所陈,于礼亦未见其可。今夏至日逼,即乞且依旧制。其亲祀之礼,仍乞诏详定郊庙礼文所精加讲求,裁定其当,以正后世之失,庶合先王之意。"判太常寺李清臣亦言:"天地之祭,万国观法,未易轻言。今夏至已近,而乐舞未修,乐章未制,八变之音未及习,斋祭之服未及成,斋宫未及立,坛壝未及广,牲牷未尝在涤,窃虑有司速于应办,或致灭裂,有失严恭。伏乞更加详酌。"御批:"张璪之议,在今固无以易。可如清臣言,逡巡以尽众说。"遂诏礼院更加讲求。

陆佃言:"窃观张璪所请,陛下亲郊,夏日至祀地,自如璪议。其冬至祀天之明日,准古方望之事,因令祀地北郊,而以海岳、四渎、山林、川泽之神,凡在圆丘壝陛旧从祭者,皆得与享;亦遣冢宰摄事,并如夏至祀仪。是则亲行大礼,合祭虽革,而天地之神自得用类以礼从祀,以昭陛下尊天亲地之义。然而郊后必有方望之事,经证明白,固当考复。至于祀地虽未有显据,而以伦类求之,方望且祀,则地祇助天布功,又其大者,安得而遗也!谨案《舜典》,类有上帝而无日月星辰,禋有六宗而无太祖,望有山川而无大祇,《周官》大宗伯祀有上帝而无五帝,有司中、司命而无司禄,祭有社稷、五祀而无大祇,有岳而无四渎,有山林川泽而无丘陵坟衍,享有先王而无先公,则祀所秩上下,比义皆从可知故也。"详定所以佃所称未有显据,难以施行。

乙丑,阁门言:"每岁盛暑御后殿,便于决事。乞自五月一日至七月终,当御前殿日,邬门取旨。如得旨御后殿,即放朝参。"诏:"今三伏内,五日一御前殿。"

荆湖南路安抚司言知邵州杞,议于溪峒徽、诚等州镇立城寨屯兵及守御招纳之策,乞下转运使相度。诏谢景温、朱初平、赵杨相度利害,及处置后经久不致生事,保明以闻。其后建置如杞议。

壬申，辽以平州民初复业，免其租税一年。

己卯，蜀国长公主薨。主下嫁王诜，事诜母至孝，中外称贤。主疾甚，太后、皇后临问，帝继至，见主羸瘵，伏席而泣，亲持粥食之，主为帝（疆）〔强〕食。翼日，不起。帝未朝食，即驾往，望第门而哭。赐主家钱五百万，辍朝五日，追封越国，谥贤惠。诜以侍主疾与婢奸，落驸马都尉，责授昭化军节度行军司马，均州安置。

甲申，复命韩存宝经制泸夷。

诏改都大提举导洛通汴司为都提举汴河堤岸司。

庚寅，详定朝会仪注所言："今定大庆殿之后门内，东西设幄为邸，又于殿庭左右设帝于东西房，以为乘舆出入所由之地。"又言："朝会所陈平辇道遥，旧设于西朵殿，今宗室坐西朵殿赐酒，欲移平辇等陈于东西龙墀上。"并从之。

辽主以旱祷雨，令左右以水相沃，俄而雨降。

六月，戊戌，礼院言："越国长公主薨在慈圣光献丧制之内。按礼，重丧未终遭轻丧，自当易服以示恩意，卒事则复常。真宗谅阴，为乳母秦国夫人服缌，禫未除，亦为许国长公主成服。今为慈圣光献太后服，已在易月之外，宜为越国长公主举哀成服。"从之。

是日，辽主驻纳葛泺。

庚子，同判太常寺王存言："近诏秘书监刘几赴详定郊庙礼文所议乐。伏见礼部侍郎致仕范镇，尝论雅乐，乞召镇与几参考得失。"从之。初，镇致仕，居都城外之东园，每遇同天节，即乞随散官班上寿。寻有诏："镇班见任翰林学士上，仍自今致仕官遇诞节及大礼，许缀旧班。"后镇迁居颍州，于是入对，阁门奏镇失仪，有诏放罪。仍诏："自今致仕官造朝失仪勿劾，著为令。"

详定礼文所言："请自今皇帝亲祠郊庙，播大圭，执镇圭。每奉祀之时，既接神，再拜，则奠镇圭为挚，执大圭为笏。当时播笏，君尊则不播，别于臣下也。所有仪注皇帝播镇圭，皆沿袭之误，乞从改正。"诏："候制到大圭日施行。"又言："自今亲祠郊庙，群臣冕服助祭执笏，或当事则播笏，陪位官亦合冕服助祭。"从之。

丙午，诏中书详定官制，罢兵部句当公事官。

诏："河北、河东、陕西路各选文武一员，提举义勇保甲。"

戊申，辽以度支使王绩参知政事。

庚戌，女真贡于辽。

壬子，诏罢中书门下省主判官，归其事于中书。

乙卯，参知政事章惇上《导洛通汴记》，以《元丰导洛记》为名，刻石于洛口庙。

己未，详定礼文所言："皇地祇、神州地祇、大社、大稷，其祝版与牲币、馔物，瘗于埳坎。"又言："郊庙明堂告神册，使中书侍郎读之，非是，请改命太祝。"又言："亲祠郊庙，执事之官，皆一切临时取充位而已；宗室及陪祠官则无预于执事，不应古义。请亲祠南郊，荐彻笾豆、簠簋、俎馔，以朝臣充；太庙，以宗室遥郡刺史以上充。"又言："今禘祫以功臣配享，而冬烝不及，与经不合。请每遇冬烝，以功臣配享，其（功）〔禘〕祫配飨皆罢。"诏："读册以史官摄太祝；郊庙执事官选无过人，冬享禘祫及亲祠并以功臣配享。"馀皆从之。

秋，七月，戊辰，辽主观市。

庚午，河决澶州。澶州孙村、陈埽及大吴、小吴埽决，诏外监丞司速修闭。初，河决澶州也,监丞陈祐甫谓:"商胡决三十馀年,所行河道,填淤渐高,堤防岁增,未免泛滥。今当修者有三:商胡一也,横垅二也,禹旧迹三也。然商胡、横垅故道,地势高平,土性疏恶,皆不可复,复亦不能持久。惟禹故渎尚存,在大伾、太行之间,地卑而势固。秘阁校理李垂与今知深州孙民先皆有修复之议,望召民先同河北漕臣一员自卫州王供埽按视,讫于海口。"从之。

丁丑,详定礼文所言:"明堂仪注,设御位于中阶下之东南,西向。谨案古者人君临祭,立于阼。其临祭就位于阼阶下,大夫士礼也。自曹魏以来,有司失之。伏请设皇帝版位于阼阶之上,西向;太庙、景灵宫亦如之。"从之。

癸未,辽主为皇孙梁王延禧设旗鼓伊喇六人卫护之。

甲申,辽主猎于沙岭。

丙戌,以彗星见,避殿,减膳,诏求直言。

丁亥,诏中书曰:"朕惟先王制行以赴礼,孝莫大于严父,严父莫大于配天。配天一也,而属有尊亲之殊,礼有隆杀之别。故远而尊者祖,则祀于郊之圆丘而配天;迩而亲者祢,则祀于国之明堂而配上帝。天足以及上帝,而上帝未足以尽天,故圆丘祀天则对越诸神,明堂则上帝而已。故其所配如此,然后足以适尊亲远迩之义。而历代以来,合宫所配,既紊于经,乃至杂以先儒六天之说,皆因陋昧古,以失情文之宜,朕甚不取。其将来祀英宗皇帝于明堂,惟以配上帝,馀从祀群神悉罢。"

戊子,太白昼见。

户部侍郎致仕范镇言:"乞下京东、京西、河东、河北、陕西转运司,量立赏格,求访真黍,以审音乐。"

己丑,详定礼文所言:"请自今乘辂不执圭,及乘大辇亦不执。"又言:"古者宗庙室中为石以藏主,谓之宗祐。请迁庙主藏于太祖太宗北壁中,帝后之主各共一石室。《礼记》曰:'天子之席五重。'今太庙几筵皆不应礼,请改用莞筵,纷纯加缲席,画纯加次席,黻纯左右玉几。祭祀皆缲、次各加一重,并莞筵为五重。"并从之。

庚寅,熙河路经略司言西界首领禹藏结通药、蕃部巴鞮等以译书来告夏国集兵,将筑撒通达宗城于河州界黄河之南、洮河之西。帝曰:"若如所报,乃属河州之境,岂可听其修筑!深虑经略司不详上件所指地分,都无为备,驱逐约阑次第,可速下本司多备兵马禁止之。"

八月,辛卯朔,详定礼文所言:"明堂昊天上帝礼神之玉,当用苍璧。今用四圭有邸,请改用苍璧礼天。其有司摄事五帝,亦乞依大宗伯礼神之制,陈玉各仿其方之色。"从之。

戊戌,诏:"两制、台谏至总管、监司,各举堪应武举进士一人,以名闻。"

庚子,检正中书户房公事毕仲衍上所修《备对》,言:"周家冢宰,岁终令百官府正其治,受其会;小宰以叙受群吏之要。所谓会要者,正今中书之所宜有也。自汉至唐,旷千百年,莫知议此,故有决狱、钱谷之问而不克对者。创自睿意,俾加纂集。臣捃摭故实,仅就卷秩,凡为一百二十五门,附五十八件,为六卷,事多者分上中下,共为十卷。"诏中书、门下各录一本纳执政,仍分令诸房揭帖。初,书成,仲衍欲求上览以冀功赏,帝以为此书乃臣备君问之书,不当奏御,故有是诏。

乙巳,诏中书:"朕嘉成周以事建官,以爵制禄,万事条理,监于二代,为备且隆。国家受命百年,四海承德,岂兹官政,尚愧前闻!今将推本制作董正之原,若稽祖述宪章之意,参酌损益,趋时之宜,使台省寺监之官实典职事,领空名者,一切罢去而易之以阶,因以制禄,凡阙恩数,悉如旧章。其应合行事件,中书条具以闻。"

秘书丞、同知礼院杨杰言:"十二者,律之本声也;四者,律之应声也。本声重大,应声轻清;本声为君父,应声为臣子,故其四声或曰清声。自景祐中李照议乐以来,钟磬箫始不用四声,是有本而无应,有倡而无和,八音何从而谐也?今巢笙、和笙,其管皆十有九,以十二管发律吕之本声,以七管为律吕之应声,用之已久,而声至和协。伏请参考古制,依巢笙、和笙例,用编钟、编磬、箫,以谐八音。"又言:"今大乐之作,琴、瑟、埙、篪、笛、箫、笙、阮筝、筑奏一声,则镈钟、特磬、编钟、编磬连击三声,于众乐中声最烦数。请镈钟、特磬、编钟、编磬并依众器节奏,不可连击,所贵八音无相夺伦。"又言:"本朝郊庙之乐,先奏文舞,次奏武舞,武舞容节六变:一变象淮扬底定,所向宜东南;四变象荆湖来归,所向宜南;五变象邛蜀纳款,所向宜西;六变象兵还振旅,所向宜北而南。今舞者非止发扬蹈厉,进退俯仰不称成功盛德,兼失所向。又,文舞容节,殊无法度。乞定二舞容节及改所向,以称成功盛德。又乞依《周礼》奏律歌吕,合阴阳之声。"又言:"今雅乐古器非不存,太常律吕非不备,而学士大夫置而不讲,考击奏作,委之贱工,如之何不使雅、郑之杂也!伏请审调太常钟琯,依典礼用十二律还宫均法,令上下晓知十二律音,则郑声无由乱雅矣。"诏送议乐所。刘几等言杰所请皆可施行,诏从之。

戊申,秘书监致仕刘几等言:"太常大乐钟磬(几)〔凡〕三等:王朴乐一也,李照乐二也,胡瑗、阮逸乐三也。王朴之乐,其声太高,此太祖皇帝所尝言,不俟论而后明。仁宗景祐中,命李照定乐,乃下律法以取黄钟之声;是时人习旧听,疑其太重,李照之乐由是不用。至皇祐中,胡瑗、阮逸再定大乐,比王朴乐微下,而声律相近;及铸大钟,或讥其声舍郁,因亦不用,于是郊庙依旧用王朴乐。乐工等自陈,若用王朴乐,钟磬即清声难依,如改制下律,钟磬清声乃可用。益验王朴钟磬太高,难尽用矣。今以三等钟磬参校其声,则王朴、阮逸乐之黄钟,正与李照乐之太簇相当。王朴、阮逸之乐,编钟、编磬各十六,虽有四清声,而实差黄钟、大吕之正声也。李照之乐,编钟、编磬各十二,虽有黄钟、大吕而全阙四清声,非古制也。圣人作乐以纪中之声,所以导中和之气。清不可太高,重不可太下,使八音协谐,歌者从容而能永其言,乃中和之谓也。臣等因精择李照编钟、编磬十二参于律者,增以王朴无射、应钟及黄钟、大吕清声,以为黄钟、大吕、太簇、夹钟之四清声,俾众乐随之,歌工兼清声以咏之,其音清不太高,重不太下,中和之声,可以考矣。欲请下王朴乐二律以定中和之声,就太常钟磬择其可用者,其不可修者别制。"从之。

丙辰,太常寺言:"近乞留王朴钟磬,今修大乐所已集工匠,备炉炭,恐即销变磨镂。况大乐法度之器,其度量声律,秒忽精微,已修之后,或陛下躬临案听,万一如有未协,即更无旧器考验。本寺每遇大礼,见用王朴乐外,自有李照、胡瑗所作乐器及石磬材不少,自可别制新乐,以验议者之术。"诏许借王朴乐钟为清声,毋得销毁磨镂。

初,刘几、杨杰欲销王朴旧钟,意新乐成,虽不善,更无旧声可校。后执政至太常寺案试,前一夕,杰乃陈朴钟已敝者一县。乐工皆不平,夜易之,而杰弗知。明日,执政至,杰厉声云:"朴钟甚不谐美。"使乐工叩之,音韵更佳。杰大惭沮。

王安石上改定《诗》《书》《周礼义》误字,诏录送国子监修正。

戊午,彗不见。

九月,壬戌,增宣祖定州东安坟地二十顷及守园户。

丙寅,御殿,复膳。

庚午,知谏院舒亶言:"中书检正官张商英与臣手简,并以其婿王沕之所业示臣。臣职在言路,事涉干请,不敢隐默。"诏商英落馆阁校勘,监江陵府江陵县税。初,亶为县尉,坐手杀人,停废累年。商英为御史,言亶才可用,乃得改官。至是反陷商英,士论恶之。

太常博士、集贤校理、新权知湖州陈侗言:"陛下崇奉郊庙百神之祀,考求典礼,尤为严备。惟五岳四渎之兆未设,欲乞依《周礼》建四望坛于四郊,以祭五岳、四镇、四渎,庶合于经,而且以称陛下奉祀之意。"诏送详定礼文所。详定所"请以国朝《祠令》所载岳、镇、海、渎兆四望于四郊。岱山、沂山、东海、大淮于东郊,衡山、会稽山、南海、大江、嵩山、霍山于南郊,华山、吴山、西海、大河于西郊,常山、医巫闾山、北海、大济于北郊。每方岳镇则共为一坛,海渎则共为一次,以五时迎气日祭之,皆用血祭瘗埋,有事则请祷之。又以四方山川各附于当方岳镇海渎之下,别为一坛一次。山共一坛,川共一次,水旱则祷之。其北郊从祀及诸县就祭如故。"诏:"四方岳镇共为一坛望祭,馀依奏。"

乙亥,正官名。详定官制所上以阶易官寄禄新格:"中书令、侍中、同平章事为开府仪同三司,左、右仆射为特进,吏部尚书为金紫光禄大夫,五曹尚书为银青光禄大夫,左、右丞为光禄大夫,六曹侍郎为正议大夫,给事中为通议大夫,左、右谏议为太中大夫,秘书监为中大夫,光禄卿至少府监为中散大夫,太常至司农少卿为朝议大夫;六曹郎中为朝请、朝散、朝奉大夫,凡三等;员外郎为朝请、朝散、朝奉郎,凡三等;起居舍人为朝散郎,司谏为朝奉郎,正言、太常、国子博士为承议郎,太常、秘书、殿中丞为奉议郎,太子中允、赞善大夫、中舍、洗马为通直郎,著作佐郎、大理寺丞为宣德郎,光禄、卫尉、将作监丞为宣议郎,大理评事为承事郎,太常寺太祝、奉礼郎为承奉郎,秘书省校书郎、正字、将作监主簿为承务郎。又自开府仪同三司至通议大夫以上无磨勘法,大中大夫至承务郎应磨勘。待制以上,六年迁两官,至大中大夫止;承务郎以上,四年迁一官,至朝议大夫止,候朝议大夫有阙次补;其朝议大夫以七十员为额,选人磨勘,并依尚书吏部法;迁京朝官者,依今新定官。其禄令并以职事官俸赐禄料旧数与今新定官请给对拟定。"并从之。

故事,两制不转卿监官,前行郎中即超转谏议大夫;前行郎中于阶官为朝请大夫,谏议大夫于阶官为(大)〔太〕中大夫。帝以为磨勘者,古考绩之法,所与百职事共之,而禁近独超转,非法也。于是下诏:"待制以下并三年一迁,仍转朝议大夫、中散大夫、中大夫三官。"

丙子,诏:"开府仪同三司为使相,不系大敕衔。见任宰相、使相,食邑实封通及万户,前任宰相,食邑及万户,并封国公,宗室如旧例。"

又,中书奏:"官制所申,朝旨除三公、三司外,馀检校官并阶散并罢。所有宗室及武臣正任至内常侍以上,内臣供奉官以下,选人、技术官、将校、中书枢密院主事以下,及诸司吏人所授敕留官衔校等,各有见带文散阶、检校官及宪衔,欲并除去。其僧官并谿峒蛮人知州镇及化外蕃官所带散官等,合自朝廷指挥。"从之。其后遂诏:"文武散阶,除化外人依旧除授外,馀并罢。"

辛巳,大享明堂,以英宗配。

癸未,薛向、孙固并为枢密副使。

乙酉,诏即景灵宫作十一殿,以时王礼祀祖宗。

以王安石为特进,改封荆国公,王拱辰落开府仪同三司,并以官制行正名故也。诏拱辰判大名府,拱辰辞曰:"臣老矣,不足以任事。"帝曰:"北门重地,卿旧治也,勉为朕行!"

丙戌,进封岐王颢为雍王,嘉王頵为曹王,并为司空。文彦博为太尉。封曹佾为济阳郡王,宗旦为华阴郡王。

冯京为枢密使。薛向罢知颖州。会诏民畜马,向既奉令,旋知民不便,议欲改为。于是舒亶论向反覆,无大臣体,斥知颖州,又改随州。

丁亥,以吕公著为枢密副使。公著与冯京、薛向、孙固同在西府,三人者屡于上前争论,公著独不言。及帝问之,乃徐为开析可否,言简而当,帝常纳之,三人者亦不能违也。帝数与辅臣论天下事,一日,谓公著曰:"民间不知有役矣。"公著对曰:"上户昔以役多破家,今则饱食安居,诚幸矣。下户昔无役,今率钱,则苦矣。"帝曰:"然则法亦当(便)〔更〕也。"

戊子,熙河路经略司言,乞先团结蕃弓箭手;从之。是年诏:"凡弓箭手、兵骑各以五十人为队,置引战旗头、左右傔旗,及以本属(酉)〔蕃〕首、将校为拥队,并如正军法。蕃捉生、蕃敢勇、山河户亦如之。凡募弓箭手、蕃捉生、强人、山河户,不以等样,第募有保任年十七以上、弓射七斗、任负带者。鄜延路新旧蕃捉生、环庆路强人、诸路汉(引)〔弓〕箭手、鄜延路归明界保毅蕃户、弓箭手,皆涅于背。"

闰月,辛卯,御史范镗言:"曹佾以外戚封郡王,祖宗以来,未有佾比。陛下所以富贵宠禄之厚矣,所以致孝爱于慈圣之情至矣。佾虽不王,乃以保安曹氏;命行而改,抑以为子孙万世之成宪也。"不从。

壬寅,辽主祠木叶山。

己酉,辽主驻藕丝淀。

乙卯,加文彦博河东、永兴军节度使,以富弼为司徒。

冬,十月,辛酉,详定官制所检讨文字、光禄寺丞李德刍上《元丰郡县志》三十卷,《图》三卷。

辽耶律仁杰久在相位,贪贷无厌,时与亲戚会饮,尝曰:"无百万两黄金,不足为宰相家。"耶律伊逊既外出,辽主渐悟仁杰奸,丁卯,出为武定军节度使。

庚午,辽参知政事刘诜致仕。

癸酉,辽以陈毅为汉人行宫都部署,王绩同知枢密院事。

癸未,诏翰林学士并听佩鱼。

十一月,己丑朔,日有食之。

癸卯,辽主召群臣议政。辽主曰:"北枢密院军国重任,久阙其人,耶律阿苏、萧额特勒二人孰愈?"群臣各誉所长,契丹行宫都部署萧托辉独默然。辽主曰:"卿何不言?"托辉曰:"额特勒懦而败事;阿苏有才而贪,将为祸基。不得已而用,败事犹胜祸基。"辽主曰:"托辉,虽魏征不能过也,但恨朕不能及唐太宗尔。"

壬子,直龙图阁、句当三班院曾巩上言曰:"宋兴,六圣相继,与民休息,故生齿既庶,财用有馀。且以景德、皇祐、治平校之,景德户七百三十万,垦田一百七十万顷;皇祐户一千九十万,垦田二百二十五万顷;治平户一千二百七十万,垦田四百三十万顷。天下岁入,皇祐、治平皆一亿万以上,岁费亦一亿万以上。景德官一万馀员,皇祐二万馀员,治平并幕职、州县官三千三百馀员,总二万四千员。景德郊费六百万,皇祐一千二百万,治平一千三百万。以二者校之,官之众一倍于景德,郊之费亦一倍于景德。官之数不同如此,则皇祐、治平入官之门多于景德也;郊之费不同如此,则皇祐、治平用财之端多于景德也。诚诏有司按寻载籍而讲求其故,使官之数,入者之多门可考而知,郊之费,用财之多端可考而知,然后各议其可罢者罢之,可损者损之,使天下之人如皇祐、治平之盛,而天下之用,官之数,郊之费,皆同于景德,二者所省盖半矣。"

已而再上议曰:"陛下谓臣所言以节用为理财之要,世之言理财者未有及此也,令付之中书。臣待罪三班,按国初承旧以供奉官、左、右班殿直为三班,立都知、行首领之,又有殿前承旨,班院别立行首领之。端拱以后,分东、西供奉,又置左、右侍禁及承旨,供职皆领于三班,三班之称亦不改。初,三班吏员止于三百,或不及之,至天禧之间,乃总四千二百有馀,至于今,乃总一万一千六百九十,宗室又八百七十。盖景德员数已十倍于初,而以今考之,殆三倍于景德。略以三年出入之籍较之,熙宁八年,入籍者四百八十有七,九年,五百四十有四,十年,六百九十;而死亡退免出籍者,岁或过二百人,或不及之。则是岁岁有增,未见其止也。臣又略考其入官之繇,条于别记以闻,议其可罢者罢之,可损者损之,惟陛下之所择。臣之所知者三班也,吏部东、西审官与天下它费,尚必有近于此者,惟陛下试加考察,以类求之。使天下岁入亿万,而所省者什三,计三十年之通,当有十五年之蓄。夫财用,天下之本也,使国家富盛如此,则何求而不得,何为而不成!以陛下之圣资而加之精勤,以变因循苟且之弊,方大修法度之政,以幸天下,诏万世,故臣敢因官以讲求其损益之数,而终前日之说以献,惟陛下裁择。"帝颇嘉纳之。

十二月,甲子,辽以耶律德勒岱为孟父房敞衮。乙丑,以萧托卜嘉为北府宰相,耶律世迁知北院枢密使事,耶律慎思同知北院枢密使事。

庚午,辽免西京流民租赋一年。

甲戌,减民赋。

丁亥,辽豫行正旦礼。

戊子,辽主如混同江。

【译文】

宋纪七十五　起庚申年(公元1080年)正月,止十二月,共一年。

元丰三年　辽太康六年(公元1080年)

春季,正月,乙丑朔(初一),因为太皇太后还没有出殡,宋神宗没有上朝。

癸酉(初九),把许州提升为颍昌府。

辽道宗到达鸳鸯泺。

癸未(十九日),审官东院上奏说:"大理寺丞申天规先前请长假,寻访他的父亲。如今已经将他的父亲迎回家中侍奉赡养,请求允许申天规不用等到假期满一年,就可以朝见。"神宗加以采纳。申天规少年时跟父亲失散,到现在才访寻到,老父已经百岁了。

己丑(二十五日),高丽国派遣使者来朝贡。

一道白光横贯太阳。

辛卯(二十七日),于阗前来朝贡。

辽国的耶律伊逊因为改封王爵,到京城入谢。辽道宗当天就派他回去了,改任知兴中府事。

二月,丙午(十二日),翰林学士章惇被任命为参知政事。

丙辰(二十二日),神宗开始到崇政殿处理政务。

丁巳(二十三日),命令辅政大臣求雨。

三月,乙丑(初二),工部侍郎、平章事吴充被罢免宰相职务,任命为观文殿大学士、西太一官使。

癸酉(初十),把慈圣光献皇后埋葬在永昭陵。

甲戌(十一日),任命王珪主持编修两朝国史。

丙子(十三日),南丹州人前来朝贡。

庚辰(十七日),重新设置晋州的赵城县。当初,熙宁年间,废除赵城县,并入洪洞县成为一个镇,现在知州王说上奏说百姓交纳粮米和递交讼状路途太远,每年运输赋税很不方便,加上据考证赵城乃是本朝得到姓氏和开始受封的地方,不能跟其他县相比,所以又恢复了原来的建置。

乙酉(二十二日),把慈圣光献皇后的神位送到太庙祭祀。

己丑(二十六日),慈圣光献皇后弟弟昭德军节度使曹佾被任命为司徒兼中书侍郎、护国军节度使,其余的人也给予不同的恩赏。

庚寅(二十七日),辽道宗把皇侄耶律淳出放到外地。皇孙延禧被立为梁王,加官为守太尉兼中书令,当时年仅六岁。忠顺军节度使耶律颇德被任命为南院大王,广德军节度使耶律仲禧被任命为南院枢密使,户部使陈毅为参知政事。

夏季,四月,乙未(初二),观文殿大学士吴充去世,享年六十岁。赠官为司空兼侍中,谥号正宪。吴充担任宰相,以安静本分为原则。临终前,告诫妻子和儿女不要以私事向朝廷请求。世人说吴充心地正派而能力不足,讥讽他不能急流勇退。

丁酉(初四),赵宗晖被册封为濮阳郡王,濮安懿王的子孙都晋升官级一等。

乙巳(十二日),因为泸州的夷人乞弟侵扰边境,下诏边境将领征讨。戊申(十五日),乞弟寇掠戎州,兵官王宣等人战死。

御史台上奏说:"奉行诏令重新设置六察,检察在京师的各级官署,现在请以吏部以及审官东、西院、三班院等隶属于吏察;户部、三司以及司农寺等隶属于户察;刑部、大理寺、审刑院等隶属于刑察;兵部、武学等隶属于兵察;礼、祠部、太常寺等隶属于礼察;少府、将作等隶属于工察。"神宗采纳了这个建议。

甲寅(二十一日),罢免群牧行司,重新设置买马监牧司。

乙卯(二十二日),辽道宗在炭山狩猎。

五月,甲子(初二)翰林学士兼详定礼文张璪上奏说:"我看见有关天、地合祭的事情,议论的人说法不一。臣下认为阳气生于十一月,阴气生于五月。先王顺从阴阳的本义,冬至时在地上的圜丘祭天,夏至时在水泽中的方丘祭地,关于祭祀的牲畜、祭币、器物、服饰、诗歌、音乐、舞蹈、形状、颜色、长宽以及数量,没有不仿效各类事物,所以对天地的神祇都有相应的礼法。由此看来,夏至的时候在方丘祭地,天子亲自莅临主持,这是万古不变的道理。议论的人认为天子的仪仗、卫士比古代加倍,正在盛夏的时候,不可以亲自参加,于是想改在其他月份;这不但没有凭据,而且还失去了敬事地神顺应阴气的本意。万不得已,也应该在郊祀的年份,在夏至那一天,举行盛大的仪式,安排好礼乐、舞蹈,派遣宰相代理主持仪式;虽

1625

然完全不能与礼法相合,但是先王遗训的本意还仍然存在。"诏令礼院迅速详细上报。礼官请求依照张璪的建议,设立宫悬礼乐、文舞和武舞,改写乐章,使用竹制的册书、葫芦做的酒杯,增加配备供祭的帝牺及捧俎分别献祭的官员,扩大祭坛祭壝、斋宫,修改和确定礼法上报。

判太常寺王存、知礼院曾肇上奏说:"古代祭祀的时候,或者由天子亲自主持,或者由有关官员代理主持,不过这两种方法而已;如今在代理主持之中又分作位尊和位卑,这在古代是没有的。况且派遣官员虽然重要,终究不是亲自祭祀,恐怕还不合于对待天地父母的礼义。张璪本来认为合祭不合礼法,想加以改革。然而他所提出的方法,对于礼法也未见得符合。如今夏至一天天来临,乞请暂且依照旧的礼制。关于亲自祭祀的礼仪,仍然乞请下诏详定郊庙礼文所仔细研究,妥当地加以裁定,以便纠正后代的失误,才合乎先王的本义。"判太常寺李清臣也说:"对天地的祭祀,为四方万国所观仰效法,不可以轻易谈论。现在夏至即将来临,而礼乐、舞蹈还没有安排,乐章还没有确定,八变的音律也没有来得及练习,斋戒祭祀的衣服还没有做成,斋宫还没有确立,祭坛祭壝没有扩大,牲畜没有洗净,我顾虑有关部门急于应筹办理,或致于草率行事,有失于严肃谦恭。请求再加详细斟酌。"神宗御笔批示:"张璪的建议,现今固然无法代替。可依照李清臣的建议。稍等时日以尽量吸取众人的意见。"于是诏令礼院再详细商讨。

陆佃上奏说:"我查阅了张璪的请求,陛下亲自在郊外主持祭祀,夏至时祭祀地神,当然按照张璪的建议。以后在冬至祭祀上天时,可以依古代祭祀四方之神的礼法为标准,在北郊祭祀地神,而海神,五岳神,长江、黄河、淮河、济河四渎的神,山林的神、川泽的神以及凡在圜丘、壝陛以前陪祭的神祇,都可以受到祭祀;也可派遣宰臣代理主持,并且依照夏至时祭祀的仪式。这样陛下亲自参加大型祭礼以后,就使合祭的仪式改变了,而天地之神就自然可以按礼法得到从祭,这样也表明了陛下尊崇天神,亲近地神的心意。然而在郊祀以后一定要祭祀四方的神,经过从经书上的考证才能明白,就应该反复考校。关于祭祀地神虽然没有足够的证据,但是依此类推,已经祭祀了四方之神,而地神辅助上天广布功德,又是大神,怎么能遗漏呢!谨请查看《舜典》,照例只有上帝而没有日月星辰,禋祀有六宗而没有太祖,有山川而没有大的神祇来祭祀四方的神,《周官》祭祀大宗伯时有上帝而没有五帝,司中、司命有而司禄没有,大祭时社稷、五色之帝有而大的神祇没有,五岳有而四渎没有,山林川泽有而丘陵坟衍没有,祭享时先代圣王有而先公没有,而祭祀时排列的上下秩序,通过比较便可知了。"详定礼文所认为陆佃所说没有明显的根据,很难施行。

乙丑(初三),阁门上奏说:"圣上在每年盛夏的时候都会去后殿,便于处理政事。乞请从五月一日到七月底,圣上应当在前殿的日子,圣旨由阁门来取。如果诏令到后殿,就停止群臣上朝参拜。"神宗下诏:"现今三伏内,朕五天到一次前殿。"

荆湖南路安抚司上奏说,邵州知州关杞建议在溪峒徽、诚等州镇设立城寨屯驻士兵以及提出防守、招纳的措施,乞求下转给转运使研究。

诏令谢景温、朱初平、赵杨分析利弊,以及施行这些措施后能否长久不发生事端,做出明确保证上报。以后的建置都采纳了关杞的建议。

壬申(初十),辽国因为平州的百姓刚刚恢复旧业,免除了他们一年的租税。

己卯(十七日),蜀国长公主去世。蜀国长公主下嫁给王诜做妻子,非常孝顺地侍奉王诜的母亲,朝廷内外都说她贤惠。公主病情严重,太后、皇后亲自去看望,神宗相继赶到,看见公主非常瘦弱,于是伏在席上哭泣,并亲自端着粥喂公主,公主为了神宗勉强进食。第二天,公主便去世了。神宗还没有吃饭,立即起驾前往,看见公主的宅门便哭了起来。给公主家赐五百万钱,停止五天不上朝,追封为越国长公主,谥号为贤惠。在公主生病时因为王诜与婢女通奸,免去驸马都尉的官号,还被责降为昭化军节度行军司马,在均州安置管束。

甲申(二十二日),重新任命韩存宝负责处理泸州夷人的事务。

下诏把都大提举导洛通汴司改为都提举汴河堤岸司。

庚寅(二十八日),详定朝会仪注所上奏说:"现在确定大庆殿的后门里面,东西设立幄殿作为阁,又在东西方的殿屏左右设置小帐幕,作为圣上出入的必经之地。"又上奏说:"朝会所陈放的平辇和逍遥马,原来放在西朵殿,如今宗室要坐在西朵殿接受赐酒,想在东西龙墀上移放陈列平辇等物。"神宗一并都加以采纳。

六月,戊戌(初七),礼院上奏说:"在慈圣光献皇后丧期内越国长公主去世。按照礼法,重大的丧期还没有结束又遭受轻微的丧事,自然应当改服轻丧来表示恩德,服表以后再服重表。真宗有丧事,为乳母秦国夫人服三个月的缌麻表,丧礼未完,又为许国长公主服表。如今圣上为慈圣光献太后服表,已经在易月后的时间之外,也应该为越国长公主服表。"神宗加以采纳。

这一天,辽道宗驻扎在纳葛泺。

庚子(初九),同判太常寺王存上奏说:"近来诏令秘书监刘几到详定郊庙礼文所商议礼乐的事情。礼部侍郎退休的范镇,曾经讨论过雅乐,乞请召回范镇与刘几一起考证礼乐的得失。"神宗给予同意。当初,范镇退休,在都城外的东园居住,每次遇到同天节。便请求随同散官班为皇帝祝寿。不久下达诏令:"范镇任职时,他的班次在翰林学士之上,从今后退休的官员遇到节日以及盛大的典礼,允许仍随原来班次。"后来范镇迁居到颍州。这时入宫对话,阁门官奏告范镇违反礼仪,下诏免罪。并且下诏:"从今以后在朝廷里退休官员违反礼法不要弹劾,定为令。"

详定礼文所上奏说:"请从今以后皇帝亲自参加郊祀和庙祀,插上大圭,手执镇圭。每当祭祀的时候,接完神位后,再拜祭,则祭奠镇圭作为礼物,手执大圭当作笏板。当时插笏板,君王为尊则不插,以便与臣僚有所区别。皇帝在所有仪式都插镇圭,这是沿袭下来的错误,乞请从此改正。"神宗下诏:"等制好大圭时加以施行。"又上书说:"从今后圣上亲自参加郊庙祭祀,群臣穿好规定的冠服,手执笏板助祭,有职事的人就插笏板,陪同的官员也要穿规定的冠服助祭。"神宗给予同意。

丙午(十五日),诏令中书详细制定官制,罢免兵部勾当公事官。

神宗下诏:"河北、河东、陕西三路各选文官、武官一名,担任提举义勇保甲。"

戊申(十七日),辽国将度支使王绩任命为参知政事。

庚戌(十九日),女真前往辽国朝贡。

壬子(二十一日),下诏罢免中书门下省主判官,将其职责归于中书。

乙卯(二十四日),参知政事章惇献上《导洛通汴记》,以《元丰导洛记》作为名称,在洛口庙刻石碑。

己未(二十八日),详定礼文所上奏说:"皇地祇、神州地祇、大社、大稷,其祝文之版以及牲畜和祭币,陈设食物,埋在坎坎。"又上奏说:"圣上亲自在郊庙祭祀,执行事务的官员,都是临时选取充任而已;宗室以及陪祭官没有参与政事,是不合乎古代礼法的。请求圣上亲自在南郊祭祀,进献笾豆、生肉、簠簋、俎馔等祭物的官员,由宗室中遥领郡刺史以上的人充当。"又上书说:"在当今举行禘祫合祭之礼时,以功臣陪祭,但在冬祭时却不能陪祭,跟经书不相符合。请求每次遇到冬祭,也以功臣陪祭,举行禘祫合祭时,陪祭都被免去了。"下诏:"读祝册时,以史官代替太祝;举行郊庙祭祀时,选拔没有过错的人充任主持事务的官员,冬祭、禘祫合祭以及皇帝亲祭都由功臣陪祭。"其余的都被采纳了。

秋季,七月,戊辰(初七),辽道宗观看市场贸易。

庚午(初九),黄河在澶州决口。澶州的孙村、陈埽以及大吴埽、小吴埽都被冲毁,诏令外监丞司赶快修复决堤。当初,黄河在澶州决堤,监丞陈祐甫上奏说:"商胡地带决口三十余年了,河水所过的河道,渐渐填淤高出,虽然堤防每年增修,免不了河水泛滥。现在应该修复的地方有三处,一处是商胡,一处是横垄,一处是大禹的旧址。然而商胡、横垄是黄河故道,地势高而平坦,土质疏松,都不可以重新修复,修复了也不能长久保持。只有大禹时的故道还存在,在大伾、太行山之间,地势低而牢固。秘阁校理李垂与现任知深州孙民先以前都有过修复的建议,希望召孙民先和河北路一名负责漕运的官员从卫州王供埽处进行巡查,直达河口。"神宗给予采纳。

丁丑(十六日),详定礼文所上奏说:"明堂祭祀的仪式,在中间石阶下面的东南方向安排圣上御位,面向西。谨按古代君王亲临祭祀,都立于大堂东面的台阶。临祭时在东面台阶下就位,这是士大夫和士人的礼法。自从曹魏时代以来,有关部门犯了这种错误。请求把皇帝的版位设在东面台阶上,面向西;太庙、景灵宫在祭祀时,也按照这样办理。"神宗采纳了这个建议。

癸未(二十二日),辽道宗为皇孙梁王耶律延禧设置六名旗鼓伊喇作为护卫。

甲申(二十三日),辽道宗在沙岭狩猎。

丙戌(二十五日),因为有彗星出现,神宗避开正殿,减少膳食,下诏访求正直的言论。

丁亥(二十六日),下诏中书说:"朕依照先王的制度和行为实行礼法,尊敬父亲比孝敬更重要,尊敬父亲莫过于与上天配祭。配祭上天都是一样,但是亲属有尊和亲的不同,礼法也有厚与薄的差别。所以年代较远的尊者为祖宗,则在圜丘郊祀时与上天配祭;年代比较近,关系亲密的称为祢,则在国家的明堂祭祀时跟上天配祭。祭祀上天足以尊敬上帝,而祭祀上帝却不一定足以尊及上天,所以在圜丘祭天时同祭各位神祇,明堂祭祀就只有上帝而已。所以这样配祭,是因为这才足以符合尊和亲,远和近的本义。但是历代以来,同时合祭配祭的做法,既与经书相紊乱,又杂以先前的儒生六天的说法,都是因为卑陋不明古义,以至于失去人情礼法,朕实在不同意这种做法。将来在明堂祭祀英宗皇帝,只以其配祭上帝,其余的从祭各神全部罢去。"

戊子(二十七日),在白天出现太白星。

户部侍郎致仕范镇上奏说:"乞请下令京东、京西、河东、河北、陕西各路转运司,确定奖赏的条令,寻访征求标准的黍米作为衡量单位,以便审校音律。"

己丑(二十八日),详定礼文所上奏说:"请求从今以后圣上坐车子时手中不再执圭。"又上奏说:"古代在宗庙殿堂中以石匣保存神主,稽之为'宗祐'。请迁移庙主,把它藏于太祖庙的太室北面壁龛中，皇帝和皇后同放于一个石室之中。《礼记》说：‘天子的灵座共五层。’现今太庙的几筵都不合礼法，请求改用筦筵，纷纯上加一层缫席，画纯上加一层次席，左右玉几上加黑白花纹的装饰。祭祀时都在缫席、次席上各加一层，加上筦筵共有五层。”神宗采纳了全部建议。

庚寅（二十九日），熙河路经略司说西部边界的首领禹藏结逋乐、蕃人部落的巴鞠等人送来译书告知夏国集结军队，在黄河南岸、洮河西岸的河州地区将要修筑撒逋达宗城。神宗说：“如果报告实情，乃是在河州的境内，怎么能够听任他们修筑城镇！非常担忧经略司不清楚上述报告所指的地界，都没有防备，不能依次将他们阻止驱逐，可迅速下令本地区经略司多准备兵马，把夏国的行动制止。”

八月，辛卯朔（初一），详定礼文所上奏说：“祭祀明堂昊天上帝时的献祭宝玉，应当使用青黑色的璧。现在用四圭有邸，请求改用青黑色的璧向上天献礼。那些有关官员代理主持祭祀五帝的活动，也请求依照祭祀大宗伯向神祇献礼的制度，陈放的方位分别模仿其方位的颜色。”神宗加以采纳。

戊戌（初八），下诏：“两制、台谏官、总管、监司，分别推荐能够应考武举的进士一名，把他们的名字报上。”

庚子（初十），检正中书户房公事毕仲衍献上所编修的《备对》，上书说：“周朝的冢宰，年底时命令所有官府总结一年的工作，听他们汇报，小宰按次序听取各位官员叙述工作要点。所谓会议和叙述工作要点，正是现今中书所应负有的责任。从汉朝到唐朝，经历了一千多年，没有人议论过这件事，所以对决狱以及钱谷的事情回答不出。出于圣上英明的意图，让我加以编纂汇集。臣下采集搜罗了各种史料，编集成书，总共一百二十五门，附五十八件，为六卷，其中史料多者，分为上、中、下三部分，总共有十卷。”诏令中书、门下各自抄录一本交执政大臣，并且分别命令各房张贴。起初，编成了这本书，毕仲衍希望他的书神宗能阅读，然后能够封赏；神宗认为这本书乃是臣下准备君主询问用的书，不应该上报给君主，因此才有这个诏令。

乙巳（十五日），诏令中书：“朕特别赞赏周代因事设立官职，用爵位制定俸禄，任何事情都有条理的做法，借鉴夏商两代的经验教训，官制既完备又隆盛。本朝接受了已达百年的天命，全国百姓承受圣明的恩德，怎么能够使我们的官制，还有愧于以前的朝代！现在将要推究根本的原因，来改正根源，对于祖先传下来的典章制度的根本意思应该进行考察，参照、增损，都应该趁着时宜，使台、省、寺、监的官员都实际执行事务，领空名的官员，全部撤销改代阶官，并因此制定俸禄，一切恩赐嘉赏，全部依照原有制度。由中书列出应怎样合宜地制定制度，然后上报。”

秘书丞、同知礼院杨杰上奏说：“十二音是音律的本声。四音，是音律的应声。本声重而大，应声轻而清；本声象征着君父，应声相当于臣子，所以四声又被称为清声。自从景祐年间李照议论音乐以来，钟、磬、箫开始不用四声，因此有本声而没有应声，有发音而没有和音，八音又怎么能和谐呢？现今的巢笙、和笙，都有十九根管，以十二根管发出乐律的本声，七根管作为乐律的应声，用了很久，但声音却能非常地和谐。请求参考古代制度，依照巢笙、和笙的例子，用于编钟、编磬、箫，来使八音和谐。”又上奏说：“如今在演奏大乐中，琴、瑟、埙、篪、笛、箫、笙、阮、筝、筑这些乐器每演奏一声，那么镈钟、特磬、编钟、编磬要连续击打三声，在各类乐器中演奏的次数最频繁,请求让镈钟、特磬、编钟、编磬一起跟其他乐器一样演奏,不可以连续击打,他们的优点就是使八音次序不相混乱。"又上奏说:"本朝在郊庙祭祀的礼乐,首先演习文舞,最后表演武舞,武舞的节奏有六次不同:第一次变化是象征淮阳地区被平定,所对的方向应该是东南;第四次变化是象征荆湖地区归顺,所对的方向应该是南方;第五次变化象征邛蜀地区降服,所对的方向应该是西方;第六次变化象征军队班师回朝,所对的方向应该是由北向南。现今的舞蹈者不但发挥威武的动作、进退俯仰的举动与所完成的功业和盛大的德行不能相称,并且失去了方向。另外,文舞的节律,也混乱没有法度。请求制定文舞、武舞的节奏,改变其方向,来与成就的功业、盛大的德行相称。还请依照《周礼》奏乐唱歌,把阴声和阳声结合起来。"又上奏说:"如今高雅的音乐、古老的乐器不是不存在,太常礼乐不是不完备,而学人士大夫却置之不理,委派低贱的乐工考订、击打演奏,怎么能不使雅乐和郑声相混杂呢!请求审订调整太常的钟和管,依照礼典运用十二律还宫法,使十二律的音节被上下乐宫知晓,这样郑声就不能搞乱雅乐了。"下诏把这个上奏送给议乐所。刘几等人说杨杰的建议都可以施行,神宗下诏给予采纳。

戊申(十八日),秘书监退休的刘几等人上奏说:"太常大乐钟和磬总共分为三等:一是王朴校定的乐律,李照校定的乐律分为二等,胡瑗、阮逸校定的乐律分为三等。王朴校定的乐律,声音太高,太祖皇帝曾经讲过这一点,于是降低音律吸取黄钟的声律;当时的人们习惯于旧时的礼乐,怀疑李照制定的音调太重,因而没有采用李照的乐律。到皇祐年间,胡瑗、阮逸再次考订礼乐,稍微低于王朴所定的音律,而声律也相近;到了铸造大钟,有的人又议论他的声调抑郁,因而也就没有使用,于是在郊庙祭祀时仍旧采用王朴的礼乐。乐工们自己陈述,如果使用王朴的礼乐,钟、磬的音调清亮难以协调,如果改制低下的音律,才可使用钟、磬的清声,这也进一步验证了王朴定的钟、磬音调太高,很难全部使用。当今用三种乐律钟、磬的声调互相参考,那么王朴、阮逸乐的黄钟刚好跟李照乐的太簇相同。王朴、阮逸的礼乐,编钟、编磬分别有十六个,虽然有四个清声,但是实际上比黄钟、大吕的正声差。李照的礼乐,编钟、编磬分别有十二个,虽然有黄钟、大吕的正声却缺少全部四个清声,不合乎古代的制度。圣人创作礼乐来理顺中和的声律,用来引导中和之气。清声不可以太高,重声也不能够太低,使八个音节和谐起来,唱歌的人从容地连续唱下去,这就是中和的意思。臣下等人因而请求精心选择李照乐的编钟、编磬十二个音律是相合的,再增加王朴乐的无射、应钟以及黄钟、大吕的清声,作为黄钟、大吕、大簇、夹钟的四个清声,使其他乐器跟随演奏,歌工再以清声歌咏配合,使其清声不太高,重声不太低,便可以考定中和之声。在太常的钟、磬中选择可用的,另外制造那些不可修订的钟、磬。"神宗加以采纳。

丙辰(二十六日),太常寺上奏说:"近来奏请留下王朴乐的钟磬,现今修大乐所已经募集工匠,准备了炉子和炭,恐怕将要立刻改铸和修磨。况且大乐的法度乐器,其形制度量和声律,都极度精微,修改之后,陛下要亲临验听,如果万一不和谐,再也没有旧的乐器可以参考了。本寺每次遇到大仪式,除使用王朴的礼乐以外,还有李照、胡青所做的乐器及其石磬材料,还可以另外制造新的乐器,验证建议者所提出的方法。"诏令允许借用王朴礼乐的钟作为清声,不能销毁和磨烧。

起初,刘几、杨杰想销毁王朴的旧钟,意图是新的乐器制作以后,虽然不好,也没有旧的音律可以比较。后来执政大臣到太常寺检查,前一个晚上,杨杰陈说王朴所铸的钟已经坏了一个。乐工都感到不平,夜间换掉了那个钟,而杨杰还不知道。第二天,执政大臣来到,杨杰严厉地说:"王朴铸的钟实在不和谐美妙。"命令乐工敲击,可是音韵却更加美妙。杨杰非常惭愧沮丧。

王安石献上所改定的《诗》《书》《周礼义》的误字,下诏抄录送到国子监修订改正原书。

戊午(二十八日),彗星不见了。

九月,壬戌(初三),给宣祖在定州东安增加二十顷坟地以及守园户。

丙寅(初七),神宗重新到正殿处理政务和日常膳食。

庚午(十一日),知谏院舒亶上奏说:"中书检正官张商英交给臣一封手书,并且告诉臣下他女婿王沩的职务。臣的职务是为了进忠言,事情涉及托请,不敢隐瞒沉默。"下诏免去张商英馆阁校勘的职务,降职为监江陵县税。起初,舒亶担任县尉,因为亲手杀人而被治罪,罢免了多年的官职。张商英任御史职务时,讲他非常能干,于是改任其他官职。现在他反而诬陷张商英,士人的舆论都憎恨舒亶的行为。

太常博士、集贤校理、新权知湖州陈侗上奏说:"陛下推崇奉行在郊庙祭祀百神的活动,考证寻求礼制典籍,尤其严密完备。只有五岳四渎的祭坛没有设置,想乞请依照《周礼》在四郊建立四望坛,来祭祀五岳、四镇、四渎,合乎经书的本义,而且还可以满足陛下奉行祭祀的意图。"诏令把这个意见送到详定礼文所。详定所"请求以本朝《祠令》所记载的岳、镇、海、渎的四望祭坛建于四郊。设在东郊的祭坛有岱山、沂山、东海、大淮;设在南郊的祭坛有衡山、会稽山、南海、大江、嵩山、霍山;设在西郊的祭坛有华山、吴山、西海、大河;设在北郊的祭坛有常山、医巫闾山、北海、大济。每个方向的岳、镇合为一坛,海、渎就合于一坎,在五时迎节气的日子祭祀,都使用血祭和掩埋,有灾异的事情就请求祈祷。另外,以四方的山川各自附于所在方向的岳、镇、海、渎之下,另外设立一坛和一坎。山合为一座坛,川合为一个坎。在水旱灾害发生时就进行祈祷。北郊举行祭祀时的从祭及各县祭礼时依然跟以前一样。"下诏:"四方的岳、镇合为一坛望祭,其余的都依从上奏。"

乙亥(十六日),订正官名,详定官制所献上以阶官改换寄禄官的新规定:开府同三司分为中书令、侍中、同平章事,左、右仆射为特进,吏部尚书为金紫光禄大夫,五曹尚书为银青光禄大夫,左、右丞为光禄大夫,六曹侍郎为正议大夫,给事中为通议大夫,左、右谏议为太中大夫,秘书监为中大夫,光禄卿至少府监为中散大夫,太常至司农少卿为朝议大夫;六曹中为朝请、朝散、朝奉大夫,共为三等;朝请、朝散、朝奉郎是员外郎,共为三等;起居舍人为朝散郎,司谏为朝奉郎,正言、太常博士、国子博士为承议郎,太常寺、秘书省、殿中省丞为奉议郎,太子中允、赞善大夫、中舍、洗马为通直郎,著作佐郎、大理寺丞为宣德郎,光禄寺、卫尉寺、将作监丞为宣议郎,大理评事为承事郎,太常寺太祝、奉礼郎为承奉郎,秘书省校书郎、正字、将作监主簿为承务郎。又从开府仪同三司到通议大夫以上不推行磨勘法,太中大夫至承务郎应磨勘。待制以上官员,在六年间迁升两级官阶,到太中大夫为止;承务郎以上,在四年间迁升一级官阶,到朝议大夫为止,等待朝议大夫有缺员时依次递补;以七十员朝议大夫作为定额,幕职州、县官员的磨勘,并且一律依照尚书吏部法令处置;迁升为京朝做官的人,依照现在制定的新官制。他们的俸禄应该一并以职事官的旧有俸禄数量跟现在新定的官制相比照来拟定。"神宗全部予以采纳。

依照以前的例子,两制的官员不得转任为卿或各监监官,前行郎中便超转为谏议大夫;

从阶官上讲他们为朝请大夫,谏议大夫于阶官讲为太中大夫。神宗认为磨勘就是古代的考绩之法,皇帝跟各位职事官共同遵守,因而禁止亲近的人独自超升转官,这是违法的事情。于是下诏:"待制以下官员一并三年升迁一次,仍旧转官为朝议大夫、中散大夫、中大夫三种官阶。"

丙子(十七日),神宗下诏:"开府仪同三司为使相,不要再加大敕的官衔。现任的宰相、使相,所赐食邑实封通常达到一万户,前任宰相的食邑通常达一万户,他们都被册封为国公。皇室成员依照先前的惯例。"

另外,中书上奏说:"官制上申明,朝廷宗旨罢免三公,三司官员外,其余的检校官、散官一并罢黜。所有的宗室以及武臣正任官至内常侍以上,内臣供奉官以下,幕职州、县官、伎乐数术官、将校、中书枢密院主事以下,以及各司的吏人所受敕令留官衔校等等,现在所带的文阶散官、检校官以及宪衔,全部撤除。僧官以及溪峒蛮人的知州、知镇和朝廷教化无法达到的蕃人官员所带的散官等等,全部由朝廷来指示。"神宗加以采纳。然后下诏:"文武散职阶官,除了教化不达的人依照旧制度任命之外,其余的全部罢免。"

辛巳(二十二日),在明堂举行大祭,由宋英宗配祭。

癸未(二十四日),薛向、孙固同被任命为枢密副使。

乙酉(二十六日),诏令将在景灵宫修建十一座殿堂,以便用先王的礼法祭祀祖宗。

王安石被任命为特进,改封为荆国公,王拱辰开府仪同三司的职衔被罢免,都是因为推行新官制来改正名称的缘故。诏令王拱辰判大名府,王拱辰推辞说:"臣下老了,没有能力再任职了。"神宗说:"北面的门户重地是大名府,也是爱卿先前任职的地方,勉强为朕前行吧!"

丙戌(二十七日),进封岐王赵颢为雍王,嘉王赵頵为曹王,一同被任命为司空。文彦博任太尉。曹佾被册封为济阳郡王,赵宗旦为华阴郡王。

冯京被任命为枢密使。薛向被罢职担任颍州知州。正在诏令百姓饲养马匹时,薛向已经接受诏令,不久就知道对百姓没有好处,想改变这一政策。于是舒亶就论说薛向反复无常,缺乏大臣应有的修养道德,于是被贬斥为知颍州,又改任为知随州。

丁亥(二十八日),吕公著被任命为枢密副使。吕公著与冯京、薛向、孙固三人同在枢密院任职,他们三个人经常在神宗面前争论,只有吕公著唯独不发表议论。等到神宗问他,才慢慢分析是否能实行,言辞简练而恰当,神宗常常采纳他的意见,他们三人也不能够违背。神宗经常跟辅政大臣商议国家大事,一天,神宗对吕公著说:"百姓不知有徭役了。"吕公著回答说:"过去因为徭役繁重,上等户都破产了,现在都能吃得饱,过着安定的日子,确实是很幸运的。以前下等户不服徭役,现在都要出钱,确实感到很苦。"神宗说:"现在的法令还应该再更改。"

戊子(二十九日),熙河路经略司上奏,乞请组织好蕃人弓箭手;神宗采纳了这个建议。这一年下诏:"凡是弓箭手、骑兵分别以五十人作为一队,设置引战旗头、左右傔旗,以本部的蕃人酋长、将校担任拥队,如正规军的方法。蕃捉生、蕃敢勇、山河户也是这样。凡是招募弓箭手、蕃捉生、山河户,无论等级,照例招募有人担任,年纪在十七岁以上,可以射七斗弓、能够背负所带物品的人。鄜延路新旧蕃捉生、环庆路强人、各路的汉人弓箭手、鄜延路归明人界内的保毅军蕃部人户、弓箭手,都要在背上刺字。"

闰月，辛卯(初二)，御史范镇上奏说："曹佾因为是外戚而被封为郡王，祖宗以来，没有人能够跟曹佾相比。陛下以富贵尊崇他很忠厚，以此来表示对慈圣太后的孝顺敬爱的感情已到了极点。虽然曹佾没有被封王，也可以保护安定曹氏家族了；命令发出再改变，还可以作为子孙万代所遵循的法令。"神宗没有采纳这个建议。

壬寅(十三日)，辽道宗在木叶山祭祀。

己酉(二十日)，辽道宗在藕丝淀驻扎。

乙卯(二十六日)，文彦博被加官为河东、永兴军节度使，授予富弼司徒的官号。

冬季，十月，辛酉(初三)，详定官制所检讨文字、光禄寺丞李德刍献上《元丰郡县志》三十卷，《图》三卷。

辽国的耶律仁杰担任宰相的职位已很久了，贪得无厌，一次跟亲戚饮酒，曾经说："没有一百万两黄金，跟宰相之家不够相称。"耶律伊逊被调出朝廷以后，辽道宗渐渐地领悟耶律仁杰的奸猾，丁卯(初九)，耶律仁杰被外放为武定军节度使。

庚午(十二日)，辽国的参知政事刘诜退休。

癸酉(十五日)，陈毅被辽国任命为汉人行宫都部署，王绩为同知枢密院事。

癸未(二十五日)，下诏允许翰林学士一起佩带鱼符。

十一月，己丑朔(初一)，发生日食。

癸卯(十五日)，辽道宗召集群臣讨论政事。辽道宗说："负责国家军政大任的职务是北枢密院，但是很久没有长官，耶律阿苏、萧额特勒哪一个人更适合？"大臣们分别称赞各自的长处，契丹行宫都部署萧托辉却独自沉默不语。辽道宗说："爱卿为何不讲话呢？"萧托辉说："萧额特勒怯懦而败坏事情；耶律阿苏有才干而贪婪，将会成为祸害的根源，万不得已时任用他们，坏事尤其胜过祸害。"辽道宗说："萧托辉，虽然魏征也超过不了你，只恨朕不能赶上唐太宗。"

壬子(二十四日)，直龙图阁、句当三班院曾巩上奏说："大宋兴起，已相继经过了六个皇帝，让百姓休养生息，所以人口繁多时，国家财产有了剩余。暂且以景德、皇祐、治平年间的数字比较说明，景德年间有七百三十万户，开垦的田地有一百七十万顷；皇祐年间有一千零九十万户，开垦的田地有二百二十五万顷；治平年间有一千二百七十万户，开垦的田地有四百三十万顷。全国的每年收入，皇祐、治平年间收入都达一亿万以上，每年的费用也达一亿万以上。景德年间有一万多名官员，皇祐年间有两万多名官员，治平时加上幕职，州县官三千三百多人，共有二万四千名官员。景德时郊祀的开支是六百万，皇祐年间是一千二百万，治平时是一千三百万。以二者相比较，官员的人数比景德时多出一倍，郊外祭祀的费用也比景德时多出一倍。官员的人数之所以有这样的不同，是因为皇祐、治平年间做官的门路比景德年间也多；郊祀的费用也有这样的差别，那么皇祐、治平年间花费的项目比景德时候也多。如果下诏有关部门寻找典籍的记录而分析其原因，就可以知道是通过哪些途径增加官员的，那么郊祀的费用花在哪些方面便可考察到。然后各自商议可以罢黜的就罢黜，可以减省的就减省，使天下的人口跟皇祐、治平年间一样繁盛，而国家的开支、官员的人数，郊祀的费用，都跟景德年间一样节省，二项所减省的花费就占了一半了。"

不久又提出建议说："陛下认为臣下的建议以节省作为理财的关键，世人都说理财的人没有谈到这一点，把它交给中书。臣下在三班院待罪，建国初继承旧制度以供奉官、左、右班殿合称为三班,设立都知、行首领导,又有殿前承旨,班院另外设立行首负责。端拱年间以后,划分东、西供奉官,又设置左、右侍禁及其承旨,都在三班供职,三班的名称也没有改变。起初,三班吏员有三百人为止,或者达不到这个数量,到了天禧年间,总共有四千二百多人,到现在,总共有一万一千六百九十人,宗室又有八百七十人。在景德时官员人数比原来增加十倍,而以现在的人数考查,比景德时大概增加三倍。粗略地以三年之内官籍出入人数相比较,熙宁八年,加入官籍的有四百八十七人,熙宁九宁,加入官籍有五百四十四人,熙宁十年,加入官籍的有六百九十人;而死亡以及免去官籍的人,有时一年超过二百人,有时还达不到这个数目。这样年年增加,而从未见过有停止的时候。臣下又粗略地考察了进入官籍的途径,另外逐条记下报告给陛下,论述可以裁撤的加以裁撤,可以减损的就加以减损,全由陛下来选择。臣所知道的只限于三班,吏部东、西审官院所掌握的官员以及全国的其他开支费用,一定有跟这相类似的,希望陛下加以考察,逐类分析研究。如果国家的税收每年为亿万,而所减省的为十分之三,而以三十年作为一个计算的过程,那么将有十五年的储蓄。国家的财政是立国的根本,想使国家如此昌盛繁荣,又有什么要求得不到,有什么事情又办不成呢!陛下圣明的天资再加上精心勤奋,以此来改变苟且偷安的弊病,光大法令修明政策,使全国百姓获幸,诏令子孙万代。所以臣下敢于以官员数量来探讨其增加或减少的情况,最终完成前几天的建议献上,希望陛下裁决选择。"神宗很赞赏这个建议并加以采纳。

十二月,甲子(初六),辽国任命耶律德勒岱为孟父房敌衮。乙丑(初七),萧托卜嘉被任命为北府宰相,耶律世迁为知北院枢密使事,耶律慎思为同知北院枢密使事。

庚午(十二日),辽国免去西京流亡百姓租赋一年。

甲戌(十六日),减少百姓的赋税。

丁亥(二十九日),辽国预先举行正旦贺礼。

戊子(三十日),辽道宗到达混同江。

续资治通鉴卷第七十六

【原文】

宋纪七十六　起重光作噩【辛酉】正月,尽十二月,凡一年。

神宗体元显道法古立宪帝德　王功英文烈武钦仁圣孝皇帝

元丰四年　辽太康七年【辛酉,1081】　春,正月,乙未,命步军都虞候林广经制泸夷。

时韩存宝讨泸蛮乞第,逗挠不进,以广代之。广至,阅兵合将,蒐人材勇怯,三分之,日夕肄习,间椎牛享犒,士心皆奋。遣使开晓乞弟,仍索所亡卒,乞弟归卒七人,奏书降而身不至。乃决策深入,陈师泸水,率将吏东向再拜,誓之曰:“今孤军远略,久驻贼境,退则为戮。冒死一战,胜负未可知,纵死,犹有赏,愈于退而死也。与汝等戮力而进,可乎?”众皆踊跃。

庚子,诏试进士加律义。

戊申,五国部长贡于辽。

辛亥,于阗来贡。

冯京罢知河阳。孙固知枢密院,龙图阁直学士韩缜同知枢密院事。

(时)〔前〕征安南,建顺州,其地瘴疠不堪守,固请弃之,内徙者二万户。

甲寅,女真贡良马于辽。

二月,甲子,辽主如鱼儿泺。

己巳,知制诰王存言:“辽人觇中朝事颇详,而边臣刺辽事殊疏,此边臣任间不精也。臣观知雄州刘舜卿,议论方略,宜可任此,当少假以金帛,听用间于绳墨之外。”诏舜卿具所资用以闻。舜卿乞银千两,金百两,诏三司给之。舜卿初至雄州,有告以巡马大至,请(申)〔甲〕以俟;舜卿不为变,卒以无事。辽妄捕系州民,檄取,不听。会有使者至,因捕其徒一人,请偿焉,待释乃遣。辽遣谍盗西城门锁,舜卿密令易去伯镧而大之。数日,以锁来归,舜卿曰:“吾未尝亡锁也。”引视纳之,不能受,乃惭去。谍者因得罪。

辛未,置秦州铸钱监。

己卯,分东南团结诸路为十三将。

三月,癸卯,章惇罢,知蔡州。

甲辰,以翰林学士张璪参知政事。

乙巳,命官阅九军营阵法于京城南。

戊申,大阅。

丙辰,栋戬遣使来贡。

随州言知州、正议大夫薛向卒。辍视朝,遣中使护其丧归葬。

夏,四月,癸亥,御延和殿阅试保甲。

己巳,诏:"罢南郊合祭天地。自今亲祀北郊如南郊仪,有故不行,则以上公摄事。"

壬申,御崇政殿疏决系囚。

乙酉,河决澶州,小吴埽复大决,自澶注入御河。

五月,戊申,封晋程婴为成信侯,公孙杵臼为忠智侯,立庙于绛州。

壬子,辽主如岭西。

癸丑,辽永清、武清、固安三县蝗。

甲寅,辽以北府宰相萧托卜嘉兼殿前都点检,以驸马都尉萧酬(幹)〔斡〕为汉人行宫都部署兼知枢密院事。

六月,戊午,河北诸郡蝗生。

甲子,辽诏月祭观德殿;岁寒食,诸帝在时生辰及忌日,诣景宗御容殿致奠。

丙寅,准布贡于辽。

丁卯,辽以翰林学士王言敷参知政事,封北院宣徽使石笃为漆水郡王。

戊辰,诏:"闻河北飞蝗极盛,渐已南来,速令开封府界提举司、京东、西路转运司遣官督捕;仍告谕州县,收获先熟禾稼。"

己巳,入内东头供奉官、句当御药院窦仕宣言:"小吴决口,下至乾宁军朴桩口。相视今河自乾宁军朴桩口以下,流行未成河道,又缘河东北流,自下吴向下,与御河、胡芦、滹沱三河合流,深恐涨水之际,堤防难限。乞令都水监定三河合黄河如何作堤防限隔;或不合黄河,其三河于何所归纳。"诏送李立之相度。后立之言:"三河别无回河归纳处,须当合黄河流。"从之。

己卯,洪州言知州、观文殿学士王韶卒。辍视朝,赠金紫光禄大夫,谥襄敏,官其子六人。韶用兵颇有方略,每召诸将授指,不复更问,所至辄捷。尝夜卧军帐中,前部遇敌,矢石交下,呼声振山谷,侍傍者往往股栗,而韶鼾息自若。然熙河所奏多欺诞,杀蕃部老弱不可胜数。军以首级为功,韶交亲皆楚人,多依韶以求仕,韶分属诸将;诸将畜降羌老弱,或杀其首以应命。至是疽发背而卒。

壬午,诏:"陕西路缘边诸路,累报夏国大集兵至,须广为之备。以东上邻门使、文州刺史种谔为鄜延路经略安抚副使,应本司事与经略安抚使沈括从长处置。"

先是令谔与括密议点集,谔乃言:"疾雷不及掩耳。今已籍籍,轻兵不可用势,当成军进讨。"于是入对,大言曰:"夏国无人,秉常孺子,臣往提其臂而来耳!"帝壮之,乃决意西征,命谔副括,赐以金带,别赐银万两为招纳之用,本路及麟府事悉听谔节制。招宣使、果州团练使、入内副都知王中正同签书泾原路经略总管司公事,如遇出界,令王中正及泾原路总管兼本路第一将刘昌祚同往。发开封府界、京东、西诸将军马分与鄜延、环庆两路。以东上邻门使、英州刺史姚麟权环庆路总管,遇出界,令知庆州高遵裕与姚麟同往。其鄜延、环庆、泾原招纳蕃部等费用,许支封桩钱。泾原路令王中正候编排本路军马毕赴阙,于在京七百料钱以下,选募马步军万五千人,开封府界及本路兵选募义勇保甲万人。如泾原路五千人不足,于秦凤路选募。

交趾郡王李乾德上表言:"昨遣使臣陶宗元等朝贡,为广州禁制窒塞,纲运不同向时。今遣礼宾副使梁用津、著作郎阮文倍等水路入贡,乞降朝旨,依旧进奉。"诏广州悉准旧例,无得邀阻。差入内使臣一员押伴,仍先降诏谕之。

癸未,命提点开封府界诸县镇公事杨景略、提举开封府界常平等事王得臣督诸县捕蝗。

帝初议西讨,知枢密院孙固曰:"举兵易,解祸难。"前后沦之甚切。帝意既决,固曰:"必不得已,请声其罪薄伐之,分裂其地,使其酋长自守。"帝笑曰:"此真郦生之说。"时执政有请直渡河者,帝意益坚。固曰:"然则孰为陛下任此者?"帝曰:"吾以属李宪。"固曰:"伐国大事,而使宦官为之,士大夫孰肯为用?"上不悦。固请去,不许。它日,又对曰:"今举重兵五路并进,而无大帅,就使成功,兵必为乱。"固数以大帅为言,帝谕以无其人,同知枢密院吕公著进曰:"既无其人,不若且已。"固曰:"公著言是也。"

秋,七月,戊子,辽主如秋山。

己丑,太白昼见。

壬辰,前河北转运判官吕大忠曰:"天下二税,有司检放灾伤,执守谬例,每岁侥幸而免者,无虑三二百万,其馀水旱蠲阁,类多失实。民披诉灾伤状,多不依公式令。诸县不点检所差官,不依编敕起离月日程限,托故辞避,乞详定立法。"中书房言:"熙宁编敕,约束详尽,欲申明行下。"从之。

甲午,鄜延、泾原、环庆、熙河、麟府路各赐金银带、绵袄、银器、鞍辔、象笏。

丙申,辽主谒庆陵。

戊戌,诏:"自今汴河水涨及一丈四尺以上,即令于向上两堤,相视地形低下可以纳水处决之。"

甲辰,韩存宝坐逗遛无功,伏诛;韩永式、魏璋、董钺罪谪有差。

先是存宝经制泸州蛮贼无功,而永式照管军马,实同其事。朝廷遣侍御史知杂事何正臣鞫存宝等,与乞弟战,以累败怯避,乃止令裨将御敌,致贼酋走逸,反招谕乞弟投降,冀以回军;而宴州蛮人叛,以急欲回军故不讨;及疑底蓬褒、上、下底行等村蛮为寇,因其句点不齐,乃起兵讨荡,欲藉此以盖前过,并不依朝旨立城寨;馀罪上言不实,魏璋为从。案既具,于是刑部奏:"存宝逗遛不克,请行军法。"知谏院蔡卞亦言:"乞正存宝军法,并置永式典刑。"而正臣又言:"董钺随军,亲见存宝等举事乖谬,罔上不忠。又,钺贺表称存宝功效,诬罔尤甚,望特行窜斥。"朝廷惩安南无功,时方大举伐夏,故诛存宝以令诸将。随军主簿鲜于溙、第二将吕真求合存宝意,虚作申报,诏提点刑狱司劾之。

戎州录事参军孙敏行,素为钺所厚,先令敏行草贺表,敏行正色止之曰:"彼既罔上,公又从而实之,公亦随受祸矣。"钺不听,卒命它官草表。敏行,眉山人也。

丙午,泾原路经略司言:"近准朝旨修渭州城置炮台已毕。防城战具,止有大小合蝉床子等弩。按《武经总要》,有三弓八牛床子弩,射及二百馀步,用一枪三剑箭,最为利器,攻守皆可用。乞下军器监给弩箭各三副,赴本路依样造,以备急用。"军器监言弩每座重十馀斤,难运致,乞图其样付本路作院;从之。

丁未,大军进攻米脂寨。

戊申,命集贤院学士苏颂同详定官制。

己酉,诏曾巩充史馆修撰,专典史事。

己酉,泰州言:"七月甲午,海风夜起,继以大雨,浸州城,坏公私屋数千间。"诏淮南转运

1637

副使李琮按视以闻。

癸丑,诏内外官司举官悉罢。令大理卿崔台符同尚书吏部、审官东、西、三班院议选格。

于阗遣蕃部阿辛上表,赴阙朝见,馆遇甚厚;回日,并赐敕书谕之。

八月,乙卯朔,罢中书堂选,悉归有司。

丙辰,诏:"自南北通和以来,国信文字,差集贤院学士苏颂编类。"颂因进对,帝曰:"朝廷与契丹通好岁久,故事、仪式,遗散者多,每使人生事,无以折正。朕欲集国朝以来至昨代州定地界文案,以类编次为书,使后来得以稽据,非卿不可成。"因令置局于枢密后厅,仍辟官检阅文字。

丁巳,帝批:"诸路战骑,所系甚大,况今军兴,尤为要急,可督提举陕西买马监牧郭茂恂速措置招买,往来诸场督趣。"又诏:"熙、秦、凤买马场,以马价画一付景青宜、党支等,令使回入蕃告谕。"

辛酉,夏人寇临州堡,诏栋戬会兵伐之。

以金州刺史燕达为武康军节度使。

壬戌,种谔遣诸将出界,遇贼,破之,斩首千级。

丙寅,泾原路经略司言:"应副军行战守等事,乞权许便宜指挥。"诏:"本路措置事稍大奏候朝旨,如小事碍常法,许一面施行。鄜延、环庆、河东路经略司、熙河路都大经制司、措置麟府路兵马司依此。"先是诏遣宿卫七将之师戍鄜延,已再颁赐矣,而镇兵未尝有所赍。沈括以为禁兵虽重,而为国守边,无岁不战者,镇兵也,赏赉不均,此召乱之道,乃矫诏赐镇兵钱数万缗,而封藏诏书以驿闻。不数日,有急递诏括曰:"枢密院漏行颁书,赖卿察事机,不然,几扰军政。"自此事不获闻者得以专制,蕃、汉将卒,自皇城使以降,皆得承制补受。

丁卯,辽主射鹿赤山,加围场使尼噜为静江军节度使。

己巳,复置滑州。

庚午,广西经略司言:"交趾入贡百五十六人,比旧制增五十六人。"帝令据今已到人数赴阙,后准此。

丁丑,熙河经制李宪败夏人于西市新城,获酋首三人,首领二十馀人。庚辰,又袭破于女遮谷,斩获甚众。

辛巳,司马光、赵彦若上所修《百官公卿年表》十卷、《宗室世表》三卷。

壬午,诏升南京、青、登、邓、郓、曹、齐、洺、濮州有马军教阅厢军及真定府北寨劲勇、环州下蕃落未排定指挥,并为禁军。

佛泥国遣使入贡。佛泥不入贡者九百馀年矣。

九月,乙酉,栋戬遣使来贡,且言已遣首领将兵三万会击夏国。

李宪复兰州古城。时五路出师讨夏国,宪领熙、秦军至西市新城,复兰州,城之,请建为帅府。

戊子,兰州新顺首领巴令谒等三族率所部兵攻夏人撒逋宗城,败之。

辽主次怀州,命皇后谒怀陵;辛卯,次祖州,皇后谒祖陵。

丙申,熙河路都大经制司言:"兰州古城,东西约六百馀步,南北约三百馀步。大兵自西市新城约百五十馀里,将至金城,有天涧五六重,仅通人马。自夏贼败衄之后,所至部簇皆降附。今招纳已多,若不筑城,无以固降羌之心。见筑兰州城及通过堡,已遣前军副将苗履、中军副将王文郁都大管句修筑,前军将李浩专提举。(固根本)其李浩以次须佐事之人,亦即军前权选委句当。"

己亥,王珪上《国朝会要》。

种谔乞计置济渡桥筏橡木,令转运司发步乘运入西界。诏:"凡出兵深入贼境,其济渡之备,军中自有过索、浑脱之类,未闻千里运木随军。今谔计置材木万数不少,如何令转运司应副步乘?纵使可以应副,亦先自困。令种谔如将及河造筏,贼界屋并可毁拆,或斩林木相兼用之。如更不足,以至枪排皆可济渡。"帝坐制兵问,利害细微,皆得其要,诸将奉行惟恐不及也。

壬寅,阅河北保甲于崇政殿,官其优者三十六人。

甲辰,详定郊庙奉祀礼仪。中书言:"前奏禘祫年数差互。昨元丰三年四月已行禘礼,今欲通计年数,皆三十月而一祭,当至五年冬祫。"诏依前行典礼。又言禘祫不当废时祭,从之。

乙巳,辽主驻藕丝淀。

丙午,诏谕夏主左右并嵬名部族诸部首领,并许自归。

是日,王中正发麟州,祃祭祝辞云:"臣中正代皇帝亲征。"兵六万人,民夫亦六万馀人。行数里,至白草平,即奏已入夏界,留屯九日不进,遣士卒往来就刍粮于麟州。高遵裕发庆州蕃、汉步骑凡八万七千人,民夫九万五千人,种谔以鄜延兵五万四千,畿内七将兵三万九千,分为七军,方阵而进,自绥德城出塞。丁未,攻围米脂寨。

己酉,河北都转运使王居卿,乞自王供埽上添修南岸,于小吴口北创修遥堤,候将来矾山水下,决王供埽,使河直注东北,于沧州界或南或北,从故道入海。

庚戌,熙河路都大经制司言:"兰州西市城川原,地极肥美,兼据边面,须多选募强壮以备戍守。熙河民兵,惟西关最得力,又地接皋兰,岁入特厚,刍粟充衍,人马骁勇。今既复兰州,遂可广行选募。欲乞除留置官庄地,并募弓箭手,人给二顷。缘置州城,难得耕牛器用,若募新人,必种植不时。乞依熙河旧例,许泾原、秦凤、环庆及熙河路弓箭手投换,仍带旧户田土耕种,二年即收入官,别招弓箭手。"从之。

夏兵救米脂寨,鄜延经略副使种谔率众击破之。辛亥,种谔又败夏人于无定川。

冬,十月,乙卯,集贤校理蔡卞为崇政殿说书。

枢密院言定州牒报北界事,帝曰:"朝廷做事,但取实利,不当徇虚名。如庆历中,辅臣欲禁元昊称乌珠,费岁赐二十万,此乃争虚名而失实利。富弼与契丹再议盟好,自矜国书中入'南朝白沟所管'六字,增岁赐二十万,其后白沟亦不尽属我也。昔周世宗不矜功名,惟以实志取天下,如李璟欲称帝,世宗许之;盖已尽取其淮南地,不系其称帝与否也。"

丁巳,米脂寨降。种谔下令:"入城,敢杀人及盗者斩!"乃降之,收城中老小万四百二十一口,给以衣巾,仍命讹遇等各统所部以御贼。

戊午,种谔破米脂援军捷书至,帝喜动颜色,群臣称贺。遣中使谕谔曰:"昨以卿急于灭贼,恐或妄进,为一方忧,故俾听王中正节制。今乃能首挫贼锋,功先诸路,朕甚嘉之。中正节制指挥,更不施行。其战胜兵员并与特支钱,将官等各传宣抚问。"

己未,拂菻国来贡。

详定礼文所请祭地祇以五行之神从,以五人神配,用血祭;又言祭社稷请以埋血为始;从之。又言:"宗庙之有裸鬯爇萧,则与祭天燔柴、祭地瘗血同意。近代有上香之制,颇为不经。

案《隋志》云：'天监初，何佟之议，郁鬯萧光，所以达神，与用香其义一也。上古礼朴，未有此制。今请南郊明堂用沉香，北郊用上和香。'臣等考之，殊无依据。今崇祀郊庙明堂，器服牲币，一用古典，至于上香，乃袭佟之议。如曰上香亦裸鬯爇萧之比，则今既上香而又裸爇，求之古义已重复，况《开元、开宝礼》亦不用乎！"又请户部陈岁之所贡以充庭实，仍以龟为前列，金次之，玉帛又次之，馀为后，从之。

庚申，熙河兵至女遮谷，与夏人遇，战败之。

癸亥，种谔至石州，贼弃积年文案、簿书、枷械，举众遁走，移军据之。

甲子，详定礼文所言："谨按《周礼》大宗伯以禋祀祀昊天上帝，以实柴祀日、月、星辰，以槱燎祀司中、司命、风师、雨师。近世惟亲祀昊天上帝爇柏柴外，其馀天神之祀，惟爇祝板，实为阙礼。伏请天神之祀皆爇牲首，所有五帝、日、月、司中、司命、风师、雨师、灵星、寿星，并请以柏为升烟，以为歆神之始。"从之。又言："春秋祈报大社、大稷，宜于羊豕之外加以角握牛二。"又言："南郊、太庙、明堂，祭前一日，请以礼部尚书、侍郎省牲，光禄卿奉牲，告充告备，礼部尚书省镬；祭之日，礼部侍郎视腥熟之节。"并从之。

乙丑，泾原兵至磨脐隘，遇夏兵，与战，败之。先是诏泾原兵听高遵裕节制，仍令环庆与泾原合兵，择便路进讨。夏人之谍者以为环庆阻衡山，必从泾原取胡卢河大川出塞，故悉河南之力以支泾原。既而环庆兵不至，刘昌祚与姚麟率本路蕃、汉兵五万独出，离夏界堪哥平十五里，遇夏人三万馀众扼磨脐隘口，不得进。诸将欲舍而东，出韦州与环庆合，昌祚曰："遇贼不击，枉道自全，是谓无次。且为客，利速战，古今所闻。公等去此，自度能免乎？"乃谋分军度胡卢河夺隘，牌手当前，神臂弓次之，弩又次之，选锋马在后。谕众以立功者三倍熙河之赏，众欢甚，响震山谷。昌祚既挟两牌先登，弓弩继前，与夏统军国母弟梁大王战，自午至申，夏人小却；大军乘之，夏遂大败。追奔二十里，斩获大首领十五级，小首领二百十九级，擒首领统军俥吃多理等二十二人，斩二千四百六十级，获伪铜印一。自是大军通行无所碍。

戊辰，知夏州索九思遁去，种谔入夏州。

朝议既不用林广所奏，促广进军。广发泸州，越四日，江安以所招降夷人渠帅及其质子皆随军；复令(共)〔其〕次诸酋各占所居地防援饷道，故入生界免寇抄之患。

己巳，种谔入银州。

庚午，环庆行营经略高遵裕复通远军。

种谔遣曲珍等领兵通黑水安定堡路，遇夏人，与战，破之。

是日，王中正至夏州。时夏州已降种谔，谔寻引去。中正军于城东，城中居民数十家。先是朝旨禁入贼境抄掠，夏人亦弃城邑，皆走河北。士卒无所得，皆愤悒思战，谓中正曰："鄜延军先行，获功甚多；我军出界近二旬，所获才三十馀级，何以复命！且食尽矣，请袭取宥州，聊以藉口。"中正从之。

癸酉，王中正至宥州，城中居民五百馀家，遂屠之，斩首百馀级，降者十数人，获马牛百六十，羊千九百。军于城东二日，杀所得马牛羊以充食。

高遵裕至韦州，监军司令将士勿毁官寺民居，以示招(还)〔怀〕。

乙亥，李宪败夏人于屈吴山。

丙子，鄜延路钤辖曲珍破夏人于蒲桃山。

高遵裕次旱海。先是李察请以驴代夫运粮，驴塞路，馈不继，师病之。

戊寅,林广军次土城山,自发江安,距今才十日。始,军有二道可进:自纳溪夷牢口至江门,近而险;自宁远至乐共坝,回远而平。贼意必出江门,盛兵距隘,而广实趋乐共。贼不能支,皆逃遁。

己卯,种谔言:"效顺人已刺'归汉'二字,恐诸路在臣后者,一例杀戮,乞赐约束。"诏:"种谔所过招纳效顺人,令王中正如行营经过,指挥诸将,更加存抚。"

庚辰,诏:"自今除授职事官,并以寄禄官品高下为法。凡高一品以上者为行,下一品者为守,下二品以下者为试;品同者不用行、守、试。"

辛巳,泾原节制王中正入宥州。

泾原兵既破磨脐隘,行次赏移口,有二道:一北出黛黛岭,一西北出鸣沙川。鸣沙少迂,诸将欲之黛黛,刘昌祚曰:"离汉时,运司备粮一月,今已十八日,未到灵州,倘有不继,势将若何? 吾闻鸣沙有积粟,夏人谓之御仓,可取而食之,灵州虽久,不足忧也。"既至,得窖藏米百万,为留信宿,重载而趋灵州。壬午,师次城下。是时环庆军未至,城门未阖,先锋夺门几人。高遵裕遣李临、安鼎赍札子,且曰:"已使王永昌入城招安,可勿杀。"少间,门阖,城守,斩首级四百五十,得战马牛羊千馀。昌祚曰:"城不足下,独嫌于环庆尔,朝廷在远,必谓两道争〔功〕。"遂按甲。

废泸州大硐寨。

十一月,癸未朔,日有食之。

高遵裕言以环庆兵趋灵州,是日,次(南州平)〔南平州〕。距城三十里,遇夏人接战。转运副使李察、判官范纯粹夜以手书间道促泾原兵来(接)〔援〕,刘昌祚即委姚麟留屯,自将选锋数千人赴之,未至而贼已退。

先是昌祚言军事不称旨,帝赐遵裕手札云:"昌祚所言迂阔,必若不堪其任者,宜择人代之。"遵裕由是轻昌祚。既而昌祚先至灵州城下,或传昌祚已克灵州,遵裕未至灵州百里,闻之,亟具表称"臣遣昌祚进攻,拔灵州城";寻知所传皆虚,乃斩谍者以徇。于是昌祚诣遵裕,遵裕讶其来晚,坐帐外移时不见。既见,问:"灵州何如?"昌祚曰:"畴昔即欲取之,以幕府在后,故止,城不足拔也。前日磨脐之战,馀众皆保东关镇。东关在城东三十里,旁直兴州渡口,平时自是要害,今复保聚。若乘此急击之,外援既歼,孤城当自下。"遵裕怒未解,且方欲攻城,谓昌祚曰:"吾夜以万人负土平垒,黎明之入矣。"因檄昌祚以泾原兵付姚麟;麟不敢当,遵裕亦已。

甲申,诏:"降《五路对境图》付王中正、种谔,据所分地招讨,俟略定河南,如可乘势渡河,方得前进,荡覆贼巢。缘环庆、泾原行营已至灵州界,其鄜延、河东兵马路尚远,不须必赴会合,但能平静所分一道,将来议赏不在克定兴、灵之下。其措置麟府路兵马司,可自西界并边取便路速往,及令赵离应副粮草。如未到,本路即鄜延路借给,委路昌衡照会。其赵咸、庄公岳,元无朝旨令就鄜延粮草通融支用,既以馈运不继,乃安奏陈及走失人夫万数不少;委赵离遣官押送,就近里州军械系,令沈括选官鞫之。"后公岳、咸自诉深入贼境,暴露得疾,乞免械系,御批令在外承勘。

初,王中正在河东,奴视转运司官,凡有须索,不行文书,但遣人口传指挥,转运司不敢违。公岳等以口语无所凭,从容白中正云:"太尉所指挥事多,恐将命者有所忘误,乞记之于纸笔。"自后始以片纸书之。

公岳等白中正：“军出境，应备几日粮？”中正以为鄜延受我节制，前与鄜延军遇，彼粮皆我有也。乃书片纸云：“可备半月粮。”公岳等恐中道乏绝，阴更备八日粮。及种谔既得诏，不受中正节制，鄜延粮不可复得，人马渐乏。

中正不习军事，自入夏境，望空而行，无乡导斥候。性畏怯，所至逗遛，恐夏人知其营栅之处，每夜二更，辄令军中灭火。后军饭尚未熟，士卒食之多病。又禁军中驴鸣。及食尽，士卒愤怒，流言“当先杀王昭宣及庄、赵二漕乃溃归”。中正颇闻之，阳于众中大言：“必竭力前进，死而后已。”阴令走马承受全安石奏：“转运司粮运不继，故不能进军，今且于顺宁寨境上就食。”公岳等亦奏：“本期得鄜延粮，因朝廷罢中正节制，故粮乏。”帝怒，故令离置狱，劾公岳等。公岳等急，乃奏：“臣等在麟府，本具四十日粮。王中正令臣止备半月粮，片纸为验。臣等复阴备八日粮。今出塞二十馀日，始至宥州，粮不得不乏。”帝徐悟非公岳等过。时即隰州置狱，中正恐公岳等复有所言，甚惧。及还朝，过隰州，谓公岳等曰：“二君勿忧，保无它。”既而公岳等各降一官，职事皆如故。

权鄜延路转运使李稷言：“粮道阻节，见开路折运，乞朝廷指挥，讨除后患。”帝从之，令种谔速移军近塞，并力讨除。谔初被诏，当以兵会灵州，而谔枉道不进；既发夏州，即馈饷乏绝。谔驻兵麻家，士卒饥困，皆无人色。谔欲归罪漕臣，诛稷以自解；或私告稷，稷请身督折运，乃免。民夫苦折运，多散走，稷不能禁，使士卒斩其足筋，宛转山谷间，数日乃死者数千人。

乙酉，辽主命岁出官钱以赈诸宫分及边戍之贫户。

丙戌，王中正奉诏引军还延州，士卒死亡者几二万。

丁亥，辽主幸驸马都尉萧酬(斡)〔斡〕第。方饮，宰相梁颖谏曰：“天子不可饮于人臣之家。”辽主即还宫。

诸军合攻灵州，种谔败夏人于黑水。

戊子，高遵裕始自以环庆兵攻灵州城。时军中皆无攻具，亦无知其法者。遵裕旋令采木为之，皆细小不可用。又欲以军法斩刘昌祚，众共救解之；昌祚忧恚成疾，泾原兵皆愤怒。转运判官范纯粹谓遵裕曰：“两军不协，恐生它变。”力劝遵裕诣昌祚营问疾以和解之。遵裕又使呼城上人曰：“汝何不速降？”其人曰：“我未尝叛，亦未尝战，何谓降也？”

已丑，李宪败夏人于啰逋川。

增制五辂：玉辂，建太常；金辂，建大旂；象辂，建大赤；革辂，建大白；木辂，建大麾；从详定礼文所奏也。

辛卯，天章阁待制、知开封府、权管句河东都转运司、措置麟府军马事赵卨知相州。卨初领河东漕，时潞州已再籍夫，械系坊郭民王概等，责夫钱六万三千馀缗，号诉于卨。卨谕之曰：“朝廷用兵非获已，军兴期会，岂可缓也！虽然，吾当以身为汝等。”即以官钱二万馀缗代之，为释械，宽期使偿。

李稷奏：“种谔以河东兵食少，方讨宥州，欲取粮于保安，于是令卨领空夫赴之，就借刍粮转给。卨言中正不更事，为(卨)〔谔〕所欺，轻信妄举，师出逾月，略无功绪。訾虎一军，夫足粮备，委之麟州。度其本谋，必非持久。既不敢直趋巢穴，而乃旁指鄜延，耻于空还，姑以粮尽为解，令稷奏清，窥测朝廷。况随军空夫，可使折运；路昌衡在鄜延馈饷，足以应副。方河东兴夫第三番，往往思变，群聚剽劫，已散复集，必难如期。太原距保安逾十五程，阻坂阻隘，艰于倍道。臣窃计士久暴露，水落草枯，人马瘦勌，未可以前。况贼素悍，今伏而屡抄，必怀狡谋,不可不虑。"朝廷再议入界,兼措置麟府军马,离即奏:"诸路昨大举,方士气精勇,横裂四出,势如压卵,既阅月矣,虽捷获不补失亡。今锋锐稍软,民力凋耗,若复深入,恐速它变。或谓秉常囚拘,虑为邻敌所有。然自兴师,未闻北虏以(上)〔一〕骑窥西夏者。如决图开拓,即且城宥州,分裂堡障,与夏州相接,建绥、宥、银、夏别为一道,修复安远、塞门三十六寨,须仲春出师,乃困贼之策也。"于是坐不赴鄜延,故有相州之责。

种谔降横河平人户,破石堡城,斩获甚众。

辛丑,师还泾原,总兵侍禁鲁福、彭孙护馈饷至鸣沙川,与夏人三战,败绩。初,夏人闻宋大举,梁太后问策于廷,诸将少者尽请战,一老将独曰:"不须拒之,但坚壁清野,纵其深入,聚劲兵于灵、夏,而遣轻骑抄绝其馈运,大兵无食,可不战而困也。"梁后从之,宋师卒无功。

癸卯,种谔至夏州索家平,兵众三万人,以无食而溃。

左班殿直刘归仁率众南奔,相继而溃。入塞者三万人,尘坌四起,居人骇散。或请闭六戍拒之,或议以河东十二将之师讨除,沈括以为不然,曰:"此皆五州之精甲也,讨之未必能胜,而自毙死土以骄虏势,非术也。"时日南至,大张乐,劳河东之师。得叛卒数十人,括问之曰:"副都总管使汝归取粮,主帅为何人?"答曰:"在后。"括各令归屯,(自)〔日〕暮,自归者八百人,旬日,叛者皆归。后复治师西讨,括出按军,刘归仁至,括问:"汝归取粮,何以不持军符?"归仁无以对,乃斩以徇。

甲辰,枢密院置知院、同知院,馀悉罢。于是大改官制,议者欲废枢密院归兵部,帝曰:"祖宗不欲兵权归有司,故专命官统之,互相维制,何可废也!"

丙午,高遵裕以师还,夏人来追,遂溃。

辛亥,置延州塞门、浮屠二寨。

辽除绢帛尺度狭短之令。

是月,废编修院入史馆。

内府都知李宪自出界讨贼,收复土地,皆有功捷,赐银、绢各二千,降敕奖谕,别听恩命。

先是知枢密院孙固乞罢西师,既而出师无功,帝谕固曰:"若用卿言,必不至此。"于是固又言:"兵法,期而后至者斩。始议五路入讨,会于灵州,李宪独不赴,乃自开兰、会,欲以弭责,要不可赦,乞诛之。"不从。

十二月,丁卯,辽武定军节度使耶律仁杰坐私贩广济盐及擅改诏旨,削爵,贬安肃州为民。后数年,放归,旋死于乡。时以仁杰未正典刑,谓辽主有逸罚云。

林广师次纳江,乞弟遣叔父阿汝约降,求退舍,又约不解甲。广策其有诈,除阜为坛,距中军五十步,且设伏。辛未,乞弟拥千人出降,匿弩士毡裘,犹豫不前谢恩。广发伏击之,蛮奔溃,斩大酋二十八人。乞弟以所乘马授弟阿字,大将王光祖追斩之,军中争其尸,乞弟得从江桥下脱走。

辽知兴中府事耶律伊逊坐以禁物鬻入外国,下有司议。法当死,伊逊之党耶律延格独奏当入八议,得减死,击以铁骨朵,幽于莱州。

辽南院枢密使耶律仲禧卒。仲禧素党于伊逊,至是以失势而卒。辽主不悟,赐谥钦惠。

乙亥,慈圣光献皇后禫祭。宰臣王珪等上表请听乐,不许;自是五表,乃从之。

壬午,置延州义合寨。

是冬,判河南府文彦博奏疏言:"臣闻昨来西师出界,中辍而还,将下师徒,颇有饥冻溃散，以碍人众，不行军法。今便欲再举，何以励众？又，运粮远涉，颇被邀截，官吏民夫，甚有陷没。伏望圣慈深察王师之举，必有边将谋臣首开端绪以误大计，若不深责，无以励后。"又言："近闻西师已还，中外但知时暂歇泊，而未有分屯解甲之旨，人情忧疑，皆虑王师必有再举之计。臣窃观陛下临御以来，选拔将校，训齐师徒，修治器械，储峙糗粮，皆众智所不及。夏人昏乱，自致天讨，陛下赫然命将出师，以伐有罪。师行以来，捷音屡上，虽未能覆其巢穴，系其君长，而所遇辄克，战功之多，近世未有。然而数路进军，弥历累月，馈挽不资，民疲供给，将士冲寒冒苦，备极勤劳。臣以为国威既已震矣，将士之力亦已殚矣，百姓供馈亦已竭矣，今日正当劳徕将士，安抚百姓，案甲养威，以全前日之胜，此宗社无疆之休也。若师徒暂还而复出，士气已衰而再鼓，民力已困而调发复兴，诸路深入而转饷益远，如此，则师之胜败恐未可知，而前功或丧，此天下之深忧也。"

张方平上书言："臣闻好兵犹好色也，伤生之事非一，而好色者必死；贼民之事非一，而好兵者必亡。夫惟圣人之兵皆出于不得已，故其胜也享安全之福，其不胜也必无意外之患。后世用兵，皆得已而不已，故其胜也则变迟而祸大，其不胜也变速而祸小。是以圣人不计胜负之功而深戒用兵之祸。何者？兴师十万，日费千金，内外骚动，殆于道路者七十万家。内则府库空虚，外则百姓穷匮。饥寒逼迫，其后必有盗贼之忧；死伤愁怨，其终必致水旱之报。上则将帅拥众，有跋扈之心；下则士众久役，有溃叛之志。变故百出，皆由用兵。至于兴事首议之人，冥谪尤重。盖以平民无故缘兵而死，怨气充积，必有任其咎者。是以圣人畏之重之，非不得已，不敢用也。

"昔仁宗皇帝覆育天下，无意于兵，元昊乘间窃发，延安、麟府、泾原之间，败者三四，所丧动以万计而海内晏然，兵休事已而民无怨言。何者？天下臣庶知其无好兵之心，天地鬼神谅其有不得已之实故也。陛下即位以来，缮甲治兵，伺候邻国，群臣察见此指，多言用兵。其始也，弼臣执国命者，无忧深思远之心；枢臣当国论者，无虑害持难之识；在台谏之职者，无献替纳忠之议。从微至著，遂成厉阶。既而薛向为横山之谋，韩绛效深入之计，陈升之、吕公弼等阴与协力。师徒丧败，财用耗屈，较之宝元、庆历之败，不及十一。然而天怒人怨，边兵叛背，京师骚然，陛下为之旰食者累月。何则？用兵之端，陛下作之，是以吏士无怒敌之意而不直陛下也。尚赖祖宗积累之厚，皇天保佑之深，故使兵出无功，感悟圣意。然浅见之士，方且以败为耻，力欲求胜。于是王韶作祸于熙河，章惇造衅于梅山，熊本发难于渝、泸。然此等皆残杀已降，俘累老弱，困弊腹心，而取空虚无用之地以为武功，使陛下受此虚名而忽于实祸，勉强砥砺，奋于功名。故沈起、刘彝复发于安南，使十馀万人暴露瘴毒，死者十五，而六路之人毙于输送资粮器械，不见敌而尽。以为用兵之意必且少衰，而李宪之师复出于洮州矣。

"数年以来，公私窘乏，内府累世之积，扫地无馀，州县征税之储，上供殆尽，百官廪俸，仅而能继，南郊赏给，久而未办，以此举动，虽有智者，无以善其后矣。且饥疫之后，所在盗贼蜂起，京东、河北，尤不可言。若军事一兴，横敛随作，民穷而无告，其势不为大盗，无以自全。边事方深，内患复起，则胜、广之形，将在于此！此老臣所以终夜不寐，临食而叹，至于恸哭而不能自已也！

"臣闻凡举大事必顺天心，今自近岁，日食、星变、地震、山崩、水旱、疫疠，连年不解，天心之所向背，可以见矣。而陛下方且断然不顾，兴事不已。譬如人子得过于父母，惟有恭顺静默，引咎自责，庶几可解。今乃纷然诘责奴婢，恣行棰楚，以此事亲，未有见赦于父母者。

"然而人臣进说于君,因其既厌而止之,则易为力;迎其方锐而折之,则难为功。今陛下盛意于用兵,势不可回,臣非不知,而献言不已者,诚见陛下圣德宽大,听纳不疑,故不敢以众人好胜之常心望于陛下,且意陛下它日亲见用兵之害,必将哀痛悔恨而追咎左右大臣未尝一言。臣亦将老且死,见先帝于地下,亦有以藉口矣。惟陛下哀而察之!"其词盖苏轼所为也。帝颇为感动,迄不能从。至永乐败,果如其言。

【译文】

宋纪七十六　起辛酉年(公元 1081 年)正月,止十二月,共一年。

元丰四年　辽太康七年(公元 1081 年)

春季,正月,乙未(初七),宋朝命令步军都虞候林广负责讨伐泸州夷人。

当时韩存宝讨伐泸州蛮夷乞第,逗留观望不做进取,所以用林广取代了他。林广到达后,检阅士兵,集合将领,视士兵的勇敢与怯懦,分成三部分,日夜训练,间或杀牛犒劳,将士们的情绪都振奋起来了。林广派使臣去开导劝谕乞第,并索要逃亡的士兵。乞第归还逃兵七人,递上奏书投降,但他本人不来。林广于是决定派兵深入征讨,陈兵于泸水,率领将士们朝东拜两次,誓师说:"现在孤军远征,长期驻留在贼人境内,后退就会被杀死。拼死一战,胜败还说不定,纵使战死,还有赏赐,强过后退被杀死。我与你们同心协力,往前冲杀,可以吗?"将士们都踊跃求战。

庚子(十二日),神宗诏令考试进士要加试律义。

戊申(二十日),五国部酋长向辽国进贡。

辛亥(二十三日),于阗前来宋朝进贡。

冯京被罢职而出知河阳。孙固受任知枢密院,龙图阁直学士韩缜受任同知枢密院事。

此前宋朝征讨安南,创建顺州,那里瘴疠盛行,不能驻守,孙固奏请放弃顺州,往内地迁徙二万户。

甲寅(二十六日),女真向辽国进贡良马。

二月,甲子(初七),辽道宗前往鱼儿泺。

己巳(十二日),知制诰王存上奏说:"辽国人窥探本朝事情很详细,而我方边境官吏刺探辽国事情很粗疏,这是边境大臣任用间谍不精当。臣下观察知雄州刘舜卿,从他发的议论定的谋略看,他适合担任这一类职务,应当给他少量金钱布帛,听任他在规定以外任用间谍。"神宗诏令刘舜卿详细奏报所需资金财物。刘舜卿请求拨给白银千两,黄金百两,神宗诏令三司拨给他。刘舜卿初到雄州,有人报告说辽国巡逻骑兵大批来到,请求调用甲兵来迎击;刘舜卿没有为此改变部署,最后也没发生什么事。辽国任意捕捉雄州百姓,刘舜卿发文去索取,辽国不理睬。恰好有辽国使臣来到,就把其中一人捕押起来,请求交换被捕百姓,等被捉去的百姓获释,才放回使者。辽国派间谍偷走西城的门锁,刘舜卿密令把旧门钮换掉,改用大的门钮。几天后,辽国送来门锁,刘舜卿说:"我们从来没有丢过门锁。"带着来人去看,把锁往门钮里套,套不进去,来人才羞惭地走了。这个间谍因此而获罪。

辛未(十四日),宋朝在秦州设置铸钱监。

己卯(二十二日),把东南各路的团结兵划归十三将统领。

三月,癸卯(十六日),章惇被罢官,出知蔡州。

甲辰(十七日),任命翰林学士张璪为参知政事。

乙巳(十八日),命令官员在汴京城南检阅九军营阵法。

戊申(二十一日),大规模检阅军队。

丙辰(二十九日),栋戬派使臣来宋朝进贡。

随州来报告知州、正议大夫薛向去世。神宗停止上朝处理政事,派遣宦官护送灵柩回京下葬。

夏季,四月,癸亥(初六),神宗亲临延和殿检阅保甲兵。

己巳(十二日),诏令:"停止在南郊合祭天地。从今以后皇上亲自祭祀北郊,按照在南郊祭祀的礼仪行事,因事不能亲自去,就让上公代行祭祀之事。"

壬申(十五日),神宗亲临崇政殿处理在押囚犯。

乙酉(二十八日),黄河在澶州决口,小吴埽再次大范围决堤,河水从澶州流进御河。

五月,戊申(二十二日),追封春秋时晋国程婴为成信侯,封公孙杵臼为忠智侯,在绛州为二人立庙。

壬子(二十六日),辽道宗前往岭西。

癸丑(二十七日),辽国永清、武清、固安三县发生蝗灾。

甲寅(二十八日),辽国任命北府宰相萧托卜嘉兼殿前都点检,任命驸马都尉萧酬斡为汉人行宫都部署兼知枢密院事。

六月,戊午(初三),宋朝河北路各郡出现蝗虫。

甲子(初九),辽国下诏在观德殿每月祭祀;每年寒食节,诸帝生时生日以及死后忌日,到景宗御容殿祭奠。

丙寅(十一日),准布向辽国进贡。

丁卯(十二日),辽国把翰林学士王言敷任为参知政事,把北院宣徽使石笃封为漆水郡王。

戊辰(十三日),宋神宗诏令:"听说河北路蝗虫非常多,已经慢慢向南飞来,立即命令开封府界提举司、京东路、京西路转运司派出官员督促百姓捕杀蝗虫;并告谕各州县,收获早熟的庄稼。"

己巳(十四日),入内东头供奉官、勾当御药院窦士宣上奏说:"黄河在小吴埽决口,往下流到乾宁军的朴桩口。据考察黄河如今从乾宁军的朴桩口往下流,水流还没有形成河道,又沿着河岸向东北方流去,从下吴往下流,与御河葫芦河、滹沱河三条河流在一起,深恐在涨水季节,河堤难以控制住水流。请命令都水监决定三条河流汇进黄河之处,怎样修筑河堤来防止洪水;或者不让三条河流与黄河汇合,三条河流将流向何处。"神宗诏令李立之去考察。后来李立之上奏说:"三条河流没有别的地方可流,必须让它们汇合进黄河。"神宗听从了。

己卯(二十四日),洪州来报告知州、观文殿学士王韶去世。神宗停止上朝视事,追赠王韶为金紫光禄大夫,谥为襄敏,把他六个儿子授予官职。王韶用兵很有谋略,每次召集诸将传授指令后,不再去过问,所到之处都能取胜。王韶曾经在夜里睡在军帐中,前方部队遭遇敌军,飞箭乱石同时而来,呼杀声震动山谷,身边侍候他的人大多两腿打战,可是王韶鼾声依旧,若无其事。不过王韶奏报的熙河大捷有很多是欺诈谎报的,杀死蕃部老弱人马不计其数,军中按所获敌人首级来计算功劳,王韶所交结亲近的都是楚地人,他们都依附王韶来谋取官职,王韶把他们分别任作部将。各将收养、招降老弱的羌人,有时就砍下他们的首级来交令。王韶到这个时候因背上疽病发作死去。

壬午(二十七日),诏令:"陕西路沿边各地区,屡次报告西夏大量集结部队来侵犯,必须广泛地防备。任命东上阁门使、文州刺史种谔为鄜延路经略安抚副使,负责本司事务,并与经略安抚使沈括从长计议。"

此前命令种谔与沈括秘密商议调集部队,种谔于是说:"用兵要像迅雷一样让人来不及掩耳,现在已经弄得纷纷扰扰,少量兵力不能发挥出声势,应该整备大队人马前去征讨。"现在他又进朝答对皇上,夸口说:"西夏国中无人,秉常是个黄毛小儿,臣前去提着他的臂膀把他拉来!"神宗认为他豪壮,便下定决心准备西征夏国,命令种谔辅佐沈括,赐给金带,另外赏赐白银万两作为招降敌人开支,鄜延路以及麟府事务都听从种谔节制处理。任命招宣使、果州团练使、入内副都知王中正同签书泾原路经略总管司公务。如果军队越出国界,令王中正和泾原路总管兼本路第一将刘昌祚一同前往。调发开封府界、京东路、京西路各将领的兵马分别派给鄜延路、环庆路。任命东上阁门使、英州刺史姚麟代理环庆路总管,如果遇到军队越出国界,令庆州高遵裕与姚麟一同前往。其中鄜延路、环庆路、泾原路招降蕃部等项费用,允许支用封桩钱。令泾原路王中正在安排好本路人马后赶赴京师,从京师里俸禄七百料钱以下的将士中,挑选和募集马步军一万五千人,从开封府界和本路兵士中挑选、募集义勇保甲兵一万人。如果泾原路五千人不足调用,可在秦凤路挑选招募。

交趾郡王李乾德上表说:"前次派遣使臣陶宗元等人入朝进贡,被广州官员阻拦住,押运物品与先前有所不同。现在派遣礼宾副使梁用津、著作郎阮文倍等人从水路入朝进贡,请求朝廷降下圣旨,让我们依照旧例进贡。"神宗诏令广州官员全部依照过去先例办理,不得中途拦阻,并派入内使臣一人押运陪护,并预先下诏告谕。

癸未(二十八日),命令提点开封府界诸县镇公事杨景略、提举开封府界常平等事王得臣督促各县捕杀蝗虫。

神宗初次议论西征时,知枢密院孙固说:"兴兵容易,解除灾祸就难了。"前前后后议论很是恳切。神宗下了西征决心后,孙固说:"实在不得已要兴兵,请先声讨西夏的罪行,从轻加以讨伐,把他的国土分裂开来,任用他的各部酋长自守一方。"神宗笑着说:"你这是书呆子郦食其的说法。"当时执政大臣中有人奏请让军队直接渡过黄河,神宗更坚定了决心。孙固说:"既然如此,那谁为陛下担当这一重任呢?"神宗说:"我把它交给李宪。"孙固说:"征伐别国这样的大事,却让宦官去担当,士大夫谁肯听他使唤?"神宗不高兴。孙固请求辞职,没被批准。过了几天,孙固又回答神宗说:"现在调动大队人马五路齐进,却没有大元帅指挥,即使作战胜利,士兵必定作乱。"孙固多次就任用大元帅一事上奏,神宗告谕说没有合适的人。同知枢密院吕公著进言说:"既然没有合适的人,不如暂时不要出征。"孙固说:"吕公著讲得对呀。"

秋季,七月,戊子(初三),辽道宗举行秋山游猎仪式。

己丑(初四),太白金星在白天出现。

壬辰(初七),前任河北转运判官吕大忠上奏说:"全国的夏秋两税,有关部门在检查放免灾荒地区的赋税时,乱用法规条例,每年侥幸而被免除赋税的人,不少于二三百万,其余因水旱而免收停收赋税,如此相似,多数不符合实情。百姓陈说灾害情形,大多不依据国家的法令规则。各县对所差派的官吏不加考查,不依照编敕规定起程和离开的日期限制,借托事故,推辞回避,请详细制定法令规则。"中书房上奏说:"熙宁年间的编敕,条款详细完备,拟请申明下发施行。"神宗依从了。

甲午(初九),分别给鄜延路、泾原路、环庆路、熙河路、麟府路赏赐金银带、棉袄、银器、鞍辔、象笏。

丙申(十一日),辽道宗拜谒庆陵。

戊戌(十三日),宋神宗诏令:"从今以后汴河水位上涨到一丈四尺以上时,就命令在上游两处堤岸,根据地势低下可以容纳洪水的地方决堤放水。"

甲辰(十九日),韩存宝因为作战逗留没有战功,被处斩刑;韩永式、魏璋、董钺,因罪被不同程度地贬谪。

此前韩存宝负责征讨泸州蛮贼没有功劳,韩永式负责照管军马,实际上与韩存宝有同样的责任。朝廷派遣侍御史知杂事何正臣审讯韩存宝等人,韩存宝与乞第作战,因为多次失败,胆怯避战,竟只命令偏将抵御贼军,结果使得贼人酋长逃脱,反而招降乞第,希图借此撤军;然而宴州蛮人反叛,韩存宝因为急着撤军,所以不去征讨;他又怀疑底蓬褒、上底行、下底行等村的蛮人是盗贼,因为他们召集不齐,就起兵征讨扫荡,想借此来掩盖他以前的过失,并且不遵照朝廷旨令建立寨堡;余下的罪行是奏报不实,魏璋是协从犯。案子成立后,刑部就上奏说:"韩存宝逗留不能克敌取胜,请按军法治罪。"知谏院蔡卞也上奏说:"请依军法治理韩存宝之罪,并把韩永式处以刑罚。"何正臣又上奏说:"董钺随军在营,亲眼看见韩存宝等人行动乖谬,欺骗君主而不忠诚。另外,董钺上贺表称赞韩存宝的功劳,欺瞒尤其严重,希望特别给予流放贬斥。"朝廷鉴于讨伐安南没有功绩,当时正想大举讨伐西夏,所以诛杀韩存宝,以便诫示各将领。韩存宝的随军主簿鲜于溙、第二将吕真求迎合韩存宝,虚假向朝廷申报,神宗诏令提点刑狱司弹劾他们。

戎州录事参军孙敏行,一向为董钺所厚爱,先让孙敏行草拟贺表,孙敏行严肃地劝阻他说:"既然他们在欺骗朝廷,你跟着来证实,你也要跟随着受祸的。"董钺不听,最后让其他官员草拟了贺表。孙敏行是眉山人。

丙午(二十一日),泾原路经略司上奏说:"近来依照朝廷圣旨修建渭州城,设置炮台,已经完工。防守城池的作战器械,只有大小合蝉床子等弓弩。按照《武经总要》,有三弓八牛床子弩,可射二百多步,使用一枪三剑箭,是最锐利的武器,进攻和防守都可以使用。请下令军器监发给弩箭各三副,送付本路依样制造,以备危急时使用。"军器监上奏说弩每座有十几斤重,难以运送到,请画制图样交付泾原路将作院;神宗依从了。

丁未(二十二日),宋朝大部队进攻西夏米脂寨。

戊申(二十三日),命令集贤院学士苏颂一起详细确定官制。

己酉(二十四日),诏令曾巩充任史馆修撰,专门负责修史等事。

己酉(二十四日),泰州上奏说:"七月甲午(初九)那天,夜间刮起海风,接着又下大雨,淹没了州城,毁坏公私房屋几千间。"神宗诏令淮南转运副使李琮巡视后奏报上来。

癸丑(二十八日),诏令内外官署举荐的官员全部停止,令大理卿崔台符会同尚书省吏部、东审官院、西审官院、三班院议论选举办法。

于阗派遣蕃部人阿辛上表,到京师朝见神宗皇帝,朝廷招待很是优厚;阿辛回去那天,还颁赐敕书加以宣谕。

八月。乙卯朔（初一），停止中书的堂选，全部工作交给有关部门办理。

丙辰（初二），下诏："自南北和好往来，两国的书信文字，派集贤院学士苏颂分类编撰。"苏颂因此进殿答对，神宗说："朝廷与契丹和好往来已有多年，过去的事实、仪式、遗散的很多，每有来使生出事端，不能拿什么来折服他。朕想收集本朝建立以来到不久前代州划定边疆地界的文件，按类别依次编纂成书，使后世的人能够有所凭依，非卿不能办成。"于是命令在枢密院后厅设置官署，并征召官吏检索查阅有关文件。

丁巳（初三），神宗批示："各路战马，关系重大，况且现在兴兵作战，战马尤其紧要急迫，可以督促提举陕西买马监牧郭茂恂迅速筹措买马，往来各场加以督促。"又下诏说："熙河路、秦州、凤州的买马场，用统一的马价付给景青宜、党支等，让他们回到蕃部去宣谕。"

辛酉（初七），西夏人侵犯临州堡，神宗诏令栋戳会集军队去讨伐。

把金州刺史燕达任命为武康军节度使。

壬戌（初八），种谔派各将领越出国界讨伐，遇有贼兵，攻破他们，斩获首级一千。

丙寅（十二日），泾原路经略司上奏说："供应粮草和进攻防守等事，请暂时允许见机行事。"下诏："泾原路处理事情稍大的，奏报并等候朝廷圣旨再办，如事情稍小有碍常法，允许单方面执行。鄜延路、环庆路、河东路经略司、熙河路都大经制司、措置麟府路兵马司依此行事。"此前下诏派遣宿卫七将的部队戍守鄜延，已经两次颁发赏赐了，但是镇兵未曾有所赏赐。沈括认为禁军虽然地位重要，然而为国家戍守边疆，无年不参加战斗的，却是镇兵，朝廷赏赐不均匀，这是招致祸乱的途径，于是假造诏书赏赐镇兵几万缗钱，却把诏书封存起来，通过驿站上报。没过几天，有紧急传递的诏书给沈括说："枢密院漏发了朝廷文书，仰赖爱卿察事机灵，如不是这样，几乎扰乱了军政大事。"从这件事以后，处理军政事务没有接到命令的，可以专断处理，蕃、汉将士，从皇城使以下，都可以依照旨意补授官职。

丁卯（十三日），辽道宗在赤山射鹿，加任围场使尼噜为静江军节度使。

己巳（十五日），宋朝重新设置滑州。

庚午（十六日），广西经略司上奏说："交趾入朝进贡的人有一百五十六人，比过去的规定增加五十六人。"神宗命令按照现在已到的人数进京，后来以此为准。

丁丑（二十三日），熙河经制李宪在西市新城打败西夏人，俘获敌人酋长三人，首领二十多人。庚辰（二十六日），又在女遮谷袭击攻破西夏人，斩首、俘虏很多人。

辛巳（二十七日），司马光、赵彦若呈献所编《百官公卿年表》十卷、《宗室世表》三卷。

壬午（二十八日），下诏把南京、青州、登州、邓州、郓州、曹州、齐州、洺州、濮州有马军教阅的厢军以及真定府北寨的劲勇、环州所属的蕃落还没有被编排的，全都升格为禁军。

佛泥国派使臣来宋朝进贡，佛泥国不来朝贡已经有九百多年了。

九月，乙酉（初二），栋戳派使来宋朝进贡，并奏称已派遣首领率领三万人马合击西夏。

李宪收复了兰州古城。当时宋朝兵分五路出师讨伐西夏，李宪统领熙河、秦凤路军队到达西市新城，收复兰州，在这里修筑城墙，奏请把它建成帅府。

戊子（初五），兰州新归顺的首领巴令谒等三个部族率领部众在撒通宗城攻击西夏人，打败了他们。

辽道宗驻扎在怀州，命令皇后拜谒怀陵；辛卯（初八），辽道宗进驻祖州，皇后拜谒祖陵。

丙申(十三日),熙河路都大经制司上奏说:"兰州古城,东西约有六百多步长,南北约有三百多步宽,大军从西市新城出发行军大约一百五十多里,快要到达金城时,有天险山涧五六重,仅能通过人马。自从西夏贼人兵败以后,大军所到之处,夏国部族都投降归附。现在招纳的人已很多,如果不修筑城池,就没有办法安定降附羌人的人心。现在修筑兰州城和通过堡,已派遣前军副将苗履、中军副将王文郁具体主持修筑城池,前军将李浩专门负责此事。至于李浩以下需要辅助人员,也可就军中暂时选任。"

己亥(十六日),王珪献上《国朝会要》。

种谔奏请计划安排渡河的桥梁、舟筏木材,令转运司调发车辆运往西部边界。神宗诏令:"凡是出兵深入贼军境内,那些渡河过桥设备,军中自有过索、浑脱一类的工具,没听说千里迢迢运送木料随军行进。现在种谔计划安排木材不少于万数,怎么让转运司供应车辆?即使可以供应,也是先把自己搞疲劳了。命令种谔如要过河修造船筏,贼人境内的房屋都可以拆毁,或者砍伐森林,搭配使用。如果还不足用,甚至连枪排也可以用来渡河。"神宗筹划军务,就是细微的利病,都能抓住要害,诸将遵照执行,唯恐不及。

壬寅(十九日),神宗在崇政殿检阅河北路的保甲兵,给其中优秀的三十六人授以官职。

甲辰(二十一日),详细制定了郊庙祭祀的礼仪。中书上奏说:"前次奏报禘祭和祫祭的年份要互相错开。去年即元丰三年四月已经举行了禘礼,现在想统计年数,都是三十个月祭祀一次,应当到元丰五年举行冬祫祭礼。"神宗诏令依据先前的做法举行祭祀典礼。中书又上奏说举行禘祫祭祀不应该废除四时祭祀,神宗依从了。

乙巳(二十二日),辽道宗驻跸于藕丝淀。

丙午(二十三日),神宗下诏晓谕西夏国王左右大臣和嵬名部族的各部首领,全都允许他们自愿归附宋朝。

这一天,王中正从麟州出发,祭告祸神的祝词说:"臣王中正代表皇帝御驾亲征。"兵士有六万人,民夫也有六万多人。行军几里后,到达白草平,便奏报已进入西夏国界,停留九日不进军,派士兵往来于麟州,就食这里的粮草。高遵裕征鄜庆州蕃、汉步兵和骑兵共八万七千人,民夫九万五千人,种谔把鄜延兵五万四千人,京畿内七将兵三万九千人,分作七军,排列成方阵进军,从绥德城出塞。丁未(二十四日),进攻和包围米脂寨。

己酉(二十六日),河北都转运使王居卿,请求从王供埽以上增修黄河南岸堤防,在小吴口北面修造遥堤,等将来矾山洪水流下来时,把王供埽决堤,使河水直接流向东北,在沧州境内,或者南部或者北部,从黄河故道入海。

庚戌(二十七日),熙河路都大经制司上奏说:"兰州西市城的河川平原,土地非常肥沃,加上位于边境地面,必须多多选派身强力壮的士兵,用来戍守防备。熙河地区的民兵,只有西关的最为得力,加上与皋兰接界,每年收入特别多,粮草充实,人马骁勇。现在已收复兰州,就可以广泛地招募兵马。想请求在留好官庄田以外,都用来招募弓箭手,每人给地二顷。沿边地区设置的州城,难以得到耕牛农具,如果招募新人,必然不能按时节耕种。请求依照熙河路先例,允许泾原路、秦凤路、环庆路以及熙河路的弓箭手互相替换,仍带旧户田土耕种,二年后就收归官府,另招弓箭手。"神宗依从了。

西夏派兵救援米脂寨,鄜延路经略副使种谔率兵攻破了他们。辛亥(二十八日),种谔又在无定川打败西夏人。

冬季，十月，乙卯（初二），任命集贤校理蔡卞为崇政殿说书。

枢密院奏报定州间谍汇报北方边界事情，神宗说："朝廷作事，只取实利，不应图取虚名。例如庆历年中，辅政大臣想禁止元昊称乌珠，结果耗费岁赐银钱二十万，这就是为争虚名而损失实利。富弼与契丹第二次议和，自夸在国书中增加"南朝白沟所管"六个字，结果增加了岁赐银二十万，后来白沟也不完全归属我国。过去周世宗不夸耀功名，只是脚踏实地去夺取天下，例如李璟想称帝，周世宗同意了他；这是因为周世宗已全部攻占了淮南土地，不在乎他是否称帝了。"

丁巳（初四），米脂寨投降。种谔下令说："进城后，胆敢杀人或盗窃的斩首！"于是受降，收附城中老小一万零四百二十一人，发给衣服，依旧命令讹遇等人各自统领部众防御敌人。

戊午（初五），种谔攻破米脂寨西夏援军的捷书传来，宋神宗喜形于色，群臣称贺。神宗派遣宦官告谕种谔说："过去因爱卿急于消灭贼人，担心你轻易进军，成为一方忧患，所以让你听从王中正节制。如今竟能首先挫败贼军锋锐，功劳在各路兵马前面，朕十分嘉许。王中正节制指挥，不再适用于你。那些作战获胜的兵士都要发给特支钱，对将官等分别传达抚慰。"

己未（初六），拂菻国来宋朝进贡。

详定礼文所奏请祭祀地祇神时以五行神从祭，以五人神配祭，使用血祭；又奏请祭祀社稷神时从埋血开始；神宗依从了。又上奏说："宗庙祭祀时以酒浇地、燃烧艾蒿，与祭天时烧柴、祭地时埋血是同一个意思。近代有上香的礼制，很是没有根据。据《隋志》记载：'天监初年，何佟之提议，用酒浇地，燃烧艾蒿，是用来传告神灵，与烧香的意义相同。上古时代礼制朴素，没有这种礼制规定。现请在南郊和明堂祭祀时用沉香，在北郊祭祀时用上和香。'臣下等人考证，这些完全没有依据。现在重视郊庙明堂祭祀，所用器物、服饰、牺牲、祭币，一律沿用古代礼制，至于上香，竟然沿袭何佟之的说法。如果说上香可比作浇酒、燃蒿，那么现在既上香又浇酒、燃蒿，根据古代礼制，已显得重复，况且《开元、开宝礼》也不采用呢！"又奏请用户部陈献每年的贡物充作庭实，仍把龟甲放在前列，金器列在第二，玉帛列在第三，其余的列在后面；神宗依从了。

庚申（初七），熙河兵抵达女遮谷，与西夏人相遇，把他们打败。

癸亥（初十），种谔到达石州，贼兵丢弃了多年的文卷、簿书、枷械，率众逃走，种谔调兵占据石州城。

甲子（十一日），详定礼文所上奏说："谨依照《周礼》，大宗伯用烧柴祀天来祭祀昊天上帝，用实柴来祭祀日、月、星辰，以堆积之柴来祭祀司中、司命、风师、雨师。近代除皇帝亲自祭昊天上帝燃烧柏柴外，其余祭祀天神，只烧祝板，实际上有失礼制。乞请祭祀天神都烧牺牲的头部，其他所有祭祀五帝、日、月、司中、司命、风师、雨师、灵星、寿星，都请烧柏来使烟火升空，作为歆享神灵的开始。"神宗依从了。又上奏说："春秋季节祈祷大社、大稷，应在羊猪以外，加上两个角握牛。"又说："南郊、太庙、明堂，在祭祀前一天，请派礼部尚书、侍郎检查牺牲，光禄卿进献牺牲，向上天报告已准备充足完备，由礼部尚书察看鼎锅；祭祀当天，礼部侍郎察看牺牲生熟是否符合规定。"神宗全都依从了。

乙丑（十二日），泾原兵到达磨脐隘，遇到西夏军队，与他们作战，打败了他们。此前诏令泾原兵听从高遵裕的节制，并命令环庆兵与泾原兵会合，选择便利道路进军攻打。西夏的间

1651

谍认为环庆兵被衡山阻拦,必定会从泾原路取道胡卢河大川出塞,所以全部调集河南地区的兵力来支援泾原方面。不久,环庆兵没来,刘昌祚与姚麟率领本路蕃、汉士兵五万人单独出塞,距离西夏国内的堪哥平十五里时,遇上西夏三万多人马扼守磨脐隘口,不能前进。各将领想放弃磨脐隘,向东进军,经过韦州,与环庆兵会合,刘昌祚说:"遇上贼军而不攻打,绕道来保全自己,这叫作战无伦次。况且作为客居他国境内的军队,利在速战,这是古今都知道的。你们离开此地,自认为能免于其难吗?"于是商议分兵渡过胡卢河夺取磨脐隘,盾牌手充当前列,神臂弓箭手跟在后面,弩手又在后面,挑选精锐骑兵排在后阵。告谕将士们说,立下战功的,将受三倍于熙河战役的赏赐。将士们十分高兴,呼叫声震动山谷。刘昌祚手执两张盾牌率先冲上战场,弓弩手紧随着进军,与西夏统军将领、国母之弟梁大王交战,从午时战至申时,西夏军稍微后退;宋朝大部队趁机追杀,西夏军于是被打得大败。宋军追杀二十里,斩获大首领十五人,小首领二百一十九人,捉到首领统军之侄吃多理等二十二人,斩首二千四百六十级,缴获伪铜印一个。从此宋朝大部队进军畅通无阻。

戊辰(十五日),西夏的夏州知州索九思逃走,种谔进入夏州。

朝廷不采用林广的奏请,催促林广进军。林广从泸州出发,行军四天后,江安用招降来的夷人首领以及他们做人质的子女都随军行动;又命令地位稍低的各酋长各自占据本地,来增援和防守粮道,所以进入陌生地界就避免了被蛮人包抄的危险。

己巳(十六日),种谔进入银州。

庚午(十七日),环庆行营经略高遵裕收复了通远军。

种谔派遣曲珍等人率兵打通黑水安定堡的道路,遭到西夏兵,与他们交战并攻破了他们。

这一天,王中正到达夏州。此时夏州已向种谔投降,种谔不久带兵离开。王中正在城东驻军,城中有居民几十家。以前朝廷圣旨禁止宋军进入贼人境内抢劫,西夏人也放弃城池,都逃到黄河以北去了。士兵没得到什么东西,都激愤想参加战斗,对王中正说:"鄜延军行动在前,立的战功非常多;我军越出国界将近二十天,斩获敌军首级才有三十多,怎么回去交令!况且粮草已完,请偷袭占领宥州,勉强作为交令的借口!"王中正听从了。

癸酉(二十日),王中正到达宥州,城中有居民五百多家,于是加以屠杀,斩首一百多级,投降的十几人,缴获牛马一百六十头,羊一千九百只。在城东驻军二天,杀掉缴获的马、牛、羊来充饥。

高遵裕到达韦州,监军司命令将士不要毁坏官府和百姓房屋,以表示招抚之意。

乙亥(二十二日),李宪在屈吴山打败西夏人。

丙子(二十三日),鄜延路钤辖曲珍在蒲桃山攻破西夏军队。

高遵裕驻扎在旱海。以前李察奏请用驴代替民夫运送粮草,驴子堵塞道路,粮草供应不上,军队因此困苦。

戊寅(二十五日),林广的部队驻扎在土城山,从江安出发后,到现在才十天。起初,部队有两条道路可以选军:从纳溪夷牢口到江门,路近但是险阻;从宁远到乐共坝,道路迂回但是平坦。贼人猜想宋军肯定会从江门出发,就以大队人马守卫关隘,然而林广实际上进军乐共坝。贼兵不能抵挡,都逃走了。

己卯(二十六日),种谔上奏说:"归顺的人已经刺上了'归汉'两个字,恐怕在臣后面来的各路人马,对他们一律诛杀,请下令加以约束。"诏令:"种谔经过的地方招抚归顺的人,令王中正若是行军经过,指挥各将士,多加安抚。"

庚辰(二十七日),诏令:"今后任用职事官,都以寄禄官官品的高低为标准。凡是高一品以上的称为行,低一品的称为守,低二品以下的称为试,品级相同的不称行、守、试。"

辛巳(二十八日),泾原节制王中正进入宥州。

泾原兵攻破磨脐隘后,进军驻扎在赏移口,有两条路可进军:一条向北出黛黛岭,一条往西北出鸣沙川。鸣沙川这条路稍有迂回,各将想走黛黛岭这条路,刘昌祚说:"离开国家时,转运司只准备一个月的粮草,现在已十八天,还没到灵州,假如粮草供应不上来,形势将会如何?我听说鸣沙川积存有粮草,西夏人把它称作御仓,我军可以攻占就食,到灵州虽然要很久,也不足忧虑了。"到鸣沙川后,夺得窖中贮藏的粮米百万石,因此驻留两晚,载运很多粮食,向灵州进军。壬午(二十九日),军队驻扎在灵州城下。当时环庆兵还没来,城门没关,先锋部队夺得城门,几乎进城。高遵裕派遣李临、安鼎送来手令,并且说:"已派王永昌进城招降安抚,不要杀人。"不一会,城门关起来了,灵州城有了防守,斩获首级四百五十,缴获战马、牛、羊一千多。刘昌祚说:"灵州城不难攻下,只是担心环庆兵,朝廷居于远方,必然会认为两路兵马争夺战功。"于是按兵不动。

宋朝废弃泸州大硐寨。

十一月,癸未朔(初一),发生日食。

高遵裕说已率环庆兵进军灵州,这一天,驻扎在南平州。与灵州城相距三十里,遇上西夏兵来迎战。转运副使李察、判官范纯粹晚上拿亲笔书信从小路送来,催促泾原兵来救援,刘昌祚立即委派姚麟留守,自己带领挑选出来的精锐几千人前去,还没赶到,贼兵已撤退。

在此以前刘昌祚奏报军事,不合神宗心意,神宗赐给高遵裕手令说:"刘昌祚讲的话迂阔不切实际,若是不能胜任职务,应选择合适的人代替他。"高遵裕因此而轻视刘昌祚。不久刘昌祚先到灵州城下,有人传言刘昌祚已经攻克灵州,高遵裕还差一百里才能到灵州,听说后,急忙上表称说"臣派刘昌祚进军,攻下了灵州城";不久得知传闻虚假,就斩杀那个送信的间谍来示众。这时刘昌祚来见高遵裕,高遵裕怪他来得晚,让他坐在帐外,几个时辰不予召见。召见后,问道:"灵州现在怎么样?"刘昌祚说:"不久前就想攻下灵州,因将军在后面,所以停止了,灵州城不难攻占。前日磨脐一战后,西夏残余部队都退保东关镇。东关在灵州城东三十里,旁边正是兴州渡口,平时就是要害之处,如今又聚兵防守。如果乘此机会加紧攻打,歼灭外援之敌,灵州一座孤城自然会被攻下。"高遵裕的怒气还没消解,又正想攻打灵州城,就对刘昌祚说:"我在晚上用一万人背土填平护城河,黎明就可以进城了。"于是下檄文令刘昌祚把泾原兵交给姚麟;姚麟不敢接受,高遵裕也就作罢了。

甲申(初二),诏令:"把《五路对镜图》下发给王中正、种谔,根据分派的地区征讨招抚,等稍微平定了黄河以南地区,如果可以乘势渡过黄河,才能向前进军,扫荡踏平贼兵巢穴。由于环庆、泾原行营已经到达灵州地界,鄜延、河东兵马路途遥远,不必一定赶去会合,只要能平定分派的一路地区,将来评定功赏,不在平定兴州、灵卅将士之下。措置麟府路兵马司可从西部边界走近便道路迅速前往,并令赵离供应粮草。如果粮草没运到,本路可到鄜延路借用,委派路昌衡传达。赵咸、庄公岳,本来没有朝廷圣旨去鄜延路通融支取粮草,因为运送粮草不能及时,竟然妄奏说到逃走的民夫不少于万人;委任赵离派遣官员押送二人,在最近

1653

的州军戴上刑具，令沈括选派官员审讯。"后来庄公岳、赵咸陈述自己深入贼军国境，露宿野外生了病，乞求免戴刑具，神宗批示让他在监外接受审讯。

起初，王中正在河东路时，象看待奴婢一样看待转运司官员，凡是需要什么东西，不发文书，只派人口头传达指令，转运司官员不敢违背。庄公岳等人认为口头指示不能用作凭借，从容地对王中正说："太尉指挥的事情多，恐怕传达命令的忘记或误事，请记录在纸上。"此后才开始记在纸上。

庄公岳等问王中正："军队越出国境，应该准备几日粮草？"王中正认为鄜延路归他节制，前去与鄜延军会合，他们的粮草都归自己所有，就在纸条上写道："可准备半个月的粮草。"庄公岳等担心半路上缺乏粮草，暗中再准备了八天的粮草。等到种谔得到诏令不受王中正节制后，鄜延路的粮草再也得不到了，人马逐渐困乏起来。

王中正不谙习用兵作战之事，自从进入西夏国境，看天象来行军，没有向导和侦察。他生性胆怯，到每个地方都逗留不进，担心西夏人知道他安营扎栅的地方，每天晚上二更时，就下令军中把灯火熄灭。后到的军队饭菜还没煮熟，就要灭火，士兵吃了，很多人生起病来。王中正又禁止军中驴子鸣叫。等粮草吃完了，士兵愤怒，散布流言说："应先杀死王中正和庄公岳、赵咸二人，然后逃回家去。"王中正听到很多，表面上在士兵中大肆宣扬："必须竭尽盆力往前进攻，死而后已。"暗地里让走马承受全安石上奏说："转运司粮草运送跟不上，因此不能进军，现在暂时在顺宁寨境内就食。"庄公岳等也上奏说："本来期望得到鄜延路的粮草，因为朝廷停止了王中正对它的节制，所以粮草缺乏。"神宗有了怒气，所以命令赵卨立案，弹劾庄公岳等人。庄公岳等人急了，于是上奏："臣等人在麟府时，本来准备了四十日的粮草。王中正命令臣下只准备半个月的粮草，有纸条为证明。臣等又暗中准备了八天的粮草。现在出境已二十多天，才到达宥州，粮草不能不缺乏。"神宗慢慢觉出这不是庄公岳等人的罪过。当时就在隰州立案审讯，王中正担心庄公岳等还会讲出什么话来，很是害怕。等到回朝，经过隰州时，王中正对庄公岳等人说："两位不要担忧，我担保不会有什么事情。"不久，庄公岳等人各被降官一级，职事都同原来一样。

权鄜延路转运使李稷上奏说："粮道受阻，现在要开路转运，请求朝廷指挥，讨伐除掉后患。"神宗依从了，命令种谔立即移军到边境，合力讨伐剪除。种谔刚接到诏令时，应当率兵到灵州会合，然而种谔绕道不来；从夏州出发后，就缺乏粮草。种谔把军队驻扎在麻家，士兵饥饿疲劳，全都面无人色。种谔想把罪责推到运粮官身上，诛杀李稷来推脱自己的责任；有人秘密报告了李稷，李稷请求亲自督运粮草，这才免祸。民夫苦于运粮，很多人逃散了，李稷不能禁止，让士兵割下民夫的脚筋，这些人挣扎在山谷间，几天才死去，人数有几千。

乙酉（初三），辽道宗命令每年调出官钱，用来赈济各宫分以及戍守边疆的贫困户。

丙戌（初四），王中正依照诏令率军撤回延州，死亡的士卒将近二万人。

丁亥（初五），辽道宗亲临驸马都尉萧酬斡家。正要喝酒，宰相梁颍劝谏说："天子不能在臣子家中饮酒。"辽道宗立即回宫。

宋朝各部军队合力攻打灵州，种谔在黑水打败西夏兵。

戊子（初六），高遵裕开始亲自率领环庆兵攻打灵州城。当时部队里都没有攻城器具，也没有人知道制造的方法。高遵裕不久命令砍伐树木制造攻城器具，但都细小不能使用。他又准备按军法处死刘昌祚，大家一起解救了他；刘昌祚忧虑加上气愤，变成疾病，泾原兵都很愤怒。转运判官刘纯粹对高遵裕说:"两军不和,恐怕生出变乱。"力劝高遵裕去刘昌祚军营中探问疾病,让两军和解。高遵裕又派人呼叫灵州城上的人说:"你们为什么不迅速投降?"那些人回答说:"我们未曾背叛,也未曾作战,从哪里说起投降?"

己丑(初七),李宪在啰逋川打败西夏人。

宋朝增制五种辂车:玉辂,在上面树立太常旗;金辂,在上面树立大斾旗;象辂,在上面树立大赤旗;革辂,在上面树立大白旗;木辂,在上面树立大麾旗。这是依从详定礼文所的奏请。

辛卯(初九),天章阁待制、知开封府、权管句河东都转运司、措置麟府军马事赵卨被任为知相州。赵卨起初掌管河东的漕运,当时潞州已两次征调民夫,锁拿了坊郭户王概等人,责令缴纳差役钱六万三千多缗,这些人向赵卨哭诉。赵卨告谕他们说:"朝廷用兵还没结束,征集军用物资,要如期办到,哪能缓期! 虽然这样,我会拼出身家性命为你们办事。"当即用官钱二万多缗代替他们的差役钱,给他们去掉刑具,宽缓期限让他们偿还。

李稷上奏说:"种谔由于河东军队粮草缺少,才去征讨宥州,想到保安去夺取粮草,于是命令赵卨率领民夫空手前往,去那里支取粮草转运。赵卨说王中正不懂军事,被种谔欺骗,轻信人言,随便进军,出师一个多月,没有一点战功。訾虎一支军队,民夫多,粮草足,却把它留在麟州。考察他的本来用心,必然不想持久作战。既然不敢直接攻打贼军巢穴,却又从侧面向鄜延进军,耻于无功而还,就以粮草用尽为借口,命令李稷奏请撤军,窥测朝廷意图。祝且随军前进的空手民夫,可派去运送粮草;路昌衡在郝延路发放粮饷,足够供应军队。正在河东地区第三次征调民夫时,到处都想造反,百姓聚结抢劫,本已散走,现在重新召集,必然难以如期到达。从太原到保安相距十五天多的路程,道路险阻,难以兼程行进。臣私下考虑士兵长期暴露在外,河水枯干,树草枯落,人马疲惫多病,不可以再向前进军。况且贼军向来剽悍,现在隐伏起来,多次出来抢掠,必定怀有狡诈阴谋,不可不加以考虑。"朝廷再度议论进军西夏境内,同时筹措安置麟府军马,赵卨就上奏:"各路兵马前些时候大举进攻,士气正是高昂,向四处攻击,气势像石头压鸡蛋,已经一个多月了,战胜缴获的东西补不上损失的。现在军队锐气稍有疲软,民力损耗将尽,如果还要深入敌境,恐怕很快引起事变。有人说秉常已被囚禁,担心会被邻国夺走。然而从我朝兴师以来,没听说辽国用一兵一骑窥测西夏。如果下决心要开拓边境,即可在宥州筑城,分别设置城堡屏障,与夏州连接起来,另把绥州、宥州、银州、夏州设为一道,修复安远、塞门三十六寨,等明年仲春再出兵,才是围困贼人的策略。"到这时李稷因不前往鄜延而受罪,所以有降为相州知州的责罚。

种谔降服横河平的百姓,攻破石堡城,斩敌军很多。

辛丑(十九日),宋军撤回泾原,总兵侍禁鲁福、彭孙护送粮饷到鸣沙川,与西夏军作战三次,被打败。起初,西夏人听说宋朝大举进攻,梁太后在朝廷询问对策,年轻将领都请迎战,独有一名老将说:"不必抵御宋军,只要坚壁清野,放他们深入我境,聚结精锐部队在灵州、夏州,而派遣轻装骑兵包抄截断他的粮草,大部队没有粮草,可以不战而困敌。"梁太后依计行事,宋军结果没有功效。

癸卯(二十一日),种谔到达夏州索家平,士兵有三万人,因为没有粮草而溃败。

左班殿直刘归仁率领部队往南逃奔,相继溃散。进入边塞的有三万人马,尘土四处飞扬,居民被吓得逃跑了。有人请关闭六处边哨不让这些人进来,也有人提议用河东十二将的部队消灭他们,沈括认为不能这样,他说:"这些都是五州的精锐,讨伐他们未必能获胜,但是我们自己杀死这些死里逃生的士兵,来助长贼兵气焰,这不是办法呀。"这时正是冬至时节,沈括大张鼓乐,慰劳河东军队。捉到叛逃士兵几十人,沈括问他们:"副都总管派你们回来取粮,主帅是哪一个?"回答说:"在后边。"沈括令他们各自回营。天快黑时,自动回来的有八百人,第二天,叛降的人都回来了。后来又整顿人马西征讨贼,沈括出营巡视军队,刘归仁来了,沈括问:"你回来取粮草,为什么不带军符?"刘归仁没有话回答,于是斩首示众。

甲辰(二十二日),枢密院设置知院、同知院,其余的全被撤销。于是大改官制,议论的人想废除枢密院,权归兵部。神宗说:"祖宗不想把兵权交给有关部门,所以专门任命官员统兵,让他们互相牵制,怎么可以废除呢!"

丙午(二十四日),高遵裕率军回国,西夏兵来追击,于是溃败了。

辛亥(二十九日),宋朝设置延州塞门、浮屠两寨。

辽国废除关于绢帛尺度长短宽窄的法令。

这一月,宋朝裁除编修院,把它并入史馆。

内府都知李宪自从出境征讨贼人以来,收复土地,都立有战功,赏赐银两、绢布各二千,神宗颁降敕令嘉奖告谕,另外等候赏恩和任命。

此前知枢密院孙固奏请撤回西征部队,不久西征无功,神宗对孙固说:"如果采纳了爱卿的意见,必定不致如此。"因此孙固又奏言:"依照兵法,约定了日期而没有按期到达的,应斩首。开始商议好五路兵马进军西夏,在灵州会师,只有李宪没进军,却擅自开赴兰州、会州,想借此推脱罪责,罪不可赦,请把他斩首。"神宗不听从。

十二月,丁卯(初三),辽国武定军节度使耶律仁杰因为私自贩卖广济盐以及擅自更改圣旨,被削去官爵,贬往安肃州为平民。过了几年,放他回家,不久就死在家乡。当时因耶律仁杰没被处刑,人们说辽道宗刑罚有失。

林广的部队驻扎在纳江,乞弟派叔父阿汝来谈判投降,请求先退兵,又约定士兵不解除武装。林广怀疑有诈降的可能,就把土山平掉,设立坛场,在离中军五十步的地方,设下埋伏。辛未(十九日),乞弟带着一千人来投降,把弓弩手隐藏在毡裘里面,犹犹豫豫不肯上前拜谢恩典。林广发动伏兵攻击他们,蛮夷溃散奔逃,斩杀大酋长二十八人。乞弟把自己的坐骑交给弟弟阿字,大将王光祖追杀了他,军中争夺他的尸体,乞弟得以从江桥下面逃脱掉。

辽国知兴中府事耶律伊逊因把宫中物品卖给外国而犯罪,送往有关部门议处。依法应当处死,耶律伊逊的党徒耶律延格独独上奏说应当把耶律伊逊列入可以减免死罪的八项例外,所以被减免死罪,以铁骨朵责打,幽禁于莱州。

辽国南院枢密使耶律仲禧去世。耶律仲禧向来与耶律伊逊结成一党,至此因失势而死。辽道宗没有察觉,赐谥号为钦惠。

乙亥(二十三日),宋朝慈圣光献皇后的丧期结束,宰相王珪等人上表奏请神宗听歌乐,神宗不同意;此后五次上表,神宗才听从。

壬午(三十日),设置延州义合寨。

这年冬天,判河南府文彦博上奏疏说:"臣听说上次西征部队越出国界,中途罢兵撤回,将领士卒中,有很多人因饥饿冷冻而溃散,因碍于人多,没有依军法处理。今后如果要再次兴兵,拿什么来激励大家?另外,转运粮草长途跋涉,多被敌人阻击抢劫,官员和民夫,有很多人死亡或陷落敌手。希望陛下深刻反思这次用兵行动,必定是有守边将领和朝廷谋议大臣首先倡议开战,以致耽误了国家,如果不作彻底追究,无法勉励后人。"又说:"最近听说西征部队已经撤回,朝廷内外只知道暂时休整军队,没有下达分地屯守、脱下鞍甲的圣旨,人们心怀忧虑疑惧,都担心朝廷必定再次兴兵。臣私下观察陛下自从即位以来,选拔将领,训练部队,修造军器,储积粮草,都是常人智慧所不及的。西夏君臣昏庸混乱,自己招致天朝征讨,陛下威严地命令将士出征,讨伐有罪之人。出师以来、多次传来捷报,虽然没能倾覆贼人巢穴,捉住西夏君臣长吏,但是所到之处都能攻克,战功之多,近代未曾有过。然而几路人马进军,经历数月,粮草供应不上,百姓疲于供应,将士冒着寒冷,经受痛苦,受尽了辛苦劳累。臣下认为国威已经震动天下了,将士的力气也已耗尽了,百姓的供应能力也已枯竭了,现在正应当慰劳将士,安抚百姓,休整部队,培养威风,以便巩固以往的胜利,这是国家的无限洪福。如果军队暂时撤回,还要二次出征,士气已经衰竭,还要再度鼓起,民力已经穷困,还要再次征调,各路人马深入进军,粮草转运更加遥远,这样一来,那部队是胜是败,恐怕难以料知,先前的战功也可能丧失,这是全国人都深以为忧的啊!"

张方平上书说:"臣听说喜好兵战犹如爱恋女色,损害身体的事情不是一种,然而贪恋女色的人必定丧命;残害百姓的事情不止一种,然而喜好兵战的人必定灭亡。圣贤先人出兵作战,都是不得已而为之,所以他们获胜了,可以安全地享受幸福,如不胜利,必然也没有意外的灾祸,后世的人用兵,都是能够停止却不肯停止,所以获胜了,则是把祸变推迟,可是灾祸更大,没有取胜,也是加速祸变,灾祸更小。因此,圣人不计较用兵的胜败,却深戒用兵的灾祸。为什么呢?兴兵十万,每天要耗费千两黄金,全国君臣百姓都受骚扰,在道路上往来奔走的有七十万家。在内使得府库空虚,在外则使百姓穷困破产。由于饥饿和寒冷的逼迫,接下来必定会有盗贼作乱的担忧;由于死亡、伤残引起的愁苦怨恨,最终必然导致水旱灾害的报应。在上则是将帅拥兵自重,产生跋扈不从的心理;在下则是士卒百姓长期服役,萌生溃散背叛的想法。生出种种变乱事故,根由都在用兵上。至于首先倡议兴兵开战的人,受到的阴间报应更重。大概是因为平民百姓无故因为兵战死去,怨气充积,必定会有人承担这种罪责。所以圣人对于用兵畏惧、慎重,不是出于万不得已,不敢用兵开战。

"过去仁宗皇帝统治天下时,不想兴兵作战,元昊乘机暗中发兵,延安、麟府、泾原几处地方,战败了三四次,丧失了数以万计的人口财产,但是国内却平安无事,战争停止后,百姓毫无怨言。为什么呢?全国的官吏、百姓知道皇上没有喜好兵战的心理,天地鬼神谅解他是不得已,这就是原因了。陛下即位以来,整修兵甲武器,窥探邻国,群臣探知皇上的这种心理,多数人奏言用兵开战。开始时,主持国家大计的辅弼大臣,没有忧患将来、考虑长远的心思,掌握国家政令的枢密大臣,没有顾虑祸害、克服困难的见识,担任台谏官职的人,没有进献正确、忠直的谏议。从细微到显著,慢慢形成祸害。不久,薛向提出开拓横山的建议,韩绛提出深入敌境的谋略,陈升之、吕公弼等暗中帮助。士卒败亡,财用耗竭,比起宝元、庆历年间的失败,还不及十分之一。然而天怒人怨,边境士兵背叛,京师受到惊扰,陛下为此事有几个月不能按时吃饭。为什么呢?战争的开始,是由陛下挑起,所以将士们不痛恨敌人而埋怨陛下。还好依赖祖宗积累的厚德,皇天保佑的深切,所以使部队出动而没有功效,用来感化醒悟陛下。然而那些见识浅薄的人,正以失败为耻辱,极力想去求胜。因此王韶在熙河路造出战祸,章惇在梅山挑动战争,熊本在渝州、泸州发动战事。不过这些人都是残杀已经投降的人,俘虏年老体弱的人,使国家内部凋敝穷困,占领空旷无用的土地当作自己的战功,使陛下得到了这些虚名,却忽视了实祸,强行砥砺,奋取功名。所以沈起、刘彝再次在安南发动战事,使十几万人遭受瘴疠毒害,死去一半的人,六个路的百姓死于运送粮草兵器,没遇见敌兵就完了。满以为朝廷兴兵的兴趣一定会稍有变小,可是李宪的军队又从临洮出发了。

"多年以来,公私窘迫,内府几代的积蓄,被耗费得干干净净。各地州县征收赋税而得的储备,上供将尽,文武百官的俸禄粮饷,仅能勉强维持,南郊祭天时的赏赐,很久没有办理,像这样的局面,即使再有才智,也难以妥善解决。加上饥荒、瘟疫流行后,到处都有盗贼,京东路和河北路,尤其不好说。如果战事一起,横征暴敛随之而来,百姓穷困,无处借贷,势必让他们去做大盗贼,否则不能保全自己。边境战争正在加深,国内祸患再次发生,那么陈胜、吴广起兵反叛的形势,将会在此时出现! 这是老臣我整夜不能入睡,吃饭前要叹息,甚至于恸哭不能自我控制住的原因啊!

"臣听说凡是采取重大行动都要顺应上天人心,近年以来,日食、星变、地震、山崩、水旱、瘟疫,连年不断地发生,上天人心的向背如何,从这里可以想见。可是陛下却全然不顾,不断发生战事。就好比子女得罪了父母,只有恭恭敬敬,平心静气,引咎自责,也许可以得到谅解。如今却胡乱地指责奴婢,任意殴打责罚,这样来侍奉父母亲,没见过被父母亲原谅的。

"然而,臣子向君主提建议,就着君主对某事已生厌烦,这时来劝谏阻止,容易成功;在君主兴趣浓厚时来劝阻,就很难见效。现在陛下正锐意兴兵形势不能挽回,臣不是不知道,却不停地进言,实在是看到陛下圣德宽大,能够听得进去,毫不迟疑地加以采纳,所以不敢用常人喜兵好胜的心理来比拟陛下,并且想到陛下有一天亲眼看见用兵的危害,必定会哀伤悔恨,并追究左右大臣没有进过一言半语。臣下也是年老将死,在地下看见先帝时,也有了托词可以推脱责任。希望陛下哀怜体察我!"以上言辞是苏轼写的。神宗很受感动,可是最终没有听从。到永乐一战宋军失败,果然应验了张方平的话。

续资治通鉴卷第七十七

【原文】

宋纪七十七　　起玄黓阉茂【壬戌】正月,尽阏逢困敦【甲子】六月,凡二年有奇。

神宗体元显道法古立宪帝德　　王功英文烈武钦仁圣孝皇帝

元丰五年　辽太康八年【壬戌,1082】　　春,正月,癸未朔,不受朝。

甲申,辽主如混同江。

丁酉,铁骊、五国诸长贡方物于辽。

己亥,白虹贯日。

辛丑,责授高遵裕郢州团练副使、本州安置,刘昌祚永兴军钤辖。唯种谔以米脂寨功迁官。

乙巳,详定浑仪官欧阳发进新造浑仪、浮漏,命集其说为《元丰浑仪法要》。

辛亥,以熙河经制李宪为泾原、熙河、兰会经略安抚制置使,知兰州李浩权安抚副使。帝既释宪弗诛,宪复上再举之策,兼陈进筑五利,将从之。会李舜举入奏,具陈师老民困状,乃罢兵,趣宪赴阙。已而再议西讨,道赐宪银帛四千,以为经略安抚制置使,给卫三百,进景福殿使、武信军留后,使复还熙河,仍兼秦凤军马。

二月,癸丑朔,颁《三省、枢密、六曹条制》。

乌蛮乞弟遁去,林广乃率众深入。会大雨雪,浃旬,始次老人山。山形剑立,度黑崖,至鸦飞不到山,进次归来州。天大寒,军士皆冻堕指,留四日,求乞弟不可得。内侍麦文昺问广军事,广曰:“贼未授首,当待罪。”文昺乃出所受密诏曰:“大兵深入讨贼,期在枭获元恶。如已破其巢穴,虽未得乞弟,亦听班师。”军中皆呼万岁。丙辰,广以众还。

戊午,辽主如山榆淀。

辛酉,辽诏北南院官,凡给驿者必先奏闻;贡新及奏狱讼,方许驰驿,馀皆禁之。

癸亥,华阴郡王宗旦薨。

丁卯,封武昌军留后宗惠为江夏郡王。

自纳溪之役,师行凡四十日,筑乐共城、江门砦、梅岭、席帽谿堡,西达淯井,东道纳溪,皆控制要害。捷书闻,〔癸酉〕,敕梓州路,以归来州地赐罗氏鬼主。

进封常乐郡公栋戬为武威郡王,以会兵讨夏故也。时夏人欲与栋戬通好,许割赂斫龙以西地,云:“如归我,即官爵一随所欲。”栋戬拒绝之,训整兵甲,以俟入讨,且遣使来告。帝召见其使,令归语栋戬,尽心守圉。每称其上书情辞忠挚,虽中国士大夫存心公家者不过如此。

帝知邈川事力固不足与夏人抗,但欲解散其谋,使不与结和而已。

壬申,辽以耶律颇德为南府宰相兼知北院枢密使事,以耶律延格为特里衮,以萧托卜嘉兼知契丹行宫都部署事。

三月,乙酉,提举江南西路常平等事刘谊上书言:"陛下所立新法,本以为民。为民有倍称之息,故与之贷钱;为民有破产之患,故与之免役;为民无联属之任,故教伍保;为民有积贷之不售,故设市易。皆良法也。行之数年,天下讼之,法弊而民病,其于役法尤甚。"又言:"塞周辅元立盐法以救淡食之民,今民间积盐不售,以致怨嗟;卖既不行,月钱逋负,追呼刑责,将满江西。其势若此,则安居之民转为盗贼,其将奈何?"帝以谊职在奉行法度,既有所见,自合公心陈露,辄敢张皇上书,特勒停。

己亥,以日当食,避殿,减膳;赦天下,降死罪一等,流以下原之。

诏杭州岁修吴越王坟庙。

壬寅,鄜延路副总管曲珍败夏人于金汤。

乙巳,御集英殿,赐进士、明经诸科黄裳以下及第、出身、同出身一千四百二十八人。裳,南剑州人也。

庚戌,黄龙府女真部长附于辽,予官,赐印绶。

是月,辽行秬黍所定升斗。

夏,四月,壬子朔,云阴,日食不见。

甲寅,御殿,复膳。

己未,知延州沈括奏遣曲珍将兵〔于〕绥德城,应援讨葭芦(塞)〔寨〕左右见聚羌落;从之。

壬戌,崇文院校书杨完编类《元丰以来详定郊庙礼文》,成三十卷以进。

辽以耶律世迁为上京留守。

乙丑,以直龙图阁徐禧知制诰兼御史中丞。

癸酉,官制成,以王珪为尚书左仆射兼门下侍郎,蔡确为尚书右仆射兼中书侍郎。

初议官制,盖仿《唐六典》,事无大小,并中书取旨,门下审覆,尚书受而行之;三省分班奏事,各司其职,而政柄并归中书。确说珪曰:"公久在相位,必拜中书令。"珪信不疑。一日,确因奏事罢,留身密言:"三省长官位高,恐不须置令,但以左右仆射兼两省侍郎足矣。"帝从之。故确名为次相,实专政柄,珪拱手而已,凡除吏皆不与闻。

帝虽以次序相珪、确,然不加礼重,屡因微失罚金,每罚辄门谢。宰相罚金门谢,前此未有,人皆耻之。

甲戌,以知定州章惇为门下侍郎,参知政事张璪为中书侍郎,翰林学士蒲宗孟为尚书左丞,翰林学士王安礼为尚书右丞。

录唐段秀实后,复其家。

蔡确既为右仆射,且兼中书侍郎,欲以自大,乃议尚书省关移中书,当加上字以重之。王安礼争曰:"三省皆政事所自出,礼宜均一;确乃欲因人而为轻重,是法由人变也,非所以敬国家。"已而正色问帝曰:"陛下用确为宰相,岂以才术卓异有绝人者?抑亦叙迁适在此位邪?"帝曰:"适在此位耳。"安礼顾谓确曰:"陛下谓适在此位,安得自大!"富弼在西京,上言蔡确小人,不宜大用,弗听。

时李宪乞再举伐夏,帝以访辅臣,王珪对曰:"向所患者用不足,朝廷今捐钱钞五百万缗,以供军食有馀矣。"王安礼曰:"钞不可啖,必变而为钱,钱又变为刍粟。今距出征之期才两月,安能集事?"帝曰:"李宪以为已有备,彼宦者能如是,卿等独无意乎?唐平淮蔡,唯裴度谋议与主同,今乃不出公卿而出于阉寺,朕甚耻之。"安礼曰:"淮西、三州耳,有裴度之谋,李光颜、李愬之将,然犹引天下之兵力,历岁而后定。今夏氏之强非淮蔡比,宪才非度匹,诸将非有光颜、愬辈,臣惧无以副圣意也。"

丁丑,吕公著罢。始议五路举兵伐夏,公著谏,不听;寻上表求罢,仍谒告不出。帝封还其奏,赐手诏曰:"在廷之臣,可为腹心之寄,无逾卿者,安得自暇自逸!"公著乃复起视事。及西师无功,将图再举,公著又固谏,帝不悦。会章惇自定州召为门下侍郎,公著因乞代惇守边;章再上,乃命以资政殿学士知定州。

五月,辛巳朔,行官制。诏尚书省左、右仆射、丞合治省事。

辛卯,手诏:"自颁行官制以来,内外大小诸司,凡有申禀公事,日告留滞,比之旧日中书,稽延数倍,众皆有不办事之忧。可速根研裁议,早令快便,大率止如旧中书发遣可也。"帝又以命令稽缓语辅臣,颇悔改官制。蔡确等虑帝意欲罢之,乃力陈新官制置禄,比旧月省俸钱三万馀贯,帝意乃止。

〔己丑〕,三省言:"九寺、三监分隶六曹,欲申明行下。"帝曰:"不可。一寺、一监,职事或分属诸曹,岂可专有所隶!宜曰九寺、三监于六曹随事统属,著为令。"

诏尚书六曹分隶六察。

癸巳,作尚书省。

丰州卒张世矩等作乱,伏诛。〔诏家属应缘坐者,押赴丰州处斩;〕其党王安以母老,诏特原之。

戊戌,诏两省官举可任御史者各二人。

种谔西讨,得银、夏、宥三州而不能守。知延州沈括请城古乌延城以包横山,下瞰平夏,使敌不得绝沙漠。甲辰,遣给事中徐禧及内侍押班李舜举往鄜延议之。舜举退,诣政府,王珪迎谓曰:"朝廷以边事属押班及李留后,无西顾之忧矣。"舜举曰:"四郊多垒,卿大夫之辱也。相公当国,而以边事属二内臣,可乎?内臣止宜供禁廷洒扫,岂可当将帅之任!"闻者代为珪惭焉。

六月,辛亥朔,环庆经略司遣将与夏人战,破斩其统军二人。

辽主如纳葛泺。

甲寅,监修国史王珪上《两朝正史》一百二十卷。是书比《实录》事迹颇多,但非寇准而是丁谓,托帝诏旨,时以为讥。

丙辰,诏:"自今事不以大小,并中书省取旨,门下省覆奏,尚书省施行。三省同得旨事,更不带三省字行出。"从王安礼言也。是日,辅臣有言中书省独取旨,事体太重,帝曰:"三省体均,中书撰而议之,门下审而覆之,尚书承而行之;苟有不当,自可论奏,不当缘此以乱体统也。"先是官制所虽仿旧三省之名,而莫能究其分省设官之意,乃厘中书、门下、尚书为三,各得取旨出命,纷然无统纪,至是帝一言乃定。

夏遣使贡于辽。

丁巳,辽以耶律颇德为北院枢密使,耶律巢为南府宰相,刘筠为南院枢密使,萧托卜嘉兼知北院枢密使事,王绩为汉人行宫都部署。辽主欲立皇孙延禧为嗣,恐无以释众人之疑,乃出驸马都尉萧酬斡为国舅详衮。

戊午,诏编录《仁、英两朝宝训》。

癸亥,诏:"尚书省六曹事应取旨者,皆尚书省检具条例,上中书省。"又诏:"中书、门下省已得旨者,自今不得批札行下,皆送尚书省施行。著为令。"又诏:"尚书省得弹奏六察御史失职。"

乙丑,准布贡于辽。

壬申,广南西路转运使马默言安化州蛮作过,帝曰:"默意欲用兵耳;用兵大事,极须谨重。向者郭逵征安南,与昨来西师,兵夫死伤皆不下二十万。有司失一死罪,其责不轻。今无罪置数十万人于死地,朝廷不得不任其咎也。"

帝临御久,群臣俯伏听命,无能有所论说,时因奏事有被诘责者,王安礼进曰:"陛下固圣,而左右辅弼,宜择自好之士有廉隅者居之,则朝廷尊。至于论事苟取容悦,偷为一切之计,人主将何便于此!"帝善其言。

丙子,辽以耶律慎思知右伊勒希巴事。

是月,河溢北京内黄埽。

秋,七月,辛巳,广南西路经略司言知宜州王奇与贼战,败绩。

壬午,诏罢大理官赴中书省谳案。

戊子,诏御史中丞舒亶举任言事或察官十人。

种谔谋据横山,其志未已,遣子朴上其策。会朝廷命徐禧、李舜举至鄜延议边事,谔入对,言曰:"横山延袤千里,多马,宜稼,人物劲悍善战,且有盐铁之利,夏人恃以为生;其城垒皆控险,足以守御。今之兴功,当自银州始,其次迁宥州于乌延,又其次修夏州;三郡鼎峙,则横山之地已囊括其中。又其次修盐州,则横山强兵、战马、山泽之利,尽归中国,其势居高俯视兴、灵,可以直覆巢穴。"

及禧至延州,奏乞趣谔还。谔在道,禧已与沈括定议,先城永乐(堞)〔埭〕,乃上言:"银州虽据明堂川、无定河之会,而故城东南已为河水所吞,其西北又阻天堑,实不如永乐之形势险厄。窃惟银、夏、宥三州陷没百年,一日兴复,于边将事功实为俊伟;但建州之始,烦费不资。若选择要会,建置堡栅,名虽非州,实有其地,旧来疆塞,乃在心腹。已与沈括议筑砦堡各六,自永乐(堞)〔埭〕至长城岭置六砦,自背冈川至布娘堡置六堡。"从之。诏禧护诸将往城永乐,括移府并塞总兵为援,陕西转运判官李稷主馈饷。

甲午,辽主如秋山。

己酉,始建雩坛于南郊之左,祀上帝,以太宗配。

是月,决大吴埽堤,以舒灵平下埽危急。

辽南京霖雨,沙河溢,永清、归义、新城、安次、武清、香河六县伤稼。

八月,进封皇子均国公佣为延安郡王;以昭容朱氏为贤妃。

庚申,帝有疾。诏岁以四孟月朝献景灵宫。

〔辛未〕,降凤州团练使种谔为文州刺史,以言者论谔前迁路出绥德,老师费财故也。种

谔自入对还,极言城永乐非计,徐禧怒,变色,谓谔曰:"君独不畏死乎,敢误成事?"谔曰:"城之必败,败则死;违节制亦死;死于此,犹愈于丧国师而沦异域也。"禧度不可屈,奏留谔守延

州,而自率诸将往筑之。甲戌,城永乐。版筑方兴,羌数十骑济无定河觇役;曲珍将追杀之,禧不许。

戊寅,河决郑州原武埽,溢入利津阳武沟、刁马河,归纳梁山泺。

诏曰:"原武决口已夺大河四分以上,不大治之,将贻朝廷巨忧。其辍修汴河堤岸司兵五千,并力筑堤修闭。"

九月,甲申,永乐城成,距故银州治二十五里,赐名银川砦。徐禧等还米脂,以兵万人属曲珍守之,李稷辇金银钞帛充牣其中,欲夸示禧,以为城甫就而中已实。永乐接宥州,附横山,夏人必争之地。禧等去,夏人即来攻;曲珍使报禧,禧不之信,曰:"彼若即来,是吾立功取富贵之秋也。"边人驰告者十数,禧乃挟李舜举等赴之。大将高永亨曰:"城小人寡,又无水泉,恐不可守。"禧以为沮众,械送延州狱。丙戌,禧、舜举复入永乐城。夏人倾国而至,号三十万,禧登城西望,不见其际。丁亥,夏人渐逼,永亨兄永能,请及其未阵击之,禧曰:"尔何如! 王师不鼓不成列。"乃以万人阵城下,坐谯门,执黄旗令众曰:"视吾旗进止。"贼分兵进攻,抵城下。曲珍阵于(小)〔水〕际,军不利,将士皆有惧色,遂白禧曰:"今众心已摇,不可战,战必败,请收兵入城。"禧曰:"君为大将,奈何遇敌不战,先自退邪?"俄夏人纵铁骑渡水,或曰:"此号铁鹞子,当其半济击之,乃可以逞;得地,则其锋不可当也。"禧不听。铁骑既济,震荡冲突。时鄜延选锋军最为骁锐,皆一当百,先接战,败,奔入城,蹂后阵。夏人乘之,师大败,将校寇伟、李(思)〔师〕古、高世才、夏俨、程博古及使臣十馀辈、士卒八百馀人尽没。曲珍与残兵入城,崖峻径窄,骑缘崖而上,丧马八千匹。夏人遂围城。

初,沈括奏夏人逼永乐,见官兵整乃还,帝曰:"括料敌疏矣。彼来未出战,岂肯遽退邪?必有大兵在后。"已而果然。

己丑,帝以疾愈,降京畿囚罪一等,徒以下释之。

庚寅,辽主谒庆陵。

壬辰,辽遣使行视畿县民被水患者。

乙未,诏李宪、张世矩将兵救永乐,又令沈括遣人与夏约,退军,当还永乐地。

夏人围永乐城,厚数里,游骑掠米脂,且据其水砦。将士昼夜血战,城中乏水已数日,凿井不得泉,渴死者大半,至绞马粪汁饮之;夏人蚁附登城,尚扶创格斗。沈括、李宪援兵及馈饷,皆为游骑所隔。种谔怨徐禧,不遣救。曲珍度不可支,请禧乘兵气未竭,溃围而出,使人自求生。禧曰:"此城据要地,奈何弃之! 且为将而奔,众心摇矣。"珍曰:"非敢自爱,但敕使谋臣同没于此,惧辱国耳。"高永能亦劝李稷尽捐金帛募死士力战以出,皆不听。夏人呼珍来讲和,吕整、景思义相继而行。夏人髡思义,囚之。戊戌夜,大雨,夏人环城急攻,城遂陷。高永能孙昌裔劝永能从间道出,永能叹曰:"吾结发从事西羌,战未尝挫。今年已七十,受国大恩,恨无以报,此吾死所也!"顾易一卒敝衣,战而死。徐禧、李舜举、李稷,皆为乱兵所害;曲珍、王湛、李浦、吕整,裸跣走免;蕃部指挥马贵,独持刀杀数十人而死。夏人耀兵于米脂城下,乃还。

禧好谈兵,每云:"西北可唾手取,恨将帅怯耳!"吕惠卿力引之,故不次用。自灵州之败,秦、晋困棘,天下企望息兵,而括、谔陈进取之策,禧更以边事自任,狂谋轻敌,至于覆没。舜举资性安重,与人言,未尝及宫省事,至是被围急,断衣襟作奏曰:"臣死无所恨,愿朝廷勿轻此贼!"

庚子,安化蛮寇宜州,知州王奇死之,诏赠忠州防御使。

丁未,辽主驻藕丝淀;大风雪,牛马多死,赐扈从官以下衣、马有差。

是月,河溢沧州南皮上下埽,又溢清池埽,又溢永静军阜城下埽。

冬,十月,戊申朔,沈括、种谔奏:"永乐城陷,汉、蕃官二百三十人,兵万二千三百馀人皆没。"帝涕泣悲愤,为之不食。早朝,对辅臣痛哭,莫敢仰视,既而叹息曰:"永乐之举,无一人言其不可者。"蒲宗孟进曰:"臣尝言之。"帝正色曰:"何尝有言!在内惟吕公著,在外惟赵卨,尝言用兵非好事耳。"初帝之除禧也,王安礼谏曰:"禧志大才疏,必误国事。"不听。及败,帝曰:"安礼每劝朕勿用兵,少置狱,盖为此也。"自熙宁开边以来,凡得夏葭芦、吴保、义合、米脂、浮图、塞门六堡,而灵州、永乐之役,官军、熟羌、义保死者六十万人,钱粟银绢以万数者不可胜计。帝始知边臣不足任,深悔用兵,无意西伐矣。

辛亥,提举汴河堤岸司言:"洛口广武埽大河水涨塌岸,坏下牌斗门,万一入汴,人力无以枝梧,密迩都城,可为深虑。"诏都水监官速往护之。

甲寅,知延州沈括,以措置乖方,责授均州团练副使,随州安置;鄜延路副都总管曲珍,以城陷败走,降授皇城使。

乙卯,辽主命耶律华格傅导梁王延禧,加金吾卫大将军。

乙丑,诏赠永乐死事臣徐禧吏部尚书,李舜举昭化军节度使,并赐谥忠愍;李稷工部侍郎;高永能房州观察使,录其子世亮为忠州刺史;入内高品张禹勤皇城使。各推恩赐赠有差。

壬申,诏户部右曹于京东、淮、浙、江、湖、福建十二路发常平钱八百万缗输元丰库。自熙宁以前,诸路榷酤(场)〔场〕率以酬衙前之陪备官费者,至熙宁行免役,乃罢收酒场,听民增直以(雇)〔售〕,取其价以给衙前。时有坊场钱,至元丰初,法既久,储积赢羡。司农寺请岁发坊场百万缗输中都,三年,遂于寺南作元丰库贮之,几百楹。凡钱帛之隶诸司,非度支所主,输之,数益广,欲以待非常之用焉。

资政殿学士、知太原府吕惠卿加大学士,入见,将使仍镇鄜延。惠卿言:"陕西之师,非唯不可以攻,亦不可以守。要在大为形势而已。"帝言:"如惠卿言,是陕西可弃也,岂宜委以边事!"癸酉,数其轻躁矫诬之罪,斥知单州。

种谔本意身任统帅,谓成功在己,而为徐禧、沈括所外。贼围永乐,谔以守延为名,观望不救,永乐遂陷。帝冀其后效,置不问,且虞贼至,就命知延州。

丙子,辽主谒乾陵。

十一月,戊寅朔,罢御史察诸路官司,如有不职,令言事御史弹奏。著为令。

景灵宫成,辛巳,百官班于集英殿门,帝诣蕊珠、凝华等殿行告迁礼。壬午,奉安神御于十一殿。癸未,初行朝献礼。乙酉,以奉安神御赦天下,官与享大臣子若孙一人。庚寅,宴侍祠官于紫宸殿。

十二月,丁巳,新乐成。

庚申,辽主降皇后萧氏为惠妃,出居乾陵,还其妹于母家。

辛酉,原武决河口塞。

甲子,浚京师城外四壁之壕。

丙子,录永乐死事将皇城使寇伟、东上邻门副使景思谊等,赠恤有差。

六年 辽太康九年【癸亥,1083】 春,正月,丁丑朔,御大庆殿受朝,〔始〕用新乐。先是帝以朝会仪物敝,当改为,诏郏门、御史台详定朝会仪,更造仗卫、舆辂、冠服,至是始陈于殿。仪鸾司幕屋坏,毁玉辂。

辛巳,辽主如春水。

乙未,诏修周、汉以来陵庙。

乙巳,御崇政殿阅武士。

丙午,封楚三闾大夫屈平为忠洁侯。

二月,丁未朔,夏人围兰州,数十万众奄至,已据两关,李浩闭城距守。钤辖王文郁请击之,浩曰:"城中骑兵不满数百,安可战?"文郁曰:"贼众我寡,正当折其锋以安众心,然后可守。此张辽所以破合肥也。"及夜,集死士七百馀人,缒城而下,持短刃突之,贼惊溃,争渡河,溺死者甚众。

丙辰,以夏人犯兰州,贬李宪为经略安抚都总管。以王文郁为西上郏门使,代李浩知兰州。

甲子,三省言:"御史台六察按官,以二年为一任。欲置簿,各书其纠劾之多寡当否为殿最,岁终条具,取旨升黜,事重者随事取旨。"从之。

三月,辛卯,夏人寇兰州,副总管李浩以卫城有功,复陇州团练使。

丙申,河东将薛义败夏人于葭芦西岭。

己亥,河东将高永翼败夏人于真卿流部。

夏,四月,丙午朔,辽境大雪,平地丈馀,马死者十之六七。

辛亥,龙神卫四厢都指挥使、知延州种谔卒。谔善驭将士,然残忍好杀,左右有犯者,立斩之;或先剖肺肝,坐者掩面,谔饮食自若。敌亦畏其敢战,故数有功。自熙宁初,谔首兴边事,再举西伐,皆其始谋,终致永乐之败,每恨为徐禧、沈括所抑,疽发背而卒。议者谓谔不死,边事不已。

甲子,礼部郎中林希上《两朝宝训》。

李浩败夏人于巴义谿。

辛未,雨土。

是月,中书舍人曾巩卒。巩为文自成一家。少与王安石游,安石声誉未振,巩导之于欧阳修;及安石得志,遂与之异。帝尝问:"安石何如人?"对曰:"安石文学行义不减扬雄,以吝,故不及。"帝曰:"安石轻富贵,何吝也?"曰:"臣所谓吝者,谓其勇于有为,吝于改过耳。"吕公著尝言于帝曰:"巩行义不如政事,政事不如文章。"故不至大用。

五月,庚寅,以旱虑囚。

夏人寇兰州,围九日。甲午,大战,侍禁韦定死之。

癸卯,诏赐资州孝子支渐粟帛。

是月,辽主如黑岭。

夏人寇麟州神堂砦,知州訾虎督兵出战,败之。诏虎自今毋得轻易出入,恐失利损威以张虏势,遇有寇边,止令裨将以兵捍逐。

六月,乙巳朔,诏御史台六察各置御史一员。

癸丑,以礼部尚书黄履为御史中丞。履以大臣多因细故罚金,遂言:"大臣罪在可议,黜之可也,可恕,释之可也,岂可罚以示辱哉?"时又制侍郎以下不许独对,履言:"陛下博访庶政,虽远外微官,犹令独对,顾于侍从乃弗得邪?"遂刊其制。御史翟忠言事,有旨诘所自来。履谦曰:"御史以言为职,非有所闻,则无以言。今乃究其自来,则人将惩之,台谏不复有闻矣。"

先是诏大理兼鞫狱所承内降公事,意必傅重;少卿韩晋卿独持平核实,无所上下,帝知其才,尚书省建,擢刑部郎中。天下大辟请谳,执政或以为烦,将劾不应谳者,晋卿适白事省中,因曰:"听断求实,朝廷之心也。今谳而获戾,后不来矣。"议者或引唐日覆奏,欲令天下庶狱悉从奏决,晋卿曰:"法在天下,而可疑、可矜者上请,此祖宗制也。今四海一家,欲械系待朝命,恐罪人之死于狱多于伏辜者矣。"朝廷皆从之。

己未,辽主驻散水原。甲子,以耶律阿苏为契丹行宫都部署,以耶律慎思为北院枢密副使。

庚午,辽主命诸路检校脱户罪至死者原之。

闰月,乙亥朔,夏主秉常遣使来贡。永乐之役,夏人亦以是困敝,其西南都统(昂)〔昂〕星嵬名济移书泾原刘昌祚,乞通好如初。昌祚以闻,帝谕昌祚答之。及入寇屡败,国用益竭,乃遣使来贡,上表曰:"臣自历世以来,贡奉朝廷,无所亏(迨)〔怠〕,至于近岁,尤甚欢和。不意憸人诬间,朝廷特起大兵,侵夺疆土城砦,因兹构怨,遂致交兵。今乞朝廷示以大义,特还所侵。倘垂开纳,别效忠勤。"帝赐诏曰:"比以权强,敢行废辱,朕令边臣往问,匿而不报。王师徂征,盖讨有罪。今遣使造庭,辞礼恭顺,仍闻国政悉复故常,益用嘉纳。已戒边吏毋辄出兵,尔亦慎守先盟。"

戊寅,诏陕西、河东经略司,其新复城砦徼循,毋出二三里;夏之岁赐悉如其旧,唯乞还侵疆不许。

辽主知庶人浚之冤,悔恨无及,追谥为昭怀太子,以礼改葬玉峰山。

丙戌,汴水溢。

丁亥,准布贡于辽。

己丑,辽以知兴中府事邢熙年为汉人行宫都部署;以汉人行宫都部署王绩为南院枢密副使。

丙申,守司徒、开府仪同三司韩国公富弼卒,谥文忠。

弼年八十,怀不能已,上疏论治道之要曰:"臣闻自古致天下治乱者,不出二端而已:谀佞者进,则人主不闻有过,惟恶是为,所以致乱;谠直者进,则人主日有开益,惟善是从,所以致治。臣自离朝廷,退居林下,间亦仰知时政,大率谀佞者竞进,谠直者居外,虽有在朝者,盖恐触忤奸邪,亦皆结舌不敢有所开陈。"疏奏,帝谓辅臣曰:"富弼有疏来。"章惇曰:"弼言何事?"帝曰:"言朕左右多小人。"惇曰:"盍令分析孰为小人?"帝曰:"弼三朝老臣,岂可令分析!"王安礼进曰:"弼之言是也。"罢朝,惇咎安礼曰:"右丞对上之言失矣。"安礼曰:"吾侪今日曰'诚如圣谕',明日曰'圣学非臣所及',安得不谓之小人?"惇无以对。

弼既上疏,又条陈时政之失以待上问,手封以付其子绍庭。及卒,绍庭上之。其略曰:"今日上自辅臣,下及庶士,畏祸图利,习成弊风,忠词谠论,无复上达,致陛下聪明蔽塞。天下祸患已成,尚不知警惧改悔,创艾补救,日甚一日,殆将无及。陛下即位之初,邪臣纳说图治之际,听受失宜,自谓能拒绝众人,不使异论得行,然后圣化可行,事功可成。此盖奸人自谋,利于苟悦,而柄任之臣,欲专权自肆以成己志,遂误陛下,放斥忠直,进用邪佞,忠言杜绝,

1666

谄谀日闻。去岁纳边臣妄议，大举以讨西戎，师徒溃败，两路骚然。当举事之初，执政大臣、台谏、侍从，苟能犯颜极谏，则圣心自回，祸难自息矣。臣不知是时小大之臣，有为陛下力争其不可者乎？今久戍未解，百姓困穷，岂讳过耻败不思救祸之时？天地至仁，宁与羌夷校曲直胜负！愿归其侵地，休兵息民。朝廷之事，莫大于用人。夫辅弼之任，论议之职，皆当极天下之选。彼贪宠患失，柔从顺媚者，岂可使之？事一出于上，则下莫任其责，小人因得以为奸，事成则下得窃其利，事不成则君独当其咎，岂上下同心，君臣一德之谓邪？"又曰："宫闱之臣，委之统制方面，皆非所宜。在外则挟权怙宠，陵轹上下。入侍左右，宠禄既过，则骄怨易启，势位相及，猜夺随至，立党生祸。"又曰："兴利之臣，亏损国体，为上敛怨。至若为场以停民贷，造舍而蔽旧屋，榷河舟之载，擅路粪之利，急于敛取，道路嗟怨，此非上所以与民之意也。"

弼恭俭好礼，与人言，虽幼贱必尽敬，气色穆然，不见喜愠。其好善疾恶，盖出于天性。常言："君子与小人并处，其势必不胜。君子不胜，则奉身而退，乐道无闷。小人不胜，则交结构扇，千岐万辙，必胜而后已；迨其得志，遂肆毒于善良，求天下不乱，不可得也。"弼忠义之性，老而弥笃，家居一纪，斯须未尝忘朝廷。

江、淮等路发运司岁漕谷六百二十万，副使蒋之奇领漕事，以是月全京师，入觐。帝问劳备至，赐三品服，且曰："朕不复除官，漕事一以委卿。"之奇辞谢，因条画利病三十馀事，多见纳用。

秋，七月，乙巳，辽主猎于马尾山。

乙卯，祔孝惠、孝章、淑德、章怀皇后于庙。

丙辰，孙固引疾求去，遂罢为观文殿学士、知河阳。以同知枢密院韩缜知枢密院，户部尚书安焘同知枢密院。

丁巳，辽主谒庆陵。癸亥，禁外官于部内贷钱取息，及使者馆于民家。

八月，己卯，太白昼见。

乙酉，前桐城县尉周谔上书，诏中书省记姓名。帝曰阅甌函，小臣所言利害，无不详览如此。

辛卯，蒲宗孟罢。先是宰执同对，帝有无人才之叹，宗孟曰："人才半为司马光邪说所坏。"帝不语，直视宗孟久之。宗孟惧甚，无以为容。帝复曰："蒲宗孟乃不取司马光邪？未论别事，其辞枢密副使，朕自即位以来，唯见此一人。它人虽迫之使去，亦不肯矣。"又因泛论古今人物，宗孟盛称扬雄之贤，帝作色曰："扬雄剧秦美新，不佳也。"罢朝，王安礼戏宗孟曰："扬雄为公坐累。"至是御史论其荒于酒色及缮治府舍过制，遂守本官，知汝州。

以尚书右丞王安礼为尚书左丞，吏部尚书李清臣为尚书右丞。

九月，癸卯朔，日有食之。

戊(申)〔辰〕，起居郎蔡京言："旧修起居注官二员，不分左右，故月轮一员修纂。今起居郎、舍人分隶两省，所以备左右史官，则左当书动，右当书言。乞自今，起居郎、舍人随左右分记言动。"从之。

己酉，辽主射熊于白石山，加围场使尼噶为左金吾卫大将军。

辛未，五国部长贡于辽。

壬申，辽主召北南枢密院官议政事。

冬,十月,癸酉朔,夏国主秉常遣使上表,请复修职贡,乞还旧疆。安焘言:"地有非要害者,固宜予之。然虏情无厌,当使知吾宥过而罢兵,不可示以厌兵之意。"帝乃赐秉常诏,言:"地界已令鄜延路移牒宥州施行,其岁赐候地界了日依旧。"

丁丑,辽主谒观德殿。

己卯,辽南院枢密使刘筠卒。

戊子,封孟轲为邹国公,以吏部尚书曾孝宽言孟轲未加爵命故也。

壬辰,辽混同郡王耶律伊逊在莱州,私藏兵甲,且谋奔宋;事觉,辽主命缢杀之。

癸巳,会稽郡王世清薨。

庚子,尚书省成。

十一月,癸卯,加上仁宗谥曰体天法道极功全德神文圣武(濬)〔睿〕哲明孝皇帝,英宗谥曰体乾应历隆功盛德宪文肃武睿神宣孝皇帝。甲辰,朝献景灵宫。乙巳,朝太庙。丙午,祀昊天上帝于圆丘,以太祖配,始罢合祭天地。还,御宣德门,大赦。

辽进封梁王延禧为燕国王,大赦。

以南院宣徽使萧谔噶为南府宰相,以三司使王经参知政事、知枢密院事。

甲寅,判河南府潞国公文彦博,以守太师、开府仪同三司致仕。

庚申,幸尚书省,召六曹长贰以下,询以职事,因诚敕焉。

是月,辽定诸令史、译史迁叙等级。

十二月,丁亥,辽以邢熙年知南院枢密使事。辛卯,以王言敷为汉人行宫都部署。

先是高丽王徽殂,辽命其子三韩国公勋权知国事,至是勋复殂。

是年,辽放进士李君裕等五十一人。

七年 辽太康十年【甲子,1084】 春,正月,辛丑朔,辽主如春水。

丙午,以洺州防御使世准为安定郡王。

辽复建南京奉福寺浮图。

癸丑,夏人寇兰州,李宪等击走之。

甲寅,进贤妃朱氏为德妃。

辛酉,诏黄州团练副使苏轼移汝州。帝每怜轼才,尝语辅臣曰:"国史大事,朕意欲俾苏轼成之。"辅臣有难色,帝曰:"非轼则用曾巩。"其后巩亦不副上意,帝复有旨起轼,以本官知江州。蔡确、张璪受命,王珪独以为不可。明日,改江州太平观,又明日,命格不下。于是卒出手札,徙汝州,有"苏轼黜居思咎,阅岁滋深,人才实难,不忍终弃"之语。轼上表谢,且言有田在常州,愿得居之。帝从其请,改常州团练副使。

戊辰,辽主如山榆淀。

二月,庚午朔,河北转运使、措置河北籴便吴雍言:"见管人粮、马料总千一百七十六万石,奇赢相补,可支六年。河北十七州边防大计,仓廪充实,虽因藉丰年,实以吏能干职。同措置王子渊,在职九年,悉心公家,望考察成效,以劝才吏。"诏赐子渊紫章服。

甲戌,太师致仕文彦博入觐,置酒垂拱殿。

癸未,进封濮阳郡王宗晖为嗣濮王,封宗晟为高密郡王,宗绰建安郡王,宗隐安康郡王,宗瑗汉东郡王,宗愈华原郡王。

三月,辛丑,赐文彦博宴于琼林苑,帝制诗以赐之。

丁巳,大宴群臣于集英殿,皇子延安郡王侍立于御座之侧,王珪率百僚廷贺。及升殿,帝命珪等与王相见,久之,王乃退。王未出邸,帝特令侍宴以见群臣。

辽主命知制诰王师儒、牌印郎君耶律固傅导燕王延禧。辽主追念萧乌纳保护皇孙之功,尝谓师儒等曰:"乌纳忠纯,虽狄仁杰之辅唐,乌珍之立穆宗,无以过也。卿等宜达燕王知之。"旋命乌纳以殿前都点检辅导燕王。

庚申,御崇政殿大阅。

壬戌,诏以太学外舍生钱唐周邦彦为试太学正。邦彦献《汴都赋》,文采可取,故擢之。

夏,四月,丁丑,赐饶州童子朱天锡《五经》出身。

女真贡良马于辽。

癸巳,夏人寇延州安塞堡,将官吕真败之。

五月,壬子,虑囚,降死罪一等,杖以下释之。

庚申,诏中书舍人蔡卞往江宁府省视王安石疾病。卞,安石之婿也。

壬戌,诏:"自今春秋释奠,以邹国公孟轲配食文宣王,设位于衮国公之次。"又追封荀况为兰陵伯,扬雄为成都伯,韩愈为昌黎伯,以世次从祀于二十一贤之间。

诏诸路帅臣、监司等举大使臣为将领。

辽主驻散水原。

乙丑,准布贡于辽。

六月,礼部言:"欧阳修等编《太常因革礼》,始自建隆,讫于嘉祐,为百卷。嘉祐之后,阙而不录。熙宁以来,礼文制作,足以垂法万世,乞下太常,委博士接续编纂,以备讨阅。"从之。

丙子,夏人寇(顺德)〔德顺〕军,巡检王友死之。

戊子,集禧观使王安石请以所居园屋创禅寺,乞赐名额,从之,以保宁禅院为额。安石自子雾死,晚年痛悼不已,遂舍半山园宅为寺,又割田为常住,以荐冥福云。

辛卯,江夏郡王宗惠卒。

壬辰,辽禁毁铜钱为器。

【译文】

宋纪七十七 起壬戌年(公元1082年)正月,止甲子年(公元1083年)六月,共两年有余。

元丰五年 辽太康八年(公元1082年)

春季,正月,癸未朔(初一),宋神宗没有接受群臣朝贺。

甲申(初二),辽道宗前往混同江。

丁酉(十五日),铁骊、五国诸部酋长向辽国进贡地方特产。

己亥(十七日),一条白虹贯穿太阳。

辛丑(十九日),把高遵裕贬为郢州团练副使、本州安置,刘昌祚贬为永兴军钤辖。只有种谔因米脂寨战功被升官。

乙巳(二十三日),详定浑仪官欧阳发进献新造的浑天仪、浮漏,神宗命令综合其原理,编成《元丰浑仪法要》。

辛亥(二十九日),任命熙河经制李宪为泾原、熙河、兰会经略安抚制置使,任命知兰州李浩为权安抚副使。神宗宽释李宪不加诛杀后，李宪又献上再次兴兵的计策，同时陈述进军敌境修建城堡的五大好处，神宗将要依从他。刚好李舜举进朝上奏，具体陈述了军队疲惫、百姓穷困的情形，神宗这才不再兴兵，催促李宪进京。不久再次讨论西征，途中赐给李宪银两帛布四千，把他任为经略安抚制置使，拨给卫兵三百人，晋封为景福殿使、武信军留后，让他再回熙河，依旧兼统秦凤路兵马。

二月，癸丑朔（初一），颁发《三省、枢密、六曹条例》。

乌蛮首领乞弟逃走，林广于是率兵深入追击。正好下大雪，过了十天，才驻扎在老人山。老人山地势如同剑立，宋军越过黑崖，到达鸦飞不到山，进驻归来州。这时天气非常寒冷，将士们都冻掉了手指，停留了四天，搜寻乞弟，找不到。内侍麦文昺向林广询问作战情况，林广说："贼兵还未投降，应当等待受罚。"麦文昺于是拿出神宗的密诏说："大军深入讨贼，目的在杀死或俘虏元凶。如果已攻破贼人巢穴，即使没抓到乞弟，也允许班师。"军中都欢呼万岁。丙辰（初四），林广率兵回朝。

戊午（初六），辽道宗前往山榆淀。

辛酉（初九），辽国诏令北院、南院官员，凡是安排驿车的，都必须事先奏报；进贡新鲜物品及奏报案件，才允许使用驿车，其余一律禁止。

癸亥（十一日），华阴郡王赵宗旦去世。

丁卯（十五日），把武昌军留后赵宗惠封为江夏郡王。

自从纳溪战役后，宋军共行军四十天，修筑了乐共城、江门砦、梅岭、席帽溪堡，往西到达淯井，往东到达纳溪，都控制了要害地方。捷报传到神宗耳朵后，癸酉（二十一日），神宗赦免梓州路，把归来州土地赏赐给罗氏鬼主。

宋朝把常乐郡公栋戬晋封为武威郡王，这是因为他合兵征讨西夏的缘故。当时西夏想与栋戬结好，答应割让研龙以西的土地送给他，说："如果归顺我们，就是官爵也完全随你要。"栋戬加以拒绝，整训人马，等待进军讨伐，并且派遣使臣来报告宋朝。神宗召见栋戬的使臣，让他回去告诉栋戬，全心全力守卫边境。神宗每每称赞栋戬上书感情诚挚、言辞忠诚，即使本朝一心为国的士大夫也不过如此。神宗知道邈川的兵力本来不足用来对抗西夏，只是想拆散西夏的阴谋，使他们不与西夏结盟而已。

壬申（二十日），辽国任命耶律颇德为南府宰相兼知北院枢密使事，任命耶律延格为特里衮，任命萧托卜嘉兼知契丹行宫都部署事。

三月，乙酉（初四），提举江南西路常平等事刘谊上书说："陛下制订的新法，本来是为了百姓。因为百姓借钱要加倍付息，所以朝廷给他们贷钱；因为百姓有破产的危害，所以给他们免除差役；因为百姓没有互相担保的责任，所以让他们五户相保；因为百姓有所积存卖不出去，所以设立市易法。这些都是很好的法令。可是推行了几年，全国都在议论，新法出现弊端，百姓受害，其中差役法尤其严重。"又说："蔡周辅原来订立盐法来拯救吃不到盐的百姓，如今民间食盐积存卖不出去，招来怨恨嗟叹；盐卖不掉，每月的税钱就要拖欠，厉声催交，用刑责罚，几乎布满江南西路。形势如果这样发展下去，那么安居乐业的百姓就会变为盗贼，那将怎么办啊？"神宗认为刘谊的本职是奉令推行新法，既然有所见闻，本应该出于公心讲出来，竟然敢于仓皇上书，特别予以停职处分。

己亥（十八日），因为推算会发生日食，神宗不居正殿，减少膳食，大赦天下，死罪降一等，流刑以下的囚犯宽恕。

诏令杭州每年修缮吴越王的坟墓庙宇。

壬寅(二十一日),鄜延路副总管曲珍在金汤打败西夏军队。

乙巳(二十四日),神宗登临集英殿,赏赐进士、明经诸科黄裳以下进士及第、进士出身、同进士出身的有一千四百二十八人。黄裳是南剑州人。

庚戌(二十九日),黄龙府女真部酋长归附辽国,辽国给他封官,赐予印绶。

这一月,辽国推行量黑黍所用的升斗。

夏季,四月,壬子朔(初一),多阴云,太阳被吞食看不见。

甲寅(初三),宋神宗登正殿,恢复正常膳食。

己未(初八),知延州沈括奏请派遣曲珍从绥德城带兵,去援救攻打葭芦寨附近聚居的羌人部落;神宗依从了。

壬戌(十一日),崇文院校书杨完分类编写了《元丰以来详定郊庙礼文》,成书三十卷,进呈神宗。

辽国任命耶律世迁为上京留守。

乙丑(十四日),宋朝任命直龙图阁徐禧为知制诰兼御史中丞。

癸酉(二十二日),官制改革完成,任命王珪为尚书左仆射兼门下侍郎,蔡确为尚书右仆射兼中书侍郎。

开始讨论官制时,模仿《唐六典》,政事不论大小,都由中书省听取皇帝旨意草拟诏令,门下省审理复核,尚书省受旨执行;三省官员分班觐见皇帝奏报政事,各行其职,权力全部属于中书省。蔡确对王珪说:"公长期任相,必定会被拜为中书令。"王珪深信不疑。一天,蔡确利用奏事结束之机,留下来秘密上奏说:"三省长官职位极高,恐怕不必设立令职,只要以尚书左右仆射兼任中书、门下省侍郎就足够了。"神宗听从了。所以蔡确名义上是第二宰相,实际上独掌大权,王珪拱手而已,凡是任用官吏都不让他参与知道。

神宗虽然依次序让王珪、蔡确担任宰相,却不尊重礼待他们,多次因小过失而处以罚金,每次罚金都要赴宫门谢罪。宰相被罚金并登门谢罪,此前从没有过,人们都耻笑这种事。

甲戌(二十三日),任命知定州章惇为门下侍郎,任命参知政事张璪为中书侍郎,任用翰林学士蒲宗孟为尚书左丞,翰林学士王安礼为尚书右丞。

录用唐代段秀实的后裔,免除他家的赋役。

蔡确担任了尚书右仆射,又兼任中书侍郎,想自高自大,就提议尚书省移送公文到中书省,应加"上"字以表示尊重。王安礼抗议说:"三省都是朝廷处理政事的地方,依礼应该平等一致;蔡确竟想因个人而区别他们地位的高低,这是让法令制度随人而变,不是敬重国家的做法。"不久又严肃地问神宗:"陛下任用蔡确做宰相,难道是因为他才学见识卓绝,一般人不能比及呢,还是按资升迁,他正好要处在宰相职位上呢?"神宗说:"正好要在宰相职位上。"王安礼回头对蔡确说:"陛下说按资升迁到这个位置上,你怎么能妄自尊大呢!"富弼在西京洛阳,上书说蔡确是势利小人,不宜重用,但神宗不听。

当时李宪奏请再次兴兵讨伐西夏,神宗就此询问群臣意见。王珪回答说:"以前所担忧的是用度不足,如今朝廷拿出钱钞五百万缗,用来供应军粮绰绰有余了。"王安礼说:"纸钞不能吃,必须把纸钞变成银钱,再把钱变为粮草。现在隔出征的日期只有两个月,怎么能完成

1671

这些事?"神宗说:"李宪认为已经有所准备,他们宦官都能这样,爱卿们难遭没有这种想法吗? 唐代平定淮蔡叛乱时,只有裴度的主张与君主相同,如今这种主张不是出于公卿之口而出于宦官,朕为此很感耻辱。"王安礼说:"淮西只有三个州,有裴度的谋略,有李光颜、李愬的将才,然而还是动用了全国的兵力,历时一年才平定。如今西夏的强盛不是淮蔡可以比拟的,李宪的才能比不上裴度,将领中也没有李光颜、李愬一类的人才,臣下担心无法满足圣上的心愿。"

富弼像

丁丑(二十六日),吕公著被免职。开始讨论兴兵五路讨伐西夏时,吕公著劝谏,神宗不听;不久吕公著上表请求免职,并且请假不来上朝。神宗把他的奏章封好退回给他,并赐予亲笔诏书说:"朝廷中的大臣,可以当作心腹寄以重任的,没有超出爱卿你的,怎么能顾着你个人清闲安逸呢!"吕公著这才重新上朝理事。等到西征没有功效,朝廷准备再次兴兵,吕公著又极力劝谏,神宗不高兴了。恰好章惇从定州被召回充任门下侍郎,吕公著就奏请接替章惇守卫边境:他两次上书。神宗于是任命他以资政殿学士出知定州。

五月,辛巳朔(初一),宋朝颁行新的官制。诏令尚书左、右仆射、左、右丞共同处理尚书省事务。

辛卯(十一日),神宗下达亲笔诏书说:"从颁行新官制以来,朝廷内外大小官衙,凡有申报的公事,一天比一天积压多,比起先前的中书省,拖延了几倍的时间,大家都有办不了事的忧虑。应该尽快从根本上研究解决,早日使公事办理快速方便,大体上只要像过去中书省那样发送就行了。"神宗又对辅政大臣讲起政令拖延迟缓的事,很后悔改革官制。蔡确等人担心神宗心中想废止新官制,于是极力奏陈说,新官制设的俸禄,比旧官制每月节省俸禄三万多贯钱,神宗这才不想废止新官制了。

己丑(初九),三省上奏说:"九寺、三监分别隶属于六曹,想请申明颁行。"神宗说:"不行,一寺、一监,职事可能与各曹都有联系,哪能专门隶属于某一曹! 应该说九寺、三监于六曹根据事务不同分别隶属,要写进法令中。"

诏令尚书省六部分属六察。

癸巳(十三日),诏令建造尚书省。

丰州士兵张世矩等人叛乱,服罪被杀。诏令应连坐的家属,押赴丰州处以斩刑;同党王安因为母亲年老,下诏特别给以宽免。

戊戌(十八日),诏令两省官员各自举荐可以任御史的官员二名。

种谔西征,夺得银州、夏州、宥州,但没能守住。知延州沈括奏请在古乌延城筑城来包围横山,俯视平夏城,使敌兵不能过沙漠。甲辰(二十四日),派遣给事中徐禧和内侍押班李舜举前去鄜延路商议此事。李舜举退朝后,来到尚书省,王珪迎进去说:"朝廷把边境军务交付给押班和李留后，就不要忧虑西方边境了。"李舜举说："四方边境有很多营垒，这是卿大夫的耻辱。相公执掌国家大事，却把边境军事交给两名内宫侍臣，可以吗？内侍只应供职于皇宫内部洒扫之事，怎么可以担当将帅的责任呢！"听说此事的人都替王珪感到羞惭。

六月，辛亥朔（初一），环庆经略司派将领与西夏军作战，打败并斩杀西夏两名统军。

辽道宗前往纳葛泺。

甲寅（初四），监修国史王珪呈上《两朝正史》一百二十卷。该书比《实录》记载的事实多很多，但是指责寇准，肯定丁谓，假托皇上诏旨，当时人们讥笑这一点。

丙辰（初六），诏令："从今以后，不论事情大小，都由中书省取旨拟诏，门下省审核奏报，尚书省执行。三省同时得到旨令的事情，不再带有三省字样下发。"这是听从了王安礼的奏请。这天，辅政大臣中有人说中书省单独听取圣旨，职权太重，神宗说："三省地位平等，中书省草拟、讨论，门下省审议、复核，尚书省接受、执行；如果有不恰当的地方，自然可以议论上奏，不应因此打乱朝廷体制。"此前官制虽然仿借原来三省名称，但没有人能体察其中分省设官的用意，于是把中书、门下、尚书分列为三个机构，各省都能听取圣旨下达命令，乱纷纷的没有统一的规定，至此神宗讲了这句话才明确下来。

西夏派遣使者向辽国进贡。

丁巳（初七），辽国任命耶律颇德为北院枢密使，任命耶律巢为南府宰相，任命刘筠为南院枢密使，萧托卜嘉兼知北院枢密使事，王绩为汉人行宫都部署。辽道宗想立皇孙耶律延禧为嗣君，担心没法让众人释疑，于是把驸马都尉萧酬斡外放为国舅详衮。

戊午（初八），宋神宗下诏编写《仁英两朝宝训》。

癸亥（十三日），诏令："尚书省六部的政事要听取圣旨处理的，都由尚书省检对有关条例，上送中书省。"又诏令："中书省、下门省已经获得旨令的，从今后起不能直接批示下发，都要移送尚书省执行。要写进律令中。"又诏令："尚书省可以弹劾奏报六察御史的失职行为。"

乙丑（十五日），准布部向辽国进贡。

壬申（二十二日），广南西中路转运使马默奏报安化州蛮夷作乱，神宗说："马默是想兴兵作战；用兵是国家大事，应该谨慎。先前郭逵征伐安南，以及前次西征，士兵和民夫死伤人数都不少于二十万。有关部门错判一人死罪，他的责任就不轻了。现在无罪就把几十万人置于死地，朝廷不能不承担这一罪责。"

神宗临朝时间久了，群臣低头听命，不能议论什么，当时有人因为奏报事情而受到指责，王安礼进言："陛下固然圣明，但左右辅佐大臣，应该选择那些洁身自好、廉明能干的人充任，那么朝廷就有权威了。至于那些议论政事时随随便便，逢迎取悦，暗中进行种种阴谋，君主在这些人中间会有什么好处！"神宗认为他这话讲得好。

丙子（二十六日），辽国任命耶律慎思知右伊勒希巴事。

这个月，黄河在北京内黄埽泛滥。

秋季，七月，辛巳（初二），广南西路经略司奏报宜州知州王奇与贼兵作战，被打败。

壬午（初三），神宗诏令停止大理寺官员去中书省审案定罪。

戊子（初九），诏令御史中丞舒亶举荐十名言事官或监察官。

种谔计划占领横山，他的计划还没完成，派儿子种朴上报这一策谋。碰上朝廷命令徐禧、李舜举到鄜延路讨论边境事务,种谔进朝答对,说:"横山宽广千里,盛产马匹,适于耕种,人们强悍善于作战,并且出产盐铁,西夏人依靠这里来生存;横山城堡都控制险要地方,足以防守抵御。现在兴建工程,应当从银州开始,接下来把宥州迁移到乌延,再修建夏州城;这三郡鼎足相立,那么横山一带地方就被囊括进来了。接下来再修盐州城,那么横山强悍的士兵、战马和山泽盐铁收益,全部归我宋朝,地势上可以居高临下,俯视兴州、灵州,可以直捣贼兵巢穴。"

等到徐禧到达延州,奏请催促种谔回来。种谔还在路上,徐禧已经与沈括商议好了,先在永乐埭修城,于是上奏说:"银州虽然居于明堂川、无定河交接之处,但是旧城东南一带已经被河水淹没,西北方又有天堑之险,实在比不上永乐城的形势险要。臣等私下考虑,银州、夏州、宥州已经失陷百年,一旦收复,对于边境将士来说,实在是件伟大的战功;只是开始建州时,各种耗费难以资财计算。如果选择地势紧要的地方,修建堡垒,树立栅栏,名义上虽然不是州,实际上可以占有这里,原来的边疆要塞,就变成了腹心内地。臣等已经与沈括商议,修筑砦寨堡垒各六处,从永乐埭到长城岭设立六处砦寨,从背冈川到布娘堡设立六处堡垒。"神宗依从了。神宗诏令徐禧监护诸将去修筑永乐城,沈括把帅府移靠边塞,统兵支援,陕西转运判官李稷负责运送粮饷。

甲午(十五日),辽道宗举行秋山游猎仪式。

己酉(三十日),宋朝开始在南郊的东边修建雩坛,祭祀上帝,以太宗皇帝配享。

这一月,宋朝决开大吴埽河堤,来减轻灵平以下黄河各埽的险情。

辽国南京连续下雨,沙河泛滥,永清、归义、新城、安次、武清、香河六县庄稼被破坏。

八月,宋神宗把皇子均国公赵佣晋封为延安郡王,把昭容朱氏晋封为贤妃。

庚申(十一日),神宗生病。诏令每年四季头一月在景灵宫举行朝献礼。

辛未(二十二日),把凤州团练使种谔贬降为文州刺史,这是由于言官弹劾种谔前次绕道从绥德出征,让部队疲劳,浪费了钱财。种谔在入朝对答神宗回来以后,极力陈说在永乐筑城不是办法,徐禧生了气,脸色变了,对种谔说:"你难道不怕死吗,竟敢耽误快要完成的事情?"种谔说:"在永乐筑城,必然会失败,失败就会死;违背朝廷节制也是死;死在这里,还是胜过丧失朝廷军队、沦亡他国。"徐禧估计不能让他屈服,就奏请留下种谔守延州,自己率领各将去筑城。甲戌(二十五日),在永乐筑城,正开始夹板筑墙,羌人几十骑渡过无定河来窥看工役,曲珍准备追杀他们,徐禧不同意。

戊寅(二十九日),黄河在郑州原武埽决口,河水流入利津阳武沟、刁马河,流进了梁山泺。

诏令说:"原武决口已分去黄河十分之四以上的河水,如果不大加修治,将给朝廷带来巨大忧患。命令停修汴河堤岸,五千人合力筑堤,修闭决口。"

九月,甲申(初六),永乐城修筑成功,跟原来的银州治所相隔二十五里,宋神宗赐给名字叫银川砦。徐禧等人回到米脂,以一万士兵交给曲珍防守永乐城,李稷运来金银钱钞和布帛充实该城,他想向徐禧夸耀,认为城刚修好,城中就已充实了。永乐城与宥州相接,靠近横山,是西夏必争之地。徐禧等离开后,西夏人马就来进攻;曲珍派人报告徐禧,徐禧不相信,说:"如果他们立即前来。是我建立战功获取富贵的机会了!"边境使者飞马报告了十几次,徐禧才带领李舜举等前往。大将高永亨说:"永乐城小人少,又没有水源,恐怕守不住。"徐禧认为他在打击士气,把他戴上刑具送往延州监狱。丙戌(初八),徐禧、李舜举再次进入永乐城。西夏倾尽全国人马赶来,号称三十万,徐禧登上城墙往西张望,看不见西夏人马的尽头。丁亥(初九),西夏兵慢慢逼近,高永亨的兄长高永能请求在西夏人马还没列成阵时攻击他们,徐禧说:"你知道什么!帝王军队不向不成阵列的军队击鼓进攻。"于是用一万人在城下布列成阵,自己坐在城门楼上,手执黄旗,命令部队说:"看着我的旗子来进退。"贼人分兵发动进攻,来到城下。曲珍在水边列阵,地势不利,将士都面露惧色,就报告徐禧说:"现在军心已经动摇,不能作战,作战必定失败,请求收兵进城。"徐禧说:"你身为大将,怎么能遇上敌军还未作战,就自己先败退呢?"一会儿西夏人放出铁甲骑兵渡河,有人说:"这个号称铁鹞子,在他们渡过一半时就加以攻击,才可以取胜;一旦上了岸,那他们的锋芒就不能抵挡了。"徐禧不听从。铁甲骑兵过了河,猛烈进攻,纵横冲杀。当时鄜延路选锋军最为骁勇精锐,士兵都是以一当百的,最先上前接战,被打败,狂奔进城,践踏了后阵。西夏军队乘机前进,宋军大败,将校官寇伟、李师古、高世才、夏俨、程博古以及十几位朝廷使臣、八百多士兵,全部死在阵地上。曲珍和残兵败将进了城,山崖险峻,道路狭窄,骑兵沿着山崖上行,丧失战马八千匹。西夏军队于是包围了永乐城。

起初,沈括奏报西夏军队包围永乐城,看见宋军整齐,就回去了,神宗说:"沈括估计敌人太粗心了,他们来了却没有出兵作战,哪里肯马上退兵呢?必定是有大部队在后面。"不久果然是这样。

己丑(十一日),神宗因为病好了,把京畿地区的囚犯降罪一等,徒刑以下的囚犯释放出狱。

庚寅(十二日),辽道宗拜谒庆陵。

壬辰(十四日),辽国派遣使臣巡视京畿县里遭受水灾的百姓。

乙未(十七日),宋神宗诏令李宪、张世矩带兵去援救永乐城,又命令沈括派人与西夏谈判,只要西夏退兵,宋朝当归还永乐一带土地。

西夏军队包围永乐城,有几里厚的围兵,游动骑兵抢劫米脂,并占据了水寨。永乐城中宋军将士昼夜血战,城中缺水已好几天,凿井也找不到水源,渴死的人占大半数,甚至绞挤马粪汁来喝。西夏兵像蚂蚁一样爬上城来,宋军将士还捂住伤口搏斗。沈括、李宪的援兵和粮饷,都被西夏游动骑兵拦住了。种谔怨恨徐禧,不派兵援救。曲珍估计支持不下去,请求徐禧利用士兵还没尽时,突围出去,让将士们各自求生。徐禧说:"这个城占据险要地势,怎么能放弃呢!况且身为将领,自己逃跑,军心会动摇。"曲珍说:"不敢爱惜自己生命,只是皇上派来的使臣和谋臣全部死在这里,怕侮辱国家呀。"高永能也劝李稷拿出所有金钱布帛招募敢死士力战突围出去,徐禧全都不听从。西夏人呼叫曲珍来议和,吕整、景思义相继去了。西夏人剃光景思义的头发,关押起来。戊戌(二十日),晚上,天下大雨,西夏军队从四面加紧攻城,于是城陷落了。高永能的孙子高昌裔劝高永能从小路逃出去,高永能叹气说:"我从年少时就与西羌人作战,从没失败过。现在年纪已经七十,领受国家的大恩,只恨没法报答,这里就是我死的地方了!"回头换了一名士兵的破烂衣服,在作战中死去。徐禧、李舜举、李稷,都被乱兵杀害;曲珍、王湛、李浦、吕整光着脚板逃脱了;蕃部指挥马贵,独自一人,手持大刀,杀死几十人才死。西夏人在米脂城下炫耀武力后,才撤走。

徐禧喜好谈论兵战,每次都说:"西北地区唾手可得,只恨将帅胆怯!"吕惠卿极力举荐

1675

他,所以被破格任用。自从灵州失败后,秦、晋两地危急,天下期望停止战争,然而沈括、种谔奏陈用兵之策,徐禧更是以边境军务为己任,狂妄设谋,轻视敌军,以至于全军覆灭。李舜举本性稳重,跟别人讲话,从不提及宫禁事务,到这时被围得危急,他割断衣襟写奏章说:"臣死了没有什么怨恨的,希望朝廷不要轻视西夏贼人!"

庚子(二十二日),安化蛮夷侵犯宜州,知州王奇战死,神宗诏令追赠为忠州防御使。

丁未(二十九日),辽道宗驻跸于藕丝淀;遇上大风雪,牛马多被冻死,辽道宗给扈从官以下人员赏赐数量不同的衣服、马匹。

这一月,黄河在沧州南皮上下埽涨出堤岸,又在清池埽涨出来,又在永静军阜在下埽涨出堤岸。

冬季,十月,戊申朔(初一),沈括、种谔上奏说:"永乐城陷落,汉、蕃将官二百三十人,士兵一万二千三百多人阵亡。"神宗哭泣流泪,十分悲痛,为此不吃饭。早朝时,神宗当着辅政大臣哭泣,不敢抬起头来,接着叹气说:"永乐这次行动,没有一个人说不能去做。"蒲宗孟进言:"臣下曾经说过。"神宗严肃地说:"哪里说过!朝廷内只有吕公著,朝廷外只有赵卨,曾经讲过用兵不是好事。"当初神宗任用徐禧时,王安礼劝谏说:"徐禧志大才疏,必定误国误事。"神宗不听。等到败了,神宗说:"王安礼经常劝朕不要用兵,少兴案狱,原因就在此啊。"自从熙宁年间开拓边疆以来,共占得西夏葭芦、吴保、义合、米脂、浮图、塞门六处堡塞,可是灵州和永乐两次战役,官军、内附羌人、民间义保共死掉六十万人,耗费的银钱粮食布帛以万计算,也是不可计算清楚。神宗因此开始知道边地守臣不足信任,深深后悔用兵,再也不想往西征伐了。

辛亥(初四),提举汴河堤岸司上奏:"洛口广武埽黄河涨水,冲毁堤岸,毁坏下牌水闸,万一河水进入汴河,人力难以防堵,都城如此接近,深为忧虑。"神宗诏令都水监官员迅速前去防护。

甲寅(初七),知延州沈括,因为边防事务处置无方,贬为均州团练副使,随州安置;鄜延路副都总管曲珍,因为城陷败逃,降职为皇城使。

乙卯(初八),辽道宗命令耶律华格教导梁王耶律延禧,加官金吾卫大将军。

乙丑(十八日),神宗诏令追赠在永乐城战死的大臣徐禧为吏部尚书,李舜举为昭化军节度使,并赐给谥号为忠愍;追赠李稷为工部侍郎,高永能为房州观察使,录用他的儿子高世亮为忠州刺史;追赠入内高品张禹勤为皇城使。各人都得到数量不同的恩赏赐赠。

壬申(二十五日),诏令户部右曹在京东、淮、浙、江、湖、福建十二路征发常平钱八百万缗上缴元丰库。在熙宁年间以前,各路榷酒场大都用收入来补贴衙前差役的陪备官费,到熙宁年间推行免役法,才停止征收酒场钱,允许百姓增价出售,取增加部分的价值来付给衙前。当时有坊场钱,至元丰初年,施行已久,储积极其多。司农寺奏请每年调拨坊场钱一百万缗上缴京都,元丰三年时,就在司农寺南面修元丰库来贮积,有几百间仓库。凡是属于各司的钱帛,不是度支主管的,都运进元丰库,数量越来越大,准备在出现意外时使用。

资政殿学士、知太原府吕惠卿被加以大学士衔,进京拜见皇上,神宗准备仍旧派他镇防鄜延路。吕惠卿说:"陕西的军队,不但不能用来进攻,也不可以用来防守,不过是用来壮壮声势而已。"神宗说:"按吕惠卿讲起来,就是陕西地区应该放弃,哪里还可委任给他边防大事呢!"癸酉(二十六日),神宗数说吕惠卿轻浮急躁、矫旨诬陷的罪状,贬为单州知州。

种谔本来认为自己担任了统帅,建立功业在于自己,却被徐禧、沈括排斥到一旁。贼兵包围永乐城时,种谔以防守延州为名,袖手观望不去援救,永乐城于是失陷。神宗期望他将来效力,放过他没有问罪,并且担心贼兵前来,就任命他知延州。

丙子(二十九日),辽道宗拜谒乾陵。

十一月,戊寅朔(初一),停止御史巡察各路官衙,地方官员如有不称职的,命令言事御史上奏弹劾,这一条定为法令。

景灵宫建成,辛巳(初四),文武百官在集英殿门前依序排班,神宗前往蕊珠、凝华等宫殿举行告迁礼仪。壬午(初五),神宗在十一殿举行安神礼。癸未(初六),首次举行朝献礼。乙酉(初八),因为安神,大赦天下,给配享大臣的子和孙各一人封官。庚寅(十三日),在紫宸殿宴请侍祠官。

十二月,丁巳(十一日),新的音乐编成。

庚申(十四日),辽道宗把皇后萧氏降为惠妃,迁出后宫,居在乾陵,把她的妹妹送回到娘家。

辛酉(十五日),原武黄河决口被堵塞。

甲子(十八日),疏浚京师城外四壁的壕沟。

丙子(三十日),朝廷录用永乐城战役中殉职的将领皇城使寇伟、东上阁门副使景思谊等的家属,赏赐不同的抚恤。

元丰六年辽太康九年(公元1083年)

春季,正月,丁丑朔(初一),神宗驾临大庆殿接受朝贺,使用新编的音乐。此前神宗认为朝会的仪仗器物破旧,应当改做,诏令阁门和御史台详细制定朝会礼仪,改做仪仗、舆辂、冠服,至此开始在大殿上陈列。仪鸾司房子塌坏,毁坏了玉辂。

辛巳(初五),辽道宗举行春水游猎仪式。

乙未(十九日),神宗诏令修葺西周、两汉以来的陵庙。

乙巳(二十九日),神宗驾临崇政殿检阅武士。

丙午(三十日),追封战国楚三闾大夫屈原为忠洁侯。

二月,丁未朔(初一),西夏军队包围兰州,几十万人马突然来到,已夺取两个关隘,李浩关上城门来守卫。钤辖王文郁请求迎击敌人,李浩说:"城中骑兵不到几百人,怎么可以迎战?"王文郁说:"贼多我少,正应该挫败他们的锋锐,来安定大家心思,然后可以防守。这是张辽攻破合肥的战术。"等到晚上,召集敢死队员七百多人,从城上用绳子吊下来,手持短刀,突然袭击敌军,贼兵惊慌中溃散,争相渡河,淹死的人很多。

丙辰(初十),因为西夏人侵犯兰州,把李宪贬为经略安抚都总管。任命王文郁为西上阁门使,接替李浩知兰州。

甲子(十八日),三省上奏:"御史台的六察巡察官,以二年为一任。准备设立文簿,各人都记载他纠察弹劾次数多少和是否恰当。排定前后名次,年终时依条上报,听取圣旨进行升降,事情重大的,依事听取圣旨。"神宗听从了。

三月,辛卯(十六日),西夏军队侵犯兰州,副总管李浩由于守城有功,重任陇州团练使。

丙申(二十一日),河东守将薛义在葭芦西岭打败西夏军队。

己亥(二十四日),河东守将高永翼在真卿流部打败西夏军队。

夏季,四月,丙午朔(初一),辽国境内下大雪,平地上积雪丈多,冻死的马匹占十分之六七。

辛亥(初六),龙神卫四厢都指挥使、知延州种谔去世。种谔善于驾驭将士,但是残忍好杀,左右将士有人违犯军令,立即斩杀;或者先挖出肺肝,在座的人掩面不忍看下去,种谔却像往常一样饮酒吃饭。敌人也畏惧他敢于作战,所以多次立下战功。自从熙宁初年以来,种谔首先挑起边境战事,两次兴兵西征,都是种谔首先谋划,最终导致了永乐城大败,每每怨恨自己被徐禧、沈括所压抑,背上毒疮发作而死。议论的人说种谔不死的话,边境战事就不会停止。

甲子(十九日),礼部郎中林希呈上《两朝宝训》。

李浩在巴义溪打败西夏兵。

辛未(二十六日),天空落下尘土来。

这一月,中书舍人曾巩去世。曾巩写文章,风格自成一家。年轻时与王安石交游,王安石声名还没上来,曾巩把他介绍给欧阳修;等到王安石得了志,就和他分开了。神宗曾问:"王安石是怎样的人?"曾巩回答说:"王安石的文章、品行不比扬雄差,因为他气量小,所以赶不上扬雄。"神宗说:"王安石轻视富贵荣华,为什么说他的气量小?"回答说:"臣所说的气量小,是说他勇于有所作为,却吝于改正错误。"吕公著曾对神宗说:"曾巩品行比不上政事,政事比不上文章。"所以没有得到重用。

五月,庚寅(十五日),因为天旱,审理囚犯。

西夏兵侵犯兰州,包围了九天。甲午(十九日),双方大战,侍禁韦定战死。

癸卯(二十八日),诏令给资州孝子支渐赏赐粮食和布帛。

这一月,辽道宗前往黑岭。

西夏军队进犯麟州神堂寨,知州訾虎督率部队出城迎战,打败了他们。神宗诏令訾虎今后不得轻易出入,恐怕作战失败,损害国威,助长贼兵气势,遇上贼兵侵犯边境,只命令偏将带兵抵抗驱赶。

六月,乙巳朔(初一),诏令御史台六察各自设置一名御史。

癸丑(初九),任命礼部尚书黄履为御史中丞。黄履因为大臣中很多人由于细微过失而被罚金,于是上奏说:"大臣犯罪可以议处时,就可以贬斥他,如果可以饶恕,就可以宽免他,怎么能用罚金来表示羞辱呢?"当时又规定侍郎以下官员不许单独对答皇帝,黄履上奏说:"陛下广泛地访寻日常政事,即使是边远地方的小官小吏,犹且让他单独进见答对皇上,倒是对于侍从官员反而不允许呢?"于是修改了法令制度。御史翟忠奏报政事,有圣旨追问他从何得知。黄履进谏说:"御史以进言为本职,不是真的听说到,就没法奏报了。现在追究消息从什么地方得来,那么人人将以此为戒,台谏官再也听不到消息了。"

此前神宗诏令大理寺兼管审理所承受的内降公事,用心在于加重处置;大理少卿韩晋卿独自坚持公平核查证实,不故意加重或减轻处罚,神宗知道他的才干,尚书省建立时,把他提升为刑部郎中。全国的死罪奏请复审,执政大臣中有人认为烦多,要弹劾那些不应报送案件复审的人,韩晋卿正好在尚书省汇报,于是说:"听讼断案要符合事实,这是朝廷的心愿。如果奏请复审案件而获罪,以后就不会有人来了。"议论的人中有人援引唐代案件覆奏的先例,想把全国的普通案件都奏报给朝廷判决,韩晋卿说:"法律由全国掌握,但是那些值得疑惑、值得饶恕的案件上报请示,这是祖宗定下的制度。现在全国统一了,要把戴了刑具的犯人都关押起来等待朝廷处理,恐怕死在牢里的犯人多过认罪处死的犯人了。"朝廷都依从了。

己未(十五日),辽道宗驻跸于散水原。

甲子(二十日),任命耶律阿苏为契丹行宫都部署,任用耶律慎思为北院枢密副使。

庚午(二十六日),辽道宗命令各路检核脱离户籍的人,犯了死罪的加以宽免。

闰六月,乙亥朔(初一),西夏国君秉常派遣使臣来宋朝朝贡。永乐战役后,西夏人也因此困乏,他们的西南都统昂星嵬名济送信给宋泾原路刘昌祚,请求像往常那样和好来往。刘昌祚奏报给神宗知道,神宗告谕刘昌祚应允下来。等西夏进犯多次失败,国内财政更加衰竭,于是派遣使臣前来朝贡,上表说:"臣历代以来,遵奉并向朝廷进贡,没有什么亏慢的地方,直到近年来,还很友好和睦。想不到奸人诬陷离间,朝廷特意兴起大军,侵占疆土城堡,因此结下怨仇,以至于开战。现在乞请朝廷示以大义,归还所占土地。如果承蒙朝廷接受,我们将另外忠心报谢。"神宗赐予诏书说:"先前由于你们势力强大,竟敢侮辱朝廷,朕命令边境大臣前往查询,你们竟藏匿不回答。朝廷军队因此征伐,讨伐有罪之人。如今你们派遣便臣前来朝廷,言词礼节都很恭顺,并听说国家政事都恢复正常了,因而更加高兴称赞。已告诫边境官吏不能随便出兵,你们也要谨慎地遵守过去的盟约。"

戊寅(初四),神宗诏令陕西、河东经略司,在新收复的城堡巡逻,不要越出城外两三里范围,送给西夏的岁赐都一如往常,只有请求归还被占的疆土一项没有同意。

辽道宗得知被废为庶人的耶律浚的冤枉后,悔恨不及,追谥为昭怀太子,用礼改葬在玉峰山。

丙戌(十二日),汴水泛滥。

丁亥(十三日),准布部向辽国进贡。

己丑(十五日),辽国任命知兴中府事邢熙年为汉人行宫都部署,任用汉人行宫都部署王绩为南院枢密副使。

丙申(二十二日),守司徒、开府仪同三司韩国公富弼去世,谥为文忠。

富弼年纪八十,心中还放不下国家,上疏论说治理国家的关键,说:"臣听说自古以来导致天下得到治理或出现混乱的原因,不出两个方面:谄谀奸佞的人被重用,那么君主听不到自己的过失,只去做坏事,这样导致了混乱;忠诚正直的人被重用,那么君主每天都会受到开导和教益,只要是好事都听从实行,这样就能治理好国家。臣下自从离开朝廷,退居乡野,偶尔也知道一些时政,大多是谄谀奸佞的人竞相受到重用,忠诚正直的人被贬出朝廷,即使留在朝廷中的,大约担心得罪奸佞邪恶的人,也都闭起嘴巴不敢进陈什么了。"奏疏送来后,神宗对辅政大臣说:"富弼送来了奏疏。"章惇问:"富弼讲了什么事?"神宗说:"他讲朕的左右多是小人。"章惇说:"为什么不让他讲清楚谁是小人?"神宗说:"富弼是三朝元老,哪里能让他讲清楚!"王安礼进言:"富弼的话讲得对。"散朝后,章惇责备王安礼说:"右丞对皇上讲的话不恰当呀。"王安礼说:"我们这班人今天说'确实像皇上说的',明天说'皇上的学问不是臣下所能赶得上的',怎么不能叫作小人呢?"章惇无话可答。

富弼上疏后,又分条陈述当时政治中的失误等着皇上询问,亲手封好,交给他的儿子富绍庭。等到去世后,富绍庭把它交了上去。大意是说:"今天上自辅政大臣,下至普通官吏,惧怕祸害,谋取私利,已习以为常成为一股官场歪风,忠诚正直的言论,不再能够传进皇上耳朵,使得陛下耳目蔽塞。天下祸患已经形成,还不知道警惕悔改,创伤之后再来补救,一天比一天坏下去,恐怕要来不及了。陛下即位之初,奸邪之臣进献奸谋;陛下想励精图治之时,听信了不恰当的言论,自认为能拒绝大家的意见,不让不同意见被采纳,然后圣明的教化可行推行,事业可以成功。这是奸诈小人为自己谋利,有利于苟且偷安,取悦于人,而掌握国家政权的人,想独掌大权,为所欲为,实现自己的野心,于是贻害了陛下,放逐忠诚正直的人,选拔任用奸诈阴险的人,忠言再也听不到了,阿谀奉承的话却天天听得到。去年采纳边防守臣的狂妄建议,大举兴兵讨伐西夏,部队溃败,两路骚动不安。在兴兵之初,执政大臣、台谏官、侍从官,如果能够犯颜直谏,那么皇上的决心可以改变,灾祸自然消除了。臣不知道那时大小臣子,有没有人为陛下力争不能兴兵? 如今边境长期敌战,没有缓解,百姓穷困,难道忌讳过失、以败为耻而不想想及时解救祸难? 天地最为仁慈,难道去和羌夷计较曲直胜败? 希望归还他们侵占的土地,停止战争,休养百姓。朝廷政事中,没有比用人更为重大的。辅弼大臣的责任,论事进言官员的职务,都应当选任天下最好的人。那些贪求恩宠,患得患失,曲意顺从,谄媚讨好的人,怎么能加以任用呢? 事情一旦从皇上手里出来,到了下面就没有人来担负责任,小人于是能够弄奸作恶,事情办好了,下面的人得以窃取私利,事情不成功,就由君主独自当担其中的罪咎,这难道是上下同心、君臣同德吗?"又说:"宫闱宦官,委任他们统领一方,都是不合适的。如在朝廷外面,就依仗君主的权势和宠爱,欺压上下官员。进宫在皇帝左右服侍,宠信和俸禄过分,就容易产生骄纵怨望,彼此权势地位相当,猜忌争夺随之而来,结党生祸。"又说:"谋取财利的大臣,损害国家声望,给皇上招来怨恨。至于设场来停止民间借贷,好比修建房子却压住了旧房子,垄断河流水运,好比垄断了路边拾粪的小利,急于搜刮财富,使得怨声载道,这并非皇上为民谋利的本意。"

富弼为人恭俭好礼,与人讲话,即使年幼位贱的人,也都是毕恭毕敬,神色庄重,不露出喜怒表情。他喜好善良,痛恨邪恶,大概是出于天性。他常说:"君子与小人相处,势必有一方不能获胜。如果君子没有获胜,就会保全自己,退避下来,乐守正道,没有苦闷。如是小人没有获胜,就会互相勾结,煽动生事,用尽千方百计,一定要获胜了才会停止;等到他志得意满,就会肆意残害善良,想要天下不动乱,是不可能的。"富弼忠诚仁义的本性,越到年老越是淳厚,在家闲居十二年,时时刻刻都未曾忘记朝廷。

江、淮等路发运司每年漕运粮谷六百二十万石,副使蒋之奇负责漕运事务,在这个月到达京城,入朝觐进。神宗慰问很是周到,赏赐三品官服,并说:"朕不再另外任官,漕运事务就全部交付给爱卿了。"蒋之奇婉言谢绝,趁机分条陈述了漕运利病三十多件事,多数被采纳了。

秋季。七月,乙巳(初二),辽道宗在马尾山打猎。

乙卯(十二日),神宗在宗庙祔祭孝惠、孝章、淑德、章怀诸皇后。

丙辰(十三日),孙固称病请求辞职,于是被罢为观文殿学士、知河阳。任命同知枢密院韩缜知枢密院,户部尚书安焘同知枢密院。

丁巳(十四日),辽道宗拜谒庆陵。癸亥(二十日),禁止地方官员在内部贷钱收取利息,并禁止使臣在百姓家住宿。

八月,己卯(初六),太白金星在白天出现。

乙酉(十二日),前任桐城县尉周谔上书皇帝,神宗诏令中书省登记他的姓名。神宗每天览阅匦匣中的书信,对小臣所说的利害,都这样仔细审阅。

辛卯(十八日),蒲宗孟被罢免。此前宰相和执政大臣同时进见答对,神宗感叹没有人才可用,蒲宗孟说:"有一半的人才被司马光的邪说毒害了。"神宗不讲话,直盯着蒲宗孟,有很久一段时间。蒲宗孟很是害怕,觉得无地自容。神宗又说:"蒲宗孟竟然看不起司马光吗?不要说别的事情,就说他辞任枢密副使,朕从即位以来,看见只有他一人这样做。其他人即使逼迫他去职,也是不愿意啊。"接着又广泛地议论古今历史人物,蒲宗孟盛赞扬雄贤能,神宗变了脸色说:"扬雄的《剧秦美新论》,就写得不好。"散朝后,王安礼开玩笑似的对蒲宗孟说:"扬雄受你的牵累了。"到这时御史弹劾他荒于酒色,并且修建宅第超过标准,于是蒲宗孟只守本官,出知汝州。

任命尚书右丞王安礼为尚书左丞,任吏部尚书李清臣为尚书右丞。

九月,癸卯朔(初一),发生日食。

戊辰(二十六日),起居郎蔡京上奏说:"先前编修起居注的官员有两名,不分左右,因此每一月轮流一名官员编修。现在起居郎、起居舍人分别属于两省,以便与古代左右史官制度相合,因此左史应当记事,右史应当记言。请自今起,起居郎、起居舍人按左右史一样分别记言和记事。"神宗依从了。

己酉(初七),辽道宗在白石山射熊,把围场使尼噶加官为左金吾卫大将军。

辛未(二十九日),五国部酋长向辽国进贡。

壬申(三十日),辽道宗召集北、南枢密院官员讨论政事。

冬季,十月,癸酉朔(初一),西夏国王秉常派遣使臣上表朝廷,请求恢复按时朝贡,乞请归还过去疆土。安焘说:"有些不是要害的地方,本是应该给他的。但是胡人本性贪求无厌,应该让他知道我们宽恕他们的罪过而停止用兵,不可露出厌倦兵战的心情。"神宗于是赐给秉常诏书,说:"地界已命令鄜延路移文让宥州处理执行,岁赐等到地界了结时依旧奉送。"

丁丑(初五),辽道宗晋谒观德殿。

己卯(初七),辽国南院枢密使刘筠去世。

戊子(十六日),追封孟子为邹国公,这是由于吏部尚书曾孝宽奏言孟子没有被追封爵命的缘故。

壬辰(二十日),辽国混同郡王耶律伊逊在莱州私藏兵器,并计划投奔宋朝;事情被发觉后,辽道宗下令绞杀他。

癸巳(二十一日),会稽郡王赵世清去世。

庚子(二十八日),尚书省建成。

十一月,癸卯(初二),神宗给仁宗皇帝增加谥号,称体天法道极功全德神文圣武睿哲明孝皇帝,给英宗增加谥号为体乾应历隆功盛德宪文肃武睿神宣孝皇帝。甲辰(初三),在景灵宫举行朝献礼。乙巳(初四),在太庙行礼。丙午(初五),在圜丘祭祀昊天上帝,用太祖神位配享,从此开始停止合祭天地。回宫后,神宗驾临宣德门,大赦天下。

辽国进封梁王耶律延禧为燕国王,大赦天下。

辽国把南院宣徽使萧谟噶任为南府宰相,任用三司使王经为参知政事、知枢密院事。

甲寅(十三日),判河南府潞国公文彦博,以守太师、开府仪同三司退休。

庚申(十九日),神宗亲临尚书省,召集六部长官副官及下属,询问职内事务,趁机告诫训

1681

敕大家。

这一月,辽国确定各令史、译史按时晋升的等级。

十二月,丁亥(十七日),辽国任用邢熙年知南院枢密使事。辛卯(二十一日),任用王言敷为汉人行宫都部署。

此前高丽王王徽去世,辽国任命他的儿子三韩国公王勋暂时处理国事,到这时王勋又去世了。

这一年,辽国放榜录取了李君裕等五十一人为进士。

元丰七年 辽太康十年(公元 1084 年)

春季,正月,辛丑朔(初一),辽道宗举行春水游猎仪式。

丙午(初六),宋神宗封洺州防御史赵世准为安定郡王。

辽国重建南京奉福寺佛塔。

癸丑(十三日),西夏军队进犯兰州,李宪等打退了他们。

甲寅(十四日),宋神宗把贤妃朱氏晋封为德妃。

辛酉(二十一日),神宗诏令黄州团练副使苏轼改任汝州。神宗常常爱怜苏轼的才学,曾对辅政大臣说:"编修国史是件大事情,朕打算让苏轼来完成。"辅政大臣现出为难的表情,神宗说:"不用苏轼,就用曾巩。"后来曾巩也不符合神宗心意,神宗又下旨起用苏轼,让他以本官知江州。蔡确、张璪接受了命令,独有王珪认为不行。第二天,改任苏轼为江州太平观,又过一天,任命文书没有发下去。因此最后神宗发出手谕,把苏轼移任汝州,其中有"苏轼贬居思过,经历一年认识更深,人才实在难得,不忍永远遗弃"的话。苏轼上表辞谢,并说有田产在常州,希望去常州居住。神宗听从他的请求,改任为常州团练副使。

戊辰(二十八日),辽道宗前往山榆淀。

二月,庚午朔(初一),河北转运使、措置河北籴便吴雍上奏说:"现在储积的粮食、草料总共是一千一百七十六万石,用盈余补充不足,可以支用六年。河北十七州的边防大计,仓库存积丰富,虽然仰仗于丰年,实际上是官吏能干称职。同措置王子渊,任职九年来,全心全意为公家做事,希望朝廷考察他的成绩,以勉励有才干的官吏。"神宗诏令赏赐王子渊紫章服。

甲戌(初五),已经退休的太师文彦博入朝觐见,神宗在垂拱殿设酒款待。

癸未(十四日),把濮阳郡王赵宗晖晋封为嗣濮王,把赵宗晟封为高密郡王,封赵宗绰为建安郡王,封赵宗隐为安康郡王,封赵宗瑗为汉东郡王,封赵宗愈为华原郡王。

三月,辛丑(初二),赏赐文彦博在琼林苑宴饮,神宗写诗赠给他。

丁巳(十八日),神宗在集英殿大宴群臣,皇子延安郡王赵煦侍立在御座旁边,王珪率领百官在殿前祝贺。升殿后,神宗命令王珪等人与郡王相见,过了很久,郡王才退下去。郡王还没有离开宫中到封地去,所以神宗特意让他陪宴,借以与群臣见面。

辽道宗命令知制诏王师儒、牌印郎君耶律固教导燕王耶律延禧。辽道宗追记起萧乌纳保护皇孙的功劳,曾对王师儒说:"萧乌纳忠厚正直,即便是与狄仁杰辅佐唐室,乌珍拥立穆宗相比,也不能超过他。爱卿等应该告诉燕王让他知道。"不久命令萧乌纳任殿前都点检,辅导燕王。

庚申(二十一日),神宗驾临崇政殿,大规模检阅军队。

壬戌(二十三日),神宗诏令任用太学外舍生钱塘人周邦彦为试太学正。周邦彦呈献《汴都赋》,文采可取,所以提升他。

夏季,四月,丁丑(初八),神宗赐给饶州童子朱天锡《五经》出身。

女真人向辽国进贡良马。

癸巳(二十四日),西夏军队侵犯延州安塞城堡,守将吕真打败了他们。

五月,壬子(十四日),审理囚犯,死刑犯人降罪一等,杖刑以下囚犯释放。

庚申(二十二日),神宗诏令中书舍人蔡卞前去江宁府探视王安石的病情。蔡卞,是王安石的女婿。

壬戌(二十四日),诏令:"从今以后春秋祭祀先师圣人,以邹国公孟子配享文宣王孔子,神位设在衮国公的后面。"又追封荀况为兰陵伯,扬雄封为成都伯,韩愈封为昌黎伯,按朝代先后从祀在二十一贤中间。

诏令各路将帅长官和监司等推荐大使臣担任将领。

辽道宗驻跸于散水原。

乙丑(二十七日),准布部向辽国进贡。

六月,礼部上奏说:"欧阳修等编订《太常因革礼》,从建隆年间开始,到嘉祐年间为止,有一百卷。嘉祐年间以后的礼仪,欠缺没有编录进去。熙宁年间以来,设置的礼仪,足以用来垂示万代,请下令太常寺,委任博士继续编写,以备检讨查阅。"神宗听从。

丙子(初八),西夏军队侵犯德顺军,巡检王友战死。

戊子(二十日),集禧观使王安石奏请在他居住的宅院建立禅寺,请神宗赐匾额名号。神宗同意了,赐给保宁禅院的匾额。王安石自从儿子王雱死后,晚年十分悲痛怀念,就捐出半山园宅院建造寺院,又分出田地作为寺院常住,来为儿子求得冥福等等。

辛卯(二十三日),江夏郡王赵宗惠去世。

壬辰(二十四日),辽国禁止毁铜钱改铸铜器。

续资治通鉴卷第七十八

【原文】

宋纪七十八　起阏逢困敦【甲子】七月,尽旃蒙赤奋若【乙丑】十二月,凡一年有奇。

神宗体元显道法古立宪帝德　王功英文烈武钦仁圣孝皇帝

元丰七年　辽太康十年【甲子,1084】　秋,七月,甲辰,伊、洛溢、河决元城,知大名府王拱辰言:"河水暴至,数十万众号叫求救,而钱谷禀转运,常平归提举,军器工匠隶提刑,埽岸物料兵卒即属都水,盐运司在远,无一得专,仓卒何以济民! 望许不拘常制。"诏:"事干机速,奏覆牒禀所属不及者,如所请。"

丙午,遣使赈恤,赐溺死者家钱。

辽主如黑岭。

甲寅,王安礼罢。先是侍御史张汝贤弹奏王珪与安礼陈乞子侄差遣,以为引用都省批状,例外起例,实害大政。帝以有条许用例奏钞,汝贤章格不下。安礼闻之,面奏乞治汝贤罪,帝令分析。汝贤奏安礼不能修身治家,且言在湖、润与倡女共政。帝以其章付三省,谓安礼曰:"汝贤奉弹不当,固有罪;其所言奸污事,卿果如此,何以复临百官?"帝虽黜汝贤,安礼亦不自安,因奏:"往以兄安石疾病,尝乞知江宁,愿申前请。"遂以端明殿学士知江宁府。

八月,庚午,诏知泸州王光祖遣人招谕乞弟,许出降免罪补官。乞弟既失土,穷甚,往来诸蛮间,无所依。帝犹欲招来之,许以自新。未几,乞弟死,于是罗始党斗然、斗更等酋长及新取生界两江夷族,请依诸姓团结,皆为义军;从之。泸夷震慑,不复为边患。

癸巳,衢州言太子少保致仕赵抃卒。赠太子少师,谥清献。抃和易长厚,气貌清逸,人不见其喜愠。平生不治资业,不畜声妓。嫁兄弟之女十数,它孤女二十馀人,施德惮贫,盖不可胜计。日所为事,入夜,必衣冠露立,焚香以告天,不可告则不敢为也。其为吏,善因俗施设,宽猛不同在处,典成都,尤为世所称道。帝每诏二郡守,必举抃为言,要之以惠利为本。知越州时,诸州皆榜衢路禁增米价,抃独令有米者任增价粜之,于是米商辐辏,价乃更贱,人无饥者。

九月,癸亥,辽主如藕丝淀。

乙丑,夏人围定西城,烧龛谷族帐,熙河将秦贵败之。

冬,十月,乙亥,以给事中韩忠彦为礼部尚书。忠彦入谢,帝谕曰:"先令公之勋,朕所不敢忘;卿复尽忠朝廷,此未足以酬卿也。"

夏人寇熙河。

庚辰，饶州童子朱天申对于睿思殿，赐《五经》出身。自宝元初罢童子科，至是始置，前后赐出身者五人。

戊子，诏分画交趾界，以六县、二峒赐之。

先是交趾以追捕侬智会为辞，犯归化州；又遣其臣黎文盛来广西办理顺安、归化境界，经略使熊本遣左江巡检成卓典议，文盛称陪臣，不敢争执。诏以文盛能遵乾德恭顺之意，赐之袍带及绢五百匹。至是乃以八隘之外保乐六县、宿桑三峒予乾德。

乙未，夏人寇静边砦，泾原钤辖彭孙败之。十一月，丁酉朔，寇清边砦，队将白玉、李贵死之。

甲辰，夏国主秉常遣使来贡。

乙卯，太白昼见。

十二月，戊辰，以端明殿学士兼翰林侍读学士司马光为资政殿学士，校书郎、前知泷水县范祖禹为秘书省正字；并以修《资治通鉴》书成也。自治平开局，光与刘攽、刘恕、范祖禹及子康编集，前后六任，听以书局自随，给之禄秩。光于是遍阅旧史，旁采小说，抉摘幽隐，上起周威烈王二十三年，下终五代，凡一千三百二十六年，修成二百九十四卷；又略举事目，年经国纬，以便检寻，为《目录》三十卷；参考群书，评其同异，俾归一涂，为《考异》三十卷。合三百五十四卷，历十九年而成。至是上之，降诏奖谕，赐银帛衣带鞍马。帝谓辅臣曰："前代未尝有此书，过荀悦《汉纪》远矣。"迁光及祖禹官。时刘恕已卒，刘攽坐废黜，故不及。后光病《目录》太简，更为《举要历》八十卷而未成，又别著《历年》二卷，《通历》八十卷，《稽古录》二十卷。

庚寅，诏门下、中书外省官同举言事御史。

辽诏改明年元曰大安，赦杂犯死罪以下，改庆州大安军曰兴平。

河东饥，河北水，坏洺州庐舍；并蠲其税。

是岁，秋宴，帝感疾，始有建储意。又谓辅臣曰："来春建储，其以司马光、吕公著为师保。"

阳武邢恕，少俊迈，喜功名，论古今成事，有战国纵横气习。从程颢学，因出入光、公著门，公著荐为崇文院校书。王安石亦爱之，恕对其子雱语新法不便，安石闻之怒，斥知延陵县。县废，不复调，浮湛陕、洛间者七年，复为校书，吴充用为馆阁校勘，历史馆检讨、著作佐郎。确代充相，尽逐充所用人，恕深居惧及。帝见其《送文彦博诗》，称于确，谓恕久在馆中当迁，确不可，帝弗顾。确有机巧，知帝将擢恕，退，即除职方员外郎，自是恕为确党矣。帝有复用光、公著意，确以恕于两人为门下客，亟结纳之。恕亦深自附托，乃为确画策，稍收召名士，于政事微有更革。及光为资政殿学士，确知其必复用，欲自托于光，乃谓恕曰："上以君实为资政殿学士，异礼也。君实好辞官，确晚进，不敢进书。和叔门下士，宜以书言不可辞之故。"和叔，恕字也。恕但与光子康书，致确语；康以白光，光笑而不答，亦再辞而后受之。

八年 辽大安元年【乙丑，1085】 春，正月，丁酉，辽主如混同江。

戊戌，帝不豫。甲辰，赦天下。

乙巳，命辅臣代祷景灵宫。乙卯，分遣群臣祷于天地、宗庙、社稷。自帝不豫后，三省、枢密院日诣寝阁问疾，至是疾小瘳，手书谕王珪等，自今可间日入问。

是月，辽以王绩知南院枢密使事，邢熙年为中京留守。以枢密直学士杜公谓参知政事。

公谓,防之子也。

五国部长贡良马于辽。

二月,辛未,辽主如山榆淀。

辛巳,开宝寺贡院火;丁亥,命礼部锁试别所。

癸巳,帝大渐,迁御福宁殿,三省、枢密院入问,见帝于榻前。王珪言:"去冬尝奉圣旨,皇子延安郡王来春出邪,愿早建东宫。"凡三奏,帝三顾,微首肯而已。又乞皇太后权同听政,候康复日依旧,帝亦顾视首肯,珪等乃出。

先是蔡确虑帝复用吕公著、司马光,则必夺己相,乃与邢恕谋为固位计。恕雅与皇太后侄高公绘、公纪游,帝初寝疾,恕密问公绘,公绘具言疾可忧状,恕闻此,更起邪谋。确尝遣恕邀二人,二人辞不往。明日,又遣人招置东府,确曰:"宜往见邢职方。"既见,恕曰:"家有桃著白花,可愈人主疾,其说出《道藏》,幸枉一观。"入中庭,则红桃花也,惊曰:"白花安在?"恕执二人手曰:"右相令布腹心,上疾未损,延安郡王幼冲,宜早定议。雍、曹皆贤王也。"二人复惊曰:"此何言,君欲祸我家邪!"急趋出。

恕计不行,反谓雍王颢有觊觎心,皇太后将舍延安郡王而立之,王珪实主其事,与内殿承制致仕王棫造诬谤。棫,开封人,常从高遵裕掌机宜于泾原,倾巧士也,故恕因之。

又知确与珪素不相能,欲借此以陷珪。它日,丞问确曰:"上起居状比何如?"确曰:"疾向安,将择日御殿。"恕微哂曰:"上疾再作,失音直视,闻禁中已别有处分,首相外为之主。公为次相,独不知邪?一日片纸下,以某为嗣,则公未知死所矣。公自度有功德在朝廷乎?天下士大夫素归心乎?"确竦然曰:"然则计将安出?"恕曰:"延安郡王今春出邪,上去冬固有成言,群臣莫不知。公盍以问疾率同列俱入,亟于上前白发其端。若东宫因公言而早建,千秋万岁后,公安如泰山矣。"确深然之。恕又曰:"此事当略设备,今与平时不同,庶可以自表见。其曲折第告子厚,馀人勿使知。"子厚,章惇字也。确谢,谓恕曰:"和叔见子厚,具言之。"惇许诺。遂与确定议,仍约知开封府蔡京以其日领壮士待变于外廷,谓曰:"大臣共议建储,若有异议者,当以壮士入斩之。"

是日,三省、枢密院俱入问疾,初亦未敢及建储事。既退,乃于枢密院南厅共议之。确、惇屡以语迫珪,幸即小持异,即首诛之。珪口吃,连称是字数声,徐曰:"上自有子,复何异!"确、惇顾无如畦何。寻复入奏,得请,俱出,逢雍、曹二王于殿前,惇厉声曰:"已得旨,立延安郡王为皇太子矣。奈何?"雍王曰:"天下幸甚。"已而禁中按堵如故。

确等邪谋虽不得逞,其踪迹诡秘亦莫辨诘,各自谓有定策功。事久语闻,卒贻后祸,其实本恕发之。

三月,甲午朔,执政诣内东门,入问候,皇太后垂帘,皇子立帘外。太后谕珪等:"皇子清俊好学,已诵《论语》七卷,略不好弄,止是学书。自皇帝服药,手写佛经(三)〔二〕卷祈福。"因出所写示珪等。书字极端谨,珪等拜贺。遂宣制,立为皇太子,改名煦,仍令有司择日备礼册命。又诏:"应军国政事,并皇太后权同处分,候康复日依旧。"

乙未,赦天下,遣官告于天地、宗庙、社稷、诸陵。

丁酉,皇太后命吏部尚书曾孝宽为册立皇太子礼仪使。

戊戌,帝崩于福宁殿,年三十有八。宰臣王珪读遗制:"皇太子即皇帝位。尊皇太后为太皇太后,皇后为皇太后,德妃朱氏为皇太妃。应军国事,并太皇太后权同处分,依章献明肃皇后故事。"

帝天性孝友,其入事两宫,侍立终日,虽寒暑不变;亲爱二弟,无纤豪之间,终帝之世,乃出居外第。总揽万几,小大必亲。御殿决事,或日昃不暇食,侍臣有以为言者,帝曰:"朕享天下之奉,非喜劳恶逸,诚欲以此勤报之耳。"谦冲务实,终身不受尊号。

时承平日久,事多舒缓,帝厉精图治,欲一振其弊;又以祖宗志吞幽蓟、灵武而数败兵,奋然将雪数世之耻。王安石遂以富强之谋进,而青苗、保甲、均输、市易、水利诸法,一时并兴,天下骚然,痛哭流涕者接踵而至。帝终不觉悟,方废逐元老,摈斥谏士,行之不疑,祖宗之良法美意,变坏几尽,驯至靖康之祸。

己亥,赦天下常赦所不原者。

遣使告哀于辽。

白虹贯日。

庚子,命宰臣王珪为山陵使。

甲寅,以群臣固请,始同太皇太后听政。帝甫十岁,临朝庄严,左右仆御,莫敢窥其喜愠。

己未,赐叔雍王颢、曹王俭赞拜不名;令中外避太皇太后父遵甫名。

诏:"边事稍重者,枢密院与三省同议以进。"

庚申,进封尚书左仆射郇国公王珪为岐国公。雍王颢为扬王,曹王俭为荆王,并加太保。进封弟宁国公佶为遂宁郡王,仪国公佖为大宁郡王,成国公俣为咸宁郡王,和国公似为普宁郡王。以高密郡王宗晟、汉东郡王宗瑗、华原郡王宗愈、安康郡王宗隐、建安郡王宗绰并为开府仪同三司。(太师潞国公文彦博为)司徒济阳郡王曹佾为太保,特进王安石为司空,馀进秩有差。

秘书省正字范祖禹上疏论丧服之制曰:"先王制礼,君服同于父,皆斩衰三年。盖恐为人臣者不以父事其君,此所以管乎人情也。自汉以来,不唯人臣无服,而人君遂不为三年之丧。唯国朝自祖宗以来,外廷虽用易月之制,而宫中实行三年之服。且易月之制所以难改者,以人君自不为服也。今君服已如古典,而臣下犹依汉制,是以大行在殡,百官有司皆已复其故常,容貌衣服,无异于行路之人。岂人之性如此其薄哉?由上不为之制礼也。今群臣虽易月而人主实行丧,故十二日而小祥,期而又小祥;二十四日而大祥,再期而又大祥。小祥、大祥不可以有二也,既以日为之,又以月为之,此礼之无据者也。古者再期而大祥,中月而禫。禫者,祭之名,非服之色也;今乃为之惨服三日然后禫,此礼之不经者也。既除服,至葬而又服之,祔庙后即吉,才八月而遽纯吉,无所不佩,此又礼之无渐者也。易月之制,因袭已久,不可复追。宜令群臣朝服正如今日而未除衰,至期而服之,渐除其重者,再期而又服之,乃释衰,其馀则君服斯服可也。至于禫,不必为之服,唯未纯吉,以至于祥,然后无所不佩。则三年之制,略如古矣。"诏礼官详议。礼部尚书韩忠彦等言:"朝廷典礼,时世异宜,不必循古。且先王恤典,节文甚多,必欲循古,又非特如所言而已。今既不能尽用,则当循祖宗故事及先帝遗制。"诏从其议。

司马光入临,卫士见光,皆以手加额曰:"此司马相公也。"所至民遮道聚观,马既不得行,曰:"公无归洛,留相天子,活百姓。"光惧,会放辞谢,遂径归洛。

太皇太后闻之,诘问主者,遣内侍梁惟简劳光,问所当先者。光乃上疏曰:"近岁士大夫以言为讳,间阎愁苦于下而上不知,明主忧勤于上而下无所诉,此罪在群臣,而愚民无知,归怨先帝。臣愚以为今日所宜先者,莫若明下诏书,广开言路,不以有官无官,凡知朝政阙失及民间疾苦者,并许进实封状,尽情极言。仍颁下诸路州军,出榜晓示,在京则于鼓院投下,委主判官画时进入;在外则于州军投下,委长吏即日附递奏闻。皆不得责取副本,强有抑退。群臣若有沮难者,其人必有奸恶,畏人指陈,专欲壅蔽聪明,此不可不察。"从之。

夏,四月,丙寅,初御紫宸殿。

辛未,诏宽保甲、养马,蠲元丰六年以前逋赋。

(壬申,罢免役钱。)

甲戌,诏曰:"先皇帝临御十有九年,建立政事以泽天下;而有司奉行失当,几于繁扰,或苟且文具,不能布宣实惠。其申谕中外,协心奉令,以称先帝惠安元元之意。"

乙亥,诏以太皇太后生日为坤成节。

丁丑,谕枢密、中书通议事都堂。

以资政殿大学士吕公著兼侍读。公著时知扬州,特召用之,遵先帝意也。

以资政殿学士司马光知陈州。

庚辰,知太原府吕惠卿遣步骑二万袭夏人于聚星泊,斩首六百级。

辛巳,遣使以先帝遗留物遗辽,及告即位。

以职方员外郎邢恕为右司员外郎。蔡确欲因恕以结司马光、吕公著,故骤迁都司。

〔乙酉〕,枢密院言:"府界三路保甲,两丁之家止有病丁并田不及二十亩者,听自陈,提举司审验与放免。"从之。

丁亥,复蠲旧年逋赋。

辛卯,辽主西幸。

五月,乙未,诏百官言朝政阙失,榜于朝堂。时大臣有不欲者,于诏语中设六事以禁切言者曰:"若阴有所怀,犯其非分,或扇摇机事之重,或迎合已行之令,上则顾望朝廷之意以侥幸希进,下则眩惑流俗之情以干取虚誉,若此者,必罚无赦。"

诏知陈州司马光过阙入见。先是光上疏言:"谏争之臣,人主之耳目也。太府少卿宋彭年,言在京不可不并置三衙管军臣僚。水部员外郎王鄂,乞依令保马元立条限,均定逐年合买之数;又乞令太学增置《春秋》博士。朝廷以非其本职而言,各罚铜三十斤。陛下临政之初,而二臣首以言事获罪,臣恐中外闻之,忠臣解体,直士挫气,太平之功尚未可期也。"于是令光过阙入见,使者劳问,望相于道。

丁酉,群臣请以十二月八日为兴龙节。帝本以七日生,避僖祖忌辰,故移其节于次日。

戊戌,诏苏轼复朝奉郎、知登州。

己亥,诏吕公著乘传赴阙。

庚子,以程颢为宗正寺丞。

壬寅,城熙、兰、通远军,赐李宪、赵济银帛有差。

甲辰,作受命宝。

丙午,京师地震,起西时,即止。

复置辽州。

诏:"开封府界三路弓兵,并依保甲未行以前复置。"

庚戌,尚书左仆射兼门下侍郎岐国公王珪卒。赠太师,谥文恭。礼部言当举哀成服,诏以大行在殡,罢之。珪自执政至宰相凡十六年,无所建明,时号"三旨宰相",以其上殿进呈云"取圣旨",上可否讫云"领圣旨",既退谕稟事者云"已得圣旨"故也。又与蔡确比以沮司马光,而兴西师之役为清议所抑。

改命蔡确为山陵使。

丙辰,赐礼部奏名进士焦蹈等及诸科及第、出身、同出身四百六十一人。

太皇太后驿召司马光、吕公著,未至,遣中使迎劳,手书问今日设施所宜先。未及条上,已散遣修京城役夫,减皇城逻卒,止禁庭工技,出近侍尤无状者,戒中外无苛敛,宽民间保户马,罢所买物货场。事由中旨,王珪等弗预知也。从父遵裕坐西征失律抵罪,蔡确欲献谀以固位,乞复其官,后曰:"遵裕灵武之役,涂炭百万。先帝中夜得报,起,环榻行,彻旦不能寐,自是惊悸,驯致大故,祸由遵裕,得免刑诛幸矣;先帝肉未冷,吾何敢顾私恩而违天下公议乎!"确悚栗而退。

戊午,以尚书右仆射兼中书侍郎蔡确为尚书左仆射兼门下侍郎,知枢密院事韩缜为尚书右仆射兼中书侍郎,门下侍郎章惇知枢密院,资政殿学士司马光为门下侍郎。

初,光以知陈州过阙,入见,太皇太后遣中使以五月五日诏书示光。光言:"诏书始末之言,固已尽善;中间逆以六事防之,臣以为人唯不言,言则入六事矣。或于群臣有所褒贬,则谓之阴有所怀;本职之外微有所涉,则谓之犯非其分;陈国家安危大计,则谓之扇摇机事之重;或与朝旨暗合,则谓之迎合已行之令;言新法不便当改,则谓之观望朝廷之意;言民间愁苦可悯,则谓之眩惑流俗之情。然则天下之事,无复可言者,是诏书始于求谏而终于拒谏也。乞删去中间一节,使人尽所怀,不忧黜罚,则中外之事,远近之情,如指诸掌矣。"

至是拜门下侍郎,光辞,二札并进。其一请厘革新法曰:"先帝厉精求治以致太平,不幸所委之人不足以仰副圣志,多以己意轻改旧章,谓之新法。其人意所欲为,人主不能夺,天下莫能移。搢绅士大夫望风承流,竞献策画,作青苗、免役、市易、赊贷等法。又有边鄙之臣,行险徼幸,轻动干戈,深入敌境,使兵夫数十万暴骸于旷野。又有生事之臣,建议置保甲、户马以资武备,变茶盐、铁冶等法,增家业侵街商税钱以供军需,非先帝之本志也。先帝升遐,臣奔丧至京,乃蒙太皇太后陛下特降中使,访以得失。顾天下事务至多,但乞下诏,使吏民得实封上言,庶几民间疾苦无不闻达。既而闻有旨罢修城役夫,撤巡逻之卒,止御前造作,京城之民已自欢跃。及臣归西京之后,继闻斥退近习之无状者,戒饬有司奉法失当过为繁扰者,罢物货场及所养户马,又宽保马年限,四方之人,无不鼓舞圣德。凡臣所欲言者,陛下略以行之。然尚有病民伤国有害无益者,如保甲、免役钱、将官三事,皆当今之急务,厘革所宜先者,别状奏闻,伏望早赐施行。"

时方遣中使召光受告,光复辞。太皇太后赐以手诏曰:"先帝新弃天下,天子幼冲,此何时,而君辞位邪?"且使梁惟简宣旨曰:"早来所奏,备悉卿意,再降诏开言路,俟卿供职施行。"光由是不敢复辞。

时民日夜引领以观新政,而议者犹以为三年无改于父之道,光慨然争之曰:"先帝之法,其善者虽百世不可变也。若王安石、吕惠卿等所建,为天下害,非先帝本意者,改之当如救焚拯溺,犹恐不及。昔汉文帝除肉刑,斩右趾者弃市,笞五百者多死,景帝元年即改之。武帝作盐铁、榷酤、均输算法,昭帝罢之。唐代宗纵宦官求赂遗,置客省,拘滞四方之人,德宗立未三月罢之。德宗晚年为宫市,五坊小儿暴横,盐铁月进羡馀,顺帝即位罢之。当时悦服,后世称颂,未有或非之者也。况太皇太后以母改子,非子改父乎!"于是众议乃息。

六月,丙寅,罢府界三路保甲不许投军及充弓箭手指挥。

戊辰,辽主驻拖古烈。

庚午,赐楚州孝子徐积绢米。积三岁父殁,每旦,哭甚哀。母使读《孝经》,辄流涕。事母尽孝,朝夕冠带定省。年四十,不婚不仕。不婚者,恐异姓不能尽心于母也;不仕者,恐一日去其亲也。乡人勉之就举,遂偕母之京师。既登第,未调官而母亡,遂不复仕。监司上其行,以为郡教授。久之,致仕,归山阳。积尝语苏轼曰:"自古皆有功,独称大禹之功,自古皆有才,独称周公之才,以其有德以将之故尔。"轼然其言。

辽主念萧乌纳之忠,欲使尚越国公主。公主,辽主第三女,先下嫁萧酬(幹)〔斡〕,时(幹)〔斡〕以罪离婚,故欲使乌纳尚之,乌纳固辞。壬申,改王绩为南府宰相,即命乌纳兼知南院枢密使事。

丙子,以资政殿学士韩维知陈州。维初赴临阙庭,太皇太后降手诏劳问。维奏:"治天下之道,不必过求高远,在审人情而已。识人情不难,以己之心推人之情可见矣。人情贫则思富,苦则思乐,劳困则思息,郁塞则思通。陛下诚能常以利民为本,则人富矣;常以爱民为心,则人乐矣;役事之有妨农务者去之,则劳困息矣;法禁之无益治道者蠲之,则郁塞通矣。"又奏:"臣尝请陛下深察盗贼之原,罢非业之令,宽训练之程,盖为保甲、保马发也。臣非谓国马遂不可养,但官置监牧可矣;非谓兵民遂不可教,但于农隙一时训练可矣。"至是,起知陈州;未行,召兼侍读,加大学士。

丁丑,宗正寺丞程颢卒。颢十五六时,与弟颐闻周惇颐论学,遂厌科举,慨然有求道之志,泛滥于诸家,出入于释、老者几十年,反求诸《六经》而后得之。其言曰:"道之不明,异端害之也。昔之害近而易知,今之害深而难辨;昔之惑人也乘其迷暗,今之惑人也因其高明。是皆正路之榛芜,圣门之蔽塞,辟之而后可以入道。"颢卒,文彦博表其墓曰"明道先生"。弟颐序之曰:"孟轲死,圣人之学不传,先生生于千四百年之后,得不传之学于遗经,自孟子之后,一人而已。"

〔戊寅〕,以奉议郎、知安喜县事清平王岩叟为监察御史。初,神宗诏近臣举御史,举者意属岩叟而未及识。或谓可一往见,岩叟笑曰:"是所谓呈身御史也。"卒不见。至是,用刘挚荐入台。

癸未,吕公著入见,太皇太后遣中使赐食。公著上奏十事:一曰畏天,二曰爱民,三曰修身,四曰讲学,五曰任贤,六曰纳谏,七曰薄敛,八曰省刑,九曰去奢,十曰无逸。又上奏言:"先帝新定官制,设谏议大夫、司谏、正言,员数甚备。宜选骨鲠敢言之士,遍置左右,使职谏争。又,御史之官,号为天子耳目,而比年以来,专举六察故事。伏乞尽罢察案,止置言事御史四人或六人,仍诏谏官、御史并须直言无讳,规主上之过失,举时政之纰缪,指群臣之奸党,陈下民之疾苦。"

诏:"户部拘催市易息钱准赦除放外,其本钱特与展限三年。"

丁亥,诏曰:"朕初揽庶政,郁于大道,夙夜祗畏,惧无以章先帝之休烈而安辑天下之民。永惟古之王者,御治之始,必明目达聪以防壅蔽。《诗》不云乎:'访予落止。'此成王所以求助而群臣所以进戒,上下交儆,以遂文、武之功,朕甚慕焉。应中外臣僚及民庶,并许实封直言朝政阙失,民间疾苦,在京于登闻鼓、检院投进,在外于所属州军驿以置闻,朕将亲览,以考求其中而施之。"司马光凡三奏乞改前诏,于是始用其言也。

吕公著既上十事,太皇太后遣中使谕公著曰:"览卿所奏,深有开益。当此拯民疾苦,更张何者为先?"庚寅,公著复上奏曰:"自王安石秉政,变易旧法,群臣有论其非便者,指以为沮坏法度,必加废斥。是以青苗、免(税)〔役〕之法行而取民之财尽,保甲、保马之法行而用民之力竭,市易、茶盐之法行而夺民之利悉,若此之类甚众。更张须有术,不在仓卒。且如青苗之法,但罢逐年比校,则官司既不邀功,百姓自免抑勒之患。免役之法,当少取宽剩之数,度其差雇所宜,无令下户虚有输纳。保甲之法,止令就冬月农隙教习,仍委本路监司提案,既不至妨农害民,则众庶稍得安业。至于保马之法,先朝已知有司奉行之缪;市易之法,先帝尤觉其有害而无利;及福建、江南等路配卖茶盐过多,彼方之民殆不聊生,恐当一切罢去,而南方盐法,三路保甲,尤宜先革者也。陛下必欲更修庶政,使不惊物听而实利及民,莫若任人为急。"又上奏曰:"孙觉方正有学识,可以充谏议大夫。范纯仁刚劲有风力,可以充谏议大夫或户部右曹侍郎。李常清直有守,可备御史中丞。刘挚资性端厚,可充侍御史。苏轼、王岩叟并有才气,可充谏官或言事御史。"

太皇太后封公著札子付司马光:"详所陈更张利害,直书以闻。"光奏:"公著所陈,与臣言正相符合;唯保甲一事,既知其为害于民,无益于国家,当一切废罢,更安用教习。"

光又奏曰:"陛下推心于臣,俾择多士。窃见刘挚公忠刚正,始终不变;赵彦若博学有父风,内行修饬;傅尧俞清立安恬,滞淹岁久;范纯仁临事明敏,不畏强御;唐淑问行己有耻,难进易退;范祖禹温良端厚,修身无缺。此六人者,皆素所熟知,若使之或处台谏,或侍讲读,必有裨益。馀如吕大防、王存、李常、孙觉、胡宗愈、韩宗道、梁焘、赵君锡、王岩叟、晏知止、范纯礼、苏轼、苏辙、朱光庭,或以行义,或以文学,皆为众所推,伏望陛下纪其名姓,各随器能,临时任使。至文彦博、吕公著、冯京、孙固、韩维等,皆国之老成,可以倚信,亦令各举所知,庶几可以参考异同,无所遗逸。"

知庆州范纯仁言:"郡邑之弊,守令知之;一路之弊,盐司知之;茶盐、利局、民兵、刑法、差役之弊,提其局及受其寄者知之;军政之弊,三帅与将领者知之;边防之弊,守边者知之。伏望特下明诏,各使条陈本职,限一月内闻奏。亦可因其所陈,略知其人之才识,然后审择而行之。"

秋,七月,甲午,诏诸镇寨市易抵当并罢。

戊戌,以资政殿大学士兼侍读吕公著为尚书左丞。公著言:"国朝之制,每便殿奏事,止中书、枢密院两班。昨先帝修定官制,中书、门下、尚书省各为一班,虽有三省,同上进呈者,盖亦鲜矣。执政之臣,皆是朝廷遴选,正当一心同力,集众人之智,以辅维新之政。"遂诏应三省合取旨事及台谏章奏,并同进呈施行。

诏:"府界三路保甲,自来年正月以后,并罢团教,仍依义勇旧法,每岁农隙赴县,教阅一月。"

甲辰,司马光乞尽罢诸处保甲,保正长使归农。依旧置耆长、壮丁,巡捕盗贼;户长催督税赋。其所养保马,拣择句状,太仆寺量给价钱,分配两骐骥院。蔡确等执奏不行。诏:"保甲依枢密院今月六日指挥,保马别议立法。"

时臣僚民庶应诏言新法不便者数千人。司马光奏:"乞降付三省,委执政看详,择其可取者用黄纸签出再进,或留置左右,或降付有司施行。"从之。

丙午,辽遣使来吊祭。

丙辰,吏部侍郎熊本奏归化依智会异同,坐罚金。

罢沅州增修堡砦。

戊午,辽主猎于赤山。

八月,乙丑,诏:"案察官所至,有才能显著者,以名闻。"

丁卯,辽主如庆州;戊辰,谒庆陵。

癸未,谏议大夫孙觉言:"乞依天禧元年手诏,言事左右谏议大夫、左右补阙、拾遗,凡发令举事,有不便于时,不合于道,大则廷议,小则上封。若贤良之遗滞于下,忠孝之不闻于上,则条其事状而荐言之。"诏依此申明行下。

〔丁亥〕,诏:"府界新置牧马监并提举经度制置牧马司并罢。"

己丑,司马光言:"近降农民诉疾苦实封状王啬等一百五十道;除所诉重复外,俱以签帖进入。窃唯农蚕者,天下衣食之源,人之所以仰生也,是以圣王重之。窃闻太宗尝游金明池,召田妇数十人于殿上,赐席坐,问以民间疾苦,劳之以帛。太宗兴于侧微,民间事固无不知,所以然者,恐富贵而忘之故也。真宗乳母秦国夫人刘氏,本农家也,喜言农家之事,真宗自幼闻之;及践大位,咸平、景德之治,为有宋隆平之极,《景德农田敕》至今称为精当。自非大开言路,使畎亩之民皆得上封事,则此曹疾苦,何由有万分之一得达于天听哉!"

初,熙宁六年立法,劝民栽桑,有不趋令,则仿屋粟、里布为之罚。至是楚丘民胡昌等言其不便,诏罢之,且蠲所负罚金。兴平县抑民田为牧地,民亦自言,诏悉还之。

九月,〔乙未,罢免行钱。〕

戊戌,上大行皇帝谥曰英文烈武圣孝皇帝,庙号神宗。

己酉,以秘书少监刘挚为侍御史。

挚上疏曰:"伏见谏官止有大夫一员,御史台自中丞、侍御史、两殿中,法得言事外,监察御史六员,专以察治官司公事。欲望圣慈于谏院增置谏官员数,本台六察御史并许言事,其所领察案自不废如故。所贵共尽忠力,交辅圣政。"

召朝奉郎、知登州苏轼为礼部郎中。

戊午,监察御史王岩叟上疏曰:"今民之大害,不过三五事,如青苗实困民之本,须尽罢之;而近日指挥,但令减宽剩而已。保甲之害,盖由提举一司上下官吏逼之使然,而近日指挥,虽止令冬教,然官司尚存。此皆奸邪遂非饰过,将至深之弊略示更张,以应陛下圣意。愿令讲究而力除之。"

冬,十月,癸亥,辽主如好草淀。

甲子,夏国遣使进助山陵马。

癸酉,诏:"仿《唐六典》置谏官,其具所置员以闻。"从刘挚之言也。

丁丑,诏:"尚书、侍郎、给、舍、谏议、中丞、待制以上,各举堪充谏官二人以闻。"

初,中旨除范纯仁为左谏议大夫,唐淑问为左司谏,朱光庭为左正言,苏辙为右司谏,范祖禹为右正言,令三省、枢密院同进呈。太皇太后问:"此五人何如?"章惇曰:"故事,谏官皆令两制以上奏举,然后宰执拟进。今除目由中出,臣不知陛下从何知之,得非左右所荐? 此门不可浸启。"太皇太后曰:"皆大臣所荐,非左右也。"惇曰:"大臣当明扬,何以密荐?"由是吕公著以范祖禹,韩缜、司马光以范纯仁亲嫌为言。惇曰:"台谏所以纠绳执政之不法。故事,执政初除,亲戚及所举之人见为台谏者皆徙它官。今当循故事,不可违祖宗法。"光曰:"纯仁、祖禹作谏官,诚协众望。不可以臣故妨贤者路,臣宁避位。"惇曰:"缜、光、公著必不至有私,万一它日有奸臣执政,援此为例。纯仁、祖禹请除它官,仍令两制以上各得奏举。"故有是诏。淑问、光庭、辙除命皆如故;改纯仁为天章阁待制,祖禹为著作佐郎。

诏:"监察御史兼言事,殿中侍御史兼察事。"用吕公著及刘挚言也。

诏:"罢义仓,其已纳数,遇歉岁以充赈济。"

己卯,诏:"均宽民力。有司或致废格者,监司、御史纠劾之。"

河决大名小张口,河北诸郡皆被水灾。知澶州王令图建议浚迎阳埽旧河,又发孙村金堤置约,复故道。转运使范子奇仍请于大吴北岸修进锯牙,擗约河势。于是回河东流之议起。

侍御史刘挚言:"州县之政,废举得失,其责在监司。宜稍复祖宗故事,于三路各置都转运使,用两制臣僚充职以重其任。自馀诸路,亦望推择资任较高、练达民情、识治体、近中道之人,使忠厚安民而不失之宽弛,敏给应务而不失之浅薄。"

癸未,以龙图阁待制赵彦若兼侍读,朝请郎傅尧俞兼侍讲。先是刘挚言:"皇帝陛下春秋鼎盛,左右前后宜正人与居。伏见兼侍讲陆佃、蔡卞,皆新进少年,欲望于两制以上别选通经术、有行义、忠信孝悌、淳茂老成之人,以充其任。"于是佃、卞皆置,以彦若、尧俞代之。

甲申,辽以萧乌纳为南院枢密使。乌纳奏请掾史宜以岁月迁叙,从之。

乙酉,葬神宗英文烈武圣孝皇帝于永裕陵。

丙戌,诏罢方田。

丁亥,以夏国主母丧,遣使吊祭。

诏:"提举府界三路保甲官并罢,令逐路提刑及府界提点司兼领。"

己丑,王岩叟言:"风闻章惇于帘前问陛下御批除谏官事,语涉轻侮,又问陛下从何而知,是不欲威权在人主也,乞行显黜。"刘挚言:"神宗皇帝灵驾进发,准敕,前一日五夜,三省执政官宿于幕次。宰臣蔡确独不入宿,慢废典礼,有不恭之心。"奏入,皆不报。左正言朱光庭言:"蔡确先帝简拔,位至宰相,灵驾发引,辄先驰去数十里之远以自便,为臣不恭,莫大于此。"又言章惇欺罔肆辩,韩缜挟邪冒宠,章数上,其言甚切。

十一月,癸巳,诏:"案问强盗欲举自首者毋减。"

辽耶律俨为景州刺史,绳胥徒,禁豪猾,抚老恤贫,未数月,善政流播,郡人刻石颂德。俨,仲禧之子也。

乙未,辽主诏曰:"比者外官因誉进秩,久而不调,民被其害。今后皆以资级迁转。"

丁酉,祧翼祖,祔神宗主于太庙第八室,庙乐曰《大明之舞》。

以主管西京御史台鲜于优为京东转运使。

司马光语人曰:"今复以子骏为转运使,诚非所宜。然朝廷欲救东土之弊,非子骏不可。此一路福星也,可以为转运使模范矣,安得百子骏布在天下乎!"子骏,优字也。优自奏罢莱芜、利国两监铁冶,又乞海盐依河北通商,民大悦。

辛丑,减两京、河阳囚罪一等,杖以下释之;民缘山陵役者蠲其赋。

己酉,辽遣使来贺即位。

辛亥,辽史臣进太祖以下《七帝实录》。先是耶律(孟)〔盂〕简自保州放还,上表于辽主曰:"本朝之兴,几二百年,宜有国史以垂后世。"辽主乃命置局编修。(孟)〔盂〕简谓同官曰:

"史笔天下之大信,一言当否,百世从之。苟无明识,好恶徇情,则祸不测,故左氏、司马迁、班固、范蔚宗,俱罹殃祸,可不慎欤!"

丙辰,辽遣使高丽,册封三韩国公王勋之子运为高丽国王。

丁巳,以乡贡进士程颐为汝州团练推官、充西京国子监教授;用司马光、吕公著、韩绛之荐也。

己未,辽禁僧尼不得无故赴阙。

十二月,壬戌,诏:"今月十五日开经筵,讲《论语》,读《三朝宝训》,讲读官日赴资善堂,以双日讲读,仍轮一员宿直。初讲及更旬,宰相执政并赴。"

罢太学保任同罪法。

于阗进狮子,诏却之。

丙寅,刘挚言:"宰臣蔡确山陵使回,必须引咎自劾;而确不顾廉隅,恐失爵位,无故自留。伏望早发睿断,罢确政事,以明国宪。"

诏:"府界三路保甲第五等两丁之家免冬教。"从王岩叟请也。

夏人以其母遗留物、马、白驼来献。

甲戌,罢后苑西作院。

以天章阁待制范纯仁、中书舍人王震并为给事中。王岩叟言震出使无廉介之誉,立朝无端亮之称,封驳之任,非震所当处。寻命震出守。

初,蔡确与章惇、邢恕等共谋诬罔太皇太后,自谓有定策功,韩缜素怀不平。及确为山陵使,缜乃于帝前具陈确等奸状,由是内朝与外廷备知之。

刘挚言:"昨者确等覃恩转官,学士草确制,有云'独高定策之功',命下之日,识者皆知其过,而确乃偓然受之。又,确与章惇固结朋党,自陛下进用司马光、吕公著以来,意不以为便,故确内则阳为和同,而阴使悖外肆强悍,陵侮沮害。中外以为确与惇不罢,则善良无由自立,天下终不得被仁厚之泽。"

乙亥,帝初御迩英阁,讲《论语》。

丙子,朱光庭奏言:"蔡确、章惇、韩缜,宜令解机务;司马光、范纯仁,宜进之宰辅;韩维宜置之宥密。退三奸于外以清百辟,进三贤于内以赞万几,太平之风,自兹始矣。"

戊寅,罢增置铸钱监十有四。

辽牛温舒知三司使,国民兼足。辽主以为能,加户部侍郎。

【译文】

宋纪七十八　起甲子年(公元 1084 年)七月,止乙丑年(公元 1085 年)十二月,共一年有余。

元丰七年　辽太康十年(公元 1084 年)

秋季,七月,甲辰(初七),伊水、洛水泛滥,黄河在元城决口,知大名府王拱辰上奏说:"河水突涨,几十万人号哭求救,但是钱谷由转运使掌管,常平仓谷归提举管辖,兵器和工匠隶属于提刑,维修堤岸的材料和士兵属于都水监,盐运司在远方,没有一个官衙能够负专责,仓促之间拿什么来救济百姓!希望允许不被常制拘束。"诏令:"事关紧急,上奏禀报和批复文件来不及的,依照所请的办理。"

丙午（初九），神宗派遣使臣去赈恤百姓，给淹死的人的家属赐钱。

辽道宗前往黑岭。

甲寅（十七日），王安礼被罢免。此前侍御史张汝贤上奏弹劾王珪与王安礼请求给自己的子侄委任职务，认为他们引用尚书省批文，在定例之外又创立新例，实在有害于国家政事。神宗因为有规定允许援用条例奏请安排职务，张汝贤的奏章被扣下不做批复。王安礼知道后，面请神宗将张汝贤治罪，神宗让他再作考虑。张汝贤上奏说王安礼不能修身治家，并说他在湖州、润州任职时，与妓女在一起处理政事。神宗把他的奏章交给三省，对王安礼说："张汝贤上奏弹劾不恰当，固然有罪；他所讲的那种污秽事情，爱卿果真如此的话，还怎么临制百官呢？"神宗虽然罢免了张汝贤，王安礼自己也不安，于是上奏说："以前因为兄长王安石生病，曾请求去知江宁，愿意重新提出先前的请求。"于是王安礼以端明殿学士的官衔出知江宁府。

八月，庚午（初三），诏令泸州知州王光祖派人招抚乞弟，答应乞弟出来投降，可以免罪、任官。乞弟失去地盘后，很是穷困，来回奔走各蛮族部落之间，没有依靠的地方。神宗还想招降他，给以自新的机会。没过多久，乞弟死去，于是罗始党斗然、斗更等酋长以及新归附地区的两江夷族，请求按照各部族组成团练，都算是义军，神宗依从了。泸州夷人极为震惊，此后不再制造边境战祸。

癸巳（二十六日），衢州奏报以太子少保退休的赵抃去世。神宗追赠为太子少师，谥为清献。赵抃谦和诚厚，气度相貌清俊飘逸，别人看不到他的喜怒表情。他平生不治家产，不养歌妓优伶。他出资陪嫁兄弟之女十几人，其他孤女二十几人，施行仁德、周济穷人，数也数不过来。白天所做的事，到了晚上，必定穿好衣服，站到露天下，焚香禀告上天，不可报告上天的事就不敢做了。他做官善于根据民情习俗实施政令，有宽有严，各处有所不同，主管成都，尤其得到世人称道。神宗每次给二郡郡守下诏，必定举赵抃的例子来讲，约束他们要以施惠利民为根本。赵抃知越州时，各州都在街道上张贴榜文，禁止提高米价，只有赵抃让有米的人随意增加米价出售，因此米商从四面八方赶来，米价反而更低，百姓中没有挨饿的。

九月，癸亥（二十六日），辽道宗前往藕丝淀。

乙丑（二十八日），西夏军队围攻定西城，烧掉鬼谷帐幕，熙河将领秦贵打败了他们。

冬季，十月，乙亥（初九），任命给事中韩忠彦为礼部尚书。韩忠彦进朝谢恩，神宗告谕他说："你父亲的功勋，朕不敢忘记；爱卿又为朝廷尽忠，这个官职还不足以酬赏爱卿。"

西夏军队侵犯熙河路。

庚辰（十四日），饶州童子朱天申在睿思殿对试，神宗赐给他《五经》出身。自从宝元初年停止童子科考试，到现在才重新设置，前后赐给出身的有五人。

戊子（二十二日），诏令与交趾划分边界，把六个县、两个峒赐送给交趾。

此前交趾以追捕侬智会为借口，进犯归化州；又派遣使臣黎文盛来到广西路办理顺安、归化两地的边界，经略使熊本派左江巡检成卓典去谈判，黎文盛称他是宋朝陪臣，不敢争执。神宗下诏说由于黎文盛能遵守交趾国王李乾德恭顺的意愿，赠给他袍带和五百匹绢。到现在就把八隘以外的保乐六县、宿桑三峒交给李乾德。

乙未（二十九日），西夏兵进犯静边砦，泾原钤辖彭孙将其打败；十一月，丁酉朔（初一），进犯清边砦，队将白玉、李贵战死。

甲辰(初八),西夏国主秉常派使来宋朝进贡。

乙卯(十九日),太白金星在白天出现。

十二月,戊辰(初三),任命端明殿学士兼翰林侍读学士司马光为资政殿学士,任命校书郎、前任泷水县知县范祖禹为秘书省正字;这都是因为《资治通鉴》一书编成的缘故。自从治平年间设立书局以来,司马光与刘攽、刘恕、范祖禹及他的儿子司马康编写史书,他的职位前后六次变动,但朝廷都允许他负责书局,发给秩禄。司马光因此查阅了全部史书,旁采野史笔记,选择摘录幽远隐伏的史事,上起周威烈王二十三年,下至五代,共一千三百二十六年,编成二百九十四卷;又简略列举史事大要,以年代为经,国别为纬,以便于检索,编成《目录》三十卷;参阅、考订各种书籍,评述各书记载的异同,使之统一起来,编成《考异》三十卷,总共三百五十四卷,历时十九年才完成。到现在进呈给神宗,神宗下诏

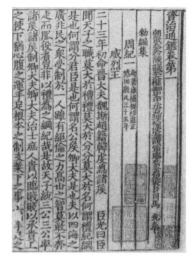

《资治通鉴》内页

嘉奖,赐给银两、布帛、衣带和鞍马。神宗对辅政大臣说:"前代还未曾有过这样的书,超过荀悦《汉纪》很多。"给司马光和范祖禹升官。当时刘恕已去世,刘攽犯罪被废黜,所以没赶得上升官受赏。后来司马光看到《目录》有太简略的毛病,另外编写《举要历》八十卷,但没完成,司马光又另外写有《历年》二卷,《通历》八十卷,《稽古录》二十卷。

庚寅(二十五日),神宗诏令门下、中书外省官员一起举荐言事御史。

辽道宗诏令下一年年号改为大安,赦免死罪以下各种囚犯,把庆州大安军改叫兴平。

宋朝河东地区饥馑,河北地区发生水灾,冲毁了洺州的房屋;两地都免收赋税。

这一年,秋宴时,神宗染病,才开始有立嗣君的打算。又对辅政大臣说:"来年春天立太子,任命司马光、吕公著做太子的师傅。"

阳武人邢恕,年轻时英俊出众,热衷功名,谈论古今成败史事,有战国纵横家的作风。跟从程颢学习,借机进出司马光、吕公著家,吕公著推荐他作崇文院校书。王安石也喜欢他,邢恕对王雱讲新法不好,王安石听到后发怒,把他贬为延陵县知县。延陵县撤掉后,没有再调任他职,在陕、洛一带流浪了七年,再次任校书,吴充任命他为馆阁校勘,历任史馆检讨、著作佐郎。蔡确取代吴充任相后,把吴充任用的人全部排斥,邢恕深居简出,害怕祸及自己。神宗看见他的《送文彦博诗》,在蔡确面前称赞他,说邢恕长期在史馆中任职,应该升迁,蔡确不同意,神宗没有理会。蔡确机诈奸巧,知道神宗会提升邢恕,退朝后,立即把邢恕任为职方员外郎,从此邢恕就成了蔡确同党。神宗有重新起用司马光、吕公著的意图,蔡确因邢恕曾是二人门下学生,极力交结他。邢恕也情愿依附蔡确,给他出谋划策,逐渐召收名士,对于政事稍微做些变革。等到司马光任资政殿学士,蔡确知道他必定会再被重用,想使自己依附上司马光,就对邢恕说:"皇上任命君实(司马光的字)为资政殿学士,这是非常特殊的礼遇。君实喜欢推辞不受,我蔡确是晚辈,不敢致呈书信,和叔你是他门下学生,应该用书信说说不能推辞的缘由。"和叔就是邢恕的字。邢恕只写信给司马光的儿子司马康,转告蔡确的话;司马

康把它告诉给司马光,司马光笑笑没有答话,也是辞谢了两次,然后才接受任命。

元丰八年 辽大安元年(公元 1085 年)

春季,正月,丁酉(初二),辽道宗前往混同江。

戊戌(初三),神宗身体不舒服。甲辰(初九),大赦天下。

乙巳(初十),神宗命令辅政大臣代替他去景灵宫祈祷。乙卯(二十日),神宗分别派遣群臣去祷告天地、宗庙和社稷。自从神宗身体不好以来,三省、枢密院官员每天到皇帝寝宫探问病情,到现在病情稍为转好,亲书手谕告诉王珪等人,今后可隔日进宫探问。

这一月,辽道宗把王绩任为知南院枢密使事,把邢熙年任为中京留守,把枢密直学士杜公谓任为参知政事。杜公谓是杜防之子。

五国部酋长向辽国进贡好马。

二月,辛未(初七),辽道宗前往山榆淀。

辛巳(十七日),开宝寺贡院起火;丁亥(二十三日),神宗命令礼部在别处举行锁试。

癸巳(二十九日),神宗病重,迁居到福宁殿,三省和枢密院官员进殿探问,在榻前拜见神宗。王珪上奏说:"去年冬天曾接到圣旨,命令皇子延安郡王在来年春天前往封地,希望早日确立嗣君。"总共三次上奏,神宗看了三次,只微微点头同意罢了。又奏请皇太后暂时一起听政,等皇上康复时再恢复旧日情形,神宗也只看着大家点下头,王珪等人就退了出来。

此前蔡确担心神宗重新任用吕公著、司马光,那么肯定会夺去自己的相位,就与邢恕商量巩固相位的计策。邢恕一向与皇太后侄子高公绘、高公纪交游,神宗刚开始生病卧床,邢恕就暗中询问高公绘,高公绘详细讲了皇上令人担忧的病情,邢恕听到后,便产生邪恶的阴谋。蔡确曾派邢恕邀请高公绘、高公纪,二人推辞不去。第二天,又派人把二人招到宰相府,蔡确说:"应该前去见见邢职方。"见面后,邢恕说:"家中有桃树开了白花,可以治好皇上的病,这一说法出自《道藏》,希望你们受点委曲,前来看一看。"走进中院,却是红色桃花,二人吃惊地说:"白桃花在哪里?"邢恕抓住二人的手说:"右相让我跟你们讲讲他的内心想法,皇上病情不见好转,延安郡王年幼,应尽早定下大计,雍王、曹王都是贤明藩王。"二人又吃惊说:"这是什么话,你想害我一家吗!"急忙跑出去了。

邢恕计谋没能实现,反而说雍王赵颢有觊觎皇位之心,皇太后将要舍弃延安郡王而立他,实际上是王珪主谋此事。邢恕与在内殿承制任上退休的王棫造谣诽谤他人。王棫是开封人,曾随高遵裕在泾原执掌机要,是个奸巧害人的家伙,所以邢恕利用他。

邢恕又得知蔡确与王珪向来不合,想借这个机会来陷害王珪。有一天,他急切地问蔡确:"皇上起居状况近来如何?"蔡确说:"病情已在好转,快要择日上殿了。"邢恕微微讥笑说:"皇上病情复发,讲不出话来,双眼直线看人,听说宫中已另作安排,第一宰相主持宫外事务。您是第二宰相,难道就不知道吗? 有一天一纸命令传下来,以某某为嗣君,那您就死无葬身之地了。您自己想想对朝廷有功德吗? 天下士大夫向来归心于您吗?"蔡确恐惧地说:"那么,有什么计策吗?"邢恕说:"延安郡王今年春天就要前往封地,皇上去年冬天本来已经说定了,群臣没有不知道的。您何不借探病率领同僚一起进宫,尽快在皇上面前首先提出这件事来? 如果太子是由于您的话而被早日确立,皇上过世后,您就像泰山一样安稳了。"蔡确深以为然。邢恕又说:"这件事应稍微谨慎些,现在与平时有不同,大概可以自我表现出来。其中的详细情况只告知子厚,其他的人不让知道。"子厚,是章惇的字。蔡确感谢邢恕,对他说:"和叔看到子厚,详细给他讲讲。"章惇知道后答应了下来。于是和蔡确商议好,并约请知开封府蔡京在那天率领壮士在外廷守候应变,对他说:"大臣们一起商量立太子的事,如果有人反对,就率壮士进去杀死他。"

这一天,三省、枢密院官员全都进宫探问病情,起初也没有人敢提及立太子的事。退出来,就在枢密院南厅一起商议这件事。蔡确、章惇多次用言语逼迫王珪,企图他稍有反对,就首先把他杀掉。王珪口吃,连续几次称是,慢慢说:"皇上自己有儿子,还有什么不同意见。"蔡确、章惇看看,对王珪无可奈何。一会儿又进宫奏请,得到神宗同意,同时退了出来,在殿前遇到雍王、曹王,章惇厉声说:"已经得到圣旨,立延安郡王为皇太子,怎么样?"雍王说:"天下十分幸运。"接下来宫中安静无事,跟往常一样。

蔡确等人的阴谋虽然没有实现,他们的行动诡秘,别人无法辨别追查,每人都自称有定策的大功劳。事情过后很久,言语泄露出来。终于带来后患,这一切实际上都是邢恕引发的。

三月,甲午朔(初一),执政大臣前往内宫东门,进宫问候,皇太后垂帘听政,皇子立在帘子前。太后告谕王珪等人说:"皇子品行出众,喜欢学习,已经背诵《论语》七卷,一点也不爱玩耍,只是练习书法。自从皇帝生病服药以来,他亲手抄写佛经二卷,为皇上祈求福祉。"接着把他抄写的佛经拿出来给王珪等人看。字写得极其工整严谨,王珪等人跪拜祝贺。于是宣读圣旨,把他立为皇太子,改名字为赵煦,并命令有关部门选择吉日准备礼仪,正式册封。又诏令:"一应军国政事,皇太子与皇太后暂时一起处理,等身体康复,再恢复往日制度。"

乙未(初二),大赦天下,派官员祷告天地、宗庙、社稷、祖宗各处陵庙。

丁酉(初四),皇太后任命吏部尚书曾孝宽为册立皇太子礼仪使。

戊戌(初五),神宗在福宁殿驾崩,享年三十八岁。宰相王珪宣读神宗遗命:"皇太子即皇帝位,尊皇太后为太皇太后,尊皇后为皇太后,德妃朱氏为皇太妃。一切军国大事,由皇帝和太皇太后暂时共同处理,依照章献明肃皇后临朝理政的先例。"

神宗天生就孝顺友善,他侍奉两宫太后,站立一整天,即使是在寒冬或是酷暑,都是一样;他亲近爱护两个弟弟,没有一点儿隔阂怨隙,直到神宗去世,两个弟弟才搬出皇宫居住。他总揽万机,大事小事都亲自过问。登殿处理政事,有时天黑了还来不及吃饭,侍臣有因此而进言的,神宗就说:"朕享受天下臣民的供奉,不是爱好劳累讨厌安逸,实在是想用勤政来报答他们啊。"他谦虚务实,一生不肯接受尊号。

当时天下太平已久,办事松懈拖沓,神宗励精图治,想振兴作风,除掉一切弊习,又因祖宗们立志收复幽蓟、灵武,却多次兵败,神宗振奋精神,准备洗雪几代的耻辱。王安石于是进献富国强兵的策谋,因而青苗法、保甲法、均输法、市易法、水利法等,一时间全都实行,天下骚动纷乱,痛哭流涕的人接踵而来。神宗始终都不觉悟,多方罢免贬逐元老重臣,摈弃斥责进谏之士,推行新法毫不迟疑,祖宗的良法美意,改变破坏的几乎没有了,终于导致了靖康之祸。

己亥(初六),赦免全国在平常赦免时不予宽恕的囚犯。

宋朝派使臣向辽国通报国丧。

白虹横贯太阳。

庚子(初七),任命宰相王珪为山陵使。

甲寅(二十一日)，由于群臣极力请求，嗣皇开始与太皇太后一起听政。皇上才十岁，临朝时庄重严肃，左右仆从不敢窥视他的喜怒表情。

己未(二十六日)，皇上赐给叔父雍王赵颢、曹王赵頵上朝拜见不报姓名的优诏，命令全国臣民避讳不称太皇太后父亲高遵甫的名字。

诏令："比较重大的边境事务，枢密院与三省共同商议后进奏。"

庚申(二十七日)，把尚书左仆射郇国公王珪晋封为岐国公，封雍王赵颢为扬王，曹王赵頵为荆王，都加官太保。进封皇弟宁国公赵佶为遂宁郡王，仪国公赵佖为大宁郡王，成国公赵俣为咸宁郡王，和国公赵似为普宁郡王。任命高密郡王赵宗晟、汉东郡王赵宗瑗、华原郡王赵宗愈、安康郡王赵宗隐、建安郡王赵宗绰都为开府仪同三司。任太师潞国公文彦博为司徒，济阳郡王曹佾为太保，特进王安石为司空，其余官员有不同等级的晋升。

秘书省正字范祖禹上疏论说丧服制度说："先王制定礼仪，国君的丧服与父丧相同，都是服斩衰丧三年。这样规定，是担心做臣民的不像侍奉父亲一样侍奉国君，这是用来约束人情的。从汉代以来，不仅臣民没有丧服礼，而且君主也没有三年丧服礼。只有本朝从祖宗以来，外廷虽是采用易月制度，内宫却是实行三年丧服礼。易月制之所以难于改正过来，是因为君主自己不执行丧服礼。现在君主的丧服礼已与古制相同，但臣民还是依据汉朝制度，所以大行皇帝还没下葬，百官有司却已经与往日一样了，面貌衣服，跟路上行人没有差异。难道是人的天性这样薄情吗？是因为皇上不为他们制定礼仪。现在群臣虽然奉行易月制，君主却依实际月份服丧，所以十二天就做小祥祭，满一年又做小祥祭；二十四天做大祥祭，满两年又做大祥祭，小祥祭和大祥祭不能有两次，既按日计算，又按月计算，这种礼制是没有根据的。古代满二年做大祥祭，再过一个月举行禫祭。禫是祭礼的名称，不是祭服的颜色。现在却为死者惨服三天后就做禫祭，这是不合乎礼制的。已经脱下丧服，到下葬时又穿上丧服，祔庙后就穿上吉服，才过了八个月，又立即穿吉服，什么都佩戴，这在礼制又是没有过渡。易月为日的制度，沿袭已很久，不能再改回古制。应命令君臣穿朝服像今天这样不去掉麻布条，到期了再穿，慢慢由重丧服改为轻丧服，再过一年又穿丧服，这时除掉麻布条，以后君主穿什么丧服，别人也就可以穿这种丧服了。至于禫祭，不必为它穿丧服，只要不跟吉服完全一样，过后什么都可以佩戴了。这样一来，三年丧服制度，稍微与古制同样了。"诏令礼官仔细讨论。礼部尚书韩忠彦等人上奏说："朝廷典礼，随时代而不同，不必依照古代。况且先王制定礼仪，细节形式很多，如果一定要依照古制，又不止于他所讲的那么多。如今既然不能全部采行，那就应该遵循祖宗先例和先帝遗命。"诏令依从他的说法办理。

司马光进京吊唁，卫士见到司马光，都把手放在额头上说："这是司马相公呀！"所到之处百姓挡住道路，围住他看，马也无法前进，说："相公不要回洛阳，留下来辅佐皇上，拯救百姓。"司马光很害怕，刚好皇上免除辞谢礼节，他就径直回到洛阳去了。

太皇太后听说后，责问主管官员，派内侍梁惟简慰劳司马光，询问首先要办哪些事情。司马光于是上疏说："近年来士大夫都怕讲话，闾里百姓在下面忧愁痛苦，可是皇上不知道，圣明的君主在上面焦虑辛勤，可是下面的人却没地方申诉，这要归罪于群臣，但是愚昧的百姓不知内情，归怨于先帝。臣愚昧地认为，今天首先要做的事，就是公开下达诏书，广泛开启进言之路，不论当官还是无官，凡是知道朝政得失和民间疾苦的人，都允许进献密封书状，尽情讲出所有的话。并诏令各路州军，张榜告示臣民，在京城可以到鼓院投书，派主判官定时进呈;在地方可以到州军投书,派长官当天传送上奏给皇上知道。都不准索取副本,强行扣压退回。群臣中如果有人阻拦为难他人,那他肯定做了奸恶之事,害怕别人指责告发,专门想闭塞皇上耳目,对此不可不加追查。"被采纳了。

夏季,四月,丙寅(初三),宋哲宗第一次驾临紫宸殿。

辛未(初八),诏令从宽执行保甲法、养马法,减免元丰六年以前拖欠的赋税。

〔壬申(初九),停止征收免役钱。〕

甲戌(十一日),诏令:"先皇帝在位十九年,创行新政,泽惠天下,但是有关部门执行不当,几乎扰害了百姓,有的苟且敷衍,空有条文,不能认真实施,给百姓未带来实际好处。现告谕内外臣民,同心协力,执行命令,以便符合先帝泽惠、安定广大百姓的本意。"

乙亥(十二日),诏令把太皇太后的生日定为坤成节。

丁丑(十四日),谕告枢密院和中书省都在政事堂议事。

任命资政殿大学士吕公著兼任侍读。吕公著当时任扬州知州,特别召回任用,这是遵照先帝的意愿做的。

把资政殿学士司马光任为知陈州。

庚辰(十七日),知太原府吕惠卿派步兵和骑兵二万人在聚星泊袭击西夏军队,斩获首级六百。

辛巳(十八日),派遣使臣把神宗遗物送给辽国,并通报哲宗已经即位。

任命职方员外郎邢恕为右司员外郎。蔡确想利用邢恕来结交司马光、吕公著,所以把他突然调任都司。

乙酉(二十二日),枢密院上奏说:"开封府界三路保甲兵,有两个成年男子的家庭如果有病丁并且田产不足二十亩的,允许他们自己陈述,提举司审核后免除兵役。"哲宗依从了。

丁亥(二十四日),又免除过去几年拖欠的赋税。

辛卯(二十八日),辽道宗巡幸西部地区。

五月,乙未(初三),诏令百官上奏朝政失误,在朝堂张榜公布。当时大臣中有人不愿意,就在诏书中提出六种情形来告诫进言的人说:"如果暗藏奸心,超越本职,或者谣言动摇重大政事,或者迎合已经推行的政令,对上窥探朝廷意向,侥幸贪求升迁,对下迷惑民间习俗,借此沽名钓誉,如此之类,一定惩处不赦。"

诏令知陈州司马光进京觐见。此前司马光上疏说:"净谏大臣,是皇帝的耳目官。太府少卿宋彭年,说在京城不能不同时设置三衙管军官员。水部员外郎王鄂,请求依据保马法原来订立的条规,平均确定每一年应买马匹数目;又奏请在太学增加设置《春秋》博士。朝廷由于他们奏请的不是本职,各被罚铜三十斤。陛下刚刚即位,两位臣子因进言获罪,臣下担心朝廷内外听说后,忠贞之臣会失望解散,正直之士丧气灰心,要把天下治理得太平,是不可期望了。"因此诏令司马光进朝觐见,使臣慰劳,往来不绝。

丁酉(初五),群臣奏请把十二月八日定为兴龙节。哲宗本来出生在七日,因为要避开僖祖的忌日,所以把兴龙节移到第二天。

戊戌(初六),诏令苏轼复任朝奉郎、知登州。

己亥(初七),诏令吕公著乘驿车赴京。

庚子(初八),任命程颢为宗正寺丞。

壬寅(初十),在熙河、兰州、通远军筑城,赐给李宪、赵济不同数量的银两布帛。

甲辰(十二日),造皇帝受命宝玺。

丙午(十四日),京师发生地震,从酉时开始,不久就停止了。

重新设置辽州。

诏令:"开封府界三路弓兵,都依照没有推行保甲法以前的规定重新设置。"

庚戌(十八日),尚书左仆射兼门下侍郎岐国公王珪去世。追赠为太师,谥号文恭。礼部上奏说应当为王珪治丧穿丧服,哲宗下诏说由于神宗还没下葬,不办丧事。王珪从担任执政大臣到任相,共十六年,没有什么突出政绩,时人称他为"三旨宰相",这是因为他上殿进呈奏章时说"取圣旨",皇上做出同意不同意后他说"领圣旨",退朝后他告知禀报的人说:"已得圣旨"。他又和蔡确勾结来压制司马光,发动西征又被清议官指责。

哲宗改任蔡确为山陵使。

丙辰(二十四日),赐给礼部奏名进士焦蹈等人以及各科考试的人及第、出身、同出身,共四百六十一人。

太皇太后用驿车召司马光、吕公著,两人没到,又派宦官去迎接慰问;并以手谕询问现在应该首先采取施行什么。还没等二人条陈奏报,朝廷已遣散修筑京城的役夫,减少皇宫巡逻士兵,停止宫中百工制作,赶走品行极为不正的近侍出宫,告诫朝廷内外不许横征暴敛,放宽民间保甲户置马的法令,撤除官府专卖货场。这些都是由太皇太后下旨施行,王珪等人事先都不知道。太皇太后的伯父高遵裕因西征时违反军令受到惩治,蔡确想讨好太皇太后来巩固自己的权位,请求恢复高遵裕的官职,太皇太后说:"高遵裕灵武一战,造成百万人丧生,先帝半夜得到报告,起床绕榻而行,彻夜不能入睡,从这次受到惊吓,终于导致驾崩,灾祸由高遵裕引起,他能免受刑杀,已是幸运了;先帝尸骨未冷,我哪敢顾着个人恩惠而违背天下公论呢!"蔡确惊恐地退了下去。

戊午(二十六日),任用尚书左仆射兼中书侍郎蔡确为尚书左仆射兼门下侍郎,任用知枢密院事韩缜为尚书右仆射兼中书侍郎,任用门下侍郎章惇知枢密院,任命资政殿学士司马光为门下侍郎。

起初,司马光以知陈州的官职进京觐见,太皇太后派宦官把五月五日的诏书拿给司马光看。司马光上奏说:"诏书开始和末尾的话,固然很完美;诏书中间却用六条来加以限制,臣下认为,人们只有不说话,要说就会在六条限制内。如果对群臣中的人讲些褒扬或贬斥的话,就会被指为心怀奸诈了;如果在本职以外稍微讲几句,就会被指为越出本职;如果议论国家安危大计,就成了妄言动摇国家政事;如果与朝廷旨意不期而同,就会被说成是迎合已经施行的政令;如果说到新法不利于百姓应做更改,就会被指为观望朝廷意向;如果说到民间百姓忧愁痛苦,值得怜悯,就会被指为迷惑流俗民情。这么一来,天下事情就不再有可以进言的了,所以这份诏书开始是想征求意见,结果却是拒绝一切意见。请求删掉诏书中间一节,使人们把心中的话都讲出来,而不担心被处罚贬逐,那么朝廷和地方所有事情,远远近近各种情况,就能了如指掌了。"

这时司马光被任为门下侍郎,他推辞不受,同时上了两份奏章。其中一份是请求变改新法,他说:"先帝励精求治,想实现天下太平,不幸他所任用的人都不足以承继皇上志向,大多用自己的想法来轻率地改变旧的制度做法,称为新法。那些人为所欲为,君主不能阻止,天下不能改变。缙绅士大夫见风使舵,竞相出谋划策,制订了青苗法、免役法、市易法、赊贷法等等。又有边境守臣,冒险侥幸,轻率发起战争,深入敌国境内,使士兵和民夫几十万人尸骨抛在荒野。又有制造事端的大臣,建议设置保甲法、户马法来加强武备,改变茶盐、铁冶等法,增加财产街道商税钱来供应军需,这些都不是先帝的本意。先帝仙逝,臣奔丧到京师,居然承蒙太皇太后陛下特别派来中使,询问朝政得失。环顾天下,要办的事情非常多,只请下诏让官吏百姓能够密封上书言事,也许百姓的疾苦都可以让朝廷知道。接着听说有圣旨遣散修城的役夫,减少巡逻的士卒,停止宫禁工程,京城的百姓已欢呼雀跃。等到臣下回到洛阳后,接着又听说朝廷斥退了品行不好的近侍,饬诫有关官员中执法不当、侵害百姓的人,撤销物货场和所养户马,又放宽保马年限,四方百姓,无不为圣德所鼓舞。凡是臣下想说的,陛下大致都已施行了。然而还有一些损害百姓危及国家,只有弊害没有好处的事情,例如保甲、免役钱、将官法这三件事,都是现在要赶急处理的,需要首先整顿改革的,臣另外呈文奏报,恳请早日下令施行。"

当时正好朝廷派宦官宣召司马光接受任命,司马光又辞谢。太皇太后赐给他亲手诏令,说:"先帝最近弃世而去,天子年幼,这是什么时候,你还要推辞不接受任命啊?"并派梁惟简宣读圣旨说:"从早先的上奏,朕完全知道了爱卿的心意,要求再次下诏广开言路,等候爱卿任职后就实施。"司马光从此不敢再推辞了。

当时百姓日日夜夜引颈观望新政,但议论的人认为儿子三年中不能更改父亲的做法,司马光愤怒地争辩说:"先帝制定的法令,其中好的即使百世以后也不能改变。至于王安石、吕惠卿等人订立的法令,是天下的祸害,不是先帝本意的那些法令,改掉它们,就好比拯救水火中的人,只怕来不及。过去汉文帝废除肉刑,判处斩右趾的犯人改判弃市处死,笞刑五百的犯人大多死掉,景帝即位第一年就改变了文帝的做法。汉武帝制定盐铁、榷酤、均输算等法令,汉昭帝加以罢黜。唐德宗晚年设立宫市,让宦官横行残暴,盐铁每月征收杂税,唐顺帝即位后就停止了。当时臣民心悦诚服,后世人们称颂不已,没有非难指责的。何况太皇太后以母后身份改变儿子的做法,并不是儿子改变父亲的做法!"因此各种议论平息下来。

六月,丙寅(初四),废除府界三路保甲不准投奔军队及充任弓箭手指挥的规定。

戊辰(初六),辽道宗驻跸于拖古烈。

庚午(初八),赠给楚州孝子徐积绢帛和粮米。徐积三岁丧父,每天早晨都伤心痛哭。母亲让他读《孝经》,就流下眼泪。侍候母亲极尽孝道,每天早晚穿戴整齐去问候。四十岁了,还不结婚,不出仕。他不肯结婚,是担心妻子不能尽心侍候母亲;他不出仕,是不愿离开母亲一天。同乡的人劝他去参加科举,就带着母亲同上京师。中举后,还没有调任官职,母亲却死了,于是不再当官。监司把他的事迹奏报上去,任命他为郡学教授。很久以后,退了休,归居山阳。徐积曾对苏轼说:"自古以来很多人都有功绩,但后世只称颂大禹的功绩;自古以来很多人都有才干,但后人只称颂周公的才干,这是因为他们有德行来与他们的功绩、才干相配合啊。"苏轼认为他讲得对。

辽道宗记住萧乌纳的忠诚,想让他娶越国公主为妻。越国公主是辽道宗的三女,先嫁给萧酬斡,当时萧酬斡犯罪而离婚,所以想让萧乌纳迎娶她,萧乌纳极力辞谢。壬申(初十),改任王绩为南府宰相,当即任命萧乌纳兼知南院枢密使事。

丙子（十四日），任命资政殿学士韩维知陈州。韩维初次来到朝廷，太皇太后下达亲笔诏书慰问他。韩维上奏说："治理天下，不要过分追求又高又远的目标，只要弄清楚人心世情就可以了。要认识人心世情并不难，只要以己之心，推人之情，就可以弄清楚。人们一般是贫困就想富足，痛苦就想要快乐，疲劳就想休息，郁闷就想舒畅。陛下果真能做到经常把有利于百姓作为治国的根本，那么百姓就能富足；心中时时想着爱护百姓，那么百姓就快乐；凡有妨害农业生产的劳役一律免除，那么疲劳的就可以休息；对统治没有好处的法令都废除，那么郁闷的人就舒畅了。"又上奏说："臣曾奏请陛下深入调查引起盗贼的原因，废除有碍农业的法令，放宽训练的时间限制，就是针对保甲、保马法提出的。臣下并不是说国家战马不能放养，只要官府设置监牧就可饲养；不是说兵民不能训练，只要在农闲时训练一段时间就可以了。"到这时，朝廷起用他任陈州知州；还没赴任，又召他兼任侍读，加上大学士头衔。

丁丑（十五日），宗正寺丞程颢去世。程颢十五六岁时，与弟弟程颐听周敦颐讲学，于是不想参加科举，慷慨立志，准备追求大道，广泛涉猎诸子百家学说，深入钻研佛教、道教，将近十年，回过头来又研究《六经》，然后大有收获。他说："人们不能明道，是异端邪说危害的结果。过去它的危害少，容易知道，如今危害深，就难以辨明了；过去它迷惑人，是利用人们不明事理，现在它迷惑人，是凭借它高明深奥。这些都是正路上的荆棘杂草，圣门前的障碍阻塞，清除了它们就可以入道了。"程颢死后，文彦博在他的坟墓上题上"明道先生"。弟弟程颐写序文说："孟子死后，圣人的学问没人传承，先生生在一千四百年之后，在圣人遗留的经书中学到没有传承的学问，在孟子后面，只有先生一个人而已。"

戊寅（十六日），把奉议郎、知安喜县事清平人王岩叟任为监察御史。当初，神宗诏令左右大臣荐举御史，推荐的人有意举荐王岩叟，但又不及认识他。有人说可以去见一见他，王岩叟笑着说："这是人们说的呈身御史啊。"终于没去拜见他。到这时，被刘挚荐举进入御史台。

癸未（二十一日），吕公著进宫觐见，太皇太后派宦官赐给饮食。吕公著上奏讲了十件事：一是敬天，二是爱民，三是修身，四是讲学，五是任贤，六是纳谏，七是薄敛，八是省刑，九是去奢，十是无逸。他又上奏说："先帝近来改定官制，设置谏议大夫、司谏、正言，人员配置十分完备。应该选择性格耿直、敢于进谏的人，安置在身边每个地方，让他们负责谏诤。另外，御史官号称天子耳目，可是近些年来，御史官员专门负责过去六察的职责。乞请罢黜所有监察官员，只设置言事御史四人或六人，并诏令谏官、御史都必须直言不讳，规劝皇上的过失，检举时政的纰漏，揭发群臣中的奸党，陈诉民间的疾苦。"

诏令："户部催讨的市易息钱，允许依据赦令免除，此外，本钱特许放宽期限三年。"

丁亥（二十五日），诏令："朕刚掌管各种政事，对于治国的道理方法不很清楚，日日夜夜都很害怕，担心不能光大先帝美好的功业，安抚天下的百姓。常想古代的帝王，在统治之初，一定要使自己耳聪目明，防止被人蔽塞。《诗经》不是在说：'在我即位之初就访询政事。'这是周成王向群臣寻求帮助、群臣向他进言劝谏的原因，君臣互相警惕告诫，因而实现了周文王和武王的功业，朕非常仰慕这些。所有朝廷、地方的官员、百姓，都允许密封上书，直言朝政得失和民间疾苦，在京师的可以到登闻鼓院和登闻检院投书进呈，在地方的到所属州军驿站投递奏报,朕将亲自翻阅,从中挑出正确合理地加以施行。"司马光总共三次奏请修改前回诏书,到这时才采纳了他的意见。

吕公著上奏十事后,太皇太后派宦官告谕吕公著说:"翻阅了爱卿的奏章,深有启发和收益。现在正是拯救百姓疾苦的时候,最先要改弦更张的事情是什么?"庚寅(二十八日),吕公著又上奏说:"自王安石执掌朝政以后,变改旧的法令制度,群臣中如果谁议论它不好,就会指责他阻拦、破坏法令制度的执行,必然要加以贬逐、废黜。所以青苗法、免役法得到实施,而百姓的财富被搜括一空,保甲法、保马法得以施行,而百姓的劳力被耗尽,市易法、茶盐法施行,而百姓的利源被全部夺走,像这样的事非常多。改弦更张必须讲究方法,不在仓促之间。比如青苗法,只要停止逐年的递加比例,那么官府不会邀取功赏,百姓自然没有了强行贷放的祸患。对免役法,应少收宽剩钱的份数,估计雇募差役所需数量,不让下等户白白缴纳役钱。对于保甲法,只让保甲兵在冬季农闲时训练,依旧委派本路监司主持,就不妨碍农耕,损害百姓,那么百姓稍微能够安居乐业。至于保马法,前朝已经知道有关部门在执行过程中出现的毛病;关于市易法,先帝尤其觉得它有害无利;还有福建、江南等路配卖茶盐过多,那些地方的百姓几乎不能生存,恐怕要全部废除,而南方盐法和三路保甲,尤其应该最先革除掉。陛下若是一定要更改各种政务,使政令不惊动舆论,又让百姓获得实惠,没有比用人更急迫的。"他又上奏说:"孙觉品行端正,有学问见识,可以让他担任谏议大夫。范纯仁性格刚强,做事富有魄力,可以充任谏议大夫或户部右曹侍郎。李常清廉正直,节操很高,可供御史中丞之任。刘挚品性正直敦厚,可以充任侍御史。苏轼、王岩叟都有才气,可以充任谏议官或言事御史。"

太皇太后把吕公著的奏章封送司马光,说:"仔细分析他所陈请的关于变革的利害,坦率地写出上奏。"司马光上奏说:"吕公著所陈请的,与臣下讲的正好符合;只有保甲法一事,既然知道他危害百姓,对国家没有好处,就应该全部废除,又哪里还需要训练呢!"

司马光又上奏说:"陛下跟臣下推心置腹,让我选择更多的人才。私下看到刘挚公正刚直,品行始终不变;赵彦若博学多才,有乃父风范,品行严整;傅尧俞清廉淡泊,多年来一直被埋没;范纯仁遇事机敏,不畏强暴;唐淑问举止讲究廉耻,难以进用,容易被斥退;范祖禹温和诚恳,修养完美。这六个人,都是臣下向来熟知的,如果让他们担任台谏官,或任侍读侍讲,肯定会有好处。其他像吕大防、王存、李常、孙觉、胡宗愈、韩宗道、梁焘、赵君锡、王岩叟、晏知止、范纯礼、苏轼、苏辙、朱光庭,有的因为有品行仁义,有的因为文才出众,都被众人推崇,希望陛下记下他们的姓名,各按他们的才能器具,到时加以任用。至于文彦博、吕公著、冯京、孙固、韩维等人,都是朝廷老成大臣,可以信任倚重,也让他们各自举荐他们所了解的人,大概可以比较这些人才的异同,不遗漏一人。"

知庆州范纯仁上奏说:"郡县中的弊病,郡守和县令知道;一路地区内的弊病,监司们知道;茶盐、利局、民兵、刑法、差役方面的弊病,主管或受任的官员知道;军政方面的弊病,统帅和将领们知道;边防的弊病,守边的人知道。恳请陛下明下诏书,让各人分条陈奏本职事务,限在一个月内奏报上来。也可根据他们的奏陈,稍微知道一点这个人的才识,然后审慎选择施行。"

秋季,七月,甲午(初二),诏令各镇寨市易、抵挡全部停止。

戊戌(初六),任用资政殿大学士兼侍读吕公著为尚书左丞。吕公著上奏说:"按本朝的制度,每次在便殿奏事,只有中书、枢密院两班。不久前先帝改定官制,中书、门下、尚书省各自分为一班,虽然有三省,但同时上殿奏事的,却很少见了。执政大臣,都是朝廷挑选任命的,正应该同心协力,集中众人的智慧,来辅佐现在除旧布新的政局。"于是诏令应该由三省共同领取圣旨的事情以及台谏官员的奏章,都同时进呈皇帝后执行。

诏令:"开封府界三路保甲,从来年正月以后,都停止集中操练,仍旧依照过去义勇队的办法,每年农闲时赴县训练一个月。"

甲辰(十二日),司马光奏请全部废除各处保甲,让保长保正长期回乡务农,依照旧例设置耆长、壮丁,巡逻捕捉盗贼,户长催收税赋。保甲户所喂养的马匹,挑选登记收买,太仆寺酌量付给价钱,分配给左、右骐骥院。蔡确等人上奏坚持不能执行。哲宗诏令说:"保甲依据枢密院本月六日的指示办理,保马另外商议制定办法。"

当时官吏和百姓响应诏令奏称新法不好的有几千人。司马光上奏说:"请把奏章下发给三省,委派执政大臣详细审阅,选择其中有可取之处的用黄纸标签拣出来,再进呈皇上,或留在身边,或交付有关部门实施执行。"哲宗听从了。

丙午(十四日),辽国派遣使臣来吊唁。

丙辰(二十四日),吏部侍郎熊本奏报对归化州依智会的处置前后不同,被处罚金。

停止在沅州增修寨堡。

戊午(二十六日),辽道宗在赤山打猎。

八月,乙丑(初四),诏令:"按察官所到之处,发现才能显著的官员,把姓名奏报上来。"

丁卯(初六),辽道宗前往庆州;戊辰(初七),拜谒庆陵。

癸未(二十二日),谏议大夫孙觉上奏:"请依照天禧元年的诏令,让言事左右谏议大夫、左右补阙、左右拾遗,发现官员出令行事,有不适合时宜,不符合道义的,严重的在朝廷议论,细小的封书上奏。如果有贤良的人被遗漏滞留在下面,忠孝的人不被朝廷知道,那就分条陈述他们的言行事迹,举荐上奏。"诏令依照这种办法申明颁行全国。

丁亥(二十六日),诏令:"开封府界近来设置的牧马监和提举经度制置牧马司同时撤销。"

己丑(二十八日),司马光上奏说:"近来发下农民王嵩等人倾诉疾苦的密封文书一百五十道,除了倾诉内容重复的外,全都贴了签进呈上来了。臣私下认为,只有农耕养蚕是天下衣食的源泉,人们依赖它们来生存,所以圣王很重视农桑。臣私下听说太宗皇帝曾游金明池,宣召农家妇女几十人到殿庭,赐给她们座位,向她们询问民间疾苦,并赐给布帛表示慰劳。太宗兴起于寒微,对于民间之事无所不知,之所以还那样做,是担心富贵后忘记了那些。真宗皇帝的乳娘秦国夫人刘氏,本是农家女,喜欢讲农家的事,真宗从小就听说了;他即位称帝后,出现了咸平、景德之治,是宋朝开国以来最兴盛太平的时代,《景德农田敕》至今还被称为精当。如果不是大开言路,让农民都能够上书奏事,那么这些人的疾苦,靠什么有万分之一的情况能传进皇上耳朵里呢?"

起初,熙宁六年制订法令,鼓励百姓栽种桑树,如果不听从命令,就仿照屋粟、里布的制度给予处罚。到这时楚丘百姓胡昌等人上奏说它不好,哲宗诏令废除,并免掉拖欠的罚金。兴平县强占民田改为牧场,百姓也自己上书奏报,哲宗诏令都退还给原主。

九月,乙未(初四),停止征收免行钱。

戊戌(初七),给大行皇帝追尊谥号为英文烈武圣孝皇帝,庙号神宗。

己酉(十八日),任命秘书少监刘挚为侍御史。

刘挚上疏说:"伏见谏官只有谏议大夫一名,御史台从御史中丞、侍御史、两殿中,依法可以言事外,还有监察御史六名,专门监察弹劾官署公事。希望皇上和太皇太后在谏院增加谏官名额,御史台的六察御史都允许言事,他们掌管的按察职务像过去一样不会废止。这样做的好处,是能共同尽力效忠,一起辅佐圣主处理政务。"

朝廷召还朝奉郎、登州知州苏轼,任为礼部郎中。

戊午(二十七日),监察御史王岩叟上疏说:"现在百姓所受的大祸害,不过三五件事,例如青苗法实际上是困扰百姓的祸根,必须全部废除;可是近些天的指示,只让减免宽剩钱。保甲法的危害,是由于主管一级的衙门大小官吏逼迫造成的,可是近来的指令,虽然只命令在冬闲训练,但官廨还存在着。这些都是奸诈邪恶的官吏文过饰非,把最严重的弊害略做改变,来敷衍陛下圣意。希望陛下命令臣下讨论研究,全力革除。"

冬季,十月,癸亥(初二),辽道宗前往好草淀。

甲子(初三),西夏派使臣进献帮助修建陵墓的马匹。

癸酉(十二日),诏令:"仿照《唐六典》的规定设置谏官,并把设置的官员奏报上来。"这是依从了刘挚的意见。

丁丑(十六日),诏令:"尚书、侍郎、给事中、舍人、谏议大夫、御史中丞、待制以上官员,每人举荐可以充任谏官的两个人并奏报上来。"

当初,中宫旨意任范纯仁为左谏议大夫,唐淑问为左司谏,朱光庭为左正言,苏辙为右司谏,范祖禹为右正言,命令三省、枢密院一起写好任命状进呈朝廷。太皇太后问:"这五个人怎么样?"章惇说:"依照惯例,谏官都是让两制以上的官员奏报荐举,而后由宰相和执政大臣拟命进呈朝廷。这次的任命名单由中宫发出,臣不知道陛下从什么途径知道他们的,莫非是身边侍臣推荐的?这道门径不能逐渐开启。"太皇太后说:"他们都是大臣推荐的,不是左右亲信侍臣推荐的。"章惇说:"大臣举荐应该公开,为什么要秘密推荐呢?"因此吕公著因举荐范祖禹,韩缜、司马光因举荐范纯仁,有荐举亲信的嫌疑。章惇说:"台谏官是用来纠正惩治执政大臣不法行为的。依惯例,执政大臣开始任职后,他的亲戚以及他所举荐的正担任台谏官的人都要调任其他官职。现在应遵循旧例,不能违背祖宗法令。"司马光说:"范纯仁、范祖禹担任谏官,确实深孚众望。不能因为臣下的缘故妨碍了贤人的宦途,臣宁愿让位避嫌。"章惇说:"韩缜、司马光、吕公著肯定不会有私心,只是怕万一将来有奸诈之人担任执政大臣时,援引这个作为先例。范纯仁、范祖禹改任他官,仍旧命令两制以上官员都可以上奏推举谏官。"所以有上面的诏令。唐淑问、朱光庭、苏辙都被任命为同先前一样的官职,范纯仁改任为天章阁待制,范祖禹改任为著作佐郎。

诏令："监察御史兼有言事职责,殿中侍御史兼有察事的职责。"这是采用了吕公著和刘挚的建议。

诏令："撤除义仓,那些已经缴来的粮食,遇上荒年用来赈济百姓。"

己卯(十八日),诏令："平均减轻百姓力役负担。有关部门如果不按规定办事的,监司、御史加以检举弹劾。"

黄河在大名府小张口决堤,河北路各郡都遭水灾。知澶州王令图建议疏浚迎阳埽一段黄河旧河道,又打开孙村金堤大坝,使黄河流归故道。转运使范子奇依然奏请在大吴北岸修建锯牙形堤坝,缓和和控制黄河水势。于是让黄河回故道东流的议论又开始了。

侍御史刘挚上奏说:"州县的政事,治理得是好是坏,责任在监司身上。应稍微恢复一些先祖的旧制度,在三路分别设置都转运使,任用两制以上官员充当,来提高其职位。其余各路也希望选派资历较高、熟悉民情、了解治体、温和稳妥的官员,使他们既能忠厚施政,安定百姓,但又不失于宽松放纵,既能灵活处理各种公务,又不失于浅薄。"

癸未(二十二日),任命龙图阁待制赵彦若兼任侍读,任用朝请郎傅尧俞兼侍讲。此前刘挚上奏说:"皇帝陛下正是成长时候,左右前后应有正派人和他在一起。臣下见到兼侍讲陆佃、蔡卞,都是刚提拔上来的年轻人,希望从两制以上官员中另外挑选精通经义、有操守品行、忠信孝悌、朴实老成的人,来充任这些职位。"因此陆佃、蔡卞都被免职,用赵彦若、傅尧俞接替。

甲申(二十三日),辽国任命萧乌纳为南院枢密使。萧乌纳奏请掾史官吏应该随年月长短升迁,辽道宗依从了。

乙酉(二十四日),把神宗英文烈武圣孝皇帝葬在永裕陵。

丙戌(二十五日),诏令废除方田法。

丁亥(二十六日),因为西夏国王的母亲去世,宋朝派使臣前去吊唁。

诏令："提举开封府界和河北、河东、陕西三路保甲官都撤除,命令各路提刑和府界提点司兼管保甲事务。"

己丑(二十八日),王岩叟上奏说:"隐约听说章惇在垂帘前诘问陛下御批任用谏官的事情,言语有点轻慢不恭,又追问陛下从什么地方得知所任之人,这是不想让威信和权力握在皇上手中,请将他从重贬逐。"刘挚上奏说:"神宗皇帝的灵车前往陵园时,依照敕令,入葬前一天的那个晚上,三省长官要在帐幕里留宿,唯有宰相蔡确不进账幕留宿,蔑视和违背礼仪,心中有不恭敬的意思。"这两份奏疏呈进去后,都没有答复。左正言朱光庭上奏说:"蔡确是先帝提拔任用的,位至宰相,但是灵车前进时,蔡确却先骑马跑到前面几十里远的地方,让自己方便从事,作为臣子不恭敬,没有比这种情况更严重的。"他又奏称章惇欺君罔上,诡言狡辩,韩缜运用奸邪手段骗取皇上恩宠,奏章几次进呈上去,言词非常激烈。

十一月,癸巳(初三),诏令:"审讯强盗时,对那些快要被检举才投案自首的人不得减刑。"

辽国耶律俨任景州刺史时,整治属下官吏,惩办奸猾豪强,扶养老人,救济穷人,没有几个月,他善于治理地方的名声就传向四方,郡中百姓立下碑文歌颂他的功德。耶律俨,是耶律仲禧的儿子。

乙未(初五),辽道宗下诏说:"近来地方官吏根据声誉升迁,长时间不调动,百姓受害。今后都按照资历和官阶升迁调动。"

丁酉(初七),把翼祖神位迁出太庙,把神宗神位安在太庙的第八室,祭祀中用的庙乐叫《大明之舞》。

任命主管西京御史台鲜于优为京东转运使。

司马光对人说:"现在重新任命鲜于优为转运使,实在不合适。不过朝廷要救治东部的弊病,非子骏不可。他是一路百姓的福星,可以做转运使的模范,从哪里有一百个子骏这样的人分布天下呢!"子骏是鲜于优的字。鲜于优在奏请废除莱芜、利国两监的铁冶后,又奏请海盐按河北路的有关规定允许百姓自由买卖,百姓非常高兴。

辛丑(十一日),两京、河阳的囚犯减罪一等,杖刑以下的囚犯释放,参加修造神宗陵墓的百姓免除赋税。

己酉(十九日),辽国派使来宋朝祝贺哲宗即位。

辛亥(二十一日),辽国史官进呈辽太祖以后的《七帝实录》。此前耶律孟简从保州释放回来后,上表给辽道宗说:"本朝的兴盛,将近二百年了,应该修国史,流传后代。"辽道宗于是下令设局编修国史。耶律孟简对同僚说:"史书记载是天下最确凿可信的,每句话写得恰当还是不恰当,百代以后的人都要依从它。如果没有高明的见识,好坏根据个人感情来评价,那就会有不测之祸,所以左丘明、司马迁、班固、范晔,都遭受灾祸,能不谨慎吗!"

丙辰(二十六日),辽国派使臣去高丽,册封三韩国公王勋的儿子王运为高丽国王。

丁巳(二十七日),任命乡贡进士程颐为汝州团练推官,充任西京国子监教授。这是采纳了司马光、吕公著、韩绛的推荐。

己未(二十九日),辽国禁止僧尼不能无故进京城。

十二月,壬戌(初二),诏令:"本月十五日开设经筵,讲解《论语》,读《三朝宝训》,讲读官每天前来资善堂,每逢双日讲读经典,并轮流由一人值夜班。开讲那天和每逢十日,宰相和执政大臣都来听讲。"

废除太学保任同罪法。

于阗进呈狮子,哲宗下诏退回。

丙寅(初六),刘挚上奏说:"宰相蔡确担任山陵使回来后,必须引咎自责;但蔡确不顾廉耻,担心失去爵位,没有理由不退出职任,恳请陛下早日做出英明决定,罢免蔡确职务,以彰明国家大法。"

诏令:"开封府界、河北、河东和陕西三路保甲户第五等只有两丁的家庭免除冬闲训练义务。"这是听从王岩叟的奏请。

西夏把国母遗留下来的物品、马匹、白骆驼送来献给宋朝。

甲戌(十三日),撤销后苑西作院。

1708

任命天章阁待制范纯仁、中书舍人王震同为给事中。王岩叟上奏说王震出任使臣时没有清廉正直的声誉,'在朝廷任职也没有庄重坦诚的名声,象审议驳正诏令的职任,不是王震应该担任的。不久命令王震出任外地太守。

起初，蔡确与章惇、邢恕等一起商议欺骗太皇太后，自称有定策之功，韩缜一直心中不满。等到蔡确担任山陵使，韩缜就在帘前详细奏陈蔡确等人的奸诈情形，从此内宫和外廷全都知道了。

刘挚上奏说："前不久蔡确等蒙恩升迁，学士草拟任命蔡确的制书，有句话说'只有他在订立大策上功劳最高'，任命令下发时，有识之士都知道言过其实了，而蔡确却安然接受。另外，蔡确与章惇结为死党，自从陛下进用司马光、吕公著以来，心中认为不好，所以蔡确在朝廷上假装赞同，而暗地里指使章惇在外面放肆逞强，欺凌阻挠。朝廷内外臣民都认为不罢免蔡确和章惇，那么正直为善的臣子就无法立身行事，天下始终不能享受到陛下仁厚的恩泽。"

乙亥(十四日)，哲宗第一次驾临迩英阁，讲读《论语》。

丙子(十五日)，朱光庭上奏说："蔡确、章惇、韩缜，应该让他们解除机要职务；司马光、范纯仁，应该进位宰相；韩维应被任为枢密大臣。把三个奸臣逐出朝廷，来纯洁朝廷百官队伍；把三位贤人引进朝廷，来襄赞各种政务，那么太平之风可以从此开始。"

戊寅(十七日)，撤去增设的十四处铸钱监。

辽国牛温舒任知三司使，国家和百姓都很富足。辽道宗认为他有才能，加任为户部侍郎。

续资治通鉴卷第七十九

【原文】

宋纪七十九　起柔兆摄提格【丙寅】正月,尽六月,凡六月。

哲宗宪元继道显德定功　钦文睿武齐圣昭孝皇帝

讳煦,神宗第六子,母曰钦圣皇后朱氏。熙宁九年,十二月,七日己丑,生于宫中,赤光照室。初名傭,授检校太尉、天平军节度使,封均国公;元丰五年,迁开府仪同三司,进封延平郡王。八年,二月,神宗寝疾,宰相王珪乞早建储,为宗庙社稷计,又奏请皇太后权同听政,神宗首肯,遂奉制立为皇太子。

元祐元年　辽大安二年【丙寅,1086】　春,正月,庚寅朔,诏改元。

辛卯,辽主如混同江。

承议郎、守起居舍人邢恕,尝教高公绘上书,乞尊礼朱太妃,为高氏异日之福。太皇太后呼公绘问曰:"汝不识字,谁为汝作此书?"公绘不敢讳。言者又论恕游历权贵,不自检慎。甲午,谪恕,以本官权发遣随州。时恕已除中书舍人,于是罢其新命,并黜之于外。

甲辰,王岩叟奏:"自冬不雪,今涉春矣,旱暵为灾,变异甚大。陛下于天下之大害,朝中之大奸,已悟而复疑,将断而又止。大害莫如青苗、免役之法,阴困生民,茶盐之法,流毒数路。大奸莫如蔡确之阴邪险刻,章惇之谗欺狼戾。陛下乃容而留之,此天心之所以未祐也。"

丁未,以集贤校理黄廉为户部郎中。先是廉提举河东路保甲凡六年,司马光闲居,往来河、洛间,闻其治状,吕公著亦言河东军与边民德之,遂有是除。

诏回赐高丽王鞍马、服带、器币有加。

罢陕西、河东元丰四年后凡缘军兴增置官局。

己酉,五国诸部长贡于辽。

辛亥,朱光庭言:"蔡确、章惇、韩缜,不恭、不忠、不耻。议论政事之际,惇明目张胆,肆为辨说,力行丑诋。确则外示不校,中实同欲,阳为尊贤,阴为助邪。缜则每当议论,亦不扶正,唯务拱默为自安计。愿罢去确等柄任,别进忠贤以辅圣治。"不报。

癸丑,太皇太后躬诣中太一宫、集禧观祈雨。

辽主召权翰林学士赵孝严、知制诰王师儒等讲《五经》大义。

丙辰,太皇太后诏曰:"原庙之立,所从来久矣。前日神宗皇帝初即祠宫,并建寝殿以崇严祖考,其孝可谓至矣。今神宗既已升祔,于故事当营馆御以奉神灵。而宫垣之东,密接民里,欲加开展,则惧成烦扰;欲采搢绅之议,皆合帝后为一殿,则虑无以称神宗钦奉祖考之意。

闻治隆殿后有园池,以后殿推之,本留以待未亡人也,可即其地立神宗原庙。吾万岁之后,当从英宗皇帝于治隆,上以宁神明,中以成吾子之志,下以安臣民之心,不亦善乎!"

帝幸相国寺祈雨。

时新法多所厘革,独免役、青苗、将官之法犹在,而西戎之议未决。司马光以疾谒告,凡十有三旬,不能出,叹曰:"四患未除,吾死不瞑目矣!"乃力疾移书三省曰:"今法度宜先更张者,莫如免役钱。光见欲具疏奏闻,若降至三省,望诸公协力赞成。"又手书与吕公著曰:"光自病以来,以身付医,以家事付愚子,唯国事未有所托,今以属晦叔矣。"中书舍人范百禄言于光曰:"熙宁免役法行,百禄为咸平县,开封罢遣衙前数百人,民皆欣幸。其后有司求羡馀,务刻剥,乃以法为病。今第减助(苗)〔免〕钱额以宽民力可也。"光不听。

二月,辛酉,以河决大名,坏民田,艰食者众,诏安抚使韩绛询访赈济。

乙丑,命蔡确提举修《神宗实录》,以邓温伯、陆佃并为修撰官,林希、曾肇并为检讨官。

诏权罢修河,放诸路兵夫。

先是司马光奏:"免役之法有五害:旧日上户充役有所陪备,然年满之后却得休息,今则年年出钱,钱数多于往日陪备者,其害一也。旧日下户元不充役,今来一例出钱,其害二也。旧日所差皆土著良民;今召募四方浮浪之人,作公人则曲法受赃,主官物则侵欺盗用,一旦事(法)〔发〕,挈家亡去,其害三也。农民所有,不过谷帛与力,今日我不用汝力,输我钱,我自雇人,若遇凶年,则不免卖庄田、牛具、桑柘以求钱纳官,其害四也。提举常平司惟务多敛役钱,广积宽剩,希求进用,其害五也。为今之计,莫若降敕,应天下免役钱一切并罢,其诸色役人并依熙宁以前旧法定差。惟衙前一役,最号重难,向有破家产者,朝廷为此始议作助役法。今衙前陪备少,当不至破家;若犹虑力难独任,即乞依旧于官户、僧道、寺观、单丁、女户有屋业者,并令随贫富等第出助役钱,遇衙前重难差遣,即行支给。然役人利害,四方不能齐同,乞指挥降诸路转运使下诸州县,限五日内县具利害申州,州限一月申转运司,司限一季奏闻,委执政官参详施行。"是日,三省、枢密院同进呈,得旨依奏。

丁卯,诏:"侍从各举堪任监司者二人,举非其人有罚。"

韩维言:"光禄大夫致仕范镇,在仁宗朝首开建储之议,而镇未尝以语人,人亦莫为言者,故恩赏独不及镇。伏望特降明诏,褒显厥功。"于是具以镇十九疏上之。已巳,拜镇端明殿学士,致仕,仍以其子百揆为宣德郎。

庚午,禁边民与夏人为市。

辛未,以侍御史刘挚为御史中丞。

诏:"起居舍人依旧制不分记言动。"

武威郡王栋戬卒,以其养子阿里骨为河西军节度使,封宁塞郡公。阿里骨严峻刑杀,其下不遑宁。诏饬以推广恩信,副朝廷所以封立、前人所以付与之意。

司马光奏复差役法,既得旨,知开封府蔡京即用五日限,令两县差一千馀人充役,亟诣东府白光。光喜曰:"使人人如待制,何患法之不行乎!"议者谓京但希望风旨,苟欲媚光,非其实也。

癸酉,以监察御史王岩叟为左司谏。

右司谏苏辙始供职,上言:"帝王之治,必先正风俗。风俗既正,中人以下皆自勉于为善;风俗一败,中人以上皆自弃而为恶。邪正盛衰之源,未必不始于此。昔真宗奖用正人,孙奭、

1711

戚纶、田锡、王禹偁之徒,既以谏诤显名,忠良之士,相继而起。及耆期厌事,丁谓乘间将窃国命,而风俗已成,无与同恶,谋未及发,旋即流放。仁宗仁厚,是非之论,一付台谏。孔道辅、范仲淹、欧阳修、余靖之流,以言事相高。时执政大臣岂皆尽贤,然畏忌人言,不敢妄作,一有不善,言者即至,随即屏去。故虽人主宽厚,而朝廷之间无大过失。及先帝嗣位,执政大臣变易祖宗法度,惟有吕诲、范镇等明言其失。二人既已得罪,台谏有以一言及者,皆纷然逐去,由是风俗大败。臣愿陛下永惟邪正盛衰之渐,始于台谏,修其官则听其言,言有不当,随事行遣。使风俗一定,忠言日至,则太平之治,可立而待也。"

甲戌,御迩英阁,侍读韩维言:"陛下仁孝发于天性,每行见昆虫蝼蚁,辄违而过之,且敕左右勿践履,此亦仁术也。愿陛下推此心以及百姓,则天下幸甚。"

丙子,司马光言:"复行差役之初,州县不能不少有烦扰,伏望朝廷执之,坚如金石,虽小小利害未周,不妨徐为改更,勿以人言轻坏利民良法。"章惇取光所奏,凡疏略未尽者,枚举而驳奏之,又尝与同列争曰:"保甲、保马一日不罢,则有一日之害。如役法者,熙宁初以雇代差,行之太速,故有今弊。今复以差代雇,当详议熟讲,庶几可行。而限止五日,其弊将益甚矣。"吕公著言:"光所建明,大意已善,其间不无疏略。惇言出于不平之气,专欲求胜,不顾朝廷大体。乞选差近臣三四人,专切详定奏闻。"

庚辰,夏国遣使来贡。

辛巳,宝文阁待制、刑部侍郎蹇周辅,坐变湖南盐法,抑勒骚扰,落职,知和州。

苏轼言于司马光曰:"差役、免役各有利害:免役之害,聚敛于上而下有钱荒之患;差役之害,民常在官,不得专力于农,而吏胥缘以为奸。此二害,轻重盖略等矣。"光曰:"于君何如?"轼曰:"法相因则事易成,事有渐则民不惊。三代之法,兵农为一,至秦始分为二,及唐中叶,尽变府兵为长征卒。自是以来,民不知兵,兵不知农;农出谷帛以养兵,兵出性命以卫农。天下便之,虽圣人复起,不能易也。今免役之法实类此。公欲骤罢免役而行差役,正如罢长征而复民兵,盖未易也。"光不以为然。

初,差役行于祖宗之世,法久多弊,编户充役,不习官府,吏虐使之,多致破产,而狭乡之民或有不得休息者。免役使民以户高下出钱,而无执役之苦,但行法者不循上意,于雇役实费之外,取钱过多,民遂以病。光为相,知免役之害而不知其利,欲一切以差役代之,轼独以实告,而光不悦。轼又陈于政事堂,光色忿然。轼曰:"昔韩魏公刺陕西义勇,公为谏官,争之甚力,韩公不乐,公亦不顾,轼尝闻公道其详。岂今日作相,不许轼尽言邪!"光笑而谢之。范纯仁与光素厚,谓光曰:"治道去其太甚者可也。差役一事,尤当熟讲而缓行,不然,滋为民病。且宰相职在求人,变法非所先也。愿公虚心以延众论,不必谋自己出;谋自己出,则谄谀得乘间迎合矣。设议或难回,则可先行之一路以观其究竟。"光不从,持之益坚。纯仁叹曰:"以是使人不得言尔。若欲媚公以为容悦,何如少年合安石以速富贵哉!"

光居政府,凡王安石、吕惠卿所建新法,刬革略尽。或谓光曰:"熙、丰旧臣,多恺巧小人,它日有以父子义间上,则祸作矣。"光正色曰:"天若祚宋,必无此事!"卫尉丞毕仲游遗光书曰:"昔王安石以兴作之说动先帝,而患财不足也,故凡政之可得民财者无不举。盖散青苗,置市易,敛役钱,变盐法者,事也;而欲兴作,患不足者,情也。盖未能杜其兴作之情,而徒欲禁散敛变置之法,是以百说而百不行。今遂废青苗,罢市易,蠲役钱,去盐法,凡号为利而伤民者,一扫而更之,则向来用事于新法者必不喜矣。不喜之人,必不但曰不可废罢蠲去,必操不足之情，言不足之事，以动上意，虽致石而使听之，犹将动也，如是则废罢蠲去者皆可复行矣。为今之策，当大举天下之计，深明出入之数，以诸路所积之钱粟，一归地官，使经费可支二十年之用，数年之间，又将十倍于今日，使天子晓然知天下之馀于财也，则不足之论不得陈于前，然后新法永可罢而无敢议复者矣。昔安石之居位也，中外莫非其人，故其法能行。今欲救前日之弊，而左右侍从、职司使者，十有七八皆安石之徒，虽起二三旧臣，用六七君子，然累百之中存其数十，乌在其势之可为也！势未可为而欲为之，则青苗虽废将复散，况未废乎？市易虽罢且复置，况未罢乎？役钱、盐法，亦莫不然。以此救前日之弊，如人久病而少间，其父子兄弟喜见颜色而未敢贺者，以其病之犹在也。"光得书耸然，后竟如其虑。

是月，辽主驻山榆淀。

闰月，己丑朔，王岩叟入对，言："祖宗遗戒不可用南人。如蔡确、章惇、张璪皆南人，恐害于国。"帝曰："为是旧臣。"岩叟曰："孰非旧臣？"帝曰："近日颇旱。"岩叟曰："以圣德如此，无致灾变之理；唯政府有此人，所以致旱也。"

庚寅，尚书左仆射蔡确罢。山陵使事毕，确犹偃蹇于位，于是刘挚、王岩叟、孙觉、苏辙、朱光庭弹章交上十数。确浸不自安，遂连表乞解机务，表词有曰："收拔当世之耆老以陪辅王室，蠲省有司之烦碎以慰安民心，严边备以杜强邻之窥觎，走轺传以察远方之疲瘵，明法令之美意以扬先帝之惠泽，厉公平之大道以合众志之异同。"其高自矜伐如此。孙觉、苏辙愈不平，复上疏论之，疏曰："自法行以来，民力困敝，海内愁怨。先帝晚年，寝疾弥留，灼知前事之失，亲发德音，将洗心自新，以合天意；此志不遂，奄弃万国。是以皇帝践阼，圣母临政，奉承遗旨，罢导洛，废市易，捐青苗，止助役，宽保甲，免买马，放修城池之役，复茶盐铁之旧，黜吴居厚、吕孝廉、宋用臣、贾青、王子京、张诚一、吕嘉问、蹇周辅等。命令所至，细民鼓舞相贺。今小臣既经罢黜，至于大臣则因而任之，臣窃惑矣。确所上表，虽外逼人言，若欲求退，而论功攘善，实图自安。所云收拔当世之耆艾以陪辅王室，臣谓当世之耆艾，乃确昔日之所抑远者也。所云蠲省有司之烦碎以慰安民心，臣谓有司之烦碎，乃确昔日创造者也。此二事，皆确为政无状，以累先帝之明；非陛下卓然独见，谁能行此？确不自引咎，反以为功，则是确等所造之恶皆归先帝，而陛下所行之善皆归于确也。"时司马光、吕公著进用，蠲除烦苛，确言皆己所建白，公论益不容，太皇太后犹不忍遽斥。至是始罢为观文殿学士、知陈州，寻改亳州。

以门下侍郎司马光为尚书左仆射兼门下侍郎。光以疾方赐告，不能入谢，帝遣郏门副使赍告印至其家赐之，光辞。疾稍间，将起视事，诏免朝觐，以肩舆三日一入都堂或门下尚书省，光不敢当，曰："不见君，不可以视事。"诏光肩舆至内东门，子康扶入对小殿，且命无拜，光惶恐，请对延和殿。诏许乘肩舆至崇政殿，垂帘日引对，馀依前降指挥。光入对，再拜，遂退而视事。王安石时已病，弟安礼以邸吏状示安石，安石曰："司马十二丈作相矣！"怅然久之。

诏韩维、吕大防、孙永、范纯仁详定役法以闻，从吕公著言也。

壬辰，以尚书左丞吕公著为门下侍郎。

〔丙申〕，命司马光提举编修《神宗实录》。

诏："提举官累年积蓄，尽桩作常平仓钱物，委提点刑狱交割主管，依旧常平仓法。"

丁酉，王岩叟入对，言求治不可太急，太急则奸人有以迎意进说。又奏乞察贤不贤而去留之，若贤者留，不贤亦留，则贤者耻而不乐为用。又奏两宫垂帘，杜绝内降，太皇太后曰："此事必无，不须忧也。"

(己亥)〔癸卯〕，刘挚言：“保甲罢团教，臣窃有私忧过计者。夫乡野之民，其性易于转习。今之保甲，衣必华细，食必酒肉，固已变其向者布麻粗粝之习矣；群聚而笑喧，奋臂而矜勇，固已移其椎鲁劳苦之习矣。臣愚以为宜有法以敛制之。凡保甲之技艺，强弱高下，州县皆有等籍，今案取优等，愿为兵者刺以为本州禁军，自馀中下等，亦依近制募充弓手、刀手、耆壮、户长之役。”苏辙言：“河北之民，喜为剽劫，近岁创为保甲，驱之使离南亩，教之使习凶器。今虽已罢，而弓、刀之手不可以复执锄，酒肉之口不可以复茹蔬，既无所归，势必为盗。臣愿于元丰库或内藏库乞钱三十万贯，为招军例物，选文武臣僚有才干者各一二人，分往河北，于保甲中招其强勇精悍者为禁军，随其人才，以定军分。上为先帝收恩于既往，下为社稷消患于未萌。”

刘挚言：“知枢密院章惇，素无才行。近者差役之复，乃三省同枢密进呈，惇果有所见，当即敷陈讲画，今敕命宣布，始退而横议。惇非不知此法之是与非也，盖宁负朝廷而不忍负王安石，欲存面目以见安石而已。”

甲辰，刘挚言：“臣伏见户部尚书曾布，在熙宁初，王安石托以腹心，故其政皆出于布之谋，其法皆造于布之手。臣时为御史，曾以此告之先帝曰：‘大臣误朝廷，而大臣所用者误大臣。’盖指布辈也。”

朱光庭奏：“今日庙堂之上，司马光未出，唯有吕公著一人忠朴可倚，其馀皆奸邪。伏望圣慈早进范纯仁，庶得贤者在位，同心一德，以辅圣政。”

丙午，以西京国子监教授程颐为校书郎，用王岩叟荐也。

庚戌，诏：“英州编管人郑侠特放自便，仍除落罪名，尚书吏部先咨注旧官，与合入差遣。”从监察御史孙升、左司谏苏辙所奏也。

辛亥，知枢密院事章惇罢。司马光、吕公著改更弊事，惇与蔡确在位，窥伺得失，惇尤以谲侮困光，台谏交章疏其罪，未报。已而惇复与光帝前争论喧悖，至曰它日安能奉陪吃剑，太皇太后怒。于是刘挚奏言：“惇佻薄险悍，谄事王安石，以边事欺罔朝廷，遂得进用。及安石补外，又倾附吕惠卿，夤缘至于执政。以强市两浙民田及寄语台官等事为言路所击，而先帝益薄其为人。黜之未几，复为蔡确所引，以至今日。夫去恶莫如尽，陛下既去确而今尚留惇，非朝廷之利。乞正其横议害政、强愎慢上之罪。”王岩叟奏言：“惇廉隅不修，无大臣体，每为俳谐俚语，侵侮同列。谏官孙觉尝论边事，不合惇意，而惇肆言于人，云议者可斩，中外闻之，无不骇愕，自古未尝有大臣敢出此语胁谏官者。陛下诏求直言，而惇斥上书人为不逞之徒，其意不欲陛下广聪明也。陛下登用老臣旧德，而惇亦指为不逞之徒，其意不喜陛下用正人也。今复于帝前争役法，辞气不逊，陵上侮下，败群乱众，盖见陛下用司马光作相，躁忿忌嫉，所以如此。伏乞罢免以慰天下之望。”惇遂罢，以正议大夫知汝州。

甲寅，诏：“侍从、御史、国子司业各举经明行修可为学官者二人。”

乙卯，以同知枢密院事安焘知枢密院事，试吏部尚书范纯仁同知枢密院事。权给事中王岩叟言：“安焘资材阘茸，器识暗昧，旧位且非所据，况可冠洪枢、颛兵柄！所有画黄，谨缴进。其范纯仁除命，伏乞分为别敕行下。”苏辙、孙觉、刘挚亦相继论焘不当骤迁。

〔丙辰〕，罢诸州常平管句官。

丁巳，安焘辞免新命。敕黄付王岩叟书读，岩叟又封还。

诏：“放免内外市易钱并坊场净利钱。”又诏：“已前积欠免役钱，与减放一半。”

三月,己未,王岩叟言:"陛下用范纯仁虽骤,何故无一人有言？盖赏贤也。一进安焘,则谏官、御史交章论奏,盖非公望所与也。臣两次论驳,窃闻已有指挥,门下省更不送给事中书读,令疾速施行。臣位可夺也,而守官之志不可夺;身可忘也,而爱君之心不可忘。陛下既重改成命,则愿差官权给事中,以全孤臣之守。"

庚申,刘挚言:"安焘、范纯仁告命不由给事中,直付所司,陛下自堕典宪,使人何所守乎!"不报。

详定役法所言:"乞下诸路,除衙前外,诸色役人只依见用人数定差,官户、僧道、寺观、单丁、女户出钱助役指挥勿行。"从之。

王安石闻朝廷变其法,夷然不以为意;及闻罢助役,复差役,愕然失声曰:"亦罢及此乎？"良久曰:"此法终不可罢也。"

壬戌,司马光言:"取士之道,当以德行为先,文学为后;就文学之中,又当以经术为先,辞采为后。为今日计,莫若依先朝成法,合明经、进士为一科,立《周易》《尚书》《毛诗》《周礼》《仪礼》《礼记》《春秋》《孝经》《论语》为九经,令天下学官依注疏讲说,学者博观诸家,自择短长,各从所好。《春秋》止用《左氏传》,其公羊、穀梁、陆淳等说,并为诸家。《孟子》止为诸子,更不试大义,应举者听自占。习三经以上,多少随意,皆须习《孝经》《论语》。"光以奏稿示范纯仁,纯仁答光曰:"《孟子》恐不可轻。且朝廷欲求众人之长,而元宰先之,似非明夷莅众之义。不若清心以俟众论,可者从之,不可者更俟诸贤议之,如此则逸而易成,有害亦可改矣。"光欣然纳之。

戊辰,苏辙言:"陛下用司马光为相,而使韩缜以屠沽之行与之同列,以臣度之,不过一年,缜之邪计必行,邪党必胜,光不获罪而去,则必引疾而避矣。去岁北使入朝,见缜在位,相顾反臂微笑。缜举祖宗七百里之地,无故与之。闻契丹地界之谋,出于耶律用正,今以为相。彼以辟国七百里而相用正,朝廷以蹙国七百里而相缜,臣愚所未谕也。"

辛未,以吏部侍郎李常为户部尚书。常,文士,少吏干,或疑其不胜任,以问司马光,光曰:"使此人掌邦计,则天下知朝廷非急于征利,贪吏掊克之患,庶几少息矣。"

以中书舍人胡宗愈为给事中,起居舍人苏轼为中书舍人。

军器监丞王得君言:"臣僚上章与议改法,但许建明事情,不得妄有指斥。"内出手诏曰:"予方开广言路,得君意欲杜塞人言,无状若此,可罢职与外任监当。"得君于是谪监永城县仓。

诏:"毋以堂差冲在选已注官。"

置诉理所,许熙宁以来得罪者自言。

命太学官试,司业、博士主之,如春秋补试法。

壬申,诏:"安焘坚辞知枢密院事,特依所乞,仍同知枢密院事,仍令班左丞李清臣上。"

癸酉,置开封府界提点刑狱一员。

女直贡良马于辽。

乙亥,罢熙河、兰会路经制财用司。

己卯,复广济河辇运。

辛巳,诏:"民间疾苦当议宽恤者,监司具闻。"

以校书郎程颐为崇政殿说书,从司马光言也。颐进三札,其一曰:"陛下春秋方富,辅养之道,不可不至。大率一日之中,接贤士大夫之时多,亲宦官、宫妾之时少,则自然气质变化,德器成就。乞遴选贤士入侍劝讲,讲罢,常留二人直日,夜则一人直宿,以备访问。或有小失,随事献规。岁月积久,必能养成圣德。”其二曰:“三代必有师、傅、保之官。师,道之教训;傅,傅其德义;保,保其身体。臣以为傅德义者,在乎防见闻之非,节嗜好之过;保身体者,在乎适起居之宜,存畏谨之心。欲乞皇帝左右扶侍祗应宫人、内臣,并选年四十五以上厚重小心之人,服用器玩皆须质朴;及择内臣十人,充经筵祗应,以伺候起居,凡动息必使经筵官知之。”其三曰:“窃见经筵臣僚,侍者皆坐,而讲者独立,于礼为悖。乞今后特令坐讲,以养主上尊儒重道之心。臣以为天下重任,惟宰相与经筵,天下治乱系宰相,君德成就责经筵,由此言之,安得不以为重!”

颐每以师道自居,其侍讲,色甚庄,言多讽谏。闻帝在宫中盥而避蚁,问:“有是乎?”帝曰:“有之。”颐曰:“推此心以及四海,帝王之要道也。”帝尝凭栏偶折柳枝,颐正色曰:“方春时和,万物发生,不可无故摧折。”帝不悦。

御史吕陶言:“司农少卿范子渊,在元丰时提举河工,(縻)〔糜〕费巨万,护堤压埽之人,溺死无算,而功卒不成,乞行废放。”于是黜知峡州,制略曰:“汝以有限之财,兴必不可成之役;驱无辜之民,置诸必死之地。”中书舍人苏轼词也。

夏,四月,己丑,右仆射韩缜罢。先是台谏前后论缜过恶甚众,皆留中不报。太皇太后宣谕孙觉、苏辙曰:“进退大臣,当存国体。缜虽不协人望,要须因其求去而后出之。”刘挚等攻之益急,缜遂乞出,以观文殿大学士知颍昌府。内批:“缜自以恐妨贤路,故乞出外,视矜功要名而去者,缜为得进退之体,宜于制词中声说此意。”矜功要名,盖指蔡确、章惇也。

诏太师致仕文彦博肩舆赴阙,令河南津置行李。

先是司马光除左仆射,固辞以疾,乞召用彦博。范纯仁亦以彦博老成,劝帝召致之。及将罢韩缜,太皇太后以御札付光,欲除彦博太师兼侍中、行右仆射事。光奏:“彦博官为太师,年八十一,臣后进而位居其上,非所以正大伦也。”不听。

庚寅,苏辙言:“礼部欲复诗赋,司马光乞以《九经》取士,二议并未施行。乞先降指挥,明言来年科场一切如旧,但所对经义兼取注疏及诸家议论,不专用王氏之学,仍罢律义,然后徐议,更未为晚也。”

〔辛卯〕,司马光乞“令提点刑狱司指挥逐县令佐,体量乡村人户有阙食者,一面申知上司及本州,更不候回报,即将本县义仓及常平仓米谷直行赈济。夏秋成熟,令随税送纳,毋得收息。令佐有能用心存恤,民不流移者,优与酬奖;否则取勘闻奏。”从之。

辛卯,诏:“诸路旱伤,蠲其租。”

壬辰,以旱虑囚。

癸巳,特进、荆国公王安石卒,年六十有六。

安石性强忮,自信所见,执意不回。至议变法,在廷交执不可,安石傅经义,出己意,辨论辄数百言,众不能诎。甚者谓天变不足畏,祖宗不足法,人言不足恤。罢黜中外老成人几尽,多用门下儇慧少年。久之,以旱引去。洎复相,岁馀罢,终神宗世不复召。安石著《日录》七十卷,如韩琦、富弼、文彦博、司马光、吕公著、范镇、吕诲、苏轼及一时之贤者,皆重为诋毁,晚居金陵,于钟山书室多写“福建子”三字,盖恨为吕惠卿所误也。及卒,司马光于病中闻之,亟简吕公著曰:“介甫文章节义,颇多过人,但性不晓事,而喜遂非,今方矫其失,革其弊。不幸介甫谢世,反覆之徒,必诋毁百端。光以为朝廷特宜优加厚礼,以振起浮薄之风。"其不修怨如此。

戊戌,辽主北幸,遣使加统军使及静化军节度使爵秩,仍赐赉诸军士。

辛丑,诏:"执政大臣各举可充馆阁者三人。"

壬寅,诏:"文彦博特授太师、平章军国重事。以门下侍郎吕公著为尚书右仆射兼中书侍郎。"太皇太后欲用彦博为右相,刘挚、王觌并言彦博春秋高,不可为三省长官。朱光庭亦三上章,以为:"彦博师臣,不宜烦以吏事。若右相,则吕公著、韩维、范纯仁皆可为之。"帝问司马光,光对曰:"若令彦博以太师平章军国重事,亦足尊老成矣。"又言宜为右相者莫如吕公著,帝皆听之。又诏:"彦博一月两赴经筵,六日一入朝,因至都堂与辅臣议事;如遇有军国机要,即不限时日,并令入预参决。"

先是执政官每三五日一聚都堂,吏目抱文书历诸厅白之,故为长者得以专决,同列难尽争也。光尝恳蔡确,欲数会议,庶各尽所见,而确终不许。公著既秉政,乃日聚都堂,长贰并得议事,遂为定制。

乙巳,诏户部裁冗费,著为令。

黜内侍李宪等于外。

刘挚言:"宦者李宪,贪功生事,渔敛生民膏血,兴灵、夏之役,首违师期,乃顿兵兰州,遗患今日。王中正将兵二十万出河东,逗留违诏,精卒劲骑,死亡殆尽。宋用臣董大工役,侵陵官司,诛求小民,夺其衣食之路。石得一领皇城司,纵遣伺者,飞书朝上则暮入狴犴,朝士都人相顾以目者殆十年。此四人者,权势烽焰,张灼中外,幸而先帝神武,足以镇厌,不然,其为祸岂减汉、唐宦者哉!"侍御史林旦亦以为言。诏并降官,宪、中正、得一提举宫观,用臣监太平州税务。

辛亥,文彦博入对,命其子贻庆扶掖上殿,赐贻庆金紫章服。

扬王颢、荆王頵并特授太尉。

司马光请立经明行修科,岁委升朝文武各举所知,以勉厉天下,使敦士行,以示不专取文学之意。若所举人违犯名教,必坐举主毋赦。于是诏:"自今凡遇科举,令升朝官各举经明行修之士一人,俟登第日,与升甲。罢谒禁之制。"

知诚州周士隆抚纳豀峒民一千三百馀户,赐士隆银帛。

癸丑,三省言:"尚书六曹,职事闲剧不等,今欲减定,以主客兼膳部,职方兼库部,都官兼司门,屯田兼虞部,定为三十五员。"又言:"常平奏春秋敛散,以陈易新,及岁饥赈贷,主司并依法推行。降贷常平钱谷,丝麦丰熟,随夏税先纳所输之半,愿并纳者,止出息一分。"并从之。

五月,丁巳朔,以资政殿大学士兼侍读韩维为门下侍郎。

罢诸路重禄,复熙宁前旧制。

辽自马群太保萧托辉括群牧实数以定籍,厥后棘册国岁贡千匹,女直诸国及铁骊诸部岁贡良马,仍禁朔州路鬻羊马于南朝,吐浑、党项鬻马于西夏,以故牧马蕃息,多至百有馀万。辽主赏群牧官,以次进阶。

庚申,夏国遣使来贺即位。

壬戌,诏侍从、台官、监司各举县令一人。

丁卯,刘挚上疏曰:"学校为育材首善之地,教化所从出,非行法之所。虽群居众聚,帅而齐之,不可无法,亦有礼义存焉。先帝养士之盛,比隆三代。然太学屡起狱狱,有司缘此造为法禁,烦苛甚于治狱,条目多于防盗,上下疑贰,以求苟免。尤可怪者,博士、诸生禁不相见,教谕无所施,质问无所从,月巡所隶之斋而已。斋舍既不一,随经分隶,则又《易》博士兼巡《礼》斋,《诗》博士兼巡《书》斋,所至备礼请问,相与揖诺,亦或不交一言而退,以防私请,以杜贿赂。学校如此,岂先帝所以造士之意哉!愿罢其制。"戊辰,诏孙觉、顾临、程颐同国子监长贰修立太学条制。

己巳,幸扬王、荆王第,官其子九人。

乙亥,苏辙言:"前参知政事吕惠卿,诡变多端,见利忘义。王安石初任执政,以为心腹,青苗、助役,议出其手。韩琦始言青苗之害,先帝翻然感悟,欲退安石而行琦言。当时执政皆闻德音,安石亦累表乞退,天下欣然有息肩之望矣。惠卿方为小官,自知失势,上章乞对,力进邪说,荧惑圣听,巧回天意,身为馆殿,摄行内侍之职,亲往传宣,以起安石,肆其伪辨,破难琦说,仍为安石画劫持上下之策。自是诤臣吞声,有职丧气,而天下靡然矣。至于排击忠良,引用邪党,惠卿之力,十居八九。其后又建手实簿法,尺椽寸土,检括无遗,鸡豚狗彘,抄札殆遍,小民怨苦,甚于苗役。又因保甲正长,给散青苗,结甲赴官,不遗一户,上下骚动,不安其生,遂至河北人户流移。旋又兴起大狱以恐胁士人,如郑侠、王安国之徒,仅保首领而去。其心本欲株连蔓引,涂污公卿,独赖先帝仁圣,每事裁抑,故不得穷极其恶。既而惠卿自以赃罪被黜,于是力陈边事,以中上心。其在延安,始变军制,杂用蕃、汉,违背物情,坏乱边政。西戎无变,妄奏警急,擅领大众,涉人戎境,竟不见敌,迁延而归,恣行欺罔,立石纪功。自是戎人怨叛,边鄙骚扰,河、陇困竭,海内疲劳。永乐之败,大将徐禧,本惠卿自布衣保荐擢任,始终协议,遂付边政;败声始闻,震动宸极,驯致不豫。安石之于惠卿,有卵翼之恩,有父师之义,方其求进,则胶固为一,更相汲引,以欺朝廷。及其权位既均,反眼相噬。始,安石罢相,以执政荐惠卿,既已得位,恐安石复用,遂起王安国、李士宁之狱以挅其归。安石觉之,被召即起,迭相攻击,期至死地。安石之党,言惠卿使华亭知县张若济借豪民钱置田产等事,朝廷遣蹇周辅推鞫,狱将具而安石罢去,故事不复究,案在御史,可覆视也。惠卿发安石私书,其一曰"无使齐年知",齐年者,冯京也,先帝犹薄其罪;惠卿复发其一曰"无使上知",安石由是得罪。夫惠卿与安石,出肺肝,托妻子,平居相结,唯恐不深,故虽欺君之言见于尺牍,不复疑间。惠卿方其无事,已一一收录以备缓急之用,一旦争利,随相抉摘,不遗馀力。此犬彘之所不为,而惠卿为之!惠卿用事于朝廷,首尾十馀年,操执威柄,凶焰所及,甚于安石。乞陛下断自圣意,略正典刑,追削官职,投畀四裔。"

诏特赠吕诲通议大夫,子由庚与堂除合人差遣,以刘挚、吕大防、范纯仁言其触忤时宰,谴死外藩故也。

辽主驻纳葛泺。

戊寅,辽宰相梁颖出知兴平府事。

壬午,诏:"文彦博已降旨令独班起居,自今赴经筵都堂,凡同三省、枢密院奏事,并序官位在宰相上。"

乙酉,监察御史上官均言:"今之议者,必以为往时之散青苗,出于抑配,故有前日之弊;今则募民之愿取者然后与之,而有司又不以多散为功,在民必以为便。臣以为不然。今天下民,十室之中,赀用匮乏者六七,诱以青苗之利,无知之民,不暇远计,必利一时之得,纷然趋赴。虽曰不强抑配,然而散敛追呼督促之烦,道涂往来之费,轻用妄费,贱售谷帛之患,未免如前日也。故臣愿行闰二月八日诏书,罢去青苗法,复常平昔年平粜之法,兹万世之通利也。"

是月,辽放进士张毅等二十六人。

六月,丁亥朔,辽以左伊勒希巴耶律坦为特里衮,知枢密院事耶律额特勒兼知伊勒希巴事。

戊戌,诏:"自今科场程试,毋得引用《字说》。"从林旦言也。

癸卯,辽遣使案诸道狱。时景州刺史耶律俨入为御史中丞,案上京滞狱,多所平反,擢同知宣徽院事、提点大理寺。

甲辰,置《春秋》博士。

资政殿大学士、正议大夫、提举嵩山崇福宫吕惠卿落职,降为中散大夫、光禄卿、分司南京,苏州居住。苏辙、刘挚、王岩叟相继论惠卿罪恶,故有是命。

监察御史韩川言:"市易之设,虽曰平均物直,而其实不免货交以取利,又所收不补所费。请结绝见在物货,画日更不收买。"从之。

右正言王觌言:"先帝令常平钱斛存留一半,遇谷贵减市价出粜,成熟时增市价收籴,务在平谷价而已。郡县之吏,妄意朝廷之法,惟急于为利,故于青苗新令则竞务力行,于粜籴旧条则仅同虚设。伏望朝廷罢散青苗钱,行旧常平仓法,以成先帝之素志。"

辽以同知南京留守事耶律诺音知右伊勒希巴事。

乙巳,准布部长朝于辽,辽主命燕国王延禧相结为友。

丙午,王岩叟、朱光庭、苏辙、王觌言:"吕惠卿责授分司南京,不足以蔽其罪。臣等岂不知降四官、落一职为分司,在常人不为轻典乎?盖以尧之四凶,鲁之少正卯,既非常人,不当复用常法制也。"

戊申,吏部尚书孙永等请以富弼配神宗庙庭,诏从之。初议或欲以王安石,或欲以吴充,太常少卿鲜于侁曰:"勋德第一,唯富弼耳。"

辽以契丹行宫都部署耶律阿苏兼知北院大王事。

庚戌,太白昼见。

辛亥,吕惠卿责授建宁军节度副使,本州安置,不得签书公事;从王岩叟等四人所奏也。苏轼草制词,有曰:"先帝始以帝尧之仁,姑试伯鲧,终以孔子之圣,不信宰予。"又曰:"尚宽两观之诛,薄示三苗之窜。"天下传诵称快焉。

甲寅,诏曰:"先帝讲求法度,爱物仁民,而搢绅之间,不能推原本意,或妄生边事,或连起奸狱,久乃知弊。此群言所以未息,朝廷所以惩革,整饬风俗,修振纪纲,盖不得已。况罪显者已正,恶钜者已斥,则宜荡涤隐疵,阔略细故。应今日以前有涉此事状者,一切不问,言者勿复弹劾。"

始,邓绾谪滁州,言者未已。太皇太后因欲下诏慰存反侧,吕公著以为宜然,遂从之。或谓公著:"今除恶不尽,将遗患它日。"公著曰:"治道去太甚耳。文、景之世,网漏吞舟。且人才实难,宜使自新,岂宜使自弃邪!"

复置通利军。

乙卯,程颐上疏言:"今讲读官共五人,四人皆兼要职,独臣不领别官,近差修国子监条例,是亦兼也,乃无一人专职辅导者。执政之意,盖惜人材,不欲使之闲尔,又以为虽兼它职,不妨讲读,此尤不思之甚也。古人斋戒而告君,臣前后两得进讲,未尝敢不宿斋戒,潜思存诚,觊感动于上心。若使营于职事,纷其思虑,待至上前,然后善其辞说,徒以颊舌感人,不亦浅乎?今诸臣所兼皆要官,若未能遽罢,且乞免臣修国子监条例,俾臣夙夜精思竭诚,专在辅导。"颐一日讲"颜子不改其乐",既毕文义,乃复言曰:"陋巷之士,仁义在躬。人主崇高,奉养备极,苟不知学,安能不为富贵所移!且颜子,王佐才也,而箪食瓢饮;季氏,鲁国蠹也,而富于周公。鲁君用舍如此,非后世之鉴乎?"文彦博、吕公著等入侍,闻其讲说,辄相与叹曰:"真侍讲也!"

彦博对帝恭甚,或谓颐曰:"君之倨,视潞公如何?"颐曰:"潞公三朝大臣,事幼主不得不恭。颐以布衣为上师傅,其敢不自重!此颐与潞公所以不同也。"

是月,夏主遣使来求兰州、米脂等五砦,司马光言:"此乃边鄙安危之机,不可不察。灵、夏之役,本由我起,新开数砦,皆是彼田。今既许其内附,若靳而不与,彼必曰:新天子即位,我卑辞厚礼以事中国,庶几归我侵疆,今犹不许,则是恭顺无益,不若以武力取之。小则上书悖慢,大则攻陷新城。当此之时,不得已而与之,其为国家耻,无乃甚于今日乎!群臣犹有见小忘大、守近遗远、惜此无用之地者,愿决圣心,为兆民计。"时异议者众,唯文彦博与光合,太皇太后将许之。光欲并弃熙河,安焘固争之曰:"自灵武而东,皆中国故地。先帝有此武功,今无故弃之,岂不取轻于外夷邪?"光乃召礼部员外郎、前通判河州孙路问之,路挟舆地图示光曰:"自通远至熙州才通一径,熙之北已接夏境。今自北关濒大河,城兰州,然后可以捍蔽;若捐以予敌,一道危矣。"光乃止。

【译文】

宋纪七十九 起丙寅年(公元1086年)正月,止六月,共六个月。

宋哲宗名讳赵煦,是神宗第六子,母亲是钦圣皇后朱氏。熙宁九年(公元了1076年)十二月七日己丑时分,生在皇宫中,当时红光照射房间。最初取名赵佣。授任检校太尉、天平军节度使,封为均国公;元丰五年(公元1082年)迁任开府仪同三司,晋封为延平郡王。元丰八年(公元1085年)二月,神宗病重,宰相王珪奏请早日确立皇太子,为了宗庙社稷的长久安稳,又奏请皇太后暂且一同听政。神宗同意,于是奉命被立为皇太子。

元祐元年 辽大安二年(公元1086年)

春季,正月,庚寅朔(初一),哲宗下诏改元。

辛卯(初二),辽道宗前往混同江。

承议郎、守起居舍人邢恕,曾指使高公绘上书哲宗,奏请尊礼朱太妃,为高家后代求福。太皇太后唤来高公绘,问道:"你不识字,谁为你写这份奏书的?"高公绘不敢隐瞒。言官又指责邢恕结交权贵,行为不检点谨慎。甲午(初五),贬谪邢恕,以原官职暂时遣往随州任职。当时邢恕已被任为中书舍人,这时又撤销了对他的新任命,并且把他贬逐到地方上去。

甲辰(十五日),王岩叟上奏说:"自去年冬天没下雪来,现在已是春天,干旱成灾,灾变很是严重。陛下对于天下的大祸害,朝中的大奸臣,已有发觉,却还在迟疑,将要做出决定时,又中止下来。最大的祸害莫过于青苗法、免役法,它们在不知不觉地困扰百姓,茶盐法流毒几路地区。大奸臣莫过于蔡确，他阴险刻毒；章惇，他谗言欺君，像狼一样残暴。陛下却容忍他们，把他们留在身边，这就是上天不保佑的原因。"

丁未（十八日），任用集贤校理黄廉为户部郎中。此前黄廉掌管河东路保甲事务共六年时间，司马光闲居时，来往于河东、洛阳间，听说过他的政绩，吕公著也说河东路军民都称赞他的仁德，所以有这次任命。

诏令回赐高丽王鞍马、衣服、饰带、器皿、钱币，并增加数量。

撤销陕西、河东两路在元丰四年后由于兴兵作战而增设的官衔。

宋代妇女形象图

己酉（二十日），五国各部酋长向辽国进贡。

辛亥（二十二日），朱光庭上奏说："蔡确、章惇、韩缜这三人，不谦恭、不忠诚、不知耻。在讨论政事时，章惇明目张胆，放肆诡辩，极力诬蔑诋毁。蔡确则外表上显出不与人计较，内心里实际与章惇一样，表面上敬重贤能，暗地里帮助奸邪。韩缜每次在议事论政时，也不扶持正义，只是拱手无语，想着怎样保全自己。希望罢免蔡确等三人的职务，另外进用忠诚贤能的人来辅佐陛下。"没有得到批复。

癸丑（二十四日），太皇太后亲自到中太一宫、集禧观求雨。

辽道宗宣召权翰林学士赵孝严、知制诰王师儒等人讲解《五经》大义。

丙辰（二十七日），太皇太后下诏说："原庙的设立，由来已很久了。以前神宗皇帝初次到宗庙祭祀，同时修建了陵园寝殿，来尊崇先祖，他可以说是最尽孝了。现在神宗皇帝的神位已经安放到太庙里面，按照先例应当修建馆御，来奉养他的神灵。可是宫墙的东边，紧靠着民房街巷，想加以扩展，又担心扰害百姓；想采纳官绅的建议，把皇帝皇后都合置在一处殿堂，又怕不能符合神宗尊奉先祖的本意。听说治隆殿后面有处园池，按皇后庙殿推测，本是留着给我死后用的，可在这里建立神宗皇帝的原庙。我去世后，就跟从英宗皇帝在治隆殿设立神位，这样上可以让神灵安宁，中可以成全我儿子的心愿，下可以安定臣民之心，不是很好吗？"

哲宗亲到相国寺求雨。

当时新法大多被改变了，只有青苗法、免役法、将官法依然存在，关于西戎的讨论也没有做出决议。司马光称病告假，共一百三十天，不能出门，他感叹说："四大祸患还没消除，我死不瞑目呀！"于是勉强支撑病体，写信送给三省说："如今应该最先更改的法令，莫过于免役钱。我现在想上疏奏报皇上，如果奏章下发到三省，希望各位合力赞成。"又写信给吕公著说："我生病以来，把性命交给了医生，家事交给了儿子，只有国事还没人可以托付，现在就把它嘱托给晦叔你了。"中书舍人范百禄对司马光说："熙宁年间推行免役法时，百禄任咸平县县令，当时开封府罢散了衙前役夫几百人，百姓都欢欣鼓舞。后来有关部门索取羡余钱，一味勒索盘剥，百姓才觉得新法是个祸害。现在只要少收助免钱，来减轻百姓的财力负担就可以了。"司马光听不进去。

二月，辛酉（初二），因为黄河在大名府决口，冲毁民田，很多人生计艰难，诏令安抚使韩绛查访灾情，赈济灾民。

乙丑（初六），命令蔡确主持编修《神宗实录》，任用邓温伯、陆佃同为修撰官，任用林希、曾肇同为检讨官。

诏令暂时停止修治黄河，遣散各路士兵民夫。

此前司马光上奏说："免役法有五大害处：以前上等户轮到承担差役时可以纳钱，但年限满后可以停止不缴钱，如今却要年年出钱，钱比过去所纳钱要多，这是第一大害处。以前下等户原本不承担差役，如今却一样出钱，这是第二大害处。以前承担差役的都是本地良民，如今招募四方流浪无业的人服役，他们充任衙役就贪赃枉法，掌管官家财物就侵吞盗取，一旦事情败露，就带着家小逃走，这是第三大害处。农民所有的不过是粮米、布帛和劳力，如今却说我不征用你们的劳力，给我交钱来，我自己去雇人服役，如果遇上年成凶荒，就免不了要卖掉庄田、牛具、桑柘，来换钱交给官府，这是第四大害处。提举常平司一心只想多征收免役钱，多多地积存宽剩钱，企图得到升迁提拔，这是第五大害处。现在的办法，莫过于降下敕令，把全国所有的免役钱一律停止征收，各种差役都依照熙宁变法以前的老办法安排服役。只有衙前役一项，最为繁重艰难，向来有因此而倾家荡产的，朝廷为此开始讨论制订助役法。如今衙前役纳钱少，应当不至让人破产；如果还担心百姓难以独力承担，就请依照过去办法，规定有产业的官户、僧道、寺观、单丁、女户，都按贫富等级出助役钱，遇上衙前役繁重，难以差派，就把钱发给承担此役的人。然而服役人户的好坏状况，全国各地不会相同，请皇上命令各路转运使下令各州县，限令县衙在五天内把利害情况详细报告州府，州府在一个月内报告转运司，转运司在一个季度内奏报朝廷，朝廷委派执政官员仔细研究后实施。"这一天，三省、枢密院同时进呈，得到旨令批准，依司马光所奏实施。

丁卯（初八），诏令："侍从官员每人都推荐两名可以充任监司的人，推荐的人不合适要受处罚。"

韩维上奏说："在光禄大夫任上退休的范镇，在仁宗朝第一个提出立储的建议，而韩镇从来没有跟人提及，别人也没有为他说话，所以朝廷加恩赐赏时唯独没有韩镇的份。恳请特别降下公开诏书，褒扬、表明他的功劳。"于是把范镇的十九份奏疏全都呈上去。己巳（初十），任范镇以端明殿学士衔退休，并任用他的儿子范百揆为宣德郎。

庚午（十一日），禁止边境百姓与西夏人贸易。

辛未(十二日),任用侍御史刘挚为御史中丞。

诏令:"起居舍人依过去制度不分为记言和记事。"

武威郡王栋戬去世,任命他的养子阿里骨为河西军节度使,封为宁塞郡公。阿里骨严厉地执行刑法杀戮,下属们都不安宁。哲宗诏令告饬他要广泛地施行恩德仁信,符合朝廷封立他、前人嘱托他的本来意愿。

司马光奏请恢复差役法,得到圣旨批准后,知开封府蔡京立即命令在五天限期内,下属两县差派一千多人来服役,并急忙赶到宰相府报告司马光。司马光高兴地说:"如果人人都像待制你一样,哪里还要担心法令不能执行呢!"议论的人说蔡京希求迎合圣旨,苟且行事来媚奉司马光,内心里其实不想这么去做。

癸酉(十四日),任命监察御史王岩叟为左司谏。

右司谏苏辙开始任职,上奏说:"帝王治理天下,一定要先端正风俗。风俗端正了,中等以下的人都会勉励自己做善事;风俗一旦败坏,中等以上的人都会自暴自弃做坏事。邪恶与正义,谁盛谁衰,根源都是从这里开始。过去真宗皇帝奖励、任用正直的人,孙奭、戚纶、田锡、王禹偁这类人,都因为敢于谏净而扬名,忠诚、善良的人,因而相继涌现出来。到了晚年,真宗厌倦政事,丁谓乘机准备窃取国家大命,然而已经形成良好的风俗,没有人同他一起作恶,阴谋还没有开始,立即就被流放了。仁宗皇帝仁慈宽厚,政事中的是是非非,全都交付给台谏官处理。孔道辅、范仲淹、欧阳修、余靖这些人,都以敢于议论政事而互相推崇。当时的执政大臣并非人人都很贤明,只是害怕别人议论,不敢胡作妄为,一做出不好的事情,言官马上提出批评,这人跟着会被罢免驱逐。所以,虽然皇帝宽松仁厚,但是朝廷里面并没重大过失。先帝继位后,执政大臣变改祖宗法令制度,只有吕诲、范镇等人公开指说他们的过失。二人获罪后,台谏官中讲了一言半语的,都纷纷被贬逐离开朝廷,从此风俗大大败坏。臣希望陛下永远记住,邪恶与正义的盛衰转变,都是从台谏开始,设置这样的官职,就要听取他们的言论,如果台谏官的言论有所失当,根据不同情况加以处理解决。如果正气风俗定了下来,忠言就会每天听得到,那么太平局面很快就会出现。"

甲戌(十五日),哲宗驾临迩英阁,侍读韩绛上奏:"陛下的仁慈孝顺,是天生就有了,每次走路看见昆虫蚂蚁,就要绕过去,并且敕令左右侍臣不要践踏,这也是一种仁慈。希望陛下把这种仁慈心肠也推及到百姓身上,那么天下百姓就非常有幸了。"

丙子(十七日),司马光上奏:"刚开始恢复实行差役法时,州县不可避免会有一些骚扰,恳切希望朝廷执行下去,像金石一样稳定,即使有些细小的利害还没有顾及,不妨慢慢加以改正,不要因为有人指责就轻易地败坏有利于百姓的好法令。"章惇取来司马光的奏章,凡是司马光疏忽讲得不完善的,章惇一一列举、批驳,奏报上去,他又曾跟同僚争论说:"保甲法、保马法一天不废除,就有一天的危害。例如免役法,熙宁初年实行以雇人役来代替差派,实施得太快,所以有今天的弊害。现在恢复以差派代替雇募的做法,应当详细讨论、深思熟虑,也就可以推行了。但是限期只有五天,弊害将会更严重了。"吕公著说:"司马光所说明的,大的方面已很完善,中间也有疏漏的。章惇讲话出于不服气,一心想胜过别人,不顾朝廷大局。请选派三四名近臣,专门负责审定,奏报上闻。"

庚辰(二十一日),西夏派使来宋朝进贡。

辛巳(二十二日),宝文阁待制、刑部侍郎蹇周辅,因变改湖南盐法,勒索、骚扰百姓。被贬职,任和州知府。

苏轼对司马光说:"差役法和免役法各自都有利弊:免役法的弊害是,把钱财聚敛于官府,民间有缺钱的忧患。差役法的弊害是,百姓经常在官府服役,不能集中力量耕种,而胥吏乘机徇私枉法。这两种弊害,危害轻重大略相似。"司马光说:"依你看该怎么办?"苏轼说:"法令互相沿袭,事情就容易成功,事情慢慢进行,百姓就不会惊慌。上古三代的法令,是规定兵农合一,到秦朝才兵农分离开来,到唐朝中期,完全把府兵变为长征卒。从此以后,民不知兵,兵不知农;农民生产出布帛粮谷来供养士兵,士兵拿出性命来保卫农民。天下百姓都认为这样好,虽然再出现圣人,也不能改变。如今免役法与此相似。明公想一下子就废除免役法而实施差役法,正好象废止长征卒而恢复民兵制,实在不容易。"司马光不以为然。

当初,差役法在祖宗各代推行,法令一久就有很多弊病,编户百姓去服公役,不熟习官府衙门,官吏虐待奴役他们,使大多人破产,而一些人多地少的地方,百姓有的因服役得不到休息。免役法让百姓按户等高低出钱,没有服役的辛苦,但是执行新法的官吏不遵循上面的旨意,除了收缴雇人服役实际所需费用外,索收过多的钱财,百姓因此受到损害。司马光任宰相后,只知免役法的弊害,却不知道它的好处,全部用差役法来取代它,苏轼一个人讲出了实情,而司马光不高兴。苏轼又在政事堂陈说他的看法,司马光表情愤怒。苏轼说:"过去韩魏公批评陕西义勇,你是谏官,极力争辩,韩公不高兴,你也不理睬,苏轼我曾听你讲过当时的详情。难道你今天做了宰相,就不准苏轼把话讲完吗!"司马光笑着向苏轼谢罪。

范纯仁向来与司马光交情厚,他对司马光说:"治国之道,除去太过分的东西,就行了。对于差役法,尤其应当深思熟虑,然后逐渐实施,否则,就会变成百姓的灾祸。况且宰相的职责在寻求人才,变更法令不是首先要办的事。希望你敞开胸怀,听取大家的意见,不必一切计谋都由自己提出;计谋由自己提出,那么谄媚奉承的人可以乘机迎合了。假设有时谋议难以改变,那可以先在一路试行,来观察结果到底如何。"司马光不听从,更加顽固地坚持自己的意见。范纯仁叹气说:"象这样,让人不能讲话了。如果我想媚事你来讨你欢心,还不如年轻时迎合王安石,使富贵来得更快呢!"

司马光执掌朝政后,凡是王安石、吕惠卿所制定的新法,几乎全部铲除掉。有人对司马光说:"熙宁、元丰年间的旧臣,多是逢迎谄媚的小人,如果哪一天有人以父子情义来离间圣上,那灾祸就来了。"司马光严肃地说:"上天若是保佑宋朝,就绝对不会有这样的事!"卫尉丞毕仲游致书司马光说:"以前王安石用兴建功业的建议打动先帝,但担心财用不足,因此凡是可以收取民财的政事无不实行。贷放青苗钱、设置市易务、征收免役钱,变更盐法,这些是具体的事情;可是想建功立业,担心用度不足,才是真实的心思。如果不能杜绝他建功立业的心思,仅仅只想禁止贷放青苗钱、征收免役钱等等具体的做法,所以讲了一百次还是一百次不能成功。现在就是废除青苗法,撤销市易务,免除免役钱,除掉了盐法,凡是名义上利民而实际上伤民的所有新法,一概扫除,加以变更,那么一直在用力推行新法的人一定不高兴。这些不高兴的人,不仅要说不能废除变更新法,必定还会借用用度不足的国情,陈述钱财不足的实例,来打动皇上之心,即使是石头听了,也会被打动,这样一来,那些废除停止的法令又都可以恢复了。如今的策略,应当通盘统计全国的财赋,具体算清楚支出与收入的数目,把各路存积的钱粮,全部归户部掌管,使全国经费能满足二十年的开支,几年间,又将是今日的十倍,让天子清楚地知道全国财用有余,那么国家用度不足的说法就不能在天子面前讲了，然后新法可以永远废除，再也不会有人敢议论什么了。过去王安石任宰相时，朝廷内外没有谁不是他的亲信，所以他的新法得以推行。现在想纠正前时的弊政，可是皇上左右侍从人员、职司官员，十分之七八都是王安石的党徒，即使起用了二三名旧臣，任用了六七个君子，但几百人中间只有那么几十，在这样的形势下哪里又能有所作为呢！形势不能让人有所作为，但是想去有所作为，那么青苗法即使被废除了，但还是会恢复，何况现在还没有废除呢？市易务就是被撤销了，还会重新设置，何况没有撤销呢？免役钱和盐法，也无不是这样。用这样的手段来解救前段时期的弊害，好比一个人长期生病，有几天好转，他的父子兄弟虽然表情高兴，却不敢称贺，原因是他的病依然还在身上。"司马光收到书信后耸然一惊，后来果真像毕仲游忧虑的那样发生了。

这一月，辽道宗驻跸于山榆淀。

闰二月，己丑朔（初一），王岩叟进宫答对，说："祖宗留下诫令，不可重用南方人，像蔡确、章惇、张璪都是南方人，恐怕他们危害国家。"哲宗说："因为他们是旧臣。"王岩叟说："谁又不是旧臣呢？"哲宗说："近来干旱较严重。"王岩叟说："按理说圣上的德行这样好，没有招致灾祸变异的道理；只因朝廷有这些人，所以带来了旱灾。"

庚寅（初二），尚书左仆射蔡确被罢免。蔡确山陵使事务完毕后，他还是傲慢地占据宰相职位，因此刘挚、王岩叟、孙觉、苏辙、朱光庭上奏弹劾他，奏章相继呈上去十几份。蔡确逐渐感到不安，于是接连上表请求解除机要职务。疏表中有这样的话："我延揽、提拔了当代年高德重的人来辅佐王室，免除、减少了官衙琐碎烦扰的事务来安抚民心，加强了边境防备来杜绝强大邻邦的窥伺觊觎，坐车骑马去考察边远地区的民生疾苦，表明法令的完美来推广先帝的恩惠，严厉执行公平的原则来统一各人不同的意见。"他拔高自己、自吹自擂到了这种地步。孙觉、苏辙更加气愤，又一次上疏弹劾他，奏疏说："自从新法实施以来，百姓的人力财力困乏，全国一片忧愁怨望。先帝到了晚年，得了重病后，在弥留之际，已洞见到以前政事的失误，亲自发出诏书，准备洗心革面，悔过自新，借以符合天意；这一愿望没能实现，就抛弃国家去了。所以哲宗皇帝继位后，太皇太后临朝主政，继承先帝遗命，停止修治洛河，撤除市易务，放弃青苗钱，停止助役法，放宽保甲法，免除保甲户买马，停下修城工程，恢复过去的茶、盐、铁法，贬逐吴居厚、吕孝廉、宋用臣、贾青、王子京、张诚一、吕嘉问、塞周辅等人。诏令所到之处，百姓击鼓起舞，互相庆贺。现在这些位低权小的官吏已经被罢免贬逐了，而那些位高权重的大臣却沿袭任用，臣私下感到迷惑难解。蔡确的上表，虽然外表上是被人言所逼迫，好象请求退职，但是他谈论功劳、排斥善良，实际上是图谋自安。所谓延揽、提拔当代德高望重的人来辅佐王室，臣认为那些当代德高望重的人，其实应是蔡确往日所压抑疏远的人。所谓免除、减少官衙琐碎烦扰的事务来安抚民心，臣认为官衙中的琐碎烦扰，实际上就是蔡确以前制造出来的。这两件事，都是蔡确主政无功，以致损害了先帝的圣明；不是陛下有与众不同的独特见识，谁又能够做得到呢？蔡确本人不引咎自责，反而当作自己的功劳，那就是把蔡确等人制造的罪恶都归到先帝身上，而把陛下所施行的善政却归到蔡确身上了。"当时司马光、吕公著被提拔重用，废除了烦法苛政，蔡确都把它们说成是自己报告建议的，所以舆论更加不能容忍他，但太皇太后还是不忍心立即罢斥蔡确。到这个时候才把他贬为观文殿学士、陈州知府，不久改任为亳州知府。

任命门下侍郎司马光为尚书左仆射兼门下侍郎。司马光正因病获假在家，不能进朝谢

1725

恩,哲宗派阁门副使带着任命书和官印到他家里颁赐给他,司马光辞谢不受。病情稍有好转,就要起床处理政务,哲宗诏令免他上朝觐见,坐轿每三天一次去政事堂或门下尚书省,司马光不敢接受,说:"不觐见皇帝,就不能处理政事。"哲宗诏令司马光坐轿到内东门,由儿子司马康扶着进小殿觐见和回话,并命令他不要跪拜,司马光惶恐不安,请求在延和殿奏对。哲宗下诏允许他坐轿到崇政殿,在太皇太后垂帘听政时引见答话,其余的依前次诏令执行。司马光进宫答话,拜了两次,就退出来去处理政事。这时王安石已生病,弟弟王安礼拿来官府邸报给王安石看,王安石说:"司马十二丈当宰相了!"惆怅了很长一段时间。

诏令韩维、吕大防、孙永、范纯仁详细议定差役法奏报上来,这是听从吕公著的建议。

壬辰(初四),任命尚书左丞吕公著为门下侍郎。

命令司马光主持编修《神宗实录》。

丙申(初八),诏令:"提举官多年来的积蓄,全部封存作为常平仓钱物,委派提点刑狱交接主管,依照过去的常平仓法实施。"

丁酉(初九),王岩叟进宫奏对,说追求天下大治不得太急促,太急促了就有奸邪之人趁机迎合进言。又奏请考察官吏中贤能与不贤能的人,留下贤人,赶走不贤的人,如果贤人留下了,不贤的人也留下了,那贤人就会感到羞耻,不愿意被任用。他又上奏说两宫垂帘听政,要杜绝内廷直接降下圣旨,太皇太后说:"这种事肯定不会有的,不必担忧。"

癸卯(十五日),刘挚上奏说:"保甲停止集中训练,臣私下有些个人不成熟的想法。乡野百姓的性情习俗容易转变。现在的保甲,衣服一定要穿细软的,饮食一定要有酒有肉,已完全改变了他们先前穿麻布吃粗粮的习惯;他们聚在一起嬉笑喧闹,挥舞臂袖,自夸勇猛,完全改变了他们过去朴实勤劳的习性。臣愚蠢地认为应该制订法令来约束管理他们。凡是保甲的武艺本领,强弱高低,州县都分等级登记好,现在考核选取优等,愿意当兵的,刺字后成为本州禁军,其余中下等人,也依照近来的规定招募充任弓手、刀手、耆壮、户长等差役。"苏辙上奏说:"河北路的百姓,喜欢抢劫,近年创行保甲法,驱使他们离开田土,训练他们使熟悉兵器。现在虽然已被遣散,但拿过弓箭、习剑的手不能再拿锄头,喝酒吃肉的嘴巴不能再吃蔬菜,既然没有归处,势必变为盗贼。臣希望从元丰库或内藏库拿出三十万贯钱,作为招兵专用钱物,选派文武大臣中有才能的人各一二人,分别派往河北路各地,从保甲中招收那些强壮勇猛精悍的人作禁军,根据他们的才能,确定在军中的职分。这样,上可替先帝施完过去的恩惠,下可为社稷消除没有萌发出来的灾祸。"

刘挚上奏说:"知枢密院章惇,向来没有才干品行。近来恢复实行差役法,是三省会同枢密院进呈的,章惇果真有什么见解,当时就应该发表意见,讨论筹划,现在救命宣布了,却开始在朝廷外面乱发议论。章惇并不是不清楚这项法令的是与非,不过是宁肯对不起朝廷而不忍心辜负王安石,想保住脸面去见王安石而已。"

甲辰(十六日),刘挚上奏说:"臣下看到户部尚书曾布在熙宁初年时,王安石把他当作心腹来依托,所以王安石的新政都是出于曾布的谋划,新法都是曾布亲手制定。臣当时是御史,曾把这些事禀告给先帝说:'大臣贻误朝廷,而大臣任用的人又贻误大臣。'就是指曾布这类人。"

朱光庭上奏说:"在今天的朝廷里面,司马光没有出来,只有吕公著一个忠心朴实,可以倚重,剩下的人都是奸邪之徒。恳切希望皇上和太皇太后早日起用范纯仁,这样大概可以让贤人处于正位,同心同德,来辅佐圣明的朝政。"

丙午(十八日),任命西京国子监教授程颐为校书郎,这是采纳了王岩叟的荐举。

庚戌(二十二日),诏令:"在英州编管的郑侠特别允许行动自由,并撤销原有罪名,尚书省吏部先行文让他担任原官职,再差派相应职务。"这是采纳了监察御史孙升、左司谏苏辙的奏请。

辛亥(二十三日),知枢密院事章惇被罢免。司马光、吕公著改正弊政,章惇与蔡确身居权位,伺机寻找二人的失误,尤其是章惇用讥笑侮辱和为难司马光,台谏官接连上疏弹劾他的罪过,但没有批复。不久章惇又与司马光在太皇太后的垂帘前争论、喧嚷,甚至说日后怎么能跟司马光一起挨剑受罚,太皇太后愤怒了。因此刘挚上奏说:"章惇轻浮无情、阴险凶恶,谄媚讨好王安石,用边境事务欺蒙朝廷,因此得到重用。等到王安石调出朝廷,又攀附投靠吕惠卿,凭借这些手段爬到执政地位。他因为强迫收买两浙地方的民田以及给台谏官员传递消息等丑事,受到舆论的指责攻击,先帝因而更加看不起他的为人。贬斥他没有多久,又被蔡确引荐,直到今天。要铲除邪恶不如彻底铲除,陛下既然逐走了蔡确,现在还把章惇留住,这对于朝廷不利。请惩治他乱发议论危害朝政、刚愎自用欺瞒皇上的罪行。"王岩叟上奏说:"章惇缺乏道德修养,不懂做大臣的规矩,常常讲些怪话俚话,伤害侮辱同僚。谏官孙觉曾议论边境事务,不符合章惇心意,章惇就对别人随便乱讲,说发议论的人应该斩首,朝廷内外听到后,无不惊骇,自古以来还没有大臣敢于讲出这样的话来威胁谏官。陛下下诏要求臣民直言进谏,可是章惇斥责上书之人是不逞之徒,他的用心是不想让陛下耳聪目明。陛下选拔任用品德高尚的元老旧臣,可是章惇也把他们指斥为不逞之徒,他的用心是不喜欢陛下任用正直之人。现在他又在垂帘前争论差役法,言词不恭,凌辱君主,欺侮同僚,败坏群体,扰乱众心,这是因为他看到陛下任命司马光做宰相,心里气愤、嫉妒,所以才这样。恳切希望陛下把他罢免,以此不让天下臣民失望。"章惇因此被罢免,以正议大夫的身份出任汝州知府。

甲寅(二十六日),诏令:"侍从、御史、国子司业每人举荐两名通晓经术、品行良好可以担任学官的人。"

乙卯(二十七日),任用同知枢密院事安焘为知枢密院事,任用试吏部尚书范纯仁为同知枢密院事。权给事中王岩叟上奏说:"安焘资质驽钝、器识愚昧,原任官职已经不是他能胜任的,何况是做枢密院之长,专掌兵权呢!所接草拟旨令,谨此呈缴上来。关于范纯仁的任命,请另外拟旨颁行。"苏辙、孙觉、刘挚也相继论说安焘不应当迅速提升。

丙辰(二十八日),撤除各州常平管句官。

丁巳(二十九日),安焘推辞,并请求免去新任命。哲宗敕令把黄纸任命文书交付王岩叟签署宣布,王岩叟又把它封好退还。

诏令:"免除京城内外市易钱和坊场净利钱。"又有诏令:"先前积欠的免役钱,减免一半。"

三月,己未(初二),王岩叟上奏说:"陛下重用范纯仁虽然很是突然,为什么没有一个人有意见?因为这是赏识贤才。但一提拔安焘,谏官、御史就相继上奏议论,是因为他不是众望所归的人。臣下两次上奏论说并驳回任命,私下听说已有指示说,门下省草拟的诏书不再送交给事中签署发布,命令迅速下发执行。臣的职位可以被剥夺,但是忠于职守的心志不会被剥夺;个人的性命可以忘记,但是爱护君主的良心不会忘记。陛下既然再次改变已成之命,希望差派官员来代理给事中,成全孤臣的操守。"

庚申(初三),刘挚上奏说:"安焘、范纯仁的任命不交付给事中,直接交付主管部门,陛下这是自己破坏制度法令,这样让臣民去遵守什么呢!"没有批复。

详定役法所上奏说:"请下令各路,除衙前役人以外,其他各种役人只根据现在所用人数安排服役人员,官户、僧道、寺观、单丁、女户出钱助役的指令不要执行。"哲宗依从了。

王安石听说朝廷改变他的新法,神态自然并不放在心上;等到听说废除了助役法,恢复差役法,惊得失声叫道:"难道废除新法连助役法也要废除吗?"很久后才说:"助役法终究是不能被废除掉的。"

壬戌(初五),司马光上奏说:"选用人才的原则,应当把道德品行放在第一位,文章学问放在第二位;在文章学问这一条里,又应当把经术放在前,把文辞放在后。当今之计,不如按照前朝的现成办法,把明经、进士合为一科,确定《周易》《尚书》《毛诗》《周礼》《仪礼》《礼记》《春秋》《孝经》《论语》为九经,命令全国学官依据注疏来讲解,学习的人博览诸家学说,自己分辨优劣长短,各自信从他自己喜爱的那家。《春秋》只采用《左氏传》,其余公羊氏、谷梁氏、陆淳等人的学说,都列为诸家学说。《孟子》只算在诸子学说内,不考试其中的大义,应试的人允许自己选择科目。学习三种以上的经书后,再学习多少经书随个人自便,但都必须学《孝经》《论语》。"司马光把奏章草稿拿给范纯仁看,范纯仁回答说:"《孟子》恐怕不能轻视。况且,朝廷是想获得众人的长处,可是宰相在众人前面这样做了,似乎不符合治理民众要外表隐晦内心明察这一原则。还不如安心等待众人先议论,正确可行的就依从,不可行的再等各个贤人加以议论,这样不仅安闲无事,而且容易成功,即使有害处,也可以改正过来。"司马光很高兴地采纳了。

戊辰(十一日),苏辙上奏说:"陛下任用司马光做宰相,却让韩缜那样品行像屠夫酒贩的人和他同起同坐,依臣下估计,不用一年时间,韩缜的奸计必定推行,奸党必定占据上风,司马光不是获罪离开朝廷,就必定会是称病辞官退避。去年辽国使臣进朝,看到韩缜任相,背着手相顾微笑。韩缜拿祖宗经营的七百里土地,无缘无故地送给他们。听说辽国扩张边界的阴谋,出于耶律用正之心,现在辽国任用他为宰相。他们因为替国家开辟了七百里疆界而任耶律用正为相,朝廷却因为损失国家七百里土地而让韩缜任相,这是臣下愚昧不能明白的地方。"

辛未(十四日),任命吏部侍郎李常为户部尚书。李常是个文学之士,缺乏做官的才干,有人怀疑他不能胜任官职,就此询问司马光,司马光说:"让这个人去掌管国家财用,天下臣民就会知道朝廷不急于征取财利,贪官污吏刻意搜括民财的灾祸,也许可以稍微缓和了。"

任命中书舍人胡宗愈为给事中,任用起居舍人苏轼为中书舍人。

军器监丞王得君上奏说:"臣僚上疏参与讨论变改法令,只准说明事实真情,不许乱加指责。"内廷传出手诏说:"我正在广开言路,王得君想要堵住不让别人讲话,如此没有礼节,可罢去官职,让他到外地担任监当。"王得君因此被贬谪去监管永城县仓库。

诏令:"不得因为政事堂差派影响已由吏部选任注授的官员。"

设置诉理所,允许熙宁年间以来被判罪的人自己申诉。

命令太学组织官试,由司业和博士主考,办法同于春秋两季的补试。

壬申（十五日），诏令：“安焘坚决推辞知枢密院事，特许同意他的奏请，仍旧担任同知枢密院事，仍旧让他的班次在左丞李清臣之前。”

癸酉（十六日），设置开封府界提点刑狱一名。

女真族向辽国进贡好马。

乙亥（十八日），撤销熙河、兰会路经制财用司。

己卯（二十二日），恢复广济河辇运。

辛巳（二十四日），诏令：“民间有疾病困难应当加以抚恤的，监司奏报上来。”

任命校书郎程颐为崇政殿说书，这是采纳了司马光的建议。程颐进呈三封信札，第一封说：“陛下正是成长时候，教养、辅导的方法，不能不完备。大体上在一天之内，接触贤良士大夫的时间多，亲近宦官、宫女的时间少，那么自然而然地气质会发生变化，品德和才学可以养成。请求挑选贤士入宫服侍劝教，讲解经史。讲解完了，经常留下两人值日，晚上留一人值夜，预备陛下询问求教。或者皇上出现小过失，因时因事加以劝导。这样长年累月，一定能培养成伟大的仁德。”第二封说：“上古三代都设有师、傅、保三种官职。师负责用良言严教来引导君王，傅负责培养君王的道德品行，保负责哺养保护君王的身体。臣下认为培养君王的道德品行，就是防止君王看见或听到不应该的东西，节制君王不要有过份的嗜好；哺养保护君王的身体，就是让君王起居适宜，心中常有畏惧、谨慎。臣想奏请陛下身边服侍的宫人和内臣，都选任年纪在四十五岁以上、行事稳重小心的人，陛下吃穿用的服饰器皿都必须朴素不浮华；并请选择内臣十人，充任经筵侍从，来侍候陛下的起居，一切行动与休息都必须让经筵官知道。”第三封说：“私下看见经筵上的臣僚，侍从都坐着，而讲解的人独独站着，这是违背礼制的。请今后特别命令坐着讲解，来养成主上尊重学者敬重学术的心理。臣认为天下重要的职责，只在宰相与经筵官身上，天下是治还是乱，系托在宰相身上，君王品德的造就，责任在于经筵官，这样说来，怎么能不认为他们责任重大呢！”

程颐经常以师道自居，他侍讲时，表情十分庄重，讲解中语言多带讽谏之意。他听说皇帝在宫中盥洗时要避开蚂蚁，就问：“有这样的事吗？”皇帝说：“有这样的事。”程颐说：“把这种仁慈心肠推及到四海之内，就是做帝王的重要原则。”皇帝曾有一次凭靠着栏杆，偶然折下一根柳枝，程颐一本正经地说：“现在正是春天，气候温和，万物正在生长，不能无故折断树枝。”皇帝听后不高兴。

御史吕陶上奏：“司农少卿范子渊，在元丰年间主管河工事务，浪费钱物几万，护堤筑坝的人，淹死的无法计算，可是工程最后却没有成功，请求把他废黜流放。”因此把他贬为峡州知府，制书大意说：“你用有限的财力，兴修绝对不能成功的工程；驱使无辜的百姓，把他们置于肯定会死的境地。”这是中书舍人苏轼的措辞。

夏季，四月，己丑（初二），右仆射韩缜被罢免。此前台谏官前前后后弹劾韩缜过失和罪恶的人非常多，奏章都被扣留在内廷，所以没有批复。太皇太后告谕孙觉、苏辙说：“进用还是贬逐朝廷大臣，应当维护国家大体。韩缜虽没有人望，总要先由他自己奏请辞职，然后把他逐出朝廷。”刘挚等人更加激烈地攻击他，韩缜于是请求外放，以观文殿大学士的身份出任颍昌知府。内宫批语说：“韩缜自己认为恐怕妨碍贤人进身之路，所以请求出朝外任，比起那些夸耀功劳捞取名誉而辞职的人，韩缜算是知道进退大体的，应该在制词中说明这层意思。”夸耀功劳捞取名誉，是指蔡确、章惇。

诏令在太师任上退休的文彦博坐轿进京,令河南路置办行李。

此前司马光被任为左仆射,他借口有病坚决推辞不任,奏请召用文彦博。范纯仁也认为文彦博老成稳重,劝哲宗皇帝宣召他进京。等到快要罢免韩缜,太皇太后把皇帝的手札交给司马光,想任用文彦博为太师兼侍中、行右仆射事。司马光上奏:"文彦博官为太师,年龄八十一岁,臣下任官在后面,而地位在他的上面,这样不能端正伦理大道。"没有听从。

庚寅(初三),苏辙上奏:"礼部想恢复考试诗赋,司马光请求以《九经》取录人才,两种建议都没有采纳实行。请求先发下指示,公开宣布来年科举科目全部照旧,只是应对经义,要兼取注疏和诸家学说,不专门采用王安石的注疏,并停考律义,然后慢慢商议,也不算晚。"

辛卯(初四),司马光奏请"命令提点刑狱司指示各县县令僚属,访查清点乡村人户中有缺饭吃的,一方面申报上级和本州长官,并且不要等候批复,就可以拿本县义仓和常平仓粮米直接进行赈济。夏秋季节庄稼成熟后,命令百姓跟赋税一起缴还赈米,不得收取利息。各地县令僚佐如有能够尽力抚恤,百姓没有流落外地的,从优给予奖赏;不能这样做的,核实定罪并奏报上来。"哲宗听从了。

辛卯(初四),诏令:"各路遭受旱灾的,免除租税。"

壬辰(初五),因为天旱,审理囚犯。

癸巳(初六),特进、荆国公王安石去世,享年六十六岁。

王安石性格倔强,固执己见,坚持下去从不回头。在议论变法时,朝廷大臣纷纷认为不能变法,王安石附会经义,按自己的意思来取舍,每有辩论就是长篇大论,大家不能驳倒他。甚至说上天灾变不足畏惧,祖宗制度不足效法,人世舆论不足顾虑。他把朝廷内外老成持重的臣子罢免废黜得几乎没有了,任用的多是他门下轻浮狡黠的年轻人。很久以后,由于天旱而引退离开朝廷。等到再次任相,一年多后就被罢免,直到神宗去世,没再被召回朝廷。王安石著有《日录》七十卷,象韩琦、富弼、文彦博、司马光、吕公著、范镇、吕诲、苏轼以及当时的贤人,他都极力诽谤。晚年居住在金陵,在钟山书房常常写"福建子"三个字,是因为痛恨被吕惠卿贻误了。王安石死后,司马光在病中听说后,急忙写信给吕公著说:"介甫(王安石的字)的文章和节操,有很多过人的地方,但他生性不通晓事理,喜欢去做不该做的事,现在我正要纠改他的过失,革除弊病,不幸介甫谢世,那些反复无常的人,肯定会百般诋毁他。我以为朝廷应特别给予他优厚的礼遇,借以振兴改变轻薄的世风。"司马光就是这样不结怨仇。

戊戌(十一日),辽道宗到北方巡视,派遣使臣加封统军使和静化军节度使的爵位和俸禄,并且赏赐各位军士。

辛丑(十四日),宋哲宗下诏说:"每个执政大臣推荐三名可以担任馆阁职务的官员。"

壬寅(十五日),宋哲宗下诏说:"文彦博被特别授为太师、平章军国重事。任命门下侍郎吕公著为尚书右仆射兼中书侍郎。"

太皇太后想任用文彦博为右相,刘挚、王觌都说文彦博年龄太大,不能做三省长官。朱光庭也三次上奏,认为:"文彦博是老师身份的大臣,不适宜拿烦琐的公务来打扰他。像右相这样的职位,吕公著、韩维、范纯仁这些人都可以担任。"皇帝询问司马光的意见,司马光回答说:"假如让文彦博担任太师、平章军国重事,也就足以表示朝廷对德高望重的老臣的尊重了。"又说适宜做右相的没有比吕公著更好的人选了,皇帝一一听从了司马光的意见。哲宗又下旨说:"一月中文彦博必须有两次到经筵给皇帝讲学,六天入朝进宫一次,顺便到政事堂和辅政大臣一起商讨国事;假如碰上什么军国大事,可以不限定入朝时间,让文彦博一起参与决断。"

以前处理政事的办法是执政官每隔三五天到政事堂会一次面,吏目抱着文书到各厅将文书内容一一告诉执政官员们,这样就使得为首的长官可以独自专断政事,同列官员难以发表自己的看法。司马光曾向蔡确提出过几次意见,想大家一起来商讨,使人人有机会发表自己的看法,然而蔡确始终不允许。吕公著主持朝政以后,就每天让长官副佐都聚集在政事堂,大家一起来参与研究政事,并长此以往,将它定为固定的制度。

乙巳(十八日),皇帝命令户部裁减冗杂的费用,并制订、写成文告公布于众。

贬黜内侍李宪等人到宫外任职。

刘挚说:"宦官李宪,贪求功利,喜好滋事,搜刮百姓膏血,发起灵州、夏州的战役,并且带头不遵守军队行动时间,竟然在兰州安扎军队,致使战事失利,留下来的祸患一直影响到现在。王中正率领二十万大军离开河东,行军途中逗留,违背了诏命,致使几乎全部丧失了军中的精悍军骑。宋用臣视察大工役,冒犯凌辱主管官员,敲诈平民百姓,剥夺他们求生的门路。石得一主管皇城司,到处派遣暗探,匿名书信早晨递上,官员晚上就被捕入狱,在朝官员和在京百姓只能用眼神打招呼、不敢乱说话近十年。这四个人,权势如焰,炙手可热,势力辖及京中和京城以外地区,幸亏先帝神明威武,足以镇压,不然,他们将造成的祸害哪会在汉朝和唐朝的宦官之下呢!"侍御史林旦也上书论说这件事。宋哲宗下诏,将他们一起降职,李宪、王中正、石得一任提举宫观的职务,宋用臣任监太平州税务之职。

辛亥(二十四日),文彦博进宫对答,宋哲宗命令他儿子文贻庆扶着父亲上殿,并赏赐文贻庆金紫礼服。

扬王赵颢、荆王赵頵一起被特别任命为太尉。

司马光请求设立经明行修科,每年委托在朝任职的文武官员各自推荐自己了解的贤能的人,借这个举措来勉励天下,端正读书人的品行,来显示朝廷不光是重视文章和学问的意思。如果被推荐的人有违犯纲常名教的言行,一定要严惩推荐的人而不饶恕。宋哲宗于是下诏:"从现在起,凡是遇到科举考试的时候,命令上朝的官员人人推举经明行修的人士一人。等到评定等第的时候,给予提高等级;废除谒禁的制度。"

诚州知府周士隆招抚收容谿峒民一千三百多户,宋哲宗赏赐周士隆银两和布匹。

癸丑(二十六日),尚书、门下、中书说:"尚书省内六个分曹,内部事务闲忙不一,现在想裁定人员,让主客兼管膳部,职方兼管库部,都官兼管司门,屯田兼管虞部,定员为三十五人。"还说:"常平官奏请春秋两季的收回与发放问题,他说用陈粮换新粮,以及饥荒年份赈济借贷,主管官员都要按照法规来实行。往下贷放的常平钱谷,等到收蚕丝和麦子熟的时候跟夏季的税一起先上缴所贷借的一半,愿意一起交纳的,可以只出一分的利息。"皇帝都一一依照他们所奏的行事。

五月,丁巳朔(初一),资政殿大学士兼侍读韩维被任命为门下侍郎。

废除各路的重禄,熙宁以前的旧制被恢复。

辽国自从马群太保萧托辉搜检清查各个牧群实际数目,依照实有数目定税以来,其后束册国每年有一千匹上贡,女真各部和铁骊各部每年都进贡良马,但仍然禁止朔州路给南边的宋朝卖羊和马,禁止吐浑、党项族人给西夏卖马,所以辽国牧马繁衍,多达一百多万匹马。辽

1731

道宗赏赐属下大批牧官,按照等次晋升各官员官阶。

庚申(初四),西夏派来使者祝贺哲宗皇帝即位。

壬戌(初六),宋哲宗下令:侍从、台官、监司每人推荐一位县令。

丁卯(十一日),刘挚上疏说:"学校是培育人才的最好的地方,是教化发源的处所,不是实行法律的地方。虽然大家群居生活在一块,但要领导管理人们,是不能没有法律的,但其中也应有用礼义约束的因素。先帝培养文人的盛况,可以和上古三代相比。然而太学多次发生讼事;有关官员因为这些而制订法规禁止,它的烦琐苛刻比办理案件还要厉害,条目设置比防盗贼还多,上下之间互相怀疑猜忌,以求苟且免除祸端。更加让人奇怪的是,禁止博士与诸生员见面,老师无法施行教谕,质问就无从提起,不过每月巡视一下他所隶属的书院而已。学斋舍屋本来已经有不同,按照经书划分,那么又出现《易经》博士兼巡《礼记》学斋,《诗经》博士又兼巡《尚书》学斋的情况;每到一个地方都以礼节问候,相互拱手应答,或者是不讲一句话而退开了,以此来防范私情,杜绝贿赂。学校也这样,难道是先帝用来培养士子的愿望吗!希望废除这种制度。"戊辰(十二日),宋哲宗诏令孙觉、顾临、程颐和国子监长官、副官一起修订太学条例。

己巳(十三日),宋哲宗亲临扬王、荆王府第,任命他们的儿子九人当官。

乙亥(十九日),苏辙上奏说:"以前的参知政事吕惠卿,诡计多端,见利忘义。王安石刚担任执政时,就把吕惠卿当作心腹,他提出了青苗、助役两种新法。韩琦开始讲青苗法的利害时,神宗幡然觉悟,想罢退王安石,采用韩琦的话。当时执政的官员都听说了先皇的仁德,王安石也多次上表乞请引退,天下的百姓都欣然地庆幸有了摆脱重任的希望。在那时吕惠卿还只是个小官,自知要失势了,上章疏乞请神宗皇帝召对,尽力进呈邪说,迷惑神宗皇帝,奸诈地扳回了神宗皇帝的意愿。他身为馆殿官员,却执行内侍的职务,亲自前往宣传圣意,来扶持王安石,竭力巧言诡辩,驳斥责难韩琦的观点,并且给王安石谋划胁迫上下的计谋。从这以后,直言净谏的大臣忍气吞声,有见识的大臣也垂头丧气,天下就随风而倒了。关于排斥打击忠良的臣子,引用邪党,吕惠卿出的力十分中占八九分。后来又建立了手实簿法,一寸土地、一尺屋椽,查得没有遗漏,鸡狗大猪小猪,都要如数抄记,老百姓怨恨痛苦,有过于青苗法和免役法。又因为保甲正长散发青苗钱,召集保户赴县训练,没有留下一户,全国都受骚扰,不能过安定生活,于是河北路的民户流亡迁移。不久又兴起大狱恐吓威胁士人,例如郑侠、王安国等人,仅仅能够保住性命而离去。他本想株连蔓引,陷害各位大臣,只是依赖先帝的仁厚圣明,每种事端,都加以控制,所以吕惠卿不能够将他的恶谋到处施行,后来吕惠卿因为贪赃枉法,于是他竭力陈说边境的事情,来迎合皇上的心意。他在延安时,开始改变军制,杂用蕃、汉军士,违背人心,扰乱边境政务。西戎没有叛乱,吕惠卿胡乱奏报军情危急,擅自带领大批人马,进入西戎境内,竟然没有看见敌人,拖延很久才回来,又放肆地欺骗,刻石碑纪功。从此西戎人怨恨而反叛,边境经常骚扰,河、陇地区陷入困境,天下各地受牵累而困乏。永乐城失败后,大将徐禧,本来是吕惠卿从平民中保荐提拔的,始终附和吕惠卿的意见,所以把边境政权交给他;失败的消息刚刚传过来,震动了神宗皇帝,致使皇帝忧虑成疾。王安石对于吕惠卿,有卵翼之恩,有父师教导之义,当他希求进用的时候,跟王安石团结一致,并互相推荐以欺骗朝廷。等到他跟王安石的权位相当后,又反目成为仇人互相嫉害。刚开始,王安石罢免宰相职务时,凭借执政的职位推荐吕惠卿,吕惠卿得到这个职位后,害怕王安石再被任用,于是兴起王安国、李士宁的案件来阻挡王安石重返朝廷。王安石觉察到这一点,神宗帝一征召就立即回朝,两人互相攻击,都想置对方于死地。王安石的党羽,奏说吕惠卿指使华亭知县张若济借取富豪钱财置办田庄等事,朝廷派塞周辅审讯,快要审完案情时王安石又被罢职,所以没有再追究这个事情,有关案情都在文史那里,可以复查。吕惠卿拿出王安石的私人信件,其中一封信说'不要让齐年知道',齐年就是冯京,先帝于是减轻了王安石的刑罚;吕惠卿又拿出了王安石的一封信,信中说'不要让皇上知道',王安石因此获罪。吕惠卿跟王安石交往,都讲出自己内心的话,以妻子儿女相托,平时相交只担心感情不够深厚,所以虽然有欺君的话语见于尺牍,也不会再猜疑。吕惠卿在王安石没事的时候,已经全部记录下来,以备将来紧急时用,一旦争权夺利,随即选择摘取,不遗余力。这是连鸡狗都不愿做的事情,而吕惠卿却这样做了。吕惠卿在朝廷执政时,前后十多年,把持重权,凶焰所遍及的,有过于王安石。乞请陛下按照圣意做出决断,依法对他稍加惩处,罢免吕惠卿的官职,充军四方边远的地方。"

宋哲宗下诏特追赠吕海为通议大夫,儿子吕由庚由政事堂直接上奏改为相应的官职。这是因为刘挚、吕大防、范纯仁奏说吕海触犯了当时宰相,被贬死在外藩之地的缘故。

辽道宗进驻纳葛泺。

戊寅(二十二日),辽国宰相梁颖出任知兴平府事。

壬午(二十六日),宋哲宗下诏说:"朕已经降旨命令文彦博单列一班起居参见,从现在起可以到经筵都堂讲学,只要与三省、枢密院一起奏事,官位一律排列在宰相的前面。"

乙酉(二十九日),监察御史上官均上奏说:"现在说话的人,都认为过去发散青苗钱,是因为出于强制分配,所以才有以前的弊害;现在只要招募百姓愿意支取青苗钱的然后给予他们,而有关部门的官员也不以多下发计功,对于老百姓一定很方便。臣下认为不是这样。现在天下的百姓,十家之中,资用缺乏的有六七家,用青苗钱的好处引诱他们,那些无知的百姓,也来不及考虑长远的计策,必定贪一时的好处,纷纷奔跑前来。虽然说不强制分配,但散发回收、追呼督促的麻烦,道路往来的费用,轻易使用随便花费,贱卖谷粮布帛的害处,免不了像先前一样。所以臣下希望推行闰二月八日的诏书,罢黜青苗法,恢复以前常平仓粮食平粜的方法,这是万代永久普遍的好处。"

这个月,辽国录取进士张毂等二十六人。

六月,丁亥朔(初一),辽道宗任命左伊勒希巴耶律坦为特里衮,知枢密院事耶律额特勒兼知伊勒希巴事。

戊戌(十二日),宋哲宗下诏:"从今以后科场考试,不准引用王安石著的《字说》。"这是听从了林旦的意见。

癸卯(十七日),辽道宗派遣使臣巡察各道案件,当时的景州刺史耶律俨入朝担任御史中丞,审理上京滞留的案件,不少加以平反,耶律俨被提升为同知宣微院事、提点大理事。

甲辰(十八日),宋朝设置《春秋》博士。

资政殿大学士、正议大夫、提举嵩山崇福宫吕惠卿被撤职,降为中散大夫、光禄卿、分司南京,罚苏州居住。苏辙、刘挚、王岩叟相继论奏吕惠卿的罪恶,所以有这个命令。

监察御史韩川上奏说:"市易务的设立,虽然讲是平均物价,其实免不了通过货物交流来获得利益,而且收入的钱补不上所消耗的钱。请求结断现有的货物,限定收日不许再收买。"

哲宗采纳了这个建议。

右正言上奏说："先帝命令常平仓的钱粮要存留一半，碰上谷价高时低于市场价格出售，庄稼成熟时高出市场价格收籴，目的在于平抑物价而已。郡县的官吏，胡乱猜度朝廷的法令，只是为了求得利润，所以竞相竭力推行青苗新法，对于有关籴粜粮食的旧条规则形同虚设不加以执行。希望朝廷停止散发青苗钱，实行原来的常平仓法，来实现先帝向来的愿望。"

辽道宗任命同知南京留守事耶律诺音为知右伊勒希巴事。

乙巳（十九日），准布部首领前往辽国朝贡，辽道宗命令燕国王耶律延禧和他互相结为朋友。

丙午（二十日），王岩叟、朱光庭、苏辙、王觌上奏说："吕惠卿罚任分司南京，还不足以抵消他的罪过。臣等难道不知道降四级官、免除一个职务去做分司，对于一般的人来说已经不算是从轻处罚了吗？大概因为尧时的四凶，鲁国的少正卯，既然他们不是寻常的人，就不应该用常法来处置他们。"

戊申（二十二日），吏部尚书孙永等人请求把富弼神位附配在神宗皇帝的庙堂上，哲宗下诏听从了这个建议。当初议论时，有的人想用王安石，有的人想用吴充，太常少卿鲜于侁说："功劳德行第一，只有富弼了。"

辽道宗任命契丹行中都部署耶律阿苏兼任知北院大王事。

庚戌（二十四日），太白金星在白天出现。

辛亥（二十五日），吕惠卿贬为建宁军节度使，限定在本州安置，不允许签署公事，这是听从了王岩叟等四个人的上奏。苏轼起草制词，其中有这样的话："先帝先前怀着帝尧那样的仁心，姑且试用伯鲧，最终凭借孔子的圣明，不信任宰予。"又说："暂且宽大免去他宫阙两观之外职务，从轻给他如同上古舜流放三苗顽民到偏远地方的惩罚。"天下人传诵称快。

甲寅（二十八日），宋哲宗下诏："先帝讲求法度，爱惜万物，慈爱臣民，而在士大夫当中，不能推求先帝的本意，或者狂妄地制造事端，或者接连兴起狱讼案件，时间一久便知道它的弊害。这是众人议论所以不能够平息，朝廷所以责罚整顿的原因。整饬风俗，修振纲纪，是出于不得已。况且现在罪迹昭彰的人已经正法，罪恶重大的人已经贬斥，那就应该冲刷不明显的小过，宽容细小的事情。所有今天以前有牵涉上述这些情况的，一律不加以追问，进言的人不要再弹劾。"

当初，邓绾被贬谪到滁州，议论的人还不罢休。太皇太后因此想下诏安慰对立的那方，吕公著认为应该这样，于是采纳了他的话。有的人对吕公著说："现在不除掉祸根，将会留下大祸。"吕公著说："治国的方法要防止太过分。汉文帝、汉景帝的时候，法网宽疏可以漏过船只。况且人才实在难得，应该让他悔过自新，怎么能够让他自暴自弃呢？"

重新设置通利军。

乙卯（二十九日），程颐上疏说："现在讲读官一共五人，其中四人都兼任重要官职，只有臣没有兼领其他官职，近来又委派我修订国子监条例，这也是兼职，这样也就没有一位专门辅助指导皇上的人。主持政务的臣，爱惜人才，想不让他空闲下来，又认为虽然兼有其他的官职，并不妨碍讲读，这实在是太欠考虑了。古人都要斋戒以后再劝勉国君，臣前后两次进讲，没有敢不另宿斋戒，摒去杂念，存储诚心，希望能感动皇上的心。假如让讲读官兼任职务，扰乱他的思想，等来到皇上面前，然后编好说辞，只凭口舌打动人，不是很浮浅吗？现在各位大臣所兼任的都是重要官职，如果不能马上除去，暂且乞请免除我修订国子监条例，使臣能够昼夜精思尽忠，专心辅助引导皇上。"程颐一天讲到"颜子不改变他的快乐"，讲完文义，又说："住在简陋里巷的人，能够保持内心的仁义。国君至高无上，生活的侍养和赡养完备到了极点，如果不知道学习，怎么能够不被富贵的生活转移志向呢！而且颜子、王佐是辅佐皇上的人才，却用竹筐盛饭用瓜瓢饮水；李氏是鲁国的蛀虫，却比周公还富裕。鲁国国君这样用人取舍，难道不是后代的一面镜子吗？"文彦博、吕公著等人入朝侍奉，听到他的讲学评论，就互相感叹地说："这才是个真正的好侍讲！"

文彦博对皇帝非常恭敬，有人对程颐说："你的倨傲态度，跟文彦博相比哪个好？"程颐说："文彦博是身历三朝的大臣，侍奉年幼的国君不得不恭顺。我程颐从平民当上了皇帝的师傅，我怎么敢不自重！这就是我程颐和潞公不相同的原因。"

这个月，西夏国王派遣使者来索求兰州、米脂等五寨，司马光说："这是边境安危相关的大事，不可以不明察。灵州和夏州的战争，本来是由我们引起的，新设立的几个堡寨，都是对方的土地，现在既然允许他们附属于朝廷，如果吝惜而不归还，他们一定会说新天子即位，我们卑词厚礼侍奉大宋，但愿能归还我方被侵占的疆土，现在还不归还，那么恭顺也没有好处，不如用武力来夺回它。从小处来说他们会上书违逆傲慢，从大处来讲就会攻占新设的城寨，到那时候，万不得已再归还给他们，那样给国家带来的耻辱，不是比现在更厉害吗？君臣中还有些人见小忘大，注重眼前而忘记将来，舍不得这些没有用处的土地，希望皇上拿定主意，来为万民考虑。"当时持不同意见的人很多，只有文彦博同意司马光的意见，太皇太后将要采纳他们的意见。司马光想要一起放弃熙河，安焘坚持和他争论说："从灵武往东，原来都是宋朝的故土，先帝有这样的武功，现在无缘无故就放弃它，难道不会被外夷轻视吗？"司马光于是召来礼部员外郎、前通判河州孙路询问，孙路拿着地图给司马光看，并说："从通远到熙州只有一条路相通，熙州的北面邻接西夏国境，现在从北关靠黄河，在兰州筑城，然后可以守卫国土，如果放弃把它交给敌人，整个地区就危险了。"司马光才不坚持那样做。

续资治通鉴卷第八十

【原文】

宋纪八十　起柔兆摄提格【丙寅】七月,尽著雍执徐【戊辰】六月,凡二年。

哲宗宪元继道显德定功　钦文睿武齐圣昭孝皇帝

元祐元年　辽大安二年【丙寅,1086】　秋,七月,丙辰朔,诏:"罢黜试补学官法,令尚书、侍郎、左右司郎中、学士、待制、两省、御史台官、国子司业各举二人。"

丁巳,辽惠妃之母燕国夫人,先以入朝擅取驿马,夺其封号;复为巫蛊术厌魅皇孙延禧,事觉,伏诛。妃弟萧酬(斡)〔斡〕,隶兴圣宫籍,流乌尔古德呼勒部。

戊午,辽主猎沙岭。

辛酉,立十科举士法。旧制,铨注有格,概拘以法,法可以制平而不可以择才,故令内外官皆得荐举。其后被举者既多,除吏愈难,神宗乃革去内外举官法,但用吏部、审官院选格。及帝即位,王岩叟言:"自罢辟举而用选格,可以见功过而不可以见人才。于是不得已而用其平日之所信,故有踏逐、申差之目。踏逐实荐举,而不与同罪;且选才茂能而谓之踏逐,非雅名也。况委人以权而不容举其所知,岂为通术!遂复内外官举法。司马光奏曰:"为政得人则治。然人之才,或长于此而短于彼,虽皋、夔、稷、契,各守一官,中人安可求备?故孔门以四科论士,汉室以数路得人。若指瑕掩善,则朝无可用之人;苟随器指任,则世无可弃之士。臣备位宰相,职当选官,而识短见狭,士有恬退滞淹或孤寒遗逸,岂能周知!若专引知识,则嫌于私;若止循资序,未必皆才。莫如使在位达官各举所知,然后克协至公,野无遗贤矣。欲乞朝廷设十科举士:一曰行义纯固可为师表科,二曰节操方正可备献纳科,三曰智勇过人可备将帅科,四曰公正聪明可备监司科,五曰经术精通可备讲读科,六曰学问该博可备顾问科,七曰文章典丽可备著述科,八曰善听狱讼尽公得实科,九曰善治财赋公私俱便科,十曰练习法令能断请谳科。应职事官自尚书至给、舍、谏议,寄禄官自开府仪同三司至大中大夫,带职自观文殿大学士至待制,每岁须于十科内举三人。仍具状保任,中书置籍记之,异时有事需材,即按籍视其所尝被举科格,随事试之,有劳又著之籍。内外官阙,取尝试有效者随科授职。所赐告命,仍具举主姓名。其人任官无状,坐以缪举之罪。庶几人人重慎,所举得才。"诏从之。

甲子,辽赐兴圣、积庆二宫贫民钱。

乙丑,夏国主秉常殂。是年,改元天安礼定,私谥康靖皇帝,庙号惠宗,墓号献陵,子乾顺即位。

上官均奏乞尚书省事类分轻重,某事关尚书,某事关二丞,某事关仆射;从之。

刘挚言:"乃者朝廷患免役之弊,下诏改复差法,而法至今不能成。朝廷患常平之弊,并用旧制,施行曾未累月,复变为青苗之法。其后又下诏切责首议之臣,而敛散之事,至今行之如初。此二者,大事也,而反覆二三,尚何以使天下信从!且改之易之诚是邪?君子犹以为反令。况改易未必是,徒以暴过举于天下,则曷若谨之于始乎!"

庚午,夏国遣使来贺坤成节。

乙酉,辽出粟赈辽州贫民。

八月,戊子,辽主以雪罢猎。

辛卯,诏复常平旧法,罢青苗钱。

初,范纯仁以国用不足,请再立常平钱谷敛散出息之法,朝廷用其言;司马光方以疾告,不与也。已而台谏共言其非,皆不报。光寻具札子言:"先朝散青苗,本为利民,并取情愿;后提举官速要见功,务求多散。今禁抑配,则无害也。"苏轼奏曰:"熙宁之法,未尝不禁抑配,而其为害也至此。民家量入为出,虽贫亦足;若令分外得钱,则费用自广。今许人情愿,是为设法罔民,使快一时非理之用,而不虑后日催纳之患,非良法也。"会王岩叟、朱光庭、王觌等交章乞罢青苗,光始大悟,力疾入朝,于帝前奏曰:"是何奸邪,劝陛下复行此事!"纯仁失色,却立不敢言。太皇太后从之,即诏:"常平依旧法,青苗钱更不支俵;除旧欠二分之息,元支本钱,验见欠多少分料,次随二税输纳。"

太皇太后谕辅臣曰:"台谏官言近日除授多有不当。"光曰:"朝廷既令臣僚各举所知,必且试用。待其不职,然后罢黜,亦可并坐举者。"吕公著曰:"举官虽委人,亦须执政审察人材。"光曰:"自来执政,止于举到人中取其所善者用之。"韩维曰:"光所言非是,直信举者之言,不先审察,待其不职而罚之,甚失义理。"公著曰:"近除用多失,亦由限以资格。"光曰:"资格亦不可少。"维曰:"资格但可施于叙迁,若升擢人材,岂可拘资格邪?"

壬辰,封弟偲为祁国公。

丁酉,司马光以疾作,先出都堂,遂谒告,自是不复入朝。

癸卯,以崇政殿说书程颐兼权判登闻鼓院。

九月,丙辰朔,尚书左仆射兼门下侍郎司马光卒,年六十六。太皇太后哭之恸,帝亦感涕不已。明堂礼毕,皆临奠。赠太师、温国公,谥文正,御篆表其墓道曰"忠清粹德之碑"。

光居洛阳十五年,天下以为真宰相,田夫野老皆号为司马相公,妇人孺子亦知其为君实也。及为门下侍郎,苏轼自登州召还,缘道人相聚号呼曰:"寄谢司马相公,毋去朝廷,厚自爱,以活我。"辽人敕其边吏曰:"中国相司马矣,切毋生事、开边隙。"光自见言行计从,欲以身徇社稷,躬亲庶务,不舍昼夜。宾客见其体羸,举诸葛亮食少事烦以为戒,光曰:"死生命也。"为之益力。病革,不复自觉,谆谆如梦中语,然皆朝廷天下事也。既殁,其家得遗奏八纸,皆手札,论当世要务。百姓闻其卒,罢市而往吊,鬻衣而致奠,巷哭而过,车盖以万千数。京师民画其像,刻印鬻之,家置一本,饮食必祝焉。归葬陕州,四方来会者数万人。

光孝友忠信,自少至老,语未尝妄。自言:"吾无过人者,但平生所为,未尝有不可对人言者耳。"于学无所不通,唯不喜释、老,曰:"其微言不能出吾书,其诞吾不信也。"苏轼尝论光所以感人心、动天地者而蔽以二言,曰诚,曰一,君子以为笃论。

己未,朝献景灵宫。辛酉,大享明堂,以神宗配。

程颐在经筵,多用古礼。苏轼谓其不近人情,深疾之,每加玩侮。方司马光之卒也,明堂降赦,臣僚称贺讫,两省官欲往奠光,颐不可,曰:"子于是日哭则不歌。"坐客有难之者曰:"孔子言哭则不歌,不言歌则不哭。"苏轼曰:"此乃枉死市叔孙通所制礼也。"众皆大笑,遂成嫌隙。

丁卯,以中书舍人苏轼为翰林学士。

〔癸酉〕,诏:"诸路坊郭第五等以上,及单丁、女户、寺观第三等以上,旧纳免役钱并与减放五分,馀皆全放,仍自元祐二年始。"

庚午,辽主还上京。壬申,发粟赈上京、中京贫民。

丙子,辽主谒二仪、五鸾二殿。己卯,出太祖、太宗所御铠仗示燕国王延禧,谕以创业征伐之难。

张璪罢为光禄大夫、资政殿学士、知郑州。台谏交章论璪,凡十数。太皇太后宣谕王岩叟曰:"明堂大礼后,璪必退。"至是乃引疾请外,竟从优礼罢去。

〔癸未〕,孙升奏:"祖宗用人,如赵普、王旦、韩琦,此三人者,文章学问不见于世,然观其德业、器识、功烈、治行,近世辅相未有其比。王安石为一代文宗,进居大任,施设之方,一出于私智。由是言之,则辅佐经纶之业,不在乎文章学问也。今苏轼之学,中外所服,然德业器识有所不足,为翰林学士,可谓极其任矣,若或辅佐经纶,则愿陛下以王安石为戒。"世讥其失言。

辛巳,辽主召南府宰相议国政。

冬,十月,乙酉朔,辽以南院枢密副使窦景庸知枢密院事。景庸初为秘书〔省〕校书郎,聪敏好学,至是始见用,封陈国公。

丙戌,改封孔子后为奉圣公。

鸿胪卿孔宗翰言:"孔子后世袭公爵,本为侍祠。然兼领它官,不在故郡,于名为不正。乞自今,袭封之人,使终身在乡里。"诏:"改衍圣公为奉圣公,不预它职,增给庙学田百顷,供祭祀外,许均赡族人。赐国子监书,置教授一员,以训其子弟。"

五国长贡于辽。

丁亥,辽遣使诏夏国王秉常子乾顺知国事。

庚寅,太白昼见。

壬辰,夏人来告哀,诏:"自元丰四年用兵所得城砦,待归我永乐所陷人民,当尽画以给还。"遣穆衍、张楸往吊祭。

乙巳,赐范镇诏,落致仕,除兼侍读,诏书到日,可即赴阙。

己酉,宗正寺丞王巩奏:"神宗《玉牒》,至今未修,《仙源类谱》,自庆历八年张方平进书之后,仅五十年,并无成书。请更立法,《玉牒》二年一具草缴进,《类谱》亦如之,候及十年,类聚修纂。"从之。

〔癸丑〕,刘挚言:"太学条例,独可案据旧条,考其乖戾太甚者删去之。若乃高阔以慕古,新奇以变常,非徒无补而又有害。乞罢修学制所,止责学官正、录以上,将见行条制去留修定。"挚言"慕古变常",盖指程颐也。颐大概以为学校礼义相先之地,而月使之争,殊非教养之道。请改试为课,有所未至,则学官召而教之,更不考定高下。置尊贤堂以延天下道德之士,镌解额以去利诱,省繁文以专委任,厉绳检以厚风教。及置待宾、吏、师斋,立观光法,凡数十条,辄为礼部疏驳。颐亦自辨理,然朝廷讫不行。

十一月,乙卯朔,礼部言:“将来冬至节,命妇贺坤成节,例改笺为表。”从之。程颐建言:“神宗丧未除,节序变迁,时思方切,恐失居丧之礼,无以风化天下,乞改贺为慰。”不从。

戊午,以尚书右丞吕大防为中书侍郎,御史中丞刘挚为尚书右丞。

自张璪罢,中书侍郎久未补人。吕公著言:“吕大防忠实,可任大事。”帝又以手札问公著曰:“卿前日言刘挚可执政,缘未作尚书,恐无此例,欲且除尚书。”公著奏:“国朝自中丞入二府者,如贾昌朝、张昇、赵概、冯京等甚多。”帝从其言,挚遂自中丞入辅。以傅尧俞为御史中丞,仍兼侍读。

甲戌,辽为燕国王延禧行再生礼,曲赦上京囚。

先是河决大名,诏秘书监张问相度河北水事,又以王令图领都水同往。丙子,问奏:“臣至滑州决口相视,迎阳埽至大、小吴,水势低下,旧河淤仰,故道难复。请于南乐大名埽开直河并签河,分引水势入孙村口,以解北京向下水患。”令图亦以为然。于是减水河之议复起。会北京留守韩绛奏引河近府非是,诏问别相视。

戊寅,以起居郎苏辙、起居舍人曾肇并为中书舍人,肇仍充实录院修撰。王岩叟言肇资望甚卑,因缘得窃馆职,素无吏能而擢领都司,殊昧史材而委修实录,凡八上章,皆不听。

朝廷起范镇,欲授以门下侍郎,镇雅不欲起,又移书问其从孙祖禹,祖禹亦劝之。镇大喜曰:“是吾心也。心吾所欲为者,司马君实已为之,何复出也!”遂固辞。表曰:“六十三而求去,盖以引年;七十九而复来,岂云中礼!”卒不起。命提举崇福宫,数月,告老,以银青光禄大夫致仕。

御史中丞傅尧俞初视事,与侍御史王岩叟同入对,帝谕尧俞曰:“用卿作中丞,不由执政,以卿公正不避权贵。如朝政阙失,卿等当极言之。”

三省奏立经义、词赋两科,从之。

〔庚辰〕,诏:“府界三路保甲人户,五等以下,地土不及二十亩者,虽三丁以上并免教。”从吕陶请也。

蠲盐井官溪钱。

癸未,辽出粟赈乾、显、成、懿四州贫民。

十二月,庚寅,诏:“将来服除,依元丰三年故事,群臣勿上尊号。”

辛卯,辽以兰陵郡王萧乌纳为南院枢密使。乌纳奏请掾史以岁月迁叙,从之。

戊戌,华州郑县小敷谷山崩。

壬寅,朱光庭言:“学士院试馆职策题云:‘欲师仁宗之忠厚,而患百官有司不举其职,或至于媮;欲法神考之厉精,而恐监司守令不识其意,流入于刻。’又称:‘汉文宽大长者,不闻有怠废不举之病;宣帝综核名实,不闻有督察过甚之失。’臣以为仁宗之深仁厚德,如天之为大,汉文不足以过也;神考之雄才大略,如神之不测,宣帝不足以过也。今学士院考试官不识大体,反以媮刻为议论,乞正考试官之罪。”策题,苏轼文也,诏轼特放罪。轼闻而自辨,诏追回放罪指挥。吕陶言:“苏轼所撰策题,盖设此问以观其答,非谓仁宗不如汉文,神考不如汉宣。台谏当徇至公,不可假借事权以报私隙。议者谓轼尝戏薄程颐,光庭乃其门人,故为报怨。夫欲加轼罪,何所不可?必指其策问以为讪谤,恐朋党之弊,自此起矣。”

戊申,诏以冬温无雪,决系囚。

辽崇义军节度使致仕刘伸卒。伸初为大理正,因奏狱,辽主适与近臣语,不顾,伸进曰:"臣闻自古帝王,必重民命,愿陛下省臣之奏。"辽主大惊异。累迁大理少卿,民无冤抑。后复以三司副使提点大理寺,明法而恕,案冤狱,全活甚众。辽主欲大用之,为耶律伊逊所阻。伊逊既败,其党犹盛,伸不复仕。适燕蓟民饥,伸家居,与致仕官赵徽、韩造济以糜粥,所活不胜算。至是卒,辽主震悼,赙赠加等。

是岁,河北及楚、海诸州水。

二年 辽大安三年【丁卯,1087】 春,正月,乙卯,辽主如鱼儿泺。

壬戌,王觌言:"朱光庭讦苏轼策问,吕陶力辨。臣谓轼之辞不过失轻重之体耳。若悉考同异,深究嫌疑,则两岐遂分,党论滋炽。夫学士命词失指,其事尚小;使士大夫有朋党之名,此大患也。"太皇太后深然之。时议者以光庭因轼与其师程颐有隙而发,而陶与轼皆蜀人,遂起洛、蜀二党之说,故觌有是疏。

夏国以其故主秉常留遗物遣使来进。乙丑,封乾顺为夏国(主)〔王〕,如明道二年元昊除节度使、西平王例。

戊辰,诏:"自今举人程试,并许用古今诸儒之说,或出己见,勿引申、韩、释氏书。考试官以经义、论、策通定去留,毋于《老》《列》《庄子》出题。"

辛未,傅尧俞、王岩叟入对,论苏轼策题不当,太皇太后曰:"此朱光庭私意,卿等党光庭耳。"尧俞、岩叟同奏曰:"臣等蒙宣谕,谓党附光庭弹轼,上宰任使,更不敢诣台供职,伏俟谴斥。"

甲戌,辽以钱粟赈南京贫民,仍复其租赋。

丙子,诏:"苏轼所撰策题,即无讥讽祖宗之意,然自来官司试人,亦无将祖宗治体评议者,盖一时失于检会,札付学士院知。令傅尧俞、王岩叟、朱光庭速依旧供职。"盖从吕公著议也。

辛巳,诏苏辙、刘攽编次神宗御制。

二月,丙戌,辽发粟赈中京饥。

丁亥,遣左司谏朱光庭乘传诣河北路,与监司一员遍视灾荒,措置赈济。

〔辛卯〕,赐富弼神道碑,以"显忠尚德"为额,仍命翰林学士苏轼撰文。

诏:"施、黔、戎、泸等州保甲,监司免岁阅。"

(己丑),知澶州王令图相度河北水事。张问奏乞如前议,分河水入孙村口置约,使复归东流故道;从之。

己亥,命吏部选人改官,岁以百人为额。

甲辰,辽以民多流散,除安泊逃户征偿法。

辛亥,观文殿大学士、知陈州蔡确,坐弟军器少监硕贷用官钱事,落职,徙知安州。

是月,代州地震。

三月,乙卯,高丽遣使贡于辽。

丁巳,太皇太后诏曰:"祥禫既终,典册告具,而有司遵用章献明肃皇后故事,谓予当受册于文德殿。虽皇帝尽孝爱之意,务极尊崇,而朝廷有损益之文,各从宜称。将来受册,可止就崇政殿。"

己未,辽免锦州贫民租。

壬戌，辅臣奏事延和殿，太皇太后谕曰："性本好静，昨止缘皇帝幼冲，权同听政，盖非得已。况母后临朝，非国家盛事。文德殿天子正衙，岂女主所当御！"吕公著等言："陛下执谦好礼，思虑精深，非臣等所及。"

戊辰，诏："内外待制、大中大夫以上，岁举第二任通判资序堪知州者一人。"吕陶言任官之弊，其轻且滥者惟郡守为甚，故有是诏。

令御史台察民俗奢僭者。

夏国遣使来谢封册。

癸酉，奉安神宗神御于景灵宫宣光殿。

甲戌，辽免上京贫民租。

辽主如锦州。

庚辰，诏："内侍省供奉官以下至黄门，以百人为定额。"

女直贡良马于辽。

是月，神宗大祥。范祖禹上疏太皇太后曰："今即吉方始，服御一新，奢俭之端，皆由此起，凡可以荡心悦目者，不宜有加于旧。皇帝圣性未定，睹俭则俭，睹奢则奢，所以训导成德者，动宜有法。今闻奉宸库取珠，户部用金，其数至多，恐增加无已。愿止于（朱）〔未〕然，崇俭敦朴，辅养圣性，使目不视靡曼之色，耳不听淫哇之声，非礼勿动，则学问日益，圣德日隆，此宗社无疆之福。"故事，服除开乐，当置宴，祖禹以为："如此，则似因除服而庆贺，非君子不得已而除之之意也。请罢开乐宴，惟因事则听乐。"从之。

程颐上疏曰："臣近言迩英渐热，乞就崇政、延和殿。闻给事中顾临以延和讲读为不可，臣料临之意，不过谓讲官不可坐于殿上，以尊君为说耳。臣不暇远引，以本朝故事言之，太祖召王昭素讲《易》，真宗令崔颐正讲《尚书》，邢昺讲《春秋》，皆在殿上，当时仍是坐讲。今世俗之人，能为尊君之言而不知尊君之道；人君惟道德益高者则益尊，若势位则崇高极矣，尊严极矣，不可复加也。"

王令图卒，以王孝先代领都水，亦请如令图议。

时知枢密院事安焘以东流为是，两疏言："朝廷之议回河，独惮劳费，不顾大患。盖自小吴未决以前，河入海之道虽屡变移，而仍在中国，故京师恃以北限强敌，景德澶渊之事可验也。且河决每西，则河尾益北，若复不止，则南岸遂为辽境，彼必作桥梁，守以州郡。如庆历中因取河南熟户之地，遂筑军以窥河外，已然之效如此。盖自河而南，地势平衍，直抵京师，长虑却顾，可为寒心。今欲便于治河而变于设险，非计也。"文彦博议与焘合，中书侍郎吕大防从而和之，三人者力主其议，同列莫能夺。中书舍人苏辙谓吕公著曰："河决而北，自先帝不能回，而诸公欲回之，是自谓智勇势力过先帝也，盖因其旧而修其未备乎？"公著唯唯，曰："当与公筹之。"然回河之役遂兴。

夏，四月，丁亥，果庄使其子〔结呃靘〕寇洮东。

戊子，辽赐中京贫民帛，及免诸路贡输之半。

己丑，以文彦博累章乞致仕，诏十日一赴朝参，因至都堂议事，仍一月一赴经筵。

辛卯，诏："自今月十一日，避正殿，减常膳，公卿大夫其勉修厥职，共图消复。"以梁焘奏春夏大旱故也。

丙申，辽赐乌库部贫民帛。

1741

丁酉，以四方牒诉上尚书省，或冤抑不得直，令御史分察之；用范纯仁之言也。

己亥，太皇太后以旱，权罢受册礼。诏诸路监司分督郡县刑狱。五日而雨。

庚子，辽主如凉陉。

甲辰，张舜民罢监察御史，依前权判登闻鼓院。

先是舜民言："夏人政乱，强臣争权，乾顺存亡未可知，朝廷未宜遽加爵命，近差封册使刘奉世等幸勿遣，缘大臣有欲优加奉世者，为是过举。"大臣，指文彦博也，故舜民有是责。傅尧俞乞速赐追还，以协《易》"不远复"之义，王岩叟、孙升、上官均、韩川、梁焘、王觌皆以为言，不报。

辽南府宰相王绩卒。

乙巳，以布衣彭城陈师道为徐州教授。师道受业于曾巩，博学，善为文。熙宁中，王氏《经义》盛行，师道心非其说，绝意进取。至是以苏轼、傅尧俞、孙觉荐授是职，寻又用梁焘荐为太学博士。言者谓在官尝越境至南京见苏轼，改颍州教授。又论其进非科第，罢归。家素贫，或经日不炊，妻子愠见，弗恤也。

吕公著请复制科，〔丁未〕，诏复置贤良方正能直言极谏科，自今年始。

辽主命出户部司粟，赈诸路流民及义州之饥。

戊申，御殿，复膳。

李清臣罢。时熙、丰法度，一切厘正，清臣固争之，以为不可。于是傅尧俞、王岩叟言清臣窃位日久，有患失之心，无自立之志，乞早赐罢黜，上官均、梁焘亦相继论之，遂罢为资政殿学士、知河阳。

（五月，壬子朔，）王岩叟、傅尧俞等言："臣等累章论张舜民不当罢御史，不蒙开纳。言责难以冒居，伏望降黜。"吕公著虑言者将激怒上意，致朝廷有罪言者之失，乃奏乞稍与优迁，令解言职。

〔五月〕，癸丑，夏人围南川砦。

庚申，辽海云寺进济民钱千万。

丁卯，以尚书右丞刘挚为尚书左丞，兵部尚书王存为尚书右丞。

戊辰，贬右谏议大夫梁焘知潞州，侍御史孙升知济州。

先是焘乞还张舜民台职，章十上，不听。又于省中面责给事中张问不能驳还舜民制命，以为失职，因诮问贪禄不去，不知世所谓羞耻，而升亦劾问，引焘不知羞耻等语，坐朋附同贬。

癸酉，以胡宗愈为御史中丞。

宗愈首进六事，曰端本、正志、知难、加意、守法、畏天。它日，奏对便殿，帝问朋党之说，宗愈曰："君子谓小人为奸邪，则小人必指君子为朋党。陛下择中立不倚者用之，则朋党自消。"因进《君子无党论》。

六月，甲申，以京西路提点刑狱彭汝砺为起居舍人。执政有问新旧之政者，汝砺曰："政无彼此之辨，一于是而已。今所更大者，取士及差役法，行之而士民皆病，未见其可也。"

辛丑，以同知枢密院安焘知枢密院事。

壬寅，有星如瓜，出文昌。

阿里骨逼果庄率众窃据洮州，杀掠人畜，羌酋结药密使所部怯陵来告。阿里骨遣人执怯陵，结药恐事觉，以其妻子来归。丙午，授结药三班奉职。

戊申，以丁骘为右正言。骘自行新法，即不肯为知县，折资监当，几二十年，人多称之。

以秘阁校理诸城赵挺之为监察御史。

挺之始通判德州，希意行市易法。时黄庭坚监德安镇，谓镇小民贫，不堪诛求。及召试馆职，苏轼曰："挺小聚敛小人，学行无取，岂堪此选！"挺之深衔之。庭坚，分宁人也。

秋，七月，辛亥，诏户部修《会计录》。

开府仪同三司、判大名府韩绛，以司空致仕。

夏人寇镇戎军诸堡，刘昌祚等御之而退。

诏府界三路教阅保甲。

复课利场务，亏额科罚。

乙卯，权开封府推官张商英，出提（黜）〔点〕河东刑狱。

初，朝廷稍更新法，商英上书言："三年无改于父之道。今先帝陵土未干，奈何轻议变更！"又尝移书苏轼，求入台，有"老僧欲住乌寺，呵佛骂祖"之语，或得之，以告吕公著，公著不悦，故出之。

丙辰，罢诸州〔军〕数外岁贡。

辽主猎于黑岭。丁巳，出杂帛赐兴圣宫贫民。

戊午，以辽使贺坤成节，曲宴垂拱殿，始用乐。

庚申，进封李乾德为南平王。

辛酉，改诚州为渠阳军。

壬戌，御札付中书省曰："门下侍郎韩维，尝面奏范百禄任刑部侍郎所为不正，辅臣奏劾臣僚，当形章疏，明论曲直，岂但口陈，意欲无迹，何异奸谗！可罢守本官，分司南京。"吕公著上疏言："自来大臣造膝密论，未尝须具章疏。维素有人望，忽然峻责，罪状未明，恐中外人情不安。"吕大防亦以为言。

甲子，诏维除资政殿大学士、知邓州。中书舍人曾肇封还词头，具状曰："古者坐而论道，谓之三公，岂必具案牍为事！今陛下责维徒口奏而已，遂以为有无君之意，臣恐命下之日，人心眩惑，谓陛下以疑似之罪而逐大臣。"不报。已而公著复于便殿乞改维词头，乃诏中书省以均劳逸意，命舍人苏辙为之。维寻以病改汝州。

乙丑，以左司谏吕陶为京西转运副使，侍御史上官均为（礼）〔比〕部员外郎。

先是御史杜纯、右司谏贾易缘张舜民罢职事，劾陶、均面欺同列，不肯论救。陶自请补外，上疏言："杜纯乃韩维之客，以此媚维，贾易乃程颐之死党，为颐报怨，必欲臣废逐而后已，惟陛下幸察！"易凡五状劾陶，谓诡谲奸人，托朋附以自安，故陶、均皆罢言职，而陶独外补。

庚午，辽主以大雨罢猎。

丁丑，辽秦越国王阿辇卒，寻追封秦魏国王。

八月，辛巳，右司谏贾易罢知怀州。自苏轼以策题事为台谏官所言，而言者多与程颐善，轼、颐交恶，其党迭相攻。易独建言请并逐二人，又言吕陶党轼兄弟，而文彦博实主之，语侵彦博及范纯仁。太皇太后怒，欲峻责易，吕公著言易所言颇切直，惟诋大臣太甚尔，乃止罢易谏职，出外。公著退，语同列曰："谏官所言，未论得失。顾主上春秋方盛，虑异时有导谀惑上心者，正赖左右争臣，不可预使人主轻言者。"众皆叹服。

程颐罢经筵，权同管句西京国子监。

1743

先是颐赴讲会,帝疮疹,不御迩英已累日。颐退,诣宰相问曰:"上不御殿,知否?"曰:"不知。"曰:"二圣临朝,上不御殿,太皇太后不当独坐。且人主有疾而宰相不知,可乎?"翼日,吕公著等始以颐言问疾。由是大臣多不悦,故黜之。颐因三上章,乞纳官归田里,不报;又乞致仕,亦不报。

时吕公著独相,群贤在朝,不能不以类相从,遂有洛党、蜀党、朔党之号。洛党以颐为首,而朱光庭、贾易为辅;蜀党以苏轼为首,而吕陶等为辅;朔党以刘挚、梁焘、王岩叟、刘安世为首,而辅之者尤众。是时熙、丰用事之臣,退休散地,怨入骨髓,阴伺间隙;而诸臣不悟,各为党比以相訾议。惟吕大防秦人,戇直无党;范祖禹、司马(光)〔康〕不立党。

癸未,以西蕃寇洮、河,民被害者给钱粟,死者赐帛其家。

乙酉,命吕大防为西京奉安神宗御容礼仪使。

丁亥,孔文仲、丁骘进对,太皇太后宣谕曰:"一心为国,勿为朋比。"

癸巳,以夏国政乱主幼,强臣梁乙逋等擅权逆命,诏诸路帅臣严兵备之。

庚子,授西蕃首领心牟钦毡银州团练使,温溪心瓜州团练使,以不从结呃龊入寇故也。

辛丑,泾原路言夏人寇三川诸砦,官军败之。

丁未,熙河路言知岷州种谊复洮州,擒果庄青宜结;戊申,宰臣率百官表贺。

果庄桀黠有智谋,所部精锐,数为边患。熙宁中,诱陷河州,神宗屡诏王韶,欲生致之。至是与夏人解仇为援,筑洮州居之。谊率众破其城,擒果庄,槛送京师。谊,谔之弟也。

时二边少靖,而西塞犹苦寇掠。安焘言:"为国者不可好用兵,亦不可畏用兵。好则疲民,畏则遗患。今朝廷每戒疆吏,非举国入寇,毋得应之,则固畏用兵矣。虽仅保障戍,实堕其计中,愿复讲攻扰之策。且乾顺幼竖,梁氏擅权,族党酋渠,多反侧顾望,若有以离间之,未必不回戈而复怨。此制胜一奇也。"其后夏人自相携贰,来修贡,悉如焘言。

九月,乙卯,发太皇太后册宝于大庆殿。丙辰,发皇太后、皇太妃册宝于文德殿。

己未,夏人寇镇戎军。

庚申,王觌奏:"苏轼、程颐,向缘小忿,浸结仇怨,于是颐、轼素所亲善之人,更相诋讦,以求胜势。前日颐去而言者及轼,故轼乞补外;既降诏不允,寻复进职经筵。今执政大臣有阙,若欲保全轼,则且勿大用,庶几使轼不遂及于悔吝。"又奏:"小人近乃造为飞语,有五鬼、十物、十八奸之说,大概不过取一二公义所共恶者以实其言,而馀皆端良之士也。伏望诏榜朝堂,明示不信谗言之意,以安士大夫之心。"

丁卯,禁私造金箔。

庚午,吕公著言:"十五日以经筵讲毕《论语》,赐辅臣及讲官宴,内出御书唐贤律诗,分赐臣等。次日于帝前谢,蒙太皇太后宣谕:'皇帝好学,在宫中别无所为,惟是留心典籍。'天下幸甚!臣辄于《尚书》《论语》《孝经》中节取要语共一百段进呈,庶便于省览。"它日,三省奏事毕,太皇太后宣谕公著曰:"皇帝取卿所进,每日书写看览,甚有益于学问,与诗篇不同也。"

乙亥,辽主驻匣鲁金。

冬,十月,庚辰,辽以参知政事王经为三司使。

甲申,知怀州贾易责知广德军。

易谢表谓以忠直获罪,而指言群臣谗邪罔极,朋党滔天;又言苏辙(特)〔持〕密〔命〕以告人,辙上疏自辨。于是御史交章论易诣事程颐,默受教戒,附下罔上,背公死党,乞早赐降黜。诏以易已罢言职,不合于谢上表内指名论事,故有是责。

辛卯,减西京囚罪一等,杖以下释之。

壬辰,辽罢节度使以下官进珍玩。

庚子,论复洮州功,种谊等迁秩、赐银绢有差。

癸卯,刘挚言:"知陈州傅尧俞,知齐州王岩叟,知潞州梁焘,通判虢州张舜民,知广德军贾易,皆忠直不挠,愿召入备任使,以慰公议。"

甲辰,泉州增置市舶,从户部尚书李常请也。

丁未,范祖禹乞于迩英阁复张挂仁宗时王洙、蔡襄所书《无逸》《孝经图》,从之。

十一月,甲寅,辽以特里衮耶律坦同知南京留守事。

丙辰,复置涟水军。

庚申,献果庄于崇政殿,诘犯边之状,谕以听招其子及部属归附以自赎。果庄服从,赦之,以为陪戎校尉,遣居泰州。

壬申,诏:"讲读官遇不开讲日,轮具汉、唐故事有益政体者三条进入。"先是苏颂言:"国朝典章,大抵沿袭唐旧。乞诏史官采《新唐书》中臣主所行,日进数事。"故有是诏。颂每进可为规戒有补时政者,必述以己意,反复言之。

乙亥,以大雪,民多冻死,诏加赈恤,其无亲属者,官瘗之。

罢内殿承制试换文资(格)〔法〕。

十二月,己卯朔,辽以枢密直学士吕嗣立参知政事。

乙酉,以大寒,赐诸军薪炭钱;又令开封府阅坊市贫民,以钱百万,计口量老少给之。

丙戌,兴龙节,初上寿于紫宸殿。

己丑,以大寒,罢集英殿宴。

壬辰,兀征声延部族老幼万人渡河南,遣使廪食之,仍谕声延勿失河北地。

壬寅,颁《元祐敕令式》。

丙午,赵挺之奏:"苏轼学术,本出《战国策》纵横揣摩之说。近日学士院策试廖正一馆职,乃以王莽、袁绍、董卓、曹操篡汉之术为问。使轼得志,将无所不为矣。"

是冬,始闭汴口。

是岁,夏改元天仪治平。

三年 辽大安四年【戊辰,1088】 春,正月,庚戌,复置广惠仓,从侍讲范祖禹言也。

辽主如混同江。

甲寅,太白昼见。

己未,朝献景灵宫。

庚申,诏发京西南路阙额禁军谷五十馀万斛,减市价出粜,至麦熟日止;以雪寒,物价翔踊也。

〔丁卯〕,王觌奏:"苏轼长于辞华而暗于理义,若使久在朝廷,则必立异妄作。宜且与一郡,稍为轻浮躁竞之戒。"

辛酉,诏广南西路朱崖军开示恩信,许生黎悔过自新。

壬戌,罢上元游幸。

1745

甲子,五国部长贡于辽。

庚午,辽免上京逋逃及贫户税赋。

壬申,阿里骨奉表谢罪。诏边将无出兵,仍罢招纳。

甲戌,辽以上京、南京饥,许良人自鬻。

丁丑,辽曲赦西京役徒。

二月,甲申,罢修金明池桥殿。

乙酉,时久阴不解,翰林学士兼侍读苏轼言:"差役之法,天下以为未便,独台谏官数人者主其议,以为不可改。近闻疏远小臣张行者力言其弊,而谏官韩川深诋之,至欲重加贬窜。此等亦无它意,方司马光在时,则欲希合光意;及其既殁,则妄意陛下以为主光之言。殊不知光至诚尽公,本不求人希合;而陛下虚心无我,亦岂有所主哉!使光无恙至今,见其法稍弊,则更之久矣。臣每见吕公著、安焘、吕大防、范纯仁,皆言差役不便,但为已行之令,不欲轻变,兼恐台谏纷争,卒难调和。愿陛下问吕公著等,令指陈差、雇二法各有若干利害;昔日雇役,中等人户岁出钱几何;今者差役,岁费钱几何;又几年一次差役。皆可以折长补短,约见其数,以此计算,利害灼然。而况农民在官,贪吏狡胥,百端蚕食,比之雇人,苦乐十倍,民穷无告,致伤阴阳之和。今来所言,万一少有可采,即乞留中,作圣意行下,庶几上答天戒,下全小民。"

丙戌,诏:"河东苦寒,量度存恤戍兵。"

己丑,以左司谏丰稷为国子司业。

扬王颢、荆王頵尝令成都府路走马承受造锦地衣,稷独奏劾,以为"近属奢侈,官吏(奏)〔奉〕旨,宜皆纠正其罪"。给事中赵君锡曰:"谏官如是,天下必太平矣。"不数日,稷罢言职。

癸巳,诏:"殿试经义、诗赋人并试策一道。"从赵挺之请也。

甲午,辽曲赦春州役徒,终身者皆五岁免。己亥,辽主如春州。赦泰州役徒。

乙巳,知贡举苏轼同孙觉、孔文仲言:"每一试进士、诸科及特奏名约八百馀人。旧制,礼部已奏名,至御试而黜者甚多。嘉祐始尽赐出身,近杂犯亦免黜落,皆非祖宗本意。进士升甲,本为南省第一人唱名近下,方特升之,皆出一时圣断。今礼部十人以上别试、国子、开封解试、武举第一人、经明行修进士及该特奏而预正奏者,定著于令,遂升一甲。则是法在有司,恩不归于人主,甚无谓也。今特升者约已及四百五十人,又许例外遽减一举,则当复增数百人。此曹垂老无它望,布在州县,惟务黩货以为归计,残民败官,无益有损。议者不过谓宜广恩泽,不知吏部以有限之官待无穷之吏,户部以有限之财禄无用之人,而所至州县举罹其害,谓之恩泽,非臣所识也。愿断自圣意,止用前命,仍诏考官量取一二十人,委有学问、词理优长者,即许出官,其馀皆补文学、长史之类,不理选限。"于是诏定特奏名,考取进士入四等以上、诸科人三等以上,通在试者计之,毋得取过全额之半,后遂著为令。

以正字刘安世为右正言。司马光既没,太皇太后问吕公著:"光门下士素所厚善可任台谏者,孰当先用?"公著以安世对,遂擢任之。

三月,丙辰,司空致仕康国公韩绛卒,谥献肃。绛喜延接士大夫。始与王安石善,其后颇异,因数称荐司马光可大用。然终以党安石复得政,清议少之。

乙丑,辽免高丽岁贡。

己巳,赐进士李常宁等并诸科及第、出身共一千一百二十二人。

辽赈上京及平、锦、来三州饥。

甲戌，新增释褐进士钱百万，酒五百壶，为期集费。

乙亥，夏人寇德静砦，将官张诚等败之。

夏，四月，戊寅，令诸路郡邑具役法利害以闻。

己卯，辽赈苏、吉、复、渌、铁五州贫民，并免其租税。

尚书右仆射兼中书侍郎吕公著，以年老，数辞位。辛巳，拜司空、平章军国事，诏一月三赴经筵，二日一朝，因至朝堂议事，出省毋拘以时。别建第于东府之南，启北扉以便执政就议。恩数如其父夷简，世以为荣。

以中书侍郎吕大防为尚书左仆射兼门下侍郎，同知枢密院范纯仁右仆射兼中书侍郎。制词皆苏轼所草也。

是夕，轼对于内东门小殿，既承旨，太皇太后急问曰："卿前年为何官？"曰："臣前年为汝州团练副使。""今为何官？"曰："臣今待罪翰林学士。"曰："何以遽至此？"轼曰："遭遇太皇太后、皇帝陛下。"曰："非也。"轼曰："岂大臣论荐乎？"曰："亦非也。"轼曰："臣虽无状，不敢自它途以进。"太皇太后曰："此乃先帝之意也。先帝每诵卿文章，必叹曰：'奇才，奇才！'但未及用卿耳。"轼不觉哭失声。太皇太后泣，帝亦泣，左右感涕。已而命坐赐茶，撤御前金莲烛送归院。

轼在翰林，颇以言语文章规切时政，毕仲游以书戒之曰："夫言语之累，不特出口者为言，其形于诗歌，赞于赋颂，托于碑铭，著于序记者，皆言语也。今知畏于口而未畏于文，是其所是，则见是者喜；非其所非，则蒙非者怨。喜者未必能济君之谋，而怨者或已败君之事矣。官非谏臣，职非御史，而好是非人，危身触讳，以游其间，殆犹抱石而救溺也。"轼不能从。

壬午，以观文殿学士兼侍读孙固以门下侍郎，尚书左丞刘挚为中书侍郎，尚书右丞王存为尚书左丞，御史中丞胡宗愈为尚书右丞，户部侍郎赵瞻为签书枢密院事。

甲申，韩川、刘安世进对，太皇太后问："近日差除如何？"安世对曰："朝廷用人，皆协舆望，惟胡宗愈，公议以为未允耳。"

辽赈庆州贫民。乙酉，减诸路常供服御物。

丁酉，辽立入粟补官法。

癸卯，辽主西幸。时耶律俨为枢密直学士，召使讲《尚书·洪范》。俨仪观秀整，辽主数对群臣称其才俊。

五月，丁未，中书舍人曾肇言："昨奉使契丹，还至河北，窃闻朝廷命王孝先开孙村口减水河，欲为回河之计。询之道路，皆云见今河流就下，故道地形甚高，兼系黄河退背地分，恐难成功。当河北累年灾伤之后，未宜有此兴作。伏望圣慈更下水官及河北路监司公共讲求，不至枉费民力，更招后悔。"

时熙、丰用事之臣虽去，其党分布中外，起私说以摇时政。鸿胪丞常安民遗吕公著书曰："善观天下之势，犹良医之视疾。方安宁无事之时，语人曰'其后必将有大忧'，则众必骇笑。惟识微见几之士，然后能逆知其渐，故不忧其可忧而忧之于无足忧者，至忧也。今日天下之势，可为大忧，虽登进忠良，而不能搜致海内之英才，使皆萃于朝以胜小人，恐端人正士未得安枕而卧也。故去小人为不难，而胜小人为难。陈蕃、窦武，协心同力，选用名贤，天下想望太平，然卒死曹节之手，遂成党锢之祸。张柬之五王，中兴唐室，及武三思一得志，至于窜移沦没。此皆前世已然之祸也。今用贤如倚孤栋,拔士如转巨石,虽有奇特瑰卓之才,不得一行其志,甚可叹也。猛虎负嵎,莫之敢撄;而卒为人所胜者,人众而虎寡也。故以十人而制一虎则人胜,以一人而制十虎则虎胜,奈何以数十人而制千虎乎?今怨愤已积,一发其祸必大,可不谓大忧乎?"公著得书默然。安民,邛州人也。

谏议大夫王觌疏言:"胡宗愈自为御史中丞,论事建言,多出私意,与苏轼、孔文仲各以亲旧相为比朋。"内批:"王觌论列不当,落职,与外任差遣。"翼日,吕公著言:"觌若止为论列宗愈,便行责降,必不协众情,未敢行下。"后二日,公著与吕大防、范纯仁再论于帘前,太皇太后意犹未解。纯仁退而上疏曰:"侧闻圣训谓朋党甚多,宜早施行。以臣愚见,朝臣本无朋党,但善恶邪正,各以类分,陛下既用善人,则匪人皆忧难进,遂以善人之相称举者皆指为朋党。昔庆历时,先臣与韩琦、富弼同为执政,各举所知,当时飞语指为朋党,三人相继补外。造谤者公相庆曰:'一网打尽矣!'此事未远,愿陛下戒之。所降贬谪王觌文字,臣未敢签书。"因极言前世党之祸,并录欧阳修《朋党论》上之。赵挺之、杨康国亦言不当因论人而逐谏官,乞追寝罢觌之命,不听,竟出觌知润州,而宗愈居位如故。

辛亥,辽主命燕国王(廷)〔延〕禧写《尚书·五子之歌》。

时以炎暑,权罢讲。癸丑,侍讲范祖禹上疏曰:"陛下今日学与不学,系天下它日之治乱。陛下如好学,则天下之君子以直道事陛下,辅助德业而致太平;不好学,则天下之小人以邪谄事陛下,窃取富贵而专权利。君子之得位,欲行其所学也;小人之得君,将济其所欲也。用君子则治,用小人则乱。君子与小人,皆在陛下心之所召。且凡人之进学莫不于少时,今圣质日长,数年之后,恐不得如今日之专,窃为陛下惜也。"

乙卯,辽赈祖州贫民。丁巳,诏免徒役,终身者五岁免之。己未,赈春州贫民。

癸亥,汉东郡王宗瑗卒。

丙寅,辽禁挟私引水犯田。

六月,丙子朔,诏:"乡户衙前役满未有人替者,依募法支雇食钱。如愿投募者听,仍免本户身役;不愿投募者,速召人替。"

庚辰,辽主驻散水原。

癸未,诏:"司谏、正言、殿中侍御史、监察御史,仿故事,以升朝官通判资序历一年者为之。"

丁亥,辽命燕国王延禧知中丞司事,以同知南院枢密使事耶律聂里知右伊勒希巴,以知右伊勒希巴事耶律鄂嘉同知南院枢密使。庚寅,北院枢密使耶律颇德致仕。

戊戌,诏:"黄河未复故道,终为河北之患。王孝先等所议,已尝兴役,不可中罢,宜接续工料,期于必成。"

范纯仁乞寝前命以杜希合,尚书王存等亦言:"孝先初未有必然之论,但侥幸万一以冀成功,且预求免责。若遂听之,将有噬脐之悔。乞遣使覆案,审度可否,兴工未晚。"庚子,三省、枢密院奏事延和殿,文彦博、吕大防、安焘谓河不东则失中国之险,为契丹利,范纯仁、王存、胡宗愈则以虚费劳民为忧。存谓:"契丹自景德至今八九十年,通好如一家,设险何与焉!不然,如石晋末耶律德光入汴,岂无黄河为阻?况今河流亦未必便冲过北界也。"太皇太后曰:"且熟议。"明日,纯仁又画四不可之说以进,且曰:"北流数年,未为大患,而议者恐失中国之利,先事回改,正如顷西夏本不为边患,而好事者以为不取恐失机会,遂兴灵武之师也。"于是收回戊戌诏书。

辛丑,夏人寇塞门砦。

〔癸卯〕,刘安世言:"胡宗愈操行污下,毁灭廉耻,诚不足以辅佐人主,参预国论,乞特行罢免。"

【译文】

宋纪八十　起丙寅年(公元 1086 年)七月,止戊辰年(公元 1088 年)六月,共二年。

元祐元年　辽大安二年(公元 1086 年)

秋季,七月,丙辰朔(初一),宋哲宗下诏:"罢除试补学官法,命令尚书、侍郎、左右司郎中、学士、待制、两省、御史台官、国子监司业分别推举二个人。"

丁巳(初二),辽惠妃的母亲燕国夫人,原先因为进京擅自取用驿马,被夺去了封号;后来因用巫蛊的法术诅咒皇孙耶律延禧,事情泄漏,遭到杀害。隶属于兴圣宫户籍的惠妃弟弟萧酬斡,被流放到乌尔古德哝勒部。

戊午(初三),辽道宗在沙岭打猎。

辛酉(初六),宋朝设立十科举士法。按照原来的制度,要有一定的规格来铨选官员,全部都用法律来加以限制。法律可以用来保持公平而不可以用来选择人才,所以命令朝廷所有官员都得荐举。后来被荐举的人虽然很多,安置官员也更加困难,神宗于是罢除了内外大臣举荐法,只用吏部和审官院的铨选条例。哲宗即位后,王岩叟上奏说:"自从罢免荐举而独用吏部铨选办法,只能看到官员有什么功绩与过失而看不见别人有什么才能。因此大臣不得已,只好任用他平时信任的人,于是踏逐、申差这样的名目就出现。踏逐实际上就是荐举,只是举荐人和被荐人员同受处罚;而且选举人才推荐有能力的人称之为踏逐,这不是一个文雅的名称。况且,托付给人家权力却不许他推荐自己了解的人,这哪是通达的方法呢!"因此恢复内外官举荐法。司马光上奏说:"治理国家用人得当就能治好。但是人擅长于这点却不善长于那点,即便是古代的皋陶、夔、稷、契,每人各自担任一个官职,普通的人又怎么能求全责备呢!所以孔门以四科来评比士人,汉朝从多种途径得到人才。如果只挑剔毛病摒弃所长,那么朝廷中就没有可使用的人才;如果按照能力来任用人才,那么世上就没有可以遗弃的士人。臣身居宰相职位,担任选官的职责,但见识浅短而狭窄,搁置士人当中有淡于功名的人,或者遗漏清寒无援的人,哪里能够全部了解到!如果专门引进认识的人,那么有徇私的嫌疑;如果只按照资历,那么又不一定都是有才能的人。不如让在位高官分别推荐他们所知道的人,这样就能够达到很公正,民间也不会再有被遗漏的贤人。想乞请朝廷设立十科推荐士人,一是行义纯洁可为师表科,二是节操方正可备献纳科;三是智勇过人可备将帅科,四是公正聪明可备监司科,五是经术精通可备讲读科,六是学问广博可备顾问科,七是文章典丽可备著述科,八是善听狱讼尽公得实科,九是善治财赋公私俱便科,十是练习法令能断请谳科。所有执掌实权的执事官从尚书到给事中、起居舍人、谏议大夫,寄禄官从开府仪同三司到大中大夫,兼带贴职的从观文殿大学士到待制,每年须于十个科目内推荐三人。仍然具状担保,由中书省记录在册。到时有事需要人才,就按照名籍看他以前被推荐的科目,按照事情加以试用,有功绩就把他记在名籍上。朝廷内外有空缺的官职,选择试用有功绩的人按照科目给予官职。朝廷任命的文书,写出推举人的姓名。如果一个人任官没有能力,要给推举的人处以错举的罪。这样大概人人都会慎重行事,所举荐的都是人才。"哲宗下诏采纳了这个建议。

甲子(初九),辽道宗赐给兴圣、积庆两宫贫民钱币。

乙丑(初十),西夏国主李秉常去世。这一年,夏国改年号为天安礼定,谥号康靖皇帝,庙号惠宗,墓号献陵;李秉常儿子李乾顺即位。

上官均上奏乞请尚书省事务按轻重分类,规定某些事归尚书、某些事归二丞、某些事归仆射,宋哲宗采纳了这个建议。

刘挚上奏说:"以前朝廷忧虑免役法的弊病,下诏改为恢复差役法,但差役法到现在还没有实行,朝廷对常平法的弊病感到很忧虑,一并改用旧制,实行还没有二个月,重新改为青苗法。后来又下诏严厉责备首先提出的大臣,但是交纳免役钱和官府借贷的事,到现在还没有施行,跟原来一样。这两件是大事情,但反复无常,又怎么能使天下的百姓相信听从呢!难道改来改去就是正确的吗?君子还会认为这不好。况且改变不一定正确,只不过是把错误的举动暴露于天下,那么何不当初就谨慎行事!"

庚午(十五日),西夏派遣使臣来庆贺坤成节。

乙酉(三十日),辽道宗下令拿出粮食赈济辽州贫民。

八月,戊子(初三),辽道宗因为落雪停止出外打猎。

辛卯(初六),宋哲宗下诏恢复常平仓旧法,罢去青苗钱。

当初,范纯仁因为国家开支不足,请求重新设立常平仓钱粮收贷生息的制度,朝廷采纳了他的建议;当时司马光由于生病告了假,没有参加这件事。不久御史谏官都说这样做不好,都不愿意上报。不久司马光上奏说:"先朝颁布青苗法,它的宗旨是想让百姓获得好处,并且采取自愿的原则;后来掌管的官员想迅速见到功效,全力寻求多出贷。现在只要坚持强制分配,就没有害处了。"苏轼上奏说:"熙宁年间的新法,不是没有禁止强配,但它造成的危害却是如此严重。老百姓根据收入估计开支,虽然是贫困的人家也够用了;如果另外拿出一份钱,那么费用就越来越多了。现在允许许多人自愿领取,这是为了设立法令欺骗百姓,图一时的非正常支出的畅快,而不考虑日后催促交纳的苦处。这不是一个好的法令。"恰好遇上王岩叟、朱光庭、王觌等人上奏乞请罢免青苗法,这时司马光才恍然大悟,带病上朝,在帘前上奏说:"是哪个奸臣,劝陛下实行这个方法!"范纯仁惊慌失措,立刻不敢再说了。太皇太后采纳了这个建议,于是下诏:"常平仓按照旧法处置,不再支付青苗钱;除了原来欠的二分利息,以前支出的本钱,检查现在欠多少,分别计算,依次随两税交纳。"

太皇太后传谕辅政大臣说:"台谏官讲近来任命官员有很多不当的地方。"司马光上奏说:"朝廷既然命令各位大臣推荐所知道的人,一定要暂且让他试用,等到他不称职的时候,再罢免他,这样也便于让举荐的人连坐受罚。"吕公著说:"推荐官员虽然委托给了别人,也必须让执政大臣选择自己满意的人才。"司马光说:"历来执政的人,只是在推荐上来的人当中选择他认为有才能的人加以任用。"韩维说:"司马光所讲的话不对,只相信推荐人的话,事先没有考察,等到他不称职又处罚他,实在很不是道理。"吕公著说:"近来拜官授职有很多失误,也由于受资格的限制。"韩维说:"资格只能用于按级论时提升的叙迁,如果要提拔人才,怎么能够局限于资格呢!"

壬辰(初七),宋哲宗封弟赵偲为祁国公。

丁酉(十二日),司马光由于疾病发作,首先离开政事堂,于是告假,从此没有再入朝。

癸卯(十八日),任命崇政殿说书程颐兼任权判登闻鼓院。

九月,丙辰朔(初一),尚书左仆射兼门下侍郎司马光去世,享年六十六岁。太皇太后很悲伤,哲宗皇帝也感慨流泪不已。在明堂祭礼完毕后,太皇太后亲自前往祭奠。追赠太师、温国公,谥号文正,哲宗为他题写"忠清粹德之碑"的墓碑。

司马光在洛阳住了十五年,天下人都认为他是真正的宰相,田夫野老都称他司马相公,妇女儿童也都知道他就是司马君实。等到他做了门下侍郎,苏轼从登州被召回时,沿路有人相聚呼喊说:"带话给司马相公,叫他别离开朝廷,自己好好保重身体,以便拯救我们。"辽国人敕令他们边境的官员说:"宋朝任司马光做了宰相,千万不要生事、挑起边境战事。"司马光看见朝廷对他很是言听计从,想献身于朝廷,亲自处理日常政务,不分昼夜。宾客看见他身体瘦弱,就举出诸葛亮吃得少事情多的例子劝诫他,司马光说:"生死都是命中注定的。"做事更勤奋了。病情转重后,他已神志不清。还絮絮叨叨告诫大家,像是在梦中说话,但讲的都是有关朝廷国家的事。司马光死后,他的家人发现了八张遗奏,都是亲手书写,议论当今最为紧要的事务。百姓听到他死了,都停下了市集,赶往他家中吊唁,有些人卖掉衣服来买东西祭奠他,满街满巷都是哭声,来往的车马成千上万。京城百姓画了他的像,刻印出卖,每家每户都买了一幅,吃饭前必定先祷告一回。司马光送回老家陕州安葬时,从四面八方赶来送葬的有几万人。

司马光一生孝亲友悌、忠君诚信,从小到老,从没有乱讲过话。他自己说过:"我没有过人之处,但是平生行事,从没有不能对人讲的。"司马光对于学问无所不通,只是不喜好佛学和老庄道学,他说:"佛道的精微言论,不能超出我的著述之上,它们怪诞不经的地方,我是不相信的。"苏轼曾讲过司马光能够感动天地和人心的原因,用两个词来概括,就是忠诚、专一,有识之士认为这是精当的结论。

己未(初四),哲宗在景灵宫举行朝献礼。辛酉(初六),在明堂举行合祭,以神宗神位配享于明堂。

程颐任经筵官,常常援引古代礼法。苏轼说他不近人情,很厌恶他,常常开他的玩笑,侮辱他。正好在司马光死时,哲宗在明堂宣布大赦,文武大臣祝贺完毕,两省官员准备前去祭奠司马光,程颐不同意,说:"孔子在这一天内哭过了就不再唱。"座中有人责备他说:"孔子说哭了就不唱,没有说过唱了就不能哭。"苏轼说:"这是枉死在街市上的叔孙通所制定的礼仪。"众人大笑,苏轼和程颐二人由此结下了怨恨。

丁卯(十二日),任命中书舍人苏轼为翰林学士。

癸酉(十八日),诏令:"各路坊郭户第五等以上,以及单丁、女户、寺观户等第三等以上,过去缴纳的免役钱都减免五分,其余的全部免除,并从元祐二年开始执行。"

庚午(十五日),辽道宗回到上京。壬申(十七日),散发粟米赈济上京和中京的贫困百姓。

丙子(二十一日),辽道宗拜谒二仪殿和五鸾殿。己卯(二十四日),辽道宗拿出太祖和太宗使用过的铠甲和兵器给燕国王耶律延禧看,告诫他创建基业、四方征讨的艰辛。

张璪被罢职降为光禄大夫、资政殿学士、郑州知府。御史台官员和谏官纷纷上奏弹劾张璪,共有十几份奏章。太皇太后告诉王岩叟:"明堂大礼过后,张璪必然会被贬逐。"至此张璪就称病请求外放,结果用优厚礼遇把他贬退。

癸未(二十八日),孙升上奏说:"祖宗任用人才,例如赵普、王旦、韩琦这三个人,他们的文章学问不被世人知道,但是看他们的品德、器识、事业和功绩,近代的辅臣和宰相没人能够相比。王安石是一代文章大师,他进朝担当要职,谋划施行的政事,全都出于个人的心智。由此看来,辅佐皇帝治理国家这样的大事业,不在于文章学问。现在苏轼的学问,朝廷内外都很佩服,但是他的德行器识有不足的地方,任为翰林学士,可以说是非常适合的职务,但要是让他辅佐皇上治理国家,那就希望陛下以王安石为鉴戒。"世人都讥笑孙升说话不对。

辛巳(二十六日),辽道宗宣召南府宰相讨论国家大事。

冬季,十月,乙酉朔(初一),辽道宗任用南院枢密副使窦景庸为知枢密院事。窦景庸起初担任秘书省校书郎,聪明好学,到这时才被重用,封为陈国公。

丙戌(初二),宋朝改封孔子后裔为奉圣公。

鸿胪卿孔宗翰上奏说:"孔子的后人世代承袭公爵,本意是侍奉祭祀。但他们兼领其他官职,人不在本郡,名义不正。请求从今以后,承袭封爵的人,让他一辈子都是住在本乡故里。"于是哲宗下诏:"改衍圣公为奉圣公,不担任其他职务,增拨孔庙学田二百顷,除供给祭祀外,允许用来平均供养族人。赐给部分国子监藏书,设置一名教授,用来教导孔门子弟。"

五国部酋长向辽国进贡。

丁亥(初三),辽国派使臣去诏命西夏国王秉常的儿子乾顺主持国事。

庚寅(初六),太白金星在白天出现。

壬辰(初八),西夏派人来宋朝通报丧事,宋哲宗下诏:"自从元丰四年作战所占领的城寨,等西夏归还我朝在永乐一战中所陷落的土地人民后,应全部划出交还。"派遣穆衍、张楙前去吊唁和祭奠。

乙巳(二十一日),赐给范镇诏令,命他暂不退休,任为兼侍读,诏书到时可立即赴京。

己酉(二十五日),宗正寺丞王巩上奏说:"神宗皇帝的《玉牒》,到现在还没编写,《仙源类谱》自从庆历八年张方平进呈部分,只有五十年的内容,并没有全部成书。请求另外制定办法,《玉牒》每过两年编成一次初稿进呈,《类谱》也同样,等满了十年,再分类集中编纂好。"

癸丑(二十九日),刘挚上奏说:"太学的条例,只能够依据旧条例,把其中过分违背常理的部分删掉。如果规定得非常迂阔来追慕古制,或是规定得新奇而改变了常理,不仅没有好处,而且还有害处。请求撤掉修学制所,只责令学官正、录以上人员,把现行条例加以删改确定下来。"刘挚说"追慕古制,改变常理",是指程颐而言。程颐大致是认为学校是最要讲究礼义的地方,如果每个月都让他们竞争,实在不符合教导培养的道理。请求把考试改为核查,有什么地方学生没掌握明白的,学官把他召来再教导他,不用考试来排定名次的高下。设立尊贤堂,延揽天下品德高尚的人,废除解送参加科举考试的名额制度,清除名利的诱惑,省掉繁文缛节,使大家专心于本职,严肃礼法约束,使风俗教化更加纯厚。以及设置待宾斋、待吏斋、待师斋,订立观光法,共有几十条,都被礼部上疏驳斥了。程颐也自我辩说,但是朝廷最终没有采行。

十一月,乙卯朔(初一),礼部上奏说:"冬至节即将到来,命妇庆贺坤成节,依照惯例把笺改为表。"哲宗依从了。程颐提出建议:"神宗皇帝丧期未满,节令变化,急切地想着时令礼节,恐怕违背了守丧的礼制,不能教化天下,请把庆贺改为慰问。"哲宗没有依从。

戊午(初四),任用尚书右丞吕大防为中书侍郎,任用御史中丞刘挚为尚书右丞。

自从张璪被罢免,中书侍郎一职很长一段时间没有补授别人。吕公著上奏说:"吕大防忠心诚实,可以担当大事。"哲宗又亲笔致信吕公著,问他:"爱卿前不久说刘挚可任执政大臣,只因为他当过尚书,恐怕前面没有先例,想暂时任他为尚书。"吕公著上奏:"我大宋朝从御史中丞进入中书省、枢密院的人,如贾昌朝、张昇、赵概、冯京等很多。"哲宗采纳了他的话,刘挚于是从御史中丞担任辅臣。任用傅尧俞为御史中丞,仍旧兼任侍读。

甲戌(二十日),辽国为燕国王耶律延禧举行再生礼,特别赦免上京的囚犯。

此前黄河在大名府一带决口,哲宗诏命秘书监张问视察河北水灾情况,又派王令图率领都水监官员一同前往。丙子(二十二日),张问上奏说:"臣到滑州黄河决口处视察,看到从迎阳埽到大吴、小吴两地,黄河河床低,旧河道淤积,河床增高,所以黄河河水难以流回故道。奏请在南乐大名埽开挖直河和签河,把黄河水分流到孙村口,以解除北京以下地区的水患。"王令图也认为可以这样做。于是开河减水的意见又提出来了。刚好北京留守韩绛上奏说把黄河水引到大名府附近不好,哲宗诏令张问另作考察。

戊寅(二十四日),任用起居郎苏辙、起居舍人曾肇同为中书舍人,曾肇仍然充任实录院修撰。王岩叟说曾肇的资历和声望很低,因遇上机会得以窃居馆职,一向来没有当官的才能,却提拔他主管都司,毫无史学才能,却委任他编修实录,总共八次上奏弹劾,哲宗都不听从。

朝廷起用范镇,准备任为门下侍郎,范镇很不愿意再次出来做官,又致信向他的从孙范祖禹询问意见,范祖禹也劝他不要复出,范镇很高兴地说:"这是我的真心啊。凡是我想去做的事情,司马君实已经做了,我还出来做什么呢!"因此坚决辞谢,他上表说:"我六十三岁时请求辞职,是到了人老求退的年纪;现在我已经七十九岁,再次出来做官,哪里能说符合礼制呢!"最终不肯出来。朝廷任命他为提举崇福宫,才几个月,他就以年老告退,朝廷让他以银青光禄大夫退休。

御史中丞傅尧俞开始任职,与侍御史王岩叟同时入宫答话,哲宗告谕傅尧俞说:"用爱卿作御史中丞,不从执政大臣中选用,是因为爱卿公正无私,不避权贵。如果朝廷政事有疏缺失误的地方,爱卿等人要尽情批评。"

尚书、中书、门下三省奏请设立经义、辞赋两科,哲宗依从了。

庚辰(二十六日),诏令:"开封府界和河北、河东、陕西三路的保甲户,户等在五等以下,田土不到二十亩的,即使家里有三丁以上,都免除训练。"这是听从了吕陶的奏请。

免去盐井官溪钱。

癸未(二十九日),辽国散发国库粟米赈济乾州、显州、成州、懿州的贫困百姓。

十二月,庚寅(初六),诏令:"日后神宗丧期满后,依照元丰三年旧例,群臣不要上尊号。"

辛卯(初七),辽道宗任命兰陵郡王萧乌纳为南院枢密使。萧乌纳奏请掾史官员按年岁时间升迁,辽道宗听从了。

戊戌(十四日),华州郑县小敷谷发生山崩。

壬寅(十八日),朱光庭上奏说:"学士院考试馆职人员出策题说:'想效法仁宗皇帝的忠厚,但是担心百官有司不能各尽其职,甚至于敷衍塞责;想效法神宗皇帝的励精图治,又担心监司守令们不能体察本意,流入苛刻。'又说:'汉文帝是个宽宏大度的皇帝,没听说当时出现过政事荒废的弊病;汉宣帝全面考核名实,没听说当时有督察过分的失误。'臣认为仁宗皇帝的深仁厚德,像天空一样宏大,汉文帝是不能超过的;神宗皇帝的雄才大略,象神灵一样深不可测,汉宣帝是不能超过的。如今学士院主考官不识大体,反而用敷衍、苛刻这样的话来议论他们,请求惩治主考官的罪行。"这次策题是苏轼写的,哲宗诏令给苏轼特别免罪。苏轼听说后为自己辩解,哲宗下诏追回免罪的诏令。吕陶上奏说:"苏轼出的策题,是提出这样的问题来看大家怎么回答,并不是说仁宗皇帝比不上汉文帝,神宗皇帝比不上汉宣帝。台谏官应是最为公正的,不能够利用职权来报复私人怨仇。议论的人说苏轼曾要弄轻侮了程颐,朱光庭是程颐门下弟子,所以为他报复怨仇。如果要给苏轼加上罪名,又有什么不能做不到呢?一定要把他的策题一事说成是诽谤先帝,恐怕朋党的弊害要由此产生了。"

戊申(二十四日),诏令因为冬天温暖没有下雪,判决在押囚犯。

辽国崇义军节度使任上退休的刘伸去世。刘伸起初任大理正,由于奏报案件时,辽道宗正好与近侍大臣说话,没理会他,刘伸上前说:"臣下听说从古到今的帝王,必定重视百姓性命,希望陛下审查臣下奏报的案件。"辽道宗非常惊异。刘伸多次升迁后任大理少卿,百姓中没有冤屈的。后来又任三司副使主管大理寺,申明法律,判案多有宽恕,他审理冤案,保全救活了很多人。辽道宗准备重用他,但被耶律伊逊阻拦。耶律伊逊死后,他的同党势力还是很大,刘伸不再做官。刚好燕蓟百姓饥荒,刘伸在家里,和退休官吏赵徽、韩造煮粥救济饥民,救活的人多得不可计算。到这个时候刘伸去世,辽道宗十分哀痛,加倍赐予安葬费用。

这一年,河北路以及楚州、海州等地发生水灾。

元祐二年 辽大安三年(公元1087年)

春季,正月,乙卯(初二),辽道宗前往鱼儿泺。

壬戌(初九),王觌上奏说:"朱光庭攻击苏轼的策试提问,吕陶极力辩护。臣下认为苏轼的措辞不过是有失于轻重的标准。如果就此而全面考察其中的同异,深入追究其中的嫌疑,那就会因此而分成两派,党派之争会越来越激烈。学士命题措辞失当,事情本身还不算大;如果使得士大夫中有了朋党之分,这是大祸患呀。"太皇太后深信就是这样。当时议论的人认为朱光庭是因为苏轼与自己的老师程颐有怨隙而进行弹劾,而吕陶与苏轼都是蜀地人,于是就产生洛党、蜀党的说法,所以王觌上了这份疏。

西夏把它们已经去世的国君李秉常的遗物派使臣进献给宋朝。乙丑(十二日),宋哲宗封李乾顺为西夏国王,仿照明道二年任命元昊为节度使、西平王的先例办理。

戊辰(十五日),诏令:"从今以后举人参加规定的考试,都允许采用古今儒者的各种学说,或者发表自己的见解,不要引用申不害、韩非子、佛教的典籍著作。主考官员按照经义、论、策综合决定取舍,不要在《老子》《庄子》《列子》书中出题目。"

辛未(十八日),傅尧俞、王岩叟进宫奏对,说苏轼出的策题不恰当,太皇太后说:"这是朱光庭个人的意见,爱卿们是在党同朱光庭呀。"傅尧俞、王岩叟同时上奏说:"臣等蒙受太后宣布圣谕,说是我们和朱光庭结成一党来弹劾苏轼,对上辜负了任命,再也不敢去御史台供职,我们俯伏等候责备和罢斥。"

甲戌(二十一日),辽国拿出钱粮赈济南京贫困百姓,并免除他们的租税。

丙子(二十三日),诏令:"苏轼所出的策试题目,即使没有讥讽祖宗的意思,但是从来官府进行考试,也没有把祖宗治国情况加以评论的。这可能是他一时失于检点的缘故,各种奏章都交付学士院知悉。命令傅尧俞、王岩叟、朱光庭尽快照常任职。"这是采纳了吕公著的建议。

辛巳(二十八日),哲宗诏令苏辙、刘攽编辑神宗皇帝的诏令文书。

二月,丙戌(初三),辽国散发粟谷赈济中京的饥民。

丁亥(初四),派遣左司谏朱光庭乘驿车去河北路,与监司一人全面视察灾荒情况,采取措施加以赈济。

辛卯(初八),哲宗赐给富弼神道碑,以"显忠尚德"为碑额,并命令翰林学士苏轼撰写碑文。

诏令:"施州、黔州、戎州、泸州等地的保甲,监司不要每年训练。"

知澶州王令图视察河北水灾情况,张问上奏所请同于上次的意见,请把河水分进孙村口加以控制,让黄河重新东流回到故道;宋哲宗依从了。

己亥(十六日),命令吏部把候补官员授任实职,每年以一百人为限额。

甲辰(二十一日),辽道宗因为百姓大多流亡,废除安泊逃户征偿法。

辛亥(二十八日),观文殿大学士、陈州知府蔡确,因弟弟军器少监蔡硕挪用官钱受牵连,被削职,改任为安州知府。

这一月,代州发生地震。

三月,乙卯(初三),高丽派使臣向辽国进贡。

丁巳(初五),太皇太后下诏说:"祥祭和禫祭都已经完成,朝廷大典的册命已告完备,而有关部门遵循章献明肃皇后的先例,说我应当在文德殿接受册命。虽然这是哲宗皇帝竭尽孝心,一定要用最为崇敬尊贵的礼节,但是朝廷条规有损益,各自都是采取最适宜的方式办理。我日后接受册命,可以只在崇政殿举行。"

己未(初七),辽国免掉锦州贫困民户的租税。

壬戌(初十),辅政大臣在延和殿奏事,太皇太后告谕说:"我本性喜好清静,前些时候因为皇帝年幼,暂时一起听政,是出于不得已。况且母后临朝,不是国家的好事。文德殿是天子上朝理事的正殿,哪里是女主所能临御的地方!"吕公著等人说:"陛下谦逊好礼,考虑问题精到深远,不是臣子们能赶得上的。"

戊辰(十六日),诏令:"朝廷内外待制、大中大夫以上的官员,每年举荐一名第二次担任通判、资历可以担任知州的人。"吕陶说任用官吏的弊病,其中任用轻率和冗滥的只有州郡太守最为严重,所以有这个诏令。

命令御史台官员察访民间习俗奢侈僭越等级制度的情况。

西夏派使臣来宋朝感谢册封。

癸酉(二十一日),把神宗遗像安放在景灵宫宣光殿。

甲戌(二十二日),辽国免去上京贫民的租税。

辽道宗前往锦州。

庚辰(二十八日),诏令:"内侍省供奉官以下至黄门官员,以一百人为定额。

女真部向辽国进贡良马。

这一月,为神宗皇帝举行祥祭。范祖禹上疏给太皇太后说:"今天就要开始服用吉服,服饰车马全部换新,奢侈或节俭,都是从这时开始,凡是可以扰乱心思、美悦眼睛的东西,不应比过去有所增加。皇帝心性还没固定,他看见俭朴就会变俭朴,看见奢侈就会变得奢侈,用来训导他形成良好品德的办法,就是行为举止都要合乎法度。今天我听说奉宸府取用珠宝,户部拨用金银,数量非常大,恐怕会无限制地增加。希望在还未形成的时候就制止住,崇尚俭朴,辅导培养皇上的品性,让他眼睛看不到鲜艳夺目的色彩,耳朵听不到淫荡的音乐,不符合礼节的事不去做,那么学问会一天比一天多,品德会一天比一天高,这是国家无穷无尽的福分。"依照先例,在除掉丧服后开放乐禁,应举办宴会,范祖禹认为:"如果这样做,那就好象因为除掉丧服而举行庆贺,不符合君子没有办法才除掉丧服的本意。请求停止举办歌舞宴会,只在有事时才听音乐。"哲宗依从了。

程颐上疏说:"臣近来说迩英殿渐渐变热,请求去崇政殿、延和殿。听说给事中顾临认为在延和殿讲读经书不合适,臣下猜想顾临的意思,不过是认为讲读官不能在延和殿坐,用尊重君王为理由。臣下没时间去援引远的事例,就以本朝先有的事例来说,太祖皇帝召王昭素讲读《周易》,真宗皇帝命令崔颐正讲解《尚书》,邢昺讲解《春秋》,都是在殿上,当时都是坐着讲解的。现在那些世俗的人,能讲出尊重君主的话来,却不知道尊重君主的正确方法。作为君主,只有道德越高才越受到尊重,至于他的权势地位都崇高到极点,威严到极点,不能再有所增加了。"

王令图去世,任命王孝先代替主管都水监,王孝先也奏请按照王令图的意见治理黄河。

当时知枢密院事安焘认为让黄河东流为好,他两次上疏说:"朝廷上讨论让黄河回流故道,只怕会费力花钱,没有考虑到大祸患。在小吴没决口以前,黄河流进大海的河道虽然多次变化移动,但都是在中原地区,所以京师依靠它在北面阻挡强大的邻敌,景德年间澶渊之战可以证明。况且,黄河决口,每次都往西流,那黄河下游就更加向北移动,如果这样反复不止,那么黄河南岸就会成为辽国领土,他们必定会修建桥梁,设立州郡来防守。例如庆历年间由于占领黄河南岸熟户的土地,辽国就在那里驻扎军队,窥伺黄河以南,如今已经出现的结果就会这样。从黄河向南,地势平坦,直到京师,无论是向前看还是往后看,都令人心寒。如今想为便于治理黄河而改变它的天险作用,不是办法呀。"文彦博的意见与安焘相同,中书侍郎吕大防跟着附和,这三人极力主张这种意见,同僚们不能改变他们的意见。中书舍人苏轼对吕公著说:"黄河决口向北流,从先帝以来不能让它回到故道,而现在各位想要让它回到故道,这是自认为他们的智谋和能力超过了先帝,为什么不沿用原来的方法来治河,并把不完善的地方加以修改呢?"吕公著唯唯诺诺地说:"应该和你商量一下。"然而让黄河流回故道的工程却动工了。

夏季,四月,丁亥(初六),果庄让他的儿子侵犯洮东。

戊子(初七),辽国赐帛给中京的贫困百姓,并把各路的贡输钱粮免掉一半。

己丑(初八),由于文彦博多次上章请求退休,哲宗诏令他每十日进朝参见一次,顺便到政事堂商讨国家大事,依旧一个月去经筵一次。

辛卯(初十),诏令:"从本月十一日起,不御正殿,减少日常饮食,公卿大夫希望各自尽职尽责,争取一起消除灾异恢复正常。"这是由于梁焘上奏说春夏发生大旱的原因。

丙申(十五日),辽国赐帛给乌库部的贫民。

丁酉(十六日),因为四处上书投诉尚书省,有的冤案得不到平反纠正,哲宗命令御史分别去各地视察。这是采纳了范纯仁的建议。

己亥(十八日),太皇太后因为天旱暂时停止举行册封礼。诏令各路监司分别去各地监督郡县刑狱。五天后就下了雨。

庚子(十九日),辽道宗前往凉陉。

甲辰(二十三日),张舜民被免去监察御史职,依旧仍担任权判登闻鼓院。

此前张舜民说:"西夏政局混乱,权臣争夺政权,李乾顺生死还不知道,朝廷不应该急忙给他封爵命官,近来派差的封册使刘奉世等人希望不要派遣走,由于大臣中有人想要给刘奉世优厚待遇,因而有这种过分的举动。"所谓大臣就是指文彦博,所以张舜民受到这一贬责。

傅尧俞请求迅速下令追回册封,以符合《周易》"走出不远就回来"的意思,王岩叟、孙升、上官均、韩川、梁焘、王觌都这样认为,但朝廷没作批复。

辽国南府宰相王绩去世。

乙巳(二十四日),任命彭城平民陈师道为徐州教授。陈师道受业于曾巩,学识渊博,擅长写文章。熙宁年间,王安石的《经义》盛行,陈师道心里不赞同王安石的学说,彻底打消了科举取官的想法。到这时因苏轼、傅尧俞、孙觉推荐,被授任这一职务,不久又听从梁焘的荐举,任为太学博士。言官说他在职期间曾经越过州境去南京拜见苏轼,所以被改颖州教授。又说他进身仕途不是通过科举考试,被罢职回乡。陈师道家中向来贫困,有时一天到晚不做饭,妻儿见了面脸上不高兴,他也不安慰。

吕公著奏请恢复制科考试,丁未(二十六日),哲宗诏令重新设立贤良方正能直言极谏科,从今年开始。

辽道宗命令拿出户部掌管的粮食,赈济各路流民和义州的饥民。

戊申(二十七日),哲宗登临正殿,恢复正常的膳食。

李清臣被罢免。当时熙宁、元丰年间推行的法令,全都被改过来了,李清臣极力争辩,认为不应这样做。因此傅尧俞、王岩叟说李清臣窃居职位很久,只有患得患失的想法,没有自强自立的志向,希望尽快把他罢黜,上官均、梁焘也相继弹劾他,于是被贬为资政殿学士、河阳知府。

五月,壬子朔(初一),王岩叟、傅尧俞等上奏说:"臣下等人多次上疏说张舜民不应当被罢免御史职务,没能蒙受皇上采纳。'言官职位不能贸然占据,恳请降职贬黜。"吕公著担心这些进言的人会激怒皇上,致使朝廷出现降罪言官的过失,于是奏请给他们稍做升迁,让他们解除言官职务。

癸丑(初二),西夏人围攻南川寨。

庚申(初九),辽国海云寺奉献赈济百姓的钱币一千万。

丁卯(十六日),任命尚书右丞刘挚为尚书左丞,任用兵部尚书王存为尚书右丞。

戊辰(十七日),把右谏议大夫梁焘贬为潞州知府,侍御史孙升贬为济州知府。

此前梁焘请求恢复张舜民的御史职务,上了十次奏章,没被采纳。他又去省里当面指责给事中张问不能驳回贬黜张舜民的制命,认为他失职,借机讽刺张问贪恋禄位不辞职,不知道世人所说的什么是羞耻;孙升也弹劾张问,引用梁焘的不知羞耻之类的话,因此二人被指为朋党同时被贬官。

癸酉(二十二日),任用胡宗愈为御史中丞。

胡宗愈一开始上任就提出了六件事,即端本、正志、知难、加意、守法、畏天。又有一天,胡宗愈在便殿奏对,哲宗询问朋党的事情,胡宗愈说:"君子把小人说成是奸邪之人,那么小人肯定会把君子指为朋党。陛下选择任用那些站在中间立场不偏袒任何一方的人,那么朋党自然就没有了。"于是他又进呈《君子无党论》。

六月,甲申(初四),任用西京提点刑狱彭汝砺为起居舍人。执政大臣中有人问他对于新政和旧政的看法,彭汝砺说:"政治没有彼新此旧的差别,只要正确就可以了。现在变更比较大的,是科举取士和差役法两项,实施以后士人和百姓都觉得不好,没看见它们有可行的地方。"

辛丑(二十一日),任命同知枢密院事安焘为知枢密院事。

壬寅(二十二日),有如同瓜形的星星,出现在文昌星附近。

阿里骨逼使果庄率部众占据洮州,杀害掳掠百姓和牲畜,羌部酋长结药秘密派遣他的部下怯陵来报告宋朝。阿里骨派人捉了怯陵,结药担心事情败露,带着妻子儿女来归附宋朝。丙午(二十六日),宋朝授任结药三班奉职官。

戊申(二十八日),任命丁骘为右正言。丁骘在推行新法后,就不肯当知县,降低资历担任监当官,将近二十年,人们都称赞他。

任命秘阁校理诸城人赵挺之为监察御史。

赵挺之开始任德州通判,迎合朝廷推行市易法。当时黄庭坚任德安镇监官,认为镇小百姓又穷困,不堪忍受搜刮勒取。等到朝廷召他试任馆职,苏轼说:"赵挺之是个善于搜刮钱财的小人,学问和品行都没有可取之处,哪里有资格担任这个职务!"赵挺之深恨苏轼。黄庭坚是洪州分宁人。

秋季,七月,辛亥(初二),诏令户部编修《会计录》。

开府仪同三司、判大名府韩绛,以司空的官职退休。

西夏人进侵镇戎军各寨堡,刘昌祚等人抵抗并打退了他们。诏令开封府界和河北、河东、陕西三路训练保甲。

重新设置课利场务,收入不足定额的依法令给予处罚。

乙卯(初六),权开封府推官张商英被外放任提点河东刑狱。

当初,朝廷略微变改了新法,张商英上书说:"儿子在三年内不能改变父亲的做法。如今先帝陵墓上的土还没干,怎么能轻易就讨论变更他的法令呢!"又曾致信苏轼,请求进御史台任官,信中有"老僧想住进乌寺,呵骂佛祖"这样的话,有人听说后,报告给吕公著,吕公著不高兴,所以把他贬出朝廷。

丙辰(初七),停止各州军每年在规定的赋税数额之外进贡。

辽道宗在黑岭行猎。丁巳(初八),拿出各色布帛赐给兴圣宫贫民。

戊午(初九),由于辽国使臣来祝贺坤成节,特意在垂拱殿设宴,开始使用歌乐。

庚申(十一日),进封李乾德为南平王。

辛酉(十二日),把诚州改名为渠阳军。

壬戌(十三日),哲宗把亲笔手札交付中书省说:"门下侍郎韩维,曾经当面奏报范百禄担任刑部侍郎时所作所为不正当。辅政大臣上奏弹劾臣僚,应该写在奏疏上,公开讲出他的是非曲直,哪里能够只是口头陈报,想不留下痕迹,这跟阴险进谗哪有区别!应罢去韩维现任官职,保留他的原来官职,外放南京分司。"吕公著上疏说:"自古以来大臣到皇上面前秘密谈论,未曾要求写成奏疏。韩维向来有声望,忽然之间给予严厉贬责,罪状尚未查明,恐怕朝廷内外人心不能安定。"吕大防也说了这样的话。

甲子(十五日),诏令韩维任资政殿大学士、知邓州。中书舍人曾肇把诏书封好退回,上疏说:"古代大臣坐着和君王谈论治国理政的事情,被称为三公,难道他们一定要写好文牍才能办事!如今陛下责备韩维只是口头上奏,于是认为他心中没有君主。臣担心命令传达下去的时候,人心惶惑不安,认为陛下用似是而非的罪名贬逐大臣。"没有批复。不久吕公著又在便殿奏请改写关于韩维的旨令,于是哲宗诏令中书省以办事要劳逸平均的意思,命令中书舍人苏轼拟写诏令。韩维不久因病改任汝州知府。

乙丑(十六日),任命左司谏吕陶为京西转运副使,侍御史上官均为比部员外郎。

此前御史杜纯、右司谏贾易因张舜民罢职一事,弹劾吕陶、上官均当面欺骗同僚,不肯论辩救援。吕陶自己请求外放,上疏说:"杜纯是韩维的门客,借此来取媚于韩维;贾易是程颐的死党,为了给程颐报复怨仇,一定要把臣下罢免贬逐后才甘心,希望陛下明察!"贾易共上五疏弹劾吕陶,说他是诡计多端的奸人,靠勾结朋党来巩固自己的权位,所以吕陶、上官均都被罢去言官职务,但只有吕陶被外放。

庚午(二十一日),辽道宗因天下大雨停止了打猎。

丁丑(二十八日),辽国秦越国王阿辇去世,不久被追封为秦魏国王。

八月,辛巳(初二),右司谏贾易被罢职改为怀州知府。自从苏轼因策题一事被台谏官批评,批评的人多数与程颐友善,苏轼与程颐关系恶化,双方的党羽互相攻击。只有贾易提议请把二人同时贬逐,又说吕陶与苏轼兄弟结成一派,而文彦博实际上支持他们,言语冲撞了文彦博和范纯仁。太皇太后发怒,准备严厉责备贾易,吕公著说贾易讲的话很是坦诚直率,吕是诋毁大臣太过分了,因此只是罢去贾易的谏官职务,放到地方任职。吕公著退出来后,对同僚说:"谏官讲的话,不要去评论其得失。考虑到皇上年纪正轻,怕将来有人阿谀迷惑皇上的心智,正要依赖左右谏诤大臣,不能预先让皇上看不起言谏官。"众人都赞叹佩服。

程颐被罢免经筵官职,改任权同管句西京国子监。

此前程颐来讲解,哲宗生了疮疹,不来迩英殿已有好几天。程颐退出后,去问宰相:"皇上没到迩英殿,知道吗?"回答说:"不知道。"程颐说:"皇上和太皇太后共同临朝主政,皇上没来坐殿,太皇太后不应该一个人坐殿。况且皇上生病,宰相却不知道,可以吗?"第二天,吕公著等人才因为程颐讲了去探视皇上病情。从此大臣中很多人不高兴,所以贬黜了程颐。程颐因此三次上奏,请求辞官回故里,没有批复;又请退休,也没被批复。

当时只有吕公著一人任宰相,许多贤人在朝廷做官,不可能不以类相从,于是有了洛党、蜀党、朔党的名称。洛党以程颐为首,朱光庭、贾易为辅;蜀党以苏轼为首,以吕陶等人为辅;朔党以刘挚、梁焘、王岩叟、刘安世为首,依附的人最多。当时熙宁、元丰时掌权的官员,都退居闲散的官职,在骨髓里面都有怨恨,暗中在窥伺挑起党争的嫌隙;可是执政诸臣没有发觉到,各自拉帮结派互相攻击。只有吕大防是陕西人,憨厚正直,没有党派;范祖禹、司马康也不结党。

癸未(初四),因为西蕃人侵犯洮州、河州,受到祸害的百姓发给钱粮,死难者的家属赐给

1759

布帛。

乙酉(初六),任命吕大防为西京奉安神宗御容礼仪使。

丁亥(初八),孔文仲、丁骘进朝奏对,太皇太后告谕说:"要全心全意为国家,不要拉帮结党。"

癸巳(十四日),由于西夏政局动荡,国王年幼,权臣梁乙逋等人擅权违令,哲宗诏令各路将帅大臣严整军队,做好防备。

庚子(二十一日),授给西蕃首领心牟钦毡银州团练副使的官职,授给温溪心瓜州团练使的官职,是因为二人不跟随结吅龊进犯。

辛丑(二十二日),泾原路奏报西夏人入侵三川各寨,官军击退了他们。

丁未(二十八日),熙河路奏报知岷州种谊收复了洮州,擒获了果庄和青宜结。戊申(二十九日),宰相率领文武百官上表庆贺。

果庄凶残狡黠,很有智谋,他的部众很精锐,多次在边境造成祸乱,神宗屡次诏令王韶要活捉他。到这个时候他与西夏人化解怨仇,相互声援,筑洮州城居守。种谊率军攻破洮州城,捉住果庄,用槛车押送京城。种谊是种谔的弟弟。

当时东北和西北边境少有安宁,西部边塞更是苦于敌寇侵犯抢劫。安焘说:"治理国家的人不能好战用兵,也不能害怕战争。好战会使百姓疲惫,害怕战争就会留下祸患。现在朝廷每次告诫边疆守臣,如果敌人不是用全国兵力来侵犯,就不准应敌迎战,这是害怕战争了。即使能勉强保住边疆城寨,实际上已落进敌人的奸计圈套。希望重新研究进攻、骚扰敌人的策略。况且李乾顺是个年幼小童,梁乙逋专权擅政,各部族酋长首领,多数在来回观望,如果用计离间他们,他们未必不会倒转枪头,报复怨仇,这是出奇制胜的一种策略。"后来西夏人内部分崩离析,派人来讲和进贡,全都如安焘讲的一样。

九月,乙卯(初六),在大庆殿颁发太皇太妃的册命书和印宝。丙辰(初七),在文德殿颁发皇太后、皇太妃的册命书和印宝。

己未(初十),西夏人侵犯镇戎军。

庚申(十一日),王觌上奏说:"苏轼、程颐,过去由于小小的不满,慢慢结下了怨仇,于是程颐、苏轼向来亲善的人,互相攻击诋毁,想压住对方。不久前程颐被贬退,可是言官又弹劾苏轼,所以苏轼请求外放;皇上降诏不同意后,不久又提拔他担任经筵官。如今执政大臣职位有空缺,如果想要保全苏轼,那就暂且不要重用他,也许能让苏轼不立刻悔恨。"又上奏说:"小人近来竟造出谣言飞语,有所谓五鬼、十物、十八奸的说法,大概不过是用一两个大家都痛恨的人来证实这一说法,其余的都是正直贤良的人。恳切希望把诏书张贴在朝堂,公开表示不相信谗言所讲的意思,借以安定各位官员。"

丁卯(十八日),禁止民间私自制造金箔。

庚午(二十一日),吕公著说:"十五日因经筵讲完了《论语》,给辅政大臣和讲解官员赐宴,宫内传出皇上亲书唐代名贤的律诗,分别赐给臣下等人。第二天到帝前谢恩,蒙受太皇太后告谕说:'皇帝爱好学习,在皇宫里没做别的事,只是把心思放在典籍里面。'天下非常有幸!臣下于是从《尚书》《论语》《孝经》中节录出重要的话语共一百段进呈皇上,希望便于皇上查阅。"过了几天,三省官员奏事之后,太皇太后告谕吕公著说:"皇帝拿了爱卿进呈的语录,每天阅读书写,对于学问很有好处,与诗篇的作用不同。"

乙亥(二十六日),辽道宗驻跸于匦鲁金。

冬季,十月,庚辰(初二),辽道宗任命参知政事王经为三司使。

甲申(初六),知怀州贾易被贬为知广德军。

贾易在谢恩表书中说自己因忠诚正直获罪,并指责群臣好进谗言,奸邪到了极点,结成朋党,罪恶滔天;又说苏辙把机密令告诉给别人,苏辙于是上疏为自己辩护。因此御史们纷纷上奏弹劾贾易谄媚奉承程颐,暗中接受程颐的教导指使,附下罔上,背叛朝廷,为同党效命,请求尽早贬黜他。哲宗下诏因为贾易已被罢去言官职务,不应在谢恩表中指名道姓议论别人,所以受到这一次贬责。

辛卯(十三日),给西京囚犯减罪一等,杖刑以下的犯人释放。

壬辰(十四日),辽国停止节度使以下的官员进献珍宝奇玩。

庚子(二十二日),宋朝评定收复洮州的功劳,种谊等人被升官,赐予不同数量的银两绢帛。

癸卯(二十五日),刘挚上奏说:"知陈州傅尧俞,知齐州王岩叟,知潞州梁焘,通判虢州张舜民,知广德军贾易,都是忠诚耿直不肯屈服的人,希望把他们召回朝廷以备任用,借以安抚公众的意见。"

甲辰(二十六日),在泉州增加设置市舶司,这是依从了户部尚书李常的请求。

丁未(二十九日),范祖禹请求在迩英阁重新张挂仁宗时王洙、蔡襄书写的《无逸》和《孝经图》,哲宗依从了。

十一月,甲寅(初六),辽道宗任命特里衮耶律坦为同知南京留守事。

丙辰(初八),重新设置涟水军。

庚申(十二日),把果庄押到崇政殿献俘,哲宗审问他侵犯边境的情况,谕令允许他招降儿子和部属归附朝廷来为自己赎罪。果庄服从命令,朝廷赦免了他,并任为陪戎校尉,送往泰州居住。

壬申(二十四日),诏令:"讲读官遇上不开讲的日子,轮流进呈三条汉唐两代典故中有益于朝政的事例。"此前苏颂上奏说:"我大宋朝的典章制度,大多是沿袭唐代旧制。请诏令史官摘录《新唐书》中君臣所做的事,每天进呈几件事。"所以有了这份诏书。苏颂每次进呈可以作为劝诫教训、有补于时政的事例,一定要陈述自己的见解,反复加以阐述。

乙亥(二十七日),因下大雪,百姓冻死很多,哲宗诏令进行赈救和抚恤,没有亲戚的死者由官府埋葬。

废除内殿承制试换文资法。

十二月,己卯朔(初一),辽国任命枢密直学士吕嗣立为参知政事。

乙酉(初七),因为天气特别冷,赐给各军薪炭钱;又命令开封府巡视市坊贫困人户,拨钱一百万,根据人口多少和年纪老幼分发。

丙戌(初八),这天是兴龙节,第一次在紫宸殿给哲宗祝寿。

己丑(十一日),因为天气特别寒冷,取消了集英殿的宴会。

壬辰(十四日),兀征声延部族老幼万人渡过黄河来到南岸地区,宋朝派使臣给他们供应粮食,并告谕声延部不要丢失黄河北岸的土地。

壬寅(二十四日),颁布《元祐敕令式》。

丙午(二十八日),赵挺之上奏说:"苏轼的学问术数,原本出自《战国策》纵横揣摩的学说。近几天学士院策试廖正一馆职,居然用王莽、袁绍、董卓、曹操等人篡夺汉朝政权的方法来提问。假使苏轼得志,那他会无所不为了。"

这一年冬天,开始关闭汴口。

这一年,西夏改年号为天仪治平。

元祐三年　辽大安四年(公元1088年)

春季,正月,庚戌(初二),重新设立广惠仓,这是采纳侍讲范祖禹的意见。

辽道宗前往混同江。

甲寅(初六),太白金星在白天出现。

己未(十一日),在景灵宫举行朝献礼。

庚申(十二日),诏令调出京西南路缺额禁军粮谷五十多万斛,低于市场价出粜,到麦子成熟时停止;这是因为下雪天寒,物价飞涨。

丁卯(十九日),王觌上奏说:"苏轼擅长于文辞,但不明白道理,如果让他长期在朝廷任职,那他肯定会标新立异,恣意妄为。最好暂时让他去做个郡守,稍稍作为他轻浮好胜的惩戒。"

辛酉(十三日),诏令广南西路朱崖军显示恩信,允许不开化的黎族人悔过自新。

壬戌(十四日),哲宗取消上元节出游。

甲子(十六日),五国部酋长向辽国进贡。

庚午(二十二日),辽国免除上京逃亡户和贫困户的赋税。

壬申(二十四日),阿里骨上表谢罪,哲宗诏令守边将领不要出兵,并停止招纳投降的人。

甲戌(二十六日),辽国因上京、南京饥荒,允许平民出卖自己。

丁丑(二十九日),辽国特赦西京服役犯人。

二月,甲申(初七),宋朝停修金明池桥殿。

乙酉(初八),当时天气久阴不出太阳,翰林学士兼侍读苏轼上奏说:"差役法天下人都认为不好,唯独台谏官中几个人持有这种意见,认为不能更改。近来听说有个职官卑微的小臣张行极力说它的弊害,可是谏官韩川却激烈地攻击他,甚至于想从重贬逐他。这些人也没有别的用意,只不过是在司马光任相时,就想来迎合司马光的意见;等到司马光死了,就来妄加猜测,认为陛下也主张司马光的意见。哪里知道司马光至诚至公,本来不要别人迎合;而陛下心里谦虚,没有个人成见,哪里会支持什么呢!假使司马光没有生病,活到今天,看到他的法度稍有弊害,那他早就更改了。臣下每次看到吕公著、安焘、吕大防、范纯仁,都说差役法不便于民,只因为是已经推行的法令,不想轻率改变,加上害怕台谏官员纷争不已,最终难以调解。希望陛下询问吕公著等人,让他们陈述差役法和雇役法二者各有多少利弊;过去实行雇役办法,中等人家出钱多少;如今推行差役办法,每年又出钱多少;又是几年被轮派一次差役的。这些都可以折长补短,算出个大概的数字,用这样计算比较,两法的利弊就非常清楚了。何况农民在官府服役,贪婪狡诈的官吏,千方百计来盘剥侵夺,跟雇佣别人服役来比较,苦乐相差十倍,百姓穷困,无处诉告,导致损害阴阳的和谐。今天所讲的,万一稍有可取之处,就请把它留在宫内,作为皇上的意思命令下去,大约可以对上答谢上天的警戒,对下可以保全小民百姓。"

丙戌(初九)，诏令："河东路异常寒冷，根据各地情况慰问、抚恤戍卒。"

己丑(十二日)，任用左司谏丰稷为国子司业。

扬王赵颢、荆王赵頵曾令成都府路走马承受给他们制作锦织地毯，只有丰稷上奏弹劾，认为皇亲国戚奢侈，官吏遵命办理，都应惩处他们的罪过。给事中赵君锡说："谏官能够这样做，天下必能太平了。"没过几天，丰稷被罢掉言官职务。

癸巳(十六日)，诏令："殿试考经义、诗赋外，每人都考试策问一道。"这是采纳了赵挺之的请求。

甲午(十七日)，辽国特赦春州服劳役的囚犯，终身服劳役的囚犯都赦为服五年役后释放。己亥(二十二日)，辽道宗前往春州。赦免泰州服劳役的囚犯。

乙巳(二十八日)，知贡举苏轼会同孙觉、孔文仲上奏说："每一次参加考试进士、诸科和特奏名的，大约有八百多人。依过去制度，礼部已上奏名册，到殿试而被淘汰掉的人很多。嘉祐年间开始全部赐给进士出身，行为与杂犯相近的也不予以筛除，这些都不符合祖宗的本意。进士提高等级，本来是由尚书省最高长官在陛下面前唱名，才特别给他升级，都是由皇上临时决定的。如今礼部十人以上别试生、国子监学生、开封府解试生、武举考试第一名、经明行修科进士以及本该特奏却参与正奏的那些人，只要定了下来，就升高一等。这样法度在有关官员手中，恩惠不归于国君，这是很没道理的。现在被特升的大约已近四百五十人，又批准了例外遴减这一科，那样又应再增加几百人。这些人年纪快要老了，没别的奔头希望，只想安排在州县任职，贪污受贿，为将来退休作打算，残害黎民百姓，败坏官府声誉，没有好处，只有害处。议论的人不过是说应该广施恩惠，却不知道吏部用有限的官职来接纳无限多的官吏，户部用有限的钱财来供奉没有用的人员，而且这些人到任的州县，全都受到祸害，把这叫作恩泽，不是臣下所能理解的。希望陛下做出决断，只采用前代的法令，仍旧诏令主考官员量才录取一二十人，委任那些有学问、文辞理义都优秀的人，准许他们出任地方官，其余的人都授予文学、长史一类的职务，不必考虑数额限制。"因此哲宗下诏确定特奏名进士，凡考试进士科在四等以上，诸科在三等以上，全都算进策试者之中，录取不得超过全部人数的一半，后来就把这个确定为法令。

任命正字刘安世为右正言。司马光死后，太皇太后问吕公著："司马光门下士人中，向来被优厚对待，可以担任台谏官职的，谁应当首先选用？"吕公著回答说出了刘安世，于是提拔任用了他。

三月，丙辰(初九)，在司空官职上退休的康国公韩绛去世，谥为献肃。韩绛喜延揽结交士大夫，开始与王安石关系好，后来很有分歧，因此多次称赞、推荐说司马光可以担当重任。不过他最终还是因党附王安石得以重新掌权，公正的舆论有点轻视他。

乙丑(十八日)，辽国免除高丽的岁贡。

己巳(二十二日)，赐予李常宁等人进士和各科进士及第、进士出身的共一千一百二十二人。

辽国赈救上京和平州、锦州、来州的饥民。

甲戌(二十七日)，增加拨给新穿上官服的进士钱一百万，酒五百壶，作为集会费用。

乙亥(二十八日)，西夏人侵犯德静寨，将官张诚等人打败了他们。

夏季，四月，戊寅(初二)，命令各路郡县详细奏报差役法与募役法的利弊。

己卯(初三),辽国赈济苏、吉、复、渌、铁五州的贫民,并免除他们的租税。

尚书右仆射兼中书侍郎吕公著因为年纪大,多次辞职。辛巳(初五),授任为司空、平章军国事,诏令他一个月赴经筵三次,两日朝见一次,顺便到政事堂讨论国事,离开官署不拘时间。另外在中书省南边修建府第,开北门,便于执政大臣前来商议。吕公著的恩宠跟他的父亲吕夷简相同,世人都认为是种荣耀。

任用中书侍郎吕大防为尚书左仆射兼门下侍郎,任用同知枢密院范纯仁为右仆射兼中书侍郎。任命书都是苏轼草拟的。

这天晚上,苏轼在内东门小殿奏对,领到圣旨后,太皇太后急忙问他:"爱卿前年做什么官?"苏轼说:"臣前年任汝州团练副使。""现在做什么官?"苏轼说:"臣现在勉强冒任翰林学士。"太皇太后问:"为什么迅速升到这个位置?"苏轼说:"遇上了太皇太后和皇帝陛下的赏识提拔。"太皇太后说:"说的不对。"苏轼说:"难道是大臣推荐吗?"太皇太后说:"也不对。"苏轼说:"臣下虽没有品行,却也不敢从其他途径谋求升官。"太皇太后说:"这是先帝神宗的意思。先帝每次诵读爱卿的文章,都要感叹说:'奇才!奇才!'只是来不及重用爱卿。"苏轼不觉已痛哭失声。太皇太后哭了,哲宗也哭了,左右的人感动得流泪。过一会儿,命苏轼坐下并赐给茶水,撤下御座前的金莲烛送他回翰林院。

苏轼在翰林院时,多次用言语文章规劝批评当时政治,毕仲游写信告诫他说:"言语的牵连危害,不仅仅是从口中讲出的话,那些在诗歌里描写的、在赋颂中吟唱的、在碑铭中寄托的、在序记中记载的,都是言语。现在你知道害怕口中讲出的话会招灾惹祸,却不害怕文章也会这样,把自己认为对的加以肯定,那么被你肯定的人会高兴;把自己认为不对加以批评,那么被你批评的人会怨恨你。高兴的人一定能帮助实现你的谋划,而怨恨你的人可能已破坏你的事业了。你做的不是谏官,任的不是御史职务,却喜欢褒扬批评别人,危害自身,触犯忌讳,处在这里边,就几乎像是抱着石头去救溺水的人一样。"苏轼没有听从。

壬午(初六),任命观文殿学士兼侍读孙固为门下侍郎,任命尚书左丞刘挚为中书侍郎,任命尚书右丞王存为尚书左丞,任命御史中丞胡宗愈为尚书右丞,任命户部侍郎赵瞻为签书枢密院事。

甲申(初八),韩川、刘安世进宫奏对,太皇太后问:"近来时候委任官员的情况怎样?"刘安世回答说:"朝廷用人,都符合众人的愿望,只有胡宗愈一人,舆论认为不恰当。"

辽国赈济庆州的贫困百姓。乙酉(初九),减少各路按时进贡的服饰车马器皿。

丁酉(二十一日),辽国制订入粟补官法。

癸卯(二十七日),辽道宗巡幸西部。当时耶律俨担任枢密直学士,辽道宗召他讲解《尚书洪范》。耶律俨仪态庄重清秀,辽道宗多次在群臣面前称赞他才学出众。

五月,丁未(初二),中书舍人曾肇上奏说:"不久前奉命出使契丹,回来走到河北路时,私下听说朝廷命令王孝先在孙村口开凿减水河,准备实施让黄河回故道的计划。询问道路左右的百姓,都说现在黄河往低处流,而故道河床地势很高,又是黄河绕回背流的地段,恐怕难以成功。正值河北地区连年灾害之后,不应该兴起这样大的工程。恳切希望皇上和太皇太后再把这件事交给水官和河北路监司共同研究讨论,不至于白白浪费百姓气力,又招致后悔。"

这时熙宁、元丰年间执政的大臣虽然已经离开了朝廷,但其党羽分布在朝廷内外,煽起谣言,扰乱朝政。鸿胪丞常安民致信给吕公著说:"善于观察天下的形势,好比高明的医生给人看病。正在天下安宁没有战事的时候,对人说'日后必定有大忧患',那么大家必定会觉得奇怪好笑。只有那些善于从细微中有所发现的人,然后才能预知事物的发展趋势,所以不去担忧那些让人担忧的事而去担忧那些不足以让人担忧的事,这是最令人担忧的。今日天下形势,深深值得担忧,虽然提拔任用了一些忠心贤良的人,但不能搜罗海内的所有英才,使他们都集中在朝廷,以便制服小人,恐怕正直的人不能安枕而卧了。所以要赶走小人不算困难,而要制服小人就算难了。东汉的陈蕃、窦武二人同心协力,选拔任用名人贤士,百姓希望天下太平,然而最终死在曹节手中,终于酿成了党锢之祸。唐朝的张柬之、桓彦范、敬晖、崔玄暐、袁恕己五王,中兴唐室,等到武三思一得志,就被流放沦亡外地。这些都是前代已经发生的灾祸。现在任用贤才如同一栋房子倚靠一根梁木,提拔士人如同要转动一块巨石一样困难。即使有奇特卓异的才能,不能实现自己的全部心愿,实在很是让人感慨。猛虎负隅顽抗,没有人敢去碰它,但是最终还是被人制服了,是因为人多而虎少。所以用十个人来对付一只老虎,人能取胜;用一个人去对付十只老虎,则是老虎取胜,用几十个人又怎么去对付一千只老虎呢? 如今怨愤已经积压在一起,一旦爆发,灾祸必定很大,能不说是大忧患吗?"吕公著看完信后讲不出话来。常安民是邛州人。

谏议大夫王觌上疏说:"胡宗愈自从担任御史中丞以来,议论政事,提出建议,大多出于私心,与苏轼、孔文仲各因亲朋故旧关系结成朋党。"内廷批复说:"王觌议论不当,削去官职,给予外放听任差派。"第二天,吕公著说:"王觌如果只为议论胡宗愈便给予斥责贬降,肯定不符合大家的意见,命令不敢往下颁发。"两天后,吕公著与吕大防、范纯仁再次在帘前为王觌辩论,太皇太后的念头还有点不想打消。范纯仁退出来后又上疏说:"从旁边听说皇上训令说朝廷朋党很多,应该尽快执行。以臣下的愚见,朝廷大臣中本来没有什么朋党,只是善恶邪正,各自以类区分,陛下任用善良之人后,那些奸恶之人都担忧自己难于进身,于是就把善良大臣中互相称扬敬重的人都指为朋党。过去在庆历年间时,先父范仲淹与韩琦、富弼同为执政大臣,各人荐举自己了解的人,当时有流党指他们为朋党,三人相继被外放到地方。造谣的人公开庆贺说:'一网打尽了!'这件事发生不是很久,希望陛下以之为戒。陛下下达的贬谪王觌的诏令,臣下不敢在上面签押。"乘机极力论说前代朋党的祸害,并抄录了欧阳修的《朋党论》进呈上去。赵挺之、杨康国也说不应该因为议论别人而贬逐谏官,请求收回废除罢免王觌的命令。太皇太后不听从,最后外放王觌知润州,而胡宗愈官职与以前一样。

辛亥(初六),辽道宗命令燕国王耶律延禧抄写《尚书·五子之歌》。

这时由于天气炎热,暂时停止讲学。癸丑(初八),侍讲范祖禹上疏说:"陛下今天学习还是不学习,关系着天下日后是太平还是动乱。陛下如果好学,那么天下的君子就会诚恳正直地服侍陛下,辅助培养皇上的品德,从而达到天下太平;如果陛下不好学,那么天下的小人就用奸邪谄媚来事奉陛下,窃取富贵,专擅权利。君子获得了权位,想实践他们所学习的东西;小人获得了君主宠信,将要满足他们的私欲。任用君子国家就会得到治理,任用小人天下就会动乱。君子与小人,都在于陛下心里想用谁。而且任何人要学到东西都是在年少的时候,现在皇上身体一天比一天长大,几年之后,恐怕不能像今天这么专心了,我私下为陛下觉得惋惜。"

乙卯(初十),辽国赈济祖州的贫困百姓。丁巳(十二日),诏令免除囚犯的劳役,终身囚禁的囚犯减为五年后释放。己未(十四日),赈济春州的贫困百姓。

癸亥(十八日),汉东郡王赵宗瑗去世。

丙寅(二十一日),辽国禁止为报私怨引水冲坏农田。

六月,丙子朔(初一),诏令:"乡户服满衙前役后没有人来接替的,依照募役法支给雇佣人饭钱。如果有愿意报名受雇的加以同意,并免除本户应服的劳役;不愿报名受雇的,迅速召人接替。"

庚辰(初五),辽道宗驻跸于散水原。

癸未(初八),诏令:"司谏、正言、殿中侍御史、监察御史,仿照旧例,选用有通判资格历时一年的升朝官担任。"

丁亥(十二日),辽道宗任命燕国王耶律延禧为知中丞司事,任命同知南院枢密使事耶律聂里为知右伊勒希巴,任命知右伊勒希巴事耶律鄂嘉为同知南院枢密使。庚寅(十五日),北院枢密使耶律颇德退休。

戊戌(二十三日),诏令:"黄河不回到故道,终究是河北地区的灾祸。按王孝先等人提出的意见,已经动工,不能中途停下来,应继续供给工力物料,务必如期完成。"

范纯仁奏请停止执行先前的命令,借以杜绝下面人的迎合,尚书王存等人也上奏说:"王孝先起初也没有十分肯定的意见,只是侥幸求得万一能成功,而且预先请求不要责罚他。如果就这样听信了他,将来会有噬脐不及的悔恨。请求派使臣再次考察,审核考虑是不是可行,然后动工也不算晚。"庚子(二十五日),三省、枢密院官员在延和殿奏事,文彦博、吕大防、安焘说黄河不向东流,中原就会失去天险,对契丹有好处;范纯仁、王存、胡宗愈则忧虑会浪费钱财,疲扰百姓。王存说:"契丹自从景德年间到现在八九十年,与我朝和好如同一家,设置天险有什么用处呢!反过来,象石敬瑭后晋末年,耶律德光打进了汴梁,难道是没有黄河作为险阻吗?况且现在黄河未必会流到边境北方去。"太皇太后说:"暂且仔细商议好。"第二天,范纯仁又提出四条不能做的理由进呈上去,并且说:"黄河北流几年,没有造成什么大祸,但议论的人担心中原失去优势,先要让黄河回到故道,这正好象近年来西夏本来不是边境祸害,而有些好事之徒却认为不攻取西夏恐怕会失去机会,于是发动了灵武一战。"因此朝廷收回戊戌(二十三日)诏书。

辛丑(二十六日),西夏人侵犯塞门寨。

癸卯(二十八日),刘安世上奏说:"胡宗愈品行败坏,不知廉耻,实在不配来辅佐君主,参加讨论决定国家大事,请求特别给予罢免。"